هاري بوتر

وجماعة العنقاء

تأليـف : ج.ك.رولينـج

دار نهضة مصر
للنشـر

العنوان: هاري بوتر وجماعة العنقاء
Harry Potter and the Order of the Phoenix
تأليف: ج.ك. رولينج
ترجمة: إدارة النشر والترجمة بدار نهضة مصر للنشر
إشراف عام: داليا محمد إبراهيم

Published by Nahdet Misr Publishing House,
upon agreement with J. K. Rowling c/o The Blair Partnership,

ترجمة قصة Harry Potter and the Order of the Phoenix
تصدرها دار نهضة مصر للنشر
بترخيص من شركة J. K. Rowling c/o The Blair Partnership

الترقيم الدولي: 978-977-14-3879-4
رقم الإيداع: 2007/11363
طبعة: يناير 2018

تليفون: 33466434 - 33472864 02
فاكس: 33462576 02
خدمة العملاء: 16766
Website: www.nahdetmisr.com
E-mail: publishing@nahdetmisr.com

دار نهضة مصر للنشر
أسسها أحمد محمد إبراهيم سنة 1938
21 شارع أحمد عرابي - المهندسين - الجيزة

١ الديمنتور يهاجم ددلى

اقترب أشد أيام الصيف حرارة من نهايته وسط حالة من السكون الناعس، الذى خيم على منازل شارع «بريفت درايف» الكبيرة المربعة. والسيارات التى كانت فى العادة تلمع وتبرق من النظافة وقفت مغطاة بالأتربة فى الجراچات وحدائق المنازل، التى كان لونها فيما سبق أخضر زمرديًا، فصارت الآن مصفرة؛ لأن استخدام خراطيم المياه فى التنظيف قد مُنع بسبب الجفاف. أما سكان شارع «بريفت درايف»، الذين حُرموا من متعة غسيل سياراتهم، وتشذيب حدائق منازلهم، فقد تراجعوا إلى منازلهم الرطبة الظليلة، ذات النوافذ المفتوحة على آخرها؛ أملاً فى إغراء نسمة عابرة، وإن كانت غير موجودة أصلاً! الشخص الوحيد الذى بقى بالخارج كان ولدًا فى سن المراهقة، رقد على ظهره فى حوض الزهور خارج المنزل رقم (٤) بالشارع.

كان ولدًا نحيفًا، أسود الشعر، ويرتدى نظارة، يبدو من مظهره أنه قد كبر بسرعة. كان بنطلونه «الچينز» ممزقًا ومتسخًا، والـ «تى ـ شيرت» الذى يرتديه واسعًا وباهت اللون، ونعل حذائه ممسوحًا ومهترئًا. لم يكن مظهر «هارى بوتر» محببًا لجيرانه، الذين كانوا يتصورون أن المظهر البالى لشخص ما يجب أن يعاقب عليه القانون. لكنه هذا المساء كان مختبئًا خلف شجيرة كبيرة مختفيًا تمامًا عن أنظار المارة. فى الواقع كانت الطريقة الوحيدة لأن يراه أحد هى أن يُخرج زوج خالته «فرنون» أو خالته «بيتونيا» رأسيهما من نافذة حجرة المعيشة وينظرا إلى حوض الزهور أسفل النافذة مباشرة.

عمومًا كان «هارى» يرى اختباءه هنا فكرة يجب تهنئته عليها. ربما لم يكن مرتاحًا فى رقاده هذا على الأرض الترابية الجامدة والساخنة، لكن على الجانب الآخر، لم يكن هناك أحد يحدق فيه وهو يصر على أسنانه بصوت عالٍ لا يمكن معه سماع نشرة الأخبار! أو يسأله أسئلة كثيرة مزعجة، وهو ما يحدث كل مرة يحاول فيها الجلوس فى حجرة المعيشة ومشاهدة التليفزيون مع خالته وزوجها.

وكأن هذه الفكرة مرقت عبر النافذة المفتوحة، تحدث «فرنون دورسلى» فجأة، قائلاً: «يسعدنى كف هذا الولد عن الجلوس معنا أثناء النشرة. لكن ترُى أين هو؟».

قالت الخالة «بيتونيا» بلا اهتمام: «لا أعرف. لكنه ليس بالمنزل».

فقال الخال «فرنون» بغلظة: «غريب شغفه بمشاهدة الأخبار! لا أعرف فيم يفكر! وكأن الأولاد العاديين مهتمون بالأخبار!.. ددلى مثلاً ليس لديه فكرة عما يجرى، لا أظنه يعرف رئيس الوزراء! لكن هذا «الولد» لا تظهر فى النشرة أى أخبار عن قومه غريبى الأطوار..».

قالت «بيتونيا»: «اصمت يا فرنون، فالنافذة مفتوحة!».

«آه.. فعلاً.. آسف يا عزيزتى».

صمت كل من الخال والخالة. أنصت «هارى» لإعلان عن نوع جديد من الأطعمة وهو يراقب السيدة «فيج»، تلك السيدة العجوز (وطواطية) الشكل محبة القطط، كانت تمر قرب شارع «وستريا ووك» ببطء، مقطبة الجبين، وكان «هارى» مسرورًا جدًّا؛ لأنه مختبئ خلف الشجيرات؛ والسيدة «فيج» لن تستطيع أن تراه ولن تدعوه لتناول الشاى عندها؛ كانت قد اختفت عن الأنظار مع انعطاف الطريق وصوت الخال «فرنون» يتساءل عبر النافذة مرة أخرى قائلاً: «هل خرج (دودو حبيبى) لتناول الشاى؟».

قالت الخالة «بيتونيا» بحب: «إنه عند آل بولكس، فله الكثير من الأصدقاء الصغار هناك.. يا لحبهم له! وشهرته بينهم!».

تمكن «هارى» - بصعوبة - من منع ضحكة كادت تفر من بين شفتيه. فآل «دورسلى» حمقى جدًّا فيما يتعلق بابنهم «ددلى». لقد صدقوا كل أكاذيبه الساذجة عن تناول الشاى مع عضو مختلف من (شلته) كل ليلة من ليالى إجازة الصيف! كان «هارى» يعرف تمام المعرفة أن «ددلى» لا يتناول الشاى.. فهو وعصابته يقضون أمسياتهم فى مضايقة الأولاد فى الحديقة، ويدخنون على نواصى الشوارع، يلقون بالأحجار على السيارات والأطفال المارين. شاهدهم «هارى» يفعلون هذا خلال سيره مساءً عند شارع «ليتل يوننج».. فقد قضى معظم إجازته فى التجوال بالشوارع، والبحث عن الجرائد القديمة - فى سلال القمامة التى يجدها فى طريقه - وقراءتها.

سمع «هارى» التتر الموسيقى لبداية نشرة أخبار السابعة، فشعر بأمعائه تتقلص. ربما الليلة! بعد شهر من الانتظار! ربما تكون الليلة!

«هذا وقد وصل إضراب عمال الشحن والتفريغ بالمطارات، عند بوابات وصول السائحين الإسبان إلى أسبوعه الثانى على التوالى..».

تذمر الخال «فرنون» وقال تعليقًا على الخبر: «عمال حمقى.. افصلوهم فورًا من عملهم!» أما بالخارج - فى حوض الزهور - فقد تنفس «هارى» الصعداء لعلمه أن الخبر الذى ينتظره ويخافه لا يمكن إلا أن يكون الخبر الأول فى النشرة! فالموت والدمار أهم من إضراب العمال طبعًا.

تنهد ببطء وعمق، وحدق فى السماء الزرقاء اللامعة. كل يوم من أيام هذا الصيف مثل سابقه: التوتر، والتوقع، والراحة المؤقتة، ثم التوتر الذى ينمو من جديد.. ودائمًا يصبح أشد وطأة مع مرور الوقت، والغريب أنه لم يحدث شيء حتى الآن.

تابع إنصاته للنشرة فربما يسمع خبرًا صغيرًا - لا يعرف دلالاته «العامة»[١] - مثل اختفاء شخص ما بلا سبب.. لكن خبر إضراب العمال تلته أخبار عن الجفاف فى جنوب شرق البلاد (صاح عندها الخال «فرنون»: «أرجو أن يسمع جيراننا الحمقى هذا الخبر، فقد فتحوا رشاشات مياه رى الحديقة فى الثالثة فجرًا!») ثم خبر عن طائرة مروحية كادت تتحطم فى حقل بمنطقة «سوراى»، ثم خبر عن طلاق ممثلة شهيرة من زوجها الشهير (صاحت عنده الخالة «بيتونيا» معلقة: «ما لنا نحن بعلاقاتهم المزعجة» رغم أنها كانت تتابع الموضوع بشغف فى كل مجلة تضع يدها النحيفة عليها!).

أغمض «هارى» عينيه فى مواجهة سماء الغروب المتوهجة، ومذيع النشرة يقول: *«وأخيرًا نجح بانجى بادجى بطريقة مبتكرة فى التخلص من حرارة الصيف، فبانجى المقيم فى بارنسلاى قد تعلم التزحلق على الماء! وذهبت مراسلتنا «مارى دوركينز» إلى هناك؛ لتقدم التقرير التالى..»*.

فتح «هارى» عينيه. إن كانوا قد وصلوا فى النشرة إلى من يتزحلق على الماء، فلا يوجد أخبار مهمة أخرى. دار بجسده بحذر فى حوض الزهور، ونهض جالسًا على ركبتيه ومرفقيه؛ استعدادًا للخروج زحفًا من تحت النافذة.

كان قد تحرك مقدار بوصتين عندما حدثت عدة أشياء بتتابع سريع.

كسر حاجز الصمت الناعس صوت طقطقة مرتفع، بدا مثل العيار النارى.. ثم

(١) أو Muggle وتعنى الإنسان العادى الذى لا يعرف شيئًا عن عالم السحر والسحرة. (المترجم).

انطلقت قطة خارجة من أسفل سيارة متوقفة وخرجت عن نطاق رؤيته.. ثم صيحة تلاها صوت تحطم طبق صينى من حجرة معيشة آل «دورسلى»، وكما لو كانت تلك إشارة ينتظرها «هارى»؛ فقد قفز على قدميه، وفى نفس الوقت جذب من حزام بنطلونه «الجينز» عصا خشبية رفيعة كأنه يستل سيفًا من غمده.. لكن قبل أن يخرج بالكامل من حوض الزهور، اصطدمت رأسه بنافذة آل «دورسلى» المفتوحة، فكان لصوت الارتطام دور فى ارتفاع حدة صرخة الخالة «بيتونيا».

شعر «هارى» كأن رأسه انقسم إلى نصفين. أخذ يترنح ودموعه محبوسة.. حاول التركيز ليعرف مصدر الجلبة، وما كاد يقف حتى امتدت يدان كبيرتان من النافذة المفتوحة وانطبقتا بإحكام حول رقبته.

همس الخال «فرنون» بغضب: «أبعدها.. أَخْفِهَا قبل أن يراها أحد.. الآن!».

شهق «هارى» قائلاً: «ابتعد عنى!».. أخذ يزيح أصابع زوج خالته الشبيهة بأصابع (السجق) بيده اليسرى، ويمناه قابضة بإحكام على عصاه السحرية المرفوعة.. ثم مع وخزة ألم قوية فى رأس «هارى»، عوى الخال «فرنون» وتركه كأنه تلقى منه صدمة كهربية. بدا أن ثمة قوة خفية قد انبعثت من جسد ابن أخت زوجته، لتجعل الإمساك به مستحيلاً.

سقط «هارى» للأمام - لاهثًا - على الشجيرة، ثم نهض ونظر حوله. فرأى العديد من الوجوه المحدقة عبر العديد من النوافذ القريبة. وضع عصاه السحرية سريعًا فى بنطلونه ثانية وحاول رسم البراءة على وجهه.

صاح الخال «فرنون»: «يالها من أمسية بديعة» وهو يلوح للسيدة المطلة من نافذة المنزل رقم (٧) عبر الطريق، والتى كانت تختلس النظر من خلف ستار النافذة.. وأضاف: «هل سمعتِ صوت تلك السيارة المارة؟ ها ها.. لقد أفزعنى أنا وبيتونيا المسكينة».

استمر فى الابتسام بطريقته الفظيعة تلك حتى اختفى كل الجيران من نوافذهم، فتحولت الابتسامة إلى نظرة غاضبة إلى «هارى»، وهو يدعوه للاقتراب منه.

تحرك «هارى» بضع خطوات مقتربًا، حريصًا على التوقف قبل أقصى نقطة تصلها يد الخال «فرنون» الممدودة كأنها تود خنقه.

سأله الخال «فرنون» بصوت أجش مرتجف من الغضب: «ماذا تعنى بحق الشيطان يا ولد؟».

قال «هارى» ببرود: «ماذا أعنى فى ماذا؟» وأخذ ينظر ذات اليمين وذات اليسار بطول الطريق خلفه.

«أقصد الصخب الأشبه بإطلاق عيار نارى خارج منزلنـ..».

قاطعه «هارى» بحزم: «لم أكن أنا السبب فيه».

فى تلك اللحظة ظهر وجه الخالة «بيتونيا» الرفيع الشبيه بوجوه الجياد بجوار وجه الخال «فرنون» العريض المحمر. وبدت شاحبة.

«لماذا اختبأت أسفل نافذتنا؟».

«فعلاً.. نقطة جيدة يا بيتونيا، ماذا كنت تفعل أسفل نافذتنا يا ولد؟!».

قال «هارى» بصوت هادئ: «كنت أستمع لنشرة الأخبار».

تبادل كل من خالته وزوجها نظرات الاستنكار.

«تستمع إلى نشرة الأخبار؟ مرة ثانية؟».

قال «هارى»: «وما المشكلة؟ إنها تتغير كل يوم.. أليس كذلك؟».

«لا تتذاكَ علىَّ يا ولد! أريد معرفة ما تنوى فعله.. ولا تقل ثانية: (أستمع للأخبار)! فأنا لا أصدقك وأنت تعرف جيدًا أن قومك لا..».

شهقت الخالة «بيتونيا» قائلة: «حذار يا «فرنون»..» فخفض الخال «فرنون» صوته لدرجة سمعه معها «هارى» بالكاد وهو يضيف: «..قومك لا يظهرون فى نشرات أخبارنا!». فقال «هارى»: «هذا ما تظنه أنت».

حدق فيه آل «دورسلى»، ثم قالت الخالة «بيتونيا»: «يالك من كاذب شقى. ولماذا يأتى كل هذا..» خفضت فى تلك اللحظة صوتها حتى اضطر «هارى» لقراءة شفتيها فيما قالته بعدها: «..البوم، إن لم يكن ليجلب لك الأخبار؟».

قال الخال «فرنون» بهمسة ظافرة: «آه.. كشفناك يا ولد! أتحسبنا لا نعرف أن الأخبار تصلك من تلك الطيور المتوحشة؟!».

تردد «هارى» للحظة. سيكلفه إخبارهم بالحقيقة هذه المرة شيئًا ليس بالقليل. إضافة إلى شعوره السيئ المصاحب للتصريح بالحقيقة.

قال ببرود: «البوم؟ إنها لا تأتينى بأى أخبار».

قالت الخالة «بيتونيا» على الفور: «لا أصدقك».

قال الخال «فرنون» بعنف: «ولا أنا».

قالت الخالة «بيتونيا»: «نعرف أنك تضمر أمرًا غريبًا».

تلاها الخال «فرنون» بقوله: «نحن لسنا أغبياء كما تعرف».

قال «هارى» وشعوره بالعصبية فى تزايد: «حقًا؟ أول مرة أعرف» وقبل أن ينادى عليه آل «دورسلى» ثانية استدار وعبر حديقة البيت الأمامية، وقفز فوق سور الحديقة الوَطِيء، وانطلق عبر الشارع.

هو يعرف أنه فى مشكلة. عليه أن يواجه خالته وزوجها فيما بعد ويدفع ثمن وقاحته، لكنه لم يكترث كثيرًا بهذا فى تلك اللحظة.. فلديه الكثير من الأولويات الأهم فى عقله.

كان «هارى» واثقًا من أن صوت الطقطقة سببه شخص ما يختفى أو يظهر بفعل السحر. كان بالضبط مثل صوت «دوبى» القزم المنزلى وهو يختفى. هل يمكن أن يكون «دوبى» هنا فى شارع «بريفت درايف»؟ هل يمكن أن يكون «دوبى» يتبعه فى هذه اللحظة؟ ومع ورود هذا الخاطر إلى ذهنه التفت خلفه وحدق فى الشارع، الذى كان خاليًا.. كان «هارى» متأكدًا أن «دوبى» لا يعرف كيف يقدر على البقاء مختفيًا.

أخذ يسير وهو بالكاد واعٍ بالمسار الذى يتخذه؛ فقد كان يجول بهذه الشوارع كثيرًا لدرجة أن قدميه تحملانه لأماكنه المفضلة دون وعى منه. وكل بضعة خطوات يتوقف وينظر خلفه. كان هناك شخص من عالم السحر بالقرب منه وهو مختبئ بين زهرات الخالة «بيتونيا» المحتضرة الذابلة. كان واثقًا من هذا. لماذا لم يتحدث إليه هذا الشخص؟ لماذا لم يتصل به؟ لماذا اختبأ؟

وقتها، مع وصول إحساسه بالإحباط والحيرة إلى الذروة، تخلت عنه ثقته.

لعله لم يكن صوتًا من عالم السحر بالمرة. لعله كان يبحث بيأس عن أية علامة أو إشارة للاتصال بالعالم الذى ينتمى إليه، لدرجة أن ردَّ فعله على جلبة عادية كان مبالغًا فيه. ربما كان الصوت لشيء يتكسر داخل أحد بيوت الجيران!

شعر «هارى» بإحساس بليد وثقيل يطبق على صدره، فقد تمكن منه ثانية إحساسه باليأس الذى صاحبه طوال الصيف.

صباح الغد سوف يوقظه المنبه فى الخامسة فجرًا ليدفع النقود للبومة التى ستوصل إليه جريدة «دايلى بروفيت»[١].. لكن هل هناك سبب يجعله يأخذها منها؟ كان «هارى» لا يكاد يلقى نظرة على الصفحة الأولى حتى يلقى بها

(١) أو جريدة «المتنبئ اليومى»، وإن كان يفضل تركها كما هى احترامًا لها كاسم كبير فى عالم الصحافة! (المترجم)

مهملة لأيام.. فمتى سيدرك (الصحفيون/ السحرة) الحمقى الذين يعملون بالجريدة أن «ڤولدمورت» قد عاد، وتعود أخباره لتتصدر الجريدة؟ إنه الخبر الوحيد الذى يهتم به «هارى» هذه الأيام.

إن كان محظوظًا فقد يأتيه بوم محمل برسائل من أفضل أصدقائه «رون» و«هيرميون»، بالرغم من أن أمله فى وصول أى أخبار مع رسائلهم قد تلاشى منذ زمن بعيد.

لا يمكننا ذكر الكثير عن «الذى - تعرفه».. فقد أمرونا بألا نقول أى شىء هام على سبيل الحيطة، فربما تقع الخطابات فى أيدى أعدائنا.. إننا مشغولون جدًا، لكننى لا أستطيع ذكر التفاصيل فى الرسالة.. يوجد الكثير مما يجرى، وسنخبرك به عندما نراك..

لكن متى سيرونه ثانية؟ يبدو أن لا أحد مهتم بالتاريخ الدقيق للقائه. كتبت إليه «هيرميون» عبارة موجزة على بطاقة المعايدة بمناسبة عيد ميلاده قائلة: «*أتوقع رؤيتك قريبًا جدًا*»، لكن متى هذا الـ«قريبًا جدًا»؟ وبقدر ما استطاع «هارى» أن يستنتج من رسائلهم الغامضة وتلميحاتهم فيها، فإن «هيرميون» و«رون» يعيشان فى نفس المكان، وهو منزل «رون» على الأرجح. كان بالكاد قادرًا على تحمل فكرة وجود الاثنين معًا واستمتاعهما بوقتيهما بينما هو مربوط بإقامته فى منزل شارع «بريفت درايف»، كان غاضبًا جدًا منهما لدرجة أنه ألقى بصندوقين قادمين منهما فى عيد ميلاده - دون أن يفتحهما - ممتلئين بشيكولاتة «هونى - داكس»، ندم على فعلته هذه لاحقًا بعد أن تذوق سلطة الخالة «بيتونيا» البشعة على العشاء تلك الليلة.

وفيم تراهما - «رون» و«هيرميون» - منشغلين؟ ولماذا ليس هو - «هارى» - منشغلاً؟ ألم يثبت قدرته على التعامل مع ضغوط أكثر منهما؟ هل نسوا جميعًا ما فعله مؤخرًا؟ أليس هو من دخل إلى المقابر وشاهد «سيدريك ديجورى» وهو يُقتل؟ أليس هو من رُبط إلى شاهد القبر وكاد يهلك؟

قال «هارى» لنفسه بحزم - وللمرة المائة هذا الصيف -: «لا تفكر فى هذا».. يكفى رؤية القبور فى الكوابيس فهو ليس بحاجة لتتذكرها أثناء اليقظة.

انحرف إلى شارع «ماجنوليا كريسنت»، وفى منتصفه عبر الزقاق الضيق إلى جانب الجراج، الذى رأى عنده ـ للمرة الأولى ـ أباه الروحى. على الأقل بدا «سيرياس» عالمًا بمشاعر «هارى». وبرغم اعترافه أن خطاباته ـ «سيرياس» ـ كانت خالية من أى أخبار ـ مثلها مثل غيرها كخطابات «رون» و«هيرميون» ـ إلا أنها على الأقل احتوت على كلمات تحذير وتضامن بدلاً من الإشارات والتلميحات المُعذِّبة مثل:

أعرف أن ما أقوله محبط لك.. لكن ابق بعيدًا عن المشكلات، وكل شىء سيسير على ما يرام.. احذر ولا تفعل أى شىء متهور.

فكر «هارى» ـ وهو يعبر «ماجنوليا كريسنت»، وينحرف إلى طريق «ماجنوليا» وإلى حديقة الألعاب المظلمة ـ أنه حتى الآن قد اتّبع نصائح «سيرياس». على الأقل قاوم إغراء فكرة ربط حقيبته على المقشة السحرية والطيران إلى منزل «رون» وحده. فى الواقع كان يرى سلوكه حتى الآن جيدًا جدًّا، آخذًا فى الاعتبار كمّ الإحباط والغضب الذى يشعر به مع بقائه فى «بريفت درايف»، ورقاده مختبئًا فى أحواض الزهور؛ أملاً فى سماع شىء يقوده إلى معرفة ما يفعله لورد «ڤولدمورت». لكن ـ وياللجرأة والغرابة ـ كيف يأمره بالحذر وقد قضى فى سجن «أزكابان» اثنى عشر عامًا بتهمة القتل، ثم هرب منه، وحاول ارتكاب جريمة القتل التى اتهموه بأنه فعلها.

قفز «هارى» من فوق بوابة الحديقة المغلقة وانطلق فوق العشب الجاف. كانت الحديقة خالية مثلها مثل الشوارع المحيطة بها. عندما وصل إلى الأراجيح غاص فى الأرجوحة الوحيدة التى لم ينجح «ددلى» وأصدقاؤه بعد فى تحطيمها، ووضع ذراعه حول سلسلتها وأخذ يحدق بتوتر فى الأرض. لن يستطيع الاختباء فى حوض زهور «دورسلى» ثانية. غدًا عليه التفكير فى مخبأ جديد يسمع منه نشرة الأخبار. والآن ليس لديه إلا ليلة أخرى مضطربة مزعجة؛ لأنه حتى عندما يهرب من كوابيس «سيدريك»، تداهمه أحلام متعبة عن دهاليز وممرات مظلمة وطويلة، وجميعها تنتهى بحائط مسدود أو أبواب مغلقة، لقد عادت ندبة جبينه تؤلمه، لكنه يعرف أن مثل هذا الألم لن يثير اهتمام «رون» أو «هيرميون» أو «سيرياس». فى الماضى كان ألم الندبة يعتبر بمثابة تحذير من أن «ڤولدمورت» آخذ فى استعادة قوته، لكن الآن ومع عودة

«ڤولدمورت» فعلى الأرجح سيذكّره أصدقاؤه أن ألمه المستمر متوقع.. ولا يستدعى القلق.. فسببه أخبار قديمة معروفة..

شعر بإحساسه بالظلم يتنامى داخله، أحس أنه على شفا الصراخ غضبًا. لولاه، ما كان لأحد أن يعرف أن «ڤولدمورت» قد عاد! ومكافأته على معروفه هى الاحتجاز فى «ليتل ويننج» لمدة أربعة أسابيع، معزولاً تمامًا عن العالم السحرى، راقدًا وسط نباتات وزهور ذابلة ينصت لأخبار عن المتزلجين على الماء! كيف نسى «دمبلدور» أمره بهذه السهولة؟ لماذا اجتمع «رون» و«هيرميون» معًا دون أن يدعواه للحضور؟ وكم عليه أن يتحمل أمر «سيرياس» له بأن يتوخى الحذر ويبقى ولدًا مؤدبًا؟ أو يقاوم إغراء الكتابة لجريدة «دايلى بروفيت» السخيفة، ويخبرهم بعودة «ڤولدمورت»؟.. أخذت هذه الأفكار الغاضبة تعتمل فى عقل «هارى»، الذى جاش صدره بالغضب، وكان الليل الحار الرطب المخملى يوغل من حوله، والهواء محملاً برائحة العشب الدافئ الجاف، والصوت الوحيد الذى يصله هو صوت السيارات البعيدة على الطريق خارج الحديقة.

لم يعرف كم بقى على الأرجوحة قبل أن يقاطع صخب الأصوات أفكاره وينظر لأعلى. كانت مصابيح الشوارع تلقى بظلال ضبابية متوهجة كشفت مجموعة من الأشخاص يقتربون منه داخل الحديقة. كان أحدهم يغنى بصوت جهورى أغنية وقحة. والآخرون يضحكون، وسمع ضوضاء آلية من عدة دراجات سباق بخارية كانت تدور من حوله.

كان «هارى» يعرف هؤلاء الأشخاص. أولهم بلا شك ابن خالته «ددلى دورسلى»، فى طريقه للمنزل، تصحبه عصابته المخلصة.

كان «ددلى» ضخمًا كعهدنا به، لكن سنة من النظام الغذائى القاسى واكتشافه لموهبة جديدة لديه، غيرا من شكله كثيرًا. كان الخال «فرنون» يخبر أى شخص بفخر أن «ددلى» صار بطل الملاكمة لاتحاد مدارس جنوب شرق البلاد. وكما يطلق عليها الخال «فرنون»: (الرياضة النبيلة)، جعلت الملاكمة «ددلى» أكثر إثارة للرعب عنه عندما كان هو و«هارى» فى مرحلة الدراسة الابتدائية، وكان «هارى» بالنسبة إليه أول كيس تدريب ملاكمة فى حياته. لكنه لم يعد خائفًا من ابن خالته. وإن كان لا يعتبر قدرة «ددلى» على اللكم

بدقة وقوة سببًا يدعو للاحتفال والاحتفاء؛ صار الأطفال فى المنازل القريبة يرهبونه أكثر حتى من رهبتهم لـ «هارى» الذى قيل عنه: إنه شخص عنيف يذهب إلى إصلاحية «سان بروتوس» بدلاً من المدرسة.

راقب «هارى» ظلال العابرين على العشب وتساءل: من تراهم سيضربون هذه الليلة؟ قال لنفسه دون أن يشعر: «انظروا حولكم.. تعالوا.. أنا جالس وحدى.. التفِتوا إلىّ وحاوِلوا ضربى..»».

لو كان أصدقاء «ددلى» قد رأوه جالسًا وحده هكذا، لحاولوا مضايقته، وماذا سيفعل «ددلى» وقتها؟ لن يحب الخذلان أمام عصابته، لكنه سيخاف من استفزاز «هارى».. سيكون مشهدًا مسليًا أن يرى «ددلى» فى مثل هذا المأزق، أن يستفزه، ويراقبه مسلوب القدرة على الاستجابة.. وإن حاول أى من الآخرين ضرب «هارى»، سيكون مستعدًا بعصاه السحرية. دعهم يحاولوا.. كم يود التنفيس عن بعض غضبه وإحباطه فى وجه هؤلاء الأولاد الذين حولوا حياته جحيمًا فى وقت من الأوقات.

لكنهم لم يلتفتوا إليه.. لم يروه. كانوا قد وصلوا إلى سور الحديقة تقريبًا عندما واتت «هارى» الجرأة للنداء عليهم.. البحث عن شجار ليس بالأمر الحكيم.. لا يجب عليه استعمال السحر.. سيخاطر بالطرد من المدرسة ثانية.

تلاشت أصوات أفراد عصابة «ددلى».. كانوا قد خرجوا عن نطاق رؤيته، متجهين إلى طريق «ماجنوليا».

فكر «هارى» بفتور: «هأنذا يا سيرياس.. لم أتهور، وأخذت حذرى. عكس ما فعلته أنت تمامًا!».

هب واقفًا وتمطّى. فقد كانت الخالة «بيتونيا» والخال «فرنون» يرون أن الموعد الذى يصل فيه «ددلى» إلى البيت هو الموعد المناسب للعودة، وأى تأخير بعده غير مقبول. هدد الخال «فرنون» بحبس «هارى» فى السقيفة إن جاء إلى البيت بعد وصول «ددلى»؛ لذا توجه إلى بوابة الحديقة.

كان طريق «ماجنوليا» ـ مثله مثل شارع «بريفت درايف» ـ تشغله بيوت كبيرة، لها حدائق أمامية مشذبة، ويملكها أشخاص ضخام الجثة ومربعو الشكل، يركبون سيارات نظيفة مثل سيارة الخال «فرنون». كان «هارى» يفضل «ليتل ويننج» ليلاً، عندما تلقى النوافذ ذات الستائر ببقع من الضوء

على الليل بالطريق فتعطى تأثيرًا أشبه ببريق المجوهرات فى الظلام، كما لم يزعجه احتمال سماع غمغمات ممتعضة عن مظهره «البائس» وهو يمر أمام ساكنى البيوت. سار بسرعة، حتى إنه فى منتصف طريق «ماجنوليا» رأى عصابة «ددلى» ثانية.. كانوا يودعون بعضهم البعض عند مدخل «ماجنوليا كريسنت». خطا «هارى» إلى ظل شجرة «ليلك» ضخمة وانتظر.

كان «ملكولم» يقول: «.. أخذ يصرخ مثل الخنزير.. أليس كذلك؟» متلقيًا ضحكات حمقاء من أفراد العصابة.

قال «بيرس»: «لكمته لكمة خطافية رائعة يا (دودى الشجاع)».

سألهم «ددلى»: «نتقابل فى نفس الموعد غدًا؟».

أجاب «چوردن»: «لنجتمع عند بيتى؛ فأبواى سيكونان بالخارج».

قال «ددلى»: «أراكم وقتها إذن».

«إلى اللقاء يا (دود)».

«وداعًا يا (دودى الشجاع)».

انتظر «هارى» حتى مضى أفراد العصابة فى طريقهم قبل أن يستأنف سيره. عندما تلاشت أصواتهم ثانية؛ عاد إلى «ماجنوليا كريسنت»، وهرول حتى اقترب كثيرًا من «ددلى»، الذى كان يسير متمهلاً وهو يدندن بصوت منخفض.

«أهلاً يا (دودى الشجاع)».

التفت «ددلى» إليه، وقال بامتعاض: «هاه؟ إنه أنت».

قال «هارى»: «منذ متى وهم يطلقون عليك (دودى الشجاع)؟».

زجره «ددلى» مشيحًا بوجهه عنه قائلاً: «اصمت».

قال «هارى» وهو يبتسم ويسير بجانب ابن خالته: «ياله من اسم خطير.. لكنك بالنسبة لى ستكون دومًا (دادة حبيبة ماما)».

قال «ددلى» وقد تكورت يداه الشبيهتان بأقدام الخنازير فى قبضتين محكمتين: «قلت لك اصمت!»

«ألا يعرف الأولاد أن هذا هو الاسم الذى تناديك به أمك؟».

«اصمت وإلا..».

«لا تقل لى: اصمت وإلا.. ماذا عن اسم (دادة)، و(ديدى حبيبتى)، هل يمكن استعمال هذه الأسماء؟».

لم ينطق «ددلى». وبدا أن مجهوده الذى يبذله ليمنع نفسه من ضرب «هارى» يتطلب كل ما لديه من قدرة على ضبط النفس.

سأله «هارى» وابتسامته تتلاشى: «إذن من ضربتم الليلة؟ ولدًا آخر فى العاشرة من عمره؟ أعرف أنك ضربت مارك إيفانز منذ ليلتين..».

زمجر «ددلى» قائلاً: «هو من استفزنى».

«حقًا؟».

«لقد استهزأ بى».

«فعلاً؟ هل قال: إنك تبدو كخنزير تعلم المشى على قدميه الخلفيتين؟! إن هذا ليس استهزاءً يا (ديدى): إنه الحقيقة!».

كان هناك عضلة تختلج فى فك «ددلى». فأعطى هذا «هارى» الكثير من الرضاء مع معرفته مدى استفزازه له. شعر كأنه يتخلص من إحباطه وغضبه بكل سهولة بنقلهما إلى ابن خالته، وهو المخرج الوحيد المتاح أمامه.

دارا مع الزقاق الضيق الذى رأى «هارى» فيه «سيرياس» للمرة الأولى، وكان بمثابة طريق مختصرة بين «ماجنوليا كريسنت» و«ويستريا ووك». كان خاليًا وأكثر إظلامًا من الشوارع المحيطة؛ فلم يكن به مصابيح. كان صوت خطوات أقدامهما مكتومًا بسبب حوائط جراج على جانب، وسور مرتفع على الجانب الآخر.

قال «ددلى» بعد عدة ثوانٍ: «هل تعتقد أن ذلك الشىء يجعلك رجلاً قويًّا؟».

«أى شىء؟».

«ذلك.. ذلك الشىء الذى تخفيه».

ابتسم «هارى» ثانية.

«لست غبيًّا كما حسبتك يا (ديدى)، أليس كذلك؟ لكن أعتقد أنه لو كنت غبيًّا حقًّا؛ ما كنت لتقدر على المشى والحديث فى نفس الوقت».

شهر «هارى» عصاه السحرية. ورأى «ددلى» يختلس نظرة سريعة إليها.

قال «ددلى» على الفور: «ليس مسموح لك باستخدامها.. أعرف أنه غير مسموح لك. سيطردونك من تلك المدرسة العجيبة لو استعملتها».

«وكيف تعرف إن كانوا قد عدّلوا القواعد أم لا يا (دودى الشجاع)؟».

قال «ددلى»: «لم يغيروها» وإن بدا غير مقتنع بكلامه.

ضحك «هارى» بهدوء. وزمجر «ددلى» قائلاً: «لست شجاعًا بما يكفى للعراك معى دون هذا الشىء، أليس كذلك؟».

«آه صحيح.. وأنت لا تضرب الأولاد ذوى الأعوام العشرة دون أربعة أصدقاء من خلفك. هل تذكر لقب بطل الملاكمة الذى تتفاخر به هذا؟ كم كان عمر خصمك؟ سبعة أعوام؟ ثمانية أعوام؟!».

قال «ددلى» بغضب: «لمعلوماتك، كان فى السادسة عشر.. وأمضى عشرين دقيقة مغشيًا عليه بعدما انتهيت منه، وكان وزنه ضعف وزنك. انتظر حتى أخبر بابا بأنك أخرجت هذا الشىء..».

«هل ستجرى على (بابا)؟ هل يخاف بطل الملاكمة (الحبّوب) من عصا «هارى» الشقية؟».

زمجر «ددلى»: «لكنك لا تكون شجاعًا هكذا ليلاً.. أليس كذلك؟».

«الوقت ليل بالفعل يا (ديدى). فعندما يحل الظلام هكذا فهذا ليل».

قال «ددلى»: «أعنى عندما تكون فى الفراش!».

توقف عن المشى. و«هارى» كذلك، وحدق فى ابن خالته. من القليل الذى يراه على وجه «ددلى» الضخم، وصله إحساس بأنه نال منه.

قال «هارى»: «ماذا تعنى بقولك: إننى لست شجاعًا فى الفراش؟.. مم تحسبنى أخاف؟ الوسائد أو ما شابه؟».

قال «ددلى» لاهثًا: «سمعتك ليلة أمس.. تتحدث فى نومك، وأنت تتأوه».

قال «هارى» ثانية: «ماذا تعنى؟» لكنه كان يشعر بإحساس بارد مقبض فى صدره، فقد عاود زيارة المقابر فى أحلام ليلة أمس.

ضحك «ددلى» ضحكة قاسية شبيهة بالنباح، ثم قلد صوتًا مذعورًا: «لا تقتل«سيدريك»! لا تقتل«سيدريك»! من «سيدريك هذا؟ صديقك؟».

قال «هارى» بصورة آلية: «أنا.. أنت تكذب» لكن حلقه جف. كان يعرف أن «ددلى» لا يكذب.. وإلا كيف عرف بشأن«سيدريك»؟

«بابا! النجدة يا بابا! سيقتلنى يا بابا! آآآه!».

قال «هارى» بهدوء: «اصمت.. اصمت يا «د.دلى». أنا أحذرك!».

«تعال وساعدنى يا بابا! يا ماما، ألحقونى! إنه يقتل«سيدريك» يا بابا، النجدة! إنه سيـ.. لا تصوب هذا الشىء نحوى!».

تراجع «ددلى» ليلتصق بجدار الزقاق. كان «هارى» يصوب عصاه السحرية إلى قلبه مباشرة. شعر بكراهية أربعة عشر عامًا تتدفق فى عروقه نابضة بقوة..

ماذا يمنعه الآن من إطلاق ضربته على «ددلى».. ماذا يمنعه من إطلاق لعنة عليه تجعله يزحف إلى البيت مثل حشرة، أو يسقط هامدًا والأهداب تنبت من جسده..

هدر قائلاً: «إياك والتحدث عن هذه المسألة ثانية.. هل تفهمنى؟».

«صوِّب هذا الشىء إلى أى مكان آخر».

«قلت لك.. هل تفهمنى؟».

«صوبها بعيدًا».

«هل تفهمنى؟».

«أبعد هذا الشىء عنـ..».

شهق «ددلى» شهقة غريبة مرتجفة، كأنه سقط فى مياه مثلجة.

حدث شىء غريب للَّيل من حولهما. تحولت السماء الداكنة الزرقة فجأة إلى لون أسود حالك.. واختفت أضواء النجوم والقمر ومصابيح الشوارع عند طرفى الزقاق. سكت صخب السيارات البعيدة وهمس الأشجار. أصيب الليل الدافئ فجأة ببرودة رهيبة لاذعة. كانا محاطين بظلام تام، صامت لا قِبَل لهما باختراقه، كأن يدًا عملاقة قد أسقطت فجأة حاجزًا سميكًا وثلجى البرودة على الزقاق بأكمله؛ لتصيبهما بالعمى.

لجزء من الثانية فكر «هارى» أنه ربما يكون قد أدى السحر دون أن يقصد، رغم حذره.. ثم عاوده المنطق مع استعادته لحواسه.. ليس لديه القوة السحرية الكافية لإطفاء النجوم. أدار رأسه إلى هذه الناحية وتلك محاولاً اختراق حجب الظلام ببصره، لكن الظلال كانت كثيفة على عينيه مثل حاجز بلا وزن أو وجود.

وصل صوت «ددلى» الخائف إلى أذنيه: «مـ..ماذا تـ..تفعل؟ كف عما تفعله!».

«أنا لا أفعل أى شىء! اصمت ولا تتحرك!».

«لـ..لا أستطيع رؤية أى شىء! لقد أصبت بالعمى! أنـ..».

«قلت لك اصمت!».

وقف «هارى» بثبات، وعيناه تدوران إلى اليسار وإلى اليمين. كانت البرودة شديدة فارتجف، وانتصب الشعر على ذراعيه وعلى ظهره.. فتح عينيه على آخرهما، محدقًا فى الظلام من حوله، وهو لا يرى أى شىء.

هذا مستحيل.. لا يمكن أن يكونوا هنا.. ليس فى «ليتل وينجنج».. أخذ يسترق السمع.. سيسمعهم قبل أن يراهم..

أخذ «ددلى» ينشج: «سـ.. سأخبر بابا.. أ..أين أنت؟ مـ..ماذا تفعل؟».
همس «هارى» بغضب: «ألن تصمت؟ أنا أحاول الإنصا..».
لكنه صمت. سمع لتوه شيئًا يرهبه.
ثمة شيء ما فى الزقاق معهما، شيء يقترب بأنفاسه المبحوحة اللاهثة. أحس «هارى» برعب هائل وهو واقف يرتجف فى الهواء القارس البرودة.
«كف عما تفعله! توقف! سأضربك، أقسم إننى سأضربك!».
«ددلى.. توقف..».
طراخ
تلامست قبضة يد مع جانب وجه «هارى»، لترفعه عن الأرض. برقت أضواء بيضاء خافتة أمام عينيه. وللمرة الثانية خلال ساعة شعر «هارى» كأن رأسه انقسم إلى نصفين، ثم سقط على الأرض وطارت عصاه من يده.
صاح «هارى»: «أيها المجنون.. ددلى» وعيناه مغرورقتان بدموع الألم، وهو ينهض على يديه وركبتيه، باحثًا بجنون عن العصا فى الظلام. سمع «ددلى» يبتعد عنه، وهو يتعثر ويتخبط فى سور الزقاق.
«عد يا «ددلى»! إنك تعدو فى طريقك إليه!».
سمع صرخة رهيبة، وسكت صوت خطوات «ددلى». وشعر «هارى» ببرودة بشعة من خلفه، لا تعنى سوى شيء واحد: هناك أكثر من واحد.
أخذ يغمغم بجنون: «أبق فمك مغلقًا يا «ددلى».. أيًا كان ما تفعله، فأبق فمك مغلقًا! أين العصا؟!» أخذت يداه تمسحان الأرض مثل قدمى عنكبوت. «أين العصا؟! أين؟! *لوموس*!».
ردَّد تعويذة الإضاءة بصورة آلية، فى خضم بحثه اليائس عن الضوء لمساعدته فى بحثه، ياللعجب! تدفق الضوء بالقرب من يده اليمنى.. أضاء طرف العصا السحرية. قبض «هارى» عليها، وهبّ واقفًا واستدار.
شعر بمعدته تتقلب من التوتر والخوف.
كان هناك كائن عملاق مغطى الرأس بمعطف مهترئ يسرى بنعومة نحوه، ثابت فى حركته فوق الأرض دون قدمين أو وجه يراه من تحت معطفه، يبدو كأنه يسحب الليل مع أنفاسه وهو يقترب.
رفع «هارى» عصاه السحرية وهو يتعثر للخلف.

«*إكسبكتو باترونام!*»

انبعث من طرف عصاه السحرية خيط دخانى فضى هزيل فأبطأ (الديمنتور) من تقدمه، لكن التعويذة لم تعمل كما يجب.. تراجع «هارى» متعثرًا و(الديمنتور) ينحنى عليه، فحجب الذعر المنطق عنه.. *يجب أن تركز*..

خرج من تحت معطف (الديمنتور) زوج من الأذرع الرمادية اللزجة المجروحة، باحثة عنه. وملأ صخب شديد أذنى «هارى».

«*إكسبكتو باترونام!*»

بدا صوته ضئيلاً وبعيدًا، وخرج خيط آخر من الدخان الفضى أضعف من سابقه من طرف العصا.. لم يعد قادرًا على أداء التعويذة بنجاح.

سمع صوت ضحك داخل رأسه.. صوتًا حادًا ومرتفعًا.. شم رائحة أنفاس (الديمنتور) المفعمة بالبرودة والموت والعفن، وأحس بها تملأ رئتيه؛ لتغرقه.. فَكِّر.. فَكِّر فى شىء سعيد..

لكن لم يعد بداخله سعادة.. كانت أصابع (الديمنتور) الباردة الثلجية تحيط برقبته.. والضحك الحاد المرتفع ينمو أعلى وأعلى، والصوت يتحدث داخل رأسه: *اركع للموت يا هارى.. لعله بلا ألم.. أنت لا تعرف*..

إذن لن يرى «رون» أو «هيرميون» ثانية أبدًا..

فجأة ظهر وجهاهما فى عقله وهو يجاهد باحثًا عن أنفاس.

«***إكسبكتو باترونام!***».

خرج من طرف عصاه السحرية أيل(*) فضى هائل الحجم.. أصاب قرناه (الديمنتور) فى موضع القلب؛ فسقط إلى الخلف، بلا وزن كالظلام، فهاجمه الأيل، وتراجع (الديمنتور) مثل وطواط مهزوم.

صاح «هارى» فى الأيل: «من هنا!» والتفت وأخذ يعدو بطول الزقاق، وعصاه السحرية مضاءة أمامه مشهرة مرفوعة.. «ددلى.. ددلى!».

جرى مسافة اثنتى عشرة خطوة حتى وصل إليهما، كان «ددلى» مكومًا على الأرض، وذراعاه متشابكتان فوق وجهه. و(الديمنتور) الثانى جاثم فوقه، وقد أمسك بمعصميه فى يديه اللزجتين، وأحنى رأسه مقتربًا من وجه «ددلى» إلى أقصى درجة.

(*) غزال كبير الحجم بقرون كبيرة متشابكة. (المترجم).

صاح «هارى»: «هاجمه!» وبصوت مندفع زائر ركض الأيل الفضى الذى استحضره من جواره. كان وجه (الديمنتور) الخالى من العيون على مسافة بوصة من «ددلى» عندما داهمه القرنان الفضيان.. طار الكائن الكابوسى فى الهواء، ومثله مثل رفيقه، انساب بعيدًا وامتصه الظلام.. وصل الأيل إلى نهاية الزقاق، ثم اختفى وسط سحابة من الضباب الفضى.

دبت الحياة فى القمر والنجوم ومصابيح الشوارع ثانية. ومرت نسمة دافئة عبر الزقاق. أخذت الأشجار فى حدائق الجيران تتهامس، وعاد صخب السيارات إلى «ماجنوليا كريسنت».. وقف «هارى» جامدًا، وكل حواسه مهتزة، محاولاً العودة إلى الحالة الطبيعية للدنيا. وبعد لحظة صار على وعى بأن الـ «تى ـ شيرت» الذى يرتديه ملتصق به بسبب العرق الغزير.

لم يقدر على تصديق ما حدث منذ لحظات. (ديمنتورات) هنا! فى «ليتل وينِنج». رقد «ددلى» مكوَّمًا على الأرض، وهو يغمغم ويرتجف. انحنى «هارى» فوقه؛ ليرى إن كان فى حالة مناسبة للنهوض. لكنه سمع صوت خطوات لشخص يعدو من خلفه. وبصورة غريزية شهر عصاه السحرية ثانية، ودار على عقبيه لمواجهة القادم.

كانت السيدة «فيج» جارتهم العجوز الشمطاء تقترب لاهثة!. شعرها الرمادى الحائل اللون متناثر على غطاء رأسها، وفى يدها حقيبة بقالة تتأرجح، وقدماها بارزتان من حذائها. كاد «هارى» يخبِّئ عصاه السحرية عن ناظريها. لكن..

صاحت فيه: «لا تخبئها أيها الولد الأحمق! ماذا لو كان هناك المزيد منهم بالقرب منا؟ يا ربى.. سأقتل مندنجس فلتشر!».

٢ طوفان من البوم

قال «هارى» بدهشة: «ماذا؟».

قالت السيدة «فيج» وهى تشيح بيدها: «لقد غادر.. غادر؛ ليقابل شخصًا ما بشأن شحنة قدور سحرية سقطت من على مقشة طائرة! قلت له: إننى سأسلخه حيًّا إن ذهب، وانظر ماذا حدث؟! (ديمنتورات)! من حسن حظنا أننى أدخلت السيد «تيبلز» فى الموضوع! لكن ليس لدينا وقت للوقوف، أسرع، لابد أن أعود بك. ياللمشكلات التى ستُثار بسبب ما حدث، سأقتله!».

«لكن..» اكتشافه أن هذه الجارة الوطواطية المهووسة بالقطط تعرف بشأن (الديمنتورات) كان صدمة هائلة «هل.. هل أنت ساحرة؟».

«أنا مساعدة ساحرة، كما يعرف مندنجس جيدًا، فكيف بالله عليك أقدر على مساعدتك فى قتال (الديمنتورات)؟ لقد تركنى بلا أية تغطية وقد حذرته من..».

«هل كان مندنجس هذا يتبعنى؟ انتظرى.. كان هو! لقد اختفى باستخدام السحر من أمام بيتى!».

«أجل.. أجل.. أجل، لكن لحسن الحظ كنت قد وضعت السيد تيبلز أسفل سيارة على سبيل الحيطة، وجاء السيد تيبلز وحذرنى، لكن مع ذهابى إلى منزلك كنت أنت قد اختفيت.. والآن.. يا ربى.. ماذا سيقول دمبلدور؟ وأنت!» صاحت فى «ددلى» قائلة: «أنت.. ارفع مؤخرتك البدينة هذه عن الأرض، بسرعة!».

قال «هارى» محدقًا بها: «هل تعرفين دمبلدور؟».

«بالطبع أعرف دمبلدور، ومن لا يعرف دمبلدور؟ لكن هيا.. لن أقدر على مساعدتك لو عادوا، فلم يسبق لى حتى أن حولت كوب شاى بالسحر».

انحنت، وقبضت على ذراع «ددلى» البدينة فى يدها النحيفة وشدته.

«انهض.. يا كتلة الشحم عديمة النفع، انهض».

لكن «ددلى» إما لم يكن قادرًا أو لم يرغب فى الحركة. ظل كما هو على الأرض، مرتجفًا ووجهه شاحب بلون التراب، وفمه مطبق.

قال «هارى» وهو يمسك بيد «ددلى» ويرفعه: «سأنهضه أنا» وبمجهود خرافى رفعه على قدميه. بدا على شفا الإغماء. أخذت عيناه الصغيرتان تدوران فى محجريهما والعرق يغمر وجهه، وللحظة تركه «هارى» فترنح بشدة.

قالت السيدة «فيج» بطريقة هيستيرية: «أسرع».

جذب «هارى» إحدى ذراعى «ددلى» الهائلتين حول كتفيه، وأخذ يجره عبر الطريق، وهو يترنح بسبب وزنه الثقيل. هرولت السيدة «فيج» أمامهما وهى تنظر بقلق نحو تقاطع الطريق.

قالت لـ «هارى» وهما يدخلان «وستريا ووك»: «أبق عصاك السحرية مرفوعة.. ولا تبالِ بقانون السرية الآن. سيقوم عالم السحر ولن يقعد بسبب ما حدث، وربما يشنقوننا.. ما هذا الشىء عند نهاية الشارع؟ آه.. إنه السيد برنتس.. لا تبعد عصاك السحرية عن يدك يا ولد، ألم أقل لك إننى غير ذات نفع؟».

لم يكن من السهل إشهار العصا بثبات وجر «ددلى» فى نفس الوقت. غرس «هارى» أصبعه فى ضلع ابن خالته بنفاد صبر، لكن «ددلى» بدا فاقد الرغبة فى الحركة بالاعتماد على نفسه. كان نائمًا على كتف «هارى»، وقدماه الكبيرتان تنسحبان خلفه على الأرض.

سأل «هارى» السيدة «فيج» لاهثًا: «لماذا لم تخبرينى أنك مساعدة ساحرة؟ فى كل مرة دعوتنى فيها إلى منزلك.. لماذا لم تخبرينى ؛ أى شىء؟».

«بسبب أوامر دمبلدور. كان علىَّ مراقبتك دون أن أخبرك بشىء، فأنت صغير جدًّا. أعتذر على الوقت البائس الذى كنت تقضيه معى يا هارى، لكن آل دورسلى ما كانوا ليدعوك تأتى إلىَّ إن عرفوا أنك تستمتع بوقتك. لم يكن الأمر سهلاً كما تعرف.. لكن يا ربى..» أنهت كلامها بصورة درامية تمثيلية، وهى تلوح بيديها مرة أخرى، ثم أكملت: «عندما يعرف دمبلدور بما حدث.. كيف تركنى مندنجس وحدى؟ كيف؟ كان عليه الحراسة حتى منتصف الليل.. كيف سأخبر دمبلدور بما حدث؟ لا أستطيع حتى الاختفاء سحريًّا والذهاب إليه».

قال «هارى» متألمًا وهو يتساءل إن كان عموده الفقرى سينكسر تحت ضغط وزن «ددلى»: «معى بومة، ويمكنك استعارتها».

«هارى.. أنت لا تفهم.. على دمبلدور أن يتصرف بأسرع ما يمكن، فالوزارة

لديها أساليبها فى كشف حالات ممارسة السحر من جانب السحرة تحت السن القانونية، وأؤكد لك أنهم عرفوا بما حدث بالفعل.. ثق بكلامى».

«لكننى كنت أحاول التخلص من الديمنتورات، وكان علىَّ استعمال السحر.. أحسبهم سيكونون أكثر اهتمامًا بمعرفة ما كانت (الديمنتورات) تفعله فى وستريا ووك، أليس كذلك؟».

«آه يا عزيزى.. أتمنى هذا، لكن أخشى أن.. **مندنجس فلتشر: سأقتلك!**».

صدر صوت فرقعة عالٍ، صاحبته رائحة شراب كحولى مختلطة برائحة تبغ ملأت الهواء، مع الظهور المفاجئ لرجل غير حليق يرتدى معطفًا رثًا أمام أعينهم. كانت قدماه قصيرتين، متقوستين، وشعره طويلاً متناثرًا بنى اللون، وعيناه مرتخيتين ومحاطتين بهالة حمراء، مما أعطاه مظهر كلب أشعث. كان بيده حزمة فضية اللون، عرف «هارى» على الفور أنها عباءة اختفاء.

قال الرجل ناقلاً بصره بين السيدة «فيج» و«هارى» و«ددلى»: «ما الأمر يا فيجى؟ ماذا حدث واستدعى كشف تنكرك؟».

صاحت السيدة «فيج»: «أنا التى سأجرى عليك عملية تنكر جراحية! لقد جاءت (ديمنتورات) أيها اللص الحقير عديم النفع».

كرر مندنجس الكلمة بذعر: «(ديمنتورات)؟ (ديمنتورات) هنا؟!».

«أجل هنا.. يا كومة فضلات الوطاويط، يا تافه.. هنا! هاجمت (الديمنتورات) الولد الذى تتولى حراسته، وفى نوبة حراستك!».

قال «مندنجس» بوهن وحيرة: «غير معقول! غير معقول! أنا..».

«وأنت ذهبت لتشترى قدورًا مسروقة! ألم آمرك بعدم الذهاب؟».

بدا «مندنجس» مضطربًا للغاية وهو يقول: «أنا.. أنا.. المسألة أن.. كانت فرصة لصفقة عظيمة كما ترين، ولم..».

رفعت السيدة «فيج» يدها التى تتدلى منها حقيبة البقالة وضربت «مندنجس» بها على وجهه ورقبته.. ومن صوت الارتطام المعدنى بدا واضحًا أن الحقيبة مليئة بعلب طعام القطط.

«أى.. أى.. ابتعدى.. ابتعدى أيتها الوطواط الآدمى.. علينا إخبار دمبلدور!».

صاحت فيه السيدة «فيج» قائلة: «أجل» ثم أخذت تضربه بحقيبة طعام القطط

على كل مكان تصل إليه من جسده وأكملت: «و.. من الأفضل.. أن.. يكون أنت.. من يخبره.. وعليك.. أن تقول لـه.. إنك لم.. تكن هنـا.. لتساعدنـا».

قال «مندنجس»: «أبعدى حقيبتك عنى.. أنا ذاهب.. ذاهب» وحمى رأسه بذراعيه.

قالت بغيظ: «أتمنى أن يقتله دمبلدور.. والآن هيا يا «هارى»، ماذا تنتظر؟».

قرر «هارى» ألا يضيع أنفاسه الباقية على إخبارها بأنه بالكاد قادر على المشى تحت ثقل «ددلى»، فعدل وضعه على كتفه بصعوبة وأخذ يترنح متقدمًا للأمام.

قالت السيدة «فيج» وهم ينحرفون مع انعطاف شارع «بريفت درايف»: «سأوصلك إلى البـاب.. فربما لا يزالون هنـا.. ياللكارثة.. وقاتلتهم وحدك.. ودمبلدور أمرنا بإبعادك عن استعمال السحر بأى ثمن.. لا فائدة من البكاء على التركيبة السحرية المسكوبة[1]، فالقطة وقعت وسط العفاريت بالفعل[2].. لا فائدة».

أخذ «هارى» يتحدث لاهثًا: «إذن فدمبلدور وضع حراسة علىّ؟».

قالت السيدة «فيج» بنفاد صبر: «بالطبع وضع حراسة عليك.. هل تتوقع منه أن يتركك تتجول وحدك بعد ما حدث فى يونيو الماضى؟ يا ربى الرحيم.. أخبرونى أنك ذكى يا ولد.. ها قد وصلنا.. ادخل وابق بالداخل».. أنهت كلامها وقد وصلوا إلى المنزل رقم (٤)، ثم أضافت: «أتوقع أن يتصل بك أحد ما قريبًا جدًا».

سألها «هارى» بسرعة: «وماذا ستفعلين؟».

قالت السيدة «فيج» وهى تحدق فى الشارع المظلم وترتجف: «سأعود إلى البيت.. وأنتظر التعليمات. وأنت ابق بالمنزل. وتصبح على خير».

«انتظرى.. لا تذهبى، أريد معرفة مـ..».

لكن السيدة «فيج» هرولت مبتعدة، وحذاؤها الوَطِىء مع تخبط العلب فى حقيبتها يحدثان صوتًا معدنيًا مسموعًا.

صاح «هارى» فيها: «انتظرى» كان لديه مليون سؤال وسؤال يريد أن يطرحه على أى أحد يمكنه الاتصال بـ «دمبلدور».. لكن خلال ثوانٍ ابتلع السيدة «فيج» الظلام. بعبوس عدل «هارى» من وضع «ددلى» على كتفه وتحرك ببطء وألم عبر حديقة المنزل رقم (٤) الأمامية.

---

(١) كالمثل القائل: «لا فائدة من البكاء على اللبن المسكوب» لكن من وجهة نظر السحرة (المترجم).

(٢) كأنها تقول: «سبق السيف العزل» لكن بطريقة السحرة (المترجم).

كانت أنوار الصالة مضاءة. أدخل «هارى» عصاه السحرية فى ثنايا بنطلونه «الجينز»، وضرب الجرس وراقب خيال الخالة «بيتونيا» وهو يكبر ويكبر، وقد شوهه زجاج الباب المفصص بغرابة.

«ديدى حبيبى.. وصلت فى وقتك. كنت سأقلـ.. أقلق.. ديدى؟ ما الأمر؟».

اختلس «هارى» نظرة جانبية إلى «ددلى» وخرج من تحت ذراعه فى الوقت المناسب تمامًا. ترنح «ددلى» للحظة، ووجهه أخضر شاحب.. ثم انفتح فمه وأخذ يتقيأ على البساط الممدود أمام الباب.

«ديدى! حبيب ماما! ماذا حدث؟ فرنون؟ **فرنون**؟».

جاء زوجها مهرولاً من حجرة المعيشة، وشاربه الشبيه بشارب حيوان الفظ يتأرجح كعادته كلما شعر بالضيق. تقدم؛ ليساعد الخالة «بيتونيا» على حمل «ددلى» الذى سقط عند مدخل البيت محاولاً تفادى بركة القىء التى تجمعت أمامه.

«إنه مريض يا فرنون!».

«ما الأمر يا بنى؟ هل أعطتك السيدة بولكس طعامًا معطوبًا مع الشاى؟».

«ما سبب كل هذه القذارة على جسدك يا حبيبى؟ هل وقعت على الأرض؟».

«دقيقة.. هل (قشَّطك) اللصوص يا ولدى؟». فصرخت الخالة «بيتونيا».

«اتصل بالشرطة يا فرنون، اتصل بالشرطة.. ديدى.. رُدَّ على ماما يا حبيبى.. ماذا فعلوا بك يا روح ماما؟».

ووسط كل هذه الجلبة بدا كأن أحدًا لم يلاحظ وجود «هارى»، وهو ما كان يناسبه تمامًا. نجح فى التسلل إلى داخل المنزل قبل أن يغلق الخال «فرنون» الباب، وبينما كانت خالته وزوجها يتقدمان مُصدِرين صخبًا شديدًا من المطبخ، تحرك بحذر وسرعة تجاه السلم.

«من فعل بك هذا يا بنى؟ أعطنى أسماءهم. سأنتقم لك منهم، لا تقلق».

«صه.. إنه يحاول الكلام. ماذا ستقول يا ديدى؟ أخبر ماما حبيبتك».

كانت قدم «هارى» على أول درجة من السلم عندما عاد لـ «ددلى» صوته.

«هو».

تجمد «هارى» وقدمه على السلم، ووجهه مشدود، منتظرًا الانفجار الذى سيقع.

«**يا ولد.. تعال هنا**».

بشعور مختلط من الرهبة والغضب استدار «هارى» متجهًا نحو آل «دورسلى».

كان المطبخ شديد النظافة واللمعان، ذا مظهر غريب مقارنة بالظلام بالخارج. كانت الخالة «بيتونيا» تجلس «ددلى» على مقعد، وهو مازال أخضر اللون هزيلاً. والخال «فرنون» واقف أمام بالوعة المطبخ محدقًا فى «هارى» بعينيه الضيقتين الصغيرتين.

قال بصوت كالهدير، ملىء بالتهديد: «ماذا فعلت بابننا؟».

قال «هارى» وهو على يقين من أن الخال «فرنون» لن يصدقه: «لا شىء».

قالت الخالة «بيتونيا» بصوت مرتجف مختلج وهى تمسح القىء بإسفنجة عن صدر «ددلى»: «ماذا فعل بك يا ديدى؟ هل استعمل (الشىء الذى تعرفه) يا حبيبى؟ هل استعمل (ذلك الشىء الغريب)؟».

ببطء وبخوف أومأ «ددلى» برأسه.

قال «هارى» بحدة: «لم أستعملها» والخالة «بيتونيا» تعوى والخال «فرنون» يرفع قبضتيه، وأضاف: «لم أفعل به أى شىء، لم يكن أنا.. كان الـ..».

لكن فى تلك اللحظة طارت بومة مذعورة عبر نافذة المطبخ. وتفادت بالكاد رأس الخال «فرنون»، ثم طافت بالمطبخ وأسقطت لفافة ورق كانت بمنقارها عند قدمى «هارى»، ثم استدارت برشاقة، وخرجت منطلقة إلى الحديقة.

جأر الخال «فرنون» بصوت عالٍ: «بوم!» والوريد المنتفخ فى جبينه ينبض بغضب، وهو يغلق نافذة المطبخ بحدة، وأكمل: «بوم مرة أخرى! لن أسمح بمزيد من البوم فى بيتى».

لكن «هارى» فتح اللفافة وأخرج الرسالة منها، وقلبه ينبض بقوة.

عزيزى السيد بوتر،

وصلتنا معلومات أنك أديت تعويذة البتروناس فى الساعة التاسعة والدقيقة الثالثة والعشرين مساءً، فى منطقة يسكنها العامة وفى حضور أحدهم.

تسببت فداحة هذا الانتهاك الخطير لقانون «حظر استعمال السحر على السحرة تحت السن القانونية» فى فصلك من مدرسة هوجورتس لتعليم الساحرات والسحرة. وسيأتى إلى محل إقامتك بعد قليل ممثلو وزارة السحر لتدمير عصاك السحرية.

وعلى خلفية من تلقيك إنذارًا رسميًا بسبب انتهاكك السابق للمادة ١٣ من قانون «سرية السحرة الكونفدرالى الدولى» يؤسفنا إخطارك بضرورة حضورك محاكمة بوزارة السحر الساعة التاسعة صباح الثانى عشر من أغسطس.

مع تمنياتنا بدوام الصحة،

المخلصة - مافلدا هوبكريك

مصلحة «إساءة استخدام السحر» - وزارة السحر

قرأ «هارى» الخطاب مرتين. كان بالكاد واعيًا بما يقوله الخال «فرنون» والخالة «بيتونيا». كان يشعر بالبرودة والبلادة. حقيقة واحدة اخترقت غياهب وعيه وأفزعته: فصلوه من «هوجورتس». انتهى كل شيء. لن يعود ثانية أبدًا.

رفع بصره إلى خالته وزوجها. كان الخال «فرنون» محتقن الوجه، ويصيح.. والخالة «بيتونيا» ذراعاها حول «ددلى» الذى أخذ يتقيأ ثانية.

بدا أن عقل «هارى» الذى تجمد لبرهة يستعيد إدراكه. *سيأتى إلى محل إقامتك بعد قليل ممثلو وزارة السحر لتدمير عصاك السحرية.*

ليس أمامه سوى حل واحد: الهروب.. الآن. أين عساه يذهب؟ لم يكن يعرف، لكنه كان واثقًا من شيء واحد: داخل «هوجورتس» أو خارجها، فهو بحاجة لعصاه السحرية. وفى حالة أشبه بالحلم، شهر عصاه السحرية واستدار مغادرًا المطبخ.

صاح فيه الخال «فرنون»: «إلى أين تظن نفسك ذاهبًا؟» وعندما لم يجبه «هارى»، ركض بطول المطبخ؛ ليحجب الطريق إلى الصالة، وأضاف: «لم أنته منك بعد يا ولد» قال «هارى» بهدوء: «ابتعد عن طريقى».

«بل ستبقى هنا حتى تشرح لى كيف تعرض ابنى لـ..».

قال «هارى» وهو يرفع عصاه: «إن لم تبتعد عن طريقى سأطلق عليك لعنة».

زمجر الخال «فرنون» قائلاً: «لن تستطيع خداعى! أعرف أنك ليس مسموح لك باستعمالها خارج بيت المجانين الذى تعدونه مدرسة».

قال «هارى»: «طردنى بيت المجانين.. وسأفعل ما أشاء. أمامك ثلاث ثوانٍ لتتنحى. واحد.. اثنان..»، وملأت المطبخ فرقعة عالية.

صرخت الخالة «بيتونيا»، وصاح الخال «فرنون» وانحنى، لكن للمرة الثالثة هذه الليلة أخذ «هارى» يبحث عن مصدر الاضطراب الذى لم يكن هو مصدره. لقد عرفه أخيرًا: بومة مندهشة ومشعثة تجلس على إطار نافذة المطبخ الخارجى، اصطدمت بالنافذة المغلقة.

عبر «هارى» الحجرة بسرعة متجاهلاً صيحة الخال «فرنون» المتألمة: «بوم»، وفتح النافذة. مدت البومة قدمها، وكانت مربوطةً بها لفافةٌ صغيرة من الورق، وهزت ريشها، وطارت حالما أخذ «هارى» الرسالة. فض الرسالة الثانية، ويداه ترتجفان، كانت مكتوبة على عجلة وعليها بقع حبر أسود كبيرة.

هارى..

وصل دمبلدور لتَـوِّه إلى الوزارة، ويحاول حاليًا حل المشكلة. ***إياك ومغادرة منزل خالتك وزوج خالتك. إياك والقيام بأى سحر. إياك وتسليم عصاك السحرية لأى أحد.***

أرثر ويسلى

دمبلدور يحاول حل المشكلة.. ماذا يعنى هذا؟ ما مدى نفوذ «دمبلدور» فى وزارة السحر؟ هل هناك فرصة لعودته إلى «هوجورتس»؟ أضاء شعاع واهن من الأمل فى صدره، وسرعان ما خنقه الذعر.. كيف سيرفض تسليم عصاه السحرية دون استخدام السحر؟ سيكون عليه منازلة ممثلى الوزارة، وإن فعل؛ فمن الصعب ألا يدخل سجن «أزكابان»، بجانب فصله من المدرسة.

أخذ عقله يفكر بسرعة.. يمكنه الهروب والمخاطرة بالاعتقال من جانب الوزارة، أو البقاء وانتظارهم حتى يجدونه. أغراه الخيار الأول أكثر، لكنه كان يعلم أن السيد «ويسلى» يعرف مصلحته وحريص عليه.. وبعد كل شىء فـ«دمبلدور» حل مشكلات أعقد من هذه بكثير فيما سبق.

قال «هارى» لزوج خالته: «عندك حق.. لقد قررت تغيير رأيى وسأبقى هنا».

ألقى بنفسه على مائدة المطبخ وواجه «ددلى» والخالة «بيتونيا». بدا على آل «دورسلى» الاندهاش من تغييره المفاجئ لرأيه. نظرت خالته بيأس إلى زوجها. كان الوريد فى جبينه ينبض بصورة أسوأ من أى وقت مضى.

هدر قائلاً: «من أين أتى كل هذا البوم الوقح؟»

قال «هارى» بهدوء: «الأولى من وزارة السحر تعلن فصلى من المدرسة» كان يحاول الإنصات؛ أملاً فى سماع أية جلبة بالخارج، فى حالة إن كان ممثلو الوزارة يقتربون، وكان من الأسهل والأهدأ أن يجيب على أسئلة الخال «فرنون» بدلاً من إثارة غضبه وصياحه ثانية، أضاف: «الثانية من والد صديقى رون، الذى يعمل بالوزارة».

صاح الخال «فرنون»: «وزارة السحر؟ هل هناك أشخاص من أمثالك فى الحكومة؟ آه.. هذا يفسر كل شىء، لا عجب أن البلد مصيرها للكلاب».

عندما لم يستجب «هارى» قال الخال «فرنون»: «ولماذا فصلوك؟».

رد «هارى»: «لأننى أديت السحر».

زأر الخال «فرنون» وهو يضرب بقبضته على سقف الثلاجة، التى انفتح بابها وسقط منها العديد من وجبات «ددلى» قليلة الدسم وانفتحت على الأرض: «آها.. إذن أنت تعترف بما فعلته. ماذا فعلت بددلى؟».

قال «هارى» وهو أقل هدوءًا: «لا شىء.. ولم يكن أنا من أصابه بـ...».

غمغم «ددلى» على غير انتظار: «بل هو» فلوح الخال «فرنون» والخالة «بيتونيا» إلى «هارى» ليصمت، وانحنيا على «ددلى» ليسمعا ما يقول.

قال الخال «فرنون»: «انطق يا ولدي.. ماذا فعل بك؟».

همست الخالة «بيتونيا»: «أخبرنا يا حبيبى».

همهم «ددلى»: «لقد صوب عصاه نحوى».

شرع «هارى» فى الكلام ـ بغضب ـ قائلاً: «أجل فعلت، لكننى لم أستعمل الـ...».

زأر فيه الخال «فرنون» والخالة «بيتونيا» فى نفس واحد: «اصمت!».

كرر الخال «فرنون» كلامه وشاربه يتحرك بغضب: «استمر يا ولدى».

قال «ددلى» بوهن، وهو يرتجف: «أظلمت الدنيا أمامى.. أظلم كل شىء. ثم سمعـ..سمعت.. أشياء داخل رأسى».

تبادل الخال «فرنون» والخالة «بيتونيا» نظرات رعب شديد. إن كان أقل شىء يحبانه فى العالم هو السحر، ويليه الجيران الذين يغشون أثناء حظر استخدام خراطيم المياه وقت الجفاف؛ فإن الناس الذين يسمعون أصواتًا داخل رءوسهم يعتبرون من أقل عشرة أشياء يحبانها. بدا عليهما الاعتقاد فى جنون «ددلى».

همست الخالة «بيتونيا» ووجهها أبيض شاحب، والدموع تملأ مقلتيها: «أى أصوات سمعتها يا حبيبى؟».

لكن بدا أن «ددلى» غير قادر على الكلام. ارتجف ثانية وهز رأسه الكبير الأشقر، وبالرغم من إحساسه المتبلد بالرهبة منذ قدوم البومة الأولى، شعر «هارى» بنوع من الفضول. فالـ (ديمنتورات) تتسبب فى تذكر الشخص أسوأ ذكرياته. ترى ماذا أجبرت «ددلى» الفاسد العنيف على السماع؟!

قال الخال «فرنون» بصوت هادئ بطريقة غريبة ـ الصوت الذى يستعمله عند جلوسه بجانب فراش شخص مريض جدًا ـ: «وكيف سقطت يا بنى؟».

قال «ددلى» باضطراب: «تعـ.. تعثرت.. ثم..».

أشار إلى صدره الهائل الحجم. فهم «هارى». كان «ددلى» يتذكر البرودة الشديدة التى ملأت رئتيه، والأمل والسعادة ينسحبان منه.

قال «ددلى» بصوت متحشرج: «شعور فظيع.. برودة رهيبة.. رهيبة»

قال الخال «فرنون» بصوت أجبر نفسه على أن يكون هادئًا: «حسنًا» بينما وضعت الخالة «بيتونيا» يدًا قلقة على جبين «ددلى» لتتحسس حرارته، وقالت: «ثم ماذا حدث يا روح ماما؟».

«شعرت.. شعرت.. شعرت.. كأن.. كما لو..».

أمده «هارى» بالإجابة قائلاً: «كما لو أنك لن تشعر بالسعادة ثانية».

همس «ددلى» وهو لا يزال يرتجف: «فعلاً».

قال الخال «فرنون» بصوت مرتفع: «إذن فقد أصبت ابنى بلعنة مجنونة فسمع أصواتًا وظن أنه.. أنه محكوم عليه بالتعاسة. أليس كذلك؟».

قال «هارى» ومزاجه وصوته فى اضطراب: «كم مرة علىّ أن أخبرك.. لم يكن أنا من فعلها.. كان زوج من (الديمنتورات)».

«زوج من ماذا؟ ما هذه الكلمة الغريبة؟».

قال «هارى» ببطء ووضوح: «(دى ـ من ـ تورات) اثنان منهما».

«وما هى بحق الجحيم هذه (الديمنتورات)؟».

«إنهم حراس سجن أزكابان» صدرت الكلمات عن الخالة «بيتونيا».

مرت ثانيتان من الصمت المطبق، قبل أن تضع يديها على فمها كأنها

أطلقت سبة قذرة. أخذ الخال «فرنون» يحدق فيها، وشعر «هارى» بسخونة فى عقله. السيدة «فيج» شىء، لكن الخالة «بيتونيا»؟!

سألها مندهشًا: «كيف عرفت بهذا؟».

بدت خالته مندهشة من نفسها. نظرت إلى الخال «فرنون» نظرة اعتذار خائفة، ثم خفضت يديها؛ لتكشف عن أسنانها الأشبه بأسنان الخيل.

قالت مرتجفة: «سمعت.. ذلك الولد الفظيع.. يخبرها.. منذ سنوات».

قال «هارى» بصوت عالٍ: «إن كنت تعنين أبى وأمى؛ فلماذا لا تستخدمين اسميهما» لكنها تجاهلته. بدت مرتبكة بشدة.

كان «هارى» مذهولاً. فيما عدا انكشافًا مماثلاً منذ سنوات ـ قالت وقتها الخالة «بيتونيا»: إن أم «هارى» كانت مجنونة ـ فلم يسمعها تذكر أختها قط. تعجب لتذكرها هذه المعلومة عن العالم السحرى، بينما تحاول بكل قوتها أن تتظاهر بأنه غير موجود.

فتح الخال «فرنون» فمه، ثم أغلقه ثانية، وفتحه ثانية، ثم أغلقه، ثم وهو يجاهد لتذكر قدرته على الكلام، فتح فمه للمرة الثالثة وقال: «إذن.. إذن فقد.. أعنى.. هم.. فعلاً موجودون، أليس كذلك؟ هؤلاء الدومينوتات؟».

أومأت الخالة «بيتونيا» برأسها.

نقل الخال «فرنون» بصره بين الخالة «بيتونيا» و«ددلى» ثم إلى «هارى»؛ أملاً فى أن يصيح أحدهم قائلاً: «هييه.. كذبة إبريل!» وعندما لم ينطق أحد، فتح فمه ثانية، لكن وصول بومة ثالثة وفر عليه مجهود الكفاح لنطق المزيد من الكلمات. دخلت البومة عبر النافذة المفتوحة مثل قذيفة مدفع ريشية، وحطت بصوت مسموع على مائدة المطبخ؛ لتتسبب فى فزع آل «دورسلى». التقط «هارى» رسالة رسمية جديدة من منقار البومة وفضها، وهى تطير عائدة إلى الليل الذى جاءت منه.

غمغم الخال «فرنون»: «كفى.. كفانا بوم» وهو ينحنى على النافذة ويغلقها.

عزيزى السيد بوتر،
فيما يتعلق بالمذكور بخطابنا السابق الوارد منذ اثنتين وعشرين دقيقة،

راجعت وزارة السحر قرارها الصادر بشأن تدمير عصاك السحرية. مسموح لك بالاحتفاظ بعصاك حتى يوم المحاكمة فى الثانى عشر من أغسطس، يوم اتخاذ القرارات الرسمية بشأنك.

وبعد، مناقشات مع ناظر مدرسة هوجورتس لتعليم الساحرات والسحرة، وافقت الوزارة على النظر فى مسألة فصلك من المدرسة يوم المحاكمة أيضًا. ومن الآن اعتبر نفسك موقوفًا عن المدرسة حتى صدور قرارات أخرى.

مع أطيب تمنياتنا بالتوفيق،

المخلصة،

مافلدا هوبكريك

مصلحة «إساءة استعمال السحر»

وزارة السحر

قرأ «هارى» الرسالة ثلاث مرات بسرعة. وانفكت العقدة البائسة المنعقدة فى صدره قليلاً مع إحساسه بالارتياح؛ ليقينه من عدم فصله، بالرغم من أن مخاوفه لم تتلاش بالمرة. بدا كل شىء معلقًا بمحاكمة الثانى عشر من أغسطس.

قال الخال «فرنون» معيدًا «هارى» إلى الموجودات من حوله: «والآن.. ماذا حدث؟ هل حكموا عليك بأى حكم؟ هل لدى قومك عقوبة الإعدام؟» أضاف التساؤل الأخير بلهجة أشبه بالتمنى.

قال «هارى»: «علىّ الذهاب لمحاكمة».

«وهل سيحكمون عليك فيها؟». فقال: «أعتقد هذا».

قال الخال «فرنون» بشماتة: «لا تتوقع منى مؤازرة أو أملاً فى النجاة».

قال «هارى» وهو ينهض على قدميه: «حسنًا. إن كان هذا كل شىء..» كان يريد الانفراد بنفسه بشدة، يريد التفكير، وربما إرسال رسالة إلى «رون» أو «هيرميون» أو «سيرياس».

صاح الخال «فرنون»: «كلا.. لم ننته بعد.. عد واجلس!».

قال «هارى» بنفاد صبر: «ماذا تريد الآن؟».

زأر الخال «فرنون»: «ددلى.. أريد معرفة ماذا حدث لابنى بالضبط».

صاح «هارى»: «موافق» وقد ثار بشدة؛ فانطلقت شرارات حمراء وذهبية من طرف عصاه السحرية، التى كان لا يزال قابضًا عليها فى يده، فانكمش آل «دورسلى» وقد بدا عليهم الرعب.

قال «هارى» بسرعة: «كنت أنا ودِدلى فى الزقاق الواقع بين ماجنوليا كريسنت ووستريا ووك» كان يجاهد للتحكم فى أعصابه.. أضاف: «حاول ددلى التذاكى علىّ، فشهرت عصاى السحرية، لكنى لم أستخدمها. ثم ظهر أمامنا (ديمنتوران)..».

سأله الخال «فرنون» بغيظ: «لكن ما (الديمنتورات)؟ ماذا تفعل؟».

ـ «قلت لك: إنها تسحب السعادة من المرء.. وإن واتتها الفرصة تقبّله..».

ـ قال الخال «فرنون» وعيناه جاحظتان قليلاً: «تقبّله؟! تقبّله؟!».

ـ «إنه الاسم الذى يطلقونه على سحب الروح من الفم».

صدر عن الخالة «بيتونيا» صرخة صغيرة: «الروح؟ هل أخذوا رو.. هل لا يزال معه روحـ..».

قبضت على «ددلى» من كتفيه وهزته، كأنها تحاول سماع روحه ترن داخله.

قال «هارى» بسخط: «بالطبع لم يصلوا إلى روحه.. إن نجحوا كان..».

قال الخال «فرنون» كأنه يحاول استعادة مسار الحديث إلى المستوى الذى يفهمه: «هل قاتلتهم يا ولدى؟ هل لكمتهم لكمات سريعة متتالية؟».

قال «هارى» بغيظ: «لا تستطيع التغلب عليهم بلكمات سريعة متتالية».

انفجر الخال «فرنون» قائلاً: «إذن لماذا هو بخير؟ لماذا ليس خاليًا من الداخل؟».

ـ «لأننى استعملت تعويذة البتروناس».

فرررر.. صدر صوت حفيف أجنحة ثم تناثر الكثير من الغبار، تلاه خروج بومة رابعة من فتحة مدخنة المطبخ.

زأر الخال «فرنون» وهو يجذب خصلات كثيفة من شعر شاربه بجنون، وهو ما لم يفعله منذ فترة طويلة: «بحق السماء، لن أسمح بحضور المزيد من البوم هنا. لن أسمح، ولن أتحمل هذا، صدقنى».

لكن «هارى» جذب لفافة الورق من قدم البومة. كان على يقين أن هذه الرسالة قادمة من «دمبلدور»، ستفسر كل شىء: (الديمنتورات)، والسيدة «فيج»، وما تضمره وزارة السحر، وكيف ينتوى هو ـ «دمبلدور» ـ حل

المشكلة؛ لذا، فللمرة الأولى فى حياته شعر بالحسرة لرؤية خط يد «سيريـاس». تجاهل احتجاجات الخال «فرنون»، وضيق ما بين عينيه بسبب سحابة غبار أخرى مع آخر بومة تحلق منطلقة من المدخنة، وقرأ رسالة «سيريـاس»:

أخبرنى أرثر منذ قليل بما حدث. إياك ومغادرة المنزل ثانية، أيًا كان ما تفعله لا تغادر المنزل.

وجد «هارى» فى الرسالة ردًا غير مناسب على كل ما حدث الليلة، حتى إنه أدار الورقة؛ بحثًا عن باقى سطور الرسالة، لكن لم يكن هناك المزيد.

توترت أعصابه ثانية: ألن يقول أحد لى: «أهنئك على قتالك (ديمنتورين) وحدك؟ كل من السيد «ويسلى» و«سيرياس» خاطباه كأنه أساء التصرف، كما أخفيا عنه ما يعرفانه؛ حتى يقدرا حجم الدمار الذى تسبب فيه.

«...منقار.. أعنى طوفان من البوم ينطلق داخلاً خارجًا، إلى ومن بيتى.. لن أسمح بهذا يا ولد.. لن أس...».

قاطعه «هارى» قائلاً وهو يكوم رسالة «سيرياس» فى يده: «لا أستطيع منع البوم من الحضور».

صاح «فرنون»: «أريد معرفة حقيقة ما حدث الليلة.. إن كانت (الديمنتورات) هى التى آذت ددلى، فلماذا فصلوك؟ أنت قمت (بما تعرفه)، وقد اعترفت بهذا».

أخذ «هارى» نفسًا عميقًا مهدئًا. بدأ رأسه يؤلمه ثانية. كان يريد أكثر من أى شىء أن يغادر المطبخ، ويبتعد عن آل «دورسلى».

قال مجبرًا نفسه على البقاء هادئًا: «أديت تعويذة البتروناس للتخلص من (الديمنتورات).. إنها الشىء الوحيد الفعال ضدهم».

قال الخال «فرنون» بغضب: «وماذا كانت تفعل (الديمنوتات) هنا؟».

قال «هارى» بإجهاد: «لا أعرف، ليس عندى فكرة عن السبب».

أخذ رأسه ينبض من الألم وسط أضواء المطبخ القوية، وانحسر عنه غضبه، فشعر بالإرهاق، وأخذ آل «دورسلى» يحدقون فيه.

قال الخال «فرنون» ضاغطًا عليه: «أنت السبب.. الأمر متعلق بك يا ولد، أعرف هذا. لماذا تراهم ظهروا إن لم تكن أنت السبب؟ لماذا كانوا فى الزقاق؟ فأنت الوحيد فى هذه المنطقة الـ.. الـ..» لم يستطع حمل نفسه على قول كلمة «ساحر» فقال: «الذى تعرف ماذا على مسافة أميال من هنا».

«لا أعرف لماذا كانوا هنا».

لكن مع كلمات الخال «فرنون» عاد عقل «هارى» المرهق إلى العمل. لماذا جاءت (الديمنتورات) إلى «ليتل ويننج»؟ كيف تصادف هذا مع وجوده فى الزقاق؟ هل تم إرسالهم عمدًا؟ هل فقدت وزارة السحر السيطرة على (الديمنتورات)؟ هل تركوا «أزكابان» وانضموا إلى «ڤولدمورت» كما تنبأ «دمبلدور»؟

سأل الخال «فرنون» متتبعًا نفس خط تفكير «هارى»: «هل هؤلاء (الديمومبرات) حراس لسجن ما فى عالمكم الغريب؟».

لو يكف رأسه فقط عن الألم، لو يتمكن من مغادرة المطبخ والانفراد بنفسه فى حجرته المظلمة ويفكر..

قال الخال «فرنون» بأسلوب من وصل إلى استنتاج عبقرى: «آه.. كانوا قادمين للقبض عليك.. هذا هو السر.. أليس كذلك يا ولد؟ أنت هارب من حكم».

قال «هارى» وهو يهز رأسه كأنه يبعد عنه ذبابة: «بالطبع لا»

«لماذا إذن..؟»

قال «هارى» بهدوء، لنفسه أكثر منه للخال «فرنون»: «لا بد أنه هو من أرسلهم».

«من تقصد؟ من أرسلهم؟» فقال «هارى»: «اللورد ڤولدمورت»

لاحظ «هارى» وجود مفارقة فى أن آل «دورسلى» الذين يرتجفون ويخافون من أقل ذكر لكلمة «سحر» أو «عصا سحرية» أمكنهم تحمل سماع اسم أشد السحرة شرًا فى العالم عبر الأزمان، دون أدنى إحساس بالرهبة.

قال الخال «فرنون» ووجهه يتغير، لتظهر على عينيه علامات الفهم: «لورد ماذا..؟! انتظر.. لقد سمعت هذا الاسم.. أليس هو من قـ..».

قال «هارى» ببرود: «أجل.. من قتل والدىّ».

قال الخال «فرنون» بنفاد صبر دون أدنى دليل على تأثره بذكر قتل والدى «هارى»: «لكنه هلك.. ذلك العملاق أخبرنى بهذا. هلك»

قال «هارى» بإرهاق: «لقد عاد»

بدا أمرًا شديد الغرابة أن يقف فى مطبخ الخالة «بيتونيا» النظيف، بجانب الثلاجة والتليفزيون الكبير، ويتحدث بهدوء عن اللورد «ڤولدمورت» إلى الخال «فرنون». بدا حضور (الديمنتورات) كأنه أسقط الحائط الكبير غير المرئى الذى يقسم العالم غير السحرى فى «بريفت درايف»، والعالم الآخر. امتزجت حياتا «هارى» المنفصلتان، انقلب كل شىء رأسًا على عقب.. آل «دورسلى» يسألونه عن تفاصيل العالم السحرى، والسيدة «فيج» تعرف «ألبوس دمبلدور»، و(الديمنتورات) تجول فى «ليتل وينتج»، وربما لا يعود أبدًا إلى «هوجورتس». أخذ رأس «هارى» ينبض بألم أشد.

همست الخالة «بيتونيا»: «عاد؟»

كانت تنظر إلى «هارى» كأنها لم تره من قبل أبدًا. وفجأة، وللمرة الأولى فى حياته، شعر بالامتنان لأن الخالة «بيتونيا» شقيقة والدته. لم يعرف على وجه اليقين سبب شعوره هذا وبهذه القوة فى تلك اللحظة. المهم أنه ليس الشخص الوحيد فى الحجرة الذى يعرف معنى عودة اللورد «ڤولدمورت». لم ير «هارى» خالته «بيتونيا» بهذه الصورة من قبل قط. لم تكن عيناها الكبيرتان الشاحبتان ـ بخلاف عينى أختها ـ ضيقتين بسبب الضيق أو الغضب، كانتا واسعتين وخائفتين. والمظهر الغاضب الذى حافظت عليه طوال حياة «هارى».. وتظاهرها بعدم وجود عالم آخر غير الذى تعيشه مع الخال «فرنون».. بدا كأن جدار التظاهر هذا يسقط.

قال «هارى» مخاطبًا الخالة «بيتونيا» مباشرة: «أجل.. عاد منذ شهر. ورأيته».

وجدت يداها كتفى «ددلى» الهائلين وأمسكت بهما.

قال الخال «فرنون» وهو ينقل بصره بين زوجته و«هارى»، مذهولاً ومرتبكًا من هذا التفاهم بينهما: «انتظرا.. دقيقة. لورد ڤلدود هذا عاد؟»

ـ «أجل»

ـ «ذلك الذى قتل والديك؟»

ـ «أجل»

ـ «والآن يرسل إلينا (دسمامبورات) لتطاردك؟» فقال «هارى»: «على ما يبدو»

قال الخال «فرنون» وهو ينقل بصره بين وجه زوجته الشاحب و«هارى»، ثم يرفع بنطلونه: «واضح»، بدا كأنه ينتفخ، ووجهه المحتقن يتمدد أمام عينى «هارى»، قال: «حسنًا.. هذا ينهى الموضوع.. يمكنك الخروج من المنزل يا ولد» قالها وقميصه يضيق حول خصره وهو يشد جسده.

قال «هارى»: «ماذا؟».

صاح الخال «فرنون»: «سمعتنى.. **اخرج**» حتى الخالة «بيتونيا» و«ددلى» أجفلا فزعًا.. «**اخرج**! **اخرج**! اضطررت لإيوائك طوال سنوات!.. يوم يعامل المكان كأنه حظيرة، وحلوى تنفجر فى وجوهنا، ونصف الصالة تُدمر، وددلى ينمو له ذيل، ومارچ أختى تطير، وتلك السيارة الفورد الطائرة.. **اخرج اخرج**. نلت كفايتى منك. انتهت حياتك معنا! لن تبقى هنا وقاتل مجنون يطاردك، لن أتركك تعرض حياة زوجتى وابنى للخطر، ولن تجلب لنا المشاكل. إن كنت قد اخترت طريق والديك الخاسر، فلن تعيش معنا. **اخرج**!».

وقف «هارى» متجمدًا فى مكانه. ورسائل الوزارة، والسيد «ويسلى» و«سيرياس» مكومة فى يده اليسرى: *إياك ومغادرة منزل خالتك وزوجها*.

قال الخال «فرنون»: «سمعتنى» وهو ينحنى للأمام ووجهه الهائل المحتقن يقترب من وجه «هارى» حتى إنه شعر برذاذ من لعابه يصيب وجهه.. «اخرج.. كنت تريد المغادرة منذ نصف ساعة! وأنا أؤيدك! اخرج ولا تسوّد مدخل بيتنا بوجهك ثانية! لماذا أبقيناك فى منزلنا بالمقام الأول، أنا لا أعرف، كانت مارچ محقة، كان يجب إرسالك لملجأ الأيتام. كنا طيبين معك؛ لأننا أصلاء، بالرغم من قدرتنا على التخلص منك، ظننا أننا سنتمكن من تحويلك إلى شخص طبيعى، لكنك عفن منذ البداية، ونلت كفايتى من.. البوم!».

مرقت البومة الخامسة عبر المدخنة بسرعة ضربت معها الأرض قبل أن تحلق فى الهواء ثانية. رفع «هارى» يده ليقبض على الرسالة، التى كانت فى مظروف أحمر، لكن البومة ارتفعت فوق رأسه وطارت ناحية الخالة «بيتونيا» مباشرة، التى أطلقت صرخة وأحنت رأسها، وذراعاها فوق وجهها. أسقطت البومة المظروف الأحمر على رأسها، واستدارت، لتطير مغادرة عبر المدخنة.

اندفع «هارى» للأمام ليلتقط الرسالة، لكن الخالة «بيتونيا» سبقته إليها.

قال «هارى»: «يمكنك فتحها لو أردت، لكننى سأسمع ما بها.. فهذه رسالة عاوية».

زأر الخال «فرنون»: «اتركيها يا بيتونيا.. لا تلمسيها، قد تكون خطيرة».

قالت الخالة «بيتونيا» بصوت مرتجف: «إنها موجهة لى.. موجهة لى يا فرنون. انظر: السيدة بيتونيا دورسلى، المطبخ، رقم (٤)، بريفت درايف».

حبست أنفاسها بذعر. وبدأ الدخان ينبعث من المظروف الأحمر.

قال لها «هارى»: «افتحيها.. انتهى من المسألة.. ستتكلم الرسالة شئت أم أبيت».

ـ «لا».

كانت يدا الخالة «بيتونيا» ترتجفان. أجالت طرفها فى المطبخ؛ بحثًا عن طريق للهروب، لكن فات الأوان.. انبعث اللهب من المظروف، وصرخت الخالة «بيتونيا» وأسقطته من يدها.

ملأ الصوت الرهيب المطبخ وصداه يتردد فى المساحة الضيقة، صادرًا من المظروف المحترق الملقى على المائدة.

تذكرى آخر كلماتى يا بيتونيا

بدت الخالة «بيتونيا» كأنها ستفقد الوعى. تهاوت على المقعد المجاور لـ«ددلى»، ووجهها بين يديها. تحول ما تبقى من المظروف إلى رماد فى صمت.

قال الخال «فرنون» بصوت أجش: «ما هذا؟ ماذا.. لا أعرف.. بيتونيا؟».

لم تنطق الخالة «بيتونيا». أخذ «ددلى» يحدق بغباء فى أمه، وفمه مفتوح. حلق الصمت فوق رءوسهم رهيبًا مخيفًا. راقب «هارى» خالته باندهاش شديد، ورأسه الذى يؤلمه كأنه على وشك الانفجار.

قال الخال «فرنون» على استحياء: «بيتونيا يا عزيزتى.. بـ..بيتونيا؟».

رفعت رأسها. كانت لا تزال ترتجف، وابتلعت ريقها.

قالت بضعف: «الولد.. يجب أن يبقى الولد يا فرنون».

ـ «مـ..ماذا؟».

قالت دون النظر إلى «هارى»، وهى تنهض على قدميها ثانية: «سيبقى».

ـ «لكنه.. لكن يا بيتونيا..».

قالت وهى تستعيد سلوكها الحاد المعتاد، وإن كانت لا تزال شاحبة: «إن رميناه إلى الخارج سيتكلم الجيران.. سيسألون أسئلة محرجة، وسيريدون معرفة أين ذهب. علينا إبقاؤه معنا».

انحسر غضب الخال «فرنون» مثل إطار سيارة قديم يتسرب منه الهواء.

ـ «لكن يا بيتونيا.. عزيزتى».

تجاهلته زوجته والتفتت إلى «هارى». قالت: «ستبقى فى غرفتك.. ولن تغادر المنزل. والآن اذهب إلى الفراش».

لم يتحرك «هارى».

ـ «من أين جاءت هذه الرسالة العاوية؟».

بادرته الخالة «بيتونيا» بقولها الحاد: «لا تسأل أى أسئلة».

ـ «هل لك صلة بالسحرة؟».

ـ «قلت لك اذهب إلى الفراش».

ـ «ماذا كانت تعنى بقولها تذكرى آخر كلماتى؟».

ـ «اذهب إلى الفراش».

ـ «كيف و..؟».

ـ **«سمعت خالتك.. والآن اذهب إلى الفراش».**

٣ فرقــة الحراســة

لقد هاجمتنى (ديمنتورات) منذ قليل، وربما يتم فصلى من هوجورتس. أريد معرفة ما يحدث، ومتى سآتى إليكم.

نسخ «هارى» هذه الكلمات القليلة على ثلاث ورقات عندما وصل إلى مكتبه فى حجرته المظلمة. وجه الرسالة الأولى إلى «سيرياس»، والثانية إلى «رون»، والثالثة إلى «هيرميون». كانت بومته - «هدويج» - قد خرجت تصطاد. أخذ «هارى» يذرع الحجرة جيئة وذهابًا؛ انتظارًا لعودتها، ورأسه يدور، وعقله مشغول لدرجة لم تسمح له بالنوم حتى مع انتفاخ عينيه من الإرهاق. كان ظهره يوجعه منذ جر «ددلى» إلى البيت، والكدمتان فى رأسه الناتجتان عن اصطدامه بالنافذة وبـ«ددلى» تؤلمانه بشدة.

أخذ يسير جيئة وذهابًا، وإحساسه بالغضب والإحباط والغيظ يأكله، مطبقًا أسنانه على بعضها، وقبضتاه مشدودتان، ونظرات غضب تخرج منه إلى السماء المرصعة بالنجوم كلما مر أمام النافذة. (الديمنتورات) جاءت لتهاجمه، والسيدة «فيج» و«مندنجس فلتشر» يحرسانه فى السر، ثم إيقافه من «هوجورتس»، والمحاكمة فى وزارة السحر.. ولا أحد حتى الآن يريد إخباره بما يحدث.

ثم عم كانت تتحدث تلك الرسالة العاوية؟ صوت مَنْ هذا الذى تردد بتلك الفظاعة، وتلك النبرة التهديدية، فى المطبخ؟ لماذا لا يزال محبوسًا هنا دون أية معلومات تفسر له أى شىء؟ لماذا يعامله الجميع على أنه طفل شقى؟ *إياك والقيام بأى سحر، وابق فى المنزل..*

ركل حقيبة مدرسته وهو يمر بجانبها، لكنه لم يشعر بالراحة أو بانحسار غضبه، بل أحس إحساسًا أسوأ، بعد أن أضيف ألم فى أصبع قدمه إلى آلامه.

وهو يعرج بجوار النافذة، طارت «هدويج» إلى داخل الحجرة بصوت رفرفة ناعم من أجنحتها مثل شبح صغير.

قال «هارى» مزمجرًا وهى تحط بخفة على قمة القفص: «جئت فى وقتك.. اتركى هذا الصيد، فلدى عمل لك».

حدقت فيه عينا «هدويج» الكبيرتان، المستديرتان، العنبريتان من فوق الضفدع الميتة التى تحملها فى منقارها.

قال وهو يلتقط اللفافات الثلاث الصغيرة من الورق وحزامًا جلديًّا صغيرًا لربطها فى قدمها: «خذى هذه إلى سيرياس، ورون، وهيرميون ولا تعودى إلا محملة بردود طويلة منهم. انقريهم حتى يكتبوا رسائل محترمة الطول. هل فهمت؟».

صدر عن «هدويج» صوت مكتوم، ومنقارها لا يزال قابضًا على الضفدع.

قال لها: «هيا. اذهبى»

طارت على الفور. ولحظة خروجها ألقى بنفسه على الفراش دون أن يخلع ملابسه، وحدق فى السقف المظلم. بالإضافة لكل المشاعر البائسة التى تجتاحه فهو يشعر الآن بالذنب بسبب إزعاجه لـ «هدويج».. فقد كانت صديقته الوحيدة فى المنزل رقم (٤) بشارع «بريفت درايف». لكنه سيعوضها عندما تعود بالإجابات من «سيرياس»، و«رون»، و«هيرميون».

سيكون عليهم الرد بسرعة.. لا يمكن طبعًا أن يتجاهلوا التعليق على هجوم (الديمنتورات). على الأرجح سينهض من نومه غدًا ليجد ثلاث رسائل كبيرة مليئة بالتعاطف، وخطط لنقله فورًا إلى منزل «رون». وبهذه الفكرة المريحة حل عليه النوم، ليمنع أية أفكار جديدة قد تواتيه.

***

لكن «هدويج» لم تعد صباح اليوم التالى. قضى «هارى» يومه فى الفراش، يفارقه عندما يذهب إلى دورة المياه فقط. ثلاث مرات على مدى ذلك اليوم دفعت الخالة «بيتونيا» بالطعام إلى حجرته وكل مرة يسمعها تقترب يحاول سؤالها عن الرسالة العاوية، لكن الأمر كان أشبه باستجواب مقبض الباب، فلم يحصل منها على أية إجابات. بخلاف ذلك ابتعد آل «دورسلى» عن حجرته. لم ير سببًا ليفرض نفسه عليهم، فشجار آخر معهم لن يفلح فى شىء سوى إثارة غضبه ثانية؛ مما قد يدفعه لأداء المزيد من السحر غير القانونى.

وهكذا استمر الحال لمدة ثلاثة أيام كاملة. كان «هارى» يشعر بطاقة مقلقة

داخله، تجعله غير قادر على الاستقرار على أى شىء، فكان يذرع حجرته جيئة وذهابًا، غـاضبًا مـنـهـم جميعًا؛ لتركهم إياه تضطرم الحيرة فى صدره وبلامبالاة تامة تدفعه للاستلقاء على فراشه لساعة دون أن ينهض، محدقًا فى الفراغ فوقه.. فكرة محاكمة الوزارة كانت تؤلمه وترهبه.

مـاذا لو أصدروا حكمًا ضده؟ ماذا لو فصلوه وكسروا عصاه السحرية إلى قطعتين؟ ماذا سيفعل وقتها؟ وأين سيذهب؟ لن يمكنه العودة والعيش مـع آل «دورسلى» بصفة نهائية، ليس بعد أن عرف العالم الآخر، العالم الذى ينتمى إليه. ربما يعيش فى منزل «سيرياس»، كما اقترح عليه «سيرياس» نفسه قبل عام، هل سيسمحون لـ«هارى» بالعيش هناك وحده؟ علمًا بأنه لم يبلغ السن القانونية بعد؟ أم سيقررون مسألة إقامته بأنفسهم؟ وهل انتهاكه لقانون «سرية السحرة الكونفدرالى الدولى» قوى بما يكفى ليضعوه فى زنزانة بسجن «أزكابان»؟ وكلما ورد هذا الخاطر على باله؛ غادر فراشه وبدأ فى السير بالحجرة جيئة وذهابًا ثانية.

وفى الليلة الرابعة بعد مغادرة «هدويج»، كان «هارى» راقدًا فى حالة بائسة، محدقًا فى السقف، وعقله المجهد خاليًا من أية أفكار، عندما ولج زوج خالته إلى الحجرة. تطلع «هارى» ببطء إليه. كان الخال «فرنون» مرتديًا أفضل سترة لديه وعلى وجهه نظرة سمجة لا تطاق.

قال: «إننا سنخرج».

«عذرًا؟ لم أسمع».

«إننا.. أعنى أنا وخالتك وددلى، سنخرج».

قال «هارى» بفتور معاودًا النظر إلى السقف: «حسنًا».

«ولن تغادر غرفتك ونحن بالخارج».

«مفهوم».

«ولا تلمس التليفزيون، ولا المذياع، ولا أى شىء من ممتلكاتنا».

«واضح».

«ولا تسرق أى شىء من الثلاجة».

«طبعًا».

«وسأقفل باب غرفتك بالمفتاح».

«كما تشاء.. اقفله».

حدق الخال «فرنون» فى «هارى»، بريبة بسبب عدم جدال الأخير، ثم خرج وأغلق الباب خلفه. سمع «هارى» المفتاح يدور فى القفل، وخطوات الخال «فرنون» تهبط السلم. وبعد دقائق سمع صوت إغلاق أبواب السيارة، وجلبة المحرك، ثم صوت السيارة وهى تسير عبر الحديقة الأمامية للمنزل.

لم يفرح لخروج آل «دورسلى». ليس ثمة فرق بين وجودهم فى البيت وغيابهم عنه. لم يقدر على استجماع الطاقة الكافية للنهوض وإضاءة أنوار حجرته. عم الظلام من حوله وهو راقد ينصت لأصوات الليل عبر النافذة التى يبقيها مفتوحة دومًا، انتظارًا للحظة الفرج وعودة «هدويج».

سمع أصوات البيت الصامت، وصرير أنابيب المياه. رقد فى حالة من الخدر، غارقًا فى تعاسته ويأسه، وهو لا يفكر فى أى شىء.

ثم سمع صوت ارتطام بنافذة المطبخ أسفله.

هب من رقاده ناهضًا، وأصغى السمع. لا يمكن أن يكون آل «دورسلى» قد عادوا بهذه السرعة، فهو لم يسمع صوت سيارتهم.

عم الصمت لثوانٍ قليلة، ثم جاءته أصوات.

قال لنفسه: إنهم لصوص.. ونهض من الفراش على قدميه.. لكن بعد جزء من الثانية ورد إلى خاطره أن اللصوص يحاولون دومًا خفض أصواتهم، وأيًا من كان بالمطبخ فهو لم يهتم بكتم صوته.

اختطف عصاه السحرية من على المائدة المجاورة لفراشه، ووقف فى مواجهة باب الحجرة، يستمع لأقل صوت يصدر. وبعد لحظة قفز والقفل يصدر عنه صوت معدنى وباب حجرته يُفتح.

وقف «هارى» جامدًا فى مكانه، ناظرًا عبر الباب المفتوح إلى بداية السلم الهابط إلى أسفل من خلفه، محاولاً الإنصات للمزيد من الأصوات، لكنه لم يسمع شيئًا. تردد للحظة ثم تقدم بسرعة وبهدوء عبر الحجرة إلى السلم.

تقافز قلبه بين ضلوعه. هناك أشخاص واقفون فى الصالة بالأسفل، لا يبدو منهم سوى ظلال على خلفية من أضواء الشارع القادمة من باب المنزل الزجاجى. حوالى ثمانية أو تسعة أفراد، وجميعهم يتطلعون إليه.

قـال صـوت هـادر خفيض: «اخـفـض عصــاك يــا ولـد قـبـل أن تصـيـب عين أحدهم».

نبض «هـارى» بقوة. كـان يعرف هذا الصوت، لكنه لم يخفض عصـاه.

قـال والشك يملؤه: «الأستـاذ مودى؟».

قـال الصوت الهـادر: «لا أعرف إن كنت أستـاذًا أم لا.. فـأنـا لم أُدرّس كثيرًا، أليس كذلك؟ تعـال هنـا. نريد رؤيتك عن قرب».

خفض «هـارى» عصـاه السحرية قليلاً، لكنه لم يرخ قبضته المحكمة حولهـا، ولم يتحرك. كـان لديه مـا يكفى من الأسبـاب للشك. فقد قضى مـا يقرب من تسعة أشهر فى صحبة من كـان يعتقد أنه «مـاد آى مودى»[1]، ليكتشف فى النهـاية أنه شخص زائف، وأنه ليس «مودى» بـالمرة، لكنه شخص آخر انتحل شخصيته، بل وحـاول قتل «هـارى» قبل أن يكشفوا سره. لكن قبل أن يتخذ قرارًا بشأن مـا سيفعله، جاءه صوت آخر واهن من الأسفل يقول: «لا تقلق يـا «هـارى». لقد جئنـا لنأخذك معنـا».

خفق قلبه بقوة. فهو يعرف هذا الصوت، وإن لم يسمعه منذ عـام.

قـال بنبرة من لا يصدق: «الأسـ.. الأستـاذ «لوبين»؟ هل هذا أنت؟».

قـال صوت ثـالث غير مألوف لـ «هـارى»: «لمـاذا نقف فى الظلام.. *لوموس*».

أضـاء طرف عصـا سحرية، ليغمر الضوء السحرى الصـالـة. طرفت عينـا «هـارى». كـان المتجمعون بـالأسفل واقفين عند أول السلم، وهم يرمقونه بـاهتمـام، وبعضهم قد أدار رأسه؛ سعيًا لرؤية أفضل.

كـان «ريموس لوبين» أقربهم إليه. بـالرغم من أنه لا يزال شـابًـا، بدا مرهقـًا ومريضًـا.. كـان الشعر الرمـادى فى رأسه قد زاد منذ ودعه «هـارى» لآخر مرة، وعبـاءته أشد قدمًا ورثـاثة. لكنه كـان يبتسم ابتسامة عريضة لـ«هـارى»، الذى حـاول مبـادلته الابتسـام بـالرغم من حـالة الصدمة التى كـان يعانى منهـا.

قـالت السـاحرة التى ترفع عصـاهـا السحرية مضـاءة: «يـااه.. إن مظهره مثلمـا خمنت تمـامًا» بدت الأصغر، بوجههـا الشبيه بشكل القلب، وعينيهـا السوداوين اللامعتين، وشعرهـا القصير المتنـاثر بلونه البنفسجى.. «أهلاً يـا هـارى!».

---

(١) أو «مودى ذو العين المجنونة» وهو ساحر قدير مخضرم من أصدقاء «هـارى» و«دمبلدور»، وأصل الاسم أن له عينًا سحرية تدور فى محجرها بجنون طوال الوقت، وترى أمامه وخلفه وتخترق الجدران لترى ما خلفها، بل والأشياء الخفية التى لا تراها العين العادية (المترجم).

قال ساحر أصلع داكن البشرة: «أجل. أفهم ما تعنيه يا ريموس» كان صوته عميقًا وبطيئًا ويرتدى فردة حلق واحدة فى أذنه.. «إنه يشبه چيمس تمامًا».

قال صوت أشبه بالأزيز: «فيما عدا العينين، فهما أشبه بعينى ليلى» كان هذا ساحرًا فضى الشعر واقفًا فى الخلف.

تطلع «ماد آى مودى» ذو الشعر الفضى الكثيف والطويل، والقطعة الكبيرة المفقودة من أنفه، بريبة إلى «هارى» بعينه السحرية. كانت إحدى عينيه صغيرة، وخرزية الشكل، والأخرى كبيرة ومستديرة ولونها أزرق لامعًا وهى عينه السحرية التى ترى عبر الحوائط والأبواب ومؤخرة رأسه ذاتها.

هدر قائلاً: «هل أنت واثق أنه هو يا لوبين؟ سيكون أمرًا طريفًا لو عدنا ومعنا أحد أكلة الموت متنكرًا فى هيئته. علينا سؤاله عن شىء لا يعرفه سوى بوتر الحقيقى. إلا إذا كنت قد أحضرت معك بعضًا من (الفيريتاثيرام)[١]».

سأله «لوبين»: «هارى.. ما هو شكل البتروناس الذى تطلقه؟».

قال «هارى» بعصبية: «أيل».

قال «لوبين»: «إنه هو يا ماد آى».

هبط «هارى» السلم وهو شاعر بجميع المحدقين فيه واضعًا عصاه السحرية فى جيب بنطلونه «الجينز» الخلفى.

زأر «مودى»: «لا تضع عصاك السحرية فى هذا الجيب يا ولد! ماذا لو انطلق منها الشرر؟ كم من ساحر أمهر منك فقد مؤخرته فى مواقف مماثلة!».

سألت الساحرة البنفسجية الشعر «مودى» باهتمام: «ومن تعرفه فقد مؤخرته؟».

هدر «ماد آى» قائلاً: «لا تكترثى، وأبقى عصاك السحرية مشهرة وبعيدة عن جيبك الخلفى!.. لم يعد أحد يهتم بقواعد أمان العصا السحرية الأساسية» ثم وهو يقترب من المطبخ: «كما أننى رأيت ما فعلت» والسيدة ترفع عينها بعصبية نحو السقف.

مد «لوبين» يده ليصافح «هارى».

سأله وهو ينظر إليه عن قرب: «كيف حالك؟».

«بـ..بخير».

---

(١) Veritaserum واضح من الاسم أنه مسحوق أو سائل سحرى ما يتحقق من الشخصية، فهو مكون من مقطعين بمعنى: «عقار التثبت» (المترجم).

لم يصدق «هارى» نفسه. بعد أربعة أسابيع من الخواء، دون أدنى إشارة على وجود خطة لنقله من «بريفت درايف»، فجأة يجد مجموعة كبيرة من السحرة واقفين فى المنزل كأن الأمر مخطط له منذ زمن. نظر إلى المحيطين بـ «لوبين»، كانوا لايزالون يحدقون فيه باهتمام. شعر بالحرج من شعره غير المصفف منذ أربعة أيام.

أخذ يغمغم: «أنا.. أنتم محظوظون فعلاً أن آل دورسلى قد غادروا..».

قالت المرأة البنفسجية الشعر: «محظوظون؟ هاه.. أنا من أقنعتهم بالخروج. أرسلت لهم رسالة ببريد العامة أخبرهم فيها بأنهم قد تم اختيارهم كفائزين فى مسابقة حدائق الضواحى البريطانية. وهم فى طريقهم الآن لتسلم الجائزة.. أو يحسبون أنهم سيتسلمونها».

رأى «هارى» بعين الخيال وجه الخال «فرنون» بعد أن يدرك زيف المسابقة.

سألهم: «نحن سنغادر.. أليس كذلك؟ بسرعة؟».

قال «لوبين»: «على الفور.. لكننا ننتظر إشارة التأمين».

تساءل «هارى» بتطلع شديد: «أين سنذهب؟ إلى البارو؟».

قال «لوبين» وهو يشير إلى «هارى» ليتجه إلى المطبخ: «لا.. ليس إلى البارو» تبعه جماعة السحرة، وعيونهم - جميعهم - لا تبتعد عن «هارى»، مليئة بالفضول. أضاف قائلاً: «الإقامة هناك خطرة. لقد أقمنا مقرنا فى مكان آخر لا يعرف بأمره أحد. استغرق الأمر منا زمنًا لإعداده..».

جلس «ماد آى مودى» إلى مائدة المطبخ وأخذ يشرب من قِدر كبيرة، وعينه السحرية تدور فى كل الاتجاهات، ليشاهد ما بمطبخ آل «دورسلى».

أضاف «لوبين» وهو يشير نحو «مودى»: «هذا ألاستور مودى يا هارى».

قال «هارى» بعدم ارتياح: «أجل.. أعرف» شعر بغرابة فى تعريفه بشخص ظن أنه يعرفه لمدة عام كامل.

«وهذه نيمفادورا..».

قالت الساحرة بضيق: «لا تطلق علىّ نيمفادورا يا ريموس.. اسمى تونكس».

أنهى «لوبين» كلامه قائلاً: «نيمفادورا تونكس، وهى تحب أن ننادى عليها باسم أبيها فقط».

قالت: «كنت ستفعل مثلى لو أطلقت أمك عليك اسمًا سخيفًا كنيمفادورا».

أشار إلى الساحر الأسود الطويل وقال: «وهذا كنجسلى شاكلبولت» الذى انحنى محييًا إياه.. ثم: «إلفياس دوج» فأومأ الساحر الذى كان صوته أشبه بالأزيز. ثم: «ديدالوس ديجل..».

صاح «ديجل» بحماس: «لقد التقينا من قبل» وهو يرفع قبعته البنفسجية.

«إيميلين فانس» أومأت ساحرة مهيبة الطلعة ترتدى شالاً أخضر ياقوتيًّا.. ثم: «ستورجيس بودمور» فغمز ساحر مربع الفك ذو شعر كثيف كالقش. و: «هستيا جونس» فلوحت ساحرة وردية الوجنات سوداء الشعر بيدها وهى واقفة بالقرب من المحمصة.

أحنى «هارى» رأسه باحترام لكل منهم أثناء تعريفه بهم. تمنى لو نظروا إلى شىء آخر غيره، كان الأمر كما لو أنه قد وقف فجأة على خشبة المسرح. وتساءل لماذا كانوا كثيرين هكذا؟

قال «لوبين» كأنه قرأ ما يدور بعقل «هارى» وطرفا فمه يختلجان قليلاً: «تطوع كمّ مدهش من الناس للقدوم والعودة بك».

قال «مودى»: «أجل.. كلما زاد العدد كان أفضل.. نحن حراسك يا هارى».

قال «لوبين» وهو يختلس نظرة سريعة عبر نافذة المطبخ: «إننا فقط ننتظر إشارة الأمان للخروج.. لدينا خمس عشرة دقيقة أخرى».

قالت «تونكس»: «يالنظافة هؤلاء العامة!» كانت تنظر حولها عبر المطبخ باهتمام بالغ. أضافت: «أبى فى الأصل أحد العامة، لكنه ليس نظيفًا.. لا بد أن الأمر يختلف من شخص إلى آخر، مثلما هو الحال مع السحرة».

قال «هارى»: «آ.. أجل.. انظر» عاود النظر إلى «لوبين» وأضاف: «ماذا يجرى؟ لم أسمع بأى شىء من أى أحد.. هل ڤولـ..؟».

صدر عن العديد من السحرة والساحرات الحاضرين هسيس احتجاج.. أسقط «ديدالوس ديجل» قبعته ثانية، وهدر «مودى» قائلاً: «اصمت!».

قال «هارى»: «ماذا؟».

قال «مودى» وهو يدير عينه الطبيعية إلى «هارى»: «لن نناقش أى شىء هنا، فالأمر فيه مخاطرة كبيرة» ظلت عينه السحرية مركزة على السقف.. أضاف بغضب: «اللعنة» ثم رفع يده إلى عينه السحرية قائلاً: «إنها كثيرة الالتصاق.. خاصة منذ ارتداها ذلك الحثالة».

وبصوت لزج مقزّز، أخرج عينه من محجرها.

قالت «تونكس» بلهجة من يريد النقاش: «ألا تظن يا ماد آى أن ما فعلته مقزز؟».

قال «مودى» لـ «هارى»: «هلا أحضرت لى كوبًا من الماء يا هارى».

عبر «هارى» إلى الحوض، وأخرج كوبًا نظيفًا وملأه بالماء من الصنبور، وفريق السحرة ما زال يراقبه باهتمام. بدأت نظراتهم المقلقة تزعجه.

قال «مودى» عندما ناوله «هارى» الكوب: «فى صحتك!». أسقط فيه العين السحرية وأخذ يغطسها فى الماء فتناثر من الكوب، حدق فيهم واحدًا تلو الآخر قائلاً: «يجب أن تكون رؤيتى أثناء العودة بسعة ٣٦٠ درجة».

سأل «هارى»: «وكيف سـ... وأين سنذهب؟».

قال «لوبين»: «سنطير على المقشات السحرية.. إنها الطريقة الوحيدة للحركة. أنت صغير على الاختفاء السحرى، ومن المؤكد أنهم يراقبون شبكة الفلو للنقل. والمخاطرة كبيرة جدًا لدرجة لا نقدر معها على فتح بوابة نقل سحرية غير مصرح بها».

قال «كنجسلى شاكلبولت» بصوته العميق: «يقول ريموس: إنك راكب مقشات ماهر».

قال «لوبين» وهو ينظر إلى ساعته: «إنه ممتاز.. على أية حال الأفضل أن تذهب وتجهز حقيبتك يا هارى. علينا الاستعداد للإقلاع مع وصول الإشارة».

قالت «تونكس» بنبرة مشرقة: «سآتى وأساعدك».

تبعت «هارى» إلى الصالة ثم أعلى السلم، وهى تنظر حولها باهتمام وفضول.

قالت: «مكان غريب.. إنه نظيف إلى حد غير معقول. غير طبيعى فى نظافته. آه.. هكذا أفضل» قالتها معلقة على حالة حجرة «هارى». وأضاء هو الأنوار.

كانت حجرته بالتأكيد أقل نظافة من باقى المنزل. ومع حبسه بها لمدة أربعة أيام فى مزاج معتل، فلم يحاول تنظيفها. معظم الكتب كانت ملقاة على الأرض حيث حاول أن يشتت تركيزه عن مشكلته بقراءتها، ثم ألقى بها.. وقفص «هدويج» يحتاج للتنظيف والتخلص من رائحته الكريهة، وحقيبته ملقاة مفتوحة، كاشفة عن مزيج من ملابس العامة وعباءة رماها على الأرض.

بدأ «هارى» فى التقاط الكتب وإلقائها على عجلة فى حقيبته. توقفت

«تونكس» عند باب خزانته المفتوحة لتنظر نظرة ناقدة فاحصة على انعكاسها فى المرآة المركبة داخل باب الخزانة.

قالت مستغرقة فى التفكير: «أتعرف؟ لا أحسب اللون البنفسجى لونًا مناسبًا لى» وهى تمسك بخصلة من شعرها المتناثر.. أضافت: «ألا ترى أنه يجعلنى أبدو حادة المظهر؟».

قال «هارى» فى حيرة وهو ينظر إليها من فوق كتاب: «فرق الكويدتش فى بريطانيا وأيرلندا»: «آ..آ..».

قالت «تونكس» بنبرة حاسمة: «أجل..» رفعت عينيها فى تعبير قلق كأنها تجاهد لتذكر شيئًا ما. وبعد ثانية تحول شعرها إلى لون وردى أشبه بلون العلك.

قالت وهى تنظر ثانية إلى انعكاسها فى المرآة، ثم وهى تدير رأسها لترى شعرها من كل الجوانب: «أنا (ميتامورفماجوس).. بمعنى أننى قادرة على تغيير شكلى بإرادتى» أضافت العبارة الأخيرة بعد أن لاحظت تعجب «هارى» الواقف خلفها فى المرآة.. «لقد ولدت بهذه الحالة. وحصلت على أعلى الدرجات فى دورات الاختفاء والتنكر أثناء التدريب على قتال السحر الأسود دون أى دراسة أو استذكار، كم كان الأمر ممتعًا».

قال «هارى» مندهشًا: «هل أنت مقاتلة للسحر الأسود؟» فقد كان قتال السحر الأسود هو المستقبل المهنى الوحيد الذى يتمناه بعد التخرج.

قالت «تونكس» بفخر: «أجل.. وكذا كنجسلى، لكنه أعلى رتبة منى بقليل. فأنا قد تأهلت للوظيفة منذ عام فقط. وكدت أفشل فى اختبار التسلل والتتبع. فأنا خرقاء للغاية، هل سمعت صوت تحطم ذلك الطبق عندما وصلنا؟».

سألها «هارى» وهو يستقيم فى وقفته وقد نسى أمر الحقيبة تمامًا: «وهل يمكن تعلم خاصية (الميتامورفماجوس)؟».

أجابته «تونكس» ضاحكة:

«أراهن أنك ترغب فى إخفاء تلك الندبة أحيانًا.. أليس كذلك؟».

غمغم «هارى»: «بلى». فهو لا يحب أن يحدق الناس فى ندبته.

قالت «تونكس»: «لكنك ستحتاج للتعلم بالأسلوب الصعب على ما أعتقد.. فمن يقدرون على (الميتامورفماجوس) نادرو الوجود، فهم يولدون هكذا، ولا يتعلمون بالممارسة. معظم السحرة يحتاجون لعصا سحرية أو تركيبة سحرية لتغيير

مظهرهم.. لكن هيا يا هارى، علينا الانتهاء من حزم الحقيبة» أضافت العبارة الأخيرة مصاحبة بإحساس بالذنب، وهى تنظر إلى الأشياء المكومة على الأرض.

قال «هارى» ملتقطًا بعض الكتب: «أجل.. هيا».

صاحت «تونكس»: «لا تكن أحمق.. سيكون الأمر أسهل لو حزمت أنا الحقيبة» ثم لوحت بعصاها السحرية فى حركة طويلة ناعمة فوق الأرض.

طارت الكتب، والملابس، والتلسكوب، وباقى الأشياء فى الهواء واستقرت بعشوائية فى الحقيبة.

قالت «تونكس» وهى تسير فوقها لتنظر إلى ما كوم داخلها: «ليست مصفوفة بعناية.. أمى موهوبة فى رص الأشياء سحريًا.. حتى إنها تصف الجوارب وحدها.. لكننى لم أعرف أبدًا كيف تفعل هذا.. كانت تدير عصاها بسرعة هكذا» وأدارت عصاها فى حركة حادة؛ أملاً فى محاكاة أمها.

ارتعش أحد جوارب «هارى» ارتعاشة خفيفة، وطار ليحط فى الحقيبة.

قالت «تونكس» وهى تحكم غلق الحقيبة: «رائع.. على الأقل دخلت كل الأشياء الحقيبة. والأفضل أن نقوم ببعض التنظيف أيضًا» وأشارت بعصاها السحرية نحو قفص «هدويج» قائلة: «سكورجيفاى». فاختفى بعض الريش والفضلات.. قالت: «حسنًا.. صار القفص أفضل قليلاً.. فأنا لم أتمكن أبدًا من أداء تعاويذ التدبير المنزلى. طيب.. هل معنا كل شىء؟ وإناء التراكيب السحرية؟ والمقشة؟ ياه! هل هذه مقشة موديل فايربولت؟».

اتسعت عيناها عند وقوعهما على مقشة «هارى» التى أمسك بها بيده اليمنى. كانت سر فخره وسروره، هدية من «سيرياس»، مقشة قوية مصنوعة بمعايير دولية.

قالت «تونكس» بحسد: «وأنا لا تزال مقشتى موديل كوميت ٢٦.. حسنًا.. هل لا تزال عصاك فى جيبك ومؤخرتك سليمة؟! إذن هيا بنا.. لوكوموتور ترانك»[١].

ارتفعت حقيبة «هارى» بضع بوصات فى الهواء. وهى مشهرة عصاها السحرية مثل عصا محصل الحافلة، جعلت «تونكس» الحقيبة تحلق عبر

---

[١] أو «لتطيرى يا حقيبة».. بالرغم من أن معظم التعاويذ تلقى بلغة شبيهة باللاتينية فإن بعضها بالإنجليزية، لكن لتوحيد لغة إلقاء التعاويذ، لن نذكر أيًا منها بالعربية. (المترجم).

الحجرة وتخرج من الباب أمامهما، وقفص «هدويج» فى يدها اليسرى. تبعها «هارى» أسفل السلم حاملاً مقشته السحرية.

فى المطبخ أعاد «مودى» تركيب عينه، والتى أمست تدور بسرعة أكبر بعد تنظيفها؛ مما يصيب «هارى» بالغثيان وهو ينظر إليها ويلاحق حركتها. كان «كنجسلى شاكلبولت» و«ستورجيس بودمور» يفحصان الفرن (الميكروويف) و«هستيا جونس» تضحك على آلة تقشير البطاطس التى وجدتها وهى تعبث بالأدراج. و«لوبين» يغلق خطابًا موجهًا إلى آل «دورسلى».

قال «لوبين» وهو ينظر جهة «تونكس» و«هارى» وهما يدخلان المطبخ: «ممتاز.. لدينا دقيقة واحدة باقية. يجب الخروج إلى الحديقة حتى نستعد. لقد تركت رسالة أخبر فيها خالتك وزوجها ألا يقلقا يا هارى..».

قال «هارى»: «لن يقلقا».

«.. وأنك بخير..».

«سيصيبهم هذا بالاكتئاب».

«.. وأنك ستعود إليهم الصيف القادم».

«وهل علىّ هذا؟».

ابتسم «لوبين» ولم يجبه.

قال «مودى» بفظاظة وهو يشير نحو «هارى» بعصاه السحرية ليتقدم نحوه: «تعال هنا يا ولد.. أريد إخفاءك».

قال «هارى» بعصبية: «تريد ماذا؟».

قال «مودى» رافعًا عصاه: «تعويذة الإخفاء.. يقول لوبين: إن معك عباءة إخفاء، لكنها لن تستقر عليك ونحن طائرون.. هذه التعويذة ستخفيك جيدًا.. ها هى..».

ضربه بشدة على قمة رأسه، فشعر «هارى» بإحساس طريف، كما لو أن «مودى» قد كسر بيضة على رأسه.. وأحس بسائل بارد يغلف جسده من حيث ضربه بـالـعصا الـسحرية. قـالت «تـونكس» بـنبرة تقدير وهـى تحدق فى «هارى»: «أداء جيد للتعويذة يا ماد آى».

نظر «هارى» نحو جسده.. بل ما بدا أنه جسده؛ لأنه لم يبد كجسده. لم يكن خفيًا، بل قد اتخذ نفس لون وملمس المطبخ من خلفه. كأنه تحول إلى حرباء آدمية.

قال «مودى» وهو يفتح الباب الخلفى بعصاه السحرية: «هيا بنا».

خطوا جميعًا إلى حديقة الخال «فرنون» الخلفية الجميلة المشذبة.

قال «مودى» وعينه السحرية تمسح السماء: «يا لها من ليلة صافية.. تمنيت لو كان بالسماء بعض السحاب كغطاء لنا» ثم صاح فى «هارى»: «وأنت.. سنطير فى حلقة طائرة.. ستكون تونكس أمامك مباشرة؛ فابق قريبًا منها. ولوبين سيغطيك من الأسفل، وأنا سأطير خلفك، والباقون سيحلقون حولنا. لا نريد تغيير هذا النظام لأى سبب. مفهوم؟ إن قُتل أحدنا فسوف..».

سأله «هارى» بقلق: «وهل هذا احتمال قائم؟» لكن «مودى» تجاهله.

«..فسوف يستمر الباقون فى الطيران، ولن يتوقفوا أبدًا ولن يغيروا نظام الطيران. إن قتلونا جميعًا ونجوت أنت يا هارى، فهناك حرس احتياطى لتولى باقى المهمة.. داوم على الطيران نحو الشرق وسينضموا إليك».

قالت «تونكس» وهى تربط حقيبة «هارى» وقفص «هدويج» فى حزام مربوط بمقشتها: «يا للبهجة التى تثيرها يا ماد آى، ابق مرحًا هكذا وسيظن أننا لسنا جادين».

هدر «مودى» قائلاً: «أنا أخبر الولد بالخطة فقط.. مهمتنا هى توصيله بأمان إلى المقر، حتى لو قُتلنا جميعًا أثناء المحاولة..».

قال «كنجسلى شاكلبولت» بصوته العميق الهادئ: «لن يُقتل أحد».

قال «لوبين» بحدة وهو يشير إلى السماء: «اركبوا مقشاتكم.. ها هى الإشارة الأولى!» بعيد، بعيد فوقهم لمعت شرارات حمراء بين النجوم. عرف «هارى» فورًا أنها شرارات نابعة عن عصا سحرية. رفع قدمه اليمنى فوق مقشته (الفايربولت)، وأمسك بعصاها بإحكام، وشعر بها تهتز قليلاً أسفله، كأنها مثله تريد التحليق فى الهواء مرة أخرى.

قال «لوبين» بصوت مرتفع مع انطلاق المزيد من الشرارات، الخضراء هذه المرة، وبعد أن تفجرت فوقهم: «الإشارة الثانية.. هيا بنا!».

ركل «هارى» الأرض بقوة. تدفق هواء الليل البارد عبر خصلات شعره مع ابتعاد حدائق شارع «بريفت درايف» المربعة عنه، وهى تتضاءل سريعًا إلى ما يشبه بقعًا من اللونين الأخضر والأسود، فانسحب من عقله أى قلق بشأن محاكمة الوزارة، كأن الهواء المندفع قد طير هذه الأفكار من رأسه. شعر كأن

قلبه سينفطر من الفرحة.. كان يطير مرة أخرى، يطير مبتعدًا عن «بريفت درايف» الذى انحبس فيه طوال الصيف، وسيعود إلى بيته.. وللحظات قليلة تحولت مشكلاته إلى لا شىء.. أصبحت تافهة وسط هذه السماء الشاسعة الواسعة.

صاح «مودى» من خلفه: «خذ يسارك بشدة، يوجد عامة ينظرون إلى أعلى» انحرفت «تونكس» وتبعها «هارى»، وهو يراقب حقيبته تتأرجح خلف مقشتها.. أضاف «مودى»: «نحن بحاجة للارتفاع.. ارتفعوا ربع ميل آخر».

دمعت عينا «هارى» بسبب البرودة التى قابلتهم وهم يرتقون لأعلى.. لم ير أسفله سوى أضواء صغيرة، هى مصابيح الشوارع والسيارات. قد يكون زوج من هذه الأضواء لسيارة الخال «فرنون».. لعل آل «دورسلى» فى طريقهم إلى بيتهم الخاوى، يملؤهم الغيظ من المسابقة المزيفة.. ضحك «هارى» بقوة من الفكرة، فتبدد صوته وسط أصوات خفقان عباءات الآخرين، وصرير الحزام الذى يربط حقيبته والقفص، وصوت الرياح فى آذانهم وهم يحلقون فى الهواء. لم يشعر بهذه الحيوية، أو السعادة، منذ شهور.

صاح «ماد آى»: «اتجهوا جنوبًا.. فأمامنا بلدة».

داروا نحو اليمين لتفادى المرور فوق شبكة الأضواء العنكبوتية التى تلمع أسفلهم.

صاح «مودى»: «نحو الجنوب الشرقى، واستمروا فى الارتفاع، أمامنا بعض السحب المنخفضة، فهى أفضل للاختفاء».

صاحت «تونكس» بغضب: «لن نطير وسط السحب.. ستغرقنا يا ماد آى».

تنفس «هارى» الصعداء لسماع احتجاجها، فقد كانت يداه آخذتين فى التجمد على مقبض المقشة. تمنى لو كان عليه معطف، فقد بدأ يرتجف.

مضوا إلى الأمام وهم يغيرون من مسارهم بين الحين والآخر، تبعًا لتعليمات «ماد آى». أغمض «هارى» عينيه؛ ليتخلص من الرياح الباردة التى أصابت أذنيه بالألم.. تذكر تلك البرودة وهو طائر على مقشة مرة واحدة أثناء مباراة «الكويدتش» ضد فريق «هافلباف» فى عامه الدراسى الثالث، والتى وقعت وسط عاصفة.. كان الحراس من حوله لا يكفون عن الارتقاء كطيور صيادة. فقد «هارى» إحساسه بالزمن، وتساءل: منذ متى وهو يطير؟ بدا كأن ساعة على الأقل مرت عليهم.

صاح «مودى»: «نحو الجنوب الغربى.. يجب تفادى الطريق السريع».

أصيب «هارى» ببرودة شديدة لدرجة أنه حن للسيارات الدافئة الجافة التى تسير أسفلهم، طار «كنجسلى شاكلبولت» حوله، وحلق أذنه وصلعته يلمعان على ضوء القمر.. وصارت «إيميلين فانس» إلى يمينه، وعصاها السحرية مشهرة، ورأسها تدور ذات اليمين وذات اليسار.. ثم حلقت هى الأخرى فوقه، ليأتى مكانها «ستورجيس بودمور»..

صاح «مودى»: «علينا الالتفاف والسير بالعكس لبعض الوقت، لنضمن أنه لا يتبعنا أحد».

صرخت «تونكس»: «**هل جننت يا ماد آى**؟ سنتجمد على مقشاتنا.. مع دوام الانحراف عن مسارنا، لن نصل قبل الأسبوع القادم.. كما أننا كدنا نصل».

جاء صوت «لوبين»: «حان وقت الهبوط.. اتبع تونكس يا هارى».

تبع «هارى» «تونكس» وهى تهبط لأسفل على مقشتها. كانوا فى طريقهم إلى أكبر تجمع ضوئى يراه.. شبكات من الأضواء المتداخلة والمتشابكة، بينها بقع من السواد والظلام. طاروا على ارتفاع أقل وأقل، حتى رأى «هارى» مصابيح الشوارع واحدة واحدة، والمداخن، وهوائيات التليفزيون. ود لو يصل إلى الأرض قريبًا، بالرغم من إحساسه بأنهم سيضطرون لفك جسده المتجمد على المقشة.

قالت «تونكس»: «ها قد وصلنا» وبعد ثوانٍ حطت على الأرض.

لامس «هارى» الأرض خلفها، وترجل على المقشة؛ ليقف على عشب كثيف فى ميدان صغير. كانت «تونكس» قد فكت حقيبة «هارى». أخذ ينظر حوله مرتجفًا. لم تكن واجهات البيوت حولهم مرحبة أو ودودة.. بعضها له نوافذ مكسورة، وبعضها يلمع لانعكاس ضياء مصابيح الشوارع عليها، وطلاء بعض الأبواب حائل اللون، وأكوام من القمامة ملقاة أمام المداخل.

تساءل «هارى»: «أين نحن؟» لكن «لوبين» قال بهدوء: «ستعرف بعد دقيقة».

عبث «مودى» بعباءته، ويداه ترتجفان من البرد.

غمغم قائلاً: «وجدتها» ورفع ما يشبه قداحة سجائر فضية، وأوقدها.

انطفأت أقرب مصابيح الشارع إليهم. ثم أوقد القداحة ثانية فانطفأ المصباح التالى، وأخذ يوقدها حتى انطفأ آخر مصباح فى الميدان ولم يبق سوى ضوء النوافذ المغطاة بالستائر، والقمر هلالى الشكل فوقهم.

قال «مودى»: «استعرتها من دمبلدور» وهو يضع «طفاءة الأضواء» فى

جيبه، ثم يضيف: «هذا لتفادى أن يرانا أى أحد من العامة.. والآن هيا.. بسرعة».

أمسك بذراع «هارى» وقاده عبر العشب إلى الطريق ثم إلى الرصيف.. تبعهما كل من «لوبين» و«تونكس»، وهما يحملان حقيبة «هارى» بينهما، وباقى الحراس ـ وجميعهم بعصيهم السحرية مشهرة ـ يتبعونهم.

جاءهم صوت مذياع مكتوم من نافذة علوية لأقرب البيوت إليهم، ثم رائحة لقمامة عفنة من كومة أكياس قمامة عبر إحدى البوابات المكسورة.

تمتم «مودى»: «هنا»، وهو يمد لفافة من الورق نحو يد «هارى» الخفية، وعصاه قريبة منها لتضىء المكتوب، قال: «اقرأ هذا بسرعة واحفظه».

نظر «هارى» إلى قطعة الورق. بدا الخط المكتوبة به مألوفًا. كان المكتوب:

مقر جماعة العنقاء تجده فى المنزل رقم (١٢)، جريمولد بليس، لندن.

المنزل رقم (١٢) جريمولد بليس ٤

شرع «هارى» فى الكلام قائلاً: «ما هى جماعة العن..؟».

زجره «مودى» قائلاً: «ليس هنا يا ولد! انتظر حتى ندخل».

جذب رقعة الورق من يد «هارى» وأحرقها بطرف عصاه السحرية. ومع انكماش الرسالة وسط ألسنة اللهب، وسقوطها إلى الأرض، نظر «هارى» حوله إلى البيوت مرة أخرى. كانوا واقفين أمام المنزل رقم (١١).. نظر إلى اليسار ورأى المنزل رقم (١٠) وإلى اليمين كان المنزل رقم (١٣).

«لكن أين..؟». قال «لوبين» بهدوء: «فكر فيما قرأته منذ لحظات».

فكر «هارى»، فى عبارة (المنزل رقم (١٢) جريمولد بليس)، فظهر فجأة باب قديم بين المنزلين رقمى (١٣) و(١١)، وسرعان ما ظهر وراء الباب حوائط قذرة ونوافذ مغبرة. كأن منزلاً جديدًا انتفخ فجأة من الأرض كالبالون، ليزيح البيوت عن جانبيه. حدق «هارى» فيه منبهرًا. استمر صوت المذياع فى المنزل رقم (١١)، كأن سكانه لم يشعروا بشىء.

هدر «مودى» دافعًا «هارى» من الخلف: «هيا.. أسرع».

سار «هارى» على درجات السلم الصخرى القديم، محدقًا فى الباب الذى ظهر منذ لحظات. كان طلاؤه الأسود رثًا ومتقشرًا فى أماكن متفرقة، والقطعة المعدنية المستعملة فى الطرق على الباب كانت على شكل أفعى ملتفة حول نفسها. لم ير فتحة للمفتاح أو صندوق للخطابات على الباب.

شهر «لوبين» عصاه وطرق الباب مرة واحدة. سمع «هارى» أصواتًا معدنية صاخبة فيما بدا كصوت سلسلة معدنية. وانفتح الباب.

همس «لوبين»: «ادخل يا هارى بسرعة.. لكن لا تمش كثيرًا بالداخل، ولا تلمس أى شىء». خطا «هارى» عبر المدخل إلى ظلام شبه تام. شم رائحة ترابية رطبة عفنة بها آثار لحلوى.. بدا المكان مهجورًا. نظر خلفه ليرى الآخرين يصطفون خلفه، و«لوبين» و«تونكس» يحملان حقيبته وقفص

«هدويج». كان «لوبين» واقفا عند قاعدة السلم الخارجى يعيد إضاءة مصابيح الشوارع بالطفاءة، فتوهج الميدان بضوء برتقالى، ثم خطا «مودى» إلى الداخل وأغلق الباب خلفه، فأمسى ظلام الصالة حالكًا.

«تعال..».

طرق على رأس «هارى» بقوة بعصاه السحرية؛ فشعر كأن سائلاً ساخنًا يسيل على ظهره، فعرف أن تعويذة الإخفاء قد رُفع أثرها عنه.

همس «مودى»: «والآن ابقوا ساكنين جميعًا، بينما أضىء المكان».

أصاب صمت الآخرين «هارى» بشعور غريب.. كأنهم قد خطوا إلى منزل شخص يحتضر. سمع أصوات هسيس ثم أضاءت مصابيح زيتية قديمة بطول الجدران، لتضفى ضوءًا مرتجفًا أسطورى المذاق على ورق الحائط المهترئ والبساط الممدود فى صالة طويلة مظلمة، تتناثر فيها شمعدانات عليها بيوت عنكبوت، وصور مرسومة أصابها العمر الطويل بالسواد، معلقة من غير انضباط ولا اعتدال على الحوائط. سمع «هارى» شيئًا ما يسير مسرعًا خلف الستائر. وعلى المائدة القريبة منه لاحظ الثريا والشمعدانات على شكل أفاعٍ.

جاءتهم وقع أقدام تقترب وصوت والدة «رون»، السيدة «ويسلى»، التى خرجت من باب عند الطرف البعيد للصالة. ابتسمت مرحبة وهى تهرول ناحيتهم، وإن لاحظ «هارى» أنها صارت أكثر نحولاً وشحوبًا منذ رآها آخر مرة.

همست وهى تجذبه معانقة إياه عناقًا يكسر الضلوع: «آه يا هارى.. كم أسعدتنى رؤيتك» ثم أبعدته على طول ذراعها وفحصته بنظرة ناقدة، وأضافت: «تبدو نحيلاً.. أنت بحاجة إلى التغذية. لكن للأسف، سيكون علينا الانتظار قليلاً حتى موعد تناول العشاء».

التفتت إلى جماعة السحرة الواقفين خلفه وهمست باهتمام: «لقد وصل منذ قليل، وبدأ الاجتماع».

بدا على السحرة من خلف «هارى» سيما الاهتمام، وشرعوا فى السير من خلفه نحو الباب الذى جاءت منه السيدة «ويسلى». سار «هارى» خلف «لوبين»، لكن السيدة «ويسلى» أمسكت به.

قالت بصوت هامس جاد: «لا يا هارى.. الاجتماع لأعضاء الجماعة فقط.

رون وهيرميون بالطابق العلوى، يمكنك الانتظار معهما حتى ينتهى الاجتماع، ثم نأكل طعام العشاء. وأبق صوتك منخفضًا وأنت فى الصالة».

«لماذا؟».

«لا أريد أن يستيقظ أى شىء».

«ماذا تعنين بـ..؟».

«سأشرح لك لاحقًا، علىّ الإسراع، فالمفترض أن أكون بالاجتماع.. سآتى معك لأريك أين ستنام».

وهى تضغط أصبعها على شفتيها، قادته على أطراف أصابعها بطول ستارين طويلين أكلتهما العثة، وخلفهما افترض «هارى» وجود باب آخر، وبعد أن التفا حول حاملة مظلات كبيرة بدأا فى صعود السلم المظلم، بجانب رءوس منكمشة معلقة على حوامل معدنية. بنظرة فاحصة عرف «هارى» أنها رءوس أقزام منزلية. جميعهم لهم نفس الأنف المتعالى.

زاد تعجب «هارى» مع كل خطوة يخطوها. ماذا عساهم يفعلون فى منزل بدا كأنه ملك لأكثر السحرة شرًّا؟ فقال: «سيدة ويسلى.. لماذا..؟».

همست السيدة «ويسلى»: «سيشرح لك رون وهيرميون كل شىء يا عزيزى. فعلىّ أن أسرع.. ها نحن..» كانا قد وصلا إلى الطابق الثانى، فأضافت: «حجرتك هى تلك الحجرة إلى اليمين. سأنادى عليك عند انتهاء الاجتماع».

ثم أسرعت بالهبوط على السلم ثانية.

عبر «هارى» مدخل الطابق القذر، وأدار مقبض الحجرة الذى كان على شكل رأس أفعى، ثم فتح الباب.

رأى السقف المرتفع المظلم، والحجرة ذات السريرين، ثم جاءه صوت جلبة عالية، تلاها صوت صراخ أعلى، ثم حجب بصره كمّ هائل من الشعر الأشعث. ألقت «هيرميون» نفسها عليه فى عناق كاد يطرحه أرضًا، بينما طار «بيجودجيون»، بومة «رون» ليرفرف بحماس حول رأسيهما.

«هارى! رون، إنه هنا. هارى هنا! لم نسمعك تدخل! ياه، كيف حالك؟ هل أنت بخير؟ هل أنت غاضب منا؟ أراهن أنك غاضب، فرسائلنا بلا أية تفاصيل.. لكننا لم نقدر على ذكر أى شىء. جعلنا دمبلدور نقسم ألا نخبرك بشىء، يااااه..

لدينا الكثير لنخبرك به، ولديك أخبار نريد سماعها.. عن (الديمنتوراتِ)! ومحاكمة الوزارة.. يا للعار! لقد بحثت فى الأمر، ولا يمكنهم فصلك من المدرسة، هناك مادة فى قانون حظر استعمال السحر على السحرة تحت السن القانونية عن استخدام السحر فى الدفاع عن النفس..».

قال «رون» مبتسمًا وهو يغلق الباب خلف «هارى»: «دعيه يتنفس يا هيرميون» زاد طوله عدة بوصات خلال الشهر الذى فارقهما فيه «هارى»، ليصير أطول وأكثر نحافة مما مضى، وإن بقى الأنف الطويل، والشعر الأحمر المتوهج، والنمش كما هم.

تركت «هيرميون» «هارى»، وهى لا تزال مبتسمة ابتسامة واسعة، لكن قبل أن تنطق بكلمة جاء صوت رفرفة وهبط شىء أبيض من فوق خزانة سوداء وحط على كتف «هارى» «هدويج!».

وداعبت البومة البيضاء أذن «هارى» بحب وهو يربت على ريشها.

قال «رون»: «إنها مخلصة فى عملها.. كادت تهلكنا بنقرها بعد أن جلبت لنا رسائلك الأخيرة.. انظر..».

رأى «هارى» أصبعه السبابة، وفيه قطع عميق آخذ فى الالتئام.

قال «هارى»: «آه.. آسف.. لكننى كنت أريد إجابات كما تعرف..».

قال «رون»: «أردنا إخبارك بما تشاء يا صديقى.. كانت هيرميون ستجن، وقالت: إنك قد تفعل شيئًا أحمق إن بقيت وحدك دون أى أخبار، لكن دمبلدور جعلنا..».

قال «هارى»: «..تقسمون ألا تخبرونى.. أجل، قالت هيرميون هذا بالفعل».

كان الوهج الدافئ اللطيف الذى شعر به ينبعث داخله حين رأى أقرب أصدقائه إليه آخذًا فى التلاشى ليحل محله شعور بارد فى صدره. فجأة.. وبعد التوق إلى رؤيتهما منذ شهر.. شعر كأن «رون» و«هيرميون» قد تخليا عنه.

عم صمت متوتر داعب أثناءه «هارى» ريش «هدويج»، دون النظر إليهما.

قالت «هيرميون» لاهثة: «كان يرى إخفاء الأخبار عنك أفضل.. أعنى دمبلدور..».

قال «هارى»: «فعلاً» ولاحظ أن يديها بها بقايا جراح من نقر «هدويج»، فأحس بأنه غير آسف بالمرة. قال «رون»: «أخاله حسبك آمنًا وسط العامة..».

قاطعه «هارى» وهو يرفع حاجبيه: «حقًا؟ هل هاجمت (الديمنتورات) أيكما هذا الصيف؟».

«فى الواقع لا.. لكنه لهذا السبب أمر أعضاء من جماعة العنقاء بحراستك..».

شعر «هارى» بشعور غريب فى معدته، كأنه خطا على درجة سلم مخلوعة وهو يهبط السلم. إذن فالجميع يعرفون أنه تحت الحراسة والمراقبة، فيما عداه.

قال: «لكن الحراسة لم تكن جيدة.. أليس كذلك؟» كان يحاول بقدر استطاعته الحفاظ على صوته حياديًا.. «واعتنيت بنفسى، أليس كذلك؟».

قالت «هيرميون» بصوت مندهش: «لكنه استشاط غضبًا.. أعنى دمبلدور.. رأيناه. عندما عرف أن مندنجس تركك قبل انتهاء نوبة حراسته.. أثار فزعنا بغضبه».

قال «هارى» ببرود: «حسنًا.. يسرنى تركه لى.. إن لم يفعل ما كنت لأؤدى السحر، ولتركنى دمبلدور طوال الصيف فى بريفت درايف».

قالت «هيرميون» بهدوء: «ألست.. ألست قلقًا بشأن محاكمة وزارة السحر؟».

كذب «هارى» كذبة بينة قائلاً: «لا» وسار مبتعدًا عنهما، ناظرًا حوله، و«هدويج» مستقرة برضاء على كتفه، لكن الحجرة ما كانت لترفع من معنوياته. كانت قذرة ومظلمة. ولم يخفف من عراء جدرانها سوى بقايا لوحة قماشية قديمة خالية من أية تفاصيل معلقة على الجدار، ومع مرور «هارى» بجانبها هيأ له أنه سمع ضحكة ساخرة لشخص ما مختبئ خلفها.

سأل وهو لا يزال يحاول قدر استطاعته الحفاظ على صوته عاديًا: «إذن لماذا كان دمبلدور حريصًا على إبقائى فى الظلام؟ هل حاولتما.. آ.. حاولتما سؤاله عن السبب؟».

رمقهما فى اللحظة التى كانا يتبادلان فيها نظرة؛ فعرف أنهما تصرفا كما كان يخشى أن يتصرفا. ولم يُحسّن هذا من مزاجه المضطرب.

قال «رون»: «أخبرنا دمبلدور أننا نريد إخبارك بما يجرى.. فعلاً أخبرناه يا صديقى.. لكنه مشغول جدًا الآن، لم نره إلا مرتين منذ جئنا إلى هنا، ولم يكن لديه الكثير من الوقت، وجعلنا نقسم ألا نخبرك بأى شىء هام فى رسائلنا، قال: إن البوم قد يتم صيده».

قال «هارى» باقتضاب: «كان بإمكانه إخبارى إن شاء.. لا تخبرانى أنه لا يعرف وسائل لإرسال رسائل بدون البوم».

رمقت «هيرميون» «رون» بنظرة سريعة ثم قالت: «أظن هذا أيضًا. لكنه لم يشأ أن تعرف أى شىء».

قال «هارى» مراقبًا تعبيرات وجهيهما: «لعله يرانى لست أهلاً للثقة».

قال «رون» وعلى وجهه علامات الانزعاج: «لا تكن أحمق».

«أو ربما لا أعرف كيف أعتنى بنفسى».

قالت «هيرميون» بتوتر بالغ: «بالطبع هو لا يفكر هكذا!».

قال «هارى» والكلمات تتعثر واحدة فوق الأخرى من سرعته، وصوته آخذ فى الارتفاع مع كل كلمة: «إذن لماذا بقيت فى منزل آل دورسلى وأنتما هنا تشاركان فى كل شىء؟ كيف يُسمح لكما بمعرفة كل شىء؟».

قاطعه «رون»: «غير صحيح! أمى لا تدعنا نقترب من الاجتماعات، وتقول: إننا صغيران على الـ..».

لكن قبل أن يشعر بما حدث صاح «هارى» بصوت كالرعد: «**إذن فأنتما لا يُسمح لكما بحضور الاجتماعات، يا للعار! لكنكما هنا، أليس كذلك؟ وتجلسان معًا! وأنا؟ أنا محبوس عند آل دورسلى منذ شهر! وتعاملت مع مخاطر لا تقدران مجتمعين على مواجهتها، ودمبلدور يعرف هذا.. من أنقذ حجر الفيلسوف؟ مَن حل طلاسم الألغاز؟ ومن أنقذكما من (الديمنتورات)؟**».

كل فكرة مريرة وغاضبة فكر فيها «هارى» طوال الشهر المنقضى أخذت تتدفق إلى عروقه.. إحباطه وغضبه من غياب الأخبار، وألمه لاجتماعهما من دونه، وغضبه من المراقبة والحراسة دون أن يعرف.. كل المشاعر المخزية تفجرت أخيرًا.. خافت «هدويج» من الجلبة وطارت لتستقر فوق الخزانة ثانية، ورفرف «بيجودجيون» مضطربًا، وحلق بسرعة أكبر فوق رءوسهم.

«**من تغلب على التنانين وأبى الهول وكل الأشياء الخطرة والمخيفة التى خبرناها العام الماضى؟ من شهد عودته؟ من هرب منه؟ أنا!**».

وقف «رون» وفمه نصف مفتوح، وقد بدا عليه الذهول، وغير قادر على قول أى شىء، بينما بدت «هيرميون» على وشك البكاء.

«**لكن لماذا تخبرانى؟ لماذا تزعجان نفسيكما بإخبارى بما يحدث؟**».

بدأت «هيرميون» فى الكلام قائلة: «هارى.. أردنا إخبارك، لكننا..».

«**لكنكما لم ترغبا فى إخبارى أى شىء فعلاً.. وإلا كنتما أرسلتما بومة إلىّ.. لكن دمبلدور جعلكما تقسمان على..**».

«فعلاً.. هذا ما فعله..».

«أربعة أسابيع وأنا محبوس فى بريفت درايف، أبحث عن الجرائد القديمة فى صفائح القمامة، محاولاً فهم ما يجرى..».

«أردنا أن..».

«وطبعًا قضيتما وقتا لطيفًا.. أليس كذلك؟ عالقان هنا تمزحان و..».

«لا.. بأمانة لم..».

قالت «هيرميون» بيأس وعيناها مغرورقتان بالدموع: «هارى.. إننا آسفان حقًّا.. أنت محق تمامًا يا هارى.. كنت لأستشيط غضبًا لو كنت مكانك!».

نظر «هارى» إليها، وهو يتنفس بعمق، ثم أشاح بوجهه بعيدًا عنهما مرة أخرى، وأخذ يذرع الحجرة جيئةً وذهابًا. نعبت «هدويج» بصوت مقبض من فوق الخزانة. مرت برهة من الصمت، لم يقطعها سوى صرير ألواح الأرضية تحت أقدام «هارى».

سأل «رون» و«هيرميون» بحدة: «وما هذا المكان؟».

قال «رون» على الفور: «مقر جماعة العنقاء».

«وهل سيزعج أيكما نفسه ويخبرنى ما هى جماعة العنقاء..؟».

قالت «هيرميون» بسرعة: «إنها جمعية سرية.. ودمبلدور المسئول عنها ومؤسسها. وتضم السحرة والساحرات الذين قاتلوا مَن ـ تعرفه سابقًا».

قال «هارى» ويده فى جيبه: «ومن أعضاؤها؟».

«القليلون..».

قال «رون»: «لقد قابلنا حوالى العشرين منهم.. لكننا نعتقد أن هناك المزيد».

حدق «هارى» فيهما.

سألهما وهو ينقل بصره بينهما: «وماذا عنه؟». قال «رون»: «عـ.. عمن؟».

قال «هارى» بغضب: «ڤولدمورت» فأجفل كل من «رون» و«هيرميون».. «ماذا يحدث؟ ما هى خططه؟ وأين هو؟ وماذا تفعلون فى سبيل إيقافه؟».

قالت «هيرميون» بعصبية: «أخبرناك أن الجماعة لا تدعنا ندخل الاجتماعات؛ لذا فنحن لا نعرف التفاصيل.. لكن لدينا فكرة عامة» أضافت العبارة الأخيرة بسرعة بعد أن رأت النظرة المرتسمة على وجه «هارى».

قال «رون»: «اخترع كل من فريد وچورچ آذانًا قابلة للمد.. وهى مفيدة حقًّا».

«آذان ماذا..».

«قابلة للمد.. أجل. لكن اضطررنا للتوقف عن استعمالها مؤخرًا؛ لأن أمى وجدتها وجن جنونها. خبأها فريد وچورچ؛ حتى لا تأخذها. لكننا استعملناها كثيرًا قبل أن تعرف بوجودها. ونعرف أن بعض أعضاء جماعة العنقاء يتتبعون أكلة الموت.. ويراقبونهم».

قالت «هيرميون»: «بعضهم يجندون المزيد من السحرة معنا».

قال «رون»: «وبعضهم يحرسون شيئًا ما.. فهم يتحدثون دومًا عن الحراسة».

قال «هارى» بسخرية: «ربما يتحدثون عنى، أليس كذلك؟».

قال «رون» بنظرة من حل عليه فهم مفاجئ: «آه.. فعلاً».

ضحك «هارى» ضحكة قصيرة. سار بطول الحجرة ثانية، ناظرًا إلى كل شىء فيما عدا «رون» و«هيرميون». قال: «إذن ماذا تفعلان؟ وأنتما غير مسموح لكما بحضور الاجتماعات؟ قلتما: إنكما مشغولان».

قالت «هيرميون» بسرعة: «فعلاً.. إننا نطهر المنزل، فهو مهجور منذ فترة طويلة وملىء بالأشياء التى تتكاثر وتتوالد. تمكنا من تنظيف المطبخ، ومعظم الغرف، وأعتقد أننا سنقوم بتنظيف حجرة الرسم غدًا.. آآآه».

وبصوت فرقعة مزدوج تجسد كل من «فريد» و«چورچ»، أخوى «رون» الأكبر منه مباشرة، ليظهرا فى منتصف الحجرة كأنما أتى بهما الهواء. رفرف «بيجودجيون» أكثر من ذى قبل، وارتقى ليستقر بجوار «هدويج» فوق الخزانة.

قالت «هيرميون» بوهن للتوأمين: «كفا عن فعل هذا» كان شعرهما أحمر مثل شعر «رون»، وإن كان أكثر كثافة وأقصر قليلاً.

قال «چورچ» وهو يبتسم لـ «هارى»: «أهلاً يا هارى.. سمعنا صوتك المغرد فجئنا». قال «فريد» مبتسمًا هو الآخر: «لا تخنق غضبك يا «هارى».. صِحْ واصرخ كما شئت.. يوجد شخصان على مسافة خمسين ميلاً من هنا لم يسمعاك».

همهم «هارى»: «إذن فقد نجحتما فى اختبار الاختفاء السحرى».

قال «فريد» وفى يده خيط لحمى طويل جدًا: «أجل.. بامتياز».

قال «رون»: «كنتما بحاجة إلى ثلاثين ثانية إضافية للصعود على السلم بدلاً من الاختفاء والظهور».

قال «چورچ»: «الوقت كالعصا السحرية[1] يا أخى الصغير. المهم.. أنت تقاطع استقبال الآذان القابلة للمد يا هارى» وحاجبا «هارى» يرتفعان فى دهشة، وأمسك بالخيط الذى رآه «هارى» يمتد ليخرج إلى بداية السلم خارج الحجرة.. ثم قال موضحًا: «فنحن نحاول سماع ما بالأسفل».

قال «رون» ناظرًا إلى الأذن: «توخيا الحذر.. إن رأت أمى أيًا من هذه الآذان ثانية، فسوف..». قال «فريد»: «الأمر يستحق المخاطرة، فهذا الاجتماع هام».

انفتح الباب وظهرت كومة كبيرة من الشعر الأحمر.

قالت أخت «رون» الصغيرة «چينى» بإشراق: «أهلاً يا هارى.. سمعت صوتك منذ قليل».

ثم وهى تلتفت تجاه «فريد» و«چورچ» قالت: «لا فائدة من الآذان الممتدة، فقد وضعت أمى تعويذة مانعة على باب المطبخ».

قال «چورچ» والإحباط على وجهه: «وكيف عرفت؟».

قالت «چينى»: «أخبرتنى تونكس كيف أعرف بوجود هذه التعويذة.. ببساطة تلقى بالأشياء على الباب، وإن لم يلامسه، فالباب محمى بتعويذة مانعة. ولكى أتأكد ألقيت بعض (الدانجبومب)[2] من أعلى السلم فارتدت عنه، إذن فالآذان الممتدة لن تمر من تحت الباب». أخذ «فريد» نفسًا عميقًا.

«يا للعار. كنت أريد حقًا معرفة ما ينتويه سناب».

قال «هارى» بسرعة: «سناب؟ هل هو هنا؟».

قال «چورچ» مغلقًا الباب بحذر، ثم جالسًا على أحد السريرين، وقد تبعه فى الجلوس كل من «فريد» و«چينى»: «أجل.. فهو يقدم تقريرًا.. تقريرًا سريًا».

قال «فريد» بتكاسل: «هذا السخيف».

قالت «هيرميون» باستنكار: «إنه الآن إلى جانبنا».

احتج «رون» قائلاً: «لكن هذا لا يمنع كونه سخيفًا. يا للطريقة التى ينظر بها إلينا عندما يرانا».

---

(١) يقصد جورج: الوقت كالسيف.. لكن المثل تحول ليصير هكذا فى عالم السحرة! (المترجم)

(٢) Dungbombs أو قنابل الروث، وهى ألعاب نارية سحرية كريهة الرائحة من عالم «هارى بوتر» (المترجم).

قالت «چينى» كأنها تنهى المسألة بكلامها: «بيل أيضًا لا يحبه».

لم يكن «هارى» واثقًا من انتهاء ثورة غضبه.. لكن تعطشه للمعلومات صار أكبر من حاجته للصياح، فاستقر فى الفراش المواجه للآخرين.

سأل: «هل بيل هنا؟ ظننته يعمل فى مصر».

قال «فريد»: «لقد قدم طلبًا بالحصول على وظيفة مكتبية؛ حتى يعود للوطن، ويعمل فى الجماعة.. يقول: إنه يفتقد المقابر الفرعونية، لكن.. أضاف بمكر: «هناك من يعوضه». سأله: «ماذا تعنى؟».

قال «چورچ»: «هل تذكر فلور ديلاكور؟ لقد حصلت على وظيفة فى بنك جرينجوتس (لتهسن لغتها الإنكليسية)[1]..».

قال «فريد» بسخرية: «وبيل يعطيها الكثير من الدروس الخصوصية».

قال «چورچ»: «تشارلى انضم للجماعة أيضًا.. لكنه لايزال فى رومانيا. دمبلدور يريد استقطاب سحرة أجانب، وتشارلى يحاول استقطاب بعضهم فى أيام إجازته».

سأل «هارى»: «ألا يقدر بيرسى على هذا؟» فآخر ما سمعه عن الأخ «ويسلى» الثالث هو أنه يعمل فى مصلحة التعاون السحرى الدولى بوزارة السحر.

مع كلمات «هارى» تبادلوا نظرات كئيبة محملة بالمعانى.

أخبر «رون» «هارى» بصوت مضطرب: «لا تذكر أبدًا اسم بيرسى أمام أمى وأبى».

«ولم لا؟».

قال «فريد»: «لأن كل مرة يُذكر فيها اسمه، يكسر أبى ما بيده، وتبكى أمى».

قالت «چينى» بحزن: «الموضوع فظيع».

قال «چورچ» ونظرة قبيحة غير معتادة على وجهه: «واضح أنه لم يعد منا».

قال «هارى»: «ماذا حدث؟».

قال «فريد»: «تشاجر أبى مع بيرسى.. لم أر أبى بهذه القسوة مع أحد من قبل! فى العادة أمى هى من تصيح».

قال «رون»: «كان هذا فى الأسبوع الأول بعد انتهاء الفصل الدراسى.. كنا على وشك القدوم والانضمام للجماعة. قال بيرسى: إنه تمت ترقيته».

---

(١) لتحسن لغتها الإنجليزية.. لكن «فلور ديلاكور» ساحرة فرنسية، «وچورچ» يقلد طريقة كلامها الرقيقة (المترجم).

قال «هارى»: «هل تمزح؟».

بالرغم من معرفته أن «بيرسى» واسع الطموح، إلا أن انطباعه عنه أنه لم ينجح فى وظيفته الأولى بوزارة السحر. فقد فات على «بيرسى» معرفة أن رئيسه فى العمل كان تحت تحكم اللورد «ڤولدمورت» (بالرغم من عدم تصديق الوزارة للمسألة.. فقد اعتقد جميعهم أن السيد «كروتش» جن).

قال «چورچ»: «أجل، اندهشنا؛ لأن بيرسى وقع فى مشكلات كثيرة بسبب كروتش، وأُجرى معه تحقيق، وأشياء من هذا القبيل. قالوا: إن بيرسى كان عليه إدراك أن كروتش قد جن، وإنه كان عليه إبلاغ رؤسائه. لكنك تعرف بيرسى، فبعد أن فوض له كروتش كل شىء، ما كان ليشتكى من أى معاناة».

«إذن كيف حصل على ترقية؟».

قال «رون» وقد بدا عليه الحرص على إبقاء الحوار طبيعيًّا بعد أن كف «هارى» عن الصياح: «هذا هو بالضبط ما تعجبنا منه.. حضر إلى البيت مسرورًا ومعجبًا بنفسه.. حتى أكثر سرورًا من العادة، إن كنت تقدر على تخيل هذا.. وأخبر أبى أنه قد عُرض عليه منصب فى مكتب الوزير فادچ. ويا له من منصب هائل بالنسبة لمن تخرج من هوجورتس منذ سنة: (مساعد ثانى وزير السحر). وتوقع أن يفرح أبى».

قال «فريد» بضيق: «لكن أبى لم يفرح». قال «هارى»: «ولم لا؟».

قال «چورچ»: «من الواضح أن فادچ راقب جميع العاملين بالوزارة؛ بحثًا عمن يتصل بدمبلدور».

قال «فريد»: «اسم دمبلدور فى الوحل هذه الأيام.. جميعهم يعتقدون أنه يثير المشكلات بقوله: إن الذى - تعرفه عاد».

قال «چورچ»: «يقول أبى: إن فادچ أوضح للجميع أن أى ساحر ينضم لدمبلدور سيفقد وظيفته فى الوزارة».

«المشكلة هى أن فادچ يشك فى أبى، ويعرف أنه صديق لدمبلدور.. كما أنه ومنذ فترة طويلة يرى أبى غريب الأطوار بسبب هوسه بأسلوب حياة العامة».

سأل «هارى» بارتباك: «لكن ما علاقة هذا ببيرسى؟».

«أنا على وشك ذكر هذا.. يرى أبى أن كل ما يريده فادچ هو استغلال بيرسى كجاسوس على الأسرة.. وعلى دمبلدور».

أطلق «هارى» صوت صفير منخفضًا.

«لكن بيرسى أحب منصبه». ضحك «رون» بصوت خالٍ من المعنى.

«جن جنونه.. وقال.. قال الكثير من الأشياء الفظيعة. قال: إنه يعانى من سمعة أبى السيئة منذ التحق بالوزارة، وإن أبى سيسقط.. وإنه - بيرسى - يعرف لمن يقدم ولاءه.. للوزارة. وإن كان أبى وأمى يريدان خيانة الوزارة؛ فلن يبقى عضوًا فى الأسرة. ثم حزم حقائبه فى نفس الليلة وغادر. وهو يعيش الآن فى لندن».

أطلق «هارى» سبة احتجاج.. لطالما كان حبه لـ «بيرسى» هو الأقل بين إخوة «رون»، لكنه لم يتخيل أبدًا أن يقول أشياء كهذه.

قال «رون»: «أمى فى حالتها الطبيعية فى مثل تلك الحالات.. تبكى وأشياء من هذا القبيل. ذهبت إلى لندن وحاولت الكلام مع بيرسى لكنه أغلق الباب فى وجهها. لا أعرف ماذا يفعل عندما يقابل أبى عن طريق المصادفة فى العمل.. بالطبع يتجاهله».

قال «هارى» ببطء: «لكن لا بد وأن بيرسى يعرف برجوع ڤولدمورت.. فهو ليس بغبى، ويعرف أن أباه وأمه لن يخاطرا بكل شىء دون وجود دليل قاطع».

قال «رون» ناظرًا إلى «هارى» نظرة غاضبة: «قال بيرسى: إن الدليل الوحيد على عودته هو كلمتك.. وهو يراها غير كافية كدليل».

قالت «هيرميون» بسخرية لاذعة: «بيرسى يأخذ ما تذكره جريدة (الدايلى بروفيت) على محمل الجد» فأومأ الآخرون موافقين.

سأل «هارى» وهو ينظر إليهم: «عم تتحدثون؟» كانوا يراقبونه بحذر.

سألته «هيرميون» بقلق: «ألم.. ألم تقرأ (الدايلى بروفيت) مؤخرًا؟».

قال «هارى»: «بلى.. قرأتها».

سألته «هيرميون» دون أن يخبو قلقها: «ألم.. ألم تقرأها بحرص؟».

قال «هارى» بلهجة من يدافع عن نفسه: «ليس من الصفحة الأولى للأخيرة.. إن كانوا سيذكرون أى شىء عن ڤولدمورت، فبالتأكيد سيكون على الصفحة الأولى.. أليس كذلك؟».

أجفل الآخرون لدى ذكر الاسم. تسارع إيقاع كلام «هيرميون»: «كان عليك قراءتها كلها، إنهم.. إنهم يكتبون عنك مرتين فى الأسبوع».

«لكننى كنت لأرى الـ...».

قالت «هيرميون» وهى تهز رأسها: «ليس إن كنت لا تقرأ سوى الصفحة الأولى.. أنا لا أتحدث عن مقالات كبيرة. كانوا يكتبون عنك كـ.. كمزحة عابرة».

«ماذا تقصـ..؟».

قالت «هيرميون» بصوت أجبرته على أن يكون هادئًا: «فى الواقع ما يكتبونه حقير.. فهم يبنون على ما كتبته ريتا».

«لكنها لم تعد تكتب فى تلك الجريدة.. أليس كذلك؟».

أوضحت «هيرميون»: «آه.. لا.. لقد أبقت على وعدها.. فليس لديها فرصة أصلاً.. لكنها أرست الأساس لما يحاولون فعله الآن».

قال «هارى» بنفاد صبر: «وما هو؟».

«حسنًا.. أنت تعرف أنها كتبت عن سقوطك المتكرر على إثر الألم الذى كنت تعانيه من ندبتك.. أليس كذلك؟».

قال «هارى» الذى لم ينس موضوعات «ريتا سكيتر» الصحفية عنه: «أجل».

قالت «هيرميون» بسرعة كبيرة كأن المسألة ستكون أقل إزعاجًا لـ «هارى» لو سمعها بسرعة:«ما حدث أنهم يكتبون عنك كشخص عابث يسعى للحصول على الاهتمام، ويعتقد أنه بطل عظيم.. ويكتبون فى موضوعات قصيرة عنك. إن طفا إلى السطح حدث غريب؛ يقولون أشياء مثل (يا لها من حكاية جديرة بهارى بوتر) وإن أصيب شخص ما فى حادث غريب؛ يقولون: (نرجو ألا يصاب بندبة على جبينه ويطلب منا عبادته)..».

بدأ «هارى» فى الكلام بحرارة: «لا أريد من أحد أن يعبد..».

قالت «هيرميون» بسرعة وقد بدا عليها الخوف: «أعرف أنك لا تريد هذا.. أعرف يا هارى. لكن انظر ماذا يفعلون؟ يريدون تحويلك إلى شخص لا يصدقه أحد. فادج خلف هذه المسألة، أنا واثقة من هذا. يريدون لعامة السحرة والساحرات أن يروك ولدًا أحمق تثار حوله الحكايات الطريفة، يقول قصصًا سخيفة؛ لأنه يحب الشهرة ويسعى إليها».

قال «هارى» بنبرة سريعة عصبية: «أنا لا أطلب.. لا أريد.. ڤولدمورت قتل والدىّ.. وأمسيت شهيرًا؛ لأنه قتل أسرتى لكنه لم يستطع قتلى! من يريد أن يحظى بالشهرة بطريقة مشابهة لهذه؟ ألا يرون أننى لا أريد مثل هذا الـ...».

قالت «چينى» بصدق: «نعرف يا هارى».

قالت «هيرميون»: «وبالطبع لم يكتبوا عن هجوم (الديمنتورات).. أمرهم شخص ما بإبقاء الأمر سرًا. كانت لتصبح قصة إخبارية كبيرة، حتى إنهم لم يكتبوا عن انتهاكك لقانون «سرية السحرة الكونفدرالى الدولى». حسبنا أنهم سيفعلون.. كان هذا سيثبت صورتك كفتى متهور محب للشهرة. خلناهم سينتظرون حتى تُفصل من المدرسة، ثم يكشفون القصة بأكملها.. أعنى إن تم فصلك» أكملت الكلام بسرعة: «لكن لا يجب فصلك طبعًا، ليس إن كانوا ملتزمين بالقانون، فأنت لم تنتهك القانون».

عادوا إلى مسألة المحاكمة، ولم يشأ «هارى» التفكير فيها. كان سيحاول تغيير الموضوع، عندما وفر عليه التفكير فى موضوع آخر وقع أقدام تصعد السلم.

شد «فريد» الآذان الممدودة بسرعة، وصدر عنه صوت فرقعة هو و«چورچ»، ثم اختفيا. بعد لحظات ظهرت السيدة «ويسلى» عند مدخل الحجرة.

«انتهى الاجتماع. يمكنكم النزول وتناول العشاء الآن. الجميع فى شوق شديد لرؤيتك يا هارى. ومن ترك كل هذه (الدانجبومب) خارج باب المطبخ؟».

قالت «چينى» دون أن يبدو عليها احمرار وجهها المعتاد: «كروكشانكس.. فهو يحب اللعب بها».

قالت السيدة «ويسلى»: «آه.. كنت أظنه كريتشر.. فهو يقوم بأشياء غريبة مثل هذه. والآن لا تنسوا خفض أصواتكم فى الصالة. چينى، يداك قذرتان، ماذا كنت تفعلين؟ اذهبى واغسليهما قبل العشاء من فضلك».

اختلست «چينى» نظرة إلى الآخرين وتبعت أمها خارج الحجرة، لتترك «هارى» وحده مع «رون» و«هيرميون». راقبه كلاهما بقلق، كأنهما يخافان من معاودته الصياح بعد أن خرج الجميع. كان شكلهما ـ وهما يقفان خائفين هكذا ـ يشعره بالخزى.

هَمْهَمَ قائلاً: «انظرا..» لكن «رون» هز رأسه، وقالت «هيرميون» بهدوء: «نعرف كم أنت غاضب يا هارى، ونحن لا نلومك على هذا، لكن عليك فهم أننا حاولنا إقناع دمبلدور بـ...».

قال «هارى» باقتضاب: «أجل.. أعرف». بحث عن موضوع للكلام لا يرتبط بناظر المدرسة؛ لأن مجرد التفكير فى «دمبلدور» يجعل صدره يضطرم بالغضب ثانية.

سألهما: «من هو كريتشر؟».

قال «رون»: «القزم المنزلى المقيم هنا. إنه مجنون، لم أر مثله قط».

قطبت «هيرميون» جبينها فى مواجهة «رون».

«إنه ليس مجنونًا يا رون».

قال «رون» بامتعاض: «طموحه فى الحياة هو أن تُقطع رأسه وتُعلق مثل رأس أمه.. هل يجعله هذا قزمًا طبيعيًّا يا هيرميون؟».

«كلامك واضح.. لكن وإن كان غريب الأطوار قليلاً فهذا ليس ذنبه».

أدار «رون» عينيه ناحية «هارى».

«هيرميون لم تتخل بعد عن مشروع SPEW»[1].

قالت «هيرميون» بغضب: «ليس هذا هو اسمها.. بل هى (جمعية تحسين أوضاع الأقزام المنزلية) ولست أنا الوحيدة من ترى هذا. دمبلدور يقول إن علينا أن نكون أكثر رحمة مع كريتشر».

قال «رون»: «أجل. فعلاً.. أسرعا، فأنا أتضور جوعًا».

قاد الطريق إلى الباب وحتى بداية السلم، لكن وقبل هبوطهم..

قال «رون» بصوت خفيض وهو يرفع يده؛ ليمنع «هارى» و«هيرميون» من النزول: «انتظرا.. إنهم لا يزالون بالصالة، وقد نسمع شيئًا من كلامهم».

نظر ثلاثتهم من فوق سور السلم. كانت الصالة المظلمة أسفلهم ممتلئة بالساحرات والسحرة، ومنهم جميع حراس «هارى». كانوا يهمسون باستثارة مع بعضهم البعض. وفى المنتصف تمامًا رأى «هارى» الرأس ذات الشعر اللامع، والأنف الطويل البارز لأقل مدرسيه تفضيلاً لديه فى «هوجورتس»: الأستاذ «سناب». انحنى «هارى» مستندًا إلى السور. كان مهتمًّا جدًّا بمعرفة ما يقدمه «سناب» من خدمات لجماعة العنقاء..

هبط خيط لحمى رفيع من أمام عينى «هارى». نظر لأعلى ليرى «فريد» و«چورچ» فوقهم، وهم يُنزِلون بحذر الآذان القابلة للمد نحو السحرة فى الظلام بالأسفل.. لكن بعد لحظة ساروا نحو الباب الأمامى ليختفوا عن الأنظار.

---

(١) أو Society for the Promotion of Elfish Welfare واختصارها SPEW بالنسبة لرون. وهى جمعية أسستها هيرميون لحماية حقوق الأقزام المنزلية المهدورة فى رأيها. (المترجم)

«اللعنة» سمع «هارى» همسة «فريد» وهو يرفع الأذن الممتدة إليه ثانية.

سمعوا الباب الأمامى يُفتح ثم يُغلق.

أخبر «رون» «هارى»: «سناب لا يأكل هنا أبدًا.. الحمد لله. هيا بنا».

همست «هيرميون»: «ولا تنس إبقاء صوتك منخفضًا فى الصالة يا هارى».

ومع عبورهم أمام صف رءوس الأقزام المنزلية المعلقة على الحائط، رأوا «لوبين»، والسيدة «ويسلى»، و«تونكس» عند الباب الأمامى، وهم يخفون أقفاله ومصاريعه السحرية العديدة خلف من غادروا.

همست السيدة «ويسلى» وقد قابلتهم عند مهبط السلم: «سنأكل فى المطبخ.. هارى، عزيزى.. سر عبر الصالة بهدوء إلى ذلك الباب هنا..».

طراخ

صاحت السيدة «ويسلى» بسخط: «تونكس!» وهى تلتفت ناظرة خلفها.

قالت «تونكس» ـ التى كانت راقدة على الأرض ـ بصوت كالعويل: «آسفة.. إنها حاملة المظلات الغبية هذه.. إنها ثانى مرة أتعثر بها..».

لكن لم يسمع أحد باقى كلماتها؛ بسبب صرخة فظيعة تصم الآذان وتجمد الدماء فى العروق.

تباعدت الستائر التى أكلتها العثة، والتى رآها «هارى» عند دخوله، لكن لم يكن هناك باب خلفها. لجزء من الثانية ظن «هارى» أنه ينظر عبر نافذة، نافذة أخذت تصرخ وتصرخ خلفها سيدة عجوز، على رأسها غطاء رأس أسود، كأنها تتعرض للتعذيب.. ثم أدرك أنه ليس سوى لوحة بالمقاس الطبيعى لسيدة، لكنها واقعية جدًّا وغير باعثة على السرور بالمرة، أكثر من أى لوحة مسحورة رآها فى حياته.

كان اللعاب يتناثر من فم السيدة العجوز، وعيناها تدوران فى محجريهما، وجلد وجهها المُصفر مشدودًا وهى تصرخ، وبطول الصالة خلفهم أفاقت باقى اللوحات من نومها وأخذت فى الصراخ هى الأخرى، حتى إن «هارى» أغمض عينيه بقوة، ووضع يديه على أذنيه.

تقدم كل من «لوبين» والسيدة «ويسلى» للأمام، وحاولا إعادة الستائر لوضعها فوق السيدة العجوز، لكن الستائر لم تنغلق، وأخذت تصرخ بصوت أعلى مما سبق، وهى تمد يديها المخلبيتين كأنها تحاول تمزيق وجهيهما.

«يا حثالة، يا زبالة، يا أنصاف السحرة، يا متحولون، يا أحقر الساحرات. غادروا هذا المكان فورًا. كيف تجرؤون على تلويث بيت آبائى وأجدادي..».

أخذت «تونكس» تعتذر، وهى تجر قدم (الترول) الثقيلة حاملة المظلات، لترفعها عن الأرض. تخلت السيدة «ويسلى» عن محاولتها إغلاق الستائر، وأخذت تذرع الصالة، لترمى بتعاويذ مجمدة من عصاها على اللوحات، وجاء رجل ذو شعر أسود طويل من الباب المواجه لـ«هارى».

زأر وهو يغلق الستائر التى تخلت عنها السيدة «ويسلى»: «اصمتى أيتها الحيزبون العجوز، اصمتى!». شحب وجه السيدة العجوز.

أخذت تصرخ وعيناها جاحظتان شاخصتان فى الرجل الواقف أمامها: *«آآآآأنت! يا خائن الدم وصلة القرابة، يا بغيض، يا عار على أمك!»*.

زأر الرجل: «قلت لك اصمتى!» ثم وبمجهود خارق نجح هو و«لوبين» فى إعادة الستائر إلى وضعها. كفت السيدة العجوز عن الصراخ، وعم سكون مدوٍّ.

وهو يلهث ويعدل وضع شعره، مبعدًا إياه عن عينيه، التفت أبو «هارى» الروحى - «سيرياس» - ليواجهه. قال بتجهم: «أهلاً يا هارى.. أراك قابلت أمى».

٥ جماعة العنقاء

«أمك أنـ..؟».

قال «سيرياس»: «أجل.. أمى العزيزة. منذ شهر ونحن نحاول نزعها عن الحائط، لكن واضح أنها وضعت تعويذة التصاق دائم على اللوحة[١]. هيا نهبط لأسفل بسرعة، قبل أن يستيقظوا ثانية».

تساءل «هارى» متعجبًا، وهم يمرون عبر الباب من الصالة إلى درجات سلم صخرية ضيقة، والآخرون خلفه: «لكن ماذا تفعل لوحة والدتك هنا؟».

قال «سيرياس»: «ألم يخبرك أحد بعد؟ هذا منزل والدىّ.. لكننى آخر فرد على قيد الحياة من آل بلاك؛ لذا فهو بيتى الآن. قدمته لدمبلدور ليتخذه مقرًا للجماعة.. وهو الشىء الوحيد النافع الذى قدرت على فعله».

لاحظ «هارى» ـ الذى توقع ترحيبًا دافئًا ـ كيف بدا صوت «سيرياس» مريرًا وجافًا. تبع أباه الروحى حتى نهاية السلم وعبر باب يقود إلى المطبخ فى القبو.

كان كئيبًا مثل الصالة.. مكونًا من حجرة كالكهف بجدران صخرية قاسية. معظم الضوء كان قادمًا من نيران هائلة تتوهج عند طرف الحجرة البعيد. والهواء ملىء بدخان غليون عالق كغبار المعارك، وعبره رأى أشكالاً ضبابية لأوانٍ حديدية ثقيلة، وقدور معلقة من السقف المظلم، والكثير من المقاعد محشورة بالحجرة من أجل الاجتماع، ومائدة خشبية طويلة فى الوسط، عليها الكثير من رقع الورق، والكئوس، وزجاجات النبيذ الفارغة، وكومة ـ مما بدا ـ كقماش قديم. كانت السيدة «ويسلى» تتحدث مع ابنها «بيل» بخفوت ورأساهما قريبان من بعضهما عند الطرف البعيد للمائدة.

سعلت السيدة «ويسلى»، واستدار زوجها النحيل ذو الرأس نصف الأصلع والشعر الأحمر والعوينات ذهبية الإطار، ثم هب واقفًا.

قال السيد «ويسلى»: «هارى!» ثم تقدم للأمام مرحبًا به. صافحه بحماس قائلاً: «تسعدنى رؤيتك».

---

(١) إن بدت مسألة لوحة الأم التى تصرخ غريبة على من يقرأون هارى بوتر للمرة الأولى، فاعلموا أن اللوحات والصور الفوتوغرافية، بل حتى صور الجرائد، تتحرك وتتحدث فى عوالم الرواية، واللوحة هنا لأم سيرياس التى توفيت منذ فترة، كما سيتضح من الأحداث. (المترجم)

ومن فوق كتفيه شاهد «هارى» «بيل»، الذى كان لايزال شعره الطويل مربوطًا على شكل ذيل حصان، وهو يلف بسرعة لفافات من الورق الممدودة على المائدة.

صاح فيه «بيل»: «هل مرت الرحلة بخير يا هارى؟» محاولاً جمع اثنتى عشرة لفافة ورق فى الوقت نفسه، وأضاف: «لم يأت بك ماد آى عن طريق جرينلاند إذن؟».

قالت «تونكس» وهى تهرول لمساعدة «بيل»: «حاول» لكنها أسقطت شمعة على لفافة الورق الأخيرة، وقالت: «آه.. لا.. آسفة».

قالت السيدة «ويسلى» بنبرة ساخطة: «لا تقلقى يا عزيزتى» ثم عالجت اللفافة المحترقة الطرف بتلويحة من عصاها السحرية. وعلى ضوء اللمعان الذى صدر عن عصا السيدة «ويسلى»، لمح «هارى» ما بدا كأنه مخطط لمبنى ما.

رأته السيدة «ويسلى» وهو ينظر. اختطفت المخطط من على المائدة وألقته على ذراع «بيل» الملىء بالورق بالفعل.

قالت بحدة قبل أن تسرع نحو خزانة أوانٍ قديمة أخرجت منها أطباق العشاء: «هذه الأشياء يجب إخفاؤها فور انتهاء الاجتماعات».

شهر «بيل» عصاه السحرية وغمغم: «*إيفانسكو!*» فاختفت لفافات الورق.

قال «سيرياس»: «اجلس يا هارى.. لقد قابلت مندنجس من قبل.. أليس كذلك؟».

أصدر الشىء الذى حسبه «هارى» كومة من القماش القديم صوت غطيط طويلاً، ثم أفاق من نومه. غمغم «مندنجس» ناعسًا: «هل يذكر أحد اسمى؟ أنا أوافق سيرياس فى رأيه..» رفع يدًا بالغة القذارة فى الهواء كأنه يقوم بالتصويت.

ضحكت «چينى»، وقال «سيرياس» وهم يجلسون حوله على المائدة: «انتهى الاجتماع يا دانج.. وصل هارى».

قال «مندنجس» وهو يطل بوجهه الشاحب والمغطى بشعره الأحمر على «هارى»: «هه؟ اللعنة، إذن.. آ..آ..أنت بخير يا (آرى)؟»، فقال «هارى»: «أجل، بخير».

عبث «مندنجس» بعصبية فى جيوبه، وهو لايزال ينظر إلى «هارى»، ثم أخرج غليونًا أسود قذرًا، ووضعه فى فمه، وأوقد طرفه بعصاه السحرية، ثم سحب أنفاسًا عميقة منه. انبعثت سحب كبيرة من الدخان الأخضر بعد ثوانٍ.

خرج صوت من بين سحب الدخان يقول: «أنا مدين لك باعتذار».

قالت السيدة «ويسلى»: «للمرة الأخيرة يا مندنجس.. هلا كففت عن تدخين هذا الشيء بالمطبخ؟ خاصة أننا هنا لتناول الطعام».

قال «مندنجس»: «آه.. آسف يا مولى.. آسف».

اختفت سحابة الدخان و«مندنجس» يعيد غليونه إلى جيبه، لكن ظلت رائحة جوارب محترقة عالقة في الهواء.

قالت السيدة «ويسلى» لجميع من بالحجرة: «إن كنتم تريدون تناول العشاء قبل منتصف الليل سأحتاج لمساعدتكم.. لا يا عزيزى هارى، فقد مررت برحلة طويلة».

قالت «تونكس» بحماس وهى تتقدم للأمام: «ماذا بإمكانى أن أفعل يا مولى؟».

ترددت السيدة «ويسلى» والخوف فى عينيها. وقالت: «آ.. لا، لا تقلقى أنت يا تونكس. ارتاحى أنت الأخرى، فقد ساعدتنى بما فيه الكفاية اليوم».

قالت «تونكس» بإشراق، مسقطة مقعدًا وهى تهرول ناحية الخزانة التى أخذت «چينى» تجمع منها سكاكين المائدة: «لا أريد المساعدة».

سرعان ما أخذت السكاكين الكبيرة تقطع اللحم والخضراوات وحدها، والسيد «ويسلى» يشرف عليها، بينما أخذت السيدة «ويسلى» تقلب إناء كبيرًا معلقًا فوق النيران، والآخرون يخرجون الأطباق، والمزيد من الكئوس والطعام من حجرة المؤن.. وتركوا «هارى» وحده جالسًا إلى المائدة بجانب «سيرياس» و«مندنجس»، الذى كان ينظر إليه بندم.

سأله: «هل رأيت فيجى العجوز منذ ذلك اليوم؟».

قال «هارى»: «لا.. لم أر أحدًا».

قال «مندنجس» وهو ينحنى للأمام، ونبرة توسل فى صوته: «لتفهم أننى ما كنت لأتركك.. لكن فرصة العمل والتجارة التى...».

شعر «هارى» بشىء يتحرك عند ركبتيه، فأجفل، لكنه لم يكن سوى «كروكشانكس»، قط «هيرميون» ثقيل القدمين بنى اللون، الذى تكوم حول إحدى قدمى «هارى»، وأخذ يهر، ثم قفز إلى حجر «سيرياس» وتكوم على نفسه. داعب «سيرياس» فراء القط خلف أذنيه بذهن شارد، ووجهه مازال متجهمًا نحو «هارى».

«هل قضيت صيفًا ممتعًا؟»، فقال «هارى»: «لا.. كان صيفًا بشعًا».

للمرة الأولى، لاح ما يشبه الابتسامة على وجه «سيرياس».

«لا أعرف مم تتشكى بالضبط»، فقال «هارى» بنبرة مرتابة: «ماذا؟».

«أنا أرحب بهجوم (الديمنتور). فصراع مميت أدافع فيه عن نفسى كان ليكسر الرتابة المملة. هل تعتقد أن ما حدث لك أمر سيئ؟ على الأقل كنت قادرًا على الخروج والحركة، ومد قدميك، والشجار.. فأنا محبوس هنا منذ شهر».

قال «هارى» مقطب الجبين: «لماذا؟».

«لأن وزارة السحر مازالت تلاحقنى، ومؤكد أن ڤولدمورت قد عرف أننى (أنيماجوس)[1]. لابد وأن وورمتيل أخبره؛ لذا فتنكرى الخطير صار بلا نفع. لا يوجد الكثير مما يمكن أن أقدمه لجماعة العنقاء.. أو هكذا يشعر دمبلدور».

من النبرة الباردة التى نطق بها «سيرياس» اسم «دمبلدور» أحس «هارى» أن «سيرياس» أيضًا ليس راضيًا عن ناظر المدرسة، فشعر فجأة بمشاعر الحب لأبيه الروحى تتصاعد داخله. قال بنبرة متعاطفة: «على الأقل تعرف ما يجرى».

قال «سيرياس» بسخرية: «فعلاً.. أستمع لتقارير سناب، وأتحمل تلميحاته السخيفة بأنه يخرج ويخاطر بحياته وأنا هنا أستمتع بوقتى.. ويسألنى عن عملية التنظيف و..»، فسأله «هارى»: «أى تنظيف؟».

قال «سيرياس» وهو يدور بيده مشيرًا لأركان المطبخ الموحش: «نحاول جعل هذا المكان مناسبًا لإقامة الآدميين.. فلم يعش أحد هنا منذ عشرة أعوام، ليس منذ وفاة أمى العزيزة، إلا إن كنت تعد قزمها المنزلى شخصًا. لقد جن تمامًا، ولم ينظف أى شىء منذ زمن».

قال «مندنجس» الذى لم يبد عليه متابعة أىٍّ مما قيل، وانشغل بفحص كأس فارغة: «سيرياس.. هل هذه الكأس فضية يا صديقى؟».

قال «سيرياس» وهو ينظر إليه بنفور: «أجل.. كأس أثرية من القرن الخامس عشر مصنوعة بأيدى الجان، ومدموغة بشعار آل بلاك».

غمغم «مندنجس» وهو ينظف الكأس بكم عباءته: «لكن الشعار يمكن خلعه».

صاحت السيدة «ويسلى»: «فريد.. چورچ.. لا، احملاه بأيديكما فقط».

التفت كل من «هارى» و«سيرياس» و«مندنجس» خلفهم، وفى جزء من

---

(١) أو متحول Animagus، والأنيماجوس هو الساحر القادر على التحول إلى حيوان معين باستخدام السحر، وهى مهارة يصعب على الكثيرين التمكن منها. (المترجم).

الثانية ابتعدوا بعيداً عن المائدة. كان «فريد» و«چورچ» قد سحرا إناء كبيرًا من العصيدة، وآخر من الشراب، ولوح تقطيع خبز ثقيلاً ومعه سكين، وأخذت كل هذه الأشياء تطير نحوهم في الهواء. مرت العصيدة بطول المائدة، وتوقفت قبل طرفها بالضبط، تاركة حرقًا أسود طويلاً على السطح الخشبى.. أما إناء الشراب فقد سقط، ليتناثر محتواه فى كل مكان.. وسقط سكين الخبز عن لوح التقطيع، وحط بطرفه مرشوقًا فى الأرض، حيث كانت يد «سيرياس» اليمنى منذ لحظات.

صرخت السيدة «ويسلى»: «**بحق السماء. لم يكن هناك حاجة للسحر.. نلت كفايتى منكما.. فقط لأنه سُمح لكما باستخدام السحر، فليس عليكما التلويح بالعصى السحرية على كل موقف تافه لا يستحق**!».

قال «فريد» ـ مسارعًا بإخراج السكين المرشوق من المائدة ـ: «كنا نحاول توفير الوقت.. وآسف يا سيرياس يا صديقى.. لم أقصد الـ...».

كان كل من «هارى» و«سيرياس» يضحكان، و«مندنجس» ـ الذى تعثر للخلف ساقطًا من فوق مقعده ـ أخذ يغمغم بحنق وهو ينهض.. أطلق «كروكشانكس» هسيس احتجاج غاضبًا وجرى إلى أسفل الخزانة، ومن مكانه أخذت عيناه الصفراوان تلمعان فى الظلام.

قال السيد «ويسلى» وهو يعيد العصيدة إلى منتصف المائدة: «يا أولاد.. أمكما محقة، من المفترض أن يكون عندكما إحساس بالمسئولية مع بلوغكما سن الـ...».

أخذت السيدة «ويسلى» تصيح فى التوأمين، وهى تلقى بإناء شراب آخر على المائدة بعصبية؛ فتناثر السائل منه حتى كاد يفرغ هو الآخر: «لم يتسبب أى من إخوتكم فى مثل هذه المشكلات.. لم يكن بيل يختفى اختفاء سحريًّا كل دقيقة! وتشارلى لم يكن يسحر كل شىء يقابله فى طريقه! وبيرسى...».

كفت عن الكلام فجأة، والتقطت أنفاسها، وهى تنظر نظرة خائفة إلى زوجها، الذى تحول تعبير وجهه فجأة إلى تعبير جامد متخشب.

قال «بيل» بسرعة: «هيا نأكل». وقال «لوبين» وهو يضع بعض العصيدة فى طبق للسيدة «ويسلى» ويناوله لها عبر المائدة: «العصيدة رائعة يا مولى».

عمَّ السكون لبضع دقائق، ولم تصدر أصوات سوى أصوات سكاكين المائدة والأطباق واحتكاك المقاعد بالأرض، مع استقرار الجميع فى أماكنهم، ثم التفتت السيدة «ويسلى» إلى «سيرياس».

«منذ فترة وأنا أريد إخبارك يا سيرياس. هناك شىء محبوس فى ذلك المكتب بحجرة الرسم، وتصدر عنه أصوات مزعجة. ربما يكون (عو)[1]، لكن الأفضل أن نطلب من ألستور إلقاء نظرة عليه قبل أن نخرجه».

قال «سيرياس» بنبرة محايدة: «كما تشائين».

أضافت السيدة «ويسلى»: «والستائر بتلك الحجرة مليئة بالعفاريت النطاطة[2].. لم لا نحاول التخلص منها غدًا؟».

قال «سيرياس»: «أتطلع بشغف إلى هذا» فسمع «هارى» رنة السخرية فى صوته، لكنه لم يكن واثقًا من أن أحدًا غيره قد لاحظها.

فى المقعد المقابل لـ«هارى»، كانت «تونكس» جالسة تسلى «هيرميون» و«چينى» بتحويل أنفها إلى أشكال عديدة وهى تأكل. وكل مرة تدور عيناها بنفس التعبير المتألم الذى رآه «هارى» فى حجرته عندما غيرت لون شعرها.. أخذ أنفها ينتفخ حتى وصل إلى حجم أنف «سناب»، ثم انكمش ليصل إلى حجم صغير، ثم خرج كمّ كبير من الشعر من فتحتى أنفها. من الواضح أن ما فعلته كان من قواعد التسلية الراسخة على العشاء؛ لأنه سرعان ما طلبت كل من «هيرميون» و«چينى» شكل الأنف المفضل لهما.

«حوليه إلى شكل أنف خنزير يا تونكس». أطاعتهما «تونكس»؛ فشعر «هارى» أنه يرى المعادل الأنثوى لـ«ددلى» يبتسم له من الجانب الآخر من المائدة.

انشغل كل من السيد «ويسلى»، و«بيل» فى نقاش حار عن الجان.

قال «بيل»: «لم يتخلوا عن أى شىء بعد.. لكن لا أعرف إن كانوا يصدقون عودته. بالطبع ربما يفضلون البقاء على الحياد بعيدًا عن الصراع».

قال السيد «ويسلى»: «أنا واثق تمام الثقة من أنهم لن ينضموا أبدًا إلى جانب الذى ـ تعرفه.. فقد تكبدوا الكثير من الخسائر هم الآخرون.. هل تتذكر عائلة الجان التى قتلها عن آخرها المرة السابقة بالقرب من نوتنجهام؟».

قال «لوبين»: «أرى أن المسألة تتوقف على ما سيقدمه إليهم.. وأنا لا أتحدث

---

(١) أو Boggart، وسبب اختيار لفظ (العو) أن الـ Boggart فى الخيال الغربى الشعبى هو كائن كابوسى يختبئ فى الدولاب والأطفال نيام، ويخرج فى الظلام يأكل الطفل الذى يعصى أمه.. وهو ما يذكرنا بفكرة «اصمت وإلا جاءك العو!» فى خيالنا الشعبى. (المترجم).

(٢) أو Doxies، ولفظ النطاطة لنفرقها عن العفاريت العادية: Pixies. والمفترض أن العفاريت النطاطة كائنات سحرية شقية، كما سيتضح لاحقًا. (المترجم).

عن الذهب. إن قدم لهم الحرية التى ننكرها عليهم منذ قرون سيفكرون فى الانضمام إلى جانبه. ألم يحالفك الحظ مع راجنوك بعد يا بيل؟».

قال «بيل»: «إنه معارض للسحرة.. فهو غاضب من موضوع باجمان، ويظن أن الوزارة غطت على الموضوع، فالجان أخذوا ذهبهم منه كما تعلم..».

أغرقت موجة من الضحك انبعثت من منتصف المائدة باقى كلمات «بيل». كان «فريد»، و«چورچ»، و«رون»، و«مندنجس» يضحكون بقوة ومقاعدهم تهتز من فرط الضحك.

سعل «مندنجس» قائلاً، ودموع الضحك تجرى على وجهه: «..ثم.. ثم.. لا لا.. لن تصدقوا. قال لى.. قال لى.. ها ها.. قال: من أين جئت بكل هذه الضفادع يا دانج؟ لأن هناك لصًا قذرًا قد سرق كل ضفادعى! فقلت له.. هل سرق كل ضفادعك؟ إذن فأنت تريد المزيد صح؟ أعرف أنكم لن تصدقونى يا أولاد، لكنه من الحين للآخر يشترى الضفادع التى أسرقها منه..».

قالت السيدة «ويسلى» بحدة و«رون» يعوى من الضحك، وهو ينحنى على المائدة: «لا أحسبنا نشاء سماع المزيد عن سجل أعمالك الحافل يا مندنجس.. نشكرك».

قال «مندنجس» على الفور وهو يمسح عينيه، ويغمز لـ«هارى»: «لكن كما تعرفين سرقهم ويل من وارتى هاريس فى البداية. إذن فأنا لم أخطئ».

قالت السيدة «ويسلى» ببرود: «لا أعرف أين تعلمت معرفة الصح من الخطأ يا مندنجس، لكن يبدو أنه قد فاتك بعض الدروس المهمة فى تعليمك».

دفن «فريد» و«چورچ» وجهيهما فى كأسى شرابهما.. وأصيب «چورچ» بالفواق. ولسبب ما رمت السيدة «ويسلى» «سيرياس» بنظرة محتقرة قبل أن تنهض وتذهب لإحضار الحلوى. نظر «هارى» نحو أبيه الروحى.

قال «سيرياس» بصوت خفيض: «مولى لا توافق على انضمام مندنجس إلينا».

قال «هارى» بهدوء شديد: «وكيف انضم إلى الجماعة؟».

غمغم «سيرياس»: «إنه مفيد.. لأنه يعرف كل اللصوص، فهو واحد منهم. لكنه شديد الولاء لدمبلدور، الذى ساعده من قبل فى مأزق خطير. ومن المفيد الاستعانة بأمثال دانج، فهو يسمع بأشياء لا نعرفها. لكن مولى ترى دعوته لتناول العشاء مبالغًا فيها. فهى لم تغفر له إهماله فى نوبة حراسته لك».

بعد ثلاثة أطباق من الحلوى شعر «هارى» ببنطلونه يضيق على خصره.. ومما يوضح أثر الحلوى أن البنطلون كان يومًا ملكًا لـ«ددلى». وهو يلقى بملعقته كان السيد «ويسلى» متكئًا على مقعده، وعلى وجهه علامات الاسترخاء. تثاءبت «تونكس» بقوة، وقد عاد أنفها إلى حجمه الطبيعى، أما «چينى» التى أخرجت «كروكشانكس» من تحت الخزانة، فقد جلست على الأرض، وهى تلقى بأغطية زجاجات الشراب إليه ليلاحقها.

قالت السيدة «ويسلى» وهى تتثاءب: «أرى أن وقت النوم قد حان».

قال «سيرياس» وهو يدفع طبقه الفارغ بعيدًا عنه: «ليس بعد يا مولى» ثم وهو يلتفت إلى «هارى»: «أتعرف؟ يدهشنى أمرك. ظننت أن حال قدومك إلى هنا ستسأل أسئلة عن ڤولدمورت».

تغير جو الحجرة بسرعة شبهها «هارى» بسرعة انقلاب الحال مع اقتراب (الديمنتورات). فقبل ذكر الاسم كان الجو العام يوحى بالاسترخاء الناعس، لكن الآن تكهرب الجميع، وعم التوتر. واهتزت المائدة مع ذكر اسم «ڤولدمورت». خفض «لوبين» كأسه الذى كان يرتشف منه النبيذ منذ لحظات، وقد بدا عليه الإرهاق.

قال «هارى» بسخط: «بل سألت! سألت رون وهيرميون لكنهما قالا: إنهما غير مسموح لهما بدخول الجماعة؛ لذا..».

قالت السيدة «ويسلى»: «وهما على حق.. فأنتم صغار».

جلست منتبهة فى مقعدها، وقبضتاها ملتفتان حول ذراعيها، وعلامات النعاس قد تلاشت تمامًا عن وجهها.

سأل «سيرياس»: «ومنذ متى وعلى من يريد طرح الأسئلة أن يكون عضوًا فى جماعة العنقاء؟ هارى محبوس فى منزل للعامة منذ شهر. ومن حقه معرفة حقيقة ما يدور عن..». فقاطعه «چورچ» بصوت مرتفع: «انتظر!».

قال «فريد» بغضب: «لماذا تجيبون على أسئلة هارى؟».

قال «چورچ»: «نحن نحاول معرفة ما يدور منذ شهر ولم تخبرونا بشىء واحد!».

قال «فريد» بصوت مرتفع بدا مشابهًا لصوت أمه بالضبط: «أنتم صغار، ولستم أعضاء فى الجماعة.. هارى ليس فوق السن القانونية!».

قال «سيرياس» بهدوء: «ليس خطئى أنه لم يتم إخبارك بما يجرى من أحداث للجماعة.. هذا قرار أبويكم. أما هارى فهو..».

قالت السيدة «ويسلى» بحدة: «ليس بيدك تقرير ما هو فى مصلحة هارى!» اتخذ تعبير الطيبة الطبيعية المرتسم دومًا على وجهها طابعًا قاسيًا وهى تقول: «هل نسيت ما قاله دمبلدور؟».

سألها «سيرياس» متأدبًا لكن بأسلوب من هو على وشك الشجار: «أى جزء من كلامه؟». قالت السيدة «ويسلى»: «الجزء الخاص بعدم إخبار هارى بأكثر مما ينبغى له معرفته» وضغطت على مخارج حروف آخر خمس كلمات.

انتقلت رءوس «رون»، و«هيرميون»، و«فريد»، و«چورچ» من «سيرياس» إلى السيدة «ويسلى» كأنهم يتابعون مباراة تنس. كانت «چينى» جالسة وسط أغطية زجاجات الشراب، تراقب الحوار وفمها مفتوح قليلاً. أما عينا «لوبين» فكانتا مركزتين على «سيرياس».

قال «سيرياس»: «لا أنوى إخباره بأكثر مما ينبغى له معرفته يا مولى.. لكن باعتباره الشخص الذى شاهد بعينيه عودة ڤولدمورت (مرة أخرى عمت موجة ارتجاف عامة مع ذكر الاسم) فله الحق أكثر من أى أحد فى..».

«إنه ليس عضوًا فى جماعة العنقاء! فعمره خمسة عشر عامًا».

«لقد تعامل مع مواقف خطيرة، مثل الكثير من أعضاء الجماعة.. بل وأكثر من البعض». قالت السيدة «ويسلى» وصوتها يعلو، وقبضتاها ترتجفان على ذراعى مقعدها: «لم ينكر أحد هذا.. لكنه..».

قال «سيرياس» بنفاد صبر: «إنه ليس طفلاً».

قالت السيدة «ويسلى» ووجهها آخذ فى الاحتقان: «لكنه ليس بالغًا.. إنه ليس چيمس يا سيرياس» قال «سيرياس» ببرود: «أنا على وعى تام بمن يكون يا مولى.. أشكرك على الإيضاح».

قالت السيدة «ويسلى»: «لست واثقة من وعيك هذا.. أحيانًا تتحدث عنه كأنك استعدت أقرب أصدقائك إليك». قال «هارى»: «وما الخطأ فى هذا؟».

قالت السيدة «ويسلى» وعيناها مركزتان على «سيرياس»: «الخطأ يا هارى أنك لست بوالدك، وإن كنت تشبهه كثيرًا.. أنت مازلت بالمدرسة ويجب على الكبار المسئولين عنك ألا ينسوا هذا».

سألها «سيرياس» وصوته يعلو: «أتعنين أننى أب روحى غير مسئول؟».

«أعنى أنه معروف عنك التهور يا سيرياس، ولهذا أبقاك دمبلدور بالمنزل و..».

قال «سيرياس» بصوت مرتفع: «لنُبعد تعليمات دمبلدور عن خلافنا لو سمحتِ».

قالت السيدة «ويسلى» وهى تلتفت إلى زوجها: «أرثر.. أرثر ساعدنى».

لم يتحدث السيد «ويسلى» مرة واحدة. خلع نظارته ونظفها ببطء على عباءته، دون أن ينظر إلى زوجته. فقط عندما وضعهما ثانية بحرص على أنفه قام بالرد.

«دمبلدور يعرف بتغير الأحوال يا مولى. ويقبل بمعرفة «هارى» بعض الأمور، خاصة وهو معنا فى مقر الجماعة».

«أجل.. لكن هناك اختلافًا بين هذا وبين دعوته لطرح الأسئلة كما يشاء».

قال «لوبين» بهدوء وهو ينظر بعيدًا عن «سيرياس» أخيرًا والسيدة «ويسلى» تلتفت إليه بسرعة آملة فى العثور على حليف: «عن نفسى أرى أن الأفضل لـ «هارى» معرفة الحقائق.. ليس كل الحقائق طبعًا يا مولى، لكن الصورة العامة.. يعرفها منا بدلاً من معرفتها من أحاديث مشوبة بالشائعات».

كان تعبيره محايدًا، لكن «هارى» شعر بمعرفة «لوبين» أن بعض الآذان القابلة للمد قد أفلتت من مصادرة السيدة «ويسلى».

قالت السيدة «ويسلى» وهى تتنفس بعمق وتنظر حول المائدة؛ بحثًا عن دعم أقل لن يأتى: «فى الواقع.. أعنى.. أرى أنكم ستتغلبون علىّ. لكن دعونى أقل: لابد أن دمبلدور لديه أسبابه لحجب الحقائق عن هارى، وهو شخص يهمه كثيرًا مصلحة هارى». قال «سيرياس» بهدوء: «إنه ليس ابنك».

قالت السيدة «ويسلى» بشراسة: «لكنه مثل ابنى.. فمن لديه غيرى؟».

«أنا!».

قالت السيدة «ويسلى»: «أجل.. المشكلة أنه كان من الصعب عليك الاعتناء به وأنت حبيس سجن أزكابان.. أليس كذلك؟».

هم «سيرياس» بالنهوض عن مقعده. وقال «لوبين» بحدة: «مولى.. أنت لست الشخص الوحيد على هذه المائدة الذى يهمه شأن هارى.. اجلس يا سيرياس».

أخذت شفة السيدة «ويسلى» السفلى ترتجف. عاود «سيرياس» الجلوس فى مقعده بوجهه الشاحب. وأكمل «لوبين» كلامه قائلاً: «أرى أن من حق هارى عرض رأيه فى هذا الموضوع.. إنه بالغ بما يكفى ليقرر بنفسه».

قال «هارى» على الفور: «أريد معرفة ما يدور».

لم ينظر نحو السيدة «ويسلى». تأثر كثيرًا بما قالته عن كونه كابنها، لكنه انزعج من حرصها الشديد عليه. «سيرياس» محق، فهو ليس طفلاً.

قالت السيدة «ويسلى» بصوت أجش: «حسنًا.. چينى، رون، فريد، چورچ.. اخرجوا من المطبخ، الآن». فجاوبتها موجة احتجاج عارمة.

صاح «فريد» و«چورچ» فى نفس واحد: «لكننا وصلنا للسن القانونية».

صاح «رون»: إن كان مسموح لهارى بالمعرفة، فلم لا أعرف أنا الآخر؟».

عوت «چينى»: «ماما.. أريد أن أسمع».

صاحت السيدة «ويسلى» وهى تنهض، وعيناها تلمعان: «لا.. لن أسمح أبدًا بـ...».

قال السيد «ويسلى» بنفس الإرهاق السابق: «مولى، إنهما بالغان».

صار وجه السيدة «ويسلى» بالغ الاحمرار.

«آ.. طيب.. فعلاً، فريد وچورچ يمكنهما البقاء، لكن رون..».

قال «رون»: «سيخبرنى هارى بكل شىء يعرفه، أنا وهيرميون.. آ.. أليس كذلك يا هارى؟» أضاف العبارة الأخيرة فى عدم يقين وهو ينظر إلى عينى «هارى».

قال «هارى»: «بالطبع سأفعل». فأشرق وجها «رون» و«هيرميون» بالابتسام.

صاحت السيدة «ويسلى»: «رائع! چينى.. **إلى الفراش**».

لم تخرج «چينى» بهدوء. سمعوا صياحها واحتجاجها العارم طوال الطريق وهى تصعد السلم، وعندما وصلت إلى الصالة أُضيف صراخ السيدة «بلاك» الذى يصم الآذان إلى الصخب الجارى. سارع «لوبين» بالخروج إلى اللوحة؛ ليستعيد الهدوء. ولم يتحدث «سيرياس» إلا بعد أن عاد، وأغلق باب المطبخ من خلفه، وجلس على مقعده.

«تحدث يا هارى.. ما الذى تريد معرفته؟».

أخذ «هارى» نفسًا عميقًا وسأل السؤال الذى يشغل باله منذ شهر.

قال متجاهلاً موجة الارتجاف والإجفال مع ذكر الاسم: «أين ڤولدمورت؟ ماذا يفعل؟ حاولت متابعة أخبار (العامة) على التليفزيون، لكن لم أعثر على شىء عنه، لا حوادث قتل غريبة أو ما شابه».

قال «سيرياس»: «هذا لأنه لم تقع حوادث قتل غريبة بعد.. لم نعرف بأيها بعد.. ونحن نعرف الكثير». وأضاف «لوبين»: «أكثر مما يحسبنا نعرف».

سأل «هارى»: «ولم كف عن قتل الناس؟» كان يعرف أن «ڤولدمورت» قد قتل أكثر من شخص العام الماضى وحده.

قال «سيرياس»: «لأنه لا يريد جذب الانتباه إلى نفسه.. فهذا ليس فى صالحه. عودته لم تكن هادئة كما شاء. فقد كشف نفسه».

قال «لوبين» وعلى وجهه ابتسامة راضية: «أو بالأحرى، كشفته أنت».

سأل «هارى» متعجبًا: «كيف؟».

قال «سيرياس»: «لم يكن من المفترض أن تنجو من هجومه.. لا أحد غير أكلة الموت كان له أن يعرف بعودته. لكنك نجوت لتصبح الشاهد الوحيد».

تساءل «هارى»: «وكيف ساعد هذا على كشفه؟».

قال «بيل» باستنكار: «هل تمزح؟ دمبلدور هو الوحيد الذى يخشاه الذى ـ تعرفه». أضاف «سيرياس»: «وبفضلك عاود دمبلدور تشكيل جماعة العنقاء بعد ساعة من معرفته بعودة ڤولدمورت».

تساءل «هارى» وهو ينظر حوله إلى الآخرين: «إذن فما هو نشاط الجماعة؟».

أجابه «سيرياس»: «تحاول الجماعة إحباط خطط ڤولدمورت».

سأله «هارى» بسرعة: «وكيف عرفتم بخططه؟».

قال «لوبين»: «دمبلدور لديه فكرة عامة عنها.. واتضح أن الفكرة العامة التى لديه فكرة دقيقة وصحيحة».

«إذن ما هى خططه كما خمنها دمبلدور؟».

قال «سيرياس»: «أولاً، يريد بناء جيشه مرة أخرى.. فى الماضى كان لديه عدد هائل تحت إمرته.. ساحرات وسحرة هددهم أو سحرهم؛ لينضموا إليه.. من أكلة الموت المخلصين له، وعدد كبير من الكائنات المسحورة. سمعته يخطط لتجنيد العمالقة.. فى الواقع هم جماعة واحدة من بين الكائنات التى يسعى إليها.. فهو بالطبع لن يتغلب على وزارة السحر بعشرة من أكلة الموت».

«إذن فأنتم تحاولون منعه من الحصول على المزيد من الحلفاء؟».

قال «لوبين»: «نسعى بقصارى جهدنا».

«كيف؟».

قال «بيل»: «أول شيء هو أن نحاول إقناع الناس بعودة الذى ـ تعرفه، حتى يتوخوا الحذر.. لكن المسألة صعبة».

«لماذا؟».

قالت «تونكس»: «بسبب تصرفات وزارة السحر.. أنت رأيت ما فعله كورنلياس فادچ فى أعقاب عودة الذى ـ تعرفه يا هارى. الواقع أنه لم يغير موقفه منذ ذلك الحين. فهو رافض تمامًا تصديق ما يجرى».

قال «هارى» بيأس: «لكن لماذا؟ ما سبب غبائه هذا؟ إن كان دمبلدور..».

قال السيد «ويسلى» بابتسامة مرهقة: «وضعت يدك على المشكلة.. دمبلدور».

قالت «تونكس» بحزن: «فادچ خائف منه كما تعرف».

قال «هارى» غير مصدق: «خائف من دمبلدور؟».

قالت السيدة «ويسلى»: «خائف مما يخطط له.. فهو يعتقد أن دمبلدور يريد إحداث انقلاب. أن دمبلدور يريد تولى منصب وزير السحر».

«لكن دمبلدور لا يريد..».

قال السيد «ويسلى»: «بالطبع لا يريد هذا المنصب.. فهو لم يحب أبدًا تولى وظيفة الوزير، بالرغم من أن الكثيرين أرادوا أن يتولى هو منصب الوزير بعد تقاعد الوزير السابق ميليسنت باجنولد، وتم تعيين فادچ بدلاً منه، لكنه لم ينس أبدًا حجم الشعبية التى يتمتع بها دمبلدور، بالرغم من أن دمبلدور نفسه لم يرشح نفسه للمنصب».

قال «لوبين»: «يعرف فادچ جيدًا أن دمبلدور ساحر أمهر وأقوى منه بكثير، وفى أيامه الأولى بالوزارة كان يسأل دمبلدور كثيرًا النصح والإرشاد.. لكن يبدو أنه صار مغرمًا بالسلطة وأكثر ثقة بنفسه. وأقنع نفسه بأنه هو الماهر ودمبلدور يسعى لإثارة المشاكل دون سبب».

قال «هارى» بغضب: «وكيف يفكر هكذا؟ كيف يفكر أن دمبلدور يصطنع المشكلات.. وأننى أتخيل أشياء؟».

قال «سيرياس» بنبرة مريرة: «لأن قبول عودة ڤولدمورت يعنى مشكلات من نوع لم تصادفه الوزارة منذ أربعة عشر عامًا.. لا يريد فادچ مواجهة الأمر. الأكثر راحة أن يقنع نفسه بأن دمبلدور يكذب ليهز مركزه».

قال «لوبين»: «المشكلة هى أنه بينما تصر الوزارة على أن ڤولدمورت لم يعد،

يصعب علينا إقناع الناس بعودته، خاصة وأنهم لا يريدون تصديق عودته أصلاً. كما أن الوزارة تعتمد بقوة على جريدة الدايلى بروفيت فى إقناع الناس بأن دمبلدور مدعٍ، ويسمونه مروج الإشاعات، حتى أمسى مجتمع السحرة غير واعٍ بالمرة بما يحدث، مما يجعلهم هدفًا سهلاً لأكلة الموت إن استخدموا لعنة الإمبرياس».

قال «هارى»: «لكنكم تخبرون الناس بالحقيقة.. أليس كذلك؟» ثم وهو ينظر نحو السيد «ويسلى»، و«سيرياس»، و«بيل»، و«مندنجس»، و«لوبين»، و«تونكس»: «أنتم تطلعون الناس على ما يجرى.. على أنه قد عاد.. أليس كذلك؟». فابتسموا جميعًا دون بهجة حقيقية.

قال «سيرياس» بانزعاج: «فى الواقع يظن الجميع أننى قاتل مجنون، والوزارة أعلنت عن جائزة عشرة آلاف جاليون لمن يقبض علىّ. لا يمكننى التجول فى الشوارع وتوزيع المنشورات».

قال «لوبين»: «وأنا غير محبوب وغير مرحب بى بين معظم السحرة.. فهم يخافون منى لأننى مذءوب».

قال «سيرياس»: «تونكس وأرثر قد يفقدان وظيفتيهما بالوزارة إن بدأا فى التحدث عن الأمر. ومن المهم أن يكون لنا جواسيس داخل الوزارة؛ لأن من الطبيعى أن يكون لڤولدمورت جواسيس بها».

قال السيد «ويسلى»: «لكننا تمكنا من إقناع اثنين.. تونكس مثلاً.. وهى صغيرة ولم تكن بجماعة العنقاء المرة السابقة، ووجود مقاتلين للسحر الأسود إلى جانبنا مزية كبيرة.. وكنجسلى شاكلبولت إضافة حقيقية هو الآخر، فهو المسئول عن مطاردة سيرياس؛ لذا فهو يمد الوزارة بمعلومات تفيد بأن سيرياس فى بلاد التبت».

قال «هارى»: «لكن إن لم يكن أيكم ينشر خبر عودة ڤولدمورت..».

قال «سيرياس»: «ومن قال إننا لم ننشر الخبر؟ وما سبب المشكلات التى يتعرض لها دمبلدور فى رأيك؟». فسأله «هارى»: «ماذا تقصد؟».

قال «لوبين»: «إنهم يحاولون نزع المصداقية عنه.. ألم تقرأ الدايلى بروفيت الأسبوع الماضى؟ قالوا إنه قد عُزل من منصبه كرئيس للاتحاد الكونفدرالى الدولى للسحرة؛ بسبب سنه الكبيرة وفقدانه القدرة على التحكم فى تصرفاته، لكن الأمر ليس كذلك.. فما حدث أن أعضاء الوزارة من السحرة هم من صوتوا

بعزله بعد إلقائه خطبة عن عودة ڤولدمورت. وخلعوه من منصبه ككبير سحرة ويزنجاموت.. وهى محكمة السحرة العليا[1]، كما يتحدثون عن نزع وسام مرلين من الطبقة الأولى عنه أيضًا».

قال «بيل» مبتسمًا: «لكن دمبلدور يقول إنه لا يبالى؛ لأنهم لن ينزعوا صورته عن كروت شيكولاتة (فروج)».

قال السيد «ويسلى» بحدة: «الموضوع لا يحتمل المزاح.. إن داوم على معارضة الوزارة هكذا سينتهى به الحال فى سجن أزكابان، وآخر شىء نريده هو أن يُسجن دمبلدور، بينما الذى تعرفه يعرف أن دمبلدور حر فى حركته ومنتبه لما يخطط له. إن أُزيح دمبلدور عن طريقه؛ فلن يقف أمامه أحد».

سأل «هارى»: «لكن إن حاول ڤولدمورت تجنيد المزيد من أكلة الموت؛ فعلى الأرجح سينتشر خبر عودته، أليس كذلك؟».

قال «سيرياس»: «ڤولدمورت لا يذهب إلى بيوت الناس ويطرق أبوابهم الأمامية يا هارى. فهو يخدعهم، ويصيبهم باللعنات، ويبتزهم. إنه شديد المهارة وسحره قوى.. لكن جمعه للتابعين شىء واحد مما يفعله. فلديه خطط أخرى أيضًا، خطط بإمكانه تنفيذها بهدوء، وهو يركز على هذه الخطط الأخرى فى الوقت الحالى».

سأل «هارى» بسرعة: «وما الذى يسعى إليه بخلاف جمع التابعين؟» رأى «سيرياس» يتبادل النظر مع «لوبين» بسرعة قبل أن يجيب الأول: «أشياء لا يمكنه الحصول عليها سوى بالخداع».

بينما لم تنحل نظرة التعجب عن وجه «هارى» أضاف «سيرياس»: «سلاح مثلاً. شىء لم يكن لديه المرة السابقة».

«عندما كان قويًا فيما سبق؟».

«أجل».

قال «هارى»: «سلاح من أى نوع.. شىء أسوأ من تعويذة آفادا كيدافرا..؟».

«هذا يكفى!».

جاء صوت السيدة «ويسلى» من الظلال بجانب الباب. لم يلحظ «هارى» عودتها. كانت ذراعاها معقودتين وعلى وجهها أمارات الغضب.

(١) لا خطأ هنا فى الاسم المزدوج: ويزنجاموت، والمحكمة العليا.. ففى ألمانيا مثلاً يسمى مجلس النواب (الشعب) باسم البوندستاج. (المترجم).

أضافت وهى تنظر نحو «فريد»، و«چورچ»، و«رون»، و«هيرميون»: أريدكم أن تذهبوا إلى الفراش فورًا. جميعكم». قال «فريد»: «لا يمكنك أمرنا بـ...».

قاطعته بـزمجرة قـوية: «بل يمكننى» كانت تنتفض وهى تنظر نحو «سيرياس»، أضافت: «لقد أعطيت هارى الكثير من المعلومات. إن ذكرت المزيد فأنت هكذا تضمه للجماعة» قال «هارى» بسرعة: «ولم لا؟ سأنضم.. أريد الانضمام، أريد القتال».

«لا. لم يكن من تحدث هذه المرة هى السيدة «ويسلى»، بل «لوبين».

قال: «الجماعة مكونة من سحرة بالغين.. سحرة انتهوا من المدرسة» أضاف العبارة الأخيرة عندما فتح «فريد» و«چورچ» فميهما. أضاف: «يوجد أخطار، لا يعرفها أيكم.. مولى محقة يا سيرياس. قلنا ما يكفى».

هـز «سيريـاس» رأسـه نصـف هـزة دون المزيد مـن الجدال. ألحت السيدة «ويسلى» على أبنائها، وعلى «هيرميون» بالقيام؛ فوقفوا واحدًا وراء الآخر، وبينهم «هارى»، الذى عرف أن الموضوع قد أُقفل.

٦ بيت آل بلاك النبيل والقديم

تبعتهم السيدة «ويسلى» متجهمة إلى الطابق العلوى.

قالت وهم عند الطابق الأول: «أريد أن تناموا فورًا، لا تتحدثوا.. سننشغل كثيرًا غدًا. أكيد چينى نامت بالفعل» وأضافت مخاطبة «هيرميون»: «لذا حاولى ألا توقظيها».

قال «فريد» بصوت هامس بعد أن ألقت عليهم «هيرميون» تحية المساء وصعدوا إلى الطابق التالى: «نائمة.. هاه.. فعلاً.. إن لم تكن چينى جالسة منتظرة عودة هيرميون؛ لتخبرها بكل ما قيل بالأسفل، فقولوا عنى إننى دودة أرض».

قالت السيدة «ويسلى» عند الطابق الثانى مشيرة إلى غرفتيهما: «هيا يا رون، ويا هارى.. إلى الفراش».

قال «رون» و«هارى» للتوأمين: «تصبحان على خير».

قال «فريد» وهو يغمز بعينه: «أحكما الغطاء حولكما».

أغلقت السيدة «ويسلى» الباب خلف «هارى» بحدة. بدت حجرة النوم أكثر كآبة وإظلامًا مما سبق. كانت اللوحة الخالية المعلقة على الحائط تتنفس ببطء وبعمق، كأن شاغلها الخفى نائم. ارتدى «هارى» منامته، وخلع عويناته، ثم رقد على فراشه البارد، بينما ألقى «رون» بطعام البوم أعلى الخزانة ليهدئ «بيجودجيون» و«هدويج»، اللذين كانا يرفرفان بجناحيهما بلا توقف.

قال له «رون» وهو يرتدى منامته البنية: «لا يمكننا تركهما يخرجان للصيد كل ليلة. دمبلدور لا يريد الكثير من البوم المرفرف فى سماء الميدان، ويظن أن الأمر سيبدو مثيرًا للريبة.. نسيت...».

عبر نحو الباب وأغلق مصراعه. فسأله: «لم تفعل هذا؟».

قال «رون» وهو يطفئ النور: «كريتشر.. الليلة الأولى التى قدمنا فيها إلى هنا جاء ليجول بالحجرة الساعة الثالثة صباحًا. ثق بى، لن يروقك الاستيقاظ لتجده يعبث بغرفتك. ثم إن...» رقد فى فراشه، واستقر تحت

الأغطية، ثم التفت لينظر إلى «هارى» فى الظلام.. رأى «هارى» جسده على ضوء القمر القادم من النافذة القذرة.. أكمل «رون»: «ما رأيك؟».

لم يكن «هارى» بحاجة لسؤاله عن رأيه..

قال مفكرًا بما حدث بالأسفل: «الواقع أنهم لم يخبرونا بما لم يكن بإمكاننا تخمينه، أليس كذلك؟ أعنى أن كل ما قالوه: إن الجماعة تحاول إحباط محاولات تجنيد الناس من جانب ڤولد..». فشهق «رون» شهقة حادة عند ذكر الاسم.

أكمل «هارى» بحزم: «..مورت. متى ستبدأ فى استخدام اسمه؟ سيرياس ولوبين يذكران اسمه». وتجاهل «رون» التعليق الأخير.

قال: «أجل. أنت محق.. فنحن نعرف تقريبًا كل شىء أخبرونا به، مما وَصَلَنا من الآذان القابلة للمد. والخبر الجديد الوحيد هو..».

كراك

«آى!».

«اخفض صوتك يا رون، وإلا ستصعد أمى إلى هنا».

«لقد تجسدتما على ركبتى».

«آه.. عذرًا.. الأمر أصعب فى الظلام».

رأى «هارى» كلاً من «فريد» و«چورچ» فى الظلام وهما يقفزان من فوق فراش «رون». صدر عن فراش «هارى» صرير، وهبط بضع بوصات بعد أن استقر «چورچ» عليه بجوار قدميه.

قال «چورچ» بنفاد صبر: «إذن هل عرفت ما هو؟».

قال «هارى»: «أتعنى السلاح الذى ذكره سيرياس؟».

قال «فريد» الجالس بجوار «رون»: «طبعًا لم يذكر أى شىء عنه.. فلم نسمع به بواسطة الآذان الممتدة أبدًا.. أليس كذلك؟».

قال «هارى»: «ما هو هذا السلاح فى رأيك؟».

قال «فريد»: «يمكن أن يكون أى شىء».

قال «رون»: «لكنه لا يمكن أن يكون أخطر من تعويذة آفادا كيدافرا، أليس كذلك؟ ما هو الأسوأ من الموت؟».

قال «چورچ»: «لعله شىء يقتل عددًا كبيرًا من الناس فى لحظات».

قال «رون» بخوف: «ربما هو سلاح يقتل بطريقة مؤلمة جدًا».

قال «هارى»: «عنده تعويذة الكروكياتوس المسببة للألم.. فهو ليس بحاجة لسلاح أكثر كفاءة منها ليؤلم الناس».

مرت فترة من الصمت، عرف «هارى» أن الآخرين مثله، يتساءلون فيها عن الأهوال التى قد يتسبب فيها هذا السلاح.

سأل «چورچ»: «إذن من تظنه يملك السلاح الآن؟».

قال «رون» بنبرة عصبية قليلاً: «أتمنى أن يكون واحدًا منا».

قال «فريد»: «لو كان أحدنا فهو على الأرجح دمبلدور، ويحفظه فى مكان ما».

قال «رون» بسرعة: «أين؟ فى هوجورتس؟».

قال «چورچ»: «أراهن أنه هناك.. حيث أخفى حجر الفيلسوف».

قال «رون»: «السلاح أكبر بالتأكيد من الحجر».

قال «فريد»: «ليس بالضرورة».

قال «چورچ»: «أجل.. الحجم ليس دليلاً على القوة.. انظر إلى چينى مثلاً».

قال «هارى»: «ماذا تعنى؟».

«لم تتلقَّ أبدًا واحدة من تعاويذ البات ـ بوجى التى تطلقها من عصاها».

قال «فريد» وهو ينهض من الفراش: «صه! أنصت».

صمتوا. وأخذت أقدام تقترب صاعدة السلم.

قال «چورچ»: «أمى» ودون أن يودعاهما صدر عنهما صوت فرقعة، ثم شعر «هارى» بالوزن المستقر على فراشه يختفى. وبعد لحظات سمع ألواح الأرضية تصر خارج الحجرة.. كانت السيدة «ويسلى» تتنصت؛ لتعرف إن كانا يتحدثان أم لا.

نعبت كل من «هدويج» و«بيجودجيون». صدر عن ألواح الأرضية صرير آخر، ثم سمعوها تتجه لأعلى لترى «فريد» و«چورچ».

قال «رون» بندم: «إنها لم تعد تثق بنا».

كان «هارى» واثقًا أنه لن ينام.. كانت أمسيته مزدحمة بالأحداث لدرجة توقع معها الرقاد مستيقظًا لساعات يُقلِّب الموضوع فى رأسه. أراد الحديث مع «رون»، لكن السيدة «ويسلى» عادت، وحالما رحلت بدأ يغوص فى النوم فسمع آخرين يصعدون السلم.. كان هناك الكثير من الأشخاص يصعدون ويهبطون السلم خارج حجرة نومه، و«هاجريد» أستاذ مادة رعاية المخلوقات

السحرية كان يقول: «يا لجمالهم يا هارى! (زندرز)[1] (الأزلحة) هذا (الفظل) (الدرازى)..» ورأى «هارى» مخلوقات بمدافع فى رءوسها تقترب لتهاجمه، فانحنى.. وغرق فى النوم الهادئ، بعد حلمه السخيف هذا.

لم يشعر بشيء حتى استيقظ ليجد نفسه منكمشًا على نفسه فى الفراش، وصوت «چورچ» المرتفع يملأ الحجرة.

«أمى تطالبكما بالنهوض، إفطارنا فى المطبخ، وتريدكما فى تنظيف حجرة الرسم، هناك عفاريت نطاطة أكثر مما تصورت، ووجدت عشًا قديمًا لـ (عو أخطبوطى)[2] ميت تحت الأريكة».

بعد ساعة كان «هارى»، و«رون» ـ اللذان ارتديا ملابسهما وتناولا الإفطار بسرعة ـ قد دخلا إلى حجرة الرسم، وهى حجرة مرتفعة السقف بالطابق الأول بحوائط بلون أخضر زيتونى، مغطاة بالكثير من الرسوم واللوحات القذرة. بساطها تخرج منه سحابات صغيرة من التراب كلما خطا أحدهم عليه، وستائرها الخضراء المخملية التى أكلتها العثة ترتجف كأن خلفها نحلاً خفيًا. حول الستائر تجمع كل من السيدة «ويسلى»، و«هيرميون»، و«چينى»، و«فريد»، و«چورچ»، وجميعهم غريبو الشكل وعلى أنوفهم وأفواههم قطع من القماش. كان كل منهم ممسكًا بزجاجة من سائل أسود على طرفها غطاء يضخ السائل.

قالت السيدة «ويسلى» لـ «هارى» و«رون» حالما رأتهما، مشيرة إلى زجاجتين من السائل الأسود على مائدة: «هذه مبيدات للعفاريت النطاطة.. لم أر مكانًا موبوءًا بهذا الشكل من قبل.. وماذا كان يفعل ذلك القزم طوال عشرة أعوام؟».

كان وجه «هيرميون» مختفيًا لنصفه بمنشفة الشاى، لكن «هارى» رآها تنظر للسيدة «ويسلى» نظرة ضيق.

«كريتشر مسن.. وعلى الأرجح لم يعرف..».

---

(١) طريقة نطق «هاجريد» غريبة نوعًا.. ولننقل الإحساس للقارئ بغرابة أسلوبه فى الكلام، جعلناه يحول فى كلامه السين والثاء إلى حرف الزاى، ويقلب الصاد ظاءً. (المترجم)

(٢) أو Puffskeins، وهى كائنات سحرية عبارة عن كرات فرو خاملة تتحرك عندما تجوع، فتخرج منها أهداب تجول بالمنزل حتى تصل لأنوف الأطفال وتدخل منها إلى الجسد وتفعل أشياء غير سارة بالمرة! (المترجم)

قال «سيرياس»: «ستندهشين عندما تعرفين ما يقدر كريتشر على فعله عندما يريد» كان قد دخل لتوه الحجرة حاملاً حقيبة مصبوغة بالدماء، فيها ما بدا كجرذان ميتة، أضاف: «كنت أطعم باكبيك» استجابة لنظرة «هارى» المتسائلة.. «فأنا أبقيه فى حجرة نوم أمى.. ماذا عن ذلك المكتب؟»».

ألقى بحقيبة الجرذان على مقعد، ثم انحنى ليفحص المكتب المغلق الأدراج، والذى لاحظ «هارى» للمرة الأولى، أنه يهتز قليلاً.

قال «سيرياس» ناظرًا عبر ثقب المفتاح: «أنا واثق أن هذا (عو) يا مولى.. لكن ربما يجب دعوة ماد آى لإلقاء نظرة عليه بعينه السحرية قبل أن نخرجه.. فأنا أعرف أمى، وأعرف أنها ربما كانت تحتفظ بأشياء أسوأ من (العو)».

قالت السيدة «ويسلى»: «أنت محق يا سيرياس».

كانا يتحدثان بأصوات مهذبة خفيضة؛ مما جعل «هارى» يشعر بأن كليهما لم ينس الخلاف الذى نشب بينهما ليلة الأمس.

جاءهم صوت مرتفع مدوٍّ من الطابق السفلى، تبعه سلسلة من الصرخات والعواء الذى انطلق الليلة الماضية مع تعثر «تونكس» فى حاملة المظلات.

قال «سيرياس» بسخط مغادرًا الحجرة: «كم مرة قلت لهم ألا يستخدموا جرس الباب!» سمعوه يهبط السلم وصرخات السيدة «بلاك» تدوى فى المنزل:

«*يا بقع وحثالة أسفل اللصوص، يا أنصاف السحرة، يا خائنى الدم..*».

قالت السيدة «ويسلى»: «أوصد هذا الباب يا هارى من فضلك».

أخذ «هارى» وقتًا طويلاً وهو يغلق باب حجرة الرسم، فقد أراد سماع ما يجرى بالأسفل. كان «سيرياس» على الأرجح قد نجح فى إغلاق الستائر؛ لأن اللوحة كفت عن الصراخ. سمع «سيرياس» يسير عبر الصالة، ثم صليل السلسلة بالباب الأمامى، ثم صوتًا عميقًا عرف فيه «كنجسلى شاكلبولت» يقول: «تولت هستيا عنى الحراسة، ومعها عباءة مودى، وأرادت ترك تقرير لدمبلدور..»».

أوصد «هارى» بحسرة باب حجرة الرسم شاعرًا بعينى السيدة «ويسلى» على ظهره، وعاود الانضمام لفريق صيد العفاريت النطاطة.

كانت السيدة «ويسلى» منحنية تقرأ صفحة عن العفاريت النطاطة فى كتاب (دليل جيلدروى لوكهارت إلى التخلص من القوارض السحرية المنزلية)، والذى كان ملقى مفتوحًا على الأريكة.

«يا جماعة.. توخوا الحذر؛ لأن عضة العفريت النطاط سامة. معى زجاجة من المصل المضاد للسم، لكن من الأفضل ألا نضطر لاستعمالها».

استقامت واقفة، وتمركزت أمام الستائر وأشارت لهم أن يتبعوها.

قالت: «عندما تسمعون الكلمة المتفق عليها ابدأوا فى الرش فورًا.. وسوف يخرجون إلينا طائرين، لكن المكتوب على غطاء زجاجة المبيد أن رشة واحدة جيدة قادرة على إصابتهم بالشلل. عندما يتجمدون فى مكانهم ألقوا بهم فى الدلو».

خطت بحذر، بعيدًا عن مرمى النيران، ورفعت زجاجة المبيد التى معها.

«حسنًا.. رشوا!».

لم يرش «هارى» سوى للحظات عندما هاجمه عفريت كامل النضج، وجناحاه الشبيهان بأجنحة الخنفساء يرفرفان، وأسنانه الحادة كالإبر مكشوفة، وجسده مغطى بشعر أسود كثيف، وأيديه الأربعة مكورة فى قبضات. أصابه فى وجهه بجرعة من مبيد العفاريت النطاطة. تجمد فى الهواء وسقط بصوت ارتطام مسموع على البساط المهترئ. أمسكه «هارى» وألقى به فى الدلو.

قالت السيدة «ويسلى» بحدة: «فريد؟ ماذا تفعل؟ رُشَّه رشة واحدة ثم ألقه بعيدًا».

نظر «هارى» حوله. كان «فريد» قابضًا على عفريت نطاط بين أصبعيه.

قال «فريد» بنبرة مشرقة، وهو يرش العفريت النطاط بسرعة على الوجه حتى فقد الوعى: «حاضر» لكن حالما أعطته السيدة «ويسلى» ظهرها لكزه ليفيق.

قال «چورچ» لـ «هارى» هامسًا: «نريد تجربة مصل العفريت النطاط حتى نستخدمه فى (حلوى التزويغ)(١) التى نصنعها».

تحرك «هارى» مقتربًا من «چورچ» وهو يرش عفريتين نطاطين هاجما أنفه فجأة، وقال من ركن فمه: «وما هى حلوى التزويغ؟».

همس «چورچ» وعينه على ظهر السيدة «ويسلى»: «تركيبة من الحلوى تصيب من يتناولها بالمرض.. ليس مرضًا خطيرًا، لكن مرضًا كافيًا للخروج

---

(١) أو Skiving snakeboxes (المترجم).

من الفصل إن أردت ذلك. أنا وفريد نحاول صنعها منذ بداية هذا الصيف. وهى مزدوجة الأطراف، ومتعددة الألوان. إن أكلت الطرف البرتقالى من (علكة التقيؤ) تتقيأ. حال خروجك من الفصل إلى المستشفى تبتلع الطرف البنفسجى..».

همس «فريد» الذى تحرك حتى خرج عن نطاق بصر السيدة «ويسلى» وأخذ يجمع بعض العفاريت النطاطة الساقطة على الأرض ويضعها فى جيبه: «.. فتعود إلى حالتك الطبيعية، وتختار النشاط الذى تود القيام به خلال ساعة كنت - لولا فضل الحلوى - لتقضيها فى ملل لا فائدة منه.. وهذا ما سنكتبه على الإعلانات المروجة للحلوى.. لكن لا يزال هناك بعض التعديلات والإضافات. حاليًا يعانى من يقومون بتجربة الحلوى من استمرار التقيؤ بعد ابتلاع الطرف البنفسجى».

«يقومون بتجربة الحلوى؟».

قال «فريد»: «نحن.. أنا وچورچ نجرب كل أنواع (حلوى التزويغ).. حتى (نوجة نزيف الأنف)..».

قال «چورچ»: «أمى تظن أننا نتنازل بعضنا البعض بالعصى السحرية».

همهم «هارى»: «هل لا تزال فكرة محل الألعاب والمقالب قائمة؟» وهو يتظاهر بتعديل وضع طرف زجاجة المبيد.

قال «فريد» خافضًا صوته والسيدة «ويسلى» تمسح جبينها بمنشفتها قبل أن تعاود مهاجمة العفاريت النطاطة: «فى الواقع لم تتح لنا فرصة الحصول على مقر المحل حتى الآن؛ لذا فما لدينا الآن هو خدمة التوصيل بالبريد. ونشرنا إعلانًا فى جريدة الدايلى بروفيت الأسبوع الماضى».

ابتسم «هارى». كان قد أعطى التوأمين ألف جاليون، قيمة جائزة مسابقة السحر الثلاثية؛ لمساعدتهما على تحقيق طموحهما بفتح محل للمقالب، لكنه كان مسرورًا لمعرفة أن ما قدمه ساعدهما على تحقيق خططهما التى لا تعرفها أمهما. وهى لا ترى أن فتح محل للمقالب مستقبلٌ مهنىٌّ مناسبٌ لأبنائها.

أخذ منهم إبادة العفاريت النطاطة معظم الصباح. كان الوقت قد تجاوز منتصف النهار عندما رفعت أخيرًا السيدة «ويسلى» الوشاح عن وجهها، وجلست على مقعد ثم أطلقت صيحة اشمئزاز عندما وجدت أنها جلست على

حقيبة الجرذان الميتة. لم تعد الستائر مضطربة بالحركة، صارت مبتلة من الرش الكثيف عليها. وعند طرفها السفلى كان هناك عفريتان نطاطان فاقدان للوعى بجانب مجموعة من بيضهم الأسود، والذى أخذ «كروكشانكس» يتشممه، وكل من «فريد» و«چورچ» يحدجانه بنظرات طمع.

أشارت السيدة «ويسلى» إلى الدواليب المتربة الزجاج، المنتصبة إلى جانبى المدفأة: «سننظف هذه الخزائن بعد الغداء» كانت مليئة بأشياء كثيرة غريبة.. من خناجر صَدِئَة، ومخالب، وجلود ثعابين، وعدد من الصناديق الفضية المنقوش عليها بلغات لا يعرفها «هارى»، وزجاجة كريستالية كبيرة مغلقة مليئة بما رآه كدمٍ.

رن جرس الباب ثانية. ونظر الجميع نحو السيدة «ويسلى».

قالت بحزم وهى تقبض على حقيبة الجرذان مع بدء صراخ السيدة «بلاك»: «ابقوا هنا.. سأحضر لكم بعض الشطائر».

غادرت الحجرة، وأغلقت الباب خلفها. تدافع الجميع على الفور نحو النافذة؛ لينظروا إلى الطابق السفلى. رأوا رأسًا بشعر أشعث وبعض القدور فوقه.

قالت «هيرميون»: «مندنجس! لماذا جلب كل هذه القدور؟».

قال «هارى»: «على الأرجح؛ بحثًا عن مكان آمن لتخزينها.. أليس هذا ما كان يفعله ليلة نوبة حراستى؟ يبحث عن القدور المسروقة؟».

قال «فريد» مع انفتاح الباب الأمامى: «أجل.. أنت محق» ثم أضاف و«مندنجس» يدخل بالقدور الثقيلة من الباب ويخرج عن مرمى أبصارهم: «يا ربى.. أمى لن تسمح له بـ...».

عبر هو و«چورچ» إلى الباب ووقفا بجانبه؛ لينصتا بحرص.. توقف صراخ السيدة «بلاك».

همهم «فريد» مقطب الجبين: «مندنجس يتحدث إلى سيرياس وكنجسلى.. لا أسمع جيدًا.. هل تعتقدون أن الأمر يستحق المخاطرة باستخدام الآذان الممتدة؟».

قال «چورچ»: «ربما يستحق.. أستطيع التسلل إلى أعلى السلم ومد زوج من..».

لكن فى تلك اللحظة جاءهم صوت مدوٍّ من الأسفل جعل استخدام الآذان الممتدة غير ضرورى. تمكنوا جميعًا من سماع ما تصيح به السيدة «ويسلى» بأعلى صوتها.

«**نحن لا ندير مقرًا لإخفاء البضائع المسروقة!**».

قال «فريد» وابتسامة راضية مرتسمة على وجهه: «أحب سماع أمى وهى تصيح فى أحد غيرى» وفتح الباب بوصة أخرى ليسمح لصوت السيدة «ويسلى» بالانسلال إلى الحجرة، وأضاف: «فيا له من تغيير طيب».

«..**يا لغياب إحساسك بالمسئولية. كأن ليس لدينا ما نقلق بشأنه بجانب القدور المسروقة فى المنزل**..».

قال «چورچ» وهو يهز رأسه: «الحمقى تركوها تستشيط غضبًا.. يجب حل الموقف فى بدايته وإلا تصاعد البخار فى رأسها وثارت لساعات. وهى تتوق منذ ترك مندنجس نوبة حراسته للصياح فيه.. وها هى أم سيرياس تصرخ ثانية..».

اختفى صوت السيدة «ويسلى» مع انطلاق صرخات ولعنات اللوحة.

هم «چورچ» بغلق الباب، لكن قبل أن يفعل انسل قزم إلى الحجرة.

فيما عدا القماش القذر المربوط حول خصره، كان عاريًا تمامًا. بدا عجوزًا، وجلده مترهلاً على جسده، وبالرغم من أن كل الأقزام المنزلية صلعاء، فقد كان هناك شعر أبيض نامٍ خلف أذنيه الوطواطيتين، وعيناه بلون الدم، وبياضهما رمادى، وأنفه كبير وحاد. لم يلحظ القزم المنزلى وجود «هارى» والباقين بالمرة. وهو يتصرف كأنه لا يراهم، تقدم ببطء وحذر نحو الطرف البعيد للحجرة، وطوال الوقت يغمغم بصوت عميقَ واهن:

«.. رائحتها مثل المجارير، لكنها ليست أفضل من خائن دم أمه، والعابثين بمنزل سيدتى.. آه يا سيدتى العزيزة، إن كانت تعرف، إن كانت تعرف بأمر الحثالة الذين سيملأون بيتها، ماذا كانت ستقول وقتها لكريتشر؟ آه.. ياللعار، أنصاف سحرة ومذءوبون وخائنون ولصوص.. وكريتشر المسكين وحده.. ماذا أفعل؟».

قال «فريد» بصوت مرتفع وهو يغلق الباب بصوت بسرعة: «أهلاً يا كريتشر»، تجمد القزم المنزلى فى مكانه، وكف عن الغمغمة، ثم صدرت عنه صيحة دهشة غير مقنعة بالمرة.

قال وهو يلتفت وينحنى أمام «فريد»: «كريتشر لم ير السيد الصغير» كان لا يزال مواجهًا للبساط، وأضاف بصوت مسموع واضح: «هذا الحقير خائن دم السحرة».

قال «چورچ»: «عذرًا.. لم أسمع العبارة الأخيرة».

قال القزم بانحناءة مماثلة لـ «چورچ»: «كريتشر لم يقل شيئًا» ثم أضاف بصوت هامس: «وها هو توأمه.. يا لهما من وحشين صغيرين غريبى الأطوار».

لم يعرف «هارى» ماذا يفعل: يضحك أم لا. استقام القزم فى وقفته، ونظر إليهم بحقد وقد بدا عليه الاقتناع بأنهم لا يسمعونه وهو يستكمل غمغمته.

«.. وها هى ذات الدم الطينى، تقف بوقاحة..آه إن كانت سيدتى تعرف ما سيحدث.. آه.. كانت لتبكى كثيرًا، وهذا الولد، لا يعرف كريتشر اسمه. ماذا يفعل هنا؟ كريتشر لا يعرف..».

قالت «هيرميون» بتردد: «هذا هارى يا كريتشر.. هارى بوتر».

اتسعت عينا «كريتشر» الشاحبتان عن آخرهما، وغمغم بسرعة وبنبرة أكثر غضبًا مما مضى: «ذات الدم الطينى تتحدث إلى كريتشر كأنها صديقتى، إن رأتنى السيدة بلاك كريتشر مع مثل هذه الصحبة.. آه.. كانت ستقول..».

قال «رون» و«چينى» معًا بغضب شديد: «لا تنادها بذات الدم الطينى».

همست «هيرميون»: «لا يهم.. فهو ليس بحالة طبيعية، ولا يعى ما يقول..».

قال «فريد» محدجًا «كريتشر» بنظرة كراهية شديدة: «لا تضحكى على نفسك يا هيرميون، فهو يعى تمامًا ما يقول».

استمر «كريتشر» فى الغمغمة، وعينه على «هارى».

«حقًا؟ هل هذا هارى بوتر؟ يرى كريتشر ندبته، لا بد أن الأمر حقيقى، إنه الولد الذى أوقف سيد الظلام، كريتشر يتعجب كيف فعل هذا..».

قال «فريد»: «وجميعنا نتعجب يا كريتشر».

سأله «چورچ»: «ماذا تريد على أية حال؟».

تحولت عينا «كريتشر» الكبيرتان نحو «چورچ».

قال بأسلوب مراوغ: «كريتشر ينظف» جاء صوت من خلف «هارى»: «يا لها من قصة لطيفة».

عاد «سيرياس»، وأخذ يحدق نحو القزم من موقفه عند مدخل الباب. تراجعت الأصوات الصاخبة بالصالة.. فربما ذهب كل من السيدة «ويسلى»، و«مندنجس» إلى المطبخ. أما «كريتشر» فعند مرآه لـ«سيرياس» فقد انحنى بطريقة سخيفة ليلامس أنفه الطويل الأرض.

قال «سيرياس» بنفاد صبر: «انهض وقف.. ماذا تفعل الآن؟».

كرر القزم المنزلى كلامه: «كريتشر ينظف.. كريتشر يعيش لخدمة منزل آل بلاك النبيل والـ...».

قال «سيرياس»: «والآخذ فى الإظلام أكثر وأكثر كل يوم[1]، إنه نجس».

قال «كريتشر» وهو ينحنى ثانية: «سيدى دائمًا ما يحب المزاح» ثم وبصوت خفيض: «سيدى خائن قذر، غير حافظ للجميل، حطم قلب أمه..».

قال «سيرياس» بحدة: «أمى لم يكن لها قلب يا كريتشر.. كانت تعيش وتتغذى على الكراهية والحقد».

انحنى «كريتشر» ثانية وهو يتحدث.

غمغم بغضب: «أيًا كان ما يقوله سيدى.. فهو لا يستحق شرف مسح الوسخ عن حذاء أمه، آه يا سيدتى المسكينة، ماذا كانت ستقول لو رأت كريتشر يخدمه؟! كانت ستكرهه، يا للحسرة التى...».

قال «سيرياس» ببرود: «سألتك ماذا تفعل الآن. كل مرة تأتى متظاهرًا بالتنظيف تسرق شيئًا ما وتأخذه إلى غرفتك؛ حتى لا نلقى به».

قال القزم بكلمات خفيضة النبرة متسارعة الإيقاع: «كريتشر لا ينقل شيئًا أبدًا من مكانه الصحيح ببيت سيدى.. سيدتى لا تغفر أبدًا لكريتشر إذا ألقى بلوحة ما، مملوكة للأسرة منذ سبعة قرون. يجب على كريتشر أن ينقذها، يجب عليه ألا يدع السيد وخونة الدم، والحمقى الصغار، يدمرونها..».

قال «سيرياس» ملقيًا بنظرة ازدراء على الحائط المقابل: «آه، هذا ما ظننت أنك تفعل.. بالطبع عالجت اللوحة بتعويذة التصاق، لكن إن تمكنت من التخلص منها سأفعل بلا تردد. اذهب الآن يا كريتشر».

بدا كأن «كريتشر» لا يجرؤ على تحدى الأوامر المباشرة، لكن النظرة التى رمى «سيرياس» بها وهو يخرج كانت مفعمة بأعمق مشاعر الكراهية، وأخذ يغمغم بحنق خلال خروجه من الحجرة.

«..يعود من أزكابان ليأمر كريتشر، آه يا سيدتى المسكينة، ماذا كنت ستقولين لو رأيت البيت الآن؟! والحثالة الذين يعيشون فيه! وكنوزك رُميت إلى الخارج، أقسمت أن ليس لها ابن! ولن تسمح بعودته! ويقولون إنه قاتل أيضًا..».

---

(١) كلمة Black تعنى أسود.. فتعليق «سيرياس» على كلمات كريتشر سخرية من أسرته. (المترجم).

قـال «سيريـاس» بـامـتـعـاض وهـو يـغـلـق الـبـاب خـلـف الـقـزم: «داوم عـلـى غمغمتك وتذمرك هذا وسأصبح قـاتلاً!».

قـالت «هيرميون»: «رجاءً يا سيرياس، إن عقله لا يعمل كما يجب.. لا أحسبه مدركًا لما يقوله».

قـال «سيرياس»: «لقد بقى هنا طويلاً، وكانت لوحة أمى تعطيه أوامر مجنونة ويتحدث إلى نفسه، لكن ومنذ عرفته وهو قزم أحمق مـ....».

قـالت «هيرميون» بنبرة أمل: «لو أعطيته حريته ربما...».

قـال «سيريـاس» بـاقتضـاب: «لا يمكن منحه الحرية، فهو يعرف الكثير عن الجماعة.. كما أن صدمة الحصول على الحرية قد تقتله. اقترحى عليه مغادرة هذا المنزل وسترين حجم الفاجعة على وجهه».

سار «سيرياس» بطول الحجرة إلى اللوحة التى حاول «كريتشر» حمايتها.. كانت معلقة بطول الحائط. تبعه «هـارى» والآخرون.

بدت اللوحة بالغة القدم.. كانت مهترئة وكأن العفاريت النطاطة أكلت أجزاء منها. لكن الخيط الذهبى المتخلل اللوحة أخذ يلمع ببريق كافٍ ليريهم شجرة عائلة متفرعة تعود بتاريخها - كما رأى «هارى» - إلى العصور الوسطى. ومكتوب عند الطرف العلوى من اللوحة:

بيت آل بلاك النبيل والقديم

قـال «هـارى» بعد أن فحص طرف شجرة العائلة السفلى: «اسمك ليس هنا».

قـال «سيريـاس» مشيرًا إلى حفرة صغيرة مستديرة على اللوحة بدت مثل حرق سيجارة: «كنت هنا.. لكن أمى الحبيبة أزالتنى بعد أن هربت من البيت.. وكريتشر يحب تلاوة هذه القصة بصوته الهامس».

«هل هربت من البيت؟».

قـال «سيرياس»: «عندما بلغت السادسة عشر.. كنت قد نلت كفايتى».

سأله «هـارى» محدقًا فيه: «وإلى أين ذهبت؟».

قـال «سيرياس»: «إلى بيت أبيك.. واعتنى بى جدك وجدتك كأننى ابن ثانٍ لهما. أجل، كنت أقيم فى بيت أبيك أيام الإجازات المدرسية، وعندما بلغت السابعة عشرة أقمت فى مكان خاص بى. ترك لى عمى «ألفارد» تركة معقولة

من الذهب.. وقد مسحوا اسمه عن هذه اللوحة هو الآخر، وهذا هو سبب مسحه على الأرجح.. المهم، بعدها اعتنيت بنفسى، وكنت دائمًا أجد الترحيب من السيد والسيدة بوتر على الغداء يوم الأحد».

«لكن.. لماذا قمت بـ...؟».

ابتسم «سيرياس» وعلى وجهه نظرة مريرة: «لماذا قمت بالمغادرة؟ ثم وهو يمرر أصابعه عبر شعره الطويل غير المصفف: «لأننى كرهتهم جميعًا: أبوىَّ، وهوسهم بنقاء سلالة السحرة، ولاقتناعهم بأن كون المرء من عائلة بلاك يجعله كأنه من عائلة ملكية.. وأخى الأبله، الذى صدقهم.. ها هو اسمه».

أشار «سيرياس» بإصبعه إلى طرف الشجرة السفلى، على اسم «ريجولوس بلاك». وبجانبه تاريخ وفاته (منذ خمسة عشر عامًا) ومعه تاريخ الميلاد.

قال «سيرياس»: «كان أصغر منى، وابنًا بارًّا كما كانوا يذكروننى دائمًا».

قال «هارى»: «لكنه مات».

قال «سيرياس»: «أجل.. هذا الأبله الغبى.. انضم لأكلة الموت».

«هل تمزح؟!».

قال «سيرياس»: «هارى.. ألم تر فى هذا البيت ما يكفى لتعرف نوع السحرة الذى تنتمى إليه عائلتى؟».

«هل.. هل كان أبواك من أكلة الموت هما الآخران؟».

«لا، لا.. لكن صدقنى، كانوا يرون أن ڤولدمورت هو الجانب الأفضل فى الصراع، كانوا يؤمنونٍ بفكرة نقاء سلالات السحرة، والتخلص من السحرة المولودين للعامَّة، وتولِّى السحرة ذوى الدم النقى القيادة. ولم يكونوا وحدهم فى هذا الاعتقاد، كان هناك بعض الناس - قبل أن يظهر ڤولدمورت على حقيقته - يرونه يفعل الصواب.. ثم خافوا وترددوا عندما رأوا ما كان يفعله ليحصل على المزيد من القوة والسلطة. لكنى أعتقد أن أسرتى كانت ترى ريجولوس بطلاً صغيرًا مع انضمامه إلى فريق ڤولدمورت فى البداية».

سأله «هارى» بتردد: «هل كان مَن صرعه مقاتلاً للسحر الأسود؟».

قال «سيرياس»: «لا، لا.. قتله «ڤولدمورت».. أو قُتل بناء على أوامر «ڤولدمورت» على الأرجح.. أشك أن أهمية ريجولوس كانت كبيرة لدرجة أن يقتله «ڤولدمورت» بنفسه. ومما عرفته بعد موته كان قد تمادى كثيرًا فى

علاقته بأكلة الموت، ثم ذُعر مما طلبوه منه، وحاول التراجع. لكن لا أحد يقدم استقالة لـ «ڤولدمورت». إنها خدمة أبدية أو فمصيرك الموت».

جاء صوت السيدة «ويسلى» قائلة: «هيا لتناول الغداء».

كانت عصاها السحرية مشهرة مرفوعة أمامها، وعند طرفها صينية هائلة الحجم من الشطائر والكعك. كان وجهها شديد الاحمرار، والغضب ما زال متملكها. تقدم الآخرون نحوها، يدفعهم الشعور بالجوع، لكن «هارى» بقى مع «سيرياس»، الذى انحنى مقتربًا أكثر من اللوحة.«لم أفحصها منذ سنوات. ها هو فينياس نيجالوس.. جد جدى الأكبر.. أترى اسمه؟.. الأقل شعبية بين نُظار هوجورتس.. حاول استصدار مشروع قانون من وزارة السحر يجعل صيد العامة قانونيًّا.. وعزيزتى العمة إيلادورا.. سنّت تقليدًا فى العائلة يقضى بقطع رقاب الأقزام المنزلية عندما تهرم ولا تقدر على حمل صينيات الشاى.. وكما ترى فكلما جاء شخص أمين أو طيب يخلعونه من العائلة.. اسم تونكس ليس هنا. ربما لهذا السبب لا يتلقى منها كريتشر أى أوامر.. فمن المفترض أن يطيع أى أمر من أى فرد فى العائلة..».

سأله «هارى» مندهشًا: «هل تربطك بتونكس صلة قرابة؟».

قال «سيرياس» وهو يفحص اللوحة عن قرب: «أجل، أمها أندروميدا كانت ابنة عمى الأحب إلى قلبى.. لكن أندروميدا ليست هنا أيضًا، انظر..».

أشار إلى حرق آخر صغير بين اسمين: «بيلاتريكس» و«نرسيسا».

«ما زالت أسماء أخوات أندروميدا باللوحة؛ لأنهن قد تزوجن زيجات من سحرة من سلالات نقية، لكن أندروميدا تزوجت ساحرًا أبواه من العامة، وهو تيد تونكس؛ لذا...».

قلد «سيرياس» حركة حرق اسم من على اللوحة بعصا سحرية بسخرية، وضحك ضحكة مريرة، لكن «هارى» لم يضحك. كان مشغولاً بالنظر إلى الأسماء التى إلى يمين اسم «أندروميدا» المحترق. كان هناك خط مزدوج من النسيج الذهبى يربط اسم «نرسيسا بلاك» بـ«لوكياس مالفوى»، وخط رأسى واحد من اسميهما يقود إلى اسم «دراكو».

«هل تربطك بآل مالفوى صلة قرابة؟».

قال «سيرياس»: «كل العائلات نقية الدماء تربطها صلات قرابة.. فإن كنت

لن تزوج بناتك وأبناءك إلا من سلالات نقية؛ فستجد خياراتك محدودة للغاية؛ حيث لم يعد هناك الكثيرون منا. أنا ومولى تربطنا قرابة نسب، وأرثر ابن عم لى من بعيد. لكن لا فائدة من البحث عنهم هنا. فلو كان هناك أسرة خائنة للدم فهم آل ويسلى».

لكن «هارى» كان ينظر إلى يسار اسم «أندروميدا» المحترق.. «بيلاتريكس بلاك»، والذى كان متصلاً بخط مزدوج باسم «رودولفاس ليسترانج».

قال «هارى»: «ليسترانج..» أثار الاسم ذكرى ما، كان يعرف الاسم، لكن لا يعرف من أين عرفه، وإن أصابه بإحساس مقبض كئيب.

قال «سيرياس» باقتضاب: «إنهما فى سجن أزكابان».

تطلع «هارى» إليه بفضول.

قال «سيرياس» بنفس الصوت الجاف: «بيلاتريكس وزوجها رودولفاس وقعا مع بارتى كروتش الابن.. شقيق رودولفاس راباستان كان معهم هو الآخر».

تذكر «هارى». رأى «بيلاتريكس ليسترانج» فى مفكرة «دمبلدور» السحرية، وهى جهاز غريب يخزن الأفكار والذكريات.. كانت سيدة طويلة داكنة البشرة بعيون ذات جفون ثقيلة، كانت واقفة فى محاكمتها وأعلنت استمرارها فى الولاء للورد «ڤولدمورت»، أملاً فى مكافأتها يومًا ما على إخلاصها بعد عودته إلى قوته.

«لم تقل أبدًا إنها قريبت...».

قال «سيرياس» بحدة: «وهل هناك فرق إن كانت ابنة عمى؟ إنها ليست من أسرتى. قطعًا ليست من أسرتى. وأنا لم أرها منذ أن كنت فى مثل عمرك، إلا إن كنت تعد نظرة عابرة إليها وهى تلج إلى سجن أزكابان لقاءً بها. هل تعتقد أننى فخور بكونها قريبة لى؟».

قال «هارى» بسرعة: «آسف.. لم أقصد.. كنت فقط مندهشًا، هذا كل ما فى...».

غمغم «سيرياس»: «لا يهم.. لا تعتذر» ثم التفت مبتعدًا عن اللوحة، ويده فى جيبه.. أضاف: «لا أحب عودتى إلى هنا» ثم وهو يتأمل فراغ حجرة الرسم: «لم أتخيل أبدًا أننى سأعلق بهذا البيت ثانية».

فهم «هارى» تمامًا ما يعنيه. فهو نفسه   بعد أن كبر وظن أنه قد تحرر من المكان الذى يكرهه، عاد ليعيش بالمنزل رقم (٤) بشارع «بريفت درايف».

قال «سيرياس»: «بالطبع هو مكان مثالى كمقر للجماعة؛ فقد حصنه أبى بكل إجراءات الأمان التى يعرفها جنس السحرة حال حياته. إنه غير مرئى أو موضوع على خريطة الشارع.. فلا يمكن للعامة التطفل عليه.. كأنهم قد يودون يومًا التطفل على مثل هذا المكان! ثم أضاف دمبلدور تأمينًا وحماية.. حتى صار من الصعب العثور على منزل أكثر أمنا من هذا. دمبلدور هو الأمين السرى للجماعة.. ولا يمكن لأحد العثور على المقر إلا لو أخبره هو شخصيًا بمكانه. تلك الورقة التى ناولها لك مودى الليلة الماضية كانت من دمبلدور..» ضحك «سيرياس» ضحكة قصيرة شبيهة بالنباح وأضاف: «لو عرف والداى كيف يُستغل بيتهما الآن.. أعنى، ربما تعطيك لوحة أمى فكرة عما كانا لَيفعلانه..».

عبس للحظة، ثم تنهد.

«لا أمانع فى الخروج وفعل شىء مفيد. طلبت من دمبلدور أن أرافقك إلى المحاكمة.. بشخصية سنافلس كما تعرف.. حتى أدعمك معنويًا.. ما رأيك؟».

شعر «هارى» وكأن معدته قد غاصت تحت البساط المترب. لم يفكر فى المحاكمة منذ عشاء الليلة الماضية. فوسط التحمس للعودة والإقامة بين الناس الذين يحبهم، ومع السماع بكل ما يجرى، طار الموضوع من عقله تمامًا. لكن مع كلمات «سيرياس»، عاوده إحساس الرهبة الكاسح. حدق فى «هيرميون» والإخوة «ويسلى» المنهمكين فى أكل شطائرهم، وفكر فى شعوره لو عادوا إلى «هوجورتس» من دونه.

قال «سيرياس»: «لا تقلق». نظر «هارى» لأعلى وأدرك أن «سيرياس» يراقبه.. أضاف: «أنا واثق من أنهم سيثبتون براءتك، بالتأكيد هناك فقرة ما فى قانون سرية السحرة الكونفدرالى الدولى عن السماح باستخدام السحر فى الدفاع عن النفس».

قال «هارى» بهدوء: «لكن لو فصلونى.. هل يمكننى العودة والإقامة معك؟».

ابتسم «سيرياس» بحزن.

«سنرى وقتها».

أضاف «هارى»: «سيخف قلقى بشأن المحاكمة إن عرفت أن لدى مكانًا أذهب إليه بخلاف منزل آل دورسلى».

قال «سيرياس» بتجهم: «لابد أنهم سيئون فعلاً إن كنت تفضل هذا المكان».

نادتهما السيدة «ويسلى»: «أسرعا أنتما الاثنان، وإلا لن يبقى لكما أى طعام».

تنهد «سيرياس» تنهيدة أخرى عميقة، وألقى بنظرة عابسة على اللوحة، ثم انضم هو و«هارى» إلى الآخرين.

حاول «هارى» ألا يفكر فى المحاكمة وهم يفرغون الخزائن بعد ظهر ذلك اليوم. ومن حسن حظه أنها كانت مهمة تتطلب الكثير من التركين، مع رغبة الكثير من الأشياء على مغادرة أرففها الملوثة بالتراب. عانى «سيرياس» من عضة جاءته من داخل صندوق نشوق فضى، وخلال ثوانٍ نمت قشرة بغيضة الشكل على يده، فبدت كأنها مغطاة بقفاز بنى خشن.

قال وهو يفحص يده باهتمام قبل أن يطرقها بخفة بعصاه السحرية ويستعيد جلده حالته الطبيعية: «لا بأس.. لا بد أن بالخزانة بودرة (وارت ـ كاب)».

ألقى بالصندوق فى الكيس حيث كانوا يتخلصون من القمامة التى يخرجونها من الخزائن.. رأى «هارى» «چورچ» يلف يده بحرص فى قطعة قماش وبعد لحظات يلقى بالصندوق الصغير فى جيبه الملىء بالعفاريت النطاطة.

وجدوا أداة فضية غريبة الشكل، خرج منها شىء تشبه أقدامه أقدام العنكبوت، ومشى على ذراع «هارى» عندما التقطه، وحاول اختراق جلده بأهدابه، فأمسكه «سيرياس» وسحقه بالكتاب الثقيل بعنوان: (نبل الطبيعة: دليل إلى أنساب السحرة). كان هناك صندوق موسيقى تنبعث منه موسيقى كئيبة واهنة، فشعروا جميعًا بالنعاس والضعف، حتى أدركت «چينى» السبب وأغلقت الصندوق.. ووجدوا خزانة ثقيلة لم يقدروا على فتحها.. وبعض الأختام القديمة فى صندوق مترب، ووسام «مرلين» من الدرجة الأولى، وحصل عليه جد «سيرياس».. وحيثيات الحصول عليه أنه (خدم الوزارة).

قال «سيرياس» بازدراء وهو يلقى بالميدالية فى كيس القمامة: «مما يعنى أنه قد أعطاهم الكثير من الذهب».

دخل «كريتشر» إلى الحجرة عدة مرات وحاول سرقة أشياء بإخفائها أسفل قطعة القماش المربوطة حول خصره، ثم يلقى بلعنات بشعة كلما أمسكوه. عندما أخذ منه «سيرياس» خاتمًا ذهبيًا كبيرًا عليه شعار آل «بلاك»، تفجرت دموع الغضب فى عينى «كريتشر» وغادر الحجرة وهو يسب «سيرياس» ناعتًا إياه بصفات لم يسمع بها «هارى» من قبل قط.

قال «سيرياس» ملقيًا بالخاتم فى الكيس: «كان ملكًا لأبى.. لم يكن كريتشر

مخلصًا له مثل إخلاصه لأمى، لكننى رأيته يسرق سروالين من سراويل أبى القديمة الأسبوع الماضى».

***

جعلتهم السيدة «ويسلى» يعملون كثيرًا على مدى الأيام القليلة التالية. استغرق تنظيف حجرة الرسم ثلاثة أيام. أخيرًا لم يعد بها من شىء بغيض سوى لوحة شجرة عائلة آل «بلاك»، والتى قاومت كل محاولات إزالتها عن الجدار، وكذا المكتب. لم يمر «مودى» على المقر بعد؛ فلم يعرفوا ما بداخله.

انتقلوا من حجرة الرسم إلى حجرة الطعام بالطابق الأرضى حيث وجدوا عناكب كبيرة بحجم أطباق فناجين الشاى تزحف فى الخزانة (غادر «رون» الحجرة بسرعة لإعداد فنجان من الشاى، ولم يعد طوال ساعة ونصف الساعة). أما الأطباق الصينية التى كان عليها شعار آل «بلاك» فقد ألقيت فى غير اهتمام داخل كيس «سيرياس»، ولاقت الصور الفوتوغرافية القديمة ذات الأُطر الفضية نفس المصير، وأخذ جميع شاغليها يصرخون مع تحطم واجهاتها الزجاجية.

ربما يرى «سناب» هذا العمل على أنه (تنظيف)، لكن فى رأى «هارى» كانوا يشنون حربًا شعواء على المنزل، الذى قاومهم بشدة، يساعده ويدعمه «كريتشر». داوم القزم المنزلى على الظهور حيثما يتجمعون، لتصير همهمته أكثر وقاحة وهو يحاول إزالة أى شىء يراه من أكياس القمامة التى تجمعت. تمادى «سيرياس» فى تهديده حتى أنه هدده بتحريره، لكن «كريتشر» كان يحدجه بعين لا تطرف ويقول: «فليفعل السيد ما يشاء» ثم يلتفت ويقول بصوت مرتفع: «لكن السيد لن يتخلص من كريتشر، لا؛ لأن كريتشر يعرف ما يريده السيد.. أجل.. إنه يخطط لإيذاء سيد الظلام، أجل، ومعه كل أنصاف السحرة هؤلاء، والخونة، والحثالة..».

ومع تجاهله لاحتجاجات «هيرميون»، قبض «سيرياس» على «كريتشر» من قماش خصره من الخلف وألقى به بعنف خارج الحجرة.

كان جرس الباب يرن عدة مرات يوميًا، وهى الإشارة التى تنتظرها لوحة أم «سيرياس» حتى تشرع فى الصياح والصراخ ثانية، ويشرع «هارى» والباقون فى التنصت على الزوار، بالرغم من أنهم لم يعرفوا سوى القليل مما يسمعونه، فقد كانوا يتسللون للتنصت قبل أن تعيدهم السيدة «ويسلى» إلى واجباتهم ومهامهم. جاء «سناب» إلى المنزل عدة مرات، ومما يبعث على الراحة

أنه لم ير «هاري» وجهًا لوجه.. كما رأى «هاري» أستاذة مادة التحول السحرى، الأستاذة «مكجونجال»، التى بدت غريبة الشكل فى ثوب ومعطف العامة، كما بدت مشغولة لدرجة تمنعها من البقاء طويلاً بالمنزل. لكن أحيانًا كان الزوار يبقون ليقدموا العون. انضمت إليهم «تونكس» بعد ظهر يوم لا يُنسى، وجدوا خلاله غولاً عجوزًا فى دورة مياه الطابق العلوى.. كما ساعدهم «لوبين» ـ الذى بقى بالمنزل مع «سيرياس»، لكنه كان يخرج لفترات طويلة فى مهام غامضة لصالح الجماعة ـ فى إصلاح ساعة كبيرة قديمة صار من عاداتها السيئة إطلاق أسهم قصيرة على من يمرون بجوارها. حسن «مندنجس» من صورته قليلاً فى عينى السيدة «ويسلى» بإنقاذه «رون» من مجموعة من العباءات البنفسجية حاولت خنقه عندما حاول إخراجها من الخزانة.

بالرغم من أنه مازال يعانى من النوم المضطرب، ومازالت تزوره أحلام عن ردهات وأبواب مغلقة تتألم معها ندبته، فقد نجح «هارى» فى الاستمتاع بوقته للمرة الأولى منذ بداية الصيف. مادام مشغولاً فهو سعيد.. لكن عندما يهدأ النشاط، وحالما يهدأ أو يستلقى متعبًا فى الفراش يراقب الظلال التى تمر عبر السقف، وتداهمه فكرة محاكمة الوزارة. كان الخوف يتسلل إليه وهو يتساءل عما سيحدث له إن فصلوه. كانت الفكرة رهيبة لدرجة أنه لم يجرؤ على النطق بها بصوت مسموع، ولا حتى لـ «رون» أو «هيرميون»، اللذين ـ بالرغم من رؤيته لهما ـ يتهامسان ويتبادلان تحديجه بنظرات قلقة، فعلا مثله ولم يذكرا شيئًا عن الموضوع. أحيانًا كان لا يقدر على منع خياله من رسم صورة لوجه بلا تفاصيل لمسئول الوزارة الذى سيكسر عصاه السحرية إلى قطعتين ويأمره بالعودة والإقامة مع آل «دورسلى».. لكنه لن يذهب وقتها. كان عاقد العزم على هذا. سيعود إلى «جريمولد بليس» ويعيش مع «سيرياس».

شعر كأن حجرًا سقط فى معدته عندما التفتت إليه السيدة «ويسلى» خلال العشاء يوم الأربعاء وقالت بهدوء: «أعددت لك أفضل ملابسك من أجل زيارة صباح الغد يا هارى، وأريدك أن تغسل شعرك أيضًا. فالانطباع الأول الجيد قد يفعل العجائب».

كف «رون»، و«هيرميون»، و«فريد»، و«چورچ»، و«چينى» عن الحديث ونظروا إليه. أومأ «هارى» برأسه وحاول الاستمرار فى الأكل، لكن فمه صار جافًا فلم يستطع البلع.

سأل السيدة «ويسلى» محاولاً أن تبدو عليه اللامبالاة: «كيف سأذهب؟».

قالت السيدة «ويسلى» برفق: «سيأخذك أرثر معه إلى العمل».

ابتسم السيد «ويسلى» لـ «هارى» ابتسامة مشجعة عبر المائدة.

قال: «يمكنك الانتظار فى مكتبى حتى موعد المحاكمة».

نظر «هارى» إلى «سيرياس»، لكن قبل أن يسأله، أجابته السيدة «ويسلى».

«الأستاذ دمبلدور لا يرى قدوم سيرياس معك فكرة جيدة، وعلىّ أن أقول..».

قال «سيرياس» من بين أسنانه: «..إنك ترينه محقًا تمامًا».

زمت السيدة «ويسلى» شفتيها بامتعاض.

قال «هارى» محدقًا فى «سيرياس»: «متى أخبرك دمبلدور بهذا؟».

قال السيد «ويسلى»: «حضر ليلة أمس، عندما كنتم نائمين».

داعب «سيرياس» البطاطس فى طبقه بشوكته. خفض «هارى» عينيه إلى طبقه.. آلمته فكرة حضور «دمبلدور» إلى البيت دون أن يطلب مقابلته.

٧ وزارة السحر

أفاق «هارى» من نومه الساعة الخامسة والنصف صباح اليوم التالى، فجأة، كأن هناك من صرخ فى أذنه. للحظات قليلة رقد بلا حراك وفكرة المحاكمة تملأ جنبات عقله، ثم وبعد أن صار غير قادر على التحمل، هب من الفراش وارتدى عويناته. أحضرت له السيدة «ويسلى» بنطلونه (الجينز) والـ(تى ـ شيرت) المغسولين عند طرف فراشه. ارتداهما بسرعة.. وسمع اللوحة الخالية على الجدار تضحك بسخرية.

كان «رون» راقدًا على ظهره وفمه مفتوحًا عن آخره، غارقًا فى النوم. لا يتقلب، و«هارى» يمشى عبر الحجرة، ثم وهو يخطو عبر الباب إلى السلم ويغلق الباب خلفه بهدوء، محاولاً ألا يفكر فى المرة القادمة التى قد يرى فيها «رون»، واحتمال ألا يستمرا فى كونهما زملاء دراسة فى «هوجورتس». هبط «هارى» السلم بهدوء، وبجوار رءوس أجداد «كريتشر»، ثم إلى المطبخ.

توقع أن يجده خاليًا، لكن عندما وصل إلى الباب سمع أصواتًا منخفضة. دفع الباب ورأى السيد والسيدة «ويسلى»، و«سيرياس»، و«لوبين»، و«تونكس»، جالسين كأنهم بانتظاره. كانوا جميعًا مرتدين ثياب الخروج إلا السيدة «ويسلى»، المرتدية ثوبًا بنفسجيًّا والتى نهضت لحظة دخوله.

قالت مشهرة عصاها السحرية وهى تسارع إلى النيران: «حان موعد الإفطار».

تثاءبت «تونكس» قائلة: «صـ... صباح الخير يا هارى» كان شعرها أشقر ومجعدًا ذلك الصباح.. أضافت: «هل نمت جيدًا؟». أجاب: «أجل».

قالت وهى تتثاءب ثانية: «آ..آ.. أنا لم أنم.. تعال واجلس..». وجذبت مقعدًا؛ لتسقط المقعد المجاور له.

قالت السيدة «ويسلى»: «ماذا تريد يا هارى؟ عصيدة؟ كعكًا؟ رنجة؟ بيضًا باللحم؟ خبزًا محمصًا؟».

قال «هارى»: «خـ... خبزًا محمصًا فقط من فضلك».

نظر «لوبين» إلى «هارى»، ثم قال لـ «تونكس»: «ماذا كنت تقولين عن سكريمجيور؟».

شعر «هارى» ببعض الامتنان عندما لم يُطلب منه الانضمام للنقاش. كانت أمعاؤه مضطربة. وضعت السيدة «ويسلى» قطعتين من الخبز المحمص والمربى أمامه.. حاول الأكل، لكن الأمر كان أشبه بمضغ بساط قديم. جلست السيدة «ويسلى» إلى جانبه الآخر وانشغلت بالـ(تى ـ شيرت) الذى يرتديه، فأخذت تعدل من وضعه وتزيل انكماشه عند الكتفين. تمنى لو كفت عما تفعله.

أكملت «تونكس» كلامها: «.. وسيكون علىّ إخبار دمبلدور بأننى لا أقدر على تولى نوبة الحراسة غدًا.. فأنا مر.. مرهقة جدًّا» وأخذت تتثاءب بقوة.

لم يكن السيد «ويسلى» مرتديًا عباءات السحرة العادية، لكن سروالاً مخططًا، ومعطفًا قديمًا. التفت إلى «تونكس» و«هارى» قائلاً: «ما شعورك؟».

هز «هارى» رأسه.

قال السيد «ويسلى» بحنان: «سينتهى الأمر سريعًا.. بعد ساعات سيبرئون ساحتك». فلم يقل «هارى» شيئًا.

وأضاف: «ستكون الجلسة فى الطابق الذى أعمل به، فى مكتب أميليا بونز. فهى مديرة مصلحة الداخلية بوزارة السحر، وهى من ستستجوبك».

قالت «تونكس»: «بونز لا بأس بها يا هارى؛ فهى عادلة، وستسمعك».

أومأ «هارى» برأسه غير قادر على التفكير فى أى مما يُقال.

قال «سيرياس» بسرعة: «لا تفقد أعصابك.. حافظ على تأدبك وكن صادقًا».

أومأ «هارى» برأسه ثانية.

قال «لوبين» بهدوء: «القانون فى صالحك.. حتى السحرة تحت السن القانونية مسموح لهم باستخدام السحر فى الدفاع عن النفس عند تعرضهم لخطر الموت».

انساب شىء ما شديد البرودة على عنق «هارى» من الخلف، وللحظة ظن أن أحدهم يرميه بتعويذة الإخفاء، لكنه أدرك أن السيدة «ويسلى» قد هاجمته بمُشط مبتل. وضغطته بقوة على قمة رأسه.

قالت بحيرة: «ألا يستقر شعرك هذا أبدًا؟!». فهز «هارى» رأسه.

نظر السيد «ويسلى» إلى ساعته ثم إلى «هارى». وقال: «حان وقت الذهاب.. إننا مبكران قليلاً لكن من الأفضل الذهاب للوزارة بدلاً من البقاء هنا لبعض الوقت».

قال «هارى» وهو يلقى بالخبز المحمص على المائدة وينهض: «حسنًا».

قالت «تونكس» وهى تربت على ذراعه: «ستكون بخير يا هارى».
قال «لوبين»: «حظًا سعيدًا.. أنا واثق من أنك ستكون بخير».
قال «سيرياس» بتجهم: «وإن لم يمر يومك بخير سترى بونز أيامًا سوداء..».
ابتسم «هارى» بوهن، فاحتضنته السيدة «ويسلى» وقالت: «قلوبنا معك يا هارى». فقال «هارى»: «آ.. طيب.. أراكم لاحقًا».

تبع السيد «ويسلى» إلى الصالة. سمع لوحة أم «سيرياس» تغط فى نومها. فتح السيد «ويسلى» مصاريع الباب وخطى إلى الفجر البارد الرمادى الوليد.

سأله «هارى» وهما يدوران بسرعة حول الميدان: «هل تمشى إلى عملك فى العادة؟».

قال السيد «ويسلى»: «كلا.. فأنا أنتقل آنيًا بالسحر.. لكن الواضح أنك لن تقدر على هذا، والأفضل أن نصل بطريقة غير سحرية؛ لنعطى انطباعًا جيدًا..».

حافظ السيد «ويسلى» على يده داخل جيب معطفه وهما سائران. كان «هارى» يعرف أنها ملفوفة بحرص حول عصاه. كانت الشوارع خالية، لكن عندما وصلوا إلى محطة مترو تحت الأرض وجدوها مليئة برواد الصباح الباكر. وكعادته كلما وجد نفسه على مقربة من دنيا (العامة) وهم يروحون ويغدون فى شئونهم اليومية، لم يتمكن السيد «ويسلى» من إخفاء حماسه.

همس مشيرًا إلى ماكينة التذاكر الآلية: «يالها من آلة خارقة.. عبقرية!».
قال «هارى» مشيرًا إلى اللافتة المعلقة عليها: «إنها معطلة».
قال السيد «ويسلى» وهو يبتسم لها بحب: «فعلاً.. لكن حتى ولو معطلة..».

ابتاعا تذاكرهما من حارس ناعس (قام «هارى» بالتعامل المالى؛ لأن السيد «ويسلى» لم يكن ماهرًا فى حساب نقود العامة)، وبعدها بخمس دقائق صاروا على متن قطار متجه إلى وسط مدينة لندن. داوم السيد «ويسلى» على النظر بقلق إلى خريطة المترو التى فحصها أمام النوافذ وأخذ يقول:

«باقٍ أربع محطات يا هارى.. ثلاث محطات يا هارى.. محطتان يا هارى..».

خرجوا من القطار فى محطة بقلب لندن، وأزاحهم عن عربة القطار طوفان من الرجال والنساء حاملى الحقائب بالملابس الرسمية. صعدوا على السلم الكهربى، وعبر حاجز التذاكر (وسرور السيد «ويسلى» بالغ بالطريقة التى

تلتهم بها الماكينة التذكرة)، خرجوا إلى شارع واسع على جانبيه مبانٍ مهيبة المظهر، وتملؤه الحركة المرورية.

قال السيد «ويسلى» بذهن شارد: «أين نحن؟» وللحظة توقف فيها قلب «هارى» عن النبض ظن أنهما قد خرجا من محطة أخرى بطريق الخطأ بالرغم من رجوع السيد «ويسلى» المتكرر إلى الخريطة. لكنه قال بعد لحظة: «آه.. أجل.. من هنا يا هارى» وقاده عبر طريق جانبى.

قال: «آسف.. لكننى لم أذهب للعمل عن طريق المترو أبدًا، والطريق يبدو مختلفًا جدًا من منظور العامة. وفى الواقع، فأنا لم أدخل من مدخل الزوار أبدًا».

مع تقدمهما؛ أمست المبانى أصغر، حتى وصلوا إلى شارع به عدد من المكاتب المتواضعة، وحانة. توقع «هارى» وجود وزارة السحر بموقع أفضل من هذا.

قال السيد «ويسلى» بابتهاج: «ها قد وصلنا» مشيرًا إلى كابينة تليفون حمراء وقديمة، مخلوع منها العديد من ألواح الزجاج، منصوبة فى مواجهة الحائط.. أضاف: «تفضل وأنا خلفك يا هارى». وفتح باب كابينة التليفون.

خطا «هارى» إلى الداخل، متسائلاً عما ينوى السيد «ويسلى» فعله. وقف الأخير إلى جوارِ «هارى» وأغلق الباب خلفه. كان المكان ضيقًا.. كان جسد «هارى» مضغوطًا على التليفون، المعلق باعوجاج على جدار الكابينة، كأن لصًّا حاول خلعه. مد السيد «ويسلى» يده بجانب «هارى» سعيًا للوصول إلى السماعة.

قال «هارى»: «سيد ويسلى.. يبدو أن هذه السماعة لا تعمل هى الأخرى».

قال السيد «ويسلى» وهو قابض على السماعة فوق رأسه: «لا.. لا، أنا واثق من أنها بحالة جيدة» ثم وهو يحدق فى قرص الاتصال: «دعنا نرى.. أجل.. ستة..» طلب الرقم، ثم: «اثنان.. أربعة.. أربعة أخرى.. ثم اثنان مرة أخرى..».

ومع دوران قرص الاتصال للخلف مرة أخرى بنعومة جاءهم صوت أنثوى من داخل كابينة التليفون.. وليس من السماعة التى فى يد السيد «ويسلى».. كان الصوت مرتفعًا وواضحًا كأنه لامرأة خفية تقف بجوارهما.

«مرحبًا بكما فى وزارة السحر.. برجاء ذكر الاسم وسبب الزيارة».

قال السيد «ويسلى» وهو لا يعرف إن كان عليه التحدث فى السماعة أم لا: «آ..آ..» اختار الحل الوسط وهو يرفع السماعة إلى أذنه: «أرثر ويسلى.. موظف

بمصلحة إساءة استخدام أدوات العامة، ومعى هارى بوتر، المطلوب لحضور محاكمة..».

قال الصوت الأنثوى: «شكرًا.. من فضلك خذ الشارة والصقها أعلى عباءتك».

سمعوا صوتًا معدنيًا ثم رأى «هارى» شيئًا ما ينسل من الفتحة المعدنية الخاصة باسترجاع العملات النقدية الزائدة من التليفون. التقطها.. كانت شارة فضية مربعة مكتوب عليها: محاكمة هارى بوتر. شبكها على صدره والصوت الأنثوى يتحدث ثانية:

«يا زائر الوزارة.. يرجى التعاون أثناء تفتيشك، وتقديم عصاك السحرية للفحص عند مكتب الأمن، وهو عند الطرف البعيد من قاعة الاستقبال».

اهتزت أرضية كابينة التليفون. أخذ يغطس ببطء تحت الأرض. راقبه «هارى» بتوجس والرصيف قد بدا كأنه يرتفع أمام النوافذ الزجاجية لكابينة التليفون حتى انعقد الظلام من فوق رأسيهما.. ثم لم يعد قادرًا على رؤية أى شىء.. لم يسمع غير أصوات آلية والكابينة تشق الأرض لأسفل. بعد حوالى دقيقة، وإن بدت أطول لـ «هارى»، جاءه ضوء ذهبى من تحت قدميه، واتسعت بقعة الضوء، وتمددت على جسده، حتى ضربته على وجهه واضطر أن يطرف بعينيه حتى لا تغرورق مقلتاه بالدموع.

قال صوت المرأة: «تتمنى لكم وزارة السحر يومًا سعيدًا».

انفتح الباب وخرج السيد «ويسلى»، و«هارى» خلفه وقد فغر فاه من الدهشة.

وقفا عند طرف قاعة استقبال طويلة ومدهشة ذات أرضية خشبية داكنة لامعة. والسقف ذو اللون الأزرق الطاوسى مزخرف برموز ذهبية لا تكف عن الحركة وتغيير الأشكال. الجدران على الجانبين مغطاة بألواح من الخشب الداكن اللامع، وعليها مدافئ عديدة. وكل بضع ثوانٍ يخرج ساحر أو ساحرة من واحدة من المدافئ على الجانب الأيسر. وعند مدافئ الجانب الأيمن اصطف السحرة والساحرات فى طوابير قصيرة فى انتظار المغادرة.

عند منتصف القاعة كان هناك نافورة مكونة من مجموعة من التماثيل الذهبية الأكبر من الحجم الطبيعى، منتصبة فى منتصف بركة دائرية. كان

الأطول بينها ساحر على ملامحه النبل وفى يده عصا سحرية مشرعة فى الهواء أمامه. وحوله ساحرة جميلة، وقنطور، وجنى، وقزم منزلى. آخر ثلاثة تماثيل تنظر بحب إلى الساحرة والساحر. أخذت دفقات من الماء تتناثر من طرفى عصويهما السحرية، ومن طرف سهم القنطور، ومن طرف قبعة الجنى، ومن كل من أذنى القزم المنزلى؛ ليضيف الماء المتناثر صوتًا جديدًا لمجموعة أصوات من يظهرون ويختفون سحريًا، وطرقات أحذية مئات الساحرات والسحرة، ومعظمهم على وجهه أمارات التجهم الصباحية المعتادة، ويهرولون نحو مجموعة من البوابات الذهبية عند الطرف البعيد من القاعة.

قال السيد «ويسلى»: «تعال من هنا».

انضما للسائرين، وكان بعضهم يحمل لفافات من ورق، وبعضهم الآخر يحمل حقائب جلدية، والبعض ما زال يقرأ جريدة «دايلى بروفيت» وهم سائرون، وعند النافورة رأى «هارى» (سيكلات) فضية و(نوتات)[1] برونزية تلمع من قاع البركة، ولافتة صغيرة بجانبها، عليها:

كل ما يُلقى من نقود ببركة نافورة الإخاء السحرى يُمنح لمستشفى الأمراض والإصابات السحرية.

فكر «هارى» بيأس: إن لم أُفصل من هوجورتس سألقى بعشرة جاليونات هنا.

قال السيد «ويسلى» وهما يخطوان خارج مسار أسراب موظفى الوزارة المتجهين نحو البوابات الذهبية: «من هنا يا هارى»، وإلى اليسار على مكتب كان هناك لافتة عليها كلمة: الأمن.. وقد جلس على المكتب ساحر تصفيفة شعره بشعة ويرتدى عباءة لونها أزرق.. وتطلع إليهما وهما يقتربان، ثم خفض جريدة «دايلى بروفيت» عن عينيه.

قال السيد «ويسلى» مشيرًا إلى «هارى»: «جئت برفقة زائر».

قال الساحر بصوت ملول: «تعال هنا».

سار «هارى» للأمام نحوه وبيد الساحر عصا ذهبية طويلة رفيعة ومرنة مثل هوائى السيارة، ثم مررها على جسد «هارى» من الأمام ومن الخلف.

(١) جمع (سيكل) و(نات) وهما فئتان قليلتا القيمة من عملات السحرة (المترجم).

قال الساحر لـ «هارى» وهو يخفض الآلة الذهبية ويمد يده: «هات عصاك».

قدم له «هارى» عصاه. أسقطها الساحر فى جهاز نحاسى غريب.. أخذ فى الاهتزاز. خرجت قطعة رفيعة من الورق بسرعة من فتحة عند قاعدته. مزقها الساحر من طرفها وقرأ ما بها.

«إحدى عشرة بوصة، بها ريشة عنقاء، وتستخدم منذ أربع سنوات.. صح؟».

قال «هارى» بعصبية: «أجل».

قال الساحر وهو يدفع بالورقة ليرشقها فى إبرة نحاسية طويلة: «سأحتفظ بهذه.. وخذ أنت عصاك» ثم دفع بها نحو «هارى».

«أشكرك». فقال الساحر ببطء: «انتظر..». وانتقلت عيناه من شارة الزائر على صدر «هارى» إلى جبينه.

قال السيد «ويسلى» وهو يقبض على كتف «هارى» ويوجهه بعيدًا عن المكتب إلى طوفان السحرة والساحرات الذين يمرون عبر البوابات الذهبية: «شكرًا يا إريك».

وهو يدافع الجموع بالمناكب تبع «هارى» السيد «ويسلى» عبر البوابات إلى قاعة صغيرة وراءها، حيث كان هناك على الأقل عشرون مصعدًا خلف شبكات ذهبية. انضم «هارى» والسيد «ويسلى» إلى الجمع الواقف أمام أحد المصاعد. بالقرب وقف ساحر ضخم ملتحٍ حاملاً صندوقًا كرتونيًا تنبعث منه جلبة.

قال الساحر وهو يومئ للسيد «ويسلى»: «كله تمام يا أرثر؟».

سأله السيد «ويسلى» ناظرًا إلى الصندوق: «ماذا تحمل معك يا بوب؟».

قال الساحر بجدية: «لا نعرف على وجه الدقة.. حسبناه دجاجًا عاديًا حتى وجدناه ينفث النيران من منقاره. يبدو كانتهاك خطير لقانون تحريم تربية المخلوقات السحرية الخطيرة».

وبجلبة شديدة هبط مصعد أمامهم.. انزلقت الشبكة الذهبية لتفسح الطريق للسيد «ويسلى» و«هارى» اللذين دخلا مع باقى الجمع، فوجد «هارى» نفسه محشورًا وخلفه جدار المصعد. نظر إليه عدد من الساحرات والسحرة بفضول.. حدق فى قدميه لتفادى نظرات الآخرين، وعدل أطراف ملابسه بيده. انزلقت الشباك الذهبية منغلقة بصوت مرتفع، وارتفع المصعد ببطء، يرافقه صليل السلاسل، ونفس الصوت الأنثوى البارد الذى سمعه «هارى» بكابينة التليفون

يقول: «الطابق السابع، مصلحة الألعاب والرياضات السحرية، وبه مقر اتحاد دورى (الكويدتش) البريطانى ـ الأيرلندى المشترك، والمقر الرسمى لنادى (جوبستون) وقسم براءات الاختراعات السخيفة».

انفتحت أبواب المصعد. لمح «هارى» ردهة غير نظيفة، معلق على جدرانها العديد من الملصقات المعوجة لفرق (الكويدتش). خرج أحد السحرة المكتظ بـهـم المصعد بصعوبة وفى يده بعض المقشات السحرية، ثم اختفى فى الردهة. أُقفلت الأبواب، واستمر المصعد فى طريقه لأعلى ثانية، ليعلن صوت المرأة بعدها:

«الطابق السادس.. مصلحة النقل السحرى، وفيه إدارة شبكة بودرة (الفلو)، وهيئة رقابة وتنظيم شئون الطيران على المقشات السحرية، ومكتب الانتقال بالبوابات السحرية، ومركز اختبارات الانتقال السحرى الآنى».

مرة أخرى انفتحت الأبواب ليخرج أربعة أو خمسة سحرة وساحرات، وفى نفس الوقت حلقت بضع طائرات ورقية إلى داخل المصعد. نظر «هارى» لأعلى ليراها ترفرف بهدوء فوق رأسه.. كانت ذات لون بنفسجى شاحب، وأمكنه رؤية ختم «وزارة السحر» على أطراف أجنحتها.

غمغم السيد «ويسلى» مفسرًا: «إنها مجرد مذكرات داخلية بين الأقسام.. كنا نستخدم البوم، لكن الجلبة التى تحدثها لا تصدق، وفضلاتها التى تتساقط على المكاتب..».

وهم يعاودون الصعود ثانية حلّقت المذكرات حول المصباح المعلق من سقف المصعد.

«الطابق الخامس.. مصلحة التعاون السحرى الدولى، وفيه هيئة التبادل التجارى السحرى الدولى، والمكتب الاستشارى السحرى القانونى الدولى، ومقر المفوضية البريطانية لاتحاد السحرة الكونفدرالى الدولى».

عندما انفتحت الأبواب، طارت مذكرتان إلى الخارج مع بعض الساحرات والسحرة، لكن بعض المذكرات الجديدة دخلت، حتى أخذ ضوء المصباح فى الارتجاف والاهتزاز وهى تطير حوله.

«الطابق الرابع.. مصلحة الرعاية والرقابة على الكائنات السحرية، وفيه أقسـام الـوحـوش، والأشبـاح والأرواح، ومكتب تـراخيص الجان، والمكتب الاستشارى لشئون الكائنات السحرية المنزلية».

قال الساحر الذى يحمل الدجاجة التى تنفث نارًا: «عذرًا» وغادر المصعد وخلفه باقة من المذكرات. أُقفلت الأبواب خلفه ثانية.

«الطابق الثالث.. مصلحة الحوادث والكوارث السحرية، وفيه فرقة نسيان الحوادث السحرية، ومقر لجنة ترقية العامة المهرة».

غادر الجميع المصعد فى ذلك الطابق، فيما عدا السيد «ويسلى» و«هارى» وساحرة كانت تقرأ من رقعة ورق بالغة الطول، حتى إنها كانت تجرجرها خلفها على الأرض. استمرت بقية المذكرات فى الطيران حول المصباح والمصعد يسير ثانية، ثم انفتحت الأبواب وأعلن الصوت الأنثوى:

«الطابق الثانى.. مصلحة الداخلية السحرية، وفيه قسم إساءة استخدام السحر، ومقر مقاتلى السحر الأسود، وإدارة خدمات الويزنجاموت».

قال السيد «ويسلى» وهو يتبع الساحرة إلى خارج المصعد، وإلى الردهة المصطفة الأبواب على جانبيها: «سننزل هنا يا هارى.. مكتبى على الجانب الآخر من الطابق».

قال «هارى» وهما يمران بجوار نافذة رأى من خلفها الشمس تلمع: «سيد ويسلى.. هل مازلنا تحت الأرض؟».

قال السيد «ويسلى»: «أجل.. هذه نوافذ مسحورة.. فإدارة الصيانة السحرية تختار نوع الطقس الخارجى كل يوم. مر علينا شهران من الأعاصير آخر مرة طالب هذا القسم فيه بزيادة فى الرواتب.. من هنا يا هارى».

دارا مع دوران الردهة، وسارا بجوار بابين من خشب البلوط الثقيل، ثم وصلا إلى مكان فسيح مقسم إلى مكاتب تفصل بينها جدران لا تصل إلى السقف، كان ممتلئًا بالضحك والحديث. والمذكرات الطائرة تدور بين المكاتب مثل صواريخ صغيرة. وعلى أقرب مكتب كانت لافتة عليها: مقر مقاتلى السحر الأسود.

نظر «هارى» بريبة عبر الأبواب وهما يمران. كانت جدران مكاتب مقاتلى السحر الأسود مغطاة بكل شىء.. من صور لسحرة مطلوب القبض عليهم، إلى صور فوتوغرافية لأسرهم، إلى ملصقات لفرق (الكويدتش) التى يشجعونها، إلى مقالات من جريدة (دايلى بروفيت). كان هناك رجل يرتدى عباءة حمراء وشعره الطويل المنتهى بذيل حصان أطول من شعر «بيل»، وحذاؤه ذو الرقبة مرفوع على مكتبه، وهو يملى تقريرًا لريشة كتابته المسحورة. بعده بقليل شاهدا ساحرة برقعة جلدية على إحدى عينيها، وتتحدث من فوق جدار مكتبها المنخفض إلى «كنجسلى شاكلبولت».

قال «كنجسلى» باستهتار وهما يقتربان: «صباح الخير يا ويسلى.. أريدك فى كلمة، هل تسمح بدقيقة من وقتك؟».

قال السيد «ويسلى»: «حاضر، إن كانت دقيقة واحدة.. فأنا فى عجلة من أمرى».

تحدثا كأنهما بالكاد يعرفان أحدهما الآخر، وعندما فتح «هارى» فمه ليحيى «كنجسلى» وقف السيد «ويسلى» على قدمه. تبعا «كنجسلى» بطول صف من المكاتب وإلى المكتب الأخير.

تلقى «هارى» صدمة خفيفة.. ففى كل مكان بالمكتب كان يرى صورة معلقة لوجه «سيرياس»، من قصاصات جرائد، وصور فوتوغرافية.. حتى صورة فوتوغرافية «سيرياس» فى دور الاشبين يوم زفاف والدىّ «هارى».. المساحة الوحيدة الخالية من وجه «سيرياس» كان عليها خريطة للعالم ودبابيس حمراء صغيرة مغروسة فى أجزاء منها تلمع كالمجوهرات.

قال «كنجسلى» للسيد «ويسلى» وهو يشير برقعة من الورق فى يده: «انظر.. أحتاج ما تقدر عليه من معلومات عن مركبات العامة الطائرة التى شوهدت خلال الاثنى عشر شهرًا المنقضية. فقد تلقينا معلومات أن بلاك ما زال يستخدم دراجته البخارية القديمة».

غمز «كنجسلى» لـ«هارى» غمزة كبيرة وأضاف بهمسة: «أعطه المجلة، ربما يجد فيها ما يهمه» ثم أضاف بنبرة طبيعية: «ولا تأخذ وقتًا طويلاً يا ويسلى، التأخير فى تقديم تقرير (الأسلحة والفطائر) كان سببًا فى تعطيل تحقيقاتنا لمدة شهر».

قال السيد «ويسلى» وقد ارتسمت على وجهه ملامح الجدية والاحتراف: «إن كنت قد قرأت تقريرى، كنت لتعرف أن المصطلح الصحيح هو (الأسلحة والذخائر). وواضح أن عليك انتظار قدوم معلومات عن الدراجات البخارية.. فنحن مشغولون للغاية حاليا» وخفض صوته ثم أكمل: «إن كنت تقدر على الخروج قبل الساعة السابعة؛ فإن مولى ستطبخ كرات اللحم».

أشار لـ «هارى» وقاده خارجًا من مكتب «كنجسلى»، ثم عبروا بابًا آخر من البلوط، وإلى ممر آخر، والتفتوا إلى اليسار، وساروا فى ممر آخر، ثم إلى اليمين، وإلى ممر قليل الإضاءة وغير نظيف، ثم أخيرًا إلى نهاية الممر، حيث انتصب باب إلى اليسار مفتوحًا، كاشفًا عن خزانة مقشات سحرية، وباب إلى اليمين عليه لافتة نحاسية مكتوب عليها: «إساءة استخدام أدوات العامة».

بدا مكتب السيد «ويسلى» القليل الإضاءة أصغر بقليل من خزانة المقشات السحرية. كان محشورًا فيه مكتبان، وما يكفى بالكاد من الفراغ للحركة حولهما؛ بسبب الخزانات الكثيرة المليئة بالملفات، والموضوعة بطول الحائط، وفوقها أكوام من الملفات. أما مساحة الحائط الخالية من الخزانات فكانت شاهدًا على ولع السيد «ويسلى» بأدوات وأشياء العامة، فعليها علق الأخير ملصقات لسيارات، منها ملصق إعلانى لمحرك سيارة منفصل، ورسمان لصندوقى بريد، بدا أنه قد قطعهما من كتاب أطفال للعامة، ورسم توضيحى يشرح كيفية توصيل الأسلاك إلى الكهرباء.

وعلى المائدة الصغيرة الملحقة بمكتب السيد «ويسلى» كان هناك محمصة خبز قديمة تتجشأ بطريقة غريبة، وزوج من القفازات الجلدية تتراقص أصابعها. بالإضافة لصورة جامعة لعائلة «ويسلى» بجوار المائدة. لاحظ «هارى» أن «بيرسى» قد اختفى من الصورة.

قال السيد «ويسلى» بلهجة المعتذر: «ليس لدينا نافذة» وهو يخلع معطفه ويضعه على مقعده.. ثم أضاف: «طلبنا نافذة، لكنهم يرون أننا لسنا بحاجة إليها. اجلس يا هارى، يبدو أن بركينس لم يصل بعد».

جلس «هارى» بصعوبة على المقعد الواقع خلف مكتب «بركينس»، بينما أخذ السيد «ويسلى» يقلب فى لفافة الورق التى أعطاها له «شاكلبولت» منذ قليل.

قال مبتسمًا وهو يخرج نسخة من مجلة «كويبلر»[1] من بين الأوراق: «آه.. جميل» ثم وهو يقلب صفحاتها: «أجل، إنه محق. أنا واثق من أن سيرياس سيجد هذه الأخبار مدهشة.. آه يا ربى.. ما هذا؟».

جاءته مذكرة طائرة عبر الباب المفتوح، واستقرت على المحمصة المتجشئة. فضها السيد «ويسلى»، وقرأها بصوت مرتفع: «ثالث مرحاض عام متقيئ فى منطقة «بيثنال جرين» يصل إلينا خبره، برجاء التحقيق فى الأمر فورًا» انتهى من الرسالة وقال: «المسألة أصبحت سخيفة فعلاً».

«مرحاض متقيئ؟».

قال السيد «ويسلى» مقطبًا جبينه: «محبو المزاح من مضطهدى العامة.. لقد وقع حادثان الأسبوع الماضى، واحد فى ومبلدون، والآخر فى إليفنت آند كاسل.

(١) أو Quibbler بمعنى «المراوغ»، وهى مجلة. (المترجم).

عندما يشدون (السيفون)، وبدلا من اختفاء الفضلات، يعنى.. أنت تعرف.. يحدث العكس. ويتصل المساكين بالـ(سبابيك)، أليس هذا اسمهم؟ هؤلاء الذين يصلحون أنابيب المياه وهذه الأشياء؟».

«أتعنى السبّاكين؟».

«بالضبط، أجل، لكن المشكلة أن المراحيض مسحورة. أتمنى أن نقبض على من يفعل هذا».

«وهل سيطارده مقاتلو السحر الأسود؟».

«لا.. فهذه مسألة بسيطة لا تليق بمقاتلى السحر الأسود. ستتولاها دورية عادية من دوريات مصلحة الداخلية السحرية.. آه هارى، ها هو بركينس».

دخل ساحر عجوز خجول محنى الظهر بشعر أبيض أشعث إلى الحجرة لاهثًا.

قال بإجهاد دون أن ينظر إلى «هارى»: «أرثر! حمدًا لله. لم أكن أعرف ماذا أفعل، أنتظر هنا أم لا. أرسلت ببومة إلى بيتك منذ قليل، لكن من الواضح أنك لم تتسلمها.. رسالة عاجلة أرسلتها منذ عشر دقائق..».

قال السيد «ويسلى»: «عرفت بشأن المرحاض المتقيئ».

«لا لا.. لا أعنى المرحاض. إنها محاكمة الولد بوتر.. لقد غيروا موعدها ومكانها.. تبدأ الساعة الثامنة صباحًا، وتُعقد فى حجرة المحاكمة القديمة رقم عشرة..».

«فى حجرة محاكمة الـ.. لكنهم أخبرونى.. بحق لحية مرلين!».

نظر السيد «ويسلى» إلى ساعته، ثم أطلق صيحة قلقة وهب ناهضًا من مقعده.

«أسرع يا هارى، كان علينا أن نكون هناك منذ خمس دقائق مضت!».

ألصق «بركينس» جسده بخزانة الملفات والسيد «ويسلى» يغادر المكتب جريًا، و«هارى» خلفه.

قال «هارى» مبهور الأنفاس وهما يهرولان بجانب مكاتب مقاتلى السحر الأسود: «لماذا غيروا الموعد؟» أخذ السحرة والساحرات يرمقونهم بالنظرات وهما يعبران بسرعة بجانبهم.

شعر «هارى» كأنه قد ترك قلبه فى مكتب «بركينس».

«ليس لدىّ أدنى فكرة، لكن الحمد لله أننا قد وصلنا إلى هنا مبكرًا، إن لم تكن قد وصلت فى موعدك، كانت لتحَل كارثة!».

توقف السيد «ويسلى» بجانب المصاعد وأخذ يضرب زر «أسفل» بصبر نافد.

«هيا!».

ظهر المصعد، وتوقف أمامهما فولجاه. وكل مرة يتوقف يلعنه السيد «ويسلى» بسخط ويضرب مفتاح الطابق التاسع.

قال السيد «ويسلى» بغضب: «قاعات المحاكمة هذه لم تستعمل منذ سنوات.. لا أعرف ماذا يفعلون بالأسفل.. إلا إذا.. لكن لا.. صعب..».

فى تلك اللحظة استقلت المصعد ساحرة ممتلئة الجسم وفى يدها كأس يتصاعد منها الدخان، فلم يوسع لها السيد «ويسلى».

قال الصوت الأنثوى البارد: «الاستقبال»، فانفتحت الأبواب الذهبية؛ ليرى «هارى» التماثيل الذهبية مستقرة على مسافة بعيدة عند النافورة. خرجت الساحرة البدينة، ودخل ساحر شاحب الجلد وعلى وجهه نظرة حزينة.

قال بصوت منقبض كئيب والمصعد يهبط: «صباح الخير يا أرثر.. لا أراك بالأسفل كثيرًا».

قال السيد «ويسلى» وهو يتقافز على أطراف أصابع قدميه ملقيًا بنظرات قلقة نحو «هارى»: «مسألة مهمة يا بود».

قال «بود» وهو ينظر نحو «هارى» دون أن تطرف عيناه: «آه، واضح.. بالطبع».

لم يكن لدى «هارى» أى مشاعر ليخصصها لـ «بود»، لكن نظرته الثابتة لم تشعره بالراحة أبدًا.

قال الصوت الأنثوى البارد: «مصلحة الألغاز والغوامض» ولم يذكر المزيد.

قال السيد «ويسلى» وأبواب المصعد تفتح ببطء: «أسرع يا هارى»، ثم انطلقا عبر ممر بدا مختلفًا عن الممرات التى رأياها بالأعلى. كانت الجدران عارية، ولا توجد نوافذ ولا أبواب غير باب أسود عند نهاية الممر. توقع «هارى» أن يلجاه، لكن بدلاً من هذا، قبض السيد «ويسلى» على ذراعه وجره خلفه نحو اليسار، حيث وجدا درجات سلم.

قال السيد «ويسلى» لاهثًا وهو يهبط درجتى سلم فى الخطوة الواحدة: «لأسفل، لأسفل.. المصعد لا يهبط إلى هذا الطابق.. لماذا اجتمعوا بالأسفل، لا أعرف الـ..».

وصلا إلى آخر درجات السلم، وأخذا يعدوان بطول ممر آخر يشبه كثيرًا نفق «سناب» فى «هوجورتس». كانت الأبواب التى يمرون أمامها من الخشب الثقيل، وعليها مصاريع وثقاب مفاتيح حديدية.

«قاعة المحكمة.. رقم.. عشرة.. كما أعتقد.. اقتربنا.. أجل».

توقف السيد «ويسلى» خارجِ باب داكن كئيب عليه مصراع حديدى هائل الحجم، واصطدم بالحائط ممسكًا بصدره.

قال لاهثًا: «ادخل» ثم وهو يشير بيده إلى الباب: «ادخل هذه الحجرة».

«ألن.. ألن تأتى معـ..؟».

«لا. لا.. غير مسموح لى بالدخول.. حظ سعيد!».

أخذ قلب «هارى» يخفق بقوة، وكأنه ينبض عند حلقه. بلع ريقه بصعوبة شديدة، والتفت إلى مقبض الباب الحديدى الثقيل، وخطا إلى داخل قاعة المحكمة.

٨ المحاكمة

شهق «هارى».. لم يقدر على التحكم فى نفسه. كانت القاعة التى دخلها مألوفة جدًا، فهو لم يرها فقط مرة واحدة من قبل، بل دخلها أيضًا. كانت هذه القاعة هى المكان الذى رآه فى مفكرة «دمبلدور» السحرية، المكان الذى شهد فيه الحكم على «ليسترانج» بالسجن مدى الحياة فى «أزكابان».

كانت الجدران مصنوعة من أحجار داكنة، والمكان مضاء بالمشاعل، وعلى الجانبين صفوف من المقاعد الخالية، لكن أمامه، وفى صدر القاعة، رأى ظلالاً لعدد من الأشخاص جالسين على المنصة. كانوا يتحدثون بصوت منخفض، لكن مع صوت إقفال الباب الثقيل من خلف «هارى» حل سكون تام.

رن صوت رجولىّ بارد عبر قاعة المحكمة.

«تأخرت».

قال «هارى» بقلق: «آسف.. أنـ..أنا لم أعرف بتغير الموعد».

قال الصوت: «هذا ليس خطأ مجلس الويزنجاموت.. أرسلنا بومة إلى بيتك هذا الصباح. اجلس».

ألقى «هارى» نظرة على المقعد الواقع فى منتصف الحجرة، والذى بدا أن مسنديه مغطيان بالسلاسل. رأى هذه السلاسل تدب فيها الحياة وتسلسل من يجلس على المقعد. صدر صدى صوت عالٍ لخطوات أقدامه وهو يسير عبر الأرض الحجرية، عندما جلس على حافة المقعد انتفضت السلاسل، لكنها لم تقيده، وهو يشعر بالغثيان رفع بصره نحو الجالسين على المنصة أمامه.

كان هناك حوالى الخمسين منهم - أو هكذا قدر عددهم - يرتدون عباءات بلون الخوخ عليها حرف W لاتينى فضى جميل على الجانب الأيسر من منطقة الصدر، وجميعهم يحدقون فيه، وبعضهم على وجهه تعبيرات صارمة، والبعض الآخر لا يبدو عليه سوى الفضول الصريح.

وفى وسطهم جلس «كورنلياس فادچ»، وزير السحر. كان «فادچ» رجلاً بدينًا يرتدى دومًا قبعة ليمونية خضراء، لكنه اليوم استغنى عنها.. كما

استغنى ـ أيضًا ـ عن الابتسامة المتسامحة التى ارتسمت على وجهه يومًا وهو يتحدث إلى «هارى». وإلى يسار «فادچ» جلست ساحرة عريضة الجسد، مربعة الفكين، وشعرها الرمادى قصير جدًا.. كانت ترتدى نظارة على عين واحدة، وملامحها شديدة القسوة. وإلى يمين «فادچ» جلست ساحرة أخرى، لكنها كانت مسترخية فى جلستها على المقعد، لدرجة أن وجهها كان مختفيًا فى الظلام.

قال «فادچ»: «رائع.. مع حضور المتهم.. أخيرًا.. دعونا نبدأ» ثم نادى على شخص ما جالس بالأسفل تحت المنصة: «جاهز؟».

قال صوت يعرفه «هارى» جيدًا: «أجل يا سيدى». كان «بيرسى» شقيق «رون» جالسًا عند الطرف البعيد من الصف الأمامى للمنصة. نظر «هارى» نحوه، متوقعًا علامات الترحيب، لكن لم يصدر عنه أى شىء من هذا القبيل. كانت عينا «بيرسى»، المختفيتان خلف عوينات، مثبتة على لفافات الورق، وريشة كتابة فى يده.

قال «فادچ» بصوت رنان و«بيرسى» يكتب من خلفه: «جلسة محاكمة الثانى عشر من أغسطس التأديبية بشأن مخالفة قانون حظر استعمال السحر على السحرة تحت السن القانونية، وقانون سرية السحرة الكونفدرالى الدولى، من جانب المتهم هارى چيمس بوتر، المقيم فى المنزل رقم (٤) بشارع بريفت درايف، ليتل وينجنج، بسوراى».

«المستجوبون هم: كورنلياس أوزولد فادچ وزير السحر.. أميليا سوزان بونز مديرة مصلحة الداخلية السحرية.. دولوريس جان أمبريدچ وكيل أول وزارة السحر.. وكاتب المحكمة بيرسى إجناتيوس ويسلى..».

«وحاضر كشاهد دفاع عن المتهم: ألبوس برسيفال ولفريك بريان دمبلدور» جاء الصوت الأخير الهادئ من خلف «هارى»، الذى أدار رأسه بسرعة صدر معها صوت طقطقة عن رقبته.

تقدم «دمبلدور» عبر القاعة مرتديًا عباءته الزرقاء بلون الليل، وعلى وجهه هدوء شديد. أخذ شعره ولحيته الطويلان والفضيان يلمعان مع انعكاس أضواء المشاعل عليهما، وهو يقترب من «هارى» وينظر إلى «فادچ» من خلف نظارته هلالية الشكل، التى استقرت على أنفه الطويل.

أخذ أعضاء مجلس «الويزنجاموت» يغمغمون. وعيونهم مركزة على «دمبلدور». بدا بعضهم منزعجًا، وبعضهم خائف، لكن ساحرتين من الجالسات فى الصف الأخير من المنصة لوحتا بأيديهما بترحاب.

تصاعدت دفقة قوية من المشاعر فى صدر «هارى» مع رؤياه لـ«دمبلدور».. شعور بالأمل يشبه شعوره عندما تغنى العنقاء. أراد النظر إلى عينى «دمبلدور»، لكن الأخير لم ينظر نحوه.. أخذ يحدق فى «فادچ» الذى ظهر عليه ـ بوضوح ـ الارتباك.

قال «فادچ» بقلق بالغ: «آه.. دمبلدور.. أجل أجل.. آ..آ..هل.. هل وصلتك رسالتنا بتغيير موعد ومكان انعقاد الجلسة إذن؟».

قال «دمبلدور» بإشراق: «يبدو أنها لم تصلنى بعد.. لكن ـ والفضل لمصادفة ما ـ ورب مصادفة خير من ألف ميعاد ـ وصلت إلى الوزارة قبل ثلاث ساعات من الموعد المقرر مسبقًا للمحاكمة.. إذن فكما ترى فكل شىء على ما يرام».

«آه نحن بحاجة لمقعد آخر.. آ..ويسلى.. من فضلك..».

قال «دمبلدور» بحبور: «لا تقلق ولا تحتار»، ثم شهر عصاه السحرية، وبتلويحة خفيفة منها تجسد فى الهواء مقعد مريح بجوار «هارى». جلس عليه «دمبلدور»، وشبك أطراف أصابع يديه، وأخذ ينظر لـ «فادچ» باهتمام مهذب. استمر أعضاء مجلس «الويزنجاموت» فى الهمهمة بلا توقف.. فقط عندما تحدث «فادچ» ثانية هدأوا تمامًا.

قال وهو يقلب فى أوراقه: «أه.. نعم.. أقصد.. آه.. التهم هى.. أجل».

أخرج ورقة من بين كومة أوراق أمامه، وتنهد، ثم أخذ يقرأ ما بها: «التهم الموجهة للمتهم هى كما يلى:

قام المتهم ـ فى كامل قواه العقلية، وعن عمد ووعى تام بأفعاله، وبالرغم من تلقيه إنذارًا مكتوبًا من وزارة السحر استجابة لتهمة سابقة مماثلة ـ بأداء تعويذة البتروناس فى منطقة يسكنها العامة، وفى وجود أحد العامة، يوم الثانى من أغسطس، فى الساعة التاسعة وثلاث وعشرين دقيقة، وهى التهمة التى تعاقب عليها الفقرة ج، من قانون حظر استعمال السحر على السحرة تحت السن القانونية لسنة ١٨٧٥، وكذا المادة ١٣ من قانون سرية السحرة الكونفدرالى الدولى».

أنهى «فادچ» كلامه بسؤال «هارى»: «هل أنت هارى چيمس بوتر، المقيم بالمنزل رقم (٤) بشارع بريفت درايف، ليتل وينج، بسوراى؟» وهو يحدق فيه من فوق لفافات ورقه.

قال «هارى»: «أجل».

«وهل تلقيت إنذارًا رسميًا من الوزارة إثر استعمالك للسحر غير القانونى منذ ثلاث سنوات؟».

«أجل، لكن..».

«وبالرغم من هذا قمت بأداء تعويذة البتروناس ليلة الثانى من أغسطس؟».

«أجل، لكن..».

«وتعرف أنه ليس مصرحًا لك باستعمال السحر خارج أسوار المدرسة طالما أنت تحت سن السابعة عشرة».

«أجل، لكن..».

«وتعرف أنك كنت وقتها فى منطقة مليئة بالعامة؟».

«أجل، لكن..».

«وتعى أنك كنت بالقرب من أحد العامة فى ذلك الحين؟».

قال «هارى» بغضب: «أجل.. لكننى أديت التعويذة فقط لأننا كنا..».

قاطعته الساحرة ذات النظارة الأحادية العدسة بصوت مدوٍّ قائلة: «هل أديت تعويذة بتروناس كاملة؟».

قال «هارى»: «أجل؛ لأن..».

«تعويذة بتروناس متجسدة؟».

قال «هارى»: «تعويذة ماذا؟».

«هل كان البتروناس الذى صنعته له شكل محدد؟ أعنى هل كان أكثر من مجرد بخار أو دخان؟».

قال «هارى» وهو يشعر بنفاد الصبر وبقليل من الإحباط: «أجل.. كان أيلاً.. دائمًا ما يكون أيلاً».

صاحت السيدة «بونز»: «دائمًا؟ هل أديت تعويذة البتروناس من قبل؟».

قال «هارى»: «أجل.. أنا أؤديها منذ ما يزيد عن العام».

«وهل عمرك خمسة عشر عامًا؟».

«أجل، و..».

«هل تعلمتها فى المدرسة؟».

«أجل. علمنى أن أؤديها الأستاذ لوبين فى عامى الدراسى الثالث؛ بسبب الـ..».

قالت السيدة «بونز» وهى تحدق فيه: «شىء مذهل.. تعويذة بترونـاس فى هذه السن! شىء مدهش بالتأكيد».

عاود بعض السحرة والساحرات الهمهمة من حولها، وأومأ بعضهم موافقًا، لكن بعضهم الآخر عبسوا وأخذوا يهزون رءوسهم.

قال «فادچ»: «المسألة ليست مسألة مدى قوة السحر الذى أداه.. فى الواقع، كلما كان قويًا، كان العقاب أقسى، بجانب أداء السحر أمام عينى أحد العامة».

أخذ العابثون فى الغمغمة موافقين، لكن رؤية «هارى» لإيماءة «بيرسى» الناقدة، هى ما دفعته للكلام.

قال بصوت مرتفع قبل أن يتمكن أحد من مقاطعته ثانية: «أديت التعويذة بسبب (الديمنتورات)».

توقع المزيد من الغمغمة، لكن سكونًا عميقًا حل على الجميع، وبصورة أكثر كثافة وأشد وطأة مما سبق.

قالت السيدة «بونز» بعد لحظة: «ديمنتورات؟» وحاجباها الثقيلان يرتفعان حتى بدا أن عويناتها ستقع.. ثم أضافت: «ماذا تعنى يا ولد؟».

«أعنى كان هناك (ديمنتوران) فى ذلك الزقاق وهاجمانى أنا وابن خالتى».

قال «فادچ» ثانية وعلى وجهه نظرة ظافرة وهو ينظر حوله إلى أعضاء «الويزنجاموت» كأنه يدعوهم لمشاركته المزحة: «آها.. أجل أجل.. كنت أتوقع سماع شىء من هذا القبيل».

قالت السيدة «بونز» بنبرة اندهاش بالغ: «(ديمنتورات) فى ليتل وينتج؟ لا أفهم الـ..».

قال «فادچ» بسخرية: «حقًا يا أميليا؟ دعينى أشرح لك الموضوع. لقد أخذ يفكر فى مخرج، وتوصل إلى قرار بأن يقدم لنا حكاية (الديمنتورات) لنصدقها ونعفيه، فالعامة لا يرون (الديمنتورات)، أليس كذلك يا ولد؟ يالها من قصة مقنعة.. إذن فلا توجد غير كلمتك، ولا يوجد شهود ولا..».

قال «هارى» بصوت مرتفع اندلع على أثره موجة غمغمة احتجاجية أخرى فى القاعة: «أنا لا أكذب.. كان هناك اثنان منهم، جاءا نحوى من جانبى الزقاق، وأظلم كل شىء، وشعرت ببرودة رهيبة، وشعر ابن خالتى بالخطر وحاول الهرب و..».

قال «فادج»: «كفى.. كفى» ونظرة متكبرة على وجهه، وأكمل: «يؤسفنى مقاطعة ما أنا واثق أنه قصة محفوظة عن ظهر قلب لـ..».

سعل «دمبلدور» فحل السكون على مجلس «الويزنجاموت» ثانية.

قال: «فى الواقع معنا شاهدة على تواجد (ديمنتورين) فى ذلك الزقاق.. وأعنى شاهدة غير ددلى دورسلى».

بدا وجه «فادج» المنتفخ كأنه يفرغ من الهواء. حدق فى «دمبلدور» للحظة، ثم وكأنه يستجمع أفكاره قال: «ليس لدينا وقت لسماع ترهات يا دمبلدور. أريد التعامل مع الموضوع بسرعة و..».

قال «دمبلدور» بلطف: «قد أكون مخطئًا، لكننى واثق من أنه ـ وعلى أساس إعلان الويزنجاموت لحقوق السحرة والساحرات ـ فمن حق المتهم تقديم الشهود تعضيدًا لقضيته أو قضيتها. أليست هذه هى سياسة مصلحة الداخلية السحرية يا سيدة بونز؟» أضاف السؤال الأخير مخاطبًا الساحرة ذات العوينات أحادية العدسة.

قالت السيدة «بونز»: «بلى.. بالضبط».

قال «فادج» بعصبية: «آه.. حسنًا، حسنًا.. وأين هذه الشاهدة؟».

قال «دمبلدور»: «جاءت معى، وهى بالخارج. هل تسمح لها بالد..؟».

قال «فادج»: «لا».. ثم صاح فى «بيرسى» قائلاً: «ويسلى، اذهب أنت» فانطلق بحماس، وأخذ يجرى على أرضية القاعة الصخرية، من أسفل منصة القضاة، وعبر إلى جوار «دمبلدور»، و«هارى» دون أن ينظر إليهما.

بعد لحظة عاد، تتبعه السيدة «فيج». بدت خائفة وأكثر شبهًا بالوطاويط من أى وقت مضى. تمنى «هارى» لو كانت قد غيرت حذاءها ذا الصوت الرنان.

وقف «دمبلدور» وأعطى السيدة «فيج» مقعده، ثم أحضر لنفسه مقعدًا آخر بنفس طريقة إحضاره الأول.

قال «فادج» بصوت مرتفع: «الاسم بالكامل؟» والسيدة «فيج» جالسة على طرف مقعدها بارتباك شديد.

قالت بصوت مرتجف: «آرابيلا دورين فيج».

قال السيد «فادج» بصوت ملول متكبر: «وماذا تكونين بالضبط؟».

قالت السيدة «فيج»: «أنا أسكن فى ليتل وينجنج، بالقرب من مكان إقامة هارى بوتر».

قالت السيدة «بونز» فورًا: «ليس فى سجلاتنا أية ساحرة أو ساحر يعيشون فى ليتل وينجنج، بخلاف هارى بوتر.. أخذًا فى الاعتبار أن المكان مراقب دومًا عن قرب، منذ، منذ.. الأحداث التى وقعت سابقًا».

قالت السيدة «فيج»: «أنا مساعدة ساحرة؛ لذا فلن تجدونى فى السجلات.. أليس كذلك؟».

قال «فادچ» وهو يفحصها بنظره بارتياب: «مساعدة؟ هه؟ سنتأكد من قولك هذا. ولتتركى تفاصيل عن أبويك وأسرتك لمساعدى ويسلى. لكن هل يمكن للمساعدات رؤية (الديمنتورات)؟» أضاف السؤال الأخير ناظرًا إلى يساره ويمينه بطول المنصة.

قالت السيدة «فيج» بكبرياء: «أجل.. يمكننا رؤيتها».

عاود «فادچ» النظر إليها وحاجبه مرفوع، وقال غير مبدٍ أى اهتمام: «حسنًا.. ما هى قصتك؟».

قالت السيدة «فيج» فورًا وكأنها تحفظ ما ستقوله عن ظهر قلب: «خرجت لشراء طعام للقطط من عند البقالة الواقعة فى ركن وستريا ووك، حوالى الساعة التاسعة، مساء الثانى من أغسطس.. عندما سمعت جلبة قادمة من الزقاق الواقع بين ماجنوليا كريسنت، ووستريا ووك. ومع اقترابى من أول الزقاق رأيت (ديمنتورين) يجريان».

قالت السيدة «بونز» بحدة: «تجرى ـ (الديمنتورات) لا تجرى، إنها تسرى فوق الأرض».

قالت السيدة «فيج» بسرعة وبقع من اللون الوردى قد بدأت تظهر على وجنتيها الذابلتين: «هذا ما أقصده.. تسرى فوق أرض الزقاق متجهة نحو ما بدا لى كولدين».

قالت السيدة «بونز» مضيقة ما بين عينيها حتى اختفى حد العوينات تمامًا فى ثنايا جلدها: «ماذا كان شكلهما؟».

«كان أحدهما بدينًا جدًّا، والآخر نحيفًا..».

قالت السيدة «بونز» بصبر نافد: «لا لا.. أعنى ماذا كان شكل (الديمنتورين)؟ لتصفيهما لنا!».

قالت السيدة «فيج» واللون الوردى يزحف إلى رقبتها: «كانا كبيرين، كبيرين ويرتديان العباءات».

أحس «هارى» بإحساس مقبض فى صدره. أيًا كان ما تقوله السيدة «فيج» فقد بدا له على الأكثر وصفًا لصورة (ديمنتور)، والصورة لا تنقل أبدًا حقيقة هذه المخلوقات.. الطريقة المخيفة التى تتحرك بها، والسريان فوق سطح الأرض على ارتفاع بضع بوصات، أو الرائحة العفنة المنبعثة منهم، أو الأصوات المفزعة التى تصدر عنها، وتجمد الهواء من حولها..

فى الصف الثانى، انحنى ساحر ذو شارب أسود كبير إلى الأمام وهمس فى أذن جارته، وهى ساحرة ذات شعر أشعث؛ فابتسمت ابتسامة ساخرة وأومأت برأسها.

كررت السيدة «بونز» ببرود: «كبيرة وترتدى العباءات». بينما قال «فادچ» باستهزاء: «واضح.. هل ستضيفين شيئًا آخر؟».

قالت السيدة «فيج»: «أجل.. شعرت بهما. صار كل شىء من حولى باردًا، وكانت تلك أكثر ليالى الصيف دفئًا كما تعرفون.. وشعرت، شعرت كأن السعادة تنسحب من العالم.. وأتذكر.. أتذكر أشياء رهيبة..».

ارتجف صوتها ثم سكتت تمامًا.

اتسعت عينا السيدة «بونز» قليلاً. رأى «هارى» بقعًا حمراء تحت حاجبها، حيث انغرس طرف العوينات.

سألت: «وماذا فعل الديمنتوران؟» فأحس «هارى» بموجة من الأمل.

قالت السيدة «فيج» وصوتها أقوى وأكثر ثقة، وقد تراجع الاحمرار عن وجهها: «اقتربا من الولدين.. أحد الولدين سقط أرضًا. والآخر تراجع، محاولاً صد (الديمنتور). كان هذا هو هارى. حاول مرتين لكن لم يخرج من عصاه السحرية سوى بخار فضى واهن. وفى المحاولة الثالثة صدر عن طرف عصاه السحرية بتروناس هاجم (الديمنتور) الأول، ثم وبعد أن تشجع، طارد الثانى، مبعدًا إياه عن ابن خالته. وهذا.. هذا ما حدث..».

نظرت السيدة «بونز» إلى السيدة «فيج» فى صمت. لم ينظر إليها «فادچ» بالمرة، وأخذ يعبث فى أوراقه. أخيرًا رفع عينيه وقال بطريقة عدوانية: «هل هذا ما رأيتيه؟».

كررت السيدة «فيج»: «هذا ما حدث».

قال «فادچ»: «حسنًا.. يمكنك الخروج».

ألقت السيدة «فيج» بنظرة خائفة على «فادچ» ثم «دمبلدور»، ونهضت مهرولة تجاه الباب.

سمعه «هـارى» يوصد من خلفها.

قـال «فـادچ»: «ليست بـالشـاهدة المقنعة».

قـالت السيـدة «بـونـز» بصـوتـهـا الجـهورى: «لا أعرف.. لقد وصفت تـأثير (الديمنتورات) عندما تهاجم بـالضبط. ولا أعرف لماذا قد تكذب وتقول: إنـهـا رأتهم فى حين أنها لم ترهم».

قـال «فـادچ» بحدة: «لكن هل تتجول (الديمنتورات) فى ضواحى العامة وتقابل ساحرًا بالمصادفة؟ يالها من قصة غريبة. حتى باجمان ما كان ليصدقها».

قـال «دمبلدور» متـأدبًـا: «آه.. لا أعتقد أن أيًا منا يحسب أن (الديمنتورات) كانت هناك بـالمصادفة».

تحركت السـاحـرة الجالسـة إلى يمين «فـادچ» قـليـلاً لـلأمـام، لكن وجـهـهـا الغارق فى الظلال ظل خفيًا.. فى حين ظل البـاقون صامتين تمامًا.

سأل «فادچ» ببرود شديد: «وما معنى هذا؟».

قـال «دمبلدور»: «معناه اعتقادى بـأنها قد أُمرت بالذهاب إلى هنـاك».

صـاح «فـادچ» قـائـلاً: «أظن أنـه سيصلنـا خبر لو أمر أحدهم زوجًا من (الديمنتورات) بـالخروج للمشى فى ليتل وينـنج».

قـال «دمبلدور» بهدوء: «ليس إذا كانت (الديمنتورات) قد تلقت أوامر من شخص لـيس فـى وزارة السحـر هـذه الأيـام.. لـقـد أعـلـمـتك بـآرائـى فـى هـذا الموضوع بـالفعل يا كورنلياس».

قـال «فادچ» بقوة: «أجل فعلت.. وليس عندى سبب لتصديق أن آراءك تتعدى كونها هراء يا دمبلدور. (الديمنتورات) مقيمة فى أزكابـان، وتفعل كل ما تؤمر به».

قـال «دمبلدور» بهدوء لكن بوضوح: «إذن.. لا بد أن نسأل أنفسنا لماذا قد يطلب شخص ما من داخل الوزارة من زوج من (الديمنتورات) الذهاب إلى ذلك الزقاق فى الثانى من أغسطس».

وأثناء الصمت التام الذى لاقته هذه الكلمات، انحنت الساحرة الجالسة إلى يمين «فادچ» للأمام حتى رآها «هـارى» للمرة الأولى.

حسب أنه رأى ضفدعًا كبيرًا شاحبًا. كانت تشبه الضفدع بوجهها المتغضن العريض، ورقبتها الصغيرة كرقبة الخال «فرنون»، وفمها شديد الاتساع. كـانت عيـنـاهـا كـبيرتين، ومستـديرتين، وجـاحظتين. حتى عقدة شعرهـا

المخملية السوداء على قمة شعرها القصير المجعد، فأعطته الانطباع بأنها ضفدع على وشك الانقضاض على ذبابة كبيرة بلسانها الطويل اللزج.

قال «فادج»: «نقدم لعدالة المحكمة دولوريس جان أمبريدج، وكيل أول وزارة السحر».

تكلمت الساحرة بصوت حاد النبرة، مرتفع، كأنه صوت بنت صغيرة، مما أصاب «هارى» بالدهشة، حيث كان يتوقع صوتًا أجشًّا.

قالت بابتسامة صفراء جعلت عينيها تبدوان أكثر برودًا مما سبق: «أنا واثقة من سوء فهمى لك يا أستاذ دمبلدور.. ويالغبائى. لكننى حسبتك، وللحظة عابرة، تقول: إن الوزارة قد أمرت بشن هجوم على هذا الولد!».

ضحكت ضحكة لاذعة البرودة جعلت الشعر على مؤخرة رقبة «هارى» ينتصب. ضحك معها بعض أعضاء «الويزنجاموت». وبدا واضحًا أن أيهم لم يكن أبدًا مسرورًا بما قالته.

قال «دمبلدور» بدماثة خلق: «إن كانت (الديمنتورات) حقًّا لا تأخذ أوامرها سوى من وزارة السحر، وإن كان حقًّا أن زوجًا منها قد هاجم هارى وابن خالته الأسبوع الماضى، فإن التفسير المنطقى هو أن شخصًا ما داخل الوزارة قد أمر بشن هذه الهجمة.. وبالطبع ربما تكون بعض (الديمنتورات) خارج نطاق نفوذ الوزارة..».

قاطعه «فادج» قائلاً بحدة ووجهه بلون الطوب الأحمر: «لا يوجد (ديمنتورات) خارج نطاق نفوذ الوزارة».

أحنى «دمبلدور» رأسه قليلاً فى إيماءة مهذبة، وقال: «إذن فلا شك أن الوزارة تقوم بإجراء تحقيق شامل فى مسألة تواجد زوج من (الديمنتورات) بعيدًا عن أزكابان، وستحاول معرفة سبب هجومها دون تصريح».

قال «فادج» بحدة، ووجهه محتقن بلون ينافس أصعب حالات غضب الخال «فرنون»: «ليس من حقك تقرير ما تفعله ومالا تفعله وزارة السحر يا دمبلدور!».

قال «دمبلدور» باتزان: «بالطبع ليس من حقى.. كنت فقط أعبر عن كامل ثقتى فى أن الموضوع لن يمر بدون تحقيق».

نظر نحو السيدة «بونز»، التى عدلت من وضع عويناتها وبادلته النظر، مقطبة الجبين قليلاً.

قال «فادچ»: «أود تذكير الجميع بأن سلوك (الديمنتورات) ـ إن لم يكن حتى مجرد أضغاث أحلام هذا الولد ـ ليس موضوع المحاكمة.. نحن هنا للتحقيق فى مخالفة هارى بوتر لقانون حظر استعمال السحر على السحرة تحت السن القانونية».

قال «دمبلدور»: «بالطبع.. لكن وجود (الديمنتورات) فى ذلك الزقاق شديد الارتباط بموضوع المحاكمة. والفقرة السابعة من القانون ذكرت أن من حق الساحر أداء السحر أمام العامة فى ظروف معينة، وينص القانون على أن هذه الظروف المعينة تتضمن المواقف المهددة لحياة الساحر أو الساحرة نفسه أو نفسها، أو المهددة لحياة السحرة والساحرات، أو العامة المتواجدين فى موقع الـ..».

قال «فادچ» بحدة بالغة: «نحن نعرف الفقرة السابعة جيدًا.. شكرًا لك».

قال «دمبلدور» بأدب: «بالطبع تعرفونها.. إذن فنحن متفقون على أن استخدام هارى لتعويذة البتروناس فى تلك الظروف يعتبر استخدامًا شرعيًّا للسحر بموجب هذه الفقرة من القانون؟».

«هذا لو كان هناك بالفعل (ديمنتورات) فى الموضوع، وهو ما أشك فيه».

قاطعه «دمبلدور»: «لكنك سمعت بنفسك الشاهدة تؤكد هذا.. إن كنت لاتزال تشك فى صدقها فاستدعها وسلها ثانية.. أنا واثق من أنها لن تمانع».

تعثر «فادچ» فى الكلام وهو يعبث بالأوراق أمامه: «آ..هذا.. لا.. المسألة.. أريد الانتهاء من الموضوع اليوم يا دمبلدور».

قال «دمبلدور»: «لكنك طبعًا لن تمانع فى سماع الشاهدة، إن كان البديل هو ظلمًا بيِّنًا يقع على المتهم».

قال «فادچ» بأعلى صوته: «أتقول ظلمًا بيِّنًا؟ هه.. هل سألت نفسك أبدًا عن كمّ الحكايات الخرافية السخيفة التى اخترعها هذا الولد يا دمبلدور؟ بينما أنت تحاول التغطية على أخطائه واستخدامه للسحر فى المدرسة؟ أفترض أنك قد سمعت بأدائه تعويذة الطفو منذ ثلاثة أعوام..».

قال «هارى»: «لم يكن أنا من فعلها.. كان قزمًا منزليًّا».

زأر «فادچ» قائلاً: «هل رأيت؟» مشيرًا باتجاه «هارى»، وأكمل: «قزم منزلى! فى بيت من بيوت العامة؟ أرأيت؟».

قال «دمبلدور»: «القزم المنزلى المعنى يعمل موظفًا فى مدرسة هوجورتس.. ويمكننى استدعاؤه فورًا ليقدم شهادته إن شئت».

صاح «فادج»: «آ.. لا.. ليس لدى الوقت لسماع الأقزام المنزلية! وهذا ليس الـ.. أعنى.. بحق السماء لقد نفخ قريبته باستخدام السحر» وضرب بقبضته على منصة القضاة فسقطت قنينة حبر.

قال «دمبلدور» بهدوء و«فادج» يحاول إزالة الحبر عن أوراقه: «وأنت بكَرمٍ بالغ منك لم تتهمه بأية تهم وقتها، قابلاً - على ما أعتقد - فكرة أن أفضل السحرة لا يمكنهم دومًا التحكم فى مشاعرهم».

«ولم أبدأ بعد فى الحديث عما يفعله بالمدرسة».

قال «دمبلدور» بخلقه المعهود، لكن بشىء من البرود خلف كلماته: «لكن الوزارة ليس لديها سلطة معاقبة تلاميذ هوجورتس على أخطائهم بالمدرسة، وسلوك هارى داخلها ليس متعلقًا بهذه المحاكمة».

قال «فادج»: «هاه؟ ليس من شأننا ما يفعله بالمدرسة؟ أتظن هذا حقًا؟».

قال «دمبلدور»: «ليس للوزارة سلطة فصل تلاميذ هوجورتس يا كورنلياس، كما ذكرتك ليلة الثانى من أغسطس.. وليس لها الحق فى مصادرة العصى السحرية حتى تثبت التهمة على المتهمين.. كما ذكرتك ليلة الثانى من أغسطس. وأثناء تسرعك الشديد على ضمان إقامة العدل يبدو أنك - ومن دون قصد - قد نسيت بعض الأشياء».

قال «فادج» بوقاحة: «يمكن تغيير القوانين».

قال «دمبلدور» وهو يومئ برأسه: «بالطبع يمكن تغييرها.. وأنت بالطبع قد قمت بالعديد من التغييرات يا كورنلياس. فمثلاً منذ خروجى من مجلس الويزنجاموت أمسى من الطبيعى عقد محاكمات جنائية على أمور بسيطة لا تستحق الاهتمام، مثل مناقشة موضوع أداء السحر من جانب ساحر تحت السن القانونية!».

تحرك بعض السحرة فى مقاعدهم بقلق. تحول لون وجه «فادج» إلى درجة أكثر احمرارًا، لكن الساحرة الشبيهة بالضفدع إلى يمناه أخذت تحدق فى «دمبلدور»، ووجهها خالٍ من أى تعبير.

أكمل «دمبلدور» كلامه قائلاً: «على حد علمى، لا يوجد قانون بعد يجيز معاقبة هارى على كل انتهاك صغير لقانون حظر استعمال السحر على السحرة تحت السن القانونية قام به فى حياته. لقد تم اتهامه بتهمة محددة، وأنا حاضر للدفاع عنه بشأنها، وكل ما علىّ أنا وهو الآن هو انتظار حكمكم».

عاود «دمبلدور» تشبيك أطراف أصابعه ثانية ولم ينطق بالمزيد. حدق فيه «فادچ» بغضب. نظر «هارى» إلى «دمبلدور» نظرة مختلسة؛ بحثًا عن إحساس بالأمان. لم يعد واثقًا من صحة ما قاله لمجلس «الويزنجاموت»، فيما يتعلق بانتظارهما لقرار. لكن مرة أخرى هرب «دمبلدور» من عينى «هارى». استمر فى النظر إلى المنصة التى يشغلها أعضاء «الويزنجاموت»، الذين انهمكوا فى نقاشات هامسة حادة.

نظر «هارى» إلى قدميه. أخذ قلبه يدق بقوة، وقد بدا كأنه قد تضخم إلى حجم غير طبيعى، مختلجًا بين ضلوعه. توقع أن تستمر جلسة المحاكمة أكثر من هذا. لم يكن واثقًا من كونه قد ترك انطباعًا جيدًا أم لا، فهو لم يقل الكثير. كان عليه شرح موقفه باستفاضة أكثر عن (الديمنتورات)، وكيف سقط، وكيف كاد أحدهما يقبل «ددلى»..

نظر مرتين إلى «فادچ» وفَغَر فاه ليتحدث، لكن قلبه المتضخم منع مرور الهواء إلى حلقه، حتى إنه عاود النظر بعمق إلى حذائه.

ثم توقف الهمس. أراد «هارى» النظر إلى القضاة، لكنه وجد أن من الأسهل بكثير فحص رباط فردتى حذائه.

قالت السيدة «بونز» بصوتها المدوى: «من يرى إسقاط جميع التهم عن المتهم فليرفع يده».

ارتفع رأس «هارى» لأعلى. كان هناك أيدٍ فى الهواء، الكثير منها.. أكثر من النصف! وهو يتنفس بسرعة حاول أن يحصيها، لكن قبل أن ينتهى قالت السيدة «بونز»: «ومن يرى إدانة المتهم؟».

رفع «فادچ» يده، وكذا فعل ستة سحرة وساحرات آخرون، منهم الساحرة إلى يمين الساحر كث الشارب، والساحرة ذات الشعر الأشعث الجالسة فى الصف الثانى.

نظر «فادچ» حوله، وكأن حلقه مسدود بشىء ما، ثم أنزل يده. أخذ نفسين عميقين وقال بصوت شوهه الغضب: «حسنًا.. حسنًا.. أسقطنا جميع التهم».

قال «دمبلدور» بانتعاش: «ممتاز» ثم هب على قدميه، وشهر عصاه السحرية ليخفى المقعدين.. «رائع. لا بد من أن أغادر فورًا. أتمنى لكم جميعًا يومًا سعيدًا».

ودون أن ينظر إلى «هارى» مرة واحدة، غادر قاعة المحكمة.

٩ أحـزان السيدة ويسـلى

أصاب خروج «دمبلدور» المفاجئ «هارى» بدهشة كبيرة. ظل جالسًا على المقعد؛ بحثًا عن التوازن بين مشاعر الصدمة والارتياح. نهض أعضاء «الويزنجاموت»، وأخذوا يتحدثون، ويجمعون أوراقهم، ويخرجون. نهض «هارى». بدا أن أحدًا لم يعره انتباهًا، إلا الساحرة الشبيهة بالضفدع الجالسة إلى يمين «فادچ»، والتى أخذت تحدق فيه بدلاً من تحديقها فى «دمبلدور» وهو يتجاهلها، حاول ملاقاة «فادچ»، أو السيدة «بونز»؛ رغبة فى سؤالهما إن كان يمكنه الخروج، لكن «فادچ» كان مصرًّا على تجاهله، وكانت السيدة «بونز» مشغولة فى حقيبتها؛ لذا فقد أخذ عدة خطوات حذرة نحو باب الخروج، وعندما لم يناده أحد، أخذ يسير فى خطوات سريعة واسعة.

خطا آخر خطواته عدوًا، ثم فتح الباب وكاد يصطدم بالسيد «ويسلى»، الذى كان واقفًا إلى اليمين بالخارج، ووجهه شاحب وعليه علامات القلق.

«لم يقل دمبلدور أى..».

قال «هارى»: «أُسقطت عنى جميع التهم!» وهو يوصد الباب خلفه.

قبض السيد «ويسلى» على كتفىّ «هارى» وعلى وجهه نظرة مشرقة.

«هارى.. هذه أخبار مدهشة! طبعًا.. ما كانوا ليجدونك مذنبًا أبدًا، ليس فى وجود دليل، لكن، لا يمكن.. لم أكن...».

لكن السيد «ويسلى» كف عن حديثه المرتبك؛ لأن باب القاعة انفتح ثانية، وأخذ أعضاء مجلس «الويزنجاموت» فى الخروج تباعًا.

قال السيد «ويسلى» متعجبًا وهو يجذب «هارى» إلى الجانب مفسحًا لهم طريقًا للخروج: «بحق لحية مرلين! لقد تمت محاكمتك فى وجود مجلس قضاة كامل».

قال «هارى» بهدوء: «أظن هذا».

أومأ بعض السحرة لـ «هارى» فى تحية مقتضبة وهم يخرجون، ومنهم السيدة «بونز» التى قالت: «صباح الخير يا أرثر» للسيد «ويسلى»، لكن

معظمهم حولوا عيونهم بعيداً، وكان آخر من غادر القاعة «كورنلياس فادچ» والساحرة الشبيهة بالضفدع. تصرف «فادچ» كأن السيد «ويسلى» و«هارى» جزء من الحائط. لكن مرة أخرى، نظرت الساحرة نحو «هارى» وهى تمر بجانبه. وآخر من خرج كان «بيرسى». ومثل «فادچ»، فقد تجاهل أباه و«هارى» تماماً.. وسار وفى يده لفة كبيرة من الورق، وبعض ريشات الكتابة، وظهره متصلب وأنفه فى الهواء. رأى «هارى» التجاعيد حول فم السيد «ويسلى» تضطرب.

قال وهو يدفع بـ «هارى» للأمام بعد أن اختفى «بيرسى» تماماً من الممر: «سأعود بك مباشرة إلى البيت؛ لنخبر الآخرين بالأخبار السارة.. سأوصلك إلى البيت وأنا فى طريقى إلى ذلك المرحاض فى بيثنال جرين. هيا معى..».

سأله «هارى» مبتسماً: «إذن، كيف ستتعامل مع موضوع المراحيض هذا؟» وقد بدا فجأة أن كل شىء يقابله أكثر طرافة خمسة أضعاف عن حاله الطبيعى. وبدأ فى فهم ما حدث: لقد أخلى طرفه، إنه برىء، وسيعود إلى مدرسة «هوجورتس».

قال السيد «ويسلى» وهما يصعدان السلم: «المسألة بسيطة، سأستخدم تعويذة مضادة للتقيؤ. لكن الموضوع ليس موضوع علاج الضرر، ما يهمنى هو معرفة سبب هذا السلوك التخريبى يا هارى. قد يرى بعض السحرة أن الاستهزاء بالعامة طريف، لكنه تعبير عن شىء أكثر عمقاً وأشد شراً، وبالنسبة لى...».

قطع السيد «ويسلى» جملته فجأة. كانا قد وصلا إلى ممر الطابق التاسع، و«كورنلياس فادچ» واقف على مسافة بعض الأقدام منهما، وهو يتحدث إلى رجل طويل القامة ذى شعر أشقر ناعم ووجه شاحب حاد.

التفت الرجل الآخر مع سماعه لصوت أقدامهما. هو الآخر صمت فجأة أثناء حديثه، وضاقت عيناه الرماديتان الباردتان وهو يثبتهما على «هارى».

قال «لوكياس مالفوى» ببرود: «يا سلام يا سلام.. بوتر ذو البتروناس».

شعر «هارى» بصدمة شبيهة بحاله عندما يصطدم فجأة بشىء صلب. لم ير هاتين العينين منذ رآهما من خلف قناع أكلة الموت، وآخر مرة سمع فيها هذا الصوت كان فى المقابر المظلمة واللورد «ڤولدمورت» يعذبه. لم يصدق «هارى» أن «لوكياس مالفوى» قد جرؤ على مخاطبته وجهاً لوجه.. لم يصدق أنه هنا، فى وزارة السحر، أو أن «كورنلياس فادچ» يتحدث إليه، بينما أخبر هو «فادچ» منذ بضعة أسابيع أن «مالفوى» من أكلة الموت.

قال السيد «مالفوى» بصوت أجش: «كان سيادة الوزير يخبرنى لتوه بشأن إفلاتك من العدالة يا بوتر.. يا للطريقة المدهشة التى تنجح بها فى الهروب من المآزق كل مرة.. مراوغ كالثعابين!».

أمسك السيد «ويسلى» بكتف «هارى» محذرًا إياه من أى تصرف أحمق.

قال «هارى»: «أجل.. فعلاً، أنا أجيد الهروب».

رفع «لوكياس مالفوى» عينيه إلى وجه السيد «ويسلى».

«وأرثر ويسلى أيضًا! ماذا تفعل هنا يا أرثر؟».

قال السيد «ويسلى»: «أنا أعمل هنا».

قال السيد «مالفوى» وهو يرفع حاجبيه وينظر نحو الباب من خلف كتف السيد «ويسلى»: «ليس هنا طبعًا.. حسبتك تعمل فى الطابق الثانى.. ألم تهو سرقة أدوات العامة وسحرها فى بيتك؟».

قال السيد «ويسلى» بحدة وأصابعه مغروسة فى كتف «هارى»: «لا».

سأل «هارى» «لوكياس مالفوى»: «ماذا تفعل أنت هنا؟».

قال «مالفوى» وهو يضبط ثنايا عباءته: «لا أظن أن الأمور الخاصة التى أناقشها مع وزير السحر تعنيك يا بوتر». سمع «هارى» وهو يداعب ثنايا ثوبه ما يشبه رنين جيب ملىء بالذهب.. أضاف: «أجل.. فقط لأنك فتى دمبلدور؟ لا تتوقع منا نفس التسيب.. هلا ذهبنا إلى مكتبك يا سيادة الوزير؟».

قال «فادچ» وهو يدير ظهره للسيد «ويسلى» و«هارى»: «من هنا يا لوكياس» سارا معًا وهما يتحدثان بصوت منخفض. لم يترك السيد «ويسلى» كتف «هارى» حتى اختفيا فى المصعد.

سأله «هارى» بفضول شديد: «لماذا لم ينتظر أمام مكتب فادچ إن كان يناقش معه أمورًا خاصة؟ ما الذى جعله ينزل إلى هنا؟».

قال السيد «ويسلى» وعلى وجهه علامات امتعاض شديد: «فى رأيى، يحاول التسلل إلى قاعة المحاكمة» ثم وهو ينظر من فوق كتفه كأنه يريد التأكد من عدم تنصت أحد: «يحاول معرفة إن كنت قد فُصلت أم لا. سأترك رسالة لدمبلدور فى البيت وأنا أوصلك، فعليه أن يعرف بكلام مالفوى مع فادچ للمرة الثانية».

«وما الأمور الخاصة بينهما فى رأيك؟».

قال السيد «ويسلى» بغضب: «الذهب على ما أعتقد.. منذ سنوات ومالفوى

يمنح الهدايا بسخاء؛ فيصل من خلالها إلى من يحققون له مصالحه، ثم يسأل خدمات مقابل الهدايا، ويؤخر مشروعات القوانين التى لا يريدها أن تصدر، إن له صلات قوية بذوى النفوذ».

وصل المصعد، وكان خاليًا فيما عدا سرب من المذكرات الداخلية التى أخذت ترفرف حول رأس السيد «ويسلى»، وهو يضغط زر قاعة الاستقبال، وانغلقت الأبواب. أخذ يبعدها عنه بيده فى عصبية.

قال «هارى» ببطء: «سيد ويسلى.. إن كان فادج يقابل أكلة الموت من أمثال مالفوى وحده، فكيف نعرف إن كانوا أصابوه بلعنة الأمبرياس أم لا؟».

قال السيد «ويسلى» بهدوء: «فكرنا فى هذا قبلك يا هارى.. لكن دمبلدور يرى أن فادج يتصرف بناء على إرادته الحرة.. وكما يقول دمبلدور، فهو ليس بالأمر السار. والأفضل ألا نتحدث فى هذا الموضوع الآن يا هارى».

انفتحت الأبواب، ومشيا إلى قاعة الاستقبال شبه الخالية. كان «إريك» الحارس مختبئًا خلف جريدة «دايلى بروفيت».. سارا مباشرة بجوار النافورة الذهبية، قبل أن يتذكر «هارى».

قال السيد «ويسلى»: «انتظر» وهو يخرج كيس نقوده من جيبه، ثم يتلفت إلى النافورة.

نظر إلى وجه الساحر الوسيم، لكن بالقرب منه شعر «هارى» بأنه ضعيف وغبى. كانت على وجه تمثال الساحرة ابتسامة مشرقة كأنها فى مسابقة ملكات جمال، ومما يعرفه «هارى» عن الجان، و«القناطير»، لم يكن من المتوقع رؤيتهما ينظران بدفء إلى أى بشر من أى نوع. فقط سلوك القزم المنزلى الخدمى بدا واقعيًا على وجه تمثال القزم المنزلى. وبابتسامة تذكر ما كانت ستقوله «هيرميون» لو رأت تمثال القزم المنزلى، قلب «هارى» كيس نقوده؛ ليفرغ محتواه كله فى البركة، وليس فقط عشرة «جاليونات».

**

صاح «رون» وهو يلكم بيده الهواء: «كنت أعرف! أنت دائم الهروب من المشكلات المشابهة».

قالت «هيرميون» وقد بدا عليها أنها ستفقد الوعى من القلق عندما دخل

«هارى» إلى المطبخ: «كان عليهم إخلاء ساحتك.. لا توجد قضية قوية ضدك منذ البداية، ولا أى سبب لمحاكمتك».

قال «هارى» مبتسمًا: «لكن بالرغم من هذا فالجميع يشعرون بالراحة بعد قلق طويل، وأنت تقولين إن هذا كان متوقعًا!».

كانت السيدة «ويسلى» تنتحب، وقد أخفت وجهها فى مئزرها، بينما «فريد» و«چورچ» و«چينى» يتقافزون فى رقصة أشبه برقصة الهنود الحمر، وهم مقدمون على حرب، ويغنون بنفس طريقتهم القوية وهم يرقصون: «هارى برىء يا رجال.. هارى برىء يا رجال..».

صاح السيد «ويسلى»: «كفاكم» وإن كان هو الآخر يبتسم.. «اسمع يا سيرياس.. كان لوكياس مالفوى فى الوزارة..».

قال «سيرياس» بحدة: «ماذا؟».

«هارى برىء يا رجال.. هارى برىء يا رجال..».

«اصمتوا أنتم الثلاثة! أجل، رأيناه يتحدث إلى فادچ فى الطابق التاسع، ثم ذهبا إلى مكتب الأخير معًا. يجب أن يعرف دمبلدور».

قال «سيرياس»: «بالطبع.. سنخبره، فلا تقلق».

«طيب.. من الأفضل أن أذهب، هناك مرحاض متقيئ ينتظرنى فى بيثنال جرين. مولى، سأتأخر، سأتولى عمل تونكس الليلة، لكن كنجسلى قد يحضر على العشاء..».

«هارى برىء يا رجال.. هارى برىء يا رجال..».

قالت السيدة «ويسلى» والسيد «ويسلى» يغادر المطبخ: «كفى يا أولاد.. هارى يا عزيزى، تعال واجلس، ولتأكل طعامك، فأنت لم تأكل جيدًا على الإفطار».

جلس «رون» و«هيرميون» فى مواجهته، وعلى وجهيهما علامات السعادة، حتى أكثر من سعادتهما بعودة «هارى» إليهما، وشعر «هارى» براحة مضطربة، سببها رؤيته لـ«لوكياس مالفوى». بدا المنزل المظلم أكثر دفئًا وترحيبًا فجأة.. حتى «كريتشر» بدا أقل قبحًا وهو يدخل بأنفه الطويل إلى المطبخ بحثًا عن مصدر كل هذه الجلبة.

قال «رون» بسعادة وهو يلقى بأكوام هائلة من البطاطس المهروسة فى أطباق الجميع: «بالطبع، حالما ظهر دمبلدور لم يقدر أحد على إدانتك».

قال «هارى»: «أجل، لقد ساعدنى كثيرًا». ولم يذكر عبارة ودَّ إضافتها، عندما أحس أنها طفولية، وهى: «أتمنى لو كان قد تحدث معى، فهو لم ينظر نحوى حتى».

وهو يفكر فى هذا آلمته ندبة جبينه بشدة، حتى إنه اضطر إلى وضع يده عليها.

قالت «هيرميون» باديًا عليها القلق: «ما الأمر؟».

غمغم «هارى» قائلاً: «إنها الندبة.. لكن لا تخافى، فهذا يحدث طوال الوقت..».

لم يلحظ أى من الآخرين أى شىء.. كانوا جميعًا يأكلون بحبور فرحة بنجاة «هارى».. لم يكف كل من «فريد»، و«چورچ»، و«چينى» عن الغناء. بدت «هيرميون» قلقة جدًا، لكن قبل أن تقول أى شىء قال «رون» بسعادة: «أراهن أن دمبلدور سيأتى الليلة؛ ليحتفل معنا».

قالت السيدة «ويسلى» وهى تضع طبقًا هائلاً من الدجاج المحمر أمام «هارى»: «لا أعتقد أنه سيقدر على الحضور يا رون.. فلديه الكثير من العمل».

« **هارى برىء يا رجال.. هارى برىء يا رجال..** ».

صاحت السيدة «ويسلى»: « **اصمتوا!** ».

***

لم يقدر «هارى» طوال الأيام القليلة التالية على تفادى التفكير فى أن هناك شخصًا واحدًا بالمنزل ليس سعيدًا بعودته إلى «هوجورتس». تصنع «سيرياس» السعادة عندما سمع أخبار المحاكمة، وصافح «هارى» بفرحة مثل الآخرين. لكن وبسرعة بات أكثر عبوسًا وحزنًا عن ذى قبل، وأصبح كلامه أقل، حتى مع «هارى»، ويقضى وقتًا طويلاً فى حجرة أمه مع «باكبيك».

قالت «هيرميون» بجدية بعد أن أفضى «هارى» ببعض مشاعره إليها هى و«رون»، وهم ينظفون خزانة متسخة بالطابق الثالث بعد ثلاثة أيام: «لا تدع الشعور بالذنب يحاصرك.. أنت تنتمى إلى هوجورتس وسيرياس يعرف هذا.. عن نفسى أراه يتصرف بأنانية».

قال «رون» مقطبًا جبينه وهو يزيل بقعة من الوسخ التصقت بأصبعه: «لا تكونى قاسية يا هيرميون، فأنت ما كنت لتحبين الانعزال فى هذا البيت دون أية صحبة».

قالت «هيرميون»: «لكن معه صحبة.. إنه مقر جماعة العنقاء، أليس كذلك؟ لكنه يتمنى أن يبقى هارى ويعيش معه هنا».

قال «هاري» وهو ينفض ملابسه: «لا أرى ما تقولينه حقيقيًا.. كان ليجيبني إجابة مباشرة عندما طلبت منه العيش هنا».

قالت «هيرميون» بحكمة: «لم يرغب في تضخيم آماله.. كما أنه على الأرجح يشعر بالذنب؛ فجزء منه كان يتمنى أن يفصلوك من المدرسة؛ لتصبحا هاربين مبعدين عن المجتمع مع أحدكما الآخر».

قال «هاري» و«رون» معًا: «لا تبالغي»، لكنها هزت كتفها معترضة.

«كما تشاءان. لكني أحيانًا أرى والدة رون محقة لقلقها من كون سيرياس أباك الروحي يا هاري».

قال «هاري» بعصبية: «إذن فأنت ترين أن عقله ممسوس؟».

قالت «هيرميون» ببساطة: «لا.. فقط هو معزول وحده منذ فترة طويلة».

عندها دخلت السيدة «ويسلي» الحجرة من خلفهم.

قالت وهي تدفع برأسها إلى داخل الخزانة: «ألم تنتهوا بعد؟».

قال «رون» بمرار: «حسبتك ستأتين لتخبرينا بأن الإفطار جاهز.. هل تعرفين كمّ القذارة التي تخلصنا منها منذ جئنا هنا؟».

قالت السيدة «ويسلي»: «كنتم حريصين جدًا على مساعدة الجماعة.. يمكنكم الآن إنهاك أنفسكم في تنظيف مقر الجماعة».

قال «رون» متذمرًا: «أشعر بأنني قزم منزلي».

قالت «هيرميون»: «رائع، والآن وقد عرفت شكل حياة الأقزام المساكين، فربما تود زيادة مجهودك ونشاطك في (إس. بي. إي. دبليو)» ثم والسيدة «ويسلي» تغادرهم أضافت: «أتعرف؟ لن تكون فكرة سيئة إن جعلنا الناس يرون كمّ المعاناة والجهد المبذولين في التنظيف طوال الوقت.. أرى أن نرعى حفل تنظيف جماعيًا لحجرة الطلبة ببرج جريفندور؛ بهدف إثارة الوعي بمعاناة الأقزام، وكذا الحصول على تمويل لأنشطتنا».

غمغم رون بامتعاض: «أفضل أن أكون الراعي الرسمي لكفك عن الكلام عن (إس. بي. إي. دبليو)» لكن لم يسمعه غير «هاري».

***

وجد «هاري» نفسه يحلم أحلام اليقظة عن «هوجورتس» أكثر وأكثر مع اقتراب الإجازة من نهايتها.. لم يصبر على انتظار العودة إلى «هاجريد»

ثانية، ولعب «الكويدتش»، والتعثر فى النباتات الغريبة بالصوبات الزجاجية، وقت حصة «علم الأعشاب».. يا لها من متعة، مجرد مغادرة هذا البيت المترب الكئيب، حيث تجد نصف الخزانات موصدة و«كريتشر» يلقى بالإهانات من بين الظلال وأنت تمر بجانبه. لكن «هارى» كان حريصًا على ألا يذكر أيًا من هذا بالقرب من «سيرياس».

الحقيقة أن العيش فى مقر حركة مناهضة لـ «ڤولدمورت» لم يكن مثيرًا أو جميلاً كما توقع «هارى». رغم حضور الكثير من أعضاء جماعة العنقاء، ويبقون لتناول الطعام، وفى بعض الأحيان لا يبقون سوى دقائق قليلة، متبادلين همسات قليلة، وتحرص السيدة «ويسلى» وقتها على أن يكون «هارى» والآخرون بعيدين عن مرمى السمع ـ سواء بالآذان الممتدة أو الطبيعية ـ ولم يكن أحد ولا حتى «سيرياس» يشعر بأن «هارى» يحتاج لمعرفة أكثر مما عرفه ليلة حضوره إلى البيت.

وفى اليوم الأخير من الإجازة كان «هارى» يزيل فضلات بومته «هدويج» من فوق الخزانة، عندما دخل «رون» حجرتهما حاملاً خطابين.

قال وهو يلقى بأحدهما نحو «هارى»، الذى كان واقفًا على مقعد: «وصلت قوائم الكتب المطلوبة للعام الدراسى الجديد.. فى وقتها المناسب، ظننتهم نسوا إرسالها، فهم فى العادة يرسلونها قبل هذا بكثير..».

مسح «هارى» آخر الفضلات وألقاها فى كيس القمامة، ثم ألقى بها من فوق رأس «رون» لتستقر داخل سلة القمامة فى ركن الحجرة، والتى ابتلعت الكيس وتجشأت بصوت مسموع. فض رسالته.. كان بها لفافتان من الورق؛ واحدة تذكره بالحضور فى الأول من سبتمبر، والثانية تخبره بالكتب المطلوب شراؤها للعام الدراسى القادم.

أخذ يقرأ: «لا يوجد سوى كتابين جديدين هما (كتاب التعاويذ المدرسى، الصف الخامس) تأليف «ميراندا جوشاوك»، و(نظرية السحر الدفاعى) تأليف «ويلبرت لينكهارد».

كراك.

تجسد كل من «فريد»، و«چورچ» بجانب «هارى». كان قد تعود على تجسدهما السحرى المتكرر حتى إنه لم يسقط عن مقعده بسبب المفاجأة.

قال «فريد» بلهجة الراغب فى النقاش: كنت أنا و«چورچ» نتحدث منذ قليل ونتساءل عمن أضاف كتاب «لينكهارد».

قال «چورچ»: «لأن هذا يعنى أن دمبلدور وجد مُدرسًا لمادة السحر الأسود»[1]. فأضاف «فريد»: «وفى الوقت المناسب».

سأل «هارى» ناهضًا عن مقعده: «ماذا تعنى؟».

قال «فريد» لـ «هارى»: «الواقع، سمعنا أمى وأبى بالآذان الممتدة يتحدثان منذ بضعة أسابيع.. وطبقًا لما قالاه، فإن دمبلدور يواجه صعوبة فى العثور على مدرس لهذه المادة هذا العام».

قال «چورچ»: «هذا متوقع، مع ما حدث لآخر أربعة أساتذة يتولون تدريس المادة».

قال «هارى» وهو يحصيهم على أصابعه: «أحدهم ذهب عقله، والآخر مات، والثالث فقد الذاكرة، والأخير حُبس فى حقيبة الملابس لمدة تسعة أشهر.. أجل، أفهم ما تقصد».

سأل «فريد»: «ماذا تفعل يا رون؟».

لم يجبه «رون». نظر «هارى» حوله. كان «رون» واقفًا جامدًا فى مكانه، وفمه مفتوح، وهو يحدق فى رسالته القادمة من «هوجورتس».

قال «فريد» بنفاد صبر وهو يدور حول «رون»؛ ليرى المكتوب بالورقة من فوق كتفه: «ما الأمر؟»، وانفتح فم «فريد» فى ذهول مماثل.

قال محدقًا بلا تصديق فى الرسالة: «رائد الفصل؟! رائد الفصل؟!».

قفز «چورچ» للأمام، وقبض على الرسالة الأخرى من يد «رون» الأخرى، وقلبها رأسًا على عقب. رأى «هارى» شيئًا أحمر ذهبيًّا يسقط إلى راحة يد «چورچ».

قال «فريد» وهو يختطف الرسالة من يد «رون» ويرفعها لتواجه الضوء كأنه يتحقق من علامة مائية على عملة نقدية: «بالتأكيد فى الأمر خطأ ما.. لا أحد عاقل بما فيه الكفاية يُنصِّب رون رائدًا للفصل».

قال «چورچ» بنبرة هامسة كمن ألمت به مصيبة: «لا يمكن!».

---

(١) يقول «چورچ» مادة السحر الأسود على سبيل الاختصار؛ لأن اسم المادة طويل، وهو: الدفاع عن النفس ضد السحر الأسود. (المترجم).

دار رأسا التوأمين فى وقت واحد وحدقا فى «هارى».

قال «فريد» بنبرة كأن «هارى» قد خدعهما: «حسبناك المرشح الأول للمنصب».

قال «چورچ» كأنه قد تلقى إهانة: «حسبنا دمبلدور سيختارك».

قال «فريد»: «بعد أن فزت بجائزة مسابقة السحر الثلاثية وبعد كل ما فعلته».

قال «چورچ» لـ«فريد»: «لابد أن المشاكل التى تسبب فيها لم تكن فى صالحه».

قال «فريد» ببطء: «أجل. فعلاً.. فقد تسببت فى الكثير من المشكلات يا صاحبى. على الأقل واحد منكما نفع نفسه وفعل الصواب».

سار بجوار «هارى» وربت على كتفه بتقدير، ثم ألقى نظرة محتقرة على «رون» وهو يقول: «رائد الفصل؟ (رونى الصغنونة) رائد الفصل؟».

قال «چورچ» متألماً، وهو يلقى بشارة رائد الفصل إلى «رون» كأنها ستلوثه: «ياه.. ستفرح أمى كثيرًا».

أخذ «رون» الشارة دون أن ينطق بكلمة، وحدق فيها للحظة، ثم رفعها لـ«هارى» كأنه يسأله بلا كلام أن يؤكد له حقيقة ما يحدث. أخذها «هارى». كان عليها حرف «P»[1] كبيرًا مرسومًا فوق شعار أسد «جريفندور». رأى شارة مثل هذه من قبل على صدر «بيرسى»، فى يومه الأول بمدرسة «هوجورتس».

انفتح الباب ودخلت «هيرميون» إلى الحجرة، ووجنتها محمرة وشعرها يتطاير من خلفها. كان هناك رسالة فى يدها.

«هل... هل وصلك الـ...؟».

لمحت الشارة فى يد «هارى» فصاحت صيحة فرحة.

قالت بحماس وهى تلوح برسالتها: «كنت أعرف.. أنا أيضًا يا هارى، أنا أيضًا».

قال «هارى» بسرعة، وهو يدفع بالشارة إلى يد «رون»: «لا.. إنها شارة رون، ليست شارتى».

«إنها ماذا؟!».

قال «هارى»: «رون هو رائد الفصل، ولست أنا!».

قالت «هيرميون» بدهشة: «رون؟! لكن.. هل أنت واثق من... أعنى هل...».

صار لون وجهها أحمر، و«رون» يلتفت إليها وعلى وجهه أمارات التحدى.

قال: «إن اسمى هو المكتوب فى الرسالة».

---

(١) حرف P اللاتينى اختصارًا للفظ: Prefect، بمعنى رائد الفصل (المترجم).

قالت «هيرميون» بارتباك: «أنا... أنا... آ... رائع يا رون.. أحسنت فعلاً».
قال «رون» وهو يومئ برأسه: «غير متوقع؟».
قالت «هيرميون» ووجهها أحمر أكثر مما سبق: «لا.. لا أقصد هذا.. لقد قام رون بالكثير من... إنه حقا...».
انفتح الباب أكثر من خلفهما، ودخلت السيدة «ويسلى» إلى الحجرة ومعها عباءات مدرسية مغسولة ونظيفة.
قالت وهى تنظر حولها إلى كل الرسائل التى معهم، وهى تتقدم إلى الفراش وتبدأ فى صف العباءات فى صفين: «چينى تقول إن قوائم أسماء الكتب قد وصلت أخيرًا.. إن أعطيتمونى القوائم سأحضرها لكم من زقاق دياجون عصر اليوم بينما تحزمون أنتم حقائبكم. رون، سأحضر لك المزيد من المنامات، فقد زاد طولك ست بوصات على الأقل، لا أصدق السرعة التى تنمو بها.. ما اللون الذى تريده؟».
قال «چورچ» بسخرية: «أحضرى له منامات باللون الأحمر والذهبى لتليق على شارته».
قالت السيدة «ويسلى» بذهن شارد وهى تكوم بعض الجوارب البنية وتضعها فوق كومة ملابس «رون»: «تليق على ماذا؟».
قال «فريد» بنبرة من يبغى الانتهاء من المسألة سريعًا: «شارته.. فمعه شارة رائد فصل جميلة ولامعة».
فكرت السيدة «ويسلى» قليلاً فى كلمات «فريد»، حتى وصل إليها المعنى وسط انشغالها بالمنامات.
«شار... لكن... رون، هل أنت فعلاً...؟».
رفع «رون» شارته.
أطلقت السيدة «ويسلى» صيحة مماثلة لصيحة «هيرميون»:
«لا أصدق! لا أصدق! ياه... يا رون، ياللروعة! رائد الفصل! هذا يعنى أن كل من بالأسرة...».
قال «چورچ» بكبرياء وشمم، وأمه تدفعه جانبًا وتحيط بيدها رقبة أخيه الأصغر: «وماذا نكون أنا وفريد؟ جيرانكم؟!».
«انتظر حتى يعرف أبوك يا رون! أنا فخورة بك جدًّا، يالها من أخبار مدهشة، قد تصبح الطالب الأول، تمامًا مثل بيل، وبيرسى، كونك رائدًا للفصل هو الخطوة الأولى! آه يا لسعادتى وسط كل هذا القلق، أنا سعيدة يا رون».

كان كل من «فريد»، و«چورچ» يصدران أصواتًا ساخرة من خلفها، لكنها لم تعرهما انتباهًا.. وذراعها ممدودة حول عنق «رون»، أخذت تقبله فى وجهه، الذى صار أكثر احمرارًا من شارته.

غمغم محاولاً الفكاك منها: «أمى..لا.. أمى، تماسكى..»

تركته وقالت لاهثة: «حسنًا.. وماذا سأمنحك كجائزة؟ أعطيت بيرسى بومة، لكنك معك واحدة بالفعل».

قال «رون» وقد بدا كأنه لا يصدق أذنيه: «مـ...ماذا تعنين؟».

قالت السيدة «ويسلى» بحب: «يجب أن تحصل على مكافأة لما حصلت عليه من تقدير فى المدرسة.. ما رأيك فى عباءة مدرسية جديدة؟». ـ قال «فريد» بحسرة وبنبرة النادم على كرمه: «لقد أحضرنا له عباءات جديدة بالفعل» ـ «أو قدر سحرية جديدة.. قِدر تشارلى أصابها الصدأ، أو جرز جديد، لطالما أحببت سكابرس جرذك القديم..».

قال «رون» متطلعًا: «أمى.. هلا أحضرت لى مقشة سحرية جديدة؟».

انسحبت السعادة قليلاً عن وجه السيدة «ويسلى»؛ فالمقشات السحرية باهظة الثمن.

سارع «رون» بإضافة: «لا أريد مقشة ممتازة.. أريد... أريد فقط واحدة جديدة على سبيل التغيير..».

ترددت السيدة «ويسلى»، ثم ابتسمت:

«بالطبع سأحضرها لك.. فى الواقع علىّ الذهاب إن كنت سأشترى مقشة أيضًا. أراك لاحقًا يا صغيرى رونى يا رائد الفصل يا رافع رأس ماما! ولا تنس حزم حقائبك.. يا رائد الفصل.. ياه، يالسعادتى!».

قبلت «رون» قبلة أخرى على وجنته، وغادرت الحجرة وهى تكتم دموع الفرح.

تبادل كل من «فريد»، و«چورچ» النظرات.

قال «فريد» فى لهفة زائفة: «هل تمانع إن قبلتك أنا الآخر يا رون؟».

قال «چورچ»: «يمكننا الانحناء لجلالتك إن شئت».

قال «رون» بنبرة توبيخ: «اصمتا».

قال «فريد» وابتسامة شريرة ترتسم على وجهه: «وإلا ماذا؟ هل ستعاقبنا؟».

قال «چورچ» بضحكة مكبوتة: «لكَمْ أود رؤيته يحاول».

قالت «هيرميون» بغضب: «سيفعل إن لم تصمتا».

تفجرت ضحكات «فريد»، و«چورچ»، وغمغم «رون»: «تجاهليهما يا هيرميون».

قال «فريد» متظاهرًا بالارتجاف: «علينا الحذر يا چورچ، بعد أن تولى هذان الرقابة على تصرفاتنا بالمدرسة..».

قال «چورچ» وهو يهز رأسه: «أجل.. يبدو أن أيام مخالفة القواعد والقوانين قد ولت»، وبصوت فرقعة آخر اختفى التوأمان.

قالت «هيرميون» بغضب وهى تحدق فى السقف، الذى سمعوا من خلاله «فريد» و«چورچ» يضحكان بأعلى صوت فى الحجرة العلوية: «لا تعرهما انتباهًا يا رون، إنهما غيوران».

قال «رون» بريبة، ناظرًا إلى السقف هو الآخر: «لا أظن.. دائمًا يقولان إن الحمقى فقط هم من يصيرون روادًا للفصول»، ثم أضاف بنبرة أكثر سرورًا: «لكن لن يحصلا على مقشات جديدة! أتمنى الذهاب مع أمى والاختيار بنفسى.. لن تقدر أبدًا على شراء مقشة موديل نيمباس، لكن هناك موديل كلين - سويب جديد، سيكون رائعًا لو أحضرتها لى! الأفضل أن أذهب وأطلب منها إحضار الكلين - سويب، حتى تعرف..».

غادر الحجرة بسرعة، تاركًا «هارى» و«هيرميون» خلفه.

لسبب ما وجد «هارى» نفسه لا يريد النظر إلى «هيرميون». التفت ليواجه فراشه، والتقط كومة العباءات النظيفة التى وضعتها السيدة «ويسلى» عليه، وعبر الحجرة إلى حقيبته. قالت «هيرميون» بحذر: «هارى؟».

قال «هارى» بصدق، من إفراطه بدا صوته مختلفًا، وهو لا ينظر إليها: «أحسنت يا هيرميون.. ممتاز.. رائدة الفصل.. شىء مفرح فعلاً».

قالت «هيرميون»: «شكرًا.. آ.. هارى.. هل يمكننى استعارة هدويج حتى أخبر أمى وأبى؟ سيسرهم هذا الخبر كثيرًا.. أعنى أن رائد الفصل شىء يفهمانه وسط تفاصيل حياتنا السحرية التى لا يعرفانها».

قال «هارى» بصوته المبتهج الغريب الذى شعر أنه ليس صوته: «أجل، تفضلى.. خذيها».

مال على حقيبته، وألقى بالعباءات فى قاعها، ثم تظاهر بالبحث عن شىء ما، بينما عبرت «هيرميون» الحجرة إلى الخزانة ونادت على «هدويج» حتى تنزل. بعد مرور لحظات سمع «هارى» الباب ينفتح، لكنه ظل منحنيًا على

الحقيبة كما هو، وأنصت.. الصوت الوحيد الذى وصله كان صوت اللوحة المعلقة على الحائط وهى تضحك ضحكات مكتومة، وسلة القمامة فى ركن الحجرة وهى تتجشأ بعد التهام فضلات البومة.

استقام فى وقفته، ونظر خلفه. كانت «هيرميون» قد غادرت، واختفت «هدويج». هرول «هارى» بطول الحجرة، وأغلق الباب، ثم عاد ببطء إلى فراشه وغاص فيه محدقًا بعيون لا ترى فى أرجل الخزانة.

نسى تمامًا أن رواد الفصول يتم اختيارهم فى الصف الخامس. كان قلقه الشديد بشأن احتمال فصله من المدرسة قد غطى تمامًا على تفكيره فى أن الشارات ستأخذ طريقها إلى بعض التلاميذ. لكنه لو تذكر الموضوع كان سيفكر فيه.. إن كان فكر فيه.. ماذا كان يتوقع؟

طبعًا لا تتوقع هذا.. جاءه صوت واهن وصادق من داخل رأسه.

قلب «هارى» وجهه واحتضنه بين يديه. لا يمكنه الكذب على نفسه.. لو كان يعرف أن شارات رواد الفصول فى طريقها إلى تلاميذ بعينهم، كان سيتوقع أن تأتيه واحدة، وليس «رون». هل هذا يجعله مغرورًا مثل «دراكو مالفوى»؟ هل يرى نفسه أفضل من الآخرين أجمعين؟ هل فعلاً يرى نفسه أفضل من رون؟

قال له صوته الداخلى بلهجة قاطعة: *لا*.

تساءل «هارى» مقلبًا فى مشاعره المضطربة: هل هذه هى الحقيقة؟

أنا أفضل منه فى «الكويدتش»، لكن ليس فى أى شىء آخر.

هذا حق.. لم يكن أفضل من «رون» فى المواد الدراسية، لكن ماذا عنهما خارج الفصل؟ ماذا عن المغامرات التى خاضها مع «رون»، و«هيرميون» منذ بداية التحاقهم بـ«هوجورتس»، وفى العادة مخاطرتهم معًا بالفصل من المدرسة.

فى الواقع كان «رون» و«هيرميون» معى طوال الوقت.

ليس طوال الوقت يا «هارى». لم يقاتلا «كويرل» معى. لم يحلا الألغاز، ولم يقابلا الأفعى العملاقة[1]، ولم يتخلصا من (الديمنتورات) الكثيرة التى جاءت

(١) قاتل «هارى» الأفعى العملاقة: Basilisk فى الجزء الثانى: «هارى بوتر وحجرة الأسرار».. وهى ملكة الأفاعى، وتعيش مئات السنوات ومن ينظر إلى عينيها طويلاً يهلك. (المترجم).

ليلة هروب «سيرياس»، ولم يدخلا المقابر معى، ولا شهدا ليلة عودة «ڤولدمورت»..

عاوده إحساسه بالمعاملة السيئة، والذى كان يشعر به ليلة حضر للمرة الأولى إلى البيت. لقد فعلتُ بالطبع أكثر منهما.. فعلت أكثر مما فعلا مجتمعين!

ربما، وربما يختار «دمبلدور» رواد الفصول ممن لا يتورطون فى مغامرات ومشكلات.. ربما يختارهم على أسس أخرى.. لابد أن «رون» لديه شىء ليس لديك..

فتح «هارى» عينيه، وحدق من خلال أصابعه فى أرجل الخزانة، متذكرًا ما قاله «فريد»: « لا أحد عاقل بما فيه الكفاية ينصب رون رائدًا للفصل..».

ضحك «هارى» ضحكة قصيرة. وبعد لحظة شعر بالغثيان والضيق من نفسه.

لم يطلب «رون» من «دمبلدور» منحه شارة رائد الفصل. لم يكن هذا خطأ «رون». وهل سيغضب هو ـ «هارى» ـ أفضل أصدقاء «رون» بسبب شارة؟ ويضحك مع التوأمين من خلف ظهره؟ ويفسد فرحته بعد أن تفوق على «هارى» للمرة الأولى فى شىء ما؟

لحظتها سمع صوت خطوات «رون» وهو يقترب صاعدًا السلم. وقف، وعدل من وضع عويناته، ورسم ابتسامة على وجهه، والأخير يلج من الباب.

قال بسعادة: «لحقت بها! لحقت بها، وقالت إنها ستحضر لى مقشة الكلين ـ سويب إن استطاعت».

قال «هارى»: «ممتاز». وقد استراح لسماع صوته بعد أن عاد لطبيعته.. «اسمع يا رون.. ما حصلت عليه مدهش فعلاً».

تلاشت الابتسامة من على وجه «رون».

قال وهو يهز رأسه: «لم أتخيل أبدًا أن يختارونى أنا.. كنت أحسب أنك من سيصبح رائد الفصل».

قال «هارى» مقلدًا «چورچ»: «لا.. فقد تسببت فى الكثير من المشكلات».

قال «رون»: «أجل.. لكن أعتقد.. من الأفضل أن نسرع بحزم حقائبنا.. أليس كذلك؟».

بدا غريبًا كيف تناثرت أشياؤهما منذ وصلا إلى البيت. استغرقا فترة ما بعد الظهر فى حزم كتبهما وأغراضهما وجَمْعها من كافة أنحاء المنزل وحَشْرها فى الحقائب. لاحظ «هارى» أن «رون» يعدل وضع شارته بكثرة، أولاً يضعها بجانب

المائدة فى حجرتهما، ثم فى جيب بنطلونه «الجينز»، ثم يخرجها ويلقيها فوق عباءاته المطوية، كأنه يحاول رؤية كيف يتسق اللون الأحمر مع الأسود. عندما حضر «فريد»، و«چورچ» وعرضا عليه لصقها على جبينه بتعويذة الالتصاق الدائم، قام بوضعها بإهمال فى فردة جوربه البنية وأغلق عليها الحقيبة.

عادت السيدة «ويسلى» من زقاق «دياجون» حوالى الساعة السادسة مساءً، محملة بالكتب، ومعها لفافة كبيرة مربوطة بالورق البنى، أخذها منها باشتياق.

قالت: «لا تفضها الآن، فهناك ضيوف قادمون على العشاء، وأريدكم جميعًا بالأسفل معنا»، لكن لحظة أبعدت عينيها عن «رون» قام بتمزيق الورق بسرعة ليفحص كل بوصة من مقشته الجديدة، وعلى وجهه تعبير سعادة لا توصف.

وفى القبو قامت السيدة «ويسلى» بتعليق لافتة كبيرة فوق مائدة العشاء الثقيلة مكتوب عليها:

تهنئة قلبية حارة

لرون وهيرميون

رائدى الفصل الجديدين

بدت فى حالة مزاجية أفضل من حالها من أى وقت رآها فيه «هارى» فى أية إجازة سابقة.

قالت لـ«هارى»، و«رون»، و«هيرميون»: «قلت لنفسى لِمَ لا نقيم حفلاً صغيرًا، وليس مجرد عشاء عادى.. سيأتى أبوك ومعه بيل بعد قليل يا رون. أرسلت إليهما بومتين بالخبر وهما سعيدان للغاية». أضافت الجملة الأخيرة وابتسامة مشرقة مرتسمة على وجهها.

طرف «فريد» بعينيه بسخرية كأنه سيحلق من السعادة.

كان كل من «سيرياس»، و«لوبين»، و«تونكس»، و«كنجسلى شاكلبولت» قد حضروا بالفعل، ودخل «ماد آى مودى» بعد أن أحضر «هارى» لنفسه شرابًا.

قالت السيدة «ويسلى» بإشراق، بينما «ماد آى» يخلع معطفه: «ياه يا ألستور.. كم أنا سعيدة بحضورك.. نريد إخبارك منذ فترة بأمر المكتب فى حجرة الرسم، ونريد أن نعرف منك ما بداخله، فنحن لم نشأ فتحه، فقد يكون بداخله شىء خطير».

«ليست مشكلة يا مولى..».

دارت عين «مودى» الزرقاء لأعلى وحدقت بثبات عبر سقف المطبخ.

قال بصوته الأجش وحدقة عينه تضيق: «حجرة الرسم.. أجل.. المكتب فى الركن؟ آه.. أراه الآن.. إنه (عو).. هل تحبين أن أصعد وأتخلص منه يا مولى؟».

قالت السيدة «ويسلى» بلا اكتراث: «لا..المسألة لا تستحق. سأتخلص منه بنفسى فيما بعد.. واشرب أنت شرابك. نحن الليلة نحتفل احتفالاً صغيرًا»، ثم أضافت بحب وهى تشير إلى اللافتة الحمراء: «رابع رائد فصل فى الأسرة»، ثم داعبت شعر «رون».

قال «مودى» وعينه الطبيعية مثبتة على «رون» والأخرى تدور إلى جانب رأسه: «فعلاً؟ رائد الفصل؟» شعر «هارى» بالاضطراب لإحساسه بأن العين السحرية تنظر إليه، فتحرك مقتربًا من «سيرياس»، و«لوبين».

قال «مودى» وهو لا يزال يحدق فى «رون» بعينه الطبيعية: «رائع.. تهانئى.. وأعرف أن من يتولى المسئولية تطارده المشكلات. لكن من الواضح أن دمبلدور يثق فى قدرتك على الصمود أمام محاولات لعنك وإلقاء التعاويذ عليك، وإلا ما كان منحك هذا المنصب..».

بدا «رون» مفزوعًا عندما رأى هذا البعد الجديد من الموضوع، لكن أنقذه وصول أبيه وأخيه الأكبر. كان مزاج السيدة «ويسلى» معتدلاً جدًا، حتى أنها لم تعترض على إحضارهما لـ «مندنجس» معهما.. كان يرتدى معطفًا طويلاً غريب المظهر، ولم يخلعه بعد دخوله، ورفض عرضها بتعليقه إلى جوار معطف «مودى».

قال السيد «ويسلى» عندما شرب الجميع: «لنشرب نخبًا» وهو يرفع كأسه: «نخب رون وهيرميون، رائدى فصل جريفندور الجديدين».

حيا «رون»، و«هيرميون» الجميع وهما يشربان معهم.

قالت «تونكس» بإشراق من خلف «هارى» والجميع يتحركون نحو المائدة لتناول الطعام: «لم أكن أبدًا رائدة فصل». كان شعرها بلون الطماطم، ويصل إلى خصرها، فبدت أشبه بأخت كبرى لـ«چينى».. أضافت: «قال المعلم رئيس فرقتى: إنه يعوزنى بعض المزايا».

سألتها «چينى» التى كانت تغرف لنفسها بعض البطاطس: «مثل ماذا؟».

قالت «تونكس»: «مثل عدم القدرة على الحفاظ على تصرفاتى مهذبة».

ضحكت «چينى».. وبدا كأن «هيرميون» لا تعرف هل تبتسم أم لا، فتفادت الوصول إلى قرار بارتشافها رشفة كبيرة من شرابها، سعلت بعدها.

قالت «چينى» وهى تضرب «هيرميون» على ظهرها: «وماذا عنك يا سيرياس؟».

ضحك «سيرياس» الجالس إلى جوار «هارى» ضحكته القصيرة المعتادة، وقال: «ما كان أحد لينصبنى رائدًا للفصل أبدًا. كنت أقضى الكثير من الوقت فى الاحتجاز والعقاب مع چيمس.. وكان لوبين هو الولد المهذب بيننا، فأعطوه الشارة».

قال «لوبين»: «أعتقد أن دمبلدور تمنى أن أقدر على ممارسة بعض الرقابة على أصدقائى.. ولا حاجة بى للقول بأننى قد فشلت فشلاً ذريعًا فى تحقيق هدفه».

تحسن مزاج «هارى» على الفور. لم يكن أبوه رائدًا للفصل هو الآخر. فجأة بدا الحفل أفضل فى عينيه.. ملأ طبقه بالطعام، شاعرًا بالحب بصورة مضاعفة لكل الجالسين بالحجرة معه.

أخذ «رون» يثرثر عن مزايا مقشته الجديدة لكل من يعطيه أذنًا صاغية.

«.. تصل سرعتها إلى السبعين فى عشر ثوانٍ، ليست سيئة.. أليس كذلك؟ عندما تقارنها بالمقشة موديل كوميت ـ ٢٩ التى تصل إلى سرعة ستين فقط، هذا إن استطعت أن تؤرجحها كما ذكر كتاب (لا تتعب ولا تحتار.. أى المقشات تختار)».

كانت «هيرميون» تتحدث بحماس مع «لوبين» عن رأيها فى حقوق الأقزام المنزلية.

«أعنى أن التفرقة العنصرية ضد الأقزام المنزلية مماثلة للتفرقة العنصرية ضد المذءوبين.. أليس كذلك؟ المسألة كلها نابعة من أسلوب تفكير السحرة الخاطئ، وإحساسهم بدونية كل الأجناس المختلفة عنهم..».

دخلت السيدة «ويسلى» فى نقاشها المعتاد مع «بيل» بشأن شعره الطويل.

«.. لقد نما شعرك كثيرًا، وأنت وسيم به أو بدونه، لم لا تقصره قليلاً. ما رأيك يا هارى؟».

قال «هارى» وقد اضطرب قليلاً عند سؤاله عن رأيه: «هه؟ لا أعرف»، ابتعد قليلاً باتجاه «فريد»، و«چورچ»، اللذين كانا جالسين فى ركن قصى مع «مندنجس».

كف «مندنجس» عن الكلام عندما رأى «هارى»، لكن «فريد» غمز له وأشار لـ«هارى» أن يقترب.

قال لـ «مندنجس»: «لا تخف.. نحن نثق بهارى، إنه ممولنا المالى».

قال «چورچ» وهو يرفع يده ليراها «هارى»: «انظر ماذا أحضر لنا مندنجس؟» كانت يده مليئة بما يشبه شرانق سوداء، ومنها تنبعث جلبة، لكن بخلاف هذا كانت ساكنة تمامًا.

قال «چورچ»: «بذور تنتاكولا سامة.. نحن بحاجة إليها فى تركيبة (حلوى التزويغ)، لكنها من المواد الخطرة المحظور الاتجار فيها من الفئة (ج)؛ لذا فقد عانينا من بعض الصعوبات حتى أحضرناها».

قال «فريد»: «عشرة جاليونات كثير يا دانج».

قال «مندنجس» وعيناه المتعبتان الحمراوان أوسع من ذى قبل: «مع كل المتاعب التى مررت بها ليس مبلغًا كبيرًا بالمرة.. آسف يا أولاد، لكنى لن أرضى أقل من عشرة جاليونات بـ(نات) واحد».

قال «فريد» لـ«هارى»: «دانج يحب المزاح».

قال «چورچ»: «أجل.. وأفضل مزحاته كانت عندما طلب ستة سيكلات مقابل حقيبة من ريشات الكتابة المراوغة».

قال «هارى» محذرًا بهدوء: «احذرا».

قال «فريد»: «ماذا؟ أمى مشغولة بالتفاخر برائدنا الجديد رون، ونحن بخير».

أوضح لهما «هارى» مقصده قائلاً: «لكن مودى عينه عليكم».

قال «مندنجس»: «نقطة جيدة.. حسنًا يا أولاد، سآخذ عشرة جاليونات فقط، وأحضروها بسرعة».

قال «فريد» بسرور عندما أفرغ «مندنجس» جيوبه فى أيدى التوأمين الممدودة وهو يقف: «مرحى يا هارى.. من الأفضل أن نصعد بهذه الأشياء إلى أعلى».

راقبهما «هارى» وهما يمضيان، شاعرًا ببعض الاضطراب. خطر له أن السيد والسيدة «ويسلى» قد يحاولان معرفة مصدر تمويل «فريد»، و«چورچ»، وقتها سيعرفون بأمره. كان إعطاؤه جائزة مسابقة السحر الثلاثية شيئًا بسيطًا وقتها، لكن ماذا لو أدى إلى انشقاق آخر فى الأسرة مثل انشقاق «بيرسى»؟ هل سيبقى شعور السيدة «ويسلى» ثابتًا نحو «هارى» كابن لها إن عرفت بدوره فى امتهان «فريد» و«چورچ» لمهنة لا ترضى عنها ولا تراها مناسبة لهما بالمرة؟ وهو واقف فى المكان الذى كان يحتله التوأمان، ولا يشعر سوى بثقل إحساسه بالذنب يؤرق ضميره، سمع «هارى» اسمه. كان صوت «كنجسلى شاكلبولت» العميق مسموعًا حتى بالرغم من الجلبة التى تملأ الحجرة.

قال «كنجسلى»: «.. لماذا لم يختر دمبلدور بوتر رائدًا للفصل؟».

ردَّ عليه «لوبين»: «لديه أسبابه..».

قال «كنجسلى» بإصرار: «لكن كان هذا ليظهر ثقته به. لو كنت مكانه لاخترته رائدًا للفصل.. خاصة مع ما تذكره جريدة دايلى بروفيت كل بضعة أيام..».

لم يلتفت إليه «هارى».. لم يشأ أن يعرف «لوبين» و«كنجسلى» بما سمعه. ومع تزايد إحساسه بالجوع تبع «مندنجس» إلى المائدة ثانية. تبخرت فرحته بالحفل بسرعة كما جاءت بسرعة، وتمنى لو كان بالأعلى فى فراشه.

تشمم «ماد آى» ساق دجاجة بالجزء الباقى من أنفه، واتضح أنه لم يجد أى سم؛ لأنه مزق قطعة منها بأسنانه.

«.. المقبض مصنوع من خشب بلوط إسبانى، وهناك طلاء لامع ضد التعاويذ فى صندوق امتصاص الصدمات.. كان هذا «رون» يتحدث عن مقشته الجديدة إلى «تونكس».

تثاءبت السيدة «ويسلى» وقالت: «الأفضل أن أنتهى من هذا (العو) قبل أن أنام يا أرثر. لا أريد للأولاد أن يظلوا متيقظين إلى وقت متأخر، فهمت؟ تصبح على خير يا عزيزى هارى».

غادرت المطبخ. أبعد «هارى» طبقه عنه وتساءل: إن كان عليه أن يتبعها دون أن يجذب الانتباه.

قال «مودى»: «هل أنت بخير يا بوتر؟».

كذب عليه «هارى» قائلاً: «أجل، بخير».

أخذ «مودى» رشفة من كأسه، وعينه السحرية الزرقاء تنظر إلى «هارى».

من جيب عباءته الداخلى أخرج «مودى» صورة فوتوغرافية سحرية قديمة للغاية، وقال بصوته الأجش: «ها هى جماعة العنقاء الأصلية الأولى.. وجدتها ليلة أمس أثناء بحثى عن عباءة الاختفاء الإضافية التى أملكها، فبودمور لم يرجع إلىّ عباءتى الأساسية المفضلة لدىّ.. وظننت أنكم قد تودون رؤية هذه الصورة».

أخذ «هارى» الصورة. كان بها تجمع قليل من الناس، بعضهم يلوحون له، وبعضهم يعدلون من وضع عويناتهم وينظرون إليه.

قال «مودى» مشيرًا ـ بلا داعٍ ـ إلى نفسه فى الصورة: «هذا أنا» كان «مودى» فى الصورة لا يمكن أن تخطئه العين، بالرغم من أن شعره كان أكثر سوادًا، وأنفه سليم.. أضاف: «وها هو دمبلدور إلى جوارى، وديدالوس ديجل إلى الجانب الآخر. وتلك مارلين ماكينون، التى قتلت بعد أسبوعين من تاريخ التقاط هذه الصورة، كما تمكنوا من كل أفراد أسرتها.. هذان هما فرانك وأليس لونجبوتم..».

شعر «هارى» بالدهشة عند رؤيته لـ «أليس لونجبوتم»، وتعرف على وجهها الدائرى الودود، بالرغم من أنه لم يقابلها من قبل قط.. فهى صورة من ابنها «نيفيل».

أكمل «مودى»: «.. مسكينان.. كان الموت أفضل لهما مما ألمّ بهما.. وتلك إيميلين فانس، لقد قابلتها، وهذا لوبين كما ترى.. وهذا بينجى فنويك، الذى هاجموه، ولم نعثر سوى على بقايا قليلة من جسده»، ثم قال للواقفين فى الصورة: «تحركوا قليلاً إلى هذا الجانب»، فتحرك الواقفون بالصورة إلى الجانب الذى أشار إليه؛ ليظهر من كانوا مختفين فى خلفية الصورة، وعلى الجانب البعيد منها.

«..هذا إدجار بونز.. شقيق أميليا بونز.. نالوا منه هو وأسرته، كان ساحرًا عظيمًا.. وهذا ستورجيس بودمور، عليه اللعنة، يبدو شابًّا هنا.. وهذا كاداروك ديربورن، اختفى بعد ستة أشهر من التقاط الصورة، ولم نعثر على جسده أبدًا.. وهذا إلفياس دوج، وأنت قابلته.. نسيت أنه يرتدى تلك القبعة الغبية.. وهذا جديون بريفيت، قاتل هو وأخوه فابيان قتال الأبطال، ولم يقدر على قتله إلا خمسة أفراد من أكلة الموت.. تحركوا، تحركوا..».

تحرك الواقفون بالصورة فظهر من كانوا مختفين فى الطرف الأيمن منها.

«هذا شقيق دمبلدور، اسمه أبيرفورث، لم أقابله سوى وقت التقاط تلك الصورة، وهو شخص غريب الأطوار.. هذه هى دوركاس ميدوز، قتلها ڤولدمورت بنفسه.. وهذا سيرياس، عندما كان شعره لا يزال قصيرًا.. انظر هنا، سيعجبك رؤية هذين الشخصين!».

خفق قلب «هارى» بقوة. كان كل من أبيه وأمه يبتسمان نحوه، وهما جالسان إلى يسار ويمين رجل تعرف فيه «هارى» على «وورمتيل»، الذى خان أبويه، وأدلى بمعلومات عن مكانهما إلى ڤولدمورت وساعد على هلاكهما».

قال «مودى»: «ما رأيك؟».

نظر «هارى» إلى وجه «مودى» الملىء بالندوب. كان على الأرجح يشعر بأنه قد صنع معروفًا فى «هارى».

قال «هارى»: «أجل.. آ.. اسمع.. تذكرت فجأة أننى لم أضع فى حقائبى الـ..».

أغناه عن التفكير فى شىء ما لم يضعه فى حقيبته قول «سيرياس»: «ماذا معك يا ماد آى؟» فالتفت «مودى» إليه. عبر «هارى» المطبخ، وخرج من الباب، وطلع السلم قبل أن يناديه أحد.

لم يعرف لماذا شعر بهذه الصدمة.. فقد رأى صورًا لأبويه قبل ذلك، كما أنه قابل «וورمتيل».. لكن أن يتطلعا إليه هكذا دون توقع منه.. فكر بغضب أن لا أحد يحب هذا..

ثم كل تلك الصحبة السعيدة التى كانت معهما! بينجى فنويك الذى وجدوا بقايا من جسده، وجديون بريفيت الذى مات ميتة الأبطال، وآل لونجبوتم، اللذان تعرضا للتعذيب حتى الجنون.. جميعهم يلوحون له بسعادة من الصورة، يلوحون بسعادة إلى الأبد، ولا يعرفون مصيرهم.. ربما يجد «مودى» الصورة مثيرة للاهتمام، لكنه يراها حزينة..

سار على أطراف أصابع قدميه صاعدًا السلم، بجانب رءوس الأقزام المنزلية المحنطة، وقد سره أن يصير وحده ثانية، لكن مع اقترابه من الطابق الثانى سمع أصواتًا. كان هناك من يبكى فى حجرة الرسم.

قال «هارى»: «من هناك؟».

وعندما لم يجبه أحد واستمر البكاء صعد باقى درجات السلم بسرعة، وسار نحو باب حجرة الرسم وفتحه.

كانت هناك جالسة عند الجدار المظلم للحجرة، وعصاها السحرية فى يدها، وجسدها كله يرتجف وينتفض. وعلى البساط القديم المترب، وعلى ضوء القمر، رأى «هارى» جسد «رون»، وواضح تمامًا أنه ميت.

بدا كأن كل الهواء قد انسحب من رئتى «هارى».. شعر كأنه سيقع على الأرض، وعقله يصاب بالتبلد.. «رون» مات؟ لا.. لا يمكن.

لكن انتظر لحظة، لا يمكن.. كان «رون» بالطابق السفلى.

قال «هارى»: «السيدة ويسلى؟».

قالت باكية وهى تشير بعصاها السحرية المستقرة فى يدٍ مرتجفة إلى جسد «رون»: «ر..ر.. *ريديكولوس!*».

كراك.

تحول جسد «رون» إلى جسد «بيل»، راقدًا مباعدًا ما بين ساقيه على ظهره، وعيناه واسعتان وخاليتان من الحياة.. أخذت السيدة «ويسلى» تبكى أكثر من ذى قبل.

«ر.. *ريديكولوس*»

كراك.

استبدل جسد «بيل» بالسيد «ويسلى»، وعويناته معوجة، وخط من الدم يسيل على وجهه.

تأوهت السيدة «ويسلى» قائلة: «لا.. لا.. *ريديكولوس! ريديكولوس!* ***ريديكولوس!***».

كراك.. التوأمان موتىٍ.. كراك.. «بيرسى» ميت.. كراك.. «هارى» ميت..

صاح «هارى» محدقًا فى جسده الميت على الأرض: «سيدة ويسلى.. اخرجى من هنا بسرعة! دعى شخصًا آخر يـ..»

«ماذا يجرى؟».

جاء «لوبين» راكضًا إلى الحجرة، يتبعه «سيرياس»، و«مودى» يعرج خلفهما. نظر «لوبين» إلى السيدة «ويسلى» ثم إلى «هارى» الميت على الأرض وفهم الموضوع فى لحظة. شهر عصاه السحرية وقال بصرامة ووضوح شديدين: «*ريديكولوس!*»

اختفى جسد «هارى». وبقى هلال فضى صغير معلق فى الهواء فوق المكان الذى كان يرقد فيه. حرك «لوبين» عصاه السحرية ثانية فاختفى الهلال وسط سحابة من الدخان.

قالت السيدة «ويسلى» منتحبة: «آه.. آه.. آه» وانفجرت فى عاصفة من البكاء، ووجهها بين يديها.

قال «لوبين»: «مولى.. مولى، لا..» وهو يسير نحوها.

بعد ثانية أخذت تبكى على كتفه.

قال مخففًا عنها، وهو يربت على رأسها: «مولى.. لم يكن سوى (عو) .. مجرد (عو) غبى..».

قالت السيدة «ويسلى» بصعوبة وسط بكائها: «أراهم مـ..مـ.. موتى طوال الوقت.. طوال الوقت.. أحلم.. أحلم بهذا..».

أخذ «سيرياس» يحدق فى طرف البساط حيث رقد (العو) متظاهرًا بأنه جسد «هارى».

أخذ «مودى» ينظر إلى «هارى»، الذى تفادى مبادلته النظرات. شعر بأن عين «مودى» السحرية قد تبعته طوال الوقت منذ مغادرته المطبخ.

أخذت السيدة «ويسلى» تشهق باكية: «لـ.. لا تخبروا أرثر» ثم وهى تجفف عينيها على أكمامها: «لـ.. لا أريده أن يعرف أن.. أننى حمقاء هكذا..».

ناولها «لوبين» منديلاً فتمخطت فيه.

قالت: «أنا آسفة يا هارى. ترى ماذا تقول عنى الآن؟ غير قادرة حتى على التخلص من (عو)..».

قال «هارى» محاولاً الابتسام: «لا تبالغى».

قالت والدموع تتدفق من عينيها ثانية: «أ.. أ.. أنا فقط قلقة جدًّا.. نصف الأسرة.. فـ.. فى الجماعة.. ستكون معجزة إن خرجنا منها جميعًا على خير.. وبـ.. بيرسى لا يتحدث معنا.. ماذا لو.. لو ألم به خطر داهم ونحن لا نعرف ـ وماذا سيحدث إن قتلوا أرثر ـ من سيعتنى برون وچينى؟».

قال «لوبين» بصرامة: «كفاك يا مولى.. الموضوع هذه المرة مختلف عن المرة السابقة. الجماعة مجهزة ومستعدة جيدًا، وبدأنا بداية جيدة، ونعرف أن ڤولدمورت سوف..».

أجفلت السيدة «ويسلى» خائفة عند سماع اسمه.

«مولى عزيزتى، كفاك.. حان وقت سماع اسمه دون خوف منه.. انظرى، لا أعدك بألا يتأذى أحد، لا أحد يقدر على وعدك بهذا، لكننا أفضل كثيرًا هذه المرة عن المرة السابقة. لم تكونى فى الجماعة وقتها، ولا تفهمين الفرق. المرة السابقة كان أكلة الموت أكثر منا عددًا بعشرين ضعفًا.. وأخذوا يصطادوننا واحدًا بعد الآخر..».

فكر «هارى» فى الصورة ثانية، وفى وجهى أبويه المبتسمين. كان يعرف أن «مودى» لا يزال يراقبه.

قال «سيرياس» فجأة: «لا تقلقى بشأن بيرسى.. سيتعقل ويعود. المسألة مسألة وقت، حتى يظهر ڤولدمورت إلى السطح ويعلن عن نفسه.. وحالما يفعل سترجونا وزارة السحر بأكملها أن نغفر لها.. ولست واثقًا من أننى سأقبل بالاعتذار» أضاف العبارة الأخيرة بمرار.

قال «لوبين» مبتسمًا: «وفيما يخص رون وچينى إن مت أنت وأرثر.. هل تعتقدين أننا سنتركهما ليموتا من الجوع؟».

ابتسمت السيدة «ويسلى» ابتسامة واهنة.

غمغمت ثانية وهى تمسح عينيها: «أنا حمقاء».

لكن «هارى»، وهو يوصد باب الحجرة خلفه بعد عشر دقائق، لم ير أن

السيدة «ويسلى» حمقاء أبدًا. كانت صورة أبويه ـ فى تلك الصورة القديمة ـ لا تزال فى رأسه، وصورة (العو) وهو يتحول متخذًا شكل أعضاء أسرة «ويسلى».

فجأة آلمته ندبته ألمًا شديدًا، فشعر بقلق بالغ.

قال بصرامة مخاطبًا ندبته والألم يتراجع: «كفى».

قال صوت من اللوحة الخالية على الحائط: «أول علامات الجنون هى الحديث مع رأسك».

تجاهله «هارى». شعر بأن سنه أكبر من أى وقت مضى، وبدا من الغريب عليه أنه منذ ساعة كان قلقًا بشأن محل المقالب، وبشأن من حصل على شارة رائد الفصل.

١٠   لونا لوفجود

كان نوم «هارى» مضطربًا تلك الليلة. حلم بوالديه كثيرًا، لكن دون أن يقولا
أى شىء فى الحلم.. حلم بالسيدة «ويسلى» وهى تبكى على جثة «كريتشر»..
و«رون» و«هيرميون» يراقبانها، وعلى رأسيهما تاجان، ثم وجد نفسه يمشى
فى ممر ينتهى بباب موصد. استيقظ فجأة بسبب ألم الندبة، ليجد «رون»
مرتديًا ثيابه ويتحدث إليه:

«.. أسرع، أمى غاضبة، وتقول: إن القطار سيفوتنا..».

كان هناك الكثير من الحركة بالمنزل. وبسبب ما سمعه «هارى» فقد ارتدى
ثيابه بأسرع ما يمكن. خمن مما سمعه أن سبب الجلبة هو أن «فريد» و«چورچ»
قد سحرا حقائبهما لتنزل السلم أسرع بدلاً من إجهاد نفسيهما فى حملها،
فطارت الحقائب وارتطمت بـ«چينى» لتسقط على السلم إلى الصالة؛ فأخذ كل
من السيدة «ويسلى» والسيدة «بلاك» تصرخان بأعلى ما تملكان من صوت.

«يا بلهاء.. كان يمكن أن تصاب إصابة خطيرة..».

«أنصاف سحرة حثالة، يدنسون بيت الأجداد..».

جاءت «هيرميون» مسرعة إلى الحجرة و«هارى» يرتدى سترته. كانت
«هدويج» تتأرجح على كتفها، و«كروكشانكس» بين ذراعيها.

قالت والبومة ترفرف على كتفها، وتطير لتحط على قفصها: «أعاد أبى
وأمى هدويج.. هل أنت جاهز؟».

قال «هارى» وهو يرتدى عويناته: «تقريبًا.. هل چينى بخير؟».

قالت «هيرميون»: «ضمدت جرحها السيدة ويسلى.. لكن ماد آى لا يريدنا
أن نخرج دون وجود ستورجيس بودمور، وإلا سيكون عدد الحراس أقل».

قال «هارى»: «حراس؟ هل سنذهب إلى محطة قطار كينجز كروس ومعنا حراسة؟».

قالت «هيرميون» مصححة: «بل ستذهب أنت إلى كينجز كروس ومعك حراسة».

قال «هارى» بسخط: «لماذا؟ أليس ڤولدمورت مختبئًا؟ أم تراه سيقفز علينا
من خلف سلة القمامة ويحاول قتلى؟».

قالت «هيرميون» بلا تركيز وهى تنظر إلى ساعتها: «لا أعرف، هذا ما يريده ماد آى.. لكن إن لم نذهب بسرعة سيفوتنا القطار فعلاً..».

صاحت السيدة «ويسلى»: «يا جماعة.. انزلوا من عندكم بسرعة» فهبت «هيرميون» ملسوعة وسارعت بالخروج من الحجرة. قبض «هارى» على «هدويج» وحشرها بسرعة فى قفصها، ونزل إلى أسفل خلف «هيرميون» وهو يجر حقيبته خلفه.

أخذت لوحة السيدة «بلاك» تعوى غاضبة دون أن يفكر أحد فى إعادة الستائر إلى مكانها.. فكل الجلبة الدائرة بالصالة كانت ستوقظها ثانية إن نامت.

صاحت السيدة «ويسلى»: «هارى، ستأتى معى أنا وتونكس» وصوتها يصل بالكاد من بين الصرخات: «.. يا أنصاف السحرة، يا أقذر البشر، يا أبناء الطين..» وأكملت قائلة: «..اترك حقيبتك ومعها البومة، سيعتنى ألستور بالمتاع.. بحق السماء يا سيرياس، منعك دمبلدور من هذا».

ظهر كلب هائل الحجم أسود اللون إلى جانب «هارى» وهو يتعثر من فوق الحقائب الكثيرة المكومة فى الصالة فى طريقه إلى السيدة «ويسلى».

قالت بيأس: «بصراحة لا أعرف.. حسنًا، لكن لتتحمل النتائج».

فتحت الباب الأمامى وخطت للخارج إلى شمس سبتمبر الواهنة. تبعها «هارى» والكلب. أُغلق الباب خلفهم فانقطعت صرخات السيدة «بلاك» على الفور.

قال «هارى» ناظرًا حوله وهم يهبطون الدرجات الحجرية للمنزل رقم (١٢)، الذى اختفى لحظة خطوا خارجه: «أين تونكس؟».

قالت السيدة «ويسلى» بجمود وهى تشيح بعينيها عن الكلب الأسود الواقف بجوار «هارى»: «إنها تنتظرنا هناك».

رحبت بهم سيدة عجوز عند أول الشارع.. شعرها رمادى مجعد، وترتدى قبعة بنفسجية على رأسها.

قالت وهى تغمز: «كيف حالك يا هارى؟ أسرعوا، مولى؟» ثم نظرت إلى ساعتها.

قالت السيدة «ويسلى» متأوهة: «أعرف أعرف» وهى توسع خطواتها أضافت: «لكن ماد آى أراد أن ننتظر ستورجيس.. فقط لو أن أرثر لايزال قادرًا على استخدام السيارات ثانية.. لكن فادج لا يسمح له باستعارة قنينة حبر فارغة حتى.. لا أعرف كيف يتحمل العامة عناء السفر دون استخدام السحر..».

لكن الكلب الأسود الكبير نبح نبحة راضية وهو يجرى إلى جوارهم، مطاردًا الحمام، ومطاردًا ذيله. لم يقدر «هارى» على منع نفسه من الضحك. كان «سيرياس» محبوسًا بالبيت منذ فترة طويلة جدًا. زمت السيدة «ويسلى» شفتيها بامتعاض بطريقة شديدة الشبه بطريقة الخالة «بيتونيا».

أخذ الأمر منهم عشرين دقيقة حتى وصلوا إلى محطة «كينجز كروس»، ودون أن يحدث شىء ذو بال طوال مشيهم سوى مطاردة «سيرياس» لقطتين فى الطريق؛ حتى يثير ضحكات «هارى». وحالما دخلوا إلى المحطة، ساروا بهدوء نحو الحاجز القائم بين الرصيفين رقم تسعة وعشرة؛ ليلجوا بسهولة إلى الرصيف تسعة وثلاثة أرباع، حيث وقف قطار «هوجورتس» منفسًا البخار على رصيف مزدحم بالطلبة المستعدين للسفر وعائلاتهم. تنفس «هارى» بعمق هواء عالمه المألوف، وشعر بروحه تحلق فى السماء.. فهو حقًا فى طريقه للعودة..

قالت السيدة «ويسلى» بقلق وهى تنظر خلفها نحو القوس الحديدى الذى يلف المكان، والذى يأتى منه كل من يدخل إلى الرصيف: «أتمنى أن يأتى الآخرون فى الوقت المناسب».

قال ولد طويل: «كلب لطيف يا هارى».

قال «هارى» مبتسمًا و«سيرياس» يهز ذيله بسرعة: «شكرًا يا لى».

قالت السيدة «ويسلى» شاعرة بالارتياح: «آه.. الحمد لله.. ها هو ألستور ومعه الحقائب، انظرا..».

جاء «مودى» بقدمه العرجاء وقبعة بواب صغيرة على رأسه مخبئة عينه السحرية، وكان معه عربة يد صغيرة عليها الحقائب.

غمغم للسيدة «ويسلى» و«تونكس»: «كله تمام! لا أعتقد أن هناك من يراقبنا..».

بعد لحظات جاء السيد «ويسلى» ومعه «رون» و«هيرميون». كانوا على وشك الانتهاء من رفع الحقائب عن عربة يد «مودى» عندما حضر «فريد» و«چورچ» و«چينى» مع «لوبين».

قال «مودى» بصوت أجش: «هل واجهتم مشكلات؟».

قال «لوبين»: «لا».

قال «مودى»: «سأخبر دمبلدور بشأن ستورجيس.. إنها ثانى مرة لا يحضر فيها خلال أسبوع. أصبح لا يُعتمد عليه مثل مندنجس».

قال «لوبين» مصافحًا الجميع: «احترسوا جميعًا» ثم وهو يصافح «هارى» آخرهم ويربت على كتفه: «وأنت أيضًا يا هارى.. احترس».

قال «مودى» وهو يصافح «هارى» هو الآخر: «أجل.. حافظ على نفسك وأبق عينيك مفتوحتين.. ولا تنسوا جميعًا الحرص فيما تكتبونه فى الرسائل. وإن كنتم ترتابون فى شىء؛ فلا تكتبوه فى الرسالة بالمرة».

قالت «تونكس» وهى تحتضن «هيرميون» و«چينى»: «قضينا وقتًا جميلاً معًا.. أتوقع رؤيتكما قريبًا».

صفر القطار صفارته التحذيرية، فسارع التلاميذ المجتمعون على الرصيف بالدخول إلى القطار.

قالت السيدة «ويسلى» وهى تحتضن من تقع عليه عيناها منهم: «بسرعة بسرعة» ثم وهى تحتضن «هارى» للمرة الثانية دون أن تعرف أن هذه ثانى مرة: «اكتب لى.. وحافظ على نفسك.. إن نسيت شيئًا سنرسله إليك.. إلى القطار، بسرعة».

للحظة وقف الكلب الأسود الكبير على قدميه الخلفيتين ووضع مخالبه الأمامية على كتفى «هارى»، لكن السيدة «ويسلى» دفعت «هارى» بسرعة تجاه باب القطار وهى تهمس بغضب: «بحق الله، تصرف ككلب يا سيرياس».

صاح «هارى»: «إلى اللقاء» من نافذة القطار المفتوحة بعد أن تحرك، بينما أخذ «رون» و«هيرميون» و«چينى» يلوحون بأيديهم إلى جانبه. وفى عيونهم ينكمش «لوبين» و«مودى» و«تونكس» والسيد والسيدة «ويسلى» بسرعة والقطار يبتعد عنهم، لكن الكلب الأسود أخذ يجرى بجوار النافذة، وهو يهز ذيله، والناس على الرصيف يضحكون لرؤيته يطارد القطار، ثم داروا مع انحناءة الطريق فاختفى «سيرياس».

قالت «هيرميون» بصوت قلق: «ما كان يجب أن يأتى معنا».

قال «رون»: «لا تقلقى.. فهو لم ير ضوء النهار منذ شهور، ياله من مسكين».

قال «فريد» وهو يصفق بيديه: «أف! لا أطيق الجلوس والثرثرة طوال النهار، لدينا أمور نريد نقاشها مع لى. نراكم لاحقًا» ثم اختفى هو و«چورچ» فى الممر إلى جانبهم الأيمن.

أخذت سرعة القطار تزيد، حتى أمست البيوت خارج النوافذ تسرى سريانًا سريعًا إلى جوارهم، وأخذوا يتأرجحون وهم واقفون.

تساءل «هارى»: «أليس علينا البحث عن مقصورة للجلوس؟».

تبادل «رون» و«هيرميون» النظرات.

قال «رون»: «آ..آ..».

قالت «هيرميون» بارتباك: «من المفترض أن.. أن أجلس أنا ورون فى مقصورة رواد الفصول».

لم ينظر «رون» إلى «هارى».. بدا فجأة مهتمًّا بالنظر إلى أطراف أصابع يده اليسرى.

قال «هارى»: «حسنًا.. جيد.. اذهبا».

قالت «هيرميون» بسرعة: «لا أظن أننا سنبقى هناك طوال الرحلة.. رسائلنا تقول: إن علينا فقط سماع التعليمات من الطالب الأول والطالبة الأولى، ثم حراسة الممرات من الحين للآخر».

قال «هارى» ثانية: «جيد.. آ.. أراكما لاحقًا إذن إن أمكن».

قال «رون» وهو ينظر إلى «هارى» نظرة سريعة متوترة: «أجل، بالطبع.. بالرغم من أننى لا أريد الذهاب، أود، أعنى.. أفضل أن.. أنا لا أحب هذه المسألة، أنا لست بيرسى».

قال «هارى» مبتسمًا: «أعرف أنك لست هو» لكن ومع جر «هيرميون» و«رون» لحقائبهما إلى الخارج، ومعهما «كروكشانكس» وقفص «بيجودجيون» متجهين نحو مؤخرة القطار، شعر «هارى» بشعور غريب بالخسارة. لم يسافر أبدًا إلى «هوجورتس» من دون «رون».

قالت له «چينى»: «تعال.. إن تحركنا بسرعة فقد نحجز لهما مكانين».

قال «هارى»: «حسنًا»، والتقط قفص «هدويج» فى يد، وفى الأخرى مقبض حقيبته. سارا بصعوبة بطول الممر، وهما ينظران إلى المقصورات عبر الأبواب الزجاجية، ليجدوها جميعًا ممتلئة. لاحظ «هارى» أن كثيرًا من الناس أخذوا يحدقون فيه باهتمام كبير، ولكز بعضهم الجالس إلى جواره وهم يشيرون نحوه. بعد أن أصبح يتعامل مع هذا السلوك من الآخرين بطريقة عادية، تذكر ما قالته جريدة «الدايلى بروفيت» عنه للقراء طوال الصيف، وعن حبه للظهور والشهرة. تساءل ببلادة إن كان من يحدقون فيه الآن ويتهامسون عنه يصدقون هذه الحكايات.

قابلاً عند آخر مقصورات القطار «نيفيل لونجبوتم»، صديق «هارى»

وزميله فى الدراسة بفرقة «جريفندور» بالصف الدراسى الخامس.. كان وجهه المستدير يلمع مع مجهوده الخارق فى جر حقيبته وراءه والحفاظ فى نفس الوقت على ضفدعه «تريفور» فى يده الأخرى.

قال لاهثًا: «أهلاً يا هارى.. أهلاً يا چينى.. كل المقصورات مشغولة.. لا أستطيع العثور على مكان للجلوس...».

قالت «چينى» التى مرت من جوار «نيفيل» لتنظر داخل المقصورة من خلفه: «عم تتحدث؟ هناك مكان فى هذه المقصورة، ليس بها سوى لونا لوفجود...».

غمغم «نيفيل» بشىء عن أنه لا يريد إزعاج أحد.

قالت «چينى» ضاحكة: «لا تكن سخيفًا.. إنها طيبة».

فتحت الباب وجرت حقيبتها إلى داخل المقصورة، وخلفها «هارى» و«نيفيل».

قالت «چينى»: «أهلاً يا لونا.. هل تسمحين لنا بالجلوس؟».

نظرت البنت الجالسة إلى جوار النافذة لأعلى. كان شعرها طويلاً يصل إلى خصرها، وبلون أشقر داكن، وحاجباها الشاحبان، وعيناها الجاحظتان يعطيانها نظرة دهشة دائمة. عرف «هارى» على الفور لماذا تجاهل «نيفيل» هذه المقصورة، فمظهر البنت يوحى بأنها مخرفة. ربما لأنها تضع عصاها السحرية خلف أذنها أحيانًا، أو لأنها ترتدى قلادة من أغطية زجاجات الشراب، أو لأنها تقرأ المجلات مقلوبة. أخذت عيناها تفحصان «نيفيل» ثم استقرتا على «هارى»، وأومأت برأسها موافقةً.

قالت «چينى» وهى تبتسم لها: «شكرًا».

وضع «هارى» و«نيفيل» الحقائب الثلاث وقفص «هدويج» على أرفف الحقائب، وجلسا. راقبتهم «لونا» من فوق مجلتها المقلوبة، كان اسمها «كويبلر». بدا أنها لا تطرف بعينها مثل أى بشر عاديين. أخذت تحدق وتحدق فى «هارى»، الذى جلس فى المقعد المقابل لها، فتمنى إن كان لم يفعل.

سألتها «چينى»: «هل قضيت صيفًا لطيفًا يا لونا؟».

قالت «لونا» بلهجة حالمة دون أن ترفع عينيها عن «هارى»: «أجل.. أجل، كان صيفًا ممتعًا للغاية» ثم أضافت: «أنت هارى بوتر».

قال «هارى»: «أعرف أننى هو».

ضحك «نيفيل» فحولت «لونا» عينيها الشاحبتين تجاهه.

«لكن لا أعرف من تكون».

قال «نيفيل» بسرعة: «أنا لا أحد».

قالت «چينى» بحدة: «لا.. لست لا أحد.. إنه نيفيل لونجبوتم.. وهذه لونا لوفجود.. لونا معى فى صفى الدراسى، لكنها فى فرقة رافنكلو».

قالت «لونا» بنبرة أشبه بالغناء: «أغلى كنوز الإنسان.. الذكاء والحكمة الشديدان».

رفعت مجلتها المقلوبة بما يكفى لحجب وجهها عنهم وسكتت. تبادل «هارى» و«نيفيل» النظرات بحواجب مرفوعة، وكتمت «چينى» ضحكتها.

مضى القطار للأمام، وسرعته فى ازدياد بعد أن دخل إلى منطقة ريفية. كان يومًا غريبًا غير مريح، فى لحظة تجد المقصورة مغمورة بأشعة الشمس، واللحظة التالية تغطى سحابة رمادية القطار.

قال «نيفيل»: «خمن ما حصلت عليه فى عيد ميلادى».

قال «هارى»: «جهاز تذكر آخر؟» متذكرًا الجهاز الشبيه بالبلية الذى أرسلته جدة «نيفيل» إليه محاولة تحسين ذاكرته شديدة الضعف.

قال «نيفيل»: «لا.. يكفينى واحدة.. وإن كنت قد فقدت الأولى منذ زمن.. لا.. انظر».

أدخل يده التى كانت قابضة على «تريفور» فى حقيبته المدرسية، وبعد فترة من البحث جذب ما بدا أشبه بصبار رمادى فى إناء فخارى، لكنه كان مغطى بالبثور بدلاً من الشوك.

قال بفخر وخيلاء: «ميمبولوس ميمبليتونيا».

نظر «هارى» إلى الشىء. كان ينبض قليلاً، مما أعطاه مظهرًا مخيفًا، وكأنه عضو داخلى مريض فى جسم إنسان.

قال «نيفيل» مبتسمًا بإشراق: «إنه نادر جدًا جدًا.. لا أعرف إن كان هناك واحد مثله فى الصوبة الزجاجية فى هوجورتس. لا أطيق انتظار أن أريه للأستاذة سبروت. حصل عليه خالى الكبير ألجى من آسيريا. وسأرى إن كنت سأقدر على جعله يتوالد».

كان «هارى» يعرف أن مادة «نيفيل» المفضلة هى علم الأعشاب، لكنه لم يفهم أبدًا ما الذى يجده مثيرًا وخطيرًا فى نبات صغير.

سأله: «هل.. آ.. هل يفعل أى شىء؟».

قال «نيفيل» بفخر: «يفعل الكثير من الأشياء.. فله آلية دفاعية غريبة جدًا. أمسك تريفور من فضلك..».

ألقى الضفدع فى حجر «هارى»، وأخرج ريشة الكتابة من حقيبته المدرسية. نظرت «لونا لوفجود» إليهما من فوق مجلتها المقلوبة ثانية، لترى ماذا سيفعل «نيفيل». رفع الـ«ميمبولوس ميمبليتونيا» إلى عينيه، ولسانه بين أسنانه، اختار نقطة ما، وخز النبات بطرف ريشته.

تدفق السائل من كل بثرة من بثور النبات.. سائل سميك، لاذع بلون أخضر داكن. ضرب السقف، والنوافذ، وغلاف مجلة «لونا لوفجود»، و«چينى» التى رفعت ذراعيها أمامها فى الوقت المناسب، فلم يصبها السائل سوى فى شعرها، فبدت كأنها ترتدى قبعة خضراء لزجة، أما «هارى» ـ الذى كانت يده مشغولة فى محاولة لمنع «تريفور» من الهروب ـ فقد تلقى السائل فى وجهه. شم رائحته التى بدت أشبه بسماد متعفن.

هز «نيفيل» رأسه ليُبعد السائل عن عينيه، وإن كان وجهه وجذعه كله مغطيان بالسائل الأخضر.

شهق قائلاً: «آ..آسف.. لم أحاول فعل هذا من قبل.. لم أكن أعرف أنه سيكون بهذه.. لكن لا تقلقوا، ستينك ـ ساب ليس سامًا» أضاف العبارة الأخيرة بعصبية و«هارى» يبصق السائل من فمه على الأرض.

فى تلك اللحظة بالضبط انفتح باب مقصورتهم.

قال صوت متوتر: «آه.. أهلاً يا «هارى».. أممم.. هل جئت فى وقت غير مناسب؟».

مسح «هارى» عدستى نظارته بيده الخالية من «تريفور». كان هناك فتاة جميلة للغاية، ذات شعر أسود لامع طويل، تقف عند مدخل الباب وتبتسم إليه: «تشو تشانج» لاعبة فريق «رافنكلو» للكويدتش.

قال «هارى» بذهن غائب: «آ.. أهلا».

قالت «تشو»: «أممم.. فقط رغبت فى إلقاء التحية.. إلى اللقاء إذن».

وهى محمرة الوجه من الخجل، أغلقت الباب خلفها وغادرت. تراجع «هارى» فى مقعده وتأوه. كان ليود أن تراه «تشو» جالسًا وسط صحبة من الطلبة المتأنقين يضحكون على مزحة ألقاها.. ما كان ليختار الجلوس مع «نيفيل» و«لونا لوفجود» ممسكًا بضفدع وعلى وجهه سائل «ستينك ـ ساب».

قالت «چينى» بنبرة آسفة: «لا يهمك.. سنتخلص من كل هذه الفوضى حالاً» ثم شهرت عصاها السحرية وقالت: «*سكورجيفاى*».

اختفى السائل الأخضر.

قال «نيفيل» ثانية بصوت واهن: «آسف».

لم يعد «رون» و«هيرميون» حتى بعد مرور ساعة، لكن مع مرور عربة الطعام، وانتهاء «هارى» و«نيفيل» و«چينى» من تناول فطائر القرع، وانشغالهم بتبادل كروت شيكولاتة (فروج)، انفتح باب المقصورة وخَطَوَا إلى الداخل ومعهما «كروكشانكس» و«بيجودجيون» الذى ينعب بصوت حاد من داخل قفصه.

قال «رون» وهو يلقى بـ «بيجودجيون» إلى جوار «هدويج»: «أنا أتضوّر جوعًا» ثم التقط شيكولاتة (فروج) من «هارى» وجلس على المقعد المجاور إليه. فض عبوة الشيكولاتة، وقضم قطعة منها، من الجزء المكون على شكل رأس ضفدع، ثم استلقى مسترخيًا فى جلسته وعينه مغمضة، كأنه قد مر بصباح مجهد للغاية.

قالت «هيرميون» وهى تجلس: «هناك رائدا فصل لكل فرقة من فرق المدرسة الأربع.. ولد وبنت من كل فرقة».

قال «رون» وعينه ما زالت مغمضة: «وخمن من رائد فصل سليذرين؟».

قال «هارى» على الفور، وهو واثق من أن أبشع مخاوفه قد تحققت: «مالفوى».

قال «رون» بمرارة وهو يلقى بباقى الضفدع الشيكولاتة إلى فمه، ويمد يده ليأخذ أخرى: «بالطبع».

قالت «هيرميون» بوحشية: «وبانسى باركنسون.. كيف وصلت إلى منصب رائدة الفصل وهى أغبى من ترول أبله..؟».

تساءل «هارى»: «ومن هما رائدا فصل فرقة هافلباف؟».

قال «رون»: «إرنى ماكميلان وهانا آبوت».

قالت «هيرميون»: «وأنطونى جولدشتاين وبادما باتيل من رافنكلو».

قال صوت غائب: «أنت اصطحبت بادما باتيل فى حفل العام الماضى».

التفت الجميع ناظرين إلى «لونا لوفجود»، التى جلست تحدق بعين لا تطرف فى «رون» من فوق طرف مجلتها ـ الكويبلر، الذى ابتلع ما فى فمه من شيكولاتة.

قال بدهشة: «أجل.. أعرف».

أخبرته «لونا»: «إنها لم تحب صحبتك كثيرًا.. لا تظن أنك عاملتها جيدًا؛ لأنك لم تراقصها. ما كنت أنا لأمانع» ثم بذهن صافٍ وتركيز شديد: «أنا لا أحب الرقص كثيرًا».

عادت إلى مجلة «كويبلر» ثانية. حدق «رون» فى الغلاف المقلوب بفم مفتوح لبضع ثوانٍ، ثم نظر حوله إلى «چينى»؛ بحثًا عن تفسير ما، لكن «چينى» كورت يدها ووضعتها فى فمها لتمنع نفسها عن الضحك. هز «رون» رأسه متعجبًا، ثم نظر إلى ساعته.

قــال لـ«هـارى» و«نيـفـيل»: «مـن المفترض أن نجوب الممـرات مـن الحين للآخر.. ونعاقب من يسيئون التصرف. لا أطيق انتظار معاقبة كراب وجويل على شىء ما..».

قالت «هيرميون» بحدة: «لا يجوز إساءة استغلال منصبك يا رون».

قال «رون» بسخرية: «أجل، فعلاً.. لأن مالفوى لن يسىء استغلال منصبه هو الآخر».

«وهل تهبط إلى مستواه؟».

«لا، لكنى سأعمل على ألا يؤذى أصدقائى، وإلا آذيت أصدقاءه».

«بحق السماء يا رون..».

قال «رون» بسعادة: «سأجعل جويل يقوم بتمارين كتابة كعقاب، سأقتله قتلاً، فهو يكره الكتابة» خفض صوته مقلدًا همهمة «جويل» الخرقاء وهو يعقد حاجبيه فى تركيز: «لا.. يجب.. أن.. أبدو.. أبدًا.. شبيهًا.. بمؤخرة.. قرد بابون».

ضحك الجميع، لكن لم يضحك أحد أكثر من «لونا لوفجود». صدر عنها صرخـة طروب مـن بين ضحكاتهـا جعلت «هدويج» تستيقظ وترفرف بجناحيها بكبرياء، وجعلت «كروكشانكس» يقفز هاربًا إلى أرفف الحقائب، وهو يهس. ضحكت «لونا» بطريقة فظيعة حتى إن مجلتها سقطت منها، لتقع على قدميها، وإلى الأرض.

«كان هذا مضحكًا!».

اغرورقت عيناها بالدموع وهى تشهق لاهثة، محدقة فى «رون». ودون أن يبدو عليه أى تأثر، نظر إلى الآخرين، الذين أخذوا يضحكون مـع رؤية تعبير وجه «رون»، ومع الضحكة الطويلة الغريبة التى صدرت عن «لونا لوفجود»، والتى أخذت تتأرجح للخلف وللأمام، ممسكة بجانبها.

قال «رون» ووجهه عابس فى مواجهتها: «هل أنت مريضة؟».

سعلت ضاحكة وهى ممسكة بضلوعها: «مؤخرة.. قرد بابون!».

أخذ الجميع يراقبون «لونا» وهى تضحك، لكن «هارى» نظر إلى المجلة الساقطة على الأرض فوجد شيئًا بها جعله يمد يده إليها ليلتقطها. مع إمساكها بالمجلة مقلوبة فى يدها كان من الصعب معرفة صورة الغلاف، لكن عندما رآها فى وضعها الصحيح تعرف «هارى» فى الغلاف على صورة كارتونية هزيلة لـ«كورنلياس فادج».. تعرف «هارى» عليه عندما رأى القبعة الخضراء الليمونية التى يرتديها دومًا. كانت إحدى يدى «فادج» قابضة على حقيبة من الذهب، والأخرى تخنق جنيًا. وعنوان الكارتون: **خطة فادج للاستيلاء على بنك جرينجوتس.**

وتحت العنوان الرئيسى كان هناك بعض العناوين لمقالات وتحقيقات بالمجلة:

الفساد يصل إلى دورى الكويدتش: كيف يتحكم فريق تورنادوز فى الدورى؟

اكتشاف أسرار الأحاجى الأثرية القديمة..انفراد للمجلة

سيرياس بلاك: جعلونى مجرمًا!

سأل «هارى» «لونا» بلهفة: «هل تسمحين لى بقراءة المجلة؟».

أومأت برأسها موافِقةً، وهى لا تزال تحدق فى «رون»، لاهثة بسبب ضحكها.

فتح «هارى» المجلة ونظر إلى الفهرس. حتى تلك اللحظة كان ناسيًا تمامًا أمر المجلة التى ناولها «كنجسلى» للسيد «ويسلى» حتى يعطيها لـ«سيرياس»، لكن لا بد أنها كانت نفس العدد من «الكويبلر».

وجد الصفحة التى يبحث عنها.. وأخذ يقلب فى التحقيق بسرعة.

كان بهذه الصفحة أيضًا رسم كارتونى سيئ.. فى الواقع ما كان «هارى» ليتعرف فى الرسوم على «سيرياس» لولا أنهم ذكروا هذا. كان «سيرياس» واقفًا فوق كومة من العظام الآدمية وعصاه السحرية مشهرة. وعنوان التحقيق يقول:

سيرياس.. هل هو فعلاً مجرم؟

هل هو قاتل ومجرم، أم طائر مغرد؟

قرأ «هارى» السطر الأول عدة مرات حتى اقتنع أنه لم يخطئ قراءته. فمنذ متى و«سيرياس» طائر مغرد؟

منذ أربعة عشر عامًا وسيرياس بلاك متهم بقتل اثنى عشر شخصًا بريئًا من العامة وساحر واحد.. وبعد هروبه الغريب من أزكابان منذ عامين، وهناك عملية صيد منظمة واسعة النطاق تشنها وزارة السحر عليه. لا أحد منا تساءل أبدًا إن كان يستحق القبض عليه، وأن يعيدونه إلى الديمنتورات.

أم هو لا يستحق؟ فى مفاجأة غريبة جديدة غير مسبوقة وصل إلى المجلة دليل يؤكد أن سيرياس بلاك لم يرتكب الجرائم التى دخل بسببها سجن أزكابان. فكما تؤكد دوريس بوركيس، الساكنة فى المنزل رقم ١٨ بشارع أكانثيا، ليتل نورتن، أن بلاك لم يكن موجودًا وقت ارتكاب الجريمة. وتقول: «ما لا يعرفه الناس أن سيرياس بلاك هو اسم زائف أصلاً.. الرجل الذى يعتقد الناس أنه سيرياس بلاك هو فى الحقيقة ستوبى بوردمان، مغنى فريق (الجنى الرشيق)، الذى اعتزل الحياة العامة بعد أن أصيب فى أذنه فى واحدة من حفلاته الموسيقية بكنيسة ليتل نورتن، منذ خمسة عشر عامًا تقريبًا. أنا تعرفت عليه لحظة رأيت صورته فى الجريدة. لكن طبعًا لا يمكن أن يكون «ستوبى» قد ارتكب تلك الجرائم؛ لأنه ليلة الحادث كان فى عشاء رومانسى على ضوء الشموع معى. لقد كتبت إلى وزارة السحر، وأنتظر منها أن تسقط قريبًا التهم عن «ستوبى»، الذى ينتحل اسم «سيرياس».

انتهى «هارى» من القراءة وحدق فى الصفحة غير مصدق. لعلها مزحة، أو ربما تنشر هذه المجلة الكثير من الأخبار الصفراء. قلب عدة صفحات، فوجد الخبر المنشور عن «فادچ»:

أنكر كورنلياس فادچ وزير السحر وجود أية خطط أو تدبيرات للاستيلاء على بنك السحرة جرينجوتس، عندما انُتخب وزيرًا للسحر منذ خمسة أعوام. وطوال الوقت وفادچ يؤكد أنه لا يريد سوى «التعاون السلمى مع حراس ذهبنا المخزون بالبنك».

لكن هل هذا هدفه فعلاً؟

كشفت مؤخرًا مصادرنا السرية بالوزارة أن طموح فادچ الأول هو التحكم فى ذهب الجان، وأنه لن يتردد لحظة فى سبيل إجبارهم على إعطائه له.

وقال مصدرنا داخل الوزارة: «ولن تكون هذه هى المرة الأولى.. كورنلياس فادچ محطم الجان، كما يطلق عليه أصدقاؤه. إن سمعته وهو يتحدث معتقدًا ألا أحد يسمعه، يا ربى، يتحدث ويتفاخر بشأن الجان الذين تخلص منهم.. والذين أغرقهم، والذين أوقعهم من فوق المبانى العالية، والذين سممهم، والذين طهاهم وأكلهم فى فطائر..

لم يقرأ «هارى» المزيد. ربما يكون «فادچ» مخطئًا فى الكثير من الأشياء، لكن يصعب تصديق أنه يطهو الجان فى فطائر. قلب باقى المجلة، متوقفًا كل بضعة صفحات، وقرأ: فريق «توتشيل تورنادون» متهم بكسب دورى «الكويدتش» بمزيج من الابتزاز، والتعذيب، والتلاعب بالمقشات.. ثم حوارًا مع ساحر يدعى الذهاب إلى القمر على مقشة موديل «كلين ـ سويب ٦» وأحضر معه من هناك حقيبة مليئة بالضفادع القمرية ليثبت هذا.. ثم مقالاً عن الأحاجى الأثرية القديمة التى عرف معها «هارى» لماذا كانت «لونا» تقرأ المجلة مقلوبة. فطبقا لما تذكره المجلة، إن قلبت الأحاجى رأسًا على عقب، ستكتشف طريقة تسحر بها أذن عدوك. وفى الواقع، بالمقارنة مع باقى موضوعات وتحقيقات المجلة، فإن فكرة أن «سيرياس» قد يكون مغنيًا من فريق (الجنى الرشيق) كانت منطقية تمامًا.

تساءل «رون» و«هارى» يقفل المجلة: «هل بها شىء مفيد؟».

قالت «هيرميون» قبل أن يجيب «هارى»: «بالطبع لا.. الكويبلر مجلة حقيرة، والجميع يعرفون هذا».

قالت «لونا» وصوتها قد فقد فجأة نبرته الحالمة: «عفوًا.. لكن والدى هو رئيس التحرير».

قالت «هيرميون» بحرج: «آ.. آه.. أعنى.. بها بعض الموضوعات الشائقة.. أعنى، لكنها مختلفة و..».

قالت «لونا» ببرود: «أعدها لى.. شكرًا لك» ومالت للأمام لتختطفها من يدى «هارى». أخذت تقلبها حتى وصلت إلى صفحة سبع وخمسين، وقلبتها ثانية لتختفى خلفها، مع انفتاح باب المقصورة للمرة الثالثة.

التفت «هارى» ناظرًا.. توقع هذا.. لكن لم يرضَ عن توقعه ـ رؤية وجه «دراكو مالفوى» الساخر، وهو واقف بين «كراب» و«جويل» ـ مرضيا بالمرة.

قال بعدوانية قبل أن ينطق «مالفوى»: «ماذا تريد؟».

قال «مالفوى»: «حافظ على أدبك يا بوتر وإلا عاقبتك» كان شعره الأشقر الناعم وذقنه المدببة الطرف مثلهما مثل شعر وذقن والده.. أضاف: «ترى أننى ـ بخلافك ـ أصبحت رائدًا للفصل، وعندى القدرة على العقاب».

قال «هارى»: «أجل.. لكنك ـ بخلافى ـ حقير؛ لذا اخرج من هنا ودعنا لشأننا».

ضحك «رون» و«هيرميون» و«چينى» و«نيفيل». وزم «مالفوى» شفتيه وقال: «قل لى يا بوتر، بم تشعر وقد فضلوا ويسلى عليك؟».

قالت «هيرميون» بحدة: «اصمت يا مالفوى».

قال «مالفوى» بسخرية: «يبدو أننى قد طرقت موضوعًا حساسًا.. المهم، احترس يا بوتر؛ لأننى سأراقبك كالكلب البوليسى وإن ارتكبت خطأ سأعاقبك».

قالت «هيرميون» وقد هبت على قدميها: «اخرج!».

نظر «مالفوى» إلى «هارى» نظرة أخيرة كاتمًا ضحكته ثم غادر، ومن خلفه «كراب» و«جويل». أغلقت «هيرميون» الباب من خلفهم، ثم التفتت ناظرة إلى «هارى»، الذى عرف فورًا أنها مثله فهمت ما يقصده «مالفوى» بكلامه وأصابها بالغضب.

قال «رون» الذى لم يلحظ شيئًا: «ناولنا قطعة شيكولاتة (فروج) أخرى».

لم يقدر «هارى» على الكلام بحرية أمام «نيفيل» و«لونا». تبادل النظرات القلقة مع «هيرميون» التى نظرت خارج النافذة.

حسب أن ذهاب «سيرياس» معه إلى المحطة كان نوعًا من المزاح، لكن فجأة بدا له ما فعله أمرًا خطيرًا ومتهورًا، إن لم يكن خطرًا محدقًا.. كانت «هيرميون» على حق.. ما كان على «سيرياس» الخروج. ماذا لو كان السيد «مالفوى» قد رأى الكلب الأسود وأخبر «دراكو»؟ ماذا لو كان قد استنتج أن آل «ويسلى» و«لوبين» و«تونكس» و«مودى» يعرفون بمكان اختباء «سيرياس»؟ أو ربما كان استخدام «مالفوى» لكلمة الكلب محض مصادفة؟

ظل الطقس متقلبًا وهم يوغلون أكثر وأكثر إلى الشمال. يسقط المطر على النوافذ، ثم تظهر الشمس ضعيفة قبل أن تغطيها السحب ثانية. عندما حل الظلام أخيرًا وأوقدت المصابيح داخل عربات القطار، لفت «لونا» مجلة «الكويبلر»، وضعتها بحرص فى حقيبتها، ثم أخذت تنظر إلى جميع الجلوس بالمقصورة.

جلس «هارى» ورأسه مضغوط إلى نافذة القطار، محاولاً رؤية «هوجورتس» من بعيد، لكن الليل كان حالكًا، النوافذ المغلفة بمياه الأمطار غائمة لا يظهر منها شىء.

قالت «هيرميون» أخيرًا: «الأفضل أن نغير ملابسنا». شبكت هى و«رون» شارتى رواد الفصل بحرص على صدريهما. ورأى «هارى» «رون» ينظر لانعكاس صورته فى زجاج النافذة المظلم.

أخيرًا بدأت سرعة القطار فى الانخفاض، وسمعوا الجلبة المعهودة المصاحبة للوصول إلى المدرسة، مع تجهيز الجميع أنفسهم، وحقائبهم، وحيواناتهم الأليفة، للنزول من القطار. ولأن «رون» و«هيرميون» كان عليهما أن يشرفا على عملية نزول الطلبة من القطار، فقد اختفيا من عربة القطار ثانية، ليتركا «كروكشانكس» و«بيجودجيون» فى عناية «هارى» والآخرين.

قالت «لونا» لـ«هارى»، وهى تمد يدها إلى «بيجودجيون»: «سأحمل أنا البومة إن شئت» بينما ألقى «نيفيل» بـ«تريفور» بحرص داخل جيبه.

قال «هارى» مناولاً إياها القفص، ليمسك بإحكام أكثر بقفص «هدويج»: «آ.. أشكرك» خرجوا من المقصورة شاعرين بلسعة برودة الليل الأولى على وجوههم، وهم ينضمون إلى الجمع فى الممر. ببطء، تحركوا تجاه الأبواب. شم «هارى» أشجار الصنوبر المصطفة بطول الطريق إلى البحيرة. نزل من القطار إلى الرصيف ونزل التلاميذ من حوله، منتظرًا الاستماع للنداء المألوف: «ليأتى إلى هنا تلاميذ (الظف) الأول.. تلاميذ (الظف) الأول..».

لكن النداء لم يأت. سمع بدلاً منه صوتًا مختلفًا، صوتًا أنثويًا رشيقًا ينادى: «ليصطف تلاميذ الصف الأول هنا من فضلكم. كل تلاميذ الصف الأول يأتون إلىّ».

اقترب مصباح زيتى من «هارى» وعلى ضوئه رأى الذقن البارزة، والشعر القصير للأستاذة «جروبلى ـ بلانك»، الساحرة التى حلت محل «هاجريد» فى تدريس مادة رعاية المخلوقات السحرية طوال العام الماضى.

قال بصوت جهورى: «أين هاجريد؟».

قالت «چينى»: «لا أعرف.. لكن من الأفضل أن نخرج من هنا، فنحن نقف فى طريق الجميع».

«آه.. حسنًا..».

افترق «هارى» و«چينى» وهما يسيران بطول الرصيف وإلى خارج المحطة. أخذ «هارى» ينظر حوله فى الظلام؛ بحثًا عن «هاجريد».. عليه أن يكون هنا، «هارى» يعتمد عليه.. رؤية «هاجريد» ثانية، من الأشياء التى يتطلع إليها كل مرة يعود إلى المدرسة. لكنه لم يجد له أثرًا.

قال لنفسه: إنه لا يمكن أن يكون قد غادر، وهو يمر من الباب مع الجميع.. لا بد أنه قد أصيب بالبرد أو شيء من هذا القبيل..

نظر «هارى» حوله؛ بحثًا عن «رون» أو «هيرميون»؛ رغبة فى معرفة رأيهما فى استمرار الأستاذة «جروبلى ـ بلاك» فى التدريس، لكنه لم يجد أيهما بقربه؛ لذا فقد سمح لنفسه بالاندفاع للأمام مع الجمع فى الطريق المغسول بالأمطار خارج محطة قطار «هوجورتس».

طالما كان يجد هنا عربات من التى تجرها الجياد، لكن دون جياد مربوطة إليها، تأخذ التلاميذ فوق الصف الأول إلى القلعة. نظر حوله سريعًا بحثًا عنها، ثم عاود النظر إلى الطريق الذى يتوقع رؤية «رون» و«هيرميون» قادمين منه، ثم عاد للعربات.

لم تعد العربات بلا جياد. كان هناك مخلوقات واقفة أمام العربات، مربوطة إليها. إن كان عليه إعطاؤها اسمًا، كان ليسميها جيادًا، بالرغم من المظهر الشبيه بالزواحف الذى تتمتع به. كانت بلا أى لحم عليها، وسروجها تضرب هيكلها العظمى وهى واقفة. كانت رءوسها أشبه برءوس التنانين، وعيونها عديمة الحدقات بيضاء وواسعة، ولكل منها جناحان كبيران أسودان جلديَّان أشبه بأجنحة الوطاويط. وهى واقفة فى الظلمة ساكنة وهادئة، بدت تلك المخلوقات مخيفة ومشئومة. لم يفهم «هارى» لماذا تجر هذه المخلوقات الغريبة العربات بينما تقدر العربات ـ دون عون من أحد ـ أن تتحرك وحدها.

قال «رون» من خلف «هارى»: «أين بيج؟».

قال «هارى» ملتفتًا بسرعة، متلهفًا لسؤال «رون» عن رأيه فى موضوع «هاجريد»: «مع لونا لوفجود تلك.. أين تظن..».

قال «رون» مقاطعًا إياه: «.. هاجريد؟ لا أعرف.. عساه بخير..».

على مسافة قريبة، كان «دراكو مالفوى»، وخلفه عصبة من الأصدقاء منهم «كراب» و«جويل» و«بانسى باركنسون»، يدفع من أمامه ولدًا خجولاً بالصف

الثانى ليبعده عن طريقه؛ حتى يأخذ هو وأصدقاؤه عربة وحدهم. بعد لحظات، ظهرت «هيرميون» من بين الجموع وهى تلهث.

«مالفوى يعامل تلاميذ الصف الأول أسوأ معاملة. أقسم أننى سأبلغ عنه.. معه شارته منذ ثلاث دقائق فقط، ويستخدمها فى الاعتداء على الناس.. أين كروكشانكس؟».

قال «هارى»: «مع چينى.. ها هى..».

ظهرت «چينى» هى الأخرى، ومعها «كروكشانكس» الذى لا يهدأ.

قالت «هيرميون» وهى تأخذ «كروكشانكس» من «چينى»: «تعالوا.. هيا نركب عربة معًا قبل أن تمتلئ جميعها..».

قال «رون»: «بيج ليس معى بعد» لكن «هيرميون» كانت قد اتجهت بالفعل نحو أقرب العربات غير المشغولة. ظل «هارى» واقفًا إلى جانب «رون».

سأل «رون» وهو يشير برأسه نحو الجياد المخيفة المظهر، والطلبة الآخرون يمرون إلى جوارهما: «ما هذه الأشياء؟».

«أى أشياء؟».

«هذه الجياد..».

ظهرت «لونا» ومعها قفص «بيجودجيون».. وذكر البومة الصغير يرفرف بجناحيه بحماس لا يوصف.

قالت: «ها هو ذا.. حيوان لطيف.. أليس كذلك؟».

قال «رون» بفظاظة: «آ.. أجل، إنه لطيف.. هيا بنا.. علينا الذهاب.. ماذا قلت يا هارى؟».

قال «هارى» وهو يتجه مع «رون» و«لونا» إلى العربة التى جلست فيها «هيرميون» ومعها «چينى»: «كنت أقول ما هذه الجياد الغريبة؟».

«أى جياد تقصد؟».

قال «هارى» بنفاد صبر: «هذه الجياد الغريبة التى تجر العربات» كانت قريبة، أقربها إليهم على مسافة ثلاثة أقدام.. وقد وقف يتأملهم بعينيه البيضاء الخالية من التعبير. لكن «رون» نظر إلى «هارى» نظرة تعجب.

«عم تتحدث؟».

«أتحدث عن هذا.. انظر!».

أمسك «هارى» بذراع «رون»، ووجهه حتى أصبح وجهًا لوجه مع الحصان المجنح. حدق «رون» فيه لثانية، ثم نظر ثانية إلى «هارى».

«إلام عساني أنظر؟».

«إلى هذا.. هناك، أمام العربة! مربوط إلى العربة! إنه أمام عينـ..».

لكن مع استمرار «رون» فى النظر بتعجب أمامه، ورد إلى خاطر «هارى» خاطر غريب.

«لا تـ.. لا تراها؟».

«أرى ماذا؟».

«ألا ترى الكائنات المربوطة إلى العربات؟».

بدا الانزعاج الشديد على وجه «رون».

«هل أنت بخير يا هارى؟».

«أنا.. أجل..».

شعر «هارى» بالتعجب! كانت الجياد أمامه، ينعكس الضوء القادم من النوافذ على أجسادها فتلمع، والبخار يتصاعد من أنوفها فى برد الليل. لكن، وفى حالة ما إذا كان «رون» لا يكذب، وما لم تكن هذه مزحة منه.. فإنه لا يراها.

قال «رون» بارتباك ناظرًا إلى «هارى» كأنه خائف عليه: «هلا ركبنا؟ ما رأيك؟».

قال «هارى»: «أجل.. هيا بنا».

قال صوت حالم بجانب «هارى» و«رون»، وهما يختفيان داخل العربة: «أنت لست مجنونًا، ولا أى شىء. أنا أيضًا أراهم».

قال «هارى» ملتفتًا إلى «لونا»: «فعلاً؟» ورأى جناحًا من أجنحة أحد الجياد منعكسًا على عينها الواسعة الفضية.

قالت «لونا»: «أجل.. فأنا أراها منذ جئت إلى هنا لأول مرة. إنها تجر الجياد دومًا. لا تقلق. فأنت عاقل مثلى تمامًا».

بابتسامة واهنة ركبت العربة خلف «رون». وبدون أن يطمئنه تمامًا ما قالته، استقل «هارى» العربة من خلفها.

١١ أغنية قبعة الاختيار الجديدة

لم يرغب «هارى» فى إخبار الآخرين بأنه و«لونا» يعانيان من هلوسة - إن كان هذا هو الحال فعلاً - لذا فلم يذكر المزيد عن الجياد، وجلس داخل العربة موصداً الباب. لكنه لم يقدر على مقاومة إغراء النظر للجياد من خلف النافذة.

تساءلت «چينى»: «هل رأيتم جميعًا جروبلى - بلانك؟ لماذا عادت؟ لا يمكن أن يكون هاجريد قد غادر، أليس كذلك؟».

قالت «لونا»: «هذا مما يبعث على السرور؛ فهو ليس بالمدرس القدير.. أليس كذلك؟».

قال «هارى» و«رون» و«چينى» بغضب: «بل هو كذلك».

حدق «هارى» غاضبًا فى «هيرميون».. سعلت وقالت بسرعة: «آ.. آ.. أجل أجل، إنه مدرس جيد».

قالت «لونا»: «فى الواقع نحن فى رافنكلو نرى أنه مثير للضحك».

قال «رون» بحدة شديدة والعجلات تصر من تحتهم: «واضح أن إحساسكم بالأشياء المضحكة مختل جدًا».

لم يبد على «لونا» الانزعاج من وقاحة «رون» معها.. على النقيض، راقبته لبعض الوقت كأنه برنامج تليفزيونى مثير للاهتمام.

سارت العربات متمايلة فى قافلة طويلة على الطريق. عندما مروا بين الشواهد الحجرية الطويلة الواقف عليها خنازير مجنحة على طرفى البوابة المفضية إلى المدرسة، مال «هارى» للأمام محاولاً رؤية إن كان هناك أى أضواء موقدة فى كوخ «هاجريد» المنتصب إلى جوار الغابة المحرمة، لكنه وجد الأرض يسودها الظلام. أما قلعة «هوجورتس» فقد وقفت منتصبة مهيبة المنظر، بأبراجها المشرعة فى السماء، وثمة نافذة هنا وهناك تلمع بالضوء الموقد داخلها.

توقفت العربات بالقرب من الدرجات الحجرية المفضية إلى الأبواب الأمامية البلوطية، ونزل «هارى» أولاً من العربة. التفت ثانية؛ بحثًا عن نوافذ مضاءة قرب الغابة، لكن لم يجد أية علامة دالة على وجود حياة عند كوخ

«هاجريد». ومن دون رغبة منه ـ وكأنه يتمنى أن تكون قد اختفت ـ التفت إلى المخلوقات الغريبة العظمية الأجساد الواقفة بهدوء فى هواء الليل البارد، وعيونها البيضاء الخالية من التعبير تلمع.

مر «هارى» من قبل بتجربة واحدة رأى فيها شيئًا لم يره «رون»، وكان هذا انعكاسًا فى المرآة، شيئًا أقل غموضًا بكثير من مائة حصان، أقوياء بما يكفى لجر أسطول من العربات. إن كان له تصديق «لونا»، فهذه الكائنات موجودة طوال الوقت لكنها غير مرئية. فما الذى جعله يراها فجأة؟ ولماذا لا يراها «رون»؟

قال «رون» الواقف إلى جواره: «هل ستدخل أم ماذا؟».

قال «هارى» بسرعة وهم ينضمون إلى الجمع المتجه نحو الدرجات الحجرية المفضية للقلعة: «آه.. أجل».

كانت القاعة الأمامية متقدة الأضواء بالمشاعل، ومليئة بجلبة أصوات أقدام التلاميذ العابرين على الأرضية الحجرية إلى الأبواب المزدوجة إلى اليمين، والتى تقود إلى القاعة الكبرى ومعها مأدبة بداية الفصل الدراسى.

كانت الموائد الطويلة الخاصة بالفرق المدرسية الأربعة بالقاعة الكبرى مصطفة تحت سقف بلا نجوم، مثل السماء التى رأوها بالخارج عبر النوافذ العالية الطويلة. كان الشمع معلقًا فى الهواء بطول كل الموائد، ملقيًا الضوء على الأشباح الفضية التى تطفو هنا وهناك بالقاعة، وكذا على وجوه التلاميذ الذين أخذوا يتحدثون بحماس ولهفة متبادلين أخبار الصيف، وصائحين ترحيبًا بالأصدقاء من الفرق الأخرى، ومتفحصين عباءات وقصات شعر بعضهم البعض. مرة أخرى لاحظ «هارى» أن الأولاد يقاربون رءوسهم ويتهامسون مع مروره إلى جوارهم، فحاول ألا يبدو عليه الاهتمام أو حتى ملاحظة أنهم يتطلعون إليه.

ابتعدت «لونا» عنهم لتنضم إلى مائدة «رافنكلو». ولحظة وصولهم إلى مائدة «جريفندور» رحب بعض تلاميذ الصف الرابع بـ«چينى» فجلست معهم.. أما «هارى» و«رون» و«هيرميون» و«نيفيل» فقد وجدوا مقاعد وجلسوا معًا عند منتصف المائدة، بين «نيك مقصوف الرقبة تقريبًا» شبح فرقة «جريفندور» من جانب، و«بارفاتى باتيل» و«لاڤندر براون» من جانب

آخر، واللتين رحبتا بـ«هارى» ترحيبًا وودًا مبالغًا فيه جعله واثقًا تمام الثقة أنهما قد توقفتا عن الحديث عنه قبل ثانية من قدومه. كان لديه أشياء أكثر أهمية يقلق بشأنها.. وأخذ ينظر من فوق رءوس الطلبة إلى مائدة المدرسين المنتصبة عند الجدار الأمامى للقاعة.

«إنه ليس هنا».

مسح «رون» و«هيرميون» مائدة المدرسين بعيونهما هما الآخران، بالرغم من عدم وجود حاجة حقيقية لهذا؛ فحجم «هاجريد» يجعله مرئيًا فى أى مكان.

قال «رون» بقلق طفيف: «لا يمكن أن يكون قد رحل».

قال «هارى» بحزم: «بالطبع لا».

قالت «هيرميون»: «هل تحسبه.. جُرح؟ أو شيئًا من هذا القبيل؟».

قال «هارى» فورا: «لا».

«إذن فأين هو؟».

مرت فترة صمت، ثم قال «هارى» بهدوء بالغ لا يقدر «نيفيل»، أو «بارفاتى»، أو «لاڤندر» على سماعه: «ربما لم يرجع بعد. تعرفون أنه خرج فى مهمة.. المهمة التى كلفه بها دمبلدور فى الصيف».

قال «رون» والثقة تعود إلى صوته: «أجل.. أجل. لا بد أن هذا هو ما حدث» لكن «هيرميون» عضت على شفتها، ونظرت إلى مائدة المدرسين كأنه تأمل فى تفسير ما لاختفاء «هاجريد».

قالت بحدة مشيرة إلى منتصف مائدة المدرسين: «من تلك؟».

تبعت عينا «هارى» أصبع «هيرميون»، فوقعتا على «دمبلدور» الجالس فى مقعده الذهبى الظهر عند منتصف المائدة بالضبط، مرتديًا عباءة ذات لون بنفسجى داكنٍ وعليها نجوم فضية، وقبعة من نفس اللون. كان رأس «دمبلدور» مائلاً على السيدة الجالسة إلى جواره، والتى أخذت تتحدث إليه فى أذنه. بدت لـ«هارى» مثل خالة عانس: ممتلئة الجسد، وشعرها بنى مجعد قصير، وضعت فيه شريطًا ورديًّا على سبيل الزينة، بنفس لون السترة الصوفية التى ترتديها فوق عباءتها. أدارت وجهها لتأخذ رشفة من كأسها فتعرف «هارى» ـ شاعرًا بالصدمة ـ على الوجه الضفدعى، وزوج من العيون الجاحظة.

«إنها تلك المرأة.. أمبريدچ».

قالت «هيرميون»: «من؟».
«كانت حاضرة فى جلسة محاكمتى.. إنها تعمل مع فادچ».
قال «رون» ساخرًا: «سترة صوفية جميلة».
كررت «هيرميون» كلمات «هارى» مقطبة الجبين: «تعمل مع فادچ! وماذا بحق السماء تفعل هنا إذن؟».
«لا أعرف..».
مسحت «هيرميون» مائدة المدرسين بعينيها مضيقة ما بينهما.
غمغمت: «لا.. لا، بالطبع لا..».
لم يفهم «هارى» عم تتحدث، لكنه لم يسأل.. كان انتباهه قد تحول إلى الأستاذة «جروبلى بلانك» التى ظهرت عند مائدة المدرسين.. سارت حتى الطرف البعيد وجلست مكان «هاجريد». معنى هذا أن تلاميذ الصف الأول عبروا البحيرة إلى القلعة، وبعد لحظات بالفعل انفتحت أبواب القاعة الأمامية، ودخل صف طويل من تلاميذ الصف الأول الخائفين، تقودهم الأستاذة «مكجونجال»، وفى يدها مقعد قصير استقرت فوقه قبعة ساحر قديمة، مليئة بالرقع وعند طرفها العلوى قطع كبير.
خفتت أصوات الثرثرة من القاعة حتى تلاشت. اصطف تلاميذ السنة الأولى أمام مائدة المدرسين فى مواجهة باقى التلاميذ، ووضعت الأستاذة «مكجونجال» المقعد أمامهم ثم تراجعت للخلف.
انعكس ضوء شاحب صادر عن الشموع على وجوه تلاميذ الصف الأول. بدا ولد صغير واقف فى منتصف الصف كأنه يرتجف. تذكر «هارى» كيف شعر بالرهبة والخوف وهو واقف مكانه، بانتظار الاختبار المجهول الذى سيحدد إلى أية فرقة سينتمى.
انتظرت المدرسة بأجمعها محبوسة الأنفاس. ثم انفتح القطع القريب من طرف القبعة العلوى مثل فم، وأخذت القبعة فى الغناء:

أيام زمان زمان، وأنا شابة وجديدة
وهوجورتس تبدأ حياتها المديدة
أراد مؤسسو مدرستنا النبيلة
ألا تفرقهم الأيام كثيرة أو قليلة

وهدف واحد يجمعهم
ورغبة واحدة تسيطر على شعورهم
هى تأسيس أفضل مدرسة للسحر فى العالم
ويعلمون الأولاد فيها سحرًا واضح المعالم.
قالوا: «معًا سنبنى وسيتعلم الكثيرون»
فبنى الأصدقاء الأربعة الطيبون
ولم يخطر على بالهم
أن الأيام ستفرقهم
فرقت سليذرين وجريفندور
ومَن بعدهما جاء عليه الدور؟
طبعا هافلباف ورافنكلو
فكيف حدث هذا يا خلق يا (هو)!
كنت موجودة أشاهد
لا أقدر على حكى الحكاية لشخص واحد
وقال سليذرين: «سنعلم بهمة كبيرة
أولاد الأسر النبيلة الأصيلة»
وقال رافنكلو: «سنعلم من جاء
ووجدناه شديد الذكاء»
وقال جريفندور: «سنعلم قدر المستطاعْ
كل من نجده شجاعْ»
قال هافلباف: «سنعلم كل الأولاد
أصول السحر بجد واجتهاد»
تسببت هذه الفروق فى بعض الاختلافات
عندها ظهرت الفرق الأربعة وبدأت فى تعليم السحرة والساحرات
لأن كلاً من مؤسسى الفرق الأربع الجميلات
أراد أن يضم لفرقته
من يجد فيه أمله وغايته
مثلاً سليذرين

أخذ أولاد السحرة العريقين المتمكنين
المكرة مثله
ممن يبارى عقلهم عقله
أما ذوو العقول الذكية
فقد علمهم رافنكلو بكل جدية
أما الأولاد الشجعان
فقد انضموا لجريفندور الذى بالجرأة ملآن
أما هافلباف المليئة بالطيبة والتقوى
فقد أخذت من تبقى
وعلمتهم كل ما تعرفه أكانوا أذكياء أم ذوى عقول (طَقّة)
وهكذا حافظ مؤسسو الفرق الأربعة
على صداقتهم الحقيقية من دون مصلحة أو منفعة
وعملت هوجورتس فى تعاون
لمدة سنوات سعيدة، ومن دون تهاون
لكن تسللت الفرقة والاختلاف بينهم
ليغذى المخاوف ويحنى الهمم
الفرق الأربعة، التى كانت مثل أربعة قوائم
ترفع المدرسة من غير عمد أو قائم
أصبحت متفرقة ومختلفة الاتجاهات
وسعت كل منها للسيطرة وفرض السلطات
ولفترة بدا وكأن المدرسة
ستلاقى نهاية مبكرة ولن تصبح مؤسسة
مع انتشار القتال والشجار الذى للدماء يريق
والصدام بين الصديق والصديق
حتى وفى يوم أوله حزن وآخره ضيق
رحل سليذرين العجوز بسرعة
وبالرغم من توقف القتال والشجار
تركنا شاعرين بالحزن وهو يرحل من بين الأشجار

ومنذ أصبح عدد المؤسسين ثلاثة

لم تتحد المدرسة ولم تعد الأمور تسير بسلاسة

كما كان من المفترض أن تكون عليه الأحوال

والآن وقبعة الاختيار قريبة من الزوال

وكما تعرفون جميعًا مهمتى التى تستلزم الجهد والعرق

فأنا أختار الطلبة وأضمهم للفرق

لكن هذه المرة سأقول المزيد بدافع القلق

اسمعونى وافهموا أغنية قبعتكم:

بالرغم من حزنى على تفريقكم

وأعرف أن ليس علىَّ بث الخلافات بينكم

لكن يجب أن أؤدى الواجب

وأقسمكم إلى أربع فرق وقد يخسر الصاحب الصاحب

لكن هذه السنة أود أن أشير

إلى أن التقسيم ليس بالأمر الخطير

الذى سيصل بنا للنهاية التى أخشاها

لا، فهناك أخطار وعلامات يراها

كل من يقرأ التاريخ ويعتبر

فمدرستنا هوجورتس فى خطر

من عدو خارجى تخاف منه القلوب وتنفطر

وعلينا الاتحاد من الداخل

وإلا ستصيبنا المصائب من كل المداخل

أنا قلت وأنا حذرت..

ودعونا نبدأ الاختيار ونعرف من سيذهب إلى مكانه بالضبط.

رجعت القبعة إلى ثباتها ثانية، فأخذ الجميع فى التصفيق، مع الكثير من الغمغمة والهمسات، فى اهتمام بأغنية القبعة لم يشهده «هارى» من قبل. وبطول القاعة الكبرى أخذ الطلبة يتبادلون التعليقات، و«هارى» ـ الذى صفق مع الجميع ـ كان يعرف عم يتحدثون. قال «رون»: «تمادت قليلاً هذا العام.. أليس كذلك؟».

قال «هارى»: «فعلاً.. تمادت كثيرًا».

كانت قبعة الاختيار فى العادة يقتصر كلامها على ذكر الاختلافات بين فرق «هوجورتس» الأربع، ودورها فى توزيع التلاميذ الجدد عليها. لم يتذكر «هارى» أنها حاولت من قبل تقديم النصائح.

قالت «هيرميون» بادية القلق: «أتساءل إن كانت قد ألقت بمثل هذه التحذيرات من قبل قط؟!».

قال «نيك مقصوف الرقبة تقريبًا» بنبرة العالم ببواطن الأمور وهو يميل عبر «نيفيل» ـ مما جعل «نيفيل» يجفل، فمرور شبح خلال جسدك ليس بالأمر المريح ـ مفضيًا بحديثه إلى «هيرميون»: «القبعة تشعر دومًا بواجبها الأخلاقى نحو المدرسة، فتطلق التحذيرات كلما كان هذا ضروريًا..».

لكن الأستاذة «مكجونجال» التى جلست تقرأ قائمة أسماء تلاميذ الصف الأول حدجت الطلبة الهامسين بنظرة زاجرة. وضع «نيك مقصوف الرقبة تقريبًا» أصبعه شبه الشفاف على فمه وجلس مستقيم الظهر بتهذيب ثانية والغمغمة من حوله تتبخر. خفضت الأستاذة «مكجونجال» عينيها إلى رقعة الورق الكبيرة بيدها ونادت على أول اسم:

«أبيركرومبى إيوان».

تعثر الولد المرتجف الذى رآه «هارى» من قبل إلى الأمام ووضع القبعة على رأسه.. لم تسقط على كتفه، فقط بسبب أذنيه الكبيرتين. فكرت القبعة للحظة، ثم انفتح القطع القريب من قمتها وصاحت: «جريفندور!».

صفق «هارى» مع باقى أفراد فرقة «جريفندور» و«إيوان أبيركرومبى»[(١)] ينضم إلى مائدتهم ويجلس معهم، وقد بدت على وجهه الرغبة فى أن تنشق الأرض وتبتلعه، حتى يكفوا عن النظر إليه.

ببطء أخذ صف تلاميذ الصف الأول فى الانكماش. وفى فترات التوقف بين نداء الأسماء وصدور قرارات قبعة الاختيار، كان «هارى» يسمع معدة «رون» تصدر أصواتًا غريبة أخيرًا جاء اسم «زيلر روز» التى أدخلتها القبعة فرقة

---

(١) ليس هناك خطأ فى اسم إيوان، فالأستاذة «مكجونجال» تنادى بالترتيب الأبجدى لاسم الأب. والولد اسمه «إيوان أبيركرومبى»، ونذكر كيف نادت الأستاذة «مكجونجال» «هارى» عندما كان فى مكانه باسم «بوتر هارى». (المترجم).

«هافلباف»، ورفعت الأستاذة «مكجونجال» القبعة والمقعد وابتعدت، بينما الأستاذ «دمبلدور» يهب على قدميه.

بغض النظر عن كمّ المشاعر المريرة التى يحس بها تجاه ناظر المدرسة، فإن «هارى» قد أراحه رؤية «دمبلدور» واقفًا أمامهم جميعًا. بين غياب «هاجريد» ورؤية الجياد التنينية شعر بأن عودته إلى «هوجورتس»، والتى انتظرها طويلاً وتاق إليها، كانت مليئة بالمفاجآت غير السارة، مثل غناء أغنية جميلة بلحن مشوه. لكن ما يحدث حاليا كان هو المفروض أن يحدث: أن ينهض ناظر المدرسة ليحييهم قبل بداية مأدبة الفصل الدراسى.

قال «دمبلدور» بصوت رنان وذراعاه ممدودتان على آخرهما، وابتسامة مشرقة مرتسمة على شفتيه: «للقادمين الجدد أقول مرحبا.. ولأولادنا الكبار أقول تسعدنى عودتكم! وهناك وقت للخطب، لكن هذا ليس وقته.. كلوا بالهناء والشفاء».

انبعثت ضحكة جماعية من بين الجموع وصفق الجميع، و«دمبلدور» يجلس ثانية برشاقة، ويلقى بلحيته الطويلة من فوق كتفه حتى يبعدها عن طبقه.. فقد ظهر الطعام من الهواء، فأنَّت الموائد الخمس تحت أحمال الفطائر والأطباق والفاكهة، والخبز، والصلصة، وعصير القرع اللذيذ.

قال «رون» بنبرة المشتاق الولهان: «ممتان» ثم قبض على أقرب طبق لحم وبدأ فى تحويل قطع اللحم إلى طبقه، و«نيك مقصوف الرقبة تقريبًا» يراقبه بحسرة.

سألت «هيرميون» الشبح: «ماذا كنت تقول قبل عملية الاختيار؟ بشأن تقديم القبعة للتحذيرات؟».

قال «نيك» وقد أسعده وقوع ما يحول تركيزه بعيدًا عن «رون» الذى أخذ يأكل البطاطس بحماس بالغ: «آه.. أجل. سمعت القبعة تعطى بعض التحذيرات من قبل. ودائمًا فى الأوقات التى تمر فيها المدرسة بخطر عظيم. وطبعًا دائمًا ما تكون النصيحة واحدة.. وهى الاتحاد ومساعدة بعضنا البعض».

قال «رون»: «(وقف) (ترف) إن (قانت) (المرسّة) فى خطر وهى قبعة؟».

كان فمه مليئًا بالطعام لدرجة لم يفهم معها «هارى» كلمة واحدة منه.

قال «نيك مقصوف الرقبة تقريبًا» بتهذيب: «عذرًا؟» بينما نظرت «هيرميون» بنفور إليه. ابتلع «رون» ما بفمه من طعام بصعوبة بالغة، وقال: «وكيف تعرف إن كانت المدرسة فى خطر وهى قبعة؟».

قال «نيك مقصوف الرقبة تقريبًا»: «ليس لدى فكرة.. بالطبع هى تعيش فى مكتب دمبلدور، مما يعنى أنها تسمع أشياء كثيرة».

قال «هارى» ناظرًا نحو مائدة «سليذرين» حيث جلس «دراكو مالفوى»: «وتريد أن تتحد الفرق ويصبح أفرادها أصدقاء؟ لا يمكن!».

قال «نيك» بنبرة الناصح الواعظ: «لا يجب أن تتصرف هكذا.. التعاون السلمى هو الحل. نحن معشر الأشباح بالرغم من أن كل واحد منا ينتمى إلى فرقة مختلفة، فإن بيننا صداقة قوية. بالرغم من التنافس بين جريفندور وسليذرين، فإننى لا أحلم أبدًا ولا أرغب فى الدخول فى نقاش أو خلاف مع البارون الدموى».

قال «رون»: «هذا لأنك تخافه كثيرًا».

بدت الإهانة على وجه «نيك مقصوف الرقبة تقريبًا».

«أخافه؟ ما كان السير نيكولاس دى ميمسى بوربينجتون[1] جبانًا هيابًا فى حياته أبدًا! الدم الأزرق النبيل الذى يسرى فى عروقى..».

قال «رون»: «أى دم هذا؟ بالطبع لا تعنى أنه ما زال عندك د..».

قال «نيك مقصوف الرقبة تقريبًا» باديًا عليه الانزعاج ورأسه شبه المقطوع يهتز: «على سبيل المجاز.. أم أنك ستمنعنى من الاستمتاع باستعمال الكلمات التى أريدها؟ بالإضافة لحرمانى من متعة الأكل والشرب! لكنى اعتدت على مزاح التلاميذ معى حول موتى، لا تبال!».

قالت «هيرميون» ناظرة بغضب إلى «رون»: «نيك، لكنه لم يسخر منك».

لسوء حظ «رون»، كان فمه مليئًا بالطعام، وعلى وشك الانفجار إن تحدث، فقال: لم (أقصوو) (آآآن) أضايقك» والتى لم يعتبرها «نيك» اعتذارًا مناسبًا. ارتقى فى الهواء، وعدل من وضع قبعته القديمة، وابتعد عنهم ذاهبًا إلى الطرف الآخر من المائدة، حيث جلس الإخوة «كريفى»، و«كولين»، و«دينيس».

قالت «هيرميون» بحدة: «أحسنت يا رون».

قال «رون» شاعرًا بالظلم وقد نجح أخيرًا فى ابتلاع الطعام: «ماذا؟ أليس مسموحًا لى بطرح سؤال؟».

---

(١) هذا هو اسم «نيك مقصوف الرقبة تقريبًا» قبل أن يموت ويصبح شبحًا، واسمه «نيك»، اختصارًا لاسم «نيكولاس»، ويطلقون عليه لقب «مقصوف الرقبة تقريبًا» لأن رقبته شبه مقطوعة عن جذعه. (المترجم).

قالت «هيرميون» بامتعاض: «أف.. انس الأمر» وقضى كلاهما باقى وقتهما على المائدة فى صمت.

كان «هارى» قد اعتاد شجارهما حتى إنه لم يتدخل.. شعر بأن الأفضل أن يأكل قطعة اللحم التى أمامه، وفطيرة الكبد، وطبقًا كبيرًا من الكعك المحلى.

عندما انتهى جميع التلاميذ من الأكل وأخذ صوت الثرثرة فى الارتفاع، وقف «دمبلدور» على قدميه ثانية. توقفت الهمهمة فورًا، والتفتوا محدقين فى ناظرهم. شعر «هارى» بالنعاس. كان فراشه ذو الأربعة أعمدة ينتظره بالأعلى، ينادى عليه بدفئه ونعومته..

قال «دمبلدور»: «حسنًا، والآن بعد أن انتهينا من هذه المأدبة الرائعة، أطلب منكم أن تتكرموا بالانتباه والاستماع إلى تعليمات بداية الفصل الدراسى.. يجب على تلاميذ السنة الأولى معرفة أن الغابة القريبة من المدرسة محرمة على الطلبة.. وعلى بعض تلاميذنا الأكبر معرفة هذا أيضًا» فتبادل «هارى»، و«رون»، و«هيرميون» النظرات الضاحكة.

«طلب منى السيد فيلش، فراش المدرسة، للمرة الأربعمائة واثنتين وستين أن أذكركم جميعًا بأنه ليس مسموحًا بالسحر فى الطرقات بين الفصول، بالإضافة للعديد من التحذيرات الأخرى، التى يمكنكم قراءتها عند مكتب السيد فيلش».

«معنا هذا العام مدرسان جديدان. نرحب بالأستاذة «جروبلى بلانك» التى ستُدرس مادة رعاية المخلوقات السحرية.. كما يسرنا تقديم الأستاذة أمبريدچ، أستاذة مادة الدفاع عن النفس ضد السحر الأسود».

علت موجة تصفيق مهذب غير متحمس، خلالها تبادل «هارى» و«رون» و«هيرميون» نظرات قلقة.. لم يذكر «دمبلدور» شيئًا عن مدة تدريس الأستاذة «جروبلى بلانك».

أكمل «دمبلدور» كلامه: «ستُقام اختبارات اختيار لاعبى فرق الكويدتش يوم الـ..».

سكت عن الكلام، ناظرًا نظرة متساءلة نحو الأستاذة «أمبريدچ». وهى على حالها قصيرة هكذا، فعندما وقفت لم تكن أطول منها وهى جالسة.. مرت لحظة حيرة قبل أن يفهم أحد لماذا سكت «دمبلدور»؟ لكن مع نحنحة الأستاذة «أمبريدچ»: «إحم.. إحم» أدرك الجميع أنها وقفت، وتريد إلقاء خطبة.

لاحت الدهشة على وجه «دمبلدور» للحظة، ثم جلس برشاقة ونظر باهتمام نحو الأستاذة «أمبريدج» كأنه لا يبغى شيئًا فى الدنيا قدر رغبته فى سماعها وهى تتحدث. لم يتمكن باقى المدرسين من إخفاء دهشتهم مثله. اختفى حاجبا الأستاذة «سبروت» فى شعرها، وصار فم الأستاذة «مكجونجال» رفيعًا بطريقة لم يرها «هارى» من قبل. أخذ العديد من التلاميذ يتهامسون ساخرين منها.. ولسان حالهم يقول: هذه السيدة لا تعرف كيف تسير الأمور فى «هوجورتس».

قالت الأستاذة «أمبريدج»: «أشكرك يا سيدى الناظر على كلمات الترحيب الرقيقة هذه».

كان صوتها مرتفع النبرة، وأشبه بصوت بنت صغيرة، ومرة أخرى شعر «هارى» بجرعة هائلة من الكراهية تتدفق داخله نحوها، دون أن يجد لها سببًا.. كل ما يعرفه هو أنه لا يحب أى شىء فيها، من صوتها السخيف، إلى سترتها الصوفية الغريبة. تنحنحت ثانية (إحم، إحم)، وأكملت كلامها.

قالت مبتسمة كاشفة عن أسنان حادة جدًا: «ياه، ما أجمل العودة إلى هوجورتس! لكم تسعدنى رؤية هذه الوجوه الصغيرة تتطلع إلىّ».

أدار «هارى» بصره حوله. لم تظهر السعادة على أى من الوجوه المحيطة. على النقيض، بدوا مأخوذين من مخاطبتهم كأنهم فى الخامسة من عمرهم.

«أنا أتطلع إلى التعرف عليكم جميعًا، وواثقة من أننا سنصبح أصدقاء».

تبادل التلاميذ النظرات مع العبارة الأخيرة، وبعضهم يخفى ضحكاته.

همست «بارفاتى» قائلة لـ«لافندر»: «يسعدنى أن أكون صديقتها، مادمت لن أضطر لاستعارة تلك السترة الصوفية» فأخذتا تضحكان بحماس.

تنحنحت الأستاذة «أمبريدج» ثانية: «إحم.. إحم»، لكن عندما أكملت كلامها، تلاشت بعض البسمات عن الوجوه. صار صوتها أكثر عملية، وقالت كلامًا يحفظونه جميعًا عن ظهر قلب.

«لطالما اعتبرت وزارة السحر تعليم الساحرات والسحرة الصغار مسألة هامة. إن الهبات النادرة التى ولدتم بها لن تكون ذات بال إن لم تتم رعايتها وصقلها تحت إشراف جيد. كما يجب تمرير الخبرات السحرية التى نتوارثها أبًا عن جد، عبر الأجيال، حتى لا تضيع منا للأبد. إن كنز المعرفة السحرية الذى

تراكم على أيدى أجدادنا يجب أن نحرسه، ونزيده، ونصقله، وهذا على أيدى من أخذوا على عاتقهم مهنة التدريس الجليلة النبيلة».

سكتت الأستاذة «أمبريدچ» للحظة، وانحنت احترامًا لأعضاء هيئة التدريس، الذين لم ينحن أيهم لها ردًا للتحية. ضاقت عينا الأستاذة «مكجونجال» البنيتان الداكنتان، حتى بدت كعيون الصقر، ولمحها «هارى» تتبادل النظرات المحملة بالمعانى مع الأستاذة «سبروت»، و«أمبريدچ» تتنحنح ثانية: «إحم.. إحم»، ثم تكمل خطبتها.

«كل ناظر وناظرة عملوا فى هورجورتس قدَّموا لمهمة قيادة هذه المدرسة التاريخية الجديد، وهذا هو ما يجب أن يكون عليه الحال؛ لأن بدون التقدم سنلاقى الجمود والتراجع والتحلل. وأود ذكر أن التقدم من أجل التقدم ليس بالأمر الذى يجب تشجيعه؛ لأن طرق التدريس المجربة والمعروفة لا يجب أن نؤخرها بالتجربة. إذن فلابد من التوازن بين الأصالة والمعاصرة، وبين الثابت والمتغير، وبين التقاليد والتقاليع..».

وجد «هارى» انتباهه ينسحب منه، كأن عقله ينعس. انقطع الصمت الذى كان يعم القاعة أثناء حديث «دمبلدور» بثرثرة وضحكات الأولاد الهامسة وهم يتحدثون معًا. وعلى مائدة «رافنكلو»، أخذت «تشو تشانج» تتحدث مع صديقاتها. وعلى مسافة عدة مقاعد من «تشو تشانج» أخرجت «لونا لوفجود» مجلتها «الكويبلر» ثانية.. وعلى مائدة «هافلباف»، كان «إرنى ماكميلان» من القليلين الذين لم تنزل عيونهم عن الأستاذة «أمبريدچ» وهى تتكلم، لكن نظرته كانت زجاجية خالية من التعبير، وكان «هارى» واثقًا أنه ـ «إرنى ماكميلان» ـ يتظاهر بالاستماع فى محاولة لأن يكون على مستوى مسئولية شارة رائد الفصل المربوطة إلى صدره.

لم تلحظ الأستاذة «أمبريدچ» الجلبة الصادرة عن جمهورها. شعر «هارى» بأن عصيانًا مدنيًّا كاملاً قد يندلع تحت أنفها دون أن تكف عن تلاوة خطبتها. لكن المدرسين كانوا لا يزالون منصتين باهتمام بالغ، وبدا على «هيرميون» أنها تركز مع كل كلمة تقولها الأستاذة، بالرغم من أن كلامها بدا مخالفًا لذوق «هيرميون»، وهو ما ظهر على وجهها.

«.. لأن بعض التغييرات ستكون للأفضل، وبعضها الآخر سنرى مع الوقت

أنها مجرد أخطاء فى أحكامنا على الأشياء. وفى نفس الوقت، بعض العادات القديمة تعتبر جيدة، لكن بعضها الآخر سنجده قديمًا، وباليًا، وهى ما يجب التخلى عنها. دعونا نتقدم للأمام فى مسيرة التقدم، لنصل إلى عصر جديد من الشفافية، والكفاءة، والمساءلة، ولنصبح حريصين على حفظ ما يجب حفظه، وإتقان ما يجب إتقانه، ومنع الممارسات التى يتوجب منعها».

جلست أخيرًا. صفق «دمبلدور»، فتبعه باقى المدرسين، لكن «هارى» لاحظ أن العديد منهم صفقوا بأيديهم لمدة قصيرة جدًا وبلا أى حماس. انضم القليل من الطلبة إليهم، لكن معظم الباقين لم ينتبهوا إلى أن الخطبة قد انتهت، ولا سمعوا أكثر من بعض كلماتها، وقبل أن يبدأوا فى التصفيق والتهليل كما يجب، وقف «دمبلدور» ثانية.

قال منحنيًا فى تحية احترام: «شكرًا جزيلاً لك يا أستاذة أمبريدج.. يالها من خطبة جالية للأمور.. والآن، علىّ ذكر أن اختبارات اختيار لاعبى فرق الكويدتش ستُعقد يوم..».

قالت «هيرميون» بصوت خفيض: «فعلاً.. خطبة جالية للأمور».

قال «رون» بهدوء ملتفتًا بنظرة اهتمام بالغ نحو «هيرميون»: «لا تخبرينى بأنك قد استمتعت بها.. كانت تلك أكثر الخطب مللاً سمعتها فى حياتى، بالرغم من أننى قد نشأت فى بيت واحد مع بيرسى».

قالت «هيرميون»: «قلت خطبة جالية للأمور، وليست ممتعة؛ فقد فسرت الكثير».

قال «هارى» مندهشًا: «فعلاً؟ كانت أشبه بطبق بطاطس بالنسبة لى».

قالت «هيرميون» بتجهم: «طبق بطاطس مخبأ به بعض الأشياء».

قال «رون»: «أشياء مثل ماذا؟».

«ما رأيكما فى كلامها عن أن التقدم من أجل التقدم فقط ليس بالأمر الذى يجب تشجيعه؟ وتركيزها على التفرقة بين التغييرات الجيدة، والتغييرات التى يجب إحباطها؟».

قال «رون» بصبر نافد: «وماذا يعنى كل هذا؟».

قالت «هيرميون» بغيظ: «سأخبرك ماذا يعنى.. يعنى أن الوزارة تريد التدخل فى شئون هوجورتس».

تصاعدت الجلبة من حولهم، فأدركوا أن «دمبلدور» قد صرف التلاميذ؛ لأن الجميع

وقفوا استعدادًا لمغادرة القاعة. هبت «هيرميون» ناهضة وعلى وجهها الارتباك وقالت: «رون، من المفترض أن نوجه تلاميذ الصف الأول إلى أجنحة نومهم!».

قال «رون» الذى بدا عليه النسيان: «أجل.. أنتم.. يا عيال.. أيها الأقزام!».

«رون!».

«طيب.. إنهم، إنهم قصار القامة.. أعنى..».

«أعرف.. لكن لا يمكن أن تطلق عليهم أقزامًا» ثم صاحت بصوت آمر: «تلاميذ الصف الأول.. من هنا من فضلكم».

سارت مجموعة من الطلاب الخجلين إليها، وجميعهم يحاولون - بكل حرص - ألا يكونوا فى الصف الأول. كانوا بالطبع قصيرين وصغارًا.. وكان «هارى» واثقًا أنه لم يكن قصيرًا هكذا عندما حضر إلى «هوجورتس» للمرة الأولى. ابتسم لهم.. بدت الدهشة والخوف الشديدان على وجه الطالب المجاور لـ «إيوان أبيركرومبى».. لكز «إيوان» وهمس بشىء فى أذنه. لاحت دهشة وخوف مماثلان على الأخير، الذى ألقى بنظرة فزع على «هارى» فانحسرت الابتسامة من على وجهه.

قال بتبلد لـ «رون» و«هيرميون»: «أراكما لاحقًا» وهو يسير عبر القاعة الكبرى وحده، فاعلاً ما يقدر عليه ليتجاهل الهمسات، والنظرات، والأصابع المشيرة نحوه، أبقى عينيه مثبتتين أمامه وهو يسير فى الزحام إلى القاعة الأمامية، ثم سارع بصعود السلم الرخامى، ومر بطريقين مختصرين أثناء صعوده حتى صار وحيدًا بعيدًا عن الجموع التى تتقدم من خلفه.

كان غبيًا لأنه لم يتوقع سلوكهم هذا معه، هكذا فكر غاضبًا وهو يسير عبر الممرات الخالية بالطوابق الأعلى. بالطبع كان الجميع يحدقون فيه.. ألم يخرج من المتاهة مع نهاية مسابقة السحر الثلاثية منذ شهرين قابضًا على جثة زميله، مدعيًا أن اللورد «ڤولدمورت» قد عاد وبقوة إلى عالمنا. لم يجد الوقت الكافى مع نهاية الفصل الدراسى السابق للدفاع عن نفسه أمام الجميع، قبل أن يذهبوا جميعًا إلى بيوتهم.. دعك من أنه كان ليقدر على قص ما حدث بالضبط من أحداث رهيبة فى تلك المقابر.

وصل «هارى» إلى نهاية الممر الموصل إلى جناح فرقة «جريفندور» المدرسية، وتوقف أمام لوحة السيدة البدينة قبل أن يدرك جهله بكلمة السر الجديدة.

تلعثم مرتبكًا أمام السيدة البدينة، التى عدلت من وضع ثوبها الوردى الساتان، ونظرت إليه بصرامة.

قالت بكبرياء: «لن تمر بدون ذكر كلمة السر».

«هارى.. أنا أعرفها» جاء أحدهم من خلفه لاهثًا، فالتفت ليرى من القادم فوجد «نيفيل» يهرول مقتربًا منه، ثم أضاف: «خمن كلمة السر.. للمرة الأولى فى حياتى لا أنسى كلمة السر..» ثم وهو يشير إلى نبات الصبار السحرى الذى أراهم له فى القطار: «.. ميمبولوس ميمبليتونيا».

قالت السيدة البدينة: «صح» ثم انفتحت اللوحة متراجعة للوراء لتكشف عن كوة فى الحائط أشبه بالباب، فمر عبرها «هارى» و«نيفيل».

بدت حجرة الطلبة بجناح «جريفندور» مرحبةً أكثر من أى وقت مضى، وهى حجرة دائرية مريحة تشغل أحد أبراج القلعة، مليئة بالمقاعد الوثيرة والموائد القديمة. كانت نيران المدفأة مستعرة يطقطق الخشب فيها دافئًا مرحبًا، وبعض الناس جالسون حولها يدفئون أيديهم قبل أن يصعدوا إلى حجرات النوم.. وعلى الجانب الآخر من الحجرة كان «فريد» و«چورچ» يعلقان إعلانًا ما على لوحة الإعلانات. لوح لهما «هارى» ملقيًا تحية المساء، ثم اتجه على الفور إلى حجرات نوم الأولاد.. ولم يكن فى حالة مزاجية تسمح له بالحديث.. وتبعه «نيفيل».

كان كل من «دين توماس» و«سيماس فينيجان» قد وصلا إلى حجرة النوم قبله، واستغرقا فى عملية تغطية الحوائط المجاورة لفراشيهما بالملصقات والصور الفوتوغرافية السحرية. كانا يتحدثان و«هارى» يدفع الباب، لكنهما كفا عن الكلام عندما رأياه. فتساءل إن كانا يتحدثان عنه، أم أن توجسه بلا سبب.

قال عابرًا إلى حقيبته ليفتحها: «أهلاً».

قال «دين» الذى كان يرتدى منامة بألوان فريق «وستهام»: «أهلاً يا هارى.. هل قضيت إجازة سعيدة؟».

غمغم «هارى»: «ليست سيئة»؛ فقص ما مر به فى إجازته يحتاج لمعظم الليل.. وأضاف: «وأنت؟».

قال «دين»: «آه.. كانت على ما يرام.. أفضل من إجازة سيماس التى يخبرنى بشأنها الآن».

تساءل «نيفيل» واضعًا نبتة «الميمبولوس ميمبليتونيا» على المائدة المجاورة لفراشه: «لماذا؟ ماذا حدث لسيماس؟».

لم يجبه «سيماس» على الفور.. كان مشغولاً بتثبيت ملصق فريقه المفضل

فى «الكويدتش»، فريق «كينمار كستريلس» على الحائط. ثم قال وظهره مازال لـ «هارى»: «لم تكن أمى تريد أن أعود إلى المدرسة».

قال «هارى» ويده متجمدة على عباءته التى أخذ يخلعها عنه: «ماذا؟».

«لم تشأ أن أعود إلى هوجورتس».

التفت «سيماس» مبتعدًا عن ملصقه، وأخرج منامته من حقيبته، متفاديًا النظر نحو «هارى».

قال «هارى» مذهولاً: «لكن.. لماذا؟» كان يعرف أن أم «سيماس» ساحرة، فلم يفهم لماذا تتصرف بطريقة شبيهة بتصرفات آل «دورسلى».

لم يجبه «سيماس» حتى انتهى من ارتداء منامته.. قال بعدها بصوت حذر: «فى الواقع.. أعنى.. بسببك».

قال «هارى» بسرعة: «ماذا تعنى؟».

أخذ قلبه ينبض سريعًا. شعر كأن أحدهم يحاصره.

قال «سيماس» ثانية، وهو مازال يتفادى عينى «هارى»: «فى الواقع.. إنها.. إنها، الموضوع ليس متعلقًا بك فقط.. بل بدمبلدور أيضًا..».

قال «هارى»: «تراها تصدق ما تنشره جريدة الدايلى بروفيت؟ هل تحسبنى كاذبًا ودمبلدور عجوزًا مخرفًا؟».

رفع «سيماس» بصره إليه قائلاً: «أجل.. شىء من هذا القبيل».

لم ينطق «هارى» بكلمة. ألقى بعصاه السحرية على المائدة المجاورة لفراشه، وخلع عباءته راميًا إياها بعصبية فى حقيبته، ثم ارتدى منامته. شعر بالتعب.. التعب من كونه من يحدق فيه الجميع، ويتحدث عنه الجميع طوال الوقت. فكر أن أيًّا منهم لا يعرف سوى أقل القليل عما يعانيه، وعما يحدث له من مشكلات.. وأنه ليس لدى السيدة «فينيجان» أية فكرة، تلك المرأة الغبية!

رقد فى فراشه وشرع فى جذب الستائر من حوله، لكن وقبل أن يفعل قال «سيماس»: «انظر.. ماذا فعلت تلك الليلة.. عندما.. عندما.. عندما كنت مع سيدريك ديجورى؟».

شعر بالعصبية واللهفة فى صوت «سيماس». أما «دين» الذى كان منحنيًا على حقيبته يحاول استرجاع فردة حذائه التى وقعت، فقد تجمد فى مكانه؛ فعرف «هارى» أنه ينصت باهتمام.

قال «هارى» بسرعة: «ماذا تريد؟ تراك تقرأ الدايلى بروفيت مثل أمك؟ أليس كذلك؟ أخبرنى بما تريد معرفته».

احتدّ عليه «سيماس» قائلاً: «لا شأن لك بأمى».

قال «هارى»: «لى شأن بأى شىء يتعلق بنعتى بالكاذب».

«لا تحدثنى هكذا».

قال «هارى» وأعصابه تشتعل بسرعة حتى إنه أمسك بعصاه السحرية من على المائدة ثانية: «سأتحدث كيفما أشاء.. إن كان لديك مشكلة فى مشاركتى الحجرة، فاذهب واطلب من مكجونجال أن تنقلك من هنا.. حتى لا تقلق أمك عليك..».

«لا شأن لك بأمى يا بوتر!».

«ما الأمر؟».

ظهر «رون» عند مدخل الحجرة. عيناه واسعتان تتنقلان بين «هارى» الذى انحنى على فراشه وعصاه السحرية مصوبة نحو «سيماس»، وبين الأخير الذى وقف وقبضته مرفوعة.

صاح «سيماس»: «إنه يتعدى بالكلام على أمى».

قال «رون»: «ماذا؟ هارى لا يفعل مثل هذه الأشياء أبدًا.. لقد قابلنا أمك، وأحببناها..».

قال «هارى» بأعلى صوته: «كان هذا قبل أن تصدق كل كلمة تقولها تلك الجريدة الحقيرة عنى!».

قال «رون» وعلامات الفهم ترتسم على وجهه الملىء بالنمش: «آه.. فهمت.. هكذا».

قال «سيماس» بحرارة، ملقيًا نظرة سامة على «هارى»: «أتعرف؟ إنه محق، ولا أريد مشاركة الحجرة معه.. إنه مجنون».

قال «رون» وأذناه تتوهجان بلون أحمر.. وهى علامة على الخطر فى العادة: «لا تخرج عن النظام يا سيماس».

صاح «سيماس» بوجه شاحب على النقيض من «رون»: «أنا أخرج عن النظام؟ هل تصدق كل الهراء الذى خرج لنا به عن الذى ـ تعرفه؟ هل تصدق أنه يقول الحقيقة؟».

قال «رون» بغضب: «أجل.. أصدقه».

قال «سيماس» بقرف: «إذن فأنت أيضًا مجنون».

قال «رون» مشيرًا إلى صدره بأصبعه: «حقًا؟ من سوء حظك يا صاحبى أننى بجانب كونى مجنونًا فأنا رائد للفصل.. وإن كنت لا تريد العقاب فأغلق فمك هذا».

شعر «سيماس» بالتعقل عندما وازن ثمن العقاب بالاحتجاز مقابل قول ما يشاء؛ فأشاح بوجهه مبتعدًا صادرًا عنه أصوات احتجاج، ورقد فى فراشه مقفلاً الستائر بعنف كادت معه تتمزق، وتساقط التراب على الأرض منها.

حدق «رون» فيه، ثم نظر إلى «دين» و«نيفيل».

قال بعدوانية: «هل لأبوى أيكما احتجاج ما على هارى؟».

قال «دين» وهو يهز كتفيه: «أبواى من العامة يا صاحبى.. إنهما لا يعرفان أى شىء عن حوادث الموت فى هوجورتس؛ لأننى لست غبيًا بما يكفى لإخبارهما».

صاح فيه «سيماس»: «أنت لا تعرف أمى.. كانت لتعرف بطريقتها الخاصة! على أية حال أبواك لا يقرآن جريدة الدايلى بروفيت. ولا يعرفان أن ناظرنا قد عُزل من الويزنجاموت، ومن الاتحاد الكونفدرالى الدولى للسحرة؛ لأن عقله طار..».

قال «نيفيل»: «جدتى تقول إن هذا هراء.. وتقول إن الدايلى بروفيت تتصدع وتنهار، وليس دمبلدور بمجنون.. لقد ألغت اشتراكنا بها، ونحن نؤمن ببراءة هارى» قال «نيفيل» كلامه ببساطة وصعد إلى فراشه رافعًا الأغطية إلى ذقنه، ناظرًا نحو «سيماس»، ثم أضاف: «لطالما قالت جدتى إن الذى ـ تعرفه سيعود ذات يوم. وتقول إنه عندما يقول دمبلدور إنه قد عاد.. فهو قد عاد».

شعر «هارى» بالكثير من الامتنان نحو «نيفيل». لم يقل أحد بعده شيئًا. شهر «سيماس» عصاه السحرية، وأصلح بها ستائر الفراش، ثم اختفى خلفها. رقد «دين» هو الآخر فى فراشه، والتفت معطيًا ظهره لهم فى صمت. أما «نيفيل» ـ الذى لم يعد لديه المزيد ليقوله ـ فقد أخذ يحدق فى نبتته السحرية بافتتان وضوء القمر ينعكس عليها.

رقد «هارى» على وسادته، بينما «رون» يشغل الفراش المجاور له، مصدرًا جلبة أثناء ترتيبه لحاجياته. شعر بالاهتزاز من الجدال الذى دار مع «سيماس»، والذى كان يحبه كثيرًا. كم من الناس غيره يا ترى يرونه كاذبًا أو مجنونًا؟

هل عانى «دمبلدور» هكذا مثله طوال الصيف؟ بداية من عزله من «الويزنجاموت»، ثم من الاتحاد الكونفدرالى الدولى للسحرة؟ تراه غاضبًا من

«هارى»؟ ربما لهذا السبب كف عن الاتصال به لشهور عدة؟ كلاهما على نفس المركب.. «دمبلدور» صدق «هارى» وأعلن ما سرده عليه من أحداث للمدرسة كلها، ثم عرض الأمر على مجتمع السحرة الواسع. أىٌّ ممن يرون «هارى» كاذبًا لا بد وأنهم يرون «دمبلدور» كاذبًا أيضًا، أو أنه قد خدع الأخير..

فكر «هارى» بتعاسة أنهم سيعرفون أن قوله حق فى نهاية الأمر، بينما «رون» يصعد إلى فراشه ويطفئ آخر شمعة فى الحجرة. لكنه تساءل: كم من الهجمات مثل هجمة «سيماس» هذه سيتعرض لها قبل أن يعرفوا الحقيقة؟

١٢ الأسـتاذة أمبريـدچ

ارتدى «سيماس» ثيابه بأقصى سرعة الصباح التالى، وغادر الحجرة قبل أن ينهض «هارى» من فراشه حتى قال «هارى» بصوت جهورى وطرف عباءة «سيماس» يختفى عن ناظريه خلف الباب: «هل يظن أنه سيجن إن بقى فى الحجرة قليلاً معى؟».

غمغم «دين» رافعًا حقيبته المدرسية على ظهره: «لا تقلق بشأنه.. إنه فقط..».

لكن من الواضح أنه لم يعرف ماذا يقول بعدها، ولا يعرف حال «سيماس».. فبعد برهة من الصمت تبعه خارجًا من الحجرة.

نظر كل من «نيفيل» و«رون» نحو «هارى» نظرة من نوع: إنها ـ مشكلته ـ وليست ـ مشكلتك ـ أنت.. لكن نظرتهما لم ترحه. إلى متى سيتحمل سوء الفهم هذا؟

سألته «هيرميون» بعد خمس دقائق وقد لحقت به وبـ«رون» فى حجرة الطلبة، وهما فى طريقهما إلى القاعة لتناول الإفطار: «ما المشكلة؟ تبدو.. تبدو.. يا ربى».

أدارت بصرها فى حجرة الطلبة، فلاحظت وجود لافتة كبيرة معلقة مكتوب عليها:

جالونات من الجاليونات
نقودك لا تسعفك؛ لأنك تخرج كثيرًا.
هل تود كسب ذهب إضافى؟
اتصل بفريد وچورچ ويسلى فى حجرة طلبة جريفندور
إن كنت تبحث عن وظيفة بسيطة، بلا ألم
(يؤسفنا قول: إن المخاطر التى يتعرض لها الموظفون على مسئوليتهم الخاصة)

قالت «هيرميون» عابسة: «لقد تعدوا حدودهما» وهى تزيل اللافتة التى وضعها «فريد» و«چورچ» فوق لافتة أخرى تعلن عن موعد أول إجازة يُسمح فيها للطلبة بالذهاب إلى بلدة «هوجزميد»، والتى ستكون فى شهر أكتوبر.. وأضافت مخاطبة «رون»: «علينا إزالتها».

لاح قلق حقيقى على وجه «رون» وقال: «لماذا؟».

قالت «هيرميون» وهم يخرجون من كوة لوحة السيدة البدينة: «لأننا رائدا فصل! ومن واجبنا أن نفعل هذا».

لم ينطق «رون».. وفهم «هارى» من نظرته العابسة أن فكرة التدخل فيما يفعله «فريد» و«چورچ» ليست بالفكرة الجيدة فى رأيه.

قالت «هيرميون» وهم ينزلون سلمًا مصطفة على جانبيه مجموعة من لوحات الساحرات والسحرة القديمة، وجميعهم يتجاهلونهم، مشغولين بحواراتهم الخاصة بهم: «كيف الحال يا هارى؟ تبدو غاضبًا من شىء ما».

قال «رون» بدلاً من «هارى» عندما لم يتكلم الأخير: «يظن سيماس أن هارى يكذب بشأن من ـ تعرفينه».

تنهدت «هيرميون» وإن كان «هارى» يتوقع أن تغضب.. وقالت متجهمة: «أجل.. لاڤندر تظن هذا هى الأخرى».

قال «هارى» بصوت مرتفع: «تراك وجدت الثرثرة بشأن الولد الأحمق الباحث عن الشهرة مسلية؟».

قالت «هيرميون» بهدوء: «لا.. قلت لها اصمتى وأبق فمك الحقير مغلقًا.. ورجاء لا تهاجمنا هكذا يا هارى. فإن كنت لا تعرف ـ فأنا ورون إلى جانبك».

سادت فترة صمت قصيرة.

قال «هارى» أخيرًا بصوت خفيض: «آسف».

قالت «هيرميون» بكبرياء: «لا تبالى» ثم هزت رأسها قائلة: «ألا تتذكر ما قاله دمبلدور عند نهاية الفصل الدراسى السابق؟».

تبادل «هارى» و«رون» نظرات من لا يتذكر، فتنهدت «هيرميون» ثانية، وقالت: «تحدث عن الذى ـ تعرفه.. قال إن قدرته على بث الفرقة والكراهية كبيرة، وإن علينا التماسك والتعاون والسعى لبث الثقة المتبادلة بيننا، وإلا..».

سألها «رون» ناظرًا إليها بإعجاب: «كيف تتذكرين مثل هذه الأشياء؟».

قالت «هيرميون» بلمسة خشونة: «أنا أنصت جيدًا يا رون».

«كذلك أنا.. لكننى لا أعرف ماذا قال بالضبـ..».

قاطعته «هيرميون» متممة كلامها بصوت مرتفع: «الفكرة أن هذا بالضبط هو ما تحدث عنه دمبلدور.. الذى ـ تعرفه عاد منذ شهرين فقط، وها نحن نتشاجر مع بعضنا البعض.. وهذا ما أكدته قبعة الاختيار: لنقف معًا متحدين..».

قال «رون»: «قالها هارى ليلة أمس.. إن كان اتحادنا يعنى التعاون والصداقة مع أولاد فرقة سليذرين فلن يحدث أبدًا».

قالت «هيرميون»: «يؤسفنى أننا لا نحاول خلق الوحدة بين الفرق المدرسية».

وصلوا إلى نهاية السلم الرخامى. كان هناك مجموعة من تلاميذ فرقة «رافنكلو» بالصف الرابع يمرون عبر القاعة الأمامية، فشاهدوا «هارى» وسارعوا بالاقتراب من بعضهم البعض، كأنهم خائفون من مهاجمته لهم.

قال «هارى» بسخرية: «أجل، علينا الاتحاد ومصادقة أمثال هؤلاء».

تبعوا تلاميذ «رافنكلو» إلى القاعة الكبرى، وجميعهم ينظرون بتوجس إلى مائدة هيئة التدريس. كانت الأستاذة «جروبلى بلانك» تتحدث إلى الأستاذة «سينسترا» أستاذة مادة علم الفلك..

ومرة أخرى أحسوا بالانزعاج لغياب «هاجريد». كان السقف المسحور فوقهم يشبه حالة «هارى» المزاجية.. بلون رمادى مطير.

قال وهم يسيرون نحو مائدة «جريفندور»: «لم يذكر دمبلدور شيئًا عن بقاء جروبلى - بلانك هذه».

قالت «هيرميون» متفكرة: «ربما..».

قال كل من «هارى» و«رون» فى نفس واحد: «ربما ماذا؟».

«ربما.. ربما يريد ألا يجذب الانتباه لغياب هاجريد».

قال «رون» ضاحكًا: «ماذا تعنين بعدم جذب الانتباه؟ كيف لا نلاحظ غيابه؟».

«أهلاً أنچيلينا».

قالت الأخيرة بسرعة: «أهلاً.. ما أخبار الإجازة؟» وبدون أن تتوقف لتلقى الإجابة أضافت: «اسمعوا.. لقد أصبحت كابتن فريق جريفندور للكويدتش».

قال «هارى» مبتسمًا: «هذا رائع» وهو يقارن بين أسلوب «أنچيلينا» السريع الحاد، وأسلوب «أوليفر وود» الفظ، وهو ما اعتبره تحسنًا.

«أشكرك.. المهم أننا نبحث عن حارس مرمى جديد بعد أن غادر أوليفر المدرسة. ستُعقد الاختبارات يوم الجمعة، الساعة الخامسة.. وأريد الفريق بأكمله مجتمعًا.. مفهوم؟ لنرى من سينضم إلينا».

قال «هارى»: «حسنًا».

ابتسمت «أنچيلينا» له وفارقتهم.

قالت «هيرميون» وهى تجلس إلى جوار «رون» وتقرب طبق الخبز المحمص منها: «نسيت أن أوليفر قد غادر.. ألن يشكل هذا فرقًا بالنسبة لمستوى لعب الفريق؟».

قال «هارى» وهو يجلس على المقعد المقابل لها: «أعتقد هذا.. فقد كان حارس مرمى جيد».

قال «رون»: «لكن لن يضر أن يبثوا دماء جديدة إلى الفريق.. أليس كذلك؟».

وبصوت رفرفة عال دخل مئات البوم عبر النوافذ العلوية. هبطوا على القاعة، ومعهم رسائل وطرود لتسليمها، ليغرقوا المفطرين بقطرات الماء.. فقد كان صباحًا مطيرًا. لم تأت «هدويج»، لكن هذا لم يدهش «هارى».. كان مراسله الوحيد هو «سيرياس»، ولم يتوقع أن يكتب له بعد أربع وعشرين ساعة من مفارقته. لكن «هيرميون» أزاحت عصير البرتقال الذى أمامها بسرعة لتفسح المجال لبومة كبيرة تحمل عددًا من جريدة «دايلى بروفيت» فى منقارها.

قال «هارى» بامتعاض: «لماذا تريدين هذه الجريدة؟» مفكرًا فى «سيماس»، و«هيرميون» تضع عملة «نات» فى جراب البومة الجلدى الملفوف حول قدمها، لتطير ثانية.. ثم أضاف: «إنها لا تعنينى فى شىء. ليس بها سوى الأكاذيب».

قالت «هيرميون» بتجهم وهى تفتح الجريدة وتخفى رأسها خلفها: «من الأفضل معرفة ما يقوله العدو» وأخذت تقرأ حتى أكل «هارى» و«رون».

قالت ببساطة وهى تلف الجريدة وتلقيها بجانب طبقها: «ليس بها شىء.. لا عن دمبلدور، ولا أى شىء».

تحركت الأستاذة «مكجونجال» بطول المائدة موزعة جداول الحصص.

قال «رون» متشكيًا: «انظروا ما لدينا اليوم! حصة تاريخ السحر، وحصتا وصفات سحرية، وحصتا دفاع عن النفس ضد السحر الأسود.. بينز، وسناب، وتريلاونى، وتلك المرأة أمبريدج فى يوم واحد! لكم أتمنى أن يسارع فريد وچورچ بالانتهاء من إعداد حلوى (التزويغ)..».

قال «فريد» الذى وصل مع «چورچ» وجلسا على المقعد المجاور لـ «هارى»: «هل تخدعنى أذناى؟ أم أن رواد فصول هوجورتس يتمنون (التزويغ) من الحصص؟».

قال «رون» عابسًا وهو يلقى بجدول حصصه تحت أنف «فريد»: «انظر ما لدينا اليوم من حصص! هذا أسوأ يوم اثنين رأيته فى حياتى».

قال «فريد» ناظرًا للجدول: «عندك حق يا أخى الصغير.. يمكنك الحصول على نوجة نزيف الأنف الرخيصة إن شئت».

سأله «رون» بارتياب: «ولماذا هى رخيصة؟».

قال «چورچ» وهو يلتهم سمكة رنجة: «لأنك ستنزف حتى تنشف، وليس لدينا مصل مضاد حتى الآن».

قال «رون» بضيق ملتقطًا جدول الحصص: «يا فرحتى! أشكرك، لكننى أفضل حضور الحصص».

قالت «هيرميون» ناظرة إلى «فريد» و«چورچ» مضيقة ما بين عينيها: «بمناسبة حلوى (التزويغ).. ليس من حقكما الإعلان عن طلب ذواقين على لوحة إعلانات جناح جريفندور».

قال «فريد» مذهولاً: «ومن قال هذا؟». فقالت «هيرميون»: «أنا.. ومعى رون».

قال «رون» بسرعة: «أخرجينى من هذا الموضوع».

قال «فريد» وهو يأكل: «سرعان ما ستغيرين لحنك هذا يا هيرميون.. فأنت فى بداية صفك الخامس، وسترجيننا للحصول على حلوى (التزويغ) بعد قليل».

سألته «هيرميون»: «وما علاقة الصف الخامس بالرغبة فى حلوى (التزويغ)؟».

قال «چورچ»: «الصف الخامس هو العام الذى تحصلين فيه على شهادة (أوه. دبلبو. إل)»[1]. قالت: «ماذا تعنى؟».

قال «فريد» بنبرة الراضى عن الحياة: «بمعنى أن الامتحانات قريبة.. أليس كذلك؟ وستُطحنون من الدروس والحصص والمذاكرة حتى الانهيار».

قال «چورچ» بسعادة: «نصف دفعتنا انهارت خلال سنة الحصول على هذه الشهادة.. باللدموع والدماء والابتسامات.. وباتريشيا ستيمبسون التى كانت تفقد الوعى كثيرًا..».

قال «فريد» متذكرًا: «أصيب كينيث تاولر بالبثور مع نهاية العام.. أتتذكر؟».

قال «چورچ»: «هذا لأنك وضعت بودرة العفريت فى منامته».

---

(١) OWL أو Ordinary Wizarding Level ولاحظوا الشبه بين الاختصار وكلمة بومة بالإنجليزية: owl.. والاختصار بمعنى «مستوى السحر العادى»، وهى شهادة مدرسية مهمة أشبه بالمرحلة الأولى من الثانوية العامة عندنا، أما المرحلة الثانية فهى فى الصف السابع، وتسمى NEWT! (المترجم).

قال «فريد» مبتسمًا: «فعلاً.. نسيت.. يصعب تذكر بعض مقالبنا أحيانًا.. أليس كذلك؟».

قال «چورچ»: «الصف الخامس كابوس للجميع.. هذا إن كنت مهتمًا بنتائج الامتحانات. لكن تمكنت أنا وفريد من الانتهاء من الامتحانات على خير».

قال «رون»: «فعلاً..؟ وصلتما للمستوى الثالث فى الشهادة.. أليس كذلك؟».

قال «فريد» بلا مبالاة: «أجل.. لكننا نشعر بأن مستقبلنا ليس فى الإنجازات العلمية».

قال «چورچ» بإشراق: «بيننا جدال حول ما إن كنا سنعود لحضور عامنا الدراسى السابع أم لا.. بعد أن حصلنا على..».

كف عن الكلام بعد أن تلقى نظرة تحذير من «هارى»، الذى عرف أن «چورچ» على وشك الحديث عن جائزة السحر الثلاثية المالية التى أعطاهما إياها.

قال «چورچ» بسرعة: «.. بعد أن حصلنا على درجات الـ(أو. دبليو. إل.).. أعنى.. هل نحتاج فعلاً إلى شهادة الـ(إن. إى. دبليو. تى.)[1]؟ لكن لا أعتقد أن أمى ستدعنا نترك المدرسة مبكرًا، ليس بعد أن أصبح بيرسى أغبى شخص فى العالم».

قال «فريد» جائلاً ببصره بحب واشتياق فى أرجاء القاعة الكبرى: «لكننا لن نضيع عامنا الأخير هنا هدرًا.. سنستغله فى إجراء أبحاث تسويق، وفى معرفة ما يريده طلبة هوجورتس بالضبط من متجر لبيع أدوات عمل المقالب، وفى تقدير نتائج أبحاثنا، ثم سننتج منتجات تناسب الطلب».

سألته «هيرميون» بشك: «لكن من أين ستأتون بالذهب اللازم لإقامة متجر للمقالب؟ ستحتاجون إلى مكونات، ومواد.. ومكان للمتجر أيضًا..».

لم ينظر «هارى» جهة التوأمين. شعر بوجهه حارًا.. فأسقط شوكته متعمدًا ليغطس خلفها ليستعيدها. سمع «فريد» يقول فوقه: «لا تسألينا أى أسئلة، حتى لا نكذب عليك يا هيرميون. هيا يا چورچ، إن كنت تريد بيع بعض الآذان الممتدة قبل حصة علم الأعشاب».

صعد «هارى» ليرى «فريد» و«چورچ» يبتعدان، معهما كومة من الخبز المحمص.

قالت «هيرميون» ناقلة بصرها بين «هارى» و«رون»: «ماذا يعنى بقوله لا تسألى؟ هل يعنى هذا أنهما قد حصلا على الذهب فعلاً ويجهزان لمتجر المقالب؟».

---

(١) NEWT أو Nastily Exhausting Wizarding Tests، ولاحظ المعنى المزدوج، فالاختصار يشير إلى الشهادة ويعنى ـ ككلمة: سمندل الماء. واسم الشهادة بالتفصيل هو: امتحانات السحر شديدة الإرهاق. (المترجم).

قال «رون» مضيقًا ما بين عينيه: «أتعرفين؟ أنا محتار بشأنهما.. لقد ابتاعا عباءات جديدة هذا الصيف، ولا أفهم من أين جاءا بالجاليونات..».

قرر «هارى» أن الوقت قد حان لتوجيه النقاش بعيدًا عن الخطر.

«هل تريان أن هذا العام سيكون صعبًا فعلاً؟ بسبب الامتحانات؟».

قال «رون»: «أجل.. على الأرجح.. امتحانات الـ(أوه. دبليو. إل.) هامة جدًا، وتؤثر على مستقبلك الوظيفى وعلى كل شىء. كما سيقدمون لنا هذا العام جلسات استشارية بشأن وظيفة المستقبل، كما أخبرنى بيل، حتى نختار التخصص فى شهادة الـ(إن. إى. دبليو. تى.) التى نريدها العام التالى».

سألهما «هارى» وهم يغادرون القاعة الكبرى فى طريقهما إلى فصل مادة تاريخ السحر: «هل تعرفان ماذا تريدان أن تعملا بعد مغادرة هوجورتس؟».

قال «رون» ببطء: «يـ.. يعنى.. لا أعرف.. لكن.. ربما..». وبدا عليه الخجل.

قال «هارى» ليحثه على الكلام: «ربما ماذا؟».

قال «رون» بصوت خفيض: «ربما العمل كمقاتل للسحر الأسود وظيفة جيدة».

قال «هارى» بحماس: «أجل.. بالطبع».

قال «رون»: «لكن، لا أعرف.. إنها مهنة النخبة.. عليك أن تكون ماهرًا جدًا فى السحر لتحصل عليها. ماذا عنك يا هيرميون؟».

قالت: «لا أعرف.. لكنى واثقة من أننى سأعمل فى مهنة تستحق».

قال «هارى»: «لكن مهنة قتال السحر الأسود مهنة تستحق».

قالت «هيرميون» متفكرة: «أجل، إنها كذلك، لكنها ليست بالشىء الوحيد الذى يستحق التقدير.. أعنى، ربما لو اعتنيت أكثر بالـ(إس. بى. إى. دبليو)..».

تفادى «هارى» و«رون» النظر إلى أحدهما الآخر.

كانت مادة تاريخ السحر - بإجماع - أكثر المواد الدراسية مللا يخترعها جنس السحرة. كان للأستاذ «بينز»، مدرسهم الشبح، صوت منوم يضمن لهم دومًا حالة نعاس خلال عشر دقائق من بداية الحصة، وخلال خمس دقائق إن كان الطقس دافئًا. لم يغير أبدًا موضوع دروسه، لكنه كان يلقيها دون التوقف لمعرفة من يكتب وراءه، ومن يحدق ناعسًا فى الفضاء المحيط. حتى هذا العام، تمكن «هارى» و«رون» من النجاح بالكاد فى هذه المادة، بنسخ مذكرات «هيرميون» قبل الامتحانات، فهى وحدها القادرة على مقاومة القوى المنومة لصوت «بينز».

اليوم، عانوا لمدة ساعة من النعاس المتقطع أثناء مناقشة موضوع حروب العمالقة. سمع «هاري» ما يكفيه من الموضوع خلال الدقائق العشر الأولى، حتى يفكر فى أن فكرة نقل هذه المادة لمدرس آخر ليست بالفكرة السيئة، لكن بعدها ابتعد عقله عن الموضوع، وقضى الساعة والدقائق العشرين الباقية يلعب لعبة «المشنقة» على طرف ورقة مع «رون»، بينما نظرت «هيرميون» إليهما شذرًا فى استنكار حاد.

سألتهما ببرود وهم يغادرون الفصل خارجين فى راحة ما بين الحصص، وبعد أن سرى «بينز» خارجًا من الفصل من خلال السبورة: «ترى ماذا يحدث لو رفضت مد يد المساعدة إليكما بمذكراتى هذا العام؟».

قال «رون»: «سنفشل فى اجتياز اختبارات الـ(أوه. دبليو. إل.)، فهل يتحمل ضميرك هذا يا هيرميون؟».

قاطعته بحدة قائلة: «هذا ما تستحقانه.. أنتما لا تنصتان إليه أبدًا، أليس كذلك؟».

قال «رون»: «لكننا نحاول.. لكن ليس لدينا عقول أو ذاكرة مثل عقلك أو ذاكرتك.. إنك أشطر منا.. أفلا تريدين مساعدتنا قليلاً؟».

قالت «هيرميون»: «أرجوك لا أريد هذا الإطراء السخيف» لكنها بدت مسرورة وهى تتقدمهما إلى الفناء الرطب.

كانت السماء تمطر رذاذًا خفيفًا، حتى إن الطلاب الواقفين عند أطراف الفناء البعيدة بدوا غير واضحين للعيان. اختار «هاري» و«رون» و«هيرميون» ركنًا منعزلاً تحت شرفة تحجب عنهم الماء، ورفعوا ياقات عباءاتهم اتقاء لهواء سبتمبر البارد، وأخذوا يتحدثون عما يمكن أن يدرسه «سناب» فى حصته التالية، وأنه غالبًا سيكون شيئًا صعبًا جدًا، لمجرد أن يفاجئهم بعد إجازة الشهرين، وعندها اقترب منهم شخص ما.

«أهلاً يا هاري».

كانت المتحدثة هى «تشو تشانج»، وكانت وحدها للمرة الثانية، وهو أمر غريب، ففى العادة تسير «تشو» محاطة بسرب من الفتيات الضاحكات. تذكر «هاري» العناء الذى تحمله محاولاً فصلها عن أصحابها ليطلب منها اصطحابه إلى الحفل المدرسى.

قال «هارى»: «أهلاً» شاعرًا بوجهه يستعر بالحرارة، وقال لنفسه إنه على الأقل ليس مغطى بالسائل الأخضر هذه المرة. ولاح على وجه «تشو» أنها تفكر فى نفس الفكرة، وهى تقول: «إذن فقد تخلصت من ذلك السائل».

قال «هارى» محاولاً الابتسام كأن ذكرى لقائهما الأخير كانت طريفة، وليست مخزية: «أجل.. إذن.. هل.. آ. آ.. هل قضيت صيفًا ممتعًا؟».

تمنى لو لم يطرح هذا السؤال فقد كان «سيدريك» صديق «تشو»، ولا بد أن ذكرى موته قد عكرت عليها صفو الإجازة مثلما حدث مع «هارى». أحس بوجهها يتوتر، لكنها قالت: «آه.. أجل، كانت إجازة جيدة..».

قال لها «رون» فجأة مشيرًا إلى صدر عباءتها: «هل هذه شارة فريق التورنادوز؟» كان عليها شارة بلون أزرق سماوى عليها حرف (T) لاتينى ذهبى.. وأضاف: «هل تشجعينهم؟» قالت «تشو»: «أجل.. أشجعهم».

قال «رون» بصوت فيه اتهام لم يجده «هارى» لائقًا بالمرة: «وهل تشجعينهم منذ فترة؟ أم منذ بدأوا فى كسب الدورى؟».

قالت «تشو» ببرود: «أنا أشجعهم منذ كنت فى السادسة من عمرى.. المهم.. أراك لاحقًا يا هارى..».

سارت مبتعدة. انتظرت «هيرميون» حتى صارت عند منتصف الفناء ثم التفتت إلى «رون» قائلة: «أنت لا تفهم بالمرة».

«ماذا؟ أنا سألتها فقط عن..».

«ألم تفهم أنها تريد الحديث مع هارى وحدها؟».

«وما المشكلة؟ ماذا فعلت أنا؟ لم أمنعها من الـ..».

«لماذا بحق السماء هاجمت فريق الكويدتش الذى تشجعه هى؟».

«أهاجم؟ أنا لم أهاجمها، أنا فقط كنت..».

«ومن يهتم بتشجيعها لفريق التورنادوز؟».

«بربك.. نصف من يرتدون شارات التورنادوز لم يضعوها على صدورهم إلا منذ دورى العام الماضى..».

«وما أهمية هذا؟».

«هذا يعنى أنهم ليسوا مشجعين مخلصين، فقد ربطوا أنفسهم بالفريق عندما بدأ فى المكسب..».

قال «هارى»: «هذا صوت الجرس» لأن «رون» و«هيرميون» كانا يتشاجران بصوت أعلى من أن يسمعاه. لم يكفا عن الجدال طوال الطريق إلى نفق «سناب» تحت الأرض؛ مما أعطى «هارى» الوقت ليتأمل أنه بين «رون»، ومن قبله «نيفيل» سيكون محظوظًا لو حظى بدقيقتين من الكلام مع «تشو» دون أن يرغب بعدها فى مغادرة البلاد؛ خجلاً مما يفعله أصدقاؤه وهى حاضرة.

ثم فكر وهم ينضمون إلى صف الطلاب الواقف أمام فصل «سناب» أنها اختارت الكلام إليه. كانت صديقة«سيدريك» وكان من السهل أن تكره «هارى» بعد أن خرج من متاهة مسابقة السحر الثلاثية حيًا و«سيدريك» ميتًا، لكنها كلمته بأسلوب ودود، ليس كأنها تراه مجنونًا، أو كاذبًا، أو مسئولاً عن موت«سيدريك».. أجل، اختارت القدوم والحديث إليه، للمرة الثانية فى يومين.. وعند الوصول لهذه الفكرة ارتفعت روح «هارى» المعنوية. حتى صوت باب فصل «سناب» الكئيب وهو يفتح لم يبعد عن خاطره هذه الفكرة التى ملأت صدره حبورًا. دلف إلى الفصل خلف «رون» و«هيرميون» وتبعهما إلى مائدتهم المعتادة فى الخلف، حيث جلس بينهما متجاهلاً الجلبة المزعجة الصادرة عنهما.

قال «سناب» ببرود موصدًا الباب خلفه: «اجلسوا».

لم يكن ثمة حاجة حقيقية لكلمته هذه، فعندما سمع التلاميذ الباب وهو يوصد، ساد الهدوء وكفوا عن الحديث.

قال «سناب» سائرًا إلى مكتبه وناظرًا إليهم جميعًا: «قبل أن نبدأ درس اليوم.. أرى من المناسب تذكيركم بأن فى شهر يونيو القادم ستمرون بامتحان شديد الأهمية، وفيه ستثبتون قدر ما تعلمتموه عن الوصفات والتركيبات السحرية. وبالرغم من أن بعض أفراد هذا الفصل حمقى، فإنى أتوقع لهم الحصول على تقدير (مقبول) فى شهادة الـ(أوه. دبليو. إل.)، أو فليعانوا من.. ويلات ضيقى منهم».

استقرت عينه على «نيفيل» الذى ازدرد بصعوبة.

أكمل «سناب»: «بعد هذا العام بالطبع، لن يدرس معى بعضكم ثانية.. فأنا لا آخذ فى شهادة الـ(إن. إى. دبليو. تى.) معى فى مادة الوصفات السحرية سوى أفضل الطلاب، مما يعنى أن بعضكم سيودعنى».

استقرت عيناه على «هارى» وقلب شفتيه، فبادله النظر شاعرًا بالسرور عند تفكيره فى أنه لن يأخذ مادة الوصفات السحرية بعد الصف الخامس.

قال «سناب» بنعومة: «لكن لدينا عام آخر قبل أن نصل لهذا الوداع السعيد.. لذا، سواء أكنتم تبغون دخول مادة الوصفات السحرية فى شهادة الـ(إن. إى. دبليو. تى.) أم لا، أنصحكم جميعًا بتركيز جهودكم فى الحفاظ على مستوًى دراسى متفوق، وهو ما أتوقعه وأريده من طلبة شهادة الـ(أوه. دبليو. إل.) الذين يدرسون معى.

«اليوم سندرس الوصفة التى تأتى فى العادة فى امتحان مستوى السحر العادى (أوه. دبليو. إل.)، وهى محلول السلام، الوصفة التى تهدئ من القلق والغضب. أحذركم: إن كنتم ممن لا يفهمون فى تركيب مقادير الوصفات فقد تصيبون من يشرب الوصفة بالنوم الثقيل، وفى بعض الأحيان قد ينام ولا يصحو؛ لذا أنصحكم بالانتباه لما تفعلونه» إلى يسار «هارى» استقامت «هيرميون» فى جلستها وعلى وجهها انتباه شديد. أكمل «سناب» قائلاً: «بالنسبة للمقادير ـ أشار بعصاه ـ فهى على السبورة (ظهرت على السبورة) ـ وستجدون المقادير والمواد التى تحتاجونها ـ وهو يشيح بعصاه السحرية ثانية ـ فى الخزانة (انفتح باب الخزانة) ـ ومعكم من الوقت ساعة ونصف لتحضير الوصفة.. ابدأوا».

وكما توقع «هارى» و«رون» و«هيرميون» ما كان «سناب» ليقدر على تكليفهم بعمل وصفة أكثر صعوبة من هذه. كان يجب إضافة المقادير بترتيب معين، وبكميات دقيقة، ويجب تقليب الخليط على النار عددًا معينًا من المرات، أولاً مع اتجاه الساعة، ثم عكس اتجاه الساعة، وهكذا.. ثم خفض درجة حرارة الشعلة الموضوعة عليها القدور لعدد من الدقائق قبل إضافة المكون الأخير.

صاح «سناب» عندما لم يتبق أمامهم سوى عشر دقائق على انتهاء الوقت: «لابد وأن بخارًا فضيًا خفيفًا يتصاعد من قدوركم الآن دليلاً على أن الوصفة صحيحة».

أجال «هارى» بصره فى أرجاء الحجرة ـ وعرقه يتصبب فى ارتباك. كان يتصاعد من قدره كميات مهولة من الدخان الرمادى الداكن.. ومن قدر «رون» أخذت شرارات خضراء تنبعث، بينما «سيماس» يزيل بارتباك شرارات اللهب المتصاعدة من قاع قدره بطرف عصاه السحرية. أما قدر «هيرميون» فكان يتصاعد منه بخار فضى خفيف، وبينما «سناب» يمر فاحصًا وصفاتهم اتجه

بأنفه الكبير المعقوف إلى قدرها بلا تعليق، مما يعنى أنه لم يجد فيه ما يمكنه انتقاده. لكن عند قِدر «هارى» توقف ونظر إليه وابتسامة سخرية فظيعة على وجهه.. قال: «بوتر.. ترى ما هذا؟».

نظر طلاب فرقة «سليذرين» الواقفين فى الصفوف الأولى من الفصل إليهما بلهفة، فقد كانوا يحبون رؤية «سناب» وهو يكدر «هارى».

قال «هارى» بتوتر: «محلول السلام».

قال «سناب» بنعومة: «أخبرنى يا بوتر.. هل تستطيع القراءة؟».

ضحك «دراكو مالفوى».

قال «هارى» وأصابعه تتوتر حول عصاه السحرية: «أجل أستطيع».

«إذن اقرأ السطر الثالث من التعليمات من فضلك يا بوتر».

نظر «هارى» إلى السبورة، لم يكن من السهل القراءة وسط سحب البخار متعددة الألوان المتصاعدة من القدور لتملأ الفصل.. لكنه قال: «أضف بعضًا من مسحوق حجر القمر، وقلب ثلاث مرات عكس اتجاه الساعة، ثم دِع الخليط على النار سبع دقائق بلا تقليب، بعدها أضف نقطتين من شراب الكُندس..».

هوى قلبه بين ضلوعه، فهو لم يضف شراب الكُندس، وأضاف المكتوب بالسطر الرابع من التعليمات دون أن يترك الخليط على النار سبع دقائق بلا تقليب.

«هل فعلت المكتوب على السبورة بالضبط يا بوتر؟».

قال «هارى» بهدوء: «لا».

«عذرًا؟».

قال «هارى» بصوت أعلى: «لا.. نسيت إضافة شراب الكُندس».

«أعرف أنك نسيت يا بوتر، وهو ما يعنى أن هذا الخليط لا قيمة له.. *إيفانسكو*».

اختفت محتويات قدر «هارى».. فوقف بجانب قدره الخالى شاعرًا بالبلاهة.

قال «سناب»: «من تمكن منكم من قراءة التعليمات، فليملأ قنينة بعينة من وصفته، ويكتب عليها اسمه بخط واضح، وليجلبها إلى مكتبى؛ حتى أختبرها.. أما الواجب فهو كتابة مقال من اثنى عشرة ورقة عن خصائص حجر القمر، واستعمالاته فى عمل الوصفات السحرية، وسأتسلمه منكم يوم الخميس».

بينما الجميع ينفذون ما طلبه، أمسك «هارى» بحاجياته. لم تكن وصفته أسوأ من وصفة «رون»، والتى يتصاعد منها الآن رائحة بيض فاسد.. أو وصفة

«نيفيل» التى بدت جامدة كالأسمنت المخلوط، مما اضطر الأخير لإخلاء قدره بيده.. لكنه هو - «هارى» - من تلقى درجة الصفر على عمله اليوم. وضع عصاه السحرية فى حقيبته المدرسية وجلس على مقعده، مراقبًا الجميع وهم يتقدمون من مكتب «سناب» كلٌّ بقنينته المغلقة. وعندما ضرب الجرس أخيرًا، كان هو أول من خرج من الفصل والنفق، وبدأ فى تناول غدائه فى القاعة الكبرى، وعندما انضم إليه «رون» و«هيرميون»، كانت السماء ذات لون رمادى أكثر كآبة من الصباح، وأخذ المطر يتساقط على النوافذ العالية.

قالت «هيرميون» متعاطفة معه، وهى تجلس إلى جواره لتبدأ فى أكل فطيرتها: «كان هذا ظلمًا بينًا.. وصفتك كانت فى مثل سوء وصفة جويل.. عندما وضع قنينته على المكتب انفجرت متحطمة وتناثر السائل منها على عباءته فاشتعلت».

قال «هارى» محدقًا فى طبقه: «آه.. أجل.. ومنذ متى وسناب عادل معى؟».

لم يجبه أيهما.. كان ثلاثتهم يعرفون أن بين «سناب» و«هارى» عداوة متبادلة بدأت لحظة وطأت قدما «هارى» مدرسة «هوجورتس».

قالت «هيرميون» بصوت ملىء بالحسرة: «حسبته سيكون أفضل معك هذا العام.. أعنى.. أنت تعرف» نظرت حولها بحذر فوجدت ستة مقاعد خالية إلى الجانبين فأضافت: «أعنى بعد انضمامه للجماعة».

قال «رون» بحكمة: «على رأى المثل: الضفادع السامة لا تغير أبدًا من مواطن لدغاتها[1].. كما أننى أرى دمبلدور مخطئًا؛ لأنه يثق فى سناب. ما هو الدليل على كفه عن التعاون مع الذى - تعرفه؟».

احتدت عليه «هيرميون» قائلة: «أعتقد أن لدى دمبلدور الكثير من الأدلة، حتى وإن لم يطلعك عليها يا رون».

فتح «رون» فمه ليجادلها، عندما قال «هارى»: «اصمتا». صمتا وعلى وجهيهما علامات الغضب والمهانة.. أضاف «هارى»: «ألا تقدران على الجلوس بهدوء قليلاً؟ أنتما دائما الشجار، وهذا سيودى بى إلى الجنون» ثم وهو يبعد طبقه عنه رفع حقيبته المدرسية على ظهره وتركهما جالسين.

صعد السلم الرخامى، درجتين فى الخطوة الواحدة، بجوار التلاميذ الذاهبين

(١) واضح أنه أحد أمثال السحرة فى عالم هارى بوتر، وباعتبار رون من عائلة عريقة فى السحر فهو يعرفه.. والمعادل له فى عالمنا: (ديل الكلب عمره ما يتعدل ولو علقوا فيه قالب). (المترجم).

لتناول الغداء. شعر بالغضب الذى تدفق منه منذ لحظات ملتهبًا داخله، ورؤية وجهى «رون» و«هيرميون» المندهشة المصدومة جعلته يشعر بإحساس عميق بالرضا. وقال لنفسه: هكذا.. هذا ما يستحقانه، لماذا لا يريحان نفسيهما قليلاً. وشجارهما هذا طوال الوقت لا يحتمل.. يجعل أى أحد يجأر طالبًا الرحمة..

عبر إلى جوار لوحة سير «كادوجان» الفارس عند منبسط السلم.. شهر السير «كادوجان» سيفه وأخذ يلوح به بشراسة مواجهًا «هارى»، الذى تجاهله تمامًا.

صاح إليه سير «كادوجان» بصوت مكتوم من خلف خوذته التى تغطى وجهه: «عد أيها الكلب الرعديد! واجه مصيرك وحارب بشرف» لكن «هارى» أخذ يسير، وعندما حاول سير «كادوجان» مطاردته عبر اللوحة المجاورة له، أرجعه ساكنها إلى لوحته، وهو ذئب عملاق غاضب دومًا.

قضى «هارى» باقى ساعة الغداء جالسًا وحده تحت نافذة البرج الشمالى. مما جعله أول الصاعدين على السلم الفضى المؤدى إلى فصل/برج «سيبيل تريلاونى» عندما ضرب الجرس.

بعد مادة الوصفات السحرية، كانت مادة التنجيم هى الأقل تفضيلاً عند «هارى»، والتى كانت كثيرًا ما تتنبأ خلالها الأستاذة «تريلاونى» بموته كل بضع حصص. كانت امرأة نحيلة، ترتدى الكثير من الشالات، وحبات الخرز اللامعة، ولطالما رآها «هارى» أشبه بحشرة عملاقة، بعويناتها التى تضخم عينيها كثيرًا. كانت مشغولة بوضع نسخ من كتابها المجلد بالجلد القديم المهترئ على كل مائدة صغيرة فى حجرتها عندما دخل «هارى» عليها.. لكن الضوء المنبعث خفيضًا واهنًا من المصابيح المغطاة بالقماش كان لا يكفى لاكتشافها قدومه، وهو يجلس فى الظلال. وصل باقى الفصل خلال الدقائق الخمس التالية. صعد «رون» من الفتحة أعلى السلم التى تقود إلى الفصل البرجى، ونظر حوله بحذر حتى وجد «هارى» وتوجه إليه مباشرة، أو فى مسار مباشر بقدر ما يسمح السير بين الموائد، والمقاعد، والطنافس الثقيلة.

قال جالسًا إلى جوار «هارى»: «كففت أنا وهيرميون عن الجدال».

قال «هارى»: جيد».

قال «رون»: «لكن هيرميون تقول إنه من الأفضل لك ألا تنفس غضبك فينا». «أنا لا..».

قال «رون» مقاطعًا إياه: «أنا فقط أنقل لك رسالتها.. لكنى أراها محقة. ليس خطؤنا طريقة معاملة سيماس وسناب لك».

«أنا لم أقل أبدًا أ..».

قالت الأستاذة «تريلاونى» بصوتها الحالم الضبابى المعتاد: «يوم سعيد لكم» فصمت «هارى» شاعرًا بالانزعاج والخجل من نفسه. أضافت: «ومرحبًا بكم فى مادة التنجيم. لقد تتبعت ما تذكره النجوم عنكم طوال الصيف، ويسرنى عودتكم جميعًا إلى هوجورتس بسلام.. وإن كنت أعرف بالطبع أنكم ستعودون بسلام من استشارتى للنجوم».

«ستجدون على الموائد نسخًا من كتاب (فصل الكلام فى تفسير الأحلام) تأليف ابن إنيجو إيماجو. إن تفسير الأحلام من أهم أدوات استشراف المستقبل، وواحد من أهم اختباراتكم فى شهادة الـ(أوه. دبليو. إل.). علمًا ـ بالطبع ـ بأن النجاح أو الفشل فى الامتحانات ليست له أية أهمية عندما يتعلق الأمر بفن التنجيم المقدس. إن كان عندكم البصيرة، ومكشوف عنكم الحجاب، فالشهادات والدرجات لا تهم أبدًا أبدًا.. لكن الناظر يريد أن تخضعوا لامتحان، لذا..».

سكتت عن الكلام، فشعر الطلاب بأن الأستاذة «تريلاونى»، وعن يقين، تعتبر مادتها أعلى من الأمور المادية، مثل الامتحانات.

«اقلبوا الصفحة من فضلكم إلى المقدمة، واقرأوا ما ذكره ابن إيماجو بشأن تفسير الأحلام. ثم انقسموا إلى مجموعات من اثنين، واستخدموا كتاب (فصل الكلام فى تفسير الأحلام) فى تفسير أحلامكم.. هيا».

الشىء الوحيد الجيد فى هذا الدرس أنه لم يكن حصتين. مع انتهائهم من قراءة مقدمة الكتاب، لم يعد أمامهم سوى عشر دقائق لتفسير الأحلام. وعلى المائدة المجاورة لـ«هارى» و«رون» جلس «دين» مع «نيفيل»، الذى أخذ يتلو كابوسًا مخيفًا عن مقص عملاق يرتدى قبعة جدته.. لكن «هارى» و«رون» لم يفعلا أكثر من التحديق فى أحدهما الآخر.

قال «رون»: «لا أتذكر أحلامى أبدًا.. اذكر أنت حلمك».

قال «هارى» بنفاد صبر: «لابد وأنك تذكر أحدها».

ما كان ليشارك أحلامه مع أحد. كان يعرف تمام المعرفة معنى كابوسه المتكرر حول المقابر.. ولم يكن بحاجة إلى «رون» أو «تريلاونى» أو كتاب (فصل الكلام فى تفسير الأحلام) الغبى ليخبره.

قال «رون» ناظرًا للسقف كأنه يتذكر: «حسنًا.. حلمت بأننى ألعب الكويدتش.. ماذا يعنى هذا فى رأيك؟».

قال «هارى» مقلبًا فى صفحات (فصل الكلام فى تفسير الأحلام) فى غير اهتمام: «على الأرجح ستأكلك وحوش البحر أو شىء من هذا القبيل» كان مجهود البحث فى الكتاب عن أجزاء من الأحلام مجهودًا مضنيًا، ولم يشعر «هارى» بالسرور عندما طالبتهم الأستاذة «تريلاونى» بكتابة سجل بأحلامهم لمدة شهر كواجب. عندما ضرب الجرس كان هو و«رون» أول من يهبط السلم، و«رون» يقول متذمرًا: «هل تدرك حجم الواجب الذى كلفنا به إلى الآن؟ بينز طالبنا بكتابة مقال بطول قدم ونصف القدم عن حروب العمالقة، وسناب يريد رقعة ورق بطول القدم عن خصائص واستعمالات حجر القمر، والآن تريدنا تريلاونى أن نكتب سجلاً لأحلامنا لمدة شهر! فريد وچورچ لم يكونا مخطئين بشأن سنة الـ(أوه. دبليو. إل.). أرجو ألا تعطينا تلك المرأة أمبريدچ أى واجـ..».

عندما دخلا فصل مادة الدفاع عن النفس ضد السحر الأسود وجدا الأستاذة «أمبريدچ» جالسة إلى مكتب الأستاذ، مرتدية سترة الليلة الماضية الصوفية، وغطاء رأس أسود مخمليًّا على رأسها، فتذكر «هارى» ثانية - وبقوة - صورة لحشرة عملاقة جالسة - وياللتهور - فوق رأس ضفدع عملاق.

دخل التلاميذ بهدوء إلى الفصل، فالأستاذة «أمبريدچ» ما زالت مجهولة بالنسبة إليهم، ولا يعرف أحد مدى صرامتها أو تساهلها فى الفصل.

قالت عندما دخل جميع الطلاب: «مساء الخير».

غمغم البعض: «مساء الخير» ردًّا عليها.

قالت الأستاذة «أمبريدچ»: «(توْ توْ).. هذا الرد لا ينفع.. أليس كذلك؟ أرجوكم كرروا مساء الخير ثانية يا أولاد».

قال الفصل فى صوت موسيقى واحد: «مساء الخير يا أستاذة أمبريدچ».

قالت الأستاذة «أمبريدچ» باستمتاع: «آه.. جميل.. لم يكن هذا صعبًا، أليس كذلك؟ أبعدوا العصى السحرية، وأخرجوا قنانى الحبر وريشات الكتابة من فضلكم.

تبادل بعض التلاميذ نظرات متجهمة.. فأمر «أبعدوا العصى السحرية» لم يصدر أبدًا فى مادة من المفترض أنها مثيرة ومسلية. أعاد «هارى» عصاه إلى حقيبته وأخرج ريشة الكتابة، والحبر، ورقعة ورق. فتحت الأستاذة «أمبريدچ»

حقيبتها، وأخرجت منها عصاها، وكانت قصيرة على غير عادة العصى السحرية، وطرقت بها ثلاث طرقات، فظهرت كلمات على السبورة:

فنون الدفاع عن النفس ضد السحر الأسود:
مدخل إلى المبادئ الأساسية

قالت الأستاذة وهى تلتفت لتواجه الفصل وعصاها مرفوعة برشاقة فى يدها، مشهرة أمام وجهها: «كان تدريس هذه المادة على مر الأعوام الماضية غير جيد بالمرة، لما لاقته من تفكك وتغير فى المدرسين.. أليس كذلك؟ التغير الدائم فى المدرسين، ومنهم من لم يتبعوا المناهج المدرسية التى وضعتها الوزارة، نتج عنه تأخركم فى المادة، وهو ما سيظهر فى نتائج اختبارات الـ(أوه. دبليو. إل.) هذا العام.

«لكن سيسركم معرفة أن هذه المشكلات قيد العلاج. فنحن الآن نتبع التعليمات بحرص، مستندين فى التدريس على الجانب النظرى، وعلى منهج الوزارة الخاص بالسحر الدفاعى. من فضلكم اكتبوا هذا».

طرقت السبورة ثانية، فاختفت الكلمة الأولى واُستبدلت بكلمة: «أهداف المنهج الدراسى»:

١. *فهم المبادئ الحاكمة للسحر الدفاعى.*
٢. *معرفة المواقف التى يكون السحر الدفاعى فيها قانونيًّا.*
٣. *فهم كيف يمكن استخدام مبادئ السحر الدفاعى استخدامًا عمليًّا.*

امتلأت الحجرة لدقيقتين بأصوات احتكاك ريشات الكتابة برقع الورق. عندما انتهى الجميع من نسخ أهداف الأستاذة «أمبريدچ» الثلاثة، سألتهم: «هل مع الجميع نسخة من كتاب (نظرية السحر الدفاعى) لويلبرت سلينكهارد؟».

تصاعدت غمغمة جماعية موافقة من الفصل.

قالت الأستاذة «أمبريدچ»: «سأقولها ثانية.. عندما أسأل سؤالاً أحب تلقى إجابة: أجل يا أستاذة أمبريدچ. أو: لا يا أستاذة أمبريدچ.. لذا: هل مع الجميع نسخة من كتاب (نظرية السحر الدفاعى) لويلبرت سلينكهارد؟».

رنت كلمات: «أجل يا أستاذة أمبريدچ» عبر الحجرة.

قالت الأستاذة «أمبريدچ»: «جيد.. أريدكم أن تفتحوا الكتاب على الصفحة الخامسة.. الفصل الأول.. المبادئ للمبتدئين.. ولا حاجة بنا للثرثرة».

ابتعدت الأستاذة «أمبريدچ» عن السبورة واستقرت فى مقعدها خلف مكتب المدرسين، لتراقبهم بحرص بعينيها الضفدعيتين. فتح «هارى» نسخته من كتاب (نظرية السحر الدفاعى) على الصفحة الخامسة، وشرع فى القراءة.

كان الكتاب شديد الإثارة للملل، مثل الاستماع للأستاذ بينز. شعر بتركيزه ينسحب منه، وكان قد قرأ نفس السطر ستة مرات دون أن يفهم أكثر من أول بضع كلمات. بعد مرور دقائق من الصمت شعر بـ«رون» إلى جواره يهز ريشته بذهن غائب، محدقًا فى نفس الجزء من الصفحة. نظر «هارى» إلى يمناه، ليتلقى مفاجأة أخرجته من حالة ثباته: لم تفتح «هيرميون» الصفحة الخامسة حتى، وكانت تنظر بثبات إلى الأستاذة «أمبريدچ» ويدها مرفوعة فى الهواء.

لم يتذكر «هارى» أبدًا سابقة تجاهل «هيرميون» لأمر بالقراءة عندما تؤمر، أو مقاومة إغراء فتح أى كتاب يقع تحت يديها. نظر إليها نظرة متسائلة، لكنها هزت رأسها دليلاً على أنها لن تجيب على أى أسئلة، واستمرت فى النظر إلى الأستاذة «أمبريدچ»، التى كانت تنظر فى اتجاه آخر بنفس الثبات.

بعد مرور بضع دقائق لم يكن «هارى» هو الوحيد الذى يراقب «هيرميون». كان الفصل الذى طلبت منهم قراءته مملاً حتى إن عددًا أكبر وأكبر من الطلاب اختار مشاهدة محاولة «هيرميون» الصامتة لجذب انتباه الأستاذة «أمبريدچ» بدلاً من المجاهدة وحمل النفس على فهم فصل (المبادئ للمبتدئين).

عندما أصبح نصف الفصل ينظر إلى «هيرميون» بدلاً من قراءة كتبهم، بدا أن الأستاذة «أمبريدچ» قد قررت عدم تجاهل الموقف أكثر من هذا. سألت «هيرميون» كأنها قد لاحظت رفعها ليدها لتوها: «هل تريدين الاستفسار عن شىء ما فى هذا الفصل من الكتاب يا عزيزتى؟».

قالت «هيرميون»: «ليس فى هذا الفصل».

قالت الأستاذة «أمبريدچ» كاشفة عن أسنانها الصغيرة الحادة: «لكننا بدأنا فى قراءته منذ قليل.. إن كان لديك أسئلة عن أشياء أخرى فانتظرى لنهاية الحصة».

قالت «هيرميون»: «بل استفسارى عن أهداف المنهج».
رفعت الأستاذة «أمبريدچ» حاجبيها.. وقالت: «واسمك هو؟».
قالت «هيرميون»: «هيرميون جرانجر».
قالت الأستاذة «أمبريدچ» بصوت تعمدت أن يكون حلوًا: «حسنًا يا آنسة جرانجر.. أعتقد أن أهداف المنهج واضحة تمامًا لمن يقرأها بانتباه».
قالت «هيرميون»: «لكنها غير واضحة لى.. ليس بالأهداف أى ذكر لاستعمال تعاويذ سحرية دفاعية».
سادت برهة من الصمت حول فيها بعض التلاميذ رءوسهم ناظرين لأهداف المنهج الثلاثة المكتوبة على السبورة.
كررت الأستاذة «أمبريدچ» الكلمات الأخيرة وضحكة قصيرة تتردد مع كلماتها: «استعمال تعاويذ سحرية دفاعية؟ لماذا؟ لا أتوقع أن يحدث موقفًا ما فى فصلى يدفعك لاستعمال تعويذة دفاعية يا آنسة جرانجر. بالطبع لا تتوقعى وقوع هجوم علينا أثناء الدرس».
تساءل «رون» بصوت مرتفع: «ألن تستخدم السحر؟».
«التلاميذ فى فصلى يرفعون أيديهم أولاً قبل الكلام يا سيد..؟».
قال «رون» رافعًا يده فى الهواء: «ويسلى».
أعطته الأستاذة «أمبريدچ» ظهرها وابتسامتها تتسع. رفع كل من «هارى» و«هيرميون» أيديهما هما الآخرين على الفور. تعلقت عينا الأستاذة «أمبريدچ» للحظة على «هارى» قبل أن تخاطب «هيرميون» قائلة: «أجل يا آنسة جرانجر.. هل تريدين الاستفسار عن شىء آخر؟».
قالت «هيرميون»: «أجل.. بالطبع فكرة الدفاع عن النفس ضد السحر الأسود هى التدريب على التعاويذ الدفاعية.. أليس كذلك؟».
سألتها الأستاذة «أمبريدچ» بصوتها الحلو الزائف: «وهل أنت خبيرة تعليم من الوزارة يا آنسة جرانجر؟».
«لا.. لكن..».
«حسنًا إذن.. أراك غير مؤهلة لتقرير فكرة أى درس من الدروس لأى مادة مدرسية. هناك سحرة أكبر منك سنًا وأكثر منك مهارة وخبرة يضعون البرامج الدراسية للطلاب. ستتعلمين التعاويذ الدفاعية بطريقة آمنة، بلا مخاطر..».
قال «هارى» بصوت مرتفع: «وما الفائدة إن تعرضنا للهجوم، لن يكون هذا..».

قالت الأستاذة «أمبريدچ» بنبرة كالغناء: «ارفع يدك يا سيد بوتر».

رفع «هارى» قبضته فى الهواء، ومرة أخرى التفتت الأستاذة «أمبريدچ» بعيدًا عنه، لكن هذه المرة رفع البعض أيديهم هم الآخرون.

سألت الأستاذة «أمبريدچ» «دين»: «ما اسمك؟».

«دين توماس».

«وما سؤالك يا سيد توماس؟».

قال «دين»: «كما قال هارى.. إن تعرضنا للهجوم، فلن نكون فى مأمن من شىء».

قالت الأستاذة «أمبريدچ» مبتسمة بطريقة بغيضة لـ «دين»: «أكرر على مسامعك.. هل تتوقع هجومًا خلال تدريسى لهذه المادة؟».

«لا.. لكن..».

قاطعته الأستاذة «أمبريدچ» قائلة: «لا أريد انتقاد أسلوب إدارة المدرسة» وابتسامة غير مقنعة بالمرة ترتسم على وجهها أضافت: «لكنكم تعرضتم لتدريس بعض السحرة غير المسئولين فى هذه المادة، غير مسئولين بالمرة.. دعك من أن بعضهم من المتحولين الخطرين» أضافت العبارة الأخيرة بضحكة قصيرة كريهة.

قال «دين» بغضب: «هل تعنين الأستاذ لوبين؟ كان أفضل مدرس لـ..».

«ارفع يدك يا سيد توماس! كنت أقول: إنكم قد تعرفتم على التعاويذ المعقدة الصعبة على سنكم، كما أنها مميتة. أخافوكم وجعلوكم تصدقون أنكم قد تتعرضون لهجمات من السحر الأسود كل بضعة أيام..».

قالت «هيرميون»: «لا لم يحدث.. فقط لم..».

أشاحت الأستاذة «أمبريدچ» عنها قائلة: «يدك ليست مرفوعة يا آنسة جرانجر» ثم أضافت: «ما فهمته هو أن المدرسين السابقين علىّ لم يؤدوا تعاويذ خطرة فقط أمامكم، بل أيضًا جعلوكم تجربونها بأنفسكم فى الصف الثانى».

قال «دين» بحرارة: «فعلاً لكن اتضح بعدها أنه مجنون.. أليس كذلك؟ لكننا تعلمنا منه الكثير».

قالت الأستاذة «أمبريدچ»: «يدك ليست مرفوعة يا سيد توماس.. والآن، لتعرفوا رأى الوزارة، وهو يتلخص فى أن المعرفة النظرية أكثر من كافية حتى تنجحوا فى الامتحانات، وهذا هو الغرض من المدرسة فى نهاية الأمر.. وما اسمك؟» أضافت السؤال الأخير مخاطبة «بارفاتى» التى رفعت يدها منذ لحظة.

«بارفاتى باتيل.. أليس الجزء العملى من مادة الدفاع مطلوب لاجتياز

امتحان الـ(أوه. دبليو. إل.)؟ أليس من المفترض أن يتم اختبارنا فى كيفية أداء التعاويذ المضادة لهذه الأشياء؟».

قالت الأستاذة «أمبريدچ» بغرض إنهاء الموضوع: «إن درست المادة نظريًا بصورة جيدة، فلم لن تكونى قادرة على أداء التعاويذ فى قاعة الامتحانات المؤَمَّنة جيدًا؟».

سألت «بارفاتى» بدهشة: «بدون أى تدريب سابق؟ هل تقولين أن المرة الأولى التى نؤدى فيها التعاويذ ستكون أثناء الامتحان؟».

«أكرر لك، مع دراستك النظرية الجيدة ستكونـ..».

قال «هارى» بصوت مرتفع ويده فى الهواء ثانية: «وما فائدة النظرية فى العالم الواقعى؟».

نظرت الأستاذة «أمبريدچ» لأعلى، وقالت بنعومة: «هذه مدرسة يا سيد بوتر، وليست العالم الواقعى».

«إذن أليس علينا التجهيز لما سنجده بالعالم عندما نتخرج من هنا؟».

«لن تجد شيئًا ذا بال بالخارج يا سيد بوتر».

قال «هارى» وحالته المزاجية تسوء، بعد توتره المستمر طوال اليوم، كأن أعصابه تغلى وعلى وشك الانفجار: «حقًا؟».

سألته الأستاذة «أمبريدچ» بصوت مدهون مصطنع الحلاوة: «ومن تظنه يهاجم أطفالاً ظرفاء مثلك؟».

قال «هارى» بعمق كأنه يفكر، ساخرًا منها: «إمم.. دعينى أفكر.. ربما.. لورد ڤولدمورت؟».

شهق «رون»، وصدر عن «لاڤندر براون» صرخة قصيرة، وسقط «نيفيل» من مقعده، لكن الأستاذة «أمبريدچ» لم تطرف. أخذت تحدق فى «هارى» وتعبير راضٍ مرتسم على وجهها، وقالت: «خصم عشر نقاط لفرقة جريفندور يا سيد بوتر».

ساد الصمت الفصل. كان الجميع إما ينظر إلى «أمبريدچ» أو إلى «هارى».

قالت الأستاذة «أمبريدچ» وهى تقف مائلة عليهم ويداها ذات الأصابع القصيرة ثابتة على مكتبها: «والآن دعونى أوضح بعض الأمور.. لقد أخبروكم أن ساحرًا ما قد عاد من الموت..».

قال «هارى» بغضب: «لم يكن ميتًا.. لكنه عاد فعلاً».

قالت الأستاذة «أمبريدج» على نفس واحد دون النظر إليه: «سيد ـ بوتر ـ لقد ـ تسببت ـ بالفعل ـ في ـ خسارة ـ فرقتك ـ عشر ـ نقاط ـ فلا ـ تسبب ـ لنفسك ـ مشكلات ـ أخرى» ثم أضافت: «كما كنت أقول.. لقد أخبروكم أن ساحرًا ما قد عاد قويًا ثانية. وهذه كذبة».

قال «هارى»: «بل ليست كذبة.. أنا رأيته، وقاتلته».

قالت الأستاذة «أمبريدج» بنبرة ظافرة: «عقاب بالاحتجاز لك يا سيد بوتر.. احضر إلى مكتبى مساء الغد الساعة الخامسة. وأكرر: إنها كذبة. وزارة السحر تضمن لكم أنكم لستم فى خطر من أى ساحر أسود. إن كنتم لا تزالون قلقين، فتعالوا وزورونى فى مكتبى فى أى وقت. وأى أحد ينشر إشاعات عن بعث سحرة سود، فأخبرونى فورًا. أنا هنا لمساعدتكم، أنا صديقتكم. والآن.. هيا نكمل القراءة.. الصفحة الخامسة، فصل (المبادئ للمبتدئين)».

جلست الأستاذة «أمبريدج» خلف مكتبها. لكن «هارى» وقف. نظر الجميع إليه، ونظرة «سيماس» بين الخوف والدهشة.

همست «هيرميون» بنبرة تحذيرية وهى تشده من أكمامه: «لا يا هارى» لكن «هارى» تخلص من قبضتها مبعدًا يده عنها.. وتساءل وصوته يرتجف: «إذن فطبقًا لكلامك سقط سيدريك ديجورى ميتًا دون أن يمسسه أحد.. أليس كذلك؟».

صدر عن الفصل شهقة جماعية؛ حيث لم يسمع أى منهم ـ بخلاف «رون» و«هيرميون» ـ «هارى» وهو يتحدث عما حدث ليلة قُتل«سيدريك». حدقوا فيه بشدة وفى الأستاذة «أمبريدج»، التى رفعت عينيها، ورمقته ببصرها وعلى وجهها بقايا من ابتسامتها الزائفة.. وقالت ببرود: «كان موت سيدريك ديجورى حادثًا مؤسفًا».

قال «هارى»: «بل كان جريمة قتل» شعر بنفسه يرتجف. لم يتحدث فى هذا الموضوع سوى قليل، ولم يسمعه الأشخاص الثلاثون الموجودون بالحجرة أبدًا يذكره.. أضاف: «قتله ڤولدمورت وأنت تعرفين هذا».

انسحب أى تعبير عن وجه الأستاذة «أمبريدج». وللحظة، حسبها «هارى» ستنفجر بالصراخ فى وجهه. ثم قالت بأنعم صوت لديها وأكثره شبهًا بأصوات البنات الصغيرات: «تعال هنا يا عزيزى بوتر».

ركل مقعده بعيدًا عنه، وتقدم من خلف «رون» و«هيرميون» ووقف عند

مكتبها. شعر بباقى الفصل محبوس الأنفاس وراءه. أحس بالغضب حتى إنه لم يكترث لما قد يحدث بعدها.

أخرجت الأستاذة «أمبريدچ» رقعة ورق وردية من حقيبتها، وفضتها على المكتب، ثم دبت سن ريشتها فى قنينة الحبر وأخذت تكتب، وهى مائلة على الورقة حتى لا يرى «هارى» ما تكتبه. لم ينطق أحد. بعد دقيقة لفت الورقة وطرقتها بعصاها السحرية فأغلقت الورقة نفسها بإحكام حتى لا يفتحها.

قالت وهى ترفع الورقة إليه: «خذ هذه إلى الأستاذة مكجونجال يا عزيزى».

أخذها منها دون أن ينطق، ودار على عقبيه مغادرًا الحجرة، دون حتى أن يلتفت إلى «رون» و«هيرميون»، وأوصد الباب خلفه. سار بسرعة عبر الممر، والورقة الموجهة للأستاذة «مكجونجال» فى يده قابضًا عليها بإحكام.. وعندما انحرف عند ركن فى الممر وجد الشبح «بيفيس البولترجايشت»[1] - وهو شبح لرجل قصير واسع الفم - يسرى فى الهواء نائمًا على ظهره وهو يلعب ببعض قنانى الحبر ملقيًا بها فى الهواء كلاعب (الأكروبات).

قال «بيفيس» سامحًا لقنينتى حبر بالسقوط على الأرض لتتحطما بصوت مسموع ويتناثر الحبر على الجدران: «ياه! معقول؟ بوتر حبيبتى؟» فقفز «هارى» مبتعدًا عن الحبر المتناثر، وقال زاجرًا إياه: «ابتعد عنى يا بيفيس».

قال «بيفيس» مطاردًا «هارى» عبر الممر، ناظرًا إليه بطرف عينه وهو يسرى إلى جانبه: «ياه! هارى المجنونة جاءها الحالة. ما المشكلة هذه المرة يا صديقى وحبيبى بوتر؟ هل تسمع أصواتًا؟ هل ترى رؤى؟ هل تتحدث بلغات غريبة دون أن تشعر؟».

صاح «هارى» وهو يهبط على أقرب سلم إليه: «قلت لك ابتعد عنى» لكن «بيفيس» انزلق على درابزين السلم على ظهره إلى جوار «هارى»، وهو يغنى:

«بوتر حبيبتى تصرخ (غضبانة)
لكن من يعرفها - حبيبتى - يعرف أنها (زعلانة)
لكن بيفيس يعرف أنها فعلاً وبجد مجنونة أكثر من البادنجانة..».

---

(١) بولترجايشت: هى صفة لنوع من الأشباح المفترض فيها القدرة على تحريك الأشياء، وأن لها وجودًا ماديًا، على عكس الأشباح العادية التى لا تقدر على لمس أى شىء، وكذلك تشير الكلمة إلى خاصية ميتافيزيقية هى: التحريك اللا إرادى للأشياء عن بعد. (المترجم).

«اصمت».

انفتح باب إلى يسراه وخرجت الأستاذة «مكجونجال» وعلى وجهها العبوس والضيق.

قالت بحدة و«بيفيس» يطير مبتعدًا مسرورًا ضاحكًا: «لماذا تصيح يا بوتر؟ لماذا لست فى فصلك؟».

قال «هارى» بجمود: «أُرسلت إليكِ».

«أُرسلت؟ ماذا تقصد بأُرسلت؟».

مدَّ يده بورقة الأستاذة «أمبريدچ». أخذتها منه الأستاذة «مكجونجال» مقطبة الجبين، وفتحتها بطرقة من عصاها السحرية، ثم فضتها وبدأت فى قراءتها. أخذت عيناها تمران من جانب إلى الآخر من خلف عويناتها المربعة وهى تقرأ ما كتبته «أمبريدچ»، ومع كل سطر يضيق ما بين عينيها أكثر وأكثر.

«ادخل يا بوتر».

تبعها إلى داخل فصلها الخالى. أُغلق الباب وحده خلفه.

قالت ملتفتة إليه: «هل هذا حق؟».

سألها بعدوانية أكثر مما انتوى: «ماذا تقصدين؟» ثم بنبرة أرادها أكثر لينًا: «يا أستاذة؟».

«هل حقًّا أنك قد صحت فى الأستاذة أمبريدچ؟».

قال «هارى»: «أجل».

«هل قلت إنها كاذبة؟».

«أجل»

«هل قلت لها إن ـ من ـ لا ـ يجب ـ ذكر ـ اسمه قد عاد؟».

«أجل».

جلست الأستاذة «مكجونجال» خلف مكتبها، وأخذت تراقبه. ثم قالت: «خذ (بسكوتة) يا هارى».

«آخذ ماذا؟».

كررت كلامها بنفاد صبر مشيرة إلى علبة على مكتبها مستقرة فوق كومة من الأوراق: «خذ (بسكوتة)، واجلس».

تذكر «هارى» سابقة واحدة، بدلاً من أن تعاقبه فيها الأستاذة

«مكجونجال» جعلته لاعبًا فى فريق «جريفندور» لـ«كويدتش». جلس فى المقعد المقابل لها وأكل بسكوتة على شكل سحلية حمراء، شاعرًا بالارتباك.

جلست الأستاذة «مكجونجال» وورقة الأستاذة «أمبريدج» أمامها، ناظرة إلى «هارى» بجدية شديدة.

«بوتر.. عليك بالحذر».

ابتلع «هارى» ما بفمه من حلوى وحدق فيها. كانت نبرة صوتها غير التى يعرفها بالمرة.. لم تكن سريعة، وجافة، وصارمة.. كان صوتها منخفضًا وقلقًا، وأكثر إنسانية مما اعتاده.

«سوء السلوك فى حصة دولوريس أمبريدج قد يكلفك ما هو أكثر من خصم النقاط والعقاب بالاحتجاز».

«ماذا تعنين؟».

قالت الأستاذة «مكجونجال» بحدة وقد عادت إلى أسلوبها المعتاد: «بوتر! فكر بعقلك.. أنت تعرف من أين جاءت، ولا بد أنك تعرف من هو رئيسها الذى تبلغه بما يحدث».

ضُرب الجرس معلنًا نهاية الحصة. ومن فوقهم ومن كل مكان جاءتهم أصوات مئات الطلبة وهم يتحركون.

قالت الأستاذة «مكجونجال» ناظرة إلى ورقة «أمبريدج» ثانية: «تقول إنها ستعاقبك بالاحتجاز كل أمسيات هذا الأسبوع، بداية من الغد».

كرر «هارى» ما ذكرته برعب: «كل أمسيات هذا الأسبوع؟ لكن يا أستاذة.. ألا يمكنك..؟».

قالت الأستاذة «مكجونجال» بصوت رتيب: «لا.. لا يمكننى».

«لكن..».

«إنها معلمتك، ولها الحق فى عقابك. ستذهب إلى حجرتها غدًا فى تمام الساعة الخامسة، للمرة الأولى. وتذكر: تصرف بحرص مع دولوريس أمبريدج».

قال «هارى» غاضبًا: «لكننى كنت أقول الحقيقة.. ڤولدمورت عاد، وأنت تعرفين هذا.. والأستاذ دمبلدور يعرف..».

عدلت الأستاذة «مكجونجال» من وضع عويناتها بغضب بعد أن أجفلت من ذكر الاسم: «بحق السماء يا بوتر.. هل حقًا ترى الموضوع متعلقًا بالكذب والصدق؟ إننى أطالبك بالحرص، والحفاظ على هدوء أعصابك».

وقفت وفمها المزموم ليس أكثر من خط رفيع، ثم وقف «هـارى» هو الآخر.
قالت بامتعاض ملقية بالعلبة إليه: «خذ (بسكوتة) أخرى».
قال «هارى» ببرود: «لا.. أشكرك».
قالت بحدة: «لا تكن سخيفًا».
قال متذمرًا: «شكرًا».
«ألم تسمع خطبة دولوريس أمبريدچ فى مأدبة بداية الفصل يا بوتر؟».
قال «هارى»: «بلى.. قالت.. قالت إن التقدم يجب إيقافه.. أعنى.. معنى هذا أن وزارة السحر تحاول التدخل فى هوجورتس».
فحصته الأستاذة «مكجونجال» ببصرها للحظة، ثم دارت حول مكتبها وفتحت الباب قائلة: «جيد.. يسرنى أنك تسمع ما تقوله هيرميون جرانجر» وهى تشير إليه ليخرج من الحجرة.

١٣ عقـــاب دولـــوريـــس

لم يكن العشاء تلك الليلة فى القاعة الكبرى سارًا بالنسبة لـ«هارى». تناقلت أخبار صياحه فى وجه «أمبريدج» بسرعة فائقة، حتى مقارنة بمعايير سرعة نقل الأخبار فى «هوجورتس». سمع الهمسات من حوله وهو و«رون» و«هيرميون» جلوس، يأكلون. والمدهش أن أيًا من الهامسين لم يهتم بإخفاء صوته، ولم يمانعوا جميعًا فى أن يسمع «هارى» ما يقولونه عنه. على النقيض، بدا كأنهم يأملون أن يثور ويصيح ثانية، ليسمعوا القصة منه.

«يقول إنه رأى سيدريك ديجورى وهو يُقتل..».

«يتخيل أنه قاتل الذى ـ تعرفه..».

«هراء..».

«هل يظن أنه سيخدعنا؟».

«كلام غريب..».

قال «هارى» بغيظ: «ما لا أفهمه هو لماذا صدقوا القصة منذ شهرين عندما تلاها دمبلدور..» وهو يلقى بشوكته، ويده ترتجف.

قالت «هيرميون» بعبوس: «المشكلة يا هارى أننى لست واثقة من تصديقهم للقصة.. دعنا نخرج من هنا».

ألقت شوكتها وسكينها.. نظر «رون» بحسرة إلى نصف فطيرة التفاح الباقية أمامه، لكنه فعل مثلها. نظر إليهم التلاميذ وهم سائرون إلى خارج القاعة.

سأل «هارى» «هيرميون» عندما وصلوا إلى الطابق الأول: «ماذا تقصدين بأنك لست واثقة أنهم صدقوا قصة دمبلدور؟».

قالت «هيرميون» بهدوء: «أنت لا تفهم كيف كان الحال وقتها.. ظهرت فى منتصف الفناء حاملاً جثة «سيدريك».. لم نر ما حدث فى المتاهة.. لم يكن أمامنا سوى كلمة دمبلدور، بأن الذى ـ تعرفه قد عاد وقتل سيدريك وأنك قاتلته».

قال «هارى» بصوت مرتفع: «وهذه هى الحقيقة».

قالت «هيرميون» متعبة: «أعرف يا هارى.. هلا كففت عن مهاجمتى هكذا؟ المسألة أنه وقبل استقرار الحقيقة فى نفوس الناس، عاد الجميع إلى البيوت، حيث قضوا شهرين فى الإجازة الصيفية يقرأون عن جنونك وعن شيخوخة دمبلدور».

أخذ «رون» يضرب بيده أُطر النوافذ وهم فى طريقهم عبر الممرات الخالية إلى برج «جريفندور». شعر «هارى» كأن يومه الأول بدأ منذ أسبوع ولم ينته، لكن كان أمامه أحمال من الواجب قبل أن ينام. شعر بألم مزعج فوق عينه اليمنى. حدق من النافذة المغسولة بالأمطار نحو الظلام الخارجى، وهم ينحرفون إلى ممر السيدة البدينة. لم يكن هناك أى ضوء فى كابينة «هاجريد».

قالت «هيرميون» قبل أن تتكلم السيدة البدينة: «ميمبولوس ميمبليتونيا» تراجعت اللوحة كاشفة عن الكوة من خلفها، فدخل ثلاثتهم عبرها.

كانت حجرة الطلبة شبه خالية.. فالجميع مازالوا يتناولون العشاء بالأسفل. نزل «كروكشانكس» عن مقعده وقابلهم، وعندما جلس ثلاثتهم على مقاعدهم المفضلة إلى جوار المدفأة قفز بخفة إلى حجر «هيرميون» ونام. نظر «هارى» إلى ألسنة اللهب، شاعرًا بالتعب والإرهاق.

صاحت «هيرميون» فجأة: «كيف يدع دمبلدور كل هذا يحدث؟» فأفزعتهما، وقفز «كروكشانكس» مبتعدًا عنها. ضربت مسندى مقعدها بغضب، حتى إن قطعًا صغيرة من حشو المقعد طارت من الثقوب فى قماش التنجيد.. «كيف يسمح لهذه المرأة الكريهة بالتدريس؟ وفى سنة شهادة الـ(أوه. دبليو. إل.) أيضًا؟».

قال «هارى»: «الواقع أننا لم نحظ أبدًا بمعلمين جيدين لمادة الدفاع عن النفس ضد السحر الأسود.. أليس كذلك؟ أنت تعرفين حال هذه المادة، كما أخبرنا هاجريد، فلا أحد يريد هذه الوظيفة، يقولون إنها منحوسة بفعل فاعل».

«أجل.. لكن كيف يُوظف من يرفض تعليمنا السحر العملى؟! إلام يرمى دمبلدور؟».

قال «رون» بتجهم: «وتحاول جعل الطلاب يتجسسون لصالحها.. هل تذكران عندما قالت إنها تريدنا أن نخبرها بما نسمعه إن قال أحد إن من ـ تعرفانه قد عاد؟».

قالت «هيرميون» بحدة: «بالطبع هى هنا لتتجسس علينا.. هذا واضح.. وإلا لماذا أراد لها فادچ الحضور؟».

قال «هارى» بتعب و«رون» يفتح فمه ليرد عليها: «لا تبدأا فى الجدال ثانية.. لم لا.. لم لا نعمل الواجب ونرفع عبئه عن كاهلنا؟».

أحضروا حقائبهم المدرسية من ركن الحجرة وعادوا إلى المقاعد المجاورة للمدفأة. أخذ الطلاب يتوافدون بعد انتهاء العشاء. أبقى «هارى» وجهه بعيدًا عن كوة اللوحة، لكنه شعر بالنظرات التى يجذبها إليه.

قال «رون» وهو يضع طرف ريشته فى قنينة الحبر: «هلا بدأنا بواجب سناب أولاً؟ خصائص.. حجر.. القمر.. واستخداماته.. فى عمل.. الوصفات.. السحرية» أضاف العبارة الأخيرة مغمغمًا وهو يكتب الكلمات التى ينطقها عند طرف ورقته العلوى.. وبعد أن انتهى من العنوان قال: «ها نحن» ناظرًا إلى «هيرميون».

«إذن فما هى خصائص حجر القمر واستخداماته فى عمل الوصفات السحرية؟».

لكن «هيرميون» لم تعره انتباهًا.. كانت تحدق فى الركن البعيد من الحجرة، حيث جلس «فريد» و«چورچ» و«لى چوردن» وسط مجموعة من تلاميذ الصف الأول الأبرياء، الذين يمضغون شيئًا أخرجه «فريد» من حقيبة ورقية كبيرة بيده.

قالت واقفة والغضب يملأ ملامحها: «لا.. آسفة، هذا كثير.. تعال يا رون».

قال «رون» وهو يحاول استنفاد الوقت بصورة مفضوحة: «آ.. ماذا؟ لا، اهدئى يا هيرميون.. لا يمكن ألا نمنعهم من أخذ الحلوى منهم».

«أنت تعرف تمام المعرفة أن هذه قطع نوجة نزيف الأنف، أو علكة التقيؤ أو..».

اقترح عليها «هارى» بهدوء: «حلوى الإغماء؟».

واحدًا وراء الآخر، كأن هناك شخصًا خفيًا يضربهم بمطرقة على الرأس».. أخذ تلاميذ الصف الأول يتساقطون مغشيًا عليهم فى مقاعدهم.. بعضهم انزلق من مقعده، وبعضهم علق ذراعيه بالمقعد. راقب معظم الحضور ما حدث وهم يضحكون، لكن «هيرميون» تقدمت بخطى ثابتة شجاعة إلى حيث وقف «فريد» و«چورچ» يراقبان الأولاد الغائبين عن الوعى. قام «رون» من مقعده، ثم تردد، ثم قال لـ«هارى»: «الموقف تحت سيطرتها» قبل أن يجلس محاولاً الاختفاء بقدر ما يسمح له جسده الطويل النحيل.

قالت «هيرميون» بغلظة لكل من «فريد» و«چورچ» اللذان اندهشا: «هذا يكفى».

قال «چورچ» وهو يومئ برأسه: «أجل، أنت محقة.. هذه الجرعة قوية.. صح؟».

«قلت لكما هذا الصباح إنه ليس بإمكانكما اختبار هذه الألعاب السخيفة على التلاميذ».

قال «فريد» بكبرياء: «لكننا ندفع لهم أجرهم».

«لا يهمنى.. الأمر خطير». فقال «فريد»: «ليس خطيرًا.. كلامك هراء».

قال «لى» مهدئًا إياها، محاولاً حملها على الثقة فى تجاربهم: «اهدئى يا هيرميون» وهو ينتقل من تلميذ إلى تلميذ من أولاد الصف الأول، واضعًا حلوى بنفسجية فى أفواههم.

قال «چورچ»: «أجل، انظرى، إنهم يفيقون».

أخذ بعض أولاد الصف الأول فى استعادة الوعى. بعضهم بدا مصدومًا عندما وجد نفسه على الأرض، أو معلقًا من مقعده، فعرف «هارى» أن «فريد» و«چورچ» لم يحذروهم مما ستفعله الحلوى بهم.

قال «چورچ» بتعاطف لبنت قصيرة سوداء الشعر راقدة عند قدمه: «هل أنت بخير؟».

قالت مرتجفة: «آ.. أعتقد هذا».

قال «فريد» بسعادة: «ممتاز» لكن بعد لحظة قبضت «هيرميون» على ما معه من حلوى الإغماء.

«ليس ممتازا».

قال «فريد» بغضب: «بل هو كذلك.. إنهم أحياء، أليس كذلك؟».

«ليس لك أن تفعل هذا بهم.. ماذا لو مرض أحدهم حقًا؟».

«لن ندعهم يمرضون، لقد اختبرنا كل الحلوى على أنفسنا بالفعل، وما نفعله هو محاولة معرفة رد فعل الآخرين، وإن كان مماثلاً لردود أفعالنا».

«إن لم تكفا سأقوم بـ...». قال «فريد» بنبرة تحدٍّ: «باحتجازنا؟».

قال «چورچ» بابتسامة ساخرة: «أم ستجعليننا نكتب كعقاب لنا؟».

أخذ المراقبون للموقف فى الضحك. استقامت «هيرميون» بالرغم من تعبها

فى وقفتها، وهى تضيق ما بين عينيها، وشعرها الأشعث كأنه يضطرم بشرارات كهربية.. قالت وصوتها يرتجف من الغضب: «لا.. لكننى سأخبر أمكما».

قال «چورچ» خائفًا: «لا.. لن تفعلى»، ثم تراجع عنها خطوة.

قالت «هيرميون» بعبوس: «بل سأفعل.. لا أقدر على منعكما من أكل هذه الحلوى الغبية بأنفسكما، لكن لا يمكنكما تجربتها على أولاد الصف الأول».

بدا واضحًا من دهشتهما وانزعاجهما الشديدين، أن ضربة «هيرميون» جاءت تحت الحزام. وبنظرة تهديد أخيرة عليهما، أعادت إلى «فريد» حقيبة الحلوى التى أخذتها منه وسارت مبتعدة عائدة إلى مقعدها بجوار المدفأة.

هبط «رون» قدر استطاعته فى مقعده حتى صار رأسه عند مستوى ركبتيه.

قالت «هيرميون» ببرود لاذع: «شكرًا على مساعدتك يا رون».

غمغم «رون»: «لكنك تعاملت مع الموقف بنفسك».

حدقت «هيرميون» فى قطعة الورق الفارغة أمامها للحظات، ثم قالت بحدة: «لا فائدة.. لا أقدر على التركيز.. سأذهب لأنام».

فتحت حقيبتها، وأخرجت كومتين مشوهتين من الصوف، ووضعتهما إلى جوار المائدة القريبة من المدفأة بحرص، وغطتهما بقطع ممزقة من الورق وريشات الكتابة المكسورة، ثم وقفت لتنظر بإعجاب لنتيجة عملها.

قال «رون» مراقبًا إياها كأنه خائف على سلامة عقلها: «ماذا تفعلين بحق مرلين؟».

قالت بسرعة وهى تعيد كتبها إلى الحقيبة: «إنها من أجل الأقزام المنزلية.. عملت عليها طوال الصيف، فأنا أحيك ببطء شديد بدون السحر، لكن الآن وقد عدت إلى المدرسة فسوف أقدر على حياكة المزيد».

قال «رون» ببطء: «هل ستتركين هذه القبعات للأقزام المنزلية؟ وتغطينها بالقمامة أولاً؟».

قالت «هيرميون» بلهجة لا تحتمل النقاش: «أجل» ثم رفعت حقيبتها إلى ظهرها.

قال «رون» بغضب: «هذا لا يصح.. أنت تحاولين خداعهم ليلتقطوا القبعات. هكذا تحررينهم وهم لا يريدون الحرية».

قالت «هيرميون» على الفور: «بالطبع يريدون أن يكونوا أحرارًا» واحتقن وجهها غضبًا وهى تقول: «إياك ولمس هذه القبعات يا رون».

غادرتهما، وانتظر «رون» حتى اختفت، ثم أزال القمامة من فوق القبعتين.

قال بجدية: «على الأقل من حقهم رؤية ما يلتقطونه»، لف رقعة الورق التى كتب عليها عنوان مقال «سناب» ثم قال: «المهم.. لم يعد هناك رجاء من محاولة الانتهاء من هذا الآن، ليس من دون هيرميون.. فأنا ليس عندى أدنى فكرة عن خصائص حجر القمر أو ماذا يفعل.. هل تعرف أنت؟».

هز «هارى» رأسه، ملاحظًا أن ألم صدغه الأيمن أصبح أسوأ. فكر فى المقال الطويل عن حروب العمالقة، والألم يطعنه مجددًا بحدة، وهو يعرف أن مع قدوم الصباح سيندم على عدم إنهاء الواجب ليلاً، لملم كتبه وأعادها إلى حقيبته.

«أنا أيضًا سأنام».

مر إلى جوار «سيماس» فى طريقه إلى باب جناح نوم الأولاد، لكنه لم ينظر إليه. شعر بأن «سيماس» فتح فمه ليتكلم، لكنه سارع بالمرور إلى جواره، ليصل إلى بداية السلم الصاعد لجناح النوم، وهو غير قادر على تحمل أية إثارة لغضبه.

***

جاء اليوم التالى محملاً بالأمطار والضباب مثل اليوم السابق عليه، ومازال «هاجريد» غائبًا عن مائدة المدرسين على الإفطار.

قال «رون» بحرارة: «... لكن على الجانب المشرق، فليس لدينا حصة لسناب اليوم».

تثاءبت «هيرميون» وصبت لنفسها بعض القهوة. بدت مسرورة لسبب ما، وعندما سألها «رون» عما يسرها قالت: «اختفت القبعات. يبدو أن الأقزام تريد الحرية».

قال «رون» بحدة: «لا أصدق.. ربما لا يعتبرونها ثيابًا. فهى لم تبد كقبعات لى، ليست أكثر من مثانات صوفية».

لم تكلمه «هيرميون» طوال فترة الصباح.

تلت حصتى التعاويذ حصتا مادة التحويل. قضى كل من الأستاذ «فليتويك» والأستاذة «مكجونجال» أول خمس عشرة دقيقة من درسيهما فى محاضرة الفصل عن أهمية شهادة الـ(أوه. دبليو. إل.).

قال الأستاذ «فليتويك» قصير القامة بصوته الرفيع جالسًا فوق كومة من

الكتب: «عليكم تذكر أن هذه الامتحانات ستؤثر فى مستقبلكم لسنوات قادمة. إن كنتم لم تفكروا بعد فى مستقبلكم المهنى، فالوقت قد حان للتفكير. كذلك عليكم أن تعملوا وتستذكروا أكثر من أى وقت، لضمان النجاح بتفوق وحتى لا تظلموا أنفسكم».

ثم قضوا ما يزيد على الساعة فى مراجعة تعاويذ الاستدعاء، والتى - كما قال الأستاذ «فليتويك» - ستأتى فى الامتحانات، وأنهى الدرس بتكليفهم بأكبر واجب مدرسىٍ كُلفوا به فى حياتهم بمادة التعاويذ.

كان الأمر مماثلاً - إن لم يكن أسوأ - فى درس مادة التحويل.

قالت الأستاذة «مكجونجال» عابسة: «لا يمكنكم النجاح فى اختبارات الـ(أوه. دبليو. إل.) دون التدريب العملى الشاق، التدريب والمذاكرة. لا أرى سببًا يمنع أيًا من الحضور بهذا الفصل من النجاح فى امتحان التحويل بتفوق مادام عمل بجد واجتهاد» عند الجملة الأخيرة تذمر «نيفيل».. وأكملت: «لا يعيبكم سوى نقص الثقة بالنفس؛ لذا.. سنبدأ اليوم بتعاويذ الإخفاء. هذه التعاويذ أسهل من تعاويذ الاستحضار، والتى لن تقدموا عليها قبل شهادة الـ(إن. إى. دبليو. تى.).. لكن اعلموا أن تعاويذ الإخفاء من أصعب أنواع السحر الذى ستؤدونه فى امتحانات الـ(أوه. دبليو. إل.)».

كانت محقة.. اكتشف «هارى» أن تعاويذ الإخفاء شديدة الصعوبة. ومع نهاية الحصتين لم يتمكن هو أو «رون» من إخفاء صدفات كانا يتمرنان عليها، بالرغم من أن «رون» قال بأمل إن صدفته تبدو شاحبة عن حالها عندما بدأ التمرين. لكن «هيرميون» أخفت صدفتها فى محاولتها الثالثة، لتكسب عشر نقاط لصالح فرقة «جريفندور» من الأستاذة «مكجونجال».. وكانت الوحيدة التى لم تُكلف بواجب، أما الباقون فقد أمرتهم بالتدريب على التعويذة طوال الليل، والاستعداد للتمرين على صدفاتهم بعد ظهر اليوم التالى.

الآن وقد ذعرا من كم الواجب الهائل الملقى على عاتقهما، فقد قضى «هارى» و«رون» طيلة فترة الغداء فى المكتبة يبحثان عن استخدامات حجر القمر فى واجب مادة الوصفات السحرية.

وهى لا تزال غاضبة من سخرية «رون» من قبعاتها الصوفية، لم تنضم

«هيرميون» إليهما. ومع الوصول لحصة رعاية الكائنات السحرية بعد الظهر، أخذ رأس «هارى» يؤلمه ثانية.

أصبح الطقس باردًا، ومع سيرهما عبر الممشى العشبى المنحدر نحو كابينة «هاجريد» عند حافة الغابة المحرمة، شعرا بتساقط رذاذ المطر الخفيف على وجهيهما. كانت الأستاذة «جروبلى بلانك» واقفة فى انتظار الفصل قرب باب «هاجريد» الأمامى، وأمامها مائدة طويلة عليها أغصان أشجار. ومع اقتراب «هارى» و«رون» منها سمعا صوت ضحكات صاخبة خلفهما.. التفتا فوجدا «دراكو مالفوى» يقترب، وحوله عصابته من تلاميذ «سليذرين» الحمقى.. كان واضحًا أنه قال شيئًا طريفًا؛ لأن «كراب» و«جويل» و«بانسى باركنسون» والباقين ضحكوا من قلوبهم وهم يتجمعون حول المائدة، وبدا من طريقة نظرتهم نحو «هارى» أنه كان موضوع المزحة.

صاحت الأستاذة «جروبلى بلانك» فور وصول جميع تلاميذ «سليذرين» و«جريفندور»: «هل حضر الجميع؟ دعونا نبدأ على الفور. من يعرف هذه الأشياء؟».

أشارت إلى كومة الأغصان الموضوعة أمامها. انطلقت يد «هيرميون» مشهرة فى الهواء. خلفها، قلدها «مالفوى» بطريقة أشبه بالقرود، فقفز فى الهواء متلهفًا على الإجابة. ضحكت «بانسى باركنسون»، وسرعان ما تحولت إلى صرخة مع قفز الأغصان فى الهواء، لتظهر على حقيقتها ككائنات (عفريتية) صغيرة من الخشب، وكل منها له ذراعان بنيتان حادتا المفاصل، وأقدام مماثلة، وأصبعان غصنيًّان عند طرف كل يد، ووجه مسطح غريب فيه عينان بنيتان خنفسيتان.

قالت كل من «بارفاتى» و«لاڤندر» ليثيرا حفيظة «هارى»: «يا ماماااا» كأن «هاجريد» لم يُرِهم من قبل كائنات سحرية مدهشة.

قالت الأستاذة «جروبلى بلانك» بحدة: «اخفضن أصواتكن يا بنات» وهى تفرق حفنة مما بدا كأرز بنى اللون بين المخلوقات الغصنية، والتى سرعان ما انقضت على الطعام.. وأضافت: «إذن.. هل يقدر أيكم على معرفة هذه الكائنات؟ هل تعرفين يا آنسة جرانجر؟».

قالت «هيرميون»: «إنها بوتروكليتات، والمفرد بوتروكل، وهى حارسة الأشجار، وفى العادة نجدها فى الأشجار التى يُصنع منها العصى السحرية».

قالت الأستاذة «جروبلى بلانك»: «خمس نقاط لصالح جريفندور.. أجل، إنها بوتروكليتات، كما قالت الآنسة جرانجر، وهى عادة ما تعيش فى الأشجار التى نأخذ منها الخشب الصالح للعصى السحرية. هل يعرف أيكم ماذا تأكل؟».

قالت «هيرميون» على الفور: «قمل الأشجار.. لكنها تأكل أيضًا بيضات الجنيات الصغيرات إن وجدتها» وهو ما يفسر لماذا رأى «هارى» الطعام على أنه حبات أرز بنية متحركة.

«جيدّ! خمس نقاط أخرى لجريفندور؛ لذا، عند الحاجة إلى أوراق أو خشب من شجرة تحرسها البوتروكليتات، يجب إهداء حفنة من قمل الأشجار لها، حتى تتشتت وتبتعد. قد تبدو خطيرة، لكن إن غضبت فهى تصوب أصابعها نحو أعين البشر، وهى كما ترونها حادة جدًا وخطيرة. إن رغبتم فى الاقتراب، خذوا حفنة من القمل.. معى منه ما يكفى ثلثكم.. واقتربوا منها. أريد رسمًا توضيحيًا من كل منكم لأجزاء الجسد، عليه بيانات باسم كل جزء، مع نهاية الحصة».

تقدم التلاميذ للأمام ليتجمعوا حول المائدة. دار هارى - متعمدًا - حول طرف المائدة البعيد لينتهى به الحال إلى جانب الأستاذة «جروبلى بلانك».

سألها والجميع مشغولون بفحص «البوتروكليتات»: «أين هاجريد؟».

قالت الأستاذة «جروبلى بلانك» بلهجة من لا تريد منح أية تفاصيل: «لا تهتم». وهو يبتسم أكثر ابتساماته سماجةً من وجهه الحاد الرفيع، اقترب «دراكو مالفوى» من «هارى» مائلاً عليه ومعه أكبر «بوتروكل».. وقال بصوت خفيض لا يسمعه سوى «هارى»: «ربما جرح ذلك العملاق الغبى نفسه دون أن يقصد».

قال «هارى» بطرف فمه: «ربما ستُجرح أنت إن لم تصمت».

«ربما داعب كائنات أكبر منه بكثير، إن كنت تفهم ما أعنيه».

سار «مالفوى» مبتعدًا، وهو يبتسم لـ«هارى» بسماجة، فشعر «هارى» فجأة بالغثيان. هل قصد «مالفوى» شيئًا محددًا؟ فوالده من أكلة الموت.. ماذا

لو كان أخبره بمعلومات عن مصير «هاجريد» والجماعة لا تعرف عنه شيئًا؟ سارع بالعودة إلى صاحبيه.. اللذين كانا مائلين على العشب يحاولان إقناع أحد كائنات «البوتروكل» بالاقتراب منهما. أخرج «هارى» رقعة ورق وريشة كتابة، وجلس إلى جوارهما، وفى همسات قليلة أعاد عليهما ما قاله «مالفوى».

قالت «هيرميون» على الفور: «كان دمبلدور ليعرف لو وقع لهاجريد مكروه.. والواضح أن مالفوى قلق، وكلامه هذا يعنى أنه لا يعرف بالضبط ما يجرى. علينا تجاهله يا هارى. تعال.. أمسك البوتروكل لدقيقة، حتى أمسك بوجهه..».

جاءهم صوت «مالفوى» الواضح وهو واقف وسط عصابته: «أجل.. تحدث أبى إلى الوزير منذ يومين، ويبدو أن الوزارة عاقدة العزم على إنهاء حالة التدريس منخفض المستوى فى هذا المكان؛ لذا، وحتى إن ظهر هذا المجنون ثانية، سيجعلوه يحزم حقائبه ويغادر على الفور».

«آى».

كان «هارى» قابضًا على «البوتروكل» بقوة حتى إنه كاد ينكسر، فرفع الكائن جسده إلى يد «هارى» وجرحها بأصابعه الحادة، ليترك جرحين عميقين عليها. أسقطه الأخير وضحك «كراب» و«جويل» - مع انطلاق الكائن نحو الغابة، وسرعان ما اختفى بين جذوع الأشجار. عندما ضرب الجرس من بعيد مشى «هارى» فى طريقه إلى حصة علم الأعشاب وقد ضمد يده المجروحة بمنديل «هيرميون»، وضحكات «مالفوى» السمجة ما زالت ترن فى أذنيه.

قال بغيظ شديد: «إن نعت هاجريد بالمجنون ثانية فسوف..».

«هارى، لا تحاول الشجار مع مالفوى، ولا تنس أنه رائد فصل الآن، ويمكنه أن يجعل حياتك صعبة..».

قال «هارى» بسخرية: «رائع.. وأنا أتساءل عن شكل الحياة الصعبة تلك التى بانتظارى» ضحك «رون»، لكن «هيرميون» قطبت جبينها. عبروا حقل الخضراوات معًا. لم تكن السماء قد قررت بعد: إن كانت تريد الإمطار أم لا.

قال «هارى» بصوت منخفض: «أتمنى أن يسارع هاجريد بالعودة، هذا كل

ما يهمنى» وصلوا وقتها إلى الصوبات الزجاجية فأضاف بلهجة تهديد: «ولا تقولا إن تلك المرأة جروبلى بلانك أفضل فى التدريس من هاجريد».

قالت «هيرميون» بهدوء: «لم أقصد قول هذا».

قال «هارى» بجدية وهو على وعى تام بأنه قد قضى حصة فظيعة فى مادة رعاية الكائنات السحرية: «لأنها لن تكون أبدًا فى مهارة هاجريد».

انفتح أقرب باب لصوبة زجاجية وخرج بعض أولاد الصف الرابع، وبينهم «چينى».

قالت بسرور وهى تقترب منهم: «أهلاً» وبعد لحظات خرجت «لونا لوفجود» خلف باقى الفصل، وعلى أنفها بقعة طينية من الأرض، وشعرها معقود فوق رأسها. عندما رأت «هارى» اتسعت عيناها بحماس وأشارت نحوه. توقف بعض زملائه من الفصل ليشاهدوا ما يجرى. قالت «لونا» على الفور: «أنا مؤمنة بأن من ـ لا ـ يجب ـ ذكر ـ اسمه عاد، وأنك قاتلته وهربت منه».

قال «هارى» بارتباك: «آ.. أجل» كانت «لونا» مرتدية ما بدا أشبه بقُرط لونه برتقالى محمر، وهو ما لاحظه كل من «بارفاتى» و«لاڤندر»، عندما ضحكتا ضحكة كبيرة وهما تشيران إلى أذنيها.

قالت «لونا» وصوتها فى ارتفاع، وهى تظن أن «بارفاتى» و«لاڤندر» تضحكان على ما قالته وليس على ما ترتديه: «اضحكا.. لكن الناس كانوا لا يؤمنون بكائنات مثل الهمدينجر أو السنوركاك الكسيح».

قالت «هيرميون» بصبر نافد: «وكانوا محقين..».

نظرت إليها «لونا» نظرة ترفع وكبرياء، وأشاحت بوجهها، والقرط يتأرجح بجنون على أذنيها.. ولم تكن «بارفاتى» أو «لاڤندر» هما الوحيدتين اللتين تضحكان.

سأل «هارى» «هيرميون» وهما يسيران نحو الفصل: «هلا كففت عن مهاجمة من يصدقوننى؟».

قالت «هيرميون»: «بربك يا هارى.. أنت لست بحاجة إليها.. أخبرتنى چينى بشأنها.. إنها الوحيدة التى تؤمن بأشياء لا أساس لها من الصحة.. وهذا ما يجب عليك توقعه من بنت أبوها هو رئيس تحرير مجلة صفراء مثل الكويبلر».

فكر «هارى» فى الجياد التى رآها ليلة وصولهم، وما قالته «لونا» عن أنها

تراها هى الأخرى. شعر بالضيق.. تراها كانت تكذب؟ لكن وقبل أن يكرس لهذه الفكرة المزيد من الوقت، اقترب منه «إرنى ماكميلان»، وقال بصوت جهورى: «لتعرف يا بوتر أن ليس المجانين فقط هم من يصدقونك. أنا أيضًا، أصدق كل كلمة قلتها. أسرتى تقف خلف دمبلدور بكامل قوتها.. وأنا مثلها».

قال «هارى» مأخوذًا لكن مسرورًا: «آ.. أشكرك كثيرًا يا إرنى» «إرنى» أخرق فى حالات مثل هذه، لكن «هارى» شعر بامتنان عميق لثقة شخص ما به لا يتدلى قرط أحمر من أذنيه. أذهبت كلمات «إرنى» الابتسامة عن وجه «لاڤندر براون».. وعندما التفت ليتكلم مع صاحبيه لمح تعبير وجه «سيماس»، المرتبك.

ومن غير أن يندهش أحد، بدأت الأستاذة «سبروت» الدرس بمحاضرة عن أهمية شهادة ودرجات الـ(أوه. دبليو. إل.)، فتمنى «هارى» أن يكف كل المعلمين عن هذا، والشعور بالقلق يراوده كلما تذكر الواجب المكوم عليه، وهو الشعور الذى تأكد مع طلب الأستاذة «سبروت» مقالاً آخر كواجب مع نهاية الحصة. وهم متعبون ورائحتهم تزكم الأنوف من سماد الأستاذة «سبروت»، عاد طلبة «جريفندور» إلى القلعة، ولا أحد منهم يتحدث.. كان يومًا طويلاً آخر.

مع جوع «هارى» الشديد، وانتظاره لأول فترة عقاب مع «أمبريدج» فى الساعة الخامسة، اتجه إلى العشاء دون إعادة حقيبته إلى برج «جريفندور»، حتى يأكل ما يعينه على تحمل عقابها الذى لا يعرف طبيعته إلى الآن. لكن ما كاد يدلف إلى القاعة الكبرى حتى جاءه صوت مرتفع غاضب ينادى: «يا بوتر!».

غمغم بإرهاق ملتفتًا لمواجهة «أنچيلينا چونسون» التى بدت فى حالة مزاجية شديدة السوء: «ما الأمر؟».

قالت وهى تسير نحوه مباشرة وتلكزه بأصبعها بشدة فى صدره: «سأقول لك ما الأمر.. كيف أوقعت نفسك فى عقاب بالاحتجاز الساعة الخامسة يوم الجمعة؟».

قال «هارى»: «مـ.. ماذا؟ أجل.. نسيت.. يوم اختيار حارس المرمى».

قالت «أنچيلينا» بصوت غاضب: «والآن يتذكر.. ألم أخبرك بأننى أريد حضورك يوم الاختبارات مع باقى الفريق؟ حتى نضم إلينا لاعبًا جديدًا يحبه

جميع أفراد الفريق؟ ألم أخبرك بأننى قد حجزت ملعب الكويدتش لهذه المناسبة؟ والآن تقرر أنك لا تريد الحضور».

قال «هارى» وقد أزعجه ظلمها له: «أنا لم أقرر الغياب.. لقد عاقبتنى هذه المرأة أمبريدچ بالاحتجاز؛ لأننى أخبرتها بحقيقة الذى ـ تعرفينه».

قالت «أنچيلينا» بشراسة: «إذن فأذهب مباشرة إليها وسلها أن تعفيك من عقاب يوم الجمعة.. ولا يهمنى كيف تطلب منها هذا. قل لها إن الذى ـ تعرفه وهم فى خيالك، لكن فلتحضر يوم الجمعة». ثم ابتعدت غاضبة.

قال «هارى» لـ «رون» و«هيرميون» وهم يلجون إلى القاعة الكبرى: «أتعرفان؟ علينا أن نسأل على أحوال أوليفر وود فى فريقه بودلمير يونايتد، فأنا خائف عليه بعد أن رأيت كيف تعلمت منه أنچيلينا الصرامة فى اللعب».

قال «رون» بشك وهم يجلسون إلى مائدة «جريفندور»: «وما هو احتمال أن تتركك أمبريدچ وتعفو عنك يوم الجمعة لتحضر التدريب؟».

قال «هارى» بتجهم ناقلاً شرائح اللحم إلى طبقه وهو يشرع فى الأكل: «أقل من الصفر.. لكن الأفضل أن أحاول.. أليس كذلك؟ أو أعرض عليها مضاعفة العقاب على أن يكون فيما بعد..» ازدرد بعض البطاطس وأضاف: «أتمنى ألا تبقينى كثيرًا الليلة. فأنتما تعرفان كمّ الواجب: من ثلاثة مقالات، والتدريب على تعويذة الإخفاء للأستاذة مكجونجال، والتعاويذ المضادة التى يريدها الأستاذ فليتويك، والانتهاء من رسم البوتروكل مذكرات الأحلام الغبية تلك لتريلاونى».

تأوه «رون» ولسبب ما نظر إلى السقف.

«ويبدو أن السماء ستمطر».

قالت «هيرميون» وهى ترفع حاجبيها: «وما علاقة هذا بواجبنا المدرسى؟».

قال «رون» فورًا وأذناه تحتقنان من الخجل: «لا علاقة».

فى تمام الساعة الخامسة إلا خمس دقائق ودع «هارى» صديقيه وتوجه إلى مكتب «أمبريدچ» فى الطابق الثالث. عندما طرق الباب نادته قائلة: «ادخل» بصوت عذب. دخل بحذر ناظرًا حوله.

عرف هذا المكتب عندما شغله ثلاثة معلمين من قبلها.. أيام «جيلدروى

لوكهارت» كان مليئًا بملصقات وصور له. عندما شغله «لوبين» كنتَ لَتقابل كائنًا سحريًا مخيفًا موضوعًا فى قفص أو فى وعاء ما إن دخلت بحثًا عن «لوبين». أيام «مودى» الزائف، كان مليئًا بكافة أنواع الأدوات والمعدات السحرية الخاصة بالتحرى والأعمال السحرية البوليسية وأدوات التخفى والإخفاء.

لكنه الآن، بدا غير معروف بالمرة مقارنة بحاله سابقًا.. كانت الأسطح مغطاة بكافة أنواع المفارش والأغطية القماشية المنزلية، والعديد من الزهريات المليئة بالزهور المجففة، وعلى واحد من الحوائط كان معلقًا مجموعة من بعض الأطباق الخزفية الشرقية الطابع، وكل منها محلى بقطة كبيرة متعددة الألوان ترتدى على كل طبق شريطًا مختلفًا عن لون الشريط على غيرها من الأطباق. كانت غريبة الشكل حتى إن «هارى» حدق فيها بجمود، حتى تكلمت الأستاذة «أمبريدچ» ثانية، قائلة: «مساء الخير يا سيد بوتر».

أجفل «هارى» ونظر خلفه. لم يلحظ وجودها حال دخوله؛ لأنها كانت ترتدى عباءة مطرزة بأشكال الزهور الممزوجة مع الزهور المنقوشة على المفرش من خلفها.. قال لها بجمود: «مساء الخير يا أستاذة أمبريدچ».

قالت مشيرة إلى مائدة صغيرة مغطاة بقماش ناعم جذبت من خلفها مقعدًا مرتفع الظهر: «اجلس» وكان على المائدة رقعة ورق خالية، على الأغلب تنتظره.

قال «هارى» دون أن يتحرك: «آ.. أستاذة أمبريدچ.. آ.. قبل أن نبدأ.. آ.. أريد أن أسأل.. معروفًا».

ضيقت ما بين عينيها الجاحظتين وقالت: «حقًا؟».

«فى الواقع.. آ.. أنا لاعب بفريق جريفندور، ومن المفترض أن أحضر الاختبارات لحارس المرمى الجديد الساعة الخامسة يوم الجمعة.. وأتساءل إن كان بإمكانى.. آ.. بإمكانى الغياب عن الاحتجاز تلك الأمسية.. و.. وحضور ليلة أخرى بدلاً منها..».

كان يعرف قبل أن يقول كل هذا أنه لا فائدة من طلبه.

قالت وابتسامتها تتسع حتى بدت كأنها قد ابتلعت لتوها ذبابة لذيذة: «لا.. لا لا لا. هذا عقابك على الترويج لإشاعات شريرة تسعى بها لجذب الانتباه يا

سيد بوتر، والعقاب لا يمكن تعديله ليتناسب مع ظروف المدان. لا.. ستأتى إلى هنا غدًا، واليوم التالى عليه، ويوم الجمعة أيضًا، وستقضى فترات الاحتجاز المفروضة عليك كما هو مخطط لها، وأرى أن افتقادك لشيء تحبه يزيد من جمال العقاب.. فهذا هو ما سيجعلك تندم وتتعلم الدرس الذى أريد تعليمك إياه».

شعر «هارى» بالدم يتدفق إلى رأسه، وسمع صوت الدم النابض فى أذنيه. إذن فهو قد روج لإشاعات شريرة يسعى بها لجذب الانتباه.

أخذت تراقبه ورأسها مائل قليلاً، وابتسامتها واسعة، كأنها تعرف ما يفكر فيه، وتنتظر بدءه فى الصياح ثانية. بمجهود خارق تمكن من النظر بعيدًا عنها، ملقيًا بحقيبته المدرسية إلى جانب المقعد، وهو يجلس عليه.

قالت «أمبريدج» بصوتها الحلو الزائف: «رائع.. تحسنت قدرتك على التحكم فى نفسك.. أليس كذلك؟ والآن، ستقوم بكتابة بعض السطور من أجلى يا سيد بوتر.. لا، ليس بريشة كتابتك» أضافت الجملة الأخيرة و«هارى» يميل على حقيبته ليفتحها.. وأكملت: «ستكتب بريشة كتابة خاصة معى. تفضل».

ناولته ريشة كتابة طويلة ورفيعة وسوداء ذات سن حاد جدًا.

سألها «هارى» بصوت حاول أن يجعله مهذبًا: «كم مرة سأكتب؟».

قالت «أمبريدج» بصوت عذب: «ما يكفى من مرات لتثبت الرسالة.. فلتبدأ».

انتقلت إلى مكتبها، وجلست منحنية على كومة من الأوراق بدت أشبه بواجب ستقوم بتصحيحه. رفع «هارى» الريشة السوداء الحادة، ثم أدرك ما ينقصه، فقال: «لكنكِ لم تعطنى أى حبر» قالت الأستاذة «أمبريدج» بما يشبه الضحكة على وجهها: «أه.. لست بحاجة إلى الحبر».

وضع «هارى» طرف الريشة على الورق وكتب: يجب أن أكف عن الكذب.

شهق متألمًا. ظهرت الكلمات على الورقة بلون أحمر لامع. وفى نفس الوقت ظهرت على ظهر يده اليمنى، وقد انحفرت على جلده كأنها بفعل مِبْضَع جراحى.. لكن وهو ينظر إلى الجرح وجده يلتأم ثانية، تاركًا وراءه أثرًا أحمر طفيفًا.

التفت «هارى» إلى «أمبريدج». كانت تراقبه وفمها الواسع الشبيه بفم الضفادع متسع فى ابتسامة.. وقالت: «هل هناك ما يسوء؟».

قال بهدوء: «لا».

عاود النظر إلى الورقة، ووضع الريشة عليها ثانية، وكتب: يجب أن أكف عن الكذب، وشعر بألم يمزق ظهر يده للمرة الثانية، ومرة أخرى وجد الكلمات محفورة فى جلده، ومرة ثانية التأم الجرح فى لحظات.

وهكذا استمر على هذه الحالة. مرة بعد مرة يكتب الكلمات على الورقة.. ثم سرعان ما أدرك أن هذا ليس حبرًا، بل هو دمه.. ومرة بعد مرة يرى الكلمات تنغرس أكثر فى يده، ويلتأم جرحه، ثم يظهر ثانية عندما يكتب بالريشة على الورقة.

حل الظلام خارج مكتب «أمبريدچ». لم يسألها متى ستسمح له بالمغادرة. لم ينظر حتى إلى ساعته. كان يعرف أنها تراقبه منقبة عن أمارات الضعف والتعب، لكنه ما كان ليظهر لها أى تعب، حتى ولو جلس طوال الليل والريشة تقطع فى يده..

قالت بعدما بدا له الوقت كأنه ساعات: «تعال هنا».

وقف.. كانت يده تؤلمه بشدة. عندما نظر إليها وجد أن الجرح التأم، لكن الجلد كان بلون أحمر. قالت له: «أرنى يدك».

مد يده إليها. أمسكت بها فى يدها. حبس «هارى» ارتجافة كادت تفر منه عندما لامست يده بأصابعها البدينة، القصيرة المزينة بعدد من الخواتم القديمة القبيحة.

قالت مبتسمة: «تؤ، تؤ.. يبدو أننى لم أترك فيك انطباعًا جيدًا بعد.. سنحاول مساء الغد.. أليس كذلك؟ يمكنك الذهاب الآن».

غادر «هارى» مكتبها دون أن ينبس بكلمة أخرى. كانت المدرسة هادئة وخالية من التلاميذ.. وبدا من الواضح أن الوقت هو منتصف الليل. سار ببطء عبر الممر، ثم وعندما انحرف مع انحناءة الطريق، وأدرك أنها لن تراه.. انطلق يجرى.

***

لم يكن لديه وقت للتمرين على تعويذة الإخفاء، ولم يدون حلمًا واحدًا من أحلامه، ولم ينته من رسم «البوتروكل»، ولا كتب باقى الواجب. لم يحضر الإفطار صباح اليوم التالى ليكتب حلمين زائفين من أجل حصة التنجيم، وهى حصتهم الأولى، واندهش عندما وجد «رون» المتذمر يصحبه.

سأله «هارى» و«رون» يحدق فى أركان حجرة الطلبة؛ بحثًا عن مصدر للإلهام: «كيف لم تكتبه الليلة الماضية؟» غمغم «رون» الذى كان غارقًا فى

النوم عندما وصل «هارى» إلى جناح النوم: «كنت مشغولاً بأمور أخرى»، ومال على ورقته وأخذ يكتب بعض الكلمات.

قال مغلقًا دفتر مذكراته: «هذا يكفى.. قلت إننى حلمت بأننى كنت أشترى حذاء.. لا يمكنها استنتاج شىء غريب من هذا الحلم.. أليس كذلك؟».

هرولا نحو البرج الشمالى معًا.

«كيف كان الاحتجاز مع أمبريدچ؟ بم كلفتك؟».

تردد «هارى» للحظة ثم قال: «جعلتنى أكتب».

قال «رون»: «ليس بالعقاب السيئ.. أليس كذلك؟».

قال «هارى»: «بلى».

«بالمناسبة.. نسيت.. هل ستعفو عنك يوم الجمعة؟».

«لا». فتذمر «رون» بصوت احتجاج متعاطفًا مع «هارى».

كان يومًا آخر سيئًا بالنسبة إلى «هارى».. كان هو الأسوأ بين الطلبة فى حصة التحويل؛ لأنه لم يتدرب على تعويذة الإخفاء. كان عليه التخلى عن ساعة الغداء ليكمل صورة «البوتروكل»، فى حين كلفهم الأساتذة «مكجونجال» و«جروبلى بلانك» و«سينسترا» بالمزيد من الواجب، وهو ما كان لديه أية فكرة عن كيف ينتهى منه ذلك المساء بسبب جلسة الاحتجاز الثانية مع «أمبريدچ». وليصبح الموقف أكثر سوءًا، حاصرته «أنچيلينا چونسون» على العشاء، وعندما عرفت أنه لن يحضر اختبارات يوم الجمعة لحارس المرمى أخبرته أنها ليست مندهشة من تصرفاته وسلوكه، وأنها تتوقع من اللاعبين الذين يتمنون البقاء للعب فى الفريق وضع التدريب قبل أى اعتبار أو التزام آخر نصب أعينهم.

صاح «هارى» وقد أعطته ظهرها وابتعدت: «أنا مُعاقب بالاحتجاز.. هل تحسبين أننى أفضل الاحتجاز فى حجرة مع تلك الضفدع العجوز على لعب الكويدتش؟».

قالت «هيرميون» محاولة التخفيف عنه: «على الأقل عقابك ليس أكثر من الكتابة» بينما «هارى» يعاود الجلوس فى مقعده وينظر إلى اللحم، وفطيرة الكبد، التى لم يعد يرغب فى أكلها.. وأتمت «هيرميون» كلامها قائلة: «العقاب ليس بهذه الفظاعة.. بصراحة..».

فتح «هارى» فمه، ثم أغلقه ثانية وأومأ برأسه موافقًا إياها. لم يكن واثقًا حقًا هل يقص على «رون» و«هيرميون» تفاصيل ما يحدث داخل حجرة «أمبريدج».. لم يكن يريد أن ترتسم نظرات الذعر على وجهيهما، فهذا يزيد الأمر سوءًا ويجعل العقاب أصعب عليه فى تقبله. كما أنه شعر بأن هذه المسألة معلقة بينه وبين «أمبريدج» فقط.. معركة للإرادات، ولا يريد أن يمنحها الإحساس بالظفر عندما تسمع بأنه يشتكى من العقاب.

قال «رون» بتعاسة: «لا أصدق كمّ الواجب الذى يطلبونه منا».

سألته «هيرميون»: «إذن لماذا لم تؤد أيًا منه ليلة أمس؟ وبالمناسبة.. أين كنت؟».

قال «رون» بارتباك: «آ.. كنت.. خرجت للتمشية».

شعر «هارى» بأنه ليس وحده من يخفى أمورًا تخصه.

***

مرت فترة الاحتجاز الثانية سيئة مثل الأولى تمامًا. احتقن جلد ظهر يد «هارى» أسرع، وأصبح أكثر احمرارًا والتهابًا. وفكر «هارى» أنه على الأرجح لن يداوم على الالتئام بسرعة مثل ليلة أمس. سرعان ما سينفتح الجرح ويبقى مفتوحًا يؤلمه، وربما ستشعر «أمبريدج» بالظفر. لم يصرخ ولم يشهق، ومنذ دخوله إلى الحجرة وحتى مغادرته لها - عند منتصف الليل - لم ينطق بأكثر من: مساء الخير.. وليلة سعيدة.

لكن موقفه من الواجب المتراكم عليه صار أسوأ، وعندما وصل إلى حجرة طلبة «جريفندور» لم يذهب إلى الفراش رغم تعبه الشديد، بل فتح كتبه وشرع فى كتابة مقال «سناب» عن حجر القمر. كانت الساعة قد تعدت الثانية والنصف صباحًا عندما انتهى منه. كان يعرف أن ما كتبه سيئ، لكن ما باليد حيلة.. وإن لم يكتبه كان «سناب» ليعاقبه بالاحتجاز هو الآخر. بعدها انتهى من واجب الأستاذة «مكجونجال»، ورسم بسرعة رسمًا توضيحيًا للـ«بوتروكل» لتقديمه إلى الأستاذة «جروبلى بلانك»، ثم تقدم مترنحًا إلى فراشه، حيث رقد بكامل ثيابه فوق الأغطية وغاب فى النوم على الفور.

***

مر يوم الخميس كأنه سحابة من التعب. كان «رون» ناعسًا جدًا هو الآخر.. بالرغم من أن «هارى» لم يعرف السبب. مر احتجازه الثالث على نفس

المنوال، فيما عدا أنه بعد ساعتين من كتابة: يجب أن أكف عن الكذب، لم تختفِ الكلمات من على ظهر يده، بل ظلت محفورة تنزف منها قطرات الدماء. وعندما توقف صوت الكتابة بالريشة للحظة رفعت «أمبريدج» بصرها إليه.

قالت بنعومة وهى تدور حول مكتبها لتفحص يده: «أه.. جيد.. هكذا ستتذكر الدرس.. أليس كذلك؟ يمكنك المغادرة الآن».

قال «هارى» ملتقطًا حقيبته المدرسية بيسراه بدلاً من يمناه المجروحة: «وهل علىّ الحضور غدًا أيضًا؟».

قالت الأستاذة «أمبريدج» وابتسامتها تتسع كسابق عهدها: «أجل.. من الأفضل ترسيخ الرسالة وتثبيتها أكثر بالكتابة لليلة أخرى».

لم يفكر «هارى» للحظة أن هناك مدرِّسة يمكنه أن يكرهها أكثر من كراهيته لـ«سناب»، لكن وهو يسير نحو برج «جريفندور» كان عليه الاعتراف بأنه قد وجد منافسًا له فى الكراهية. قال لنفسه إنها شريرة، وهو يصعد إلى الطابق السابع، إنها شريرة، ومجنونة، وعجوز مخرفة..».

«رون؟».

وصل إلى نهاية السلم، وانحرف إلى اليمين، وكاد يصطدم بـ «رون»، الذى كان مختفيًا خلف تمثال «لاكلان المُتلكك»، ممسكًا بمقشته. قفز من الدهشة عندما رأى «هارى» وحاول إخفاء مقشته موديل «الكلين ـ سويب ١١» الجديدة خلف ظهره.

«ماذا تفعل؟».

«آ.. لا شىء. ماذا تفعل أنت؟».

عبس «هارى» فى وجهه.

«هلم.. أخبرنى.. لماذا تختبئ هنا؟».

قال «رون»: «أ.. أنا.. أنا مختبئ من فريد وچورچ إن كنت مصرًّا على المعرفة.. لقد مرا لتوهما ومعهما مجموعة من طلاب الصف الأول، وأراهن أنهما يختبران عليهم الحلوى ثانية. أعنى، لا يمكن لهما أداء الاختبارات فى حجرة الطلبة.. أليس كذلك؟ بعدما فعلته هيرميون معهما».

كان يتحدث بسرعة شديدة، وبطريقة محمومة.

سأله «هارى»: «لكن لماذا تحمل مقشتك معك؟ عساك لم تكن تطير».

قال «رون» بطريقة المدافع عن نفسه ووجهه يحتقن أكثر وأكثر مع كل

لحظة تمر: «آ.. فى الواقع.. أعنى.. سأخبرك لكن لا تضحك.. موافق؟ أ.. أنا أفكر فى حضور اختبارات حارس المرمى لفريق جريفندور، الآن وبعد أن أصبح معى مقشة محترمة. هيا.. اضحك».

قال «هارى»: «لن أضحك» فطرفت عين «رون».. وأكمل «هارى»: «يالها من فكرة عبقرية.. سيكون أمرًا جميلاً فعلاً لو انضممت للفريق.. لكننى لم أرك من قبل وأنت تلعب كحارس مرمى.. هل أنت جيد فى هذا الموقع؟».

قال «رون» وقد بدا عليه الارتياح الشديد لرد فعل «هارى»: «لست سيئًا.. لطالما جعلنى تشارلى، وفريد، وچورچ حارسًا للمرمى وهم يتمرنون أثناء الإجازات».

«إذن فأنت تتمرن الليلة؟».

«كل ليلة منذ يوم الثلاثاء.. وحدى. فأنا أحاول سحر كرات الكوافل حتى تطير نحوى، لكنها ليست بالمهمة السهلة، ولا أعرف فائدة هذه الفكرة» كان «رون» يتحدث بعصبية وقلق.. وصمت للحظة ليضيف: «فريد وچورچ سيضحكان عندما أتقدم للاختبارات. لم يكفا أبدًا عن السخرية منى منذ أصبحت رائدًا للفصل».

قال «هارى» بمرار: «أتمنى الحضور» وهما يسيران معًا نحو حجرة الطلبة.

«أجل، وأنا أيضـ.. هارى.. ما هذا على ظهر يدك؟».

حاول «هارى» إخفاء يده، فقد كان يمسح أنفه بيده عندما رآها «رون».. لكنه لم ينجح فى إخفائها كما لم ينجح «رون» فى إخفاء المقشة.

«إنها.. مجرد خدش.. ليس ذا بال.. حقيقة.. إنها..».

لكن «رون» أمسك بذراع «هارى» ورفع يده إلى مستوى عينيه. صمت لبرهة، وهو ينظر إلى الكلمات المحفورة على الجلد، ثم وقد بدا عليه الغثيان تركها.

«ظننتك قلت إنها تعاقبك بالكتابة».

تردد «هارى»، لكن «رون» كان صادقًا معه؛ لذا فقد أخبر «رون» بحقيقة ما دار طوال ساعات الاحتجاز التى قضاها فى مكتب «أمبريدچ».

قال «رون» بهمسة غاضبة وهما يتوقفان أمام لوحة السيدة البدينة التى كانت نائمة ورأسها مستندة بسلام إلى إطار اللوحة: «تلك الحيزبون العجوز.. إنها مريضة.. اذهب إلى مكجونجال، وقل لها شيئًا».

قال «هارى» على الفور: «لا.. لن أمنحها فرحة الإحساس بأننى أتألم.. ولن أدعها تعرف أنها قد نالت منى».

«نالت منك؟ لا يمكنك تركها تفلت بهذه الفعلة الشنيعة».

قال «هارى»: «أنا لا أعرف كمّ القوة التى تتمتع بها وتمارسها عليها».

«دمبلدور إذن.. أخبر دمبلدور».

قال «هارى» بنبرة مسطحة: «لا».

«ولم لا؟».

قال «هارى»: «لأن لديه ما يكفيه من المشكلات ليفكر فيها» لكن لم يكن هذا هو السبب الحقيقى. لم يكن ليطلب مساعدة «دمبلدور»، بينما الأخير لم يتحدث إليه منذ شهر يونيو الماضى.

شرع «رون» فى الكلام: «الواقع أرى أن عليك الـ..» لكن قاطعته السيدة البدينة، والتى أخذت تراقبهما بنظرة ناعسة ثم انفجرت قائلة: «هل ستخبرانى بكلمة السر أم سأنتظر طوال الليل أستمع إليكما حتى تنتهيا من النقاش؟».

***

جاء يوم الجمعة مطيرًا كئيبًا مثل باقى أيام الأسبوع. ورغم أن «هارى» فحص مائدة المدرسين ببصره فور دخوله القاعة الكبرى، فإنه يأمل كثيرًا فى رؤية «هاجريد»، وسرعان ما حول تفكيره إلى مشكلاته الأخطر، مثل كمّ الواجب الهائل الذى ينتظره، هذا فى وجود جلسة عقاب أخرى مع «أمبريدچ».

شيئان اثنان هما ما عزيا «هارى» ذلك اليوم. الأول هو معرفته أن عطلة نهاية الأسبوع تقترب، والآخر هو تمنيه - بالرغم من أنه سيكون فى جلسة الاحتجاز الرهيبة مع «أمبريدچ» - رؤية ملعب «الكويدتش» من نافذة مكتبها، وربما ببعض الحظ يمكنه رؤية اختبار «رون». كانت هذه أشبه بدفقات نور ضعيفة تشع فى الظلام، لكن «هارى» كان ممتنًا لوجود أى شىء يضىء له ظلامه الحالك.. فلم يقض فى حياته فى «هوجورتس» أسبوعًا أسوأ من هذا.

فى تمام الساعة الخامسة طرق باب مكتب الأستاذة «أمبريدچ» آملاً فى الانتهاء من جلسة الاحتجاز الأخيرة، فسمحت له بالدخول. كانت الورقة الخالية ملقاة على المائدة المغطاة بالأقمشة الناعمة، والريشة السوداء الحادة إلى جانبها.

قالت «أمبريدج» بصوتها العذب وابتسامتها الصفراء: «تعرف ما عليك عمله يا سيد بوتر».

التقط «هارى» الريشة ونظر عبر النافذة. إن تمكن من تحريك مقعده مسافة بوصة إلى اليمين.. وحاول فعلاً وتمكن من هذا.. أصبح بإمكانه رؤية فريق «جريفندور» محلقًا فى الملعب، بينما ما يقرب من ستة أشخاص واقفين عند قواعد المرمى الثلاثى، على الأغلب فى انتظار دورهم فى الاختبار. كان من المستحيل معرفة من فيهم «رون» من هذه المسافة.

كتب «هارى»: يجب أن أكف عن الكذب.. انفتح الجرح فى يمناه ثانية وبدأ فى نزف الدماء ثانية.

يجب أن أكف عن الكذب.. صار الجرح أعمق، وهو يلسعه ويؤلمه.

يجب أن أكف عن الكذب.. الدم ينزف على رسغه.

خاطر بإلقاء نظرة أخرى عبر النافذة. أيًا كان من يحرس المرمى حاليًا كان أداؤه ضعيفًا. أحرزت فيه «كاتى بيل» هدفين خلال الثوانى القليلة التى خاطر «هارى» خلالها بالنظر. متمنيًا ألا يكون هذا الحارس هو «رون»، أعاد عينيه إلى الورقة الملطخة بالدماء الطازجة.

يجب أن أكف عن الكذب.

يجب أن أكف عن الكذب.

أخذ يختلس النظرات كلما شعر بألا مخاطرة فى النظر، عندما يسمع صوت ريشة كتابة «أمبريدج» تتحرك على الورق، أو فتحها لدرج من أدراج المكتب. كان الشخص الثالث فى الاختبارات جيدًا، والرابع فظيعًا، والخامس تفادى كرة «بلادجر» برشاقة لكنه لم يتمكن من صد هجمة سهلة. أظلمت السماء، وتساءل «هارى» إن كان سيتمكن من مشاهدة الشخص السادس، والسابع.

يجب أن أكف عن الكذب.

يجب أن أكف عن الكذب.

تلوثت الورقة بدماء منسابة من ظهر يده، التى كانت تؤلمه بشدة. عندما نظر لأعلى ثانية، كان الليل قد حل على ملعب «الكويدتش» ولم يتبين منه شيئًا.

جاءه صوت «أمبريدچ» المعسول بعد ساعة ونصف: «لنر إن كانت الرسالة قد وصلتك».

تقدمت منه، ومدت له أصابع يدها المليئة بالخواتم. ثم، وهى تمسك به لترى الكلمات المحفورة فى يده بالجروح، تدفق إليه الألم شديدًا، ليس فى ظهر يده، لكن عند ندبة جبينه. وفى نفس الوقت أحس بإحساس غريب عند خصره.

أبعد يده عنها وهب على قدميه، محدقًا فيها. بادلته النظر، وابتسامتها تتسع.. قالت بنعومة: «أجل، إنها تؤلم، أليس كذلك؟».

لم يجبها. أخذ قلبه يختلج فى صدره بسرعة وقوة. هل كانت تتحدث عن يده، أم عن ألم جبينه؟

«حسنًا.. واضح أن هدفى قد تحقق يا سيد بوتر.. يمكنك الانصراف».

أمسك بحقيبته المدرسية، وغادر الحجرة بأسرع ما يستطيع.

قال لنفسه: ابق هادئًا.. اهدأ، لا يعنى هذا بالضرورة ما تراه.. وهو يصعد السلم فى قفزات واسعة.

شهق قائلاً: «ميمبولوس ميمبليتونيا» عندما وصل للسيدة البدينة التى انفتحت كاشفة ما خلفها.

قابلته عاصفة من الترحيب. تقدم منه «رون» مسرعًا، وابتسامته واسعة وشرابه يتساقط من الكأس الذى يحمله.. وقال: «هارى.. لقد نجحت.. أصبحت حارس المرمى».

قال «هارى» محاولاً الابتسام بصورة طبيعية وقلبه ما زال يخفق بشدة فى صدره، ويده تنزف وتؤلمه: «ماذا؟ ممتاز».

رمى «رون» بزجاجة شراب إليه قائلاً: «اشرب يا هارى.. لا أصدق.. وأين ذهبت هيرميون؟».

قال «فريد» الذى أشار إلى مقعد إلى جوار المدفأة: «إنها هناك» كانت «هيرميون» جالسة شبه نائمة، والشراب مائل فى يدها على وشك الانسكاب.

قال «رون» ممتعضًا: «قالت إنها مسرورة عندما أخبرتها».

قال «چورچ» بسرعة: «دعها نائمة» وبعد لحظات لاحظ «هارى» تجمع عدد من تلاميذ الصف الأول حولهم، وعليهم علامات من كانت أنفه تنزف منذ قليل.

صاحت «كاتى بيل»: «تعال يا رون، وانظر إن كانت عباءة لعب أوليفر القديمة على مقاسك.. يمكننا نزع اسمه عنها ووضع اسمك بدلاً منه..».

ومع ابتعاد «رون» عن «هارى»، اقتربت منه «أنچيلينا».. قالت بسرعة: «آسفة.. كنت متعكرة المزاج يا بوتر.. إدارة الفريق صعبة ومثيرة للقلق، وأنا بدأت أفهم لماذا كان وود قاسيًا علينا أحيانًا» وكانت تراقب «رون» ونظرة عابسة على وجهها.. ثم قالت: «انظر، أعرف أنه أفضل أصدقائك، لكنه ليس رائعًا.. أرى أن بعض التدريب سيجعله جيدًا. فهو من أسرة عريقة فى الكويدتش، وأنا أعتمد عليه وعلى الموهبة التى أظهرها اليوم لأكون صريحة معك. كلٌّ من فيكى فروبيشر وجيفرى هوبر كانا يلعبان أفضل منه، لكن هوبر يتشكى كثيرًا، وفيكى عضوة فى جمعيات وجماعات كثيرة. وقالت إن تعارض لعبها مع نادى التعاويذ التى هى عضوة فيه، فسترجح كفة النادى. المهم، عندنا غدًا تدريب فى الساعة الثانية، فأضمن أن تحضر هذه المرة. وبرجاء، أسد لى معروفًا وساعد رون.. اتفقنا؟»

أومأ برأسه موافقًا فابتعدت «أنچيلينا» عائدة إلى «أليشيا سبينيت». اقترب «هارى» من «هيرميون» ليجلس إلى جوارها، فاستيقظت فجأة وهو يضع حقيبته على الأرض.. وقالت: «هارى.. إنه أنت.. أرأيت ما فعل رون؟ جميل.. أليس كذلك؟ أنا فقط.. متعبة» تثاءبت وقالت: «ظللت مستيقظة حتى الواحدة صباحًا أصنع المزيد من القبعات. إنها تختفى بسرعة رهيبة».

كان ما تقوله واضحًا، فعندما نظر «هارى» حوله، وجد قبعات صوفية مخبأة فى أركان الحجرة، حيث يمكن للأقزام أن تأخذها دون أن تشعر بأنها السبيل إلى تحريرها.

قال شاعرًا بأنه إن لم يخبر أحدًا فسوف ينفجر: «رائع.. اسمعينى يا هيرميون.. كنت فى مكتب أمبريدچ منذ قليل ولامست ذراعى..».

أنصتت إليه «هيرميون». عندما انتهى، قالت ببطء: «هل تقلقك فكرة أن يكون الذى ـ تعرفه يتحكم بها مثلما كان يتحكم فى كويرل؟».

قال «هارى»: «أجل.. إنه احتمال قائم، أليس كذلك؟».

قالت «هيرميون» بالرغم من عدم الاقتناع الواضح فى صوتها: «أعتقد هذا.. لكن لا أظن أنه يتحكم بها مثلما كان يستحوذ على كويرل، أعنى أنه قد عاد إلى قوته، أليس كذلك؟ ولديه جسده، ولا يرغب فى مشاركة أحد غيره فى جسده. ربما لعنها بلعنة الإمبرياس..».

راقب «هارى» كلاً من «فريد» و«چورچ» و«لى چوردن» وهم يلعبون بالزجاجات الفارغة. ثم قالت «هيرميون»: «لكن العام الماضى آلمتك الندبة دون أن يمسسك أحد، كما ذكر دمبلدور أن للألم علاقة بما يشعر به الذى ـ تعرفه.. أعنى، ربما ليس لهذا علاقة بأمبريدچ بالمرة، ربما هى مصادفة، وقعت وأنت فى مكتبها».

قال «هارى» بنبرة مسطحة»: «إنها شريرة.. عقلها مريض».

«إنها فظيعة.. لكن.. هارى.. ربما من الأفضل إخبار دمبلدور بشأن ألم الندبة».

كانت هذه هى المرة الثانية خلال يومين التى ينصحه فيها أحد برؤية «دمبلدور»، وكانت إجابته على «هيرميون» هى نفس إجابته على «رون».

«أنا لن أزعجه بسبب ما حدث. فكما قلت منذ قليل، المسألة ليست خطيرة. الألم يأتى ويذهب طوال الصيف.. لكنه كان أسوأ الليلة، ليس أكثر..».

«هارى.. أنا واثقة من أن دمبلدور سيحب معرفة هذا الموضوع..».

قال «هارى» غير قادر على التحكم فى نفسه: «أجل.. الشىء الوحيد الذى يهتم به دمبلدور بشأنى.. ندبتى».

«لا تقل هذا.. هذه ليست الحقيقة».

«الأفضل أن أكتب لسيرياس أخبره بالموضوع، وأعرف رأيه..»

قالت «هيرميون» والانزعاج يملأ ملامحها: «هارى.. لا يمكنك كتابة شىء مثل هذا فى رسالة.. ألا تذكر؟ قال لنا مودى أن نأخذ حذرنا فى مراسلاتنا، فقد يقبض أحد على البوم ويعرف بما نكتب».

قال «هارى» بامتعاض وهو ينهض: «حسنًا حسنًا، لن أخبره إذن.. أنا ذاهب للفراش. أخبرى رون بهذا.. ممكن؟».

قالت «هيرميون» وقد بدا عليها الارتياح: «لا.. إن كنت ستنام فأنا أيضًا سأنام دون أن يشعر رون بأننى غير مهذبة. أنا متعبة جدًا وأريد عمل بعض القبعات غدًا. اسمع.. يمكنك مساعدتى إن شئت، فالأمر مسلٍّ، وأنا أتحسن، يمكننى عمل أشكال وموديلات مختلفة».

نظر «هارى» إلى وجهها، الذى كان يشع سعادة، وحاول أن يبدو على وجهه الاهتمام بعرضها، وقال: «آ.. لا أعرف. لا.. أشكرك.. ليس غدًا، فأنا عندى الكثير من الواجب لعمله..».

ثم اتجه نحو جناح نوم الأولاد، وتركها خلفه شاعرة بقليل من خيبة الرجاء.

١٤ بيرسى وبادفوت

كان «هارى» أول من استيقظ فى الحجرة صباح اليوم التالى. رقد للحظة يراقب ذرات الغبار تدور على خلفية أشعة الشمس القادمة من فتحة فى ستائر الفراش ذى الأعمدة الأربعة، مستمتعًا بفكرة قدوم يوم الأحد. بدا له أول أسبوع فى الفصل الدراسى كأنه استمر للأبد، كأنه حصة تاريخ سحر عملاقة.

ومن السكون الناعس وشعاع الشمس الطازج، بدا واضحًا أن اليوم فى بدايته. لملم الستائر من حول فراشه، ونهض وبدأ فى ارتداء ملابسه. الصوت الوحيد الذى سمعه بخلاف صوت العصافير كان صوت أنفاس زملائه الثقيل وهم نيام. فتح حقيبته المدرسية بحرص، وجذب منها رقعة ورق وريشة كتابة، وخرج من جناح النوم إلى حجرة الطلبة.

اتجه إلى مقعده الوثير إلى جانب المدفأة، وجلس، ثم فض رقعة الورق مجيلاً طرفه فى الحجرة. كانت قصاصات الورق، والزجاجات الخالية، وعلب الحلوى الفارغة، وغيرها مما يغطى حجرة الطلبة مع نهاية اليوم، قد اختفت، ومعها قبعات «هيرميون»، متسائلاً إن كانت الأقزام تأخذها أم لا، فتح «هارى» قنينة الحبر، وغمس فيها ريشة الكتابة، ثم رفعها فوق السطح الأبيض المصفر لرقعة الورق، مفكرًا متأملاً.. لكن بعد دقيقة وجد نفسه يحدق فى المدفأة الخالية، وليس عنده أى شىء ليقوله أو يكتبه.

قدَّر فجأة كمّ الصعوبة التى كان كل من «رون» و«هيرميون» يلقيانها فى كتابة رسائل إليه وقت الصيف. كيف يخبر «سيرياس» بشأن ما حدث طوال الأسبوع الماضى، ويطرح عليه أسئلة يتحرق لمعرفة إجاباتها، دون أن يعطى المتلصصين على الرسائل أية معلومات لا يريد لهم معرفتها؟

جلس فى جمود لبعض الوقت، محدقًا فى المدفأة، ثم أخيرًا، اتخذ قرارًا، فغمس الريشة فى قنينة الحبر ثانية، وبدأ فى الكتابة..

عزيزى سنافلس،

لعلك بخير.. مر الأسبوع الأول بشعًا، وأنا مسرور حقًّا بقدوم الإجازة. جاءتنا معلمة جديدة لمادة الدفاع عن النفس ضد السحر الأسود، وهى الأستاذة أمبريدج. إنها فى لطف وظرف أمك. أنا أكتب إليك بشأن الموضوع الخاص بالصيف الماضى، لأقول: إنه قد وقع ثانية ليلة أمس وأنا فى جلسة عقاب مع أمبريدج.

جميعنا نفتقد صديقنا الأكبر، ونتمنى عودته سريعًا.

برجاء الرد بسرعة.

تحياتى

هارى

عاود «هارى» قراءة الرسالة مرارًا، محاولاً معرفة ما يمكن أن يفهمه شخص غريب منها. لم يَرَ أيًّا مما كتبه سهل التفسير.. تمنى لو يفهم «سيرياس» الإشارة الخفية إلى «هاجريد» ويخبره بموعد رجوعه. لم يرد طرح السؤال بصورة مباشرة، حتى لا يجذب الانتباه إلى غياب «هاجريد» عن «هوجورتس».

وبالرغم من كونه خطابًا قصيرًا، إلا أنه أخذ الكثير من الوقت ليكتبه، وكانت الشمس قد تسللت إلى منتصف الحجرة عندما انتهى، أغلق لفافة الورق بحرص شديد، ثم خرج عبر فتحة اللوحة متجهًا إلى برج البوم.

قال «نيك مقصوف الرقبة تقريبًا» وقد خرج من خلف جدار أمام «هارى»: «ما كنت لأذهب إلى حيث ستذهب إن كنت مكانك.. بيفيس يخطط لمقلب كبير على أول من يصل إلى منتصف هذا الممر».

سأله «هارى»: «وهل سيسقط شىء ما على رأس من يمر فى مقلبه هذا؟».

قال «نيك مقصوف الرقبة تقريبًا» بصوت ملول: «أجل.. فهذه الطريقة فى المزاح هى نقطة قوة بيفيس. سأذهب لأبحث عن البارون الدموى، ربما يساعدنى فى وضع حد لهذه المهزلة الأرضية.. إلى اللقاء يا هارى».

قال «هارى»: «طيب.. وداعًا» وبدلاً من المضى إلى الأمام، انحرف إلى اليمين، ثم إلى اليسار، متخذًا المسار الأطول إلى برج البوم. ارتفعت معنوياته

عندما مر إلى جوار نافذة تظهر منها السماء زرقاء زاهية.. سيحضر التدريب فيما بعد، سيعود إلى ملعب «الكويدتش» أخيرًا.

مس شيء ما كاحله. نظر لأسفل فرأى قطة فراش المدرسة: الآنسة «نوريس»، وهى تحتك به عابرة إلى جواره. رفعت عينيها الصفراوين إليه للحظة قبل أن تختفى خلف تمثال الساحر العظيم «ولفريد ألفريد».

قال لها «هارى»: «أنا لا أقوم بأى شيء خطأ» كان شكلها يوحى بأنها ستذهب لتخبر صاحبها بما رأته.. لكن «هارى» لم يعرف السبب.. كان مُصرحًا له بالصعود إلى برج البوم صباح يوم الأحد مثل كل الطلاب.

أصبحت الشمس فى كبد السماء، عندما دخل «هارى» البرج، فبهر الضياء الشديد القادم من النوافذ عينيه.. أشعة الشمس الفضية تتقاطع عبر الحجرة، التى يرقد فيها مئات البوم، وبعضها عاد من الصيد. كانت الأرض المغطاة بالقش تصدر أصواتًا وهو يخطو فوق عظام الحيوانات التى أكلها البوم، مديرًا رأسه بحثًا عن «هدويج».

قال بعد أن رآها قريبة من السقف المقبب: «ها أنت ذا.. انزلى.. معى رسالة لك».

بصوت خافت فردت جناحيها الأبيضين الكبيرين، وحطت على كتفه.

قال: «اسمعى.. أعلم أن هذه الرسالة مكتوب عليها من الخارج أنها موجهة لسنافلس، لكنها لسيرياس.. اتفقنا؟» وأعطاها الرسالة فأمسكتها بمنقارها.

غمزت بعينيها العنبريتين لتخبره أنها قد فهمت.

قال «هارى» وهو يحملها إلى واحدة من النوافذ: «رحلة آمنة» وبعد أن ضغطت على ذراعه للحظة، طارت لترفرف فى السماء الزرقاء اللامعة. راقبها حتى صارت نقطة سوداء على بعد واختفت، ثم نقل بصره إلى كوخ «هاجريد»، الذى رآه غير مسكون، ومدخنته لا يتصاعد منها الدخان، والستائر مفرودة.

أخذت قمم أشجار الغابة المحرمة تتمايل مع النسيم الخفيف. راقبها «هارى»، مستمتعًا بالهواء المنعش على وجهه، مفكرًا فى تدريب «الكويدتش».. ثم رآه: حصانًا مجنحًا أشبه بالزواحف، مثل الجياد التى رآها مربوطة إلى عربات «هوجورتس»، وجناحاه الجلديان الأسودان مفرودان مثل حيوان خرافى، محلقًا فوق الأشجار. طار فى دائرة واسعة، ثم عاد إلى

الأشجار. حدث ما حدث بسرعة، حتى إن «هارى» كاد لا يصدق ما رآه.

انفتح باب برج البوم من خلفه. قفز مرعوبًا، ثم وهو يلتفت بسرعة، رأى «تشو تشانج» واقفة وفى يدها رسالة وعبوة سترسلها كطرد.

قال لها «هارى» بصورة آلية: «أهلاً».

قالت مأخوذة: «آه.. أهلاً.. لم أتخيل أن أجد أحدًا هنا فى هذا الوقت من الصباح.. تذكرت منذ خمس دقائق أن اليوم هو عيد ميلاد والدتى».

رفعت العبوة لتريها إياه.

قال «هارى» مرتبكًا: «واضح». أراد أن يقول شيئًا طريفًا وهامًا، لكن رؤيته للجواد الطائر كانت لا تزال طازجة فى ذاكرته.

قال مشيرًا إلى النوافذ: «صباح جميل» وهو يشعر بالحرج. *الطقس؟ هل أتحدث عن الطقس؟*

قالت «تشو» ناظرة حولها فى أركان البرج: «أجل.. جو مناسب للعب الكويدتش. لم أخرج طوال الأسبوع، هل خرجت أنت؟».

قال «هارى»: «لا».

اختارت بومة من البوم المدرسى، ورفعتها إلى يدها، فمدت البومة قدمها بانتظار ربط العبوة.

سألت «هارى» قائلة: «هل انضم إلى فريق جريفندور حارس مرمى جديد؟».

قال «هارى»: «أجل، إنه صديقى رون ويسلى. هل تعرفينه؟».

قالت «تشو» ببرود: «كاره فريق التورنادوز؟ هل هو ماهر؟».

قال «هارى»: «أجل.. أعتقد هذا. لم أشهد اختباراته، فقد كنت فى الاحتجاز».

نظرت «تشو» إلى أعلى، والطرد نصف مربوط إلى قدم البومة.. قالت بصوت خفيض: «أمبريدج هذه قاسية.. هل احتجزتك لأنك تقول الحقيقة عن.. عن كيف مات؟ الجميع يعرفون، وانتشر الخبر فى المدرسة. أنت شجاع لمواجهتك لها».

امتلأ صدر «هارى» فرحة بسرعة، حتى إنه شعر بأنه على وشك الطيران بضع بوصات لأعلى. من يهتم بالجواد الطائر الغبى.. «تشو» تراه شجاعًا.

للحظة فكر فى أن يريها متعمدًا جرح يده وهو يساعدها فى ربط الطرد إلى قدم البومة.. لكن لحظة ورد إلى خاطره هذا الخاطر السعيد انفتح باب البرج ثانية.

دخل «فيلش» فراش المدرسة إلى البرج. كانت هناك بقع بنفسجية على وجنتيه، وشعره الرمادى الخفيف أشعث.. بدا من الواضح أنه قطع الطريق إلى البرج جريًا.. جاءت من خلفه الآنسة «نوريس»، وأخذت تنظر إلى البوم فوقها بجوع. رفرفت بعض الأجنحة القلقة وكشفت بومة بنية عن منقارها مهددة القطة.

«آها».. كان هذا صوت «فيلش»، وهو يتقدم خطوة من «هارى» ووجنتاه المرتخيتان ترتجفان من الغضب.. قال: «سمعت أنك أرسلت منذ لحظات رسالة تطلب فيها شحنة كبيرة من الدانجبومب».

عقد «هارى» ذراعيه ونظر إلى الفراش قائلاً: «ومن قال لك هذا؟».

نقلت «تشو» بصرها بينهما، مقطبة الجبين هى الأخرى.. والبومة على ذراعها، متعبة من مدها لقدمها، فأطلقت نعيبًا احتجاجيًّا، لكن «تشو» تجاهلتها.

قال «فيلش» بثقة بالغة: «عندى مصادرى.. والآن ناولنى رسائلك».

قال «هارى» شاعرًا بقدر هائل من الراحة؛ لأنه قد أرسل الرسالة بالفعل: «لا أقدر.. لقد طارت».

قال «فيلش»: «طارت؟» ووجهه قد شوهه الغضب.

قال «هارى» بهدوء: «طارت».

فتح «فيلش» فمه وهو فى ثورة من الغضب، وحاول نطق بعض الكلمات التى لم تخرج، ثم نظر لعباءة «هارى» كأنه سيقطعها بعينه.

«وكيف أعرف أن رسالة الطلبية ليست فى جيبك؟».

«لأن..».

قالت «تشو» بغضب: «رأيته وهو يرسلها». فالتفت «فيلش» إليها.

«رأيته وهو..؟».

قالت بغيظ : «أجل.. رأيته».

مرت لحظة من الصمت حدق خلالها «فيلش» فى «تشو» وبادلته «تشو» النظر، ثم عاد من حيث جاء. توقف ويده على مقبض الباب، والتفت إلى «هارى» وقال: «إن عرفت بوجود أقل القليل من الدانجبومب فسوف..».

نزل السلم، وألقت الآنسة «نوريس» نظرة اشتياق أخيرة على البوم، وتبعته.

تبادل «هارى» و«تشو» النظر. قال «هارى»: «أشكرك».

قالت «تشو»، وهى تثبت الطرد أخيرًا إلى قدم البومة ووجهها محتقن قليلاً: «العفو.. أنت لم تكن ترسل رسالة طلبًا للدانجبومب.. أليس كذلك؟».

قال «هارى»: «بلى».

قالت وهى تحمل البومة بحرص إلى النافذة: «أتساءل لماذا ظن فيك ما ظنه».

هز «هارى» رأسه. كان متعجبًا من الموضوع مثلها تمامًا، بالرغم من أن الأمر لم يزعجه كثيرًا فى تلك اللحظة.

غادرا البرج معًا. وعند مدخل الممر المؤدى إلى الجناح الغربى من القلعة قالت «تشو»: «سأذهب من هنا.. أ.. أراك قريبًا».

«حسنًا.. إلى اللقاء».

ابتسمت وانصرفت. مضى «هارى» فى طريقه شاعرًا بالابتهاج. تمكن أخيرًا من الكلام معها دون أن يحرج نفسه.. قالت «تشو» إنه شجاع.. لم تكن تكرهه. بالطبع كانت تفضل «سيدريك» عليه.. لكن لو كان طلب منها حضور الحفل معه قبل أن يفعل «سيدريك» كانت ستتغير الأمور.. بدا عليها الأسف الشديد عندما طلب منها «هارى» الذهاب إلى الحفل معه بعد «سيدريك».

قال «هارى» بتألق لكل من «رون» و«هيرميون» وهو ينضم إليهما على مائدة «جريفندور» بالقاعة الكبرى لتناول الإفطار: «صباح الخير».

قال «رون» ناظرًا إليه بدهشة: «ما سبب كل هذه الفرحة؟».

قال «هارى» بسعادة وهو يجذب طبق بيض كبيرًا نحوه: «إحم.. تدريب الكويدتش اليوم».

قال «رون»: «آه.. واضح». وضع قطعة كبيرة من الخبز المحمص أمامه وأخذ رشفة كبيرة من العصير ثم قال: «اسمع.. ما رأيك فى أن نبدأ أنا وأنت التدريب مبكرًا عن الآخرين؟ حتى.. حتى.. آ.. أتدرب قليلاً قبل التمرين.. حتى.. كما تعرف، أركز فى التمرين».

قال «هارى»: «طبعًا».

قالت «هيرميون» بجدية: «انظرا.. لا أظن أن ما تفعلانه صحيح.. لديكما الكثير من الواجب المتأخر و..».

لكنها صمتت. وصل بريد الصباح، وكالعادة، هبطت إليها البومة حاملة جريدة «الدايلى بروفيت»، وحطت بالقرب من طبق السكر ومدت قدمها.

أخرجت «هيرميون» عملة «نات» من حقيبتها ووضعتها فى كيس البومة المربوط بقدمها، وأخذت منها الجريدة، ونظرت نظرة فاحصة إلى الصفحة الأولى، قبل أن تطير البومة مبتعدة.

قال «رون»: «هل وجدت شيئًا مهمًّا؟». ابتسم «هارى»، وهو يعرف أن «رون» حريص على الابتعاد عن موضوع الواجب.

تنهدت قائلة: «لا أخبار عن عازف جيتار فريق الإخوة الغرباء.. سيتزوج قريبًا».

فتحت «هيرميون» الجريدة واختفت خلفها. انتبه «هارى» لطعامه، بينما أخذ «رون» ينظر إلى خارج النوافذ العالية، وعلى وجهه علامات الانشغال.

قالت «هيرميون» فجأة: «ما هذا؟ لا.. سيرياس!».

قال «هارى» وهو يختطف الجريدة بعنف تمزقت معه من منتصفها، فأصبح معه نصفها ومع «هيرميون» النصف الآخر: «ماذا حدث؟».

قرأت «هيرميون» النصف الذى بيدها: «تلقت وزارة السحر خبرًا من مصدر موثوق به، يفيد بأن سيرياس بلاك.. المجرم الخطير... إلخ إلخ إلخ.. فى لندن».

قال «هارى» بصوت خفيض غاضب: «لوكياس مالفوى.. أراهن على أى شىء أنه هو من فعلها، بعد أن تعرف على سيرياس على رصيف المحطة..».

قال «رون» والانزعاج يملأ وجهه: «ماذا؟ لم تقل إن..».

«صه» جاءه تحذير الاثنين.

ثم أكملت «هيرميون» قراءتها: «.. تحذر الوزارة مجتمع السحرة من أن بلاك خطير.. وأنه قد سبق له قتل ثلاثة عشر شخصًا.. وهرب من أزكابان..» ثم أنهت كلامها قائلة: «الكلام الساذج المعتاد» وهى تلقى بنصف الجريدة على المائدة، وتنظر بخوف إلى «هارى» و«رون».. ثم همست: «لن يكون قادرًا على مغادرة المنزل ثانية.. هذا كل ما فى الأمر.. لقد حذره دمبلدور من الخروج».

نظر «هارى» بتجهم إلى نصف الجريدة الذى معه. كانت بعض الصفحات ليس بها إلا إعلانات عن «عباءة مدام مالكين لكل الأغراض»، والتى يقول الإعلان إن عليها خصمًا.

قال مشيرًا إلى الجريدة وهو يميل بها ليقرأ معه «رون» و«هيرميون»: «انظرا.. انظرا إلى هذا!».

انحنى «رون» و«هيرميون» مقتربين ليقرآا معه.. كان الخبر لا يزيد عن البوصة فى الركن الأيمن من الصفحة..

حادث تسلل إلى الوزارة

تمت محاكمة ستورجيس بودمور، البالغ من العمر ٣٨ عامًا، والساكن بالمنزل رقم ٢، حدائق لابورنوم، بكلافام، بتهمة التسلل إلى الوزارة ومحاولة سرقتها ليلة ٣١ أغسطس، وهذا فى محكمة الويزنجاموت. تم إلقاء القبض على بودمور من جانب حارس الوزارة إريك مونش، الذى وجده يحاول التسلل عبر باب سرى حوالى الساعة الواحدة صباحًا. وتمت محاكمة المتهم ـ الذى رفض الاعتراف بالتهمة الموجهة إليه ـ وحُكم ضده بالسجن لمدة ستة أشهر فى أزكابان.

قال «رون» ببطء: «ستورجيس بودمور؟ إنه هذا الساحر الذى.. أليس عضوًا فى جماعة الـ..؟».

قالت «هيرميون» ملقية بنظرة مرتاعة حولها: «رون.. اصمت».

همس «هارى» مصدومًا: «ستة أشهر فى أزكابان؟ فقط لمحاولته اقتحام باب؟».

قالت «هيرميون»: « لا تكن أحمق، لم يكن أى باب عادى. ماذا بربك كان يفعل فى الوزارة الساعة الواحدة صباحًا؟».

غمغم «رون»: «هل تعتقدان أن للأمر علاقة بالجماعة؟».

قال «هارى» ببطء: «لحظة.. كان من المفترض أن يأتى ستورجيس ويحرسنا فى الطريق إلى المحطة.. هل تتذكران؟». فنظر الآخران إليه.

«أجل.. كان من المفترض أن يكون من الذاهبين إلى كينجس كروس، أتذكران؟ وكان مودى منزعجًا عندما لم يأت؛ لذا فهو لم يكن فى مهمة من أجل الجماعة.. أليس كذلك؟».

قالت «هيرميون»: «ربما لم يتوقعوا اعتقاله».

قال «رون» بحماس: «لعله كمين.. لا.. اسمعا» استرسل فى الكلام وصوته ينخفض بصورة درامية تفاعلاً مع نظرة الرهبة على وجه «هيرميون»..

«الوزارة تشك فى أنه واحد من حلفاء دمبلدور.. ربما خدعوه ليدخل الوزارة، وكان يحاول الدخول عبر الباب.. ربما اختلقوا الموضوع ليوقعوا به».

مرت فترة من الصمت، بينما «هارى» و«هيرميون» يفكران فيما قاله. بدا هذا الفرض بعيدًا لـ «هارى». لكن «هيرميون» ـ على الجانب الآخر ـ بدت مندهشة، وقالت: «أتعلم؟ لن أندهش إن كان ما تقوله صحيحًا».

طوت نصف الجريدة الذى بيدها بعناية، و«هارى» يضع شوكته وسكينه على الطبق، بدت كأنها تخرج من حالة سبات.

«المهم.. أعتقد أن علينا كتابة ذلك المقال للأستاذة سبروت عن الشجيرات التى تُسمّد نفسها بنفسها.. وسنكون محظوظين لو بدأنا فى تمرين الأستاذة مكجونجال للتحويل قبل الغداء..».

شعر «هارى» بالذنب متذكرًا كومة الواجب المكوم فوق رأسه، لكن السماء كانت صافية، بلون أزرق صافٍ، وهو لم يركب مقشته منذ أسبوع..

قال «رون» ومعه «هارى» يسيران فى طريقهما عبر الممشى إلى ملعب «الكويدتش»: «أعنى.. لم لا نعمل الواجب الليلة؟» كانت مقشاتهما على كتفيهما، وتحذير «هيرميون» لهما من إمكانية السقوط فى سنة شهادة الـ(أوه. دبليو. إل.) يرن فى آذانهما.. أضاف: «كما أن لدينا الغد. أنت تعرف كيف تخاف من الواجب، وهذه مشكلتها» مرت برهة من الصمت ثم أضاف: «تراها كانت جادة عندما قالت إنها لن تدعنا ننقل الواجب منها؟».

قال «هارى»: «أجل.. لكن ما نفعله مهم.. علينا التدريب قبل بداية التمرين الجماعى للفريق».

قال «رون» بحماس: «فعلاً.. أنت محق. ولدينا الكثير من الوقت لعمل كل الواجب..».

مع اقترابهما من ملعب «الكويدتش» نظر «هارى» إلى يمينه حيث تتمايل أشجار الغابة المحرمة. لم يخرج من بينها أى شىء طائر، والسماء خالية ليس بها سوى البوم المحلق حول برجه. لديه ما يكفيه ليقلق بشأنه، والجياد الطائرة لا ضرر منها.. فأخرجها من نطاق تفكيره.

أحضرا الكرات من خزانة حجرة تغيير الملابس، وشرعا فى التدريب.. وقف «رون» حارسًا على المرمى الثلاثى الكبير، وقام «هارى» بدور المهاجم محاولاً تمرير كرة «الكوافل» من جانب «رون»، لكنه وجده حارس مرمى جيدًا، فقد صد ثلاثة أرباع الكرات التى صوبها نحوه، وكلما لعب أكثر؛ تحسن

مستواه. وبعد ساعتين عادا إلى القلعة لتناول الغداء.. وأثناءه أوضحت «هيرميون» أنها تراهما غير مسئولين.. ثم عادا إلى ملعب «الكويدتش» للمشاركة فى تمرين الفريق. كان جميع أعضاء الفريق فى حجرة تبديل الملابس بالفعل، عدا «أنچيلينا».

قال «چورچ» وهو يغمز بعينه لأخيه: «هل أنت بخير يا رون؟».

قال «رون»، وهو يهدأ أكثر وأكثر مع اقترابه من الملعب: «أجل».

قال «فريد» وهو يمرر رأسه من عنق عباءة اللعب الضيق، وشعره أشعث وابتسامة شريرة على وجهه: «هل أنتِ مستعدة لتريهم مهارتك يا رونى الصغيرة؟».

قال «رون» بوجه جامد كالصخر: «اصمت» وهو يجذب عباءة الفريق؛ ليرتديها للمرة الأولى. وجد العباءة على مقاسه تمامًا، لكن ولأنها كانت عباءة «أوليفر ستون» فقد كانت فضفاضة قليلاً عند الكتف.

قالت «أنچيلينا» وهى تخرج إليهم من مكتب كابتن الفريق وقد غيرت ثيابها: «هيا نبدأ.. أليشيا وفريد، من فضلكما أحضرا الكرات من صندوق الكرات. أه.. هناك بعض الأشخاص بالخارج، لكن تجاهلوهم.. مفهوم؟».

شىء ما فى صوتها اللامبالى جعل «هارى» يخمن هوية المشجعين المنتظرين بالخارج، وبالطبع، عندما خرجوا من حجرة الملابس إلى الشمس الساطعة بالملعب قوبلوا بعاصفة من السخرية والضحكات من فريق «سليذرين» للـ«كويدتش»، ومعهم بعض أصدقائهم، ممن تجمعوا عند مدرجات المشاهدين وأصواتهم تدوى فى ملعب الاستاد الخالى.

صاح «مالفوى» ساخرًا: «ما هذا الذى يركبه ويسلى؟ ترى هل تنجح حيلته هذه، بوضع تعويذة طيران على لوح خشب قديم مثل هذا؟».

تفجرت ضحكات «كراب» و«جويل» و«بانسى باركنسون». امتطى «رون» مقشته وركل الأرض، وتبعه «هارى»، وهو يراقب أذنيه تتحولان للون الأحمر.

قال له وهو يسارع ليلحق به: «تجاهلهم.. سنرى من سيضحك عندما نلاعبهم..».

قالت «أنچيلينا» باستحسان: «هذه هى الروح التى أريدها» وهى تطير حولهما وكرة «الكوافل» تحت إبطها، ثم أبطأت أمام فريقها الطائر لتقول: «حسنًا.. اسمعونى جميعًا، سنبدأ بالتدريب على التمريرات على سبيل التسخين، كل الفريق من فضلكم..».

صاحت «بانسى باركنسون»: «أنت.. يا چونسون.. ما تصفيفة شعرك هذه؟ لا أفهم سر رغبتك فى هذه التصفيفة المضحكة».

أبعدت «أنچيلينا» شعرها الطويل عن وجهها، وقالت بهدوء: «هيا.. العبوا».

عكس «هارى» اتجاهه بعيدًا عن الآخرين، متجهًا إلى الطرف البعيد من الملعب. تراجع «رون» نحو المرمى. رفعت «أنچيلينا» الكرة بيدها ورمتها بقوة إلى «فريد»، الذى مررها إلى «چورچ»، الذى مررها بدوره إلى «هارى»، الذى مررها إلى «رون»، الذى أسقطها.

أخذ أعضاء فريق «سليذرين» يضحكون، وقبلهم «مالفوى». أما «رون» الذى اقترب من الأرض ليمسك بالكرة قبل أن تحط على العشب، فقد صعد بطريقة غير رشيقة، حتى إنه انزلق من على مقشته، ثم ارتفع فى الهواء إلى مستوى لعب الباقين، ووجهه محمر من الخجل. رأى «هارى» «فريد» و«چورچ» يتبادلان النظر، لكن لم ينطقا أى شىء، وهو ما شعر بالامتنان نحوهما بسببه.

صاحت «أنچيلينا» كأن شيئًا لم يحدث: «مرر الكرة يا رون».

ألقى «رون» بالكرة نحو «أليشيا»، التى مررتها بدورها إلى «هارى»، الذى مررها إلى «چورچ».

صاح «مالفوى»: «يا بوتر.. هل تؤلمك ندبتك؟ ألست بحاجة للاستلقاء والراحة قليلاً؟ مر أسبوع وأنت لم تزر المستشفى، يا له من رقم قياسى خطير..».

مرر «چورچ» الكرة إلى «أنچيلينا»، التى أعادتها إلى «هارى»، الذى لم يكن يتوقعها، لكنه أمسكها بأطراف أصابعه، ومررها بسرعة إلى «رون»، الذى اقترب منها، لكنه لم يمسكها وأصابعه على بعد بضع بوصات منها.

قالت «أنچيلينا» بغضب لـ«رون» وهو يطير مقتربًا من الأرض ثانية مطاردًا كرة «الكوافل»: «رون.. انتبه من فضلك».

صار من الصعب معرفة أيهما أكثر احمرارًا: أذن «رون» أم الكرة، التى كان لونها أحمر قانيًا، وهو يعود إلى ارتفاع مستوى اللاعبين ثانية. أخذ «مالفوى» ومعه باقى أعضاء الفريق يضحكون بشدة.

وفى المحاولة الثالثة أمسك «رون» بالكرة.. وربما بسبب فرحته طار بحماس نحو يد «كاتى» الممدودة إليه وضربها بالكرة على وجهها.

قال «رون» خجلاً: «آسف» وهو يطير للأمام لرؤية حجم الإصابة.

صاحت إليه «أنچيلينا»: «عد إلى موقعك، فهى بخير.. لكن وأنت تمرر الكرة لعضو فى فريقك لا تحاول إسقاطه من فوق مقشته، مفهوم؟ معنا كرتا البلادجر لهذا الغرض».

أخذت أنف «كاتى» تنزف. وبالأسفل تقافز أعضاء فريق «سليذرين» على أقدامهم وهم يضحكون ويسخرون مما يجرى.. واقترب «فريد» و«چورچ» من «كاتى».

قال لها «فريد» وهو يناولها شيئًا صغيرًا بلون بنفسجى أخرجه من جيبه: «خذى هذه.. ستمنع النزيف فى وقت قصير».

صاحت «أنچيلينا»: «فريد.. چورچ، أحضرا مضربيكما وكرة بلادجر. رون.. قف أمام المرمى. هارى.. اخرج كرة السنيتش عندما أطلب منك. علينا تدريب رون».

حلق «هارى» مبتعدًا متتبعًا التوأمين ليحضر كرة «السنيتش».

غمغم «چورچ» وثلاثتهم يهبطون عند الصندوق الذى يحتوى على الكرات: «رون يهاب اللعب.. أليس كذلك؟».

قال «هارى»: «إنه قلق فقط.. لكن مستواه كان جيدًا عندما تدربنا صباحًا».

قال «فريد» بعبوس: «طيب.. أتمنى ألا يكون مستواه قد هبط بهذه السرعة».

عادوا إلى الطيران. عندما أطلقت «أنچيلينا» صافرة بداية التمرين أطلق «هارى» كرة «السنيتش»، وترك «فريد» و«چورچ» كرة «البلادجر» تطير. ومن تلك اللحظة و«هارى» غير واعٍ بما يقوم به الآخرون. كانت مهمته هى القبض على الكرة الذهبية الصغيرة التى ترفرف بجناحيها سعيًا للحصول على المائة وخمسين نقطة لصالح فريقه، وهو ما يتطلب الكثير من السرعة والمهارة. زاد سرعته، وأخذ يدور ويتفادى المهاجمين، وهواء الخريف الدافئ يداعب وجهه، وصيحات أعضاء فريق «سليذرين» قد صارت بلا أى معنى.. لكن وبعد قليل، انطلقت الصفارة ثانية لتوقفه.

صرخت «أنچيلينا»: «توقفوا.. توقفوا. رون.. أنت لا تقف أمام المرمى الأوسط».

نظر «هارى» إلى «رون»، الذى كان معلقًا فى الهواء أمام المرمى الأيسر، تاركًا الاثنين الآخرين خاليين بلا حماية.

«آه.. آسف..».

قالت «أنچيلينا» موجهة إياه: «داوم على الحركة بين أرجاء المرمى الثلاثى وأنت تراقب المهاجمين بعينيك.. وإلا فلتبق أمام المرمى الأوسط حتى تتحرك لصد كرة موجهة إلى أحد مرميى الطرفين، أو لتدر فى دائرة ضيقة، لكن لا تقف هامدًا هكذا أمام المرمى الطرفى، فهكذا دخلت آخر ثلاثة أهداف فيك» كرر «رون» كلامه: «آسف..» ووجهه الأحمر يكاد يكون بنفس درجة لمعان السماء.

«وأنت يا كاتى.. ألا يمكنك فعل شىء حيال أنفك هذا الذى ينزف؟».

قالت «كاتى» محاولةً إيقاف النزيف بضغط كمها على أنفها: «النزيف يسوء».

نظر «هارى» إلى «فريد»، الذى بدا قلقًا، وهو يتحقق مما فى جيبه. رآه يخرج شيئًا بنفسجيًا ويفحصه، ثم ينظر لـ«كاتى» وعلى وجهه أمارات الرعب.

قالت «أنچيلينا»: «حسنًا.. هيا نحاول ثانية» كانت قد تجاهلت صيحات فريق «سليذرين» تمامًا، والذين أخذوا يغنون: «جريفندور يا (محتاس) لا دورى ولا كاس.. جريفندور يا (محتاس) لا دورى ولا كاس» لكن طريقة جلوسها الجامدة على المقشة أظهرت توترها.

هذه المرة ما كادوا يطيرون لمدة ثلاث دقائق، حتى أنهت صفارة «أنچيلينا» اللعب.. فشعر «هارى» بالضيق وكان قد لمح كرة «السنيتش» عند المرمى البعيد.

قال بصبر نافد لـ«أليشيا»، وهى الأقرب إليه: «ما الأمر؟».

قالت بإيجاز: «كاتى».

التفت «هارى» ناظرًا إلى «أنچيلينا» و«فريد» و«چورچ» الذين طاروا بسرعة نحو «كاتى». سارع «هارى» و«أليشيا» نحوها هما الآخران. كان من الواضح أن «أنچيلينا» قد أوقفت التمرين فى الوقت المناسب.. فقد تحول لون وجه «كاتى» إلى اللون الأبيض الطباشيرى، ووجهها مغطى بالدماء.

قالت «أنچيلينا»: «إنها بحاجة للذهاب إلى المستشفى».

قال «فريد»: «سنصطحبها نحن.. فهى.. آ.. ابتلعت حلوى النزيف عن طريق الخطأ..».

قالت «أنچيلينا» بحسرة مع ابتعاد «فريد» و«چورچ» نحو القلعة وبينهما «كاتى»: «لا فائدة من إكمال التمرين دون حاملى المضارب، والمهاجمة.. هيا نعود ونغير ملابسنا».

استمر غناء أعضاء فريق «سليذرين» وهم فى طريق العودة إلى حجرة تغيير الملابس.

بعد نصف الساعة تساءلت «هيرميون» ببرود، و«هارى» ومعه «رون»

يلجان عبر كوة اللوحة إلى حجرةِ طلبة «جريفندور»: «كيف كان التمرين؟».

شرع «هاري» في الكلام قائلاً: «كان..».

قال «رون» بصوت خاوٍ: «في غاية السوء» وهو يغوص في المقعد المجاور لمقعد «هيرميون»، التي نظرت إليه وبرودها آخذ في التلاشي.

قالت بنبرة مجاملة: «لن تجيد اللعب من التمرين الأول.. الطبيعي أن تأخذ بعض الوقت لـ..».

قاطعها «رون» بحدة قائلاً: «ومن قال إنني أنا من جعل التمرين سيئًا؟».

قالت «هيرميون» مأخوذة من هجومه: «لا أحد.. ظننت..».

«ظننت أن أدائي في اللعب كان في غاية السوء؟».

«لا.. بالطبع لا. انظر، قلت: إن التمرين في غاية السوء فظننت..».

قال «رون» بغضب وهو يسارع بصعود السلم المؤدي إلى جناح نوم الأولاد: «سأبدأ في عمل الواجب» واختفى عن ناظرهما.. فالتفتت «هيرميون» لتواجه «هاري».

«هل كان أداؤه سيئًا؟». فقال «هاري» مدافعًا عن صديقه: «لا».

رفعت «هيرميون» حاجبيها.

غمغم «هاري»: «أعتقد أنه كان بإمكانه اللعب أفضل من هذا.. لكن المشكلة أن هذا هو التدريب الأول في الموسم، مثلما قلت أنت..».

لم ينجز «هاري» أو «رون» الكثير من الواجب المتراكم عليهما في تلك الليلة. كان «هاري» يعرف أن «رون» مشغول بأدائه السيئ في تمرين «الكويدتش» وهو نفسه كان غاضبًا وقلقًا من هتاف: «جريفندور يا (محتاس) لا دوري ولا كاس».. الذي أخذ يدور في رأسه.

قضيا يوم الأحد بأكمله في حجرة الطلبة، مدفونين تحت أكوام الكتب، والحجرة من حولهما تمتلئ ثم تفرغ. كان يومًا صافيًا جميلاً آخر، ومعظم زملائهما من «جريفندور» قضوه في الفناء والحدائق الخارجية مستمتعين بأشعة الشمس. ومع حلول المساء شعر «هاري» كأن هناك من يتشاجر في رأسه داخل جمجمته.

غمغم مخاطبًا «رون» وهما يزيحان مقال الأستاذة «مكجونجال» الطويل عن تعويذة الاستحضار «إنانيماتوس كونجوروس»، بعد أن كتباه: «أتعلم؟ علينا عمل الواجب أثناء الأسبوع ولا ندعه يتراكم حتى الإجازة»، ثم بدأا شاعرين بالتعاسة في مقال الأستاذة «سينسترا» الطويل الصعب عن أقمار كوكب المشتري العديدة.

قال «رون» وهو يحك عينيه المحمرتين من التعب ويلقى بخامس ورقة غير راضٍ عن مستوى الكتابة فيها إلى النار: «أجل.. اسمع.. هلا سألنا هيرميون أن تدعنا نلق نظرة على واجبها؟».

نظر «هارى» نحوها، كانت جالسة و«كروكشانكس» على حجرها وهى تغنى بسعادة مع «چينى» وزوج من إبر الحياكة تتلاعب أمامهما فى الهواء، وهى تحيك جوربًا بلا معالم من جوارب الأقزام.

قال بضيق: «لا.. أنت تعرف أنها لن تخبرنا بشىء».

وهكذا أخذوا يعملون والسماء تتحول من النوافذ إلى لون أزرق داكن. وببطء، بدأ الزحام فى حجرة الطلبة فى الانحسار ثانية. وفى تمام الساعة الحادية عشرة والنصف، عادت «هيرميون» إليهما وهى تتثاءب.. وقالت: «هل أوشكتما على الانتهاء؟».

قال «رون» باقتضاب: «لا».

قالت مشيرة من فوق كتف «رون» إلى المكتوب فى مقاله عن التنجيم: «أكبر أقمار المشترى هو قمر جانيميد، وليس كاليستو، وقمر إيو هو الذى فيه براكين».

قال «رون» غاضبًا وهو يزيل الجُمل الخطأ بقلمه: «أشكرك».

«آسفة.. كنت فقط أ..».

«أجل. إن كنت قد جئت لتنتقدى..».

«رون..».

«ليس لدى وقت للاستماع لكلامك يا هيرميون.. أنا غارق حتى أذنىّ فى..».

«لا.. انظر».

كانت «هيرميون» تشير إلى أقرب النوافذ. نظر «هارى» و«رون» إليها. كان هناك بومة جميلة واقفة على إطار النافذة، تحدق عبر الحجرة فى «رون».

قالت «هيرميون» مندهشة: «أليست هذه هرميس؟».

قال «رون» ملقيًا بريشة كتابته وهو يهب على قدميه: «اللعنة.. إنها هى.. ترى لماذا يكتب بيرسى إلىّ؟».

عبر إلى النافذة وفتحها.. طارت «هرميس» إلى الداخل، وحطت على ورق «رون» وهى تمد قدمها بالرسالة المربوطة فيها. أخذ «رون» الرسالة فغادرت البومة على الفور، تاركة آثار أقدام من الحبر عند الجزء الخاص بقمر «إيو» من

مقال «رون»، الذى قال وهو يعاود الجلوس فى مقعده: «إنه خط بيرسى» ثم وهو يقرأ الكلمات المكتوبة على الغلاف:

«رونالد ويسلى، برج جريفندور، هوجورتس». نظر إلى صديقيه وقال: «ترى ماذا به؟».

قالت «هيرميون» بلهفة: «افتحه» فأومأ «هارى» برأسه موافقًا.

فض «رون» لفافة الورق وبدأ فى القراءة. وكلما تمر عينه على المزيد من السطور، ازداد صوته غضبًا. وعندما انتهى من القراءة بدا عليه الغثيان. ألقى بالرسالة إلى «هارى» و«هيرميون»، اللذين مالا على أحدهما الآخر، وأخذا فى القراءة:

عزيزى رون،

سمعت لتوى (من السيد وزير السحر نفسه، الذى عرف بالأمر من الأستاذة أمبريدج معلمتك) أنك قد صرت رائد فصل فى هوجورتس.

لكم سرنى هذا الخبر، وشعرت بالدهشة منه، فتهانىَّ. علىّ الاعتراف بأننى كنت أخاف اتباعك طريق «فريد» و«چورچ» الضال، بدلاً من اتباع هديى والسير على خطاى؛ لذا، فلك أن تتخيل كم فخرى وسعادتى بسماع هذا الخبر، ومعرفتى بأنك قد كففت عن مخالفة معلميك والنظام المدرسى، وقررت أخيرًا أن تتحمل بعض المسئوليات.

لكن لك عندى أكثر من التهانى يا رون.. أريد أن أسديك بعض النصائح، وهذا هو سبب إرسالى للرسالة ليلاً بدلاً من بريد الصباح المعتاد، متمنيًا أن تكون وحدك، وتقرأه بعيدًا عن أعين المتطفلين.

من شىء آخر عرفته من السيد الوزير عندما أخبرنى بمنصبك الجديد. فقد استنتجت أنك تلازم هارى بوتر كثيرًا. علىّ إخبارك يا رون بأن لا شىء أخطر ولا أكثر مدعاة لخسارتك لشارتك من ملازمة هذا الولد. أجل، أنا واثق أن سماع هذا سيدهشك.. لا شك أنك ستقول إن هارى هو فتى دمبلدور الأثير إلى قلبه.. لكننى أشعر بالالتزام بإخبارك بأن دمبلدور ربما لن يستمر فى تحمل مسئولية إدارة هوجورتس، وأن الناس المهمين لديهم آراء مختلفة - أكثر جدية وأهمية - فى سلوك هارى الغريب. لن أقول لك المزيد، لكن إن قرأت جريدة الدايلى بروفيت

غدًا، فستعرف عما أتحدث، وستعرف اتجاه الرياح، وترى بنفسك إن كنت تقف موقفًا صحيحًا أو لا.

بصراحة يا رون، إن كنت لا تريد أن يروك بالطريقة التى يروا بها بوتر، وهو الأمر الخطير على مستقبلك، وأنا أتحدث هنا عن مستقبلك بعد التخرج، فعليك الإنصات لما أقول. كما تعرف، فإن بوتر قد حوكم الصيف الماضى فى محكمة الويزنجاموت، ولم يخرج من المحاكمة تام البراءة.. فقد نجح فى الإفلات من العقاب لأسباب شكلية لا علاقة لها بالأسباب الموضوعية، وإن سألتنى سأقول لك إن الكثيرين يعتبرونه مذنبًا ويستحق العقاب.

ربما تكون خائفًا من قطع أواصر صداقتك مع بوتر.. فاعلم أنه غير متزن، وقد يكون خطيرًا أحيانًا.. لكن إن كنت قلقًا بشأنه أو لاحظت شيئًا غريبًا عليه، ووجدته يؤرقك، فأرجوك.. تحدث إلى دولوريس أمبريدچ، فهى سيدة فاضلة عذبة طيبة أعرف أنه سيسرها كثيرًا سماع أى أخبار منك.

هذا يؤدى بى إلى إسداء نصيحة أخرى إليك. كما ألمحت إليك أعلاه، فإن عهد دمبلدور فى هوجورتس يقترب من نهايته. ولاؤك يا رون لا يجب أن يكون له، لكن للمدرسة وللوزارة. يؤسفنى سماع أن الأستاذة أمبريدچ قد لاقت أقل القليل من العون من هيئة التدريس بالمدرسة، وهى مقدمة على تغييرات ضرورية داخل هوجورتس، وهو ما ترغب فيه الوزارة أيضًا. علىّ أن أقول لك إن الطالب الذى يظهر التعاون الكامل مع الأستاذة أمبريدچ قد يحظى بمنصب الطالب الأول فيما لا يزيد عن العامين!

يؤسفنى عدم رؤيتى لك الصيف الماضى. ويؤلمنى أشد الألم انتقادى لوالدينا، لكننى لا أتحمل العيش معهما تحت سقف واحد، والأمر مختلط عليهما بشأن التعاون مع دمبلدور وخطورته. (إن كنت تراسل أمى فأخبرها بأن ستورجيس بودمور صديق دمبلدور الصدوق قد أُلقى القبض عليه مؤخرًا وأُرسل إلى أزكابان بتهمة التسلل إلى الوزارة بقصد السرقة. ربما يجعلها هذا ترى الحقيقة ويكشف لها ما استغلق عليها، وتعرف حقيقة المجرمين الذين تساندهم). أعتبر نفسى محظوظًا لنجاحى

فى الإفلات من ارتباط اسمى بهؤلاء الناس.. والسيد الوزير يعاملنى أفضل المعاملة.. وأتمنى يا رون، ألا تسمح للعلاقات الأسرية بالاختلاط مع طبيعة معتقدات أبوىّ وتصرفاتهما الخطأ. آمل أن يعرفا ـ مع الوقت ـ الطريق الخطأ الذى يسلكانه. وأنا جاهز ومستعد لقبول اعتذارهما فى أى وقت يميزان فيه الصواب من الخطأ ويعودان إلى صوابهما.

برجاء التفكير فيما قلت بإمعان، خاصة ما قلته بشأن هارى بوتر، وتهانىَّ مرة أخرى على منصب رائد الفصل.

أخوك،

بيرسى

نظر «هارى» نحو «رون».

قال محاولاً أن يبدو الأمر كمزحة: «أرى أن.. إن شئت.. أعنى.. آه..» نظر ثانية إلى خطاب «بيرسى» فاحصًا الجزء الخاص به منه.. وقال: «أقصد ما قاله عن قطع أواصر الصداقة معى، أقسم لك إننى لن أصبح عنيفًا معك أبدًا».

قال «رون» وهو يمد إليه يده: «أعده إلىّ.. إنه..» ثم وهو يمزق الرسالة إلى نصفين: «أكثر..» ثم وهو يقطعها إلى أرباع: «.. وأكبر..»، وهو يلقى بها إلى النيران: «حمار رأيته فى حياتى».

قال بسرعة لـ«هارى»: «تعال.. لدينا ما نريد الانتهاء منه قبل حلول الليل» وهو يجذب مقال الأستاذة «سينسترا» ثانية إليه.

نظرت «هيرميون» إلى «رون» بتعبير غريب على وجهها وقالت: «تعال.. أعطنى الورق». فقال: «ماذا؟».

قالت: «أعطنى الورق.. سأفحصه وأصحح الأخطاء التى أجدها».

قال «رون»: «هل أنت جادة؟ هيرميون.. أنت جميلة.. كيف يمكننى شكرك..».

قالت: «قل إنك تعدنى بألا تترك الواجب يتراكم عليك ثانية هكذا» وهى تمد يديها لتأخذ منهما ورقهما.

قال «هارى» بوهن: «ألف شكر يا هيرميون» وهو يمرر إليها مقاله ويعاود الغوص فى مقعده، وهو يحك عينيه.

كان الوقت قد تجاوز منتصف الليل وأصبحت حجرة الطلبة خالية إلا من ثلاثتهم ومعهم «كروكشانكس». والصوت الوحيد من حولهم هو احتكاك ريشة

كتابة «هيرميون» بالورق وهى تعيد كتابة الجمل هنا وهناك بين الصفحات، وتقلب الكتب لتتحقق من صحة بعض المعلومات فى المراجع المرصوصة أمامها على المائدة. كان «هارى» متعبًا، ولشعوره بالغثيان والقلق فى معدته، أحس أنه ليس أمامه سوى التعب، والقلق مما ذُكر فى الرسالة التى اسودت فى النيران.

كان يعرف أن نصف الأشخاص داخل «هوجورتس» يرونه غريب الأطوار، بل ومجنونًا.. كان يعرف أن المكتوب بجريدة «الدايلى بروفيت» قد غير من رأيهم فيه على مدى شهور الصيف، لكن ما رآه مكتوبًا فى رسالة «بيرسى»، ومعرفته أن الأخير ينصح «رون» بإنهاء صداقته معه والوشاية به إلى «أمبريدچ»، جعل هذا موقفه شديد السوء بالنسبة إليه. كان يعرف «بيرسى» منذ أربعة أعوام، وقضى معه إجازات الصيف، وشاركه الخيمة أثناء حضورهم نهائيات كأس العالم للـ«كويدتش» بل حتى أخذ منه الدرجات النهائية فى مسابقة السحر الثلاثية العام الماضى، لكن الآن، «بيرسى» يراه مختلاً، بل وربما عنيفًا.

وبإحساس بالتعاطف نحو أبيه الروحى قال «هارى» فى نفسه إن «سيرياس» هو الوحيد الذى يعرف إحساسه ويفهمه فى هذه اللحظة؛ لأنه معه فى موقف مشابه. تقريبًا كل عالم السحرة يرونه مجرمًا خطيرًا، ومساندًا كبيرًا للورد «ڤولدمورت»، وهو الاعتقاد الذى عاش فى ظله لمدة أربعة عشر عامًا..

طرفت عين «هارى». رأى شيئًا فى النار لا يمكن أن يكون بها ومض ظاهر لعينيه ثم اختفى على الفور. لا.. لا يمكن.. لقد تخيله.. فهو يفكر كثيرًا فى «سيرياس».

قالت «هيرميون» مخاطبة «رون» وهى تعيد مقاله إليه بعد أن أضافت إليه الكثير بخطها: «حسنًا.. اكتب هذا بخطك.. ثم أضف إليه الاستنتاج الذى كتبته لك».

قال «رون» بوهن: «هيرميون.. أنت أروع إنسانة عرفتها فى حياتى.. وإن وَجَدْتِنى وقحًا معك ثانية فـ..».

قالت «هيرميون»: «أعرف أنك ستعود إلى طبيعتك بسرعة.. هارى، مقالك جيد فيما عدا الجزء الأخير منه، أعتقد أنك لم تسمع الأستاذة سينسترا جيدًا، فقمر أوروبا مغطى بالجليد، وليس بالجلود.. هارى؟».

انزلق «هـاري» عن مقعده وجلس على ركبتيه قرب المدفأة، محدقًا في اللهب.

قال «رون» بتردد: «آ.. هاري؟ لماذا أنت جالس هكذا؟».

قال «هاري»: «لأنني رأيت رأس سيرياس في نيران المدفأة منذ لحظات».

كان يتحدث بهدوء تام.. فبعد كل شيء؛ ظهر رأس «سيرياس» في هذه المدفأة دون غيره العام الماضي، وتحدث إليه.. لكنه لم يكن واثقًا من صدق ما رأى هذه المرة.. فقد اختفى الرأس بسرعة..

كررت «هيرميون» كلامه قائلة: «رأس سيرياس؟ هل تعني مثلما كلمَنا أثناء مسابقة السحر الثلاثية؟ لكن لا يمكنه الإقدام على هذا الآن، فالوضع خطيـ.. سيرياس؟».

شهقت وهي تحدق في النيران. أسقط «رون» ريشة الكتابة. ففي وسط النيران وألسنة اللهب المتراقصة استقر رأس «سيرياس» بشعره الطويل الأسود المتهدل حول وجهه المبتسم.

قال: «بدأت أظن أنكم قد ذهبتم للنوم قبل أن يختفي الجميع.. فأنا أفحص الحجرة بنظري كل ساعة».

قال «هاري» وهو يضحك ضحكة خفيفة: «هل تطل برأسك كل ساعة؟».

«فقط لثوانٍ قليلة لأرى إن كانت الحجرة خالية وآمنة».

قالت «هيرميون» بقلق: «لكن ماذا لو أن أحدًا رآك؟».

قال «سيرياس» بسرعة: «أعتقد أن فتاة قد لمحتني، فقد بدا على وجهها الذهول.. وشكلها في الصف الأول، لكن لا تقلقي» فرفعت «هيرميون» يديها وأحاطت بها فمها من الفزع. «جئت برأسي وهي تعاود النظر للمدفأة، وأراهن أنها حسبتني لوح خشب غريب الشكل أو شيئًا من هذا القبيل».

قالت «هيرميون»: «لكن يا سيرياس هذه مخاطرة كبيرة..».

قال «سيرياس»: «أنت تتحدثين مثل مولي.. هذه هي الطريقة الوحيدة التي يمكنني بها الإجابة على أسئلة هاري في رسالته من دون اللجوء إلى الكلام بالشفرات، فالشفرات سهلة الفك» عند ذكر رسالة «هاري» التفت «رون» و«هيرميون» ناظرين إليه.

قالت «هيرميون» بنبرة اتهام: «لم تقل لنا إنك كتبت رسالة إلى سيرياس».

قال «هاري»: «نسيت» وهو ما حدث فعلاً، فبعد لقائه مع «تشو» في برج البوم

نسى كل شىء حدث قبلها.. «لا تنظرى إلىّ هكذا يا هيرميون، ليس بالرسالة ما يمكن أن يقود لمعرفة أية معلومات سرية منها، أليس كذلك يا سيرياس؟».

قال «سيرياس» مبتسمًا: «بلى.. كانت شفرة جيدة.. المهم أن ننتهى بسرعة قبل أن يقاطعنا أحد.. بالنسبة لندبتك».

بدأ «رون» فى الكلام: «ماذا عنـ..؟» قبل أن تقاطعه «هيرميون».

«سنخبرك فيما بعد.. تكلم يا سيرياس».

«لا يمكن أن يكون الأمر خيرًا عندما تؤلمك الندبة، لكن ليس علينا القلق منها.. فهى تؤلمك منذ نهاية العام الماضى.. أليس كذلك؟».

قال «هارى»: «بلى، ودمبلدور يقول إن هذا يحدث كلما شعر ڤولدمورت بمشاعر القوة والبأس» متجاهلاً إجفال «رون» و«هيرميون» المعتاد مع ذكر الاسم، وأكمل: «إذن ربما هذا هو ما يشعر به، لا أعرف، لعله كان غاضبًا ليلة احتجازى تلك».

قال «سيرياس»: «ربما، وبعد عودته إلى سابق قوته، ستؤلمك رأسك كثيرًا».

سأله «هارى»: «إذن فأنت لا ترى أن لمس أمبريدچ لى له أية علاقة بالألم؟».

قال «سيرياس»: «لا أظن.. فأنا أعرف سمعتها وتاريخها وواثق من أنها ليست من أكلة الموت».

قال «هارى» بتجهم: «إنها شريرة بما يكفى لأن تكون واحدة منهم» فوافقه «رون» و«هيرميون» بإيماءة متحمسة منهما.

قال «سيرياس» بابتسامة متعبة: «أجل، لكن العالم ليس مقسمًا بين الناس الطيبين وأكلة الموت فقط.. أعرف أنها مزعجة وشريرة.. لكن عليك سماع ريموس وهو يتحدث عنها».

قال «هارى» بسرعة متذكرًا تعليقات «أمبريدچ» عن السحرة المهجنين والمختلفين أثناء حصتها الأولى معهم: «هل يعرفها لوبين؟».

قال «سيرياس»: «لا.. لكنها ومنذ عامين قدمت مشروع قانون معاديًا للمذءوبين جعل من شبه المستحيل أن يحصل على وظيفة».

تذكر «هارى» كيف بدا «لوبين» فى حال أكثر رثاثة عما سبق عندما رآه منذ أيام؛ فازدادت كراهيته لـ«أمبريدچ» أكثر وأكثر.

قالت «هيرميون» بغضب: «وما مشكلتها مع المذءوبين؟».

قال «سيرياس» مبتسمًا لرؤيته غضبتها: «خائفة منهم على ما أعتقد.. فهى

كما هو واضح تكره أنصاف البشر، وقد نظمت حملة تهدف إلى حصار عرائس البحر العام الماضي. تصوري تضييع وقتك وطاقتك على عرائس البحر، بينما هناك حثالة مثل كريتشر مطلقي السراح».

ضحك «رون»، لكن «هيرميون» تضايقت، وقالت: «سيرياس. بأمانة إن حاولت الاقتراب من كريتشر، فأنا واثقة من استجابته. فبعد كل شيء أنت الشخص الوحيد الباقي من أسرته، والأستاذ دمبلدور يقول إن..».

قاطعها «سيرياس» قائلاً: «وكيف تجدين حصص أمبريدج؟ هل تدربكم على قتل كل أنصاف السحرة؟».

قال «هاري» متجاهلاً نظرة «هيرميون» الغاضبة مع مقاطعتها أثناء دفاعها عن «كريتشر»: «لا.. إنها لا تسمح لنا باستخدام السحر بالمرة».

قال «رون»: «كل ما نفعله هو قراءة ذلك الكتاب المدرسي السخيف».

قال «سيرياس»: «آه.. هكذا يتضح الأمر.. معلوماتنا من داخل الوزارة تقول إن فادج لا يريد لكم التدريب على القتال».

كرر «هاري» غير مصدق: «التدريب على القتال؟ ماذا يحسبنا نفعل هنا؟ نُشكّل جيشًا من السحرة؟».

قال «سيرياس»: «هذا بالضبط ما يراه.. أو لنقل إنه يخاف أن يكون ما يخطط له دمبلدور.. تكوينه لجيش يقوم بانقلاب على الوزارة ويخلعه من منصبه».

مرت فترة من الصمت، ثم قال «رون»: «هذه أغبى فكرة سمعتها في حياتي، بل وأغبى مما تقوله لونا لوفجود».

قالت «هيرميون» بغيظ: «إذن فهم يمنعوننا من استخدام السحر في مادة الدفاع عن النفس ضد السحر الأسود؛ لأن فادج خائف من استخدامنا التعاويذ السحرية ضد الوزارة».

قال «سيرياس»: «أجل. فادج يظن أن دمبلدور لن يمنعه شيء حتى يصل إلى السلطة، وهو خائف طوال الوقت منه ويظن أن المسألة مسألة وقت، حتى يقوم دمبلدور بانقلابه».

تذكر «هاري» في هذه اللحظة رسالة «بيرسي».. وقال: «هل تعتقد أن هناك ما سوف يُنشر غدًا عن دمبلدور في جريدة الدايلي بروفيت؟ يقول بيرسي إن غدًا سوف..».

قال «سيرياس»: «لا أعرف.. لم أر أحدًا من الجماعة طوال عطلة نهاية الأسبوع، فهم مشغولون. لا يوجد فى المنزل سواى وكريتشر..».

كان هناك إحساس أكيد بالمرار فى صوت «سيرياس».

«إذن فلم تتلق أى أنباء عن هاجريد؟».

قال «سيرياس»: «آه.. الواقع.. المفترض أن يكون قد عاد، ولا أحد واثق من موعد عودته» ثم أضاف بسرعة وقد رأى الخوف على وجوههم: «لكن دمبلدور ليس قلقًا، فلا تقلقوا.. أنا واثق أن هاجريد بخير».

قالت «هيرميون» بصوت خفيض قلق: «لكن المفترض أن يكون قد عاد..».

«مدام ماكسيم معه، فنحن على اتصال بها، وهى تقول إنهما قد انفصلا فى طريق العودة إلى الوطن.. لكن ليس هناك ما يؤكد لنا إصابته بضرر أو.. أعنى، لا يوجد ما يمنع كونه بخير».

تبادل «هارى» و«رون» و«هيرميون» نظرات الشك وعدم الاقتناع.

قال «سيرياس» بسرعة: «اسمعوا.. لا تسألوا الكثير من الأسئلة عن هاجريد، فهذا لن يفعل سوى جذب المزيد من الانتباه إلى غيابه، وأنا أعرف أن دمبلدور لا يريد هذا الاهتمام. هاجريد قوى، وسيكون بخير» ثم وعندما لم يغير هذا من نظراتهم أضاف: «المهم.. متى ستنزلون فى الإجازة إلى هوجزميد؟ فأنا أفكر.. ربما أقابلكم متخفيًا فى صورة الكلب.. ما رأيكم؟ أعتقد أن..».

قال «هارى» و«هيرميون» فى وقت واحد وبصوت مرتفع: «لا».

قالت «هيرميون» بقلق: «سيرياس.. ألا تصلك جريدة الدايلى بروفيت؟».

قال «سيرياس» مبتسمًا: «آه.. إنهم دائمًا ما يناقشون أمرى، ولا أعرف لماذا يـ..».

قال «هارى»: «فعلاً.. لكن هذه المرة الأمر مختلف. قال مالفوى شيئًا فى القطار جعلنا واثقين من أنه قد تعرف عليك؛ لذا لا تأتى هنا ثانية، أيًا كان السبب. إن تعرف عليك مالفوى ثانية..».

قال «سيرياس» بحزن: «حسنًا حسنًا، فهمت. كانت مجرد فكرة، إن كنتم تودون أن نلتقى».

قال «هارى»: «أنا أود لقاءك.. لكن لا أريد لك دخول أزكابان».

مرت فترة صمت نظر خلالها «سيرياس» إلى «هارى» من بين ألسنة اللهب،

مضيقًا ما بين عينيه، ثم قال أخيرًا وشيء من البرود فى صوته: «أنت لست مثل أبيك، ليس كما كنت أظن. كانت المخاطرة لتجعل الأمر مثيرًا لچيمس». «انظر..».

قال «سيرياس»: «المهم، من الأفضل أن أغادر. أسمع كريتشر يقترب صاعدًا السلم.. سأكتب إليك لأخبرك بالموعد الذى أقدر أن آتى فيه عبر النيران، أراك وقتها.. إن كنت قادرًا على تحمل المخاطرة!».

سمعوا صوت طقطقة خفيض، ثم اختفى رأس «سيرياس» وأخذت ألسنة اللهب تتراقص فى المكان الذى كان يشغله منذ لحظات.

١٥ مفتشة هوجورتس العليا

توقعوا فحص نسخة «هيرميون» من جريدة «دايلى بروفيت» صباح اليوم التالى؛ حتى يعثروا على ما ذكره «بيرسى» فى رسالته. لكن ما كادت تبتعد البومة الموصلة للجريدة، حتى شهقت «هيرميون» بقوة وأمسكت بالجريدة أمامهما لتكشف عن صورة كبيرة للأستاذة «دولوريس أمبريدچ»، وهى تبتسم ابتسامة واسعة وتغمز بهدوء ورصانة تحت العنوان الكبير بالجريدة.

الوزارة تعلن عن حركة لإصلاح التعليم
تعيين دولوريس أمبريدچ
أول مفتشة عليا

قال «هارى» بعبوس: «أمبريدچ؟ مفتشة عليا؟» وقطعة الخبز المحمص فى يده تنزلق من بين أصابعه.. «ما معنى هذا الكلام؟».

أخذت «هيرميون» تقرأ بصوت مرتفع:

فى مفاجأة فجرتها أمس وزارة السحر، تم إصدار قانون تسيطر الوزارة بمقتضاه سيطرة غير مسبوقة على مدرسة هوجورتس لتعليم الساحرات والسحرة.

وصرح السيد بيرسى ويسلى المساعد الثانى للسيد وزير السحر: «منذ فترة والسيد الوزير يراقب بقلق ما يجرى فى هوجورتس، وهو بهذا القانون يستجيب لشكوى الآباء، الذين يشعرون بأن المدرسة تسير على نهج لا يرضونه.

هذه ليست المرة الأولى التى يستخدم فيها السيد الوزير كورنلياس فادچ قوانين جديدة لتحسين الأوضاع فى مدرسة السحر.. ففى الثلاثين من أغسطس الماضى أصدر الفرمان التعليمى رقم ٢١؛ لضمان أنه فى حالة عدم

تمكن السيد ناظر المدرسة من ترشيح معلم لوظيفة تعليمية شاغرة بالمدرسة، فمن حق الوزارة اختيار الشخص المناسب لها.

«وهكذا جاءت الأستاذة الفاضلة دولوريس أمبريدچ وحصلت على منصبها فى هوجورتس بين أفراد طاقم التدريس.. فدمبلدور لم يجد من يشغل الوظيفة، فقامت الوزارة بتعيين أمبريدچ، وبالطبع فقد حققت نجاحًا فوريًّا..».

قال «هارى» بصوت مرتفع: «حققت ماذا؟».

قالت «هيرميون» بتجهم: «انتظر.. هناك المزيد».

«.. نجاحًا فوريًا؛ مما أدى لإحداث ثورة فى تعليم مادة الدفاع عن النفس ضد السحر الأسود بعد أن عرفت الوزارة بما يجرى فى هوجورتس من مهازل بشأن هذه المادة وقامت بإصلاح المعوج.

«وآخر ما تقدمه الوزارة من إصلاح فى التعليم بالمدرسة هو إصدار الفرمان التعليمى رقم ٢٣، والذى تم بمقتضاه إنشاء منصب جديد، وهو مفتشة هوجورتس العليا.

«هذه مرحلة هامة من خطة الوزارة للتحكم فيما يسميه البعض بانهيار مستوى التعليم بمدرسة هوجورتس» والكلام للسيد ويسلى: «سيكون لدى السيدة المفتشة القدرة على التحقيق مع زملائها من المعلمين، وضمان سلامة العملية التعليمية. وقد عرضت الوظيفة على الأستاذة أمبريدچ بالإضافة إلى وظيفتها الأولى بالمدرسة، ولكم يسرنا الإعلان عن نجاحها.

ويكمل السيد ويسلى كلامه قائلاً: «إن تحركات الوزارة الجديدة وراءها حماس آباء الطلبة بالمدرسة الشديد للتغيير ورغبتهم فى الإصلاح.

ويقول السيد لوكياس مالفوى، متحدثًا من ضيعته فى ويلتشاير: «أشعر بالراحة بعد أن عرفت أن السيد دمبلدور سيكون عرضة للتقييم الموضوعى. الكثيرون منا يخافون على أولادهم من قرارات دمبلدور الغريبة على مدى السنوات الماضية، ويسرنى معرفة أن الوزارة مهتمة بالموضوع. ومن بين القرارات الغريبة لدمبلدور هيئة التدريس الغريبة التى تحدثت عنها الجريدة من قبل، ومن أفرادها المذءوب ريموس لوبين، ونصف العملاق روبيوس هاجريد، ومقاتل السحر الأسود السابق، والمختل ماد آى مودى. ويدعم من موقفى هذا كون ألبوس دمبلدور قد تم عزله من الاتحاد الكونفدرالى الدولى

للسحرة، وعزله من منصبه كرئيس للويزنجاموت.. ونعرف جميعًا أن بعد كل هذا لم يعد تحمله لمهام ناظر مدرسة هوجورتس بالأمر المعقول أو المرغوب.

وقد صرح السيد الوزير ليلة أمس بأن تعيين المفتشة العليا يعتبر خطوة أولى نحو تعيين ناظر لهوجورتس نثق فيه جميعًا.

ومن ناحية أخرى فقد استقالت كل من جريسلدا مارشبانكس، وتايبيرياس أوجدين من الويزنجاموت؛ احتجاجًا على إنشاء منصب المفتشة العليا فى هوجورتس.

وتقول السيدة مارشبانكس: «إن هوجورتس مدرسة، وليست امتدادًا لمكتب كورنلياس فادچ.. وما حدث محاولة قذرة لنزع الثقة من ألبوس دمبلدور».

(لتعرف تفاصيل ضلوع السيدة مارشبانكس ومشاركتها فى جماعات سرية للجان انظر صفحة ١٧).

انتهت «هيرميون» من القراءة ونظرت عبر المائدة إليهما وقالت: «إذن فهكذا انتهى بنا الحال مع أمبريدچ.. فادچ أصدر ذلك الفرمان التعليمى، وأجبرنا على قبولها. والآن أعطاها صلاحيات التفتيش على باقى المدرسين» ثم وهى تتحدث بسرعة وعيناها تلمعان: «لا أصدق هذا.. هذا كثير».

قال «هارى» ناظرًا إلى يده اليمنى القابضة على المائدة: «أعرف أنه كثير» ورأى خطًا أبيض باهتًا باقيًا من كلمات «أمبريدچ» ما زال محفورًا على جلد يده.

لكن «رون» كان يبتسم.

قال «هارى» و«هيرميون» فى الوقت نفسه وهما يرمقانه بدهشة: «ما الأمر؟».

قال «رون» بسعادة: «لا أطيق انتظار رؤية مكجونجال وهى تخضع للتفتيش.. أمبريدچ لن تقدر على الصد أو الرد».

قالت «هيرميون» وهى تهب على قدميها: «حسنًا.. هيا بنا، علينا المضى، إن كانت ستقوم بالتفتيش على حصة بينز، فعلينا بالإسراع حتى لا تفوتنا المشاهدة..».

لكن الأستاذة «أمبريدچ» لم تفتش على حصة تاريخ السحر، والتى كانت مملة مثل الحصة السابقة، ولم تكن فى فصل «سناب» تحت الأرض، عندما مضوا إليه لحضور حصتى الوصفات السحرية، وحيث أعيد لـ«هارى» مقاله عن حجر القمر وعليه علامة «س» كبيرة على الطرف الأيمن العلوى من الصفحة.

قال «سناب» ساخرًا وهو يمر بينهم: «لقد أعطيتكم الدرجات التى يستحقها

عملكم، كما سيتم تقييمكم فى امتحانات الـ(أوه. دبليو. إل.)، وهو ما يعطيكم فكرة واقعية عما تتوقعونه من أسلوب التصحيح وصرامته».

وصل «سناب» إلى أول الفصل ودار على عقبيه ليواجههم.

«كان التقييم العام لهذا الواجب سيئًا. معظمكم كان ليرسب لو كان هذا امتحانًا. أتوقع منكم بذل المزيد من الجهد فى مقال الأسبوع المقبل عن أنواع الأمصال المضادة للسم، وإلا سأبدأ فى عقاب من يحصلون على درجة (س) بالاحتجاز».

ابتسم إلى «مالفوى» الذى بادله الابتسام وسأله هامسًا: «وهل حصل بعض الطلاب على سيئ جدًّا؟ هاه».

أدرك «هارى» أن «هيرميون» كانت تنظر إليه بطرف عينها لتعرف درجته، فأدخل مقاله عن حجر القمر إلى حقيبته بسرعة، شاعرًا برغبته فى الحفاظ على درجته سرًّا.

أخذ «هارى» يقرأ كل سطر من تعليمات الوصفة المكتوبة على السبورة ثلاث مرات قبل أن يبدأ التطبيق، وقد قرر ألا يتيح الفرصة لـ «سناب» لعقابه هذه الحصة. لم تكن التركيبة النهائية التى وصل إليها باللون الأزرق الخفيف الظاهر من قدر «هيرميون»، لكنه كان على الأقل أزرق، وليس ورديًّا مثل وصفة «نيفيل»، فقام بوضع مقدار قنينة منه على مكتب «سناب» مع نهاية الدرس، شاعرًا بمزيج من الجرأة والراحة.

قالت «هيرميون» وهم يصعدون السلم خارجين من الممر المؤدى لفصل «سناب» فى طريقهم إلى القاعة الكبرى لتناول الغداء: «يكفى أن الحصة لم تكن سيئة مثل حصة الأسبوع الماضى.. أليس كذلك؟ كما أن الواجب ليس ثقيلاً.. أليس كذلك؟».

عندما لم يجبها «هارى» أو «رون» ضغطت عليهما بمزيد من الأسئلة: «أعنى.. أنا لم أتوقع الحصول على أعلى درجة، ليس إن كان يقوم بالتصحيح بطريقة تصحيح امتحانات الـ(أوه. دبليو. إل.)، لكن درجة المقبول جيدة فى هذه المرحلة من العام الدراسى.. أليس كذلك؟».

وافقها «هارى» بصوت بلا معنى صدر عن حنجرته.

«.. وبالطبع يمكن أن يحدث الكثير من الآن وإلى الامتحانات، فلدينا وقت كثير للاستذكار، لكن الدرجات التى حصلنا عليها منذ قليل تعتبر هى الحد الأدنى الذى نقدر على تحقيقه.. أليست كذلك؟ تعتبر شيئًا أوليًّا يمكن البناء عليه..».

جلسوا معًا على مائدة «جريفندور» على الغداء.

«طبعًا كنت سأفرح كثيرًا لو حصلت على درجة (أ)..».

قال «رون» بحدة: «هيرميون.. إن كنت تودين معرفة درجاتنا فكل ما عليك هو أن تسألى».

«لا.. الأمر ليس هكذا... أعنى.. إن شئتما أن تخبرانى فلا بأس..».

قال «رون»: «حصلت على درجة (ض).. هل ارتحت؟» وهو يصب الحساء فى طبقه.

قال «فريد» الذى وصل لتوه إلى المائدة معه «چورچ» و«لى چوردن» وجلسوا إلى يمين «هارى»: «هذا ليس مدعاة للخجل.. لا يوجد ما يسوء درجة (ض)».

قالت «هيرميون»: «لكن ض تعنى..».

قال «لى چوردن»: «أجل.. تعنى (ضعيف).. لكنها أفضل من (س)... أليس كذلك؟ تعنى (سيئ جدًّا)».

شعر «هارى» بوجهه يحمر من الخجل، وافتعل السعال، وعندما انتهى من سعاله انزعج لما وجد «هيرميون» فى نقاش موسع عن درجات الـ(أوه. دبليو. إل.).

كانت تقول: «وأعلى درجة هى (أ) وتعنى (امتياز)، ثم الأعلى منها درجة (م) وتعنى..».

صحح لها «چورچ» قائلاً: «لا.. تقصدين (ص) وتعنى (صعب يتكرر)، ولطالما رأيت أننى وفريد نستحق درجة (ص) فى كل ما نفعله؛ لأننا نفوق التوقعات وندهش الجميع بمجرد نجاحنا بأى درجة فى الامتحانات».

ضحكوا جميعًا عدا «هيرميون» التى أضافت: «وغير درجة (ص) هناك (م) وتعنى (مقبول) وهى أقل درجة للنجاح فى الامتحانات، أليس كذلك؟».

قال «فريد» وهو يشرب ما بطبقه من حساء على مرة واحدة: «بلْى».

رفع «رون» يده على سبيل الدعابة وقال: «وهناك (ض) وتعنى (ضعيف)، ثم (س) وتعنى (سيئ جدًّا)». فقال «چورچ» مذكرًا إياه: «وعندك درجة (ت)».

سألته «هيرميون»: «(ت)؟ هل هى أقل من (س)؟ وماذا تعنى (ت)؟».

قال «چورچ» على الفور: «ترول».

ضحك «هارى» ثانية، بالرغم من أنه لم يكن واثقًا إن كان «چورچ» يمزح أم أن كلامه صحيح. تخيل محاولته إخفاء درجة (ت) عن أعين «هيرميون» على اختبارات الـ(أوه. دبليو. إل.) فعزم على الاستذكار باجتهاد أكبر.

سألهم «فريد»: «هل مررتم بحصة حضرتها المفتشة يا جماعة؟».

قالت «هيرميون» على الفور: «لا.. وأنتم؟».
قال «چورچ»: «حصة واحدة قبل الغداء.. مادة التعاويذ».
قال «هارى» و«هيرميون» معًا: «وكيف كانت؟».
هز «فريد» رأسه وقال: «ليست سيئة. جلست أمبريدچ فى الركن وأخذت تكتب ملاحظاتها على ورقة فى يدها. أنت تعرف حال فليتويك، فهو يعاملها كأنها ضيف، ولا يزعجه وجودها بالمرة. وهى لم تقل الكثير. سألت أليشيا بعض الأسئلة عن الحصص وكيف حالها فى العادة، وقالت لها أليشيا إنها جيدة.. كان هذا كل شىء».
قال «چورچ»: «لا أعتقد أن بإمكانها النيل من فليتويك. فهو معلم ماهر وينجح جميع طلبته فى مادته».
سأل «فريد» «هارى»: «وما الحصص التالية لديكم بعد الظهر؟».
«تريلاونى..».
«لا تستحق سوى درجة (ت)».
«.. وأمبريدچ بعدها».
قال «چورچ»: «لتكن ولدًا مطيعًا ولا تَثُرْ على أمبريدچ اليوم.. ستجن أنچيلينا؛ إن لم تجدك معنا فى تمرين الكويدتش القادم».
لكن «هارى» لم يكن عليه الانتظار حتى حصة الدفاع عن النفس ضد السحر الأسود حتى يقابل الأستاذة «أمبريدچ». كان يخرج مذكراته عن الأحلام وهو جالس فى الظلال بآخر صف فى فصل مادة التنجيم، عندما لكزه «رون» بمرفقه فى ضلوعه، فرأى الأستاذة «أمبريدچ» عندما نظر حوله، وهى تدخل من الباب الأرضى. صمت التلاميذ فجأة، بعد أن كانوا يتحدثون. جعل الانخفاض المفاجئ فى مستوى الجلبة الأستاذة «تريلاونى» ترفع رأسها، وهى تعبث بما معها من نسخ كتاب (فصل الكلام فى تفسير الأحلام).
قالت الأستاذة «أمبريدچ» وعلى وجهها ابتسامتها الواسعة المعهودة: «مساء الخير يا أستاذة تريلاونى.. وصلتك ورقتى على ما أعتقد، ومعها تاريخ الحصة التى سأفتش فيها عليك».
أومأت الأستاذة «تريلاونى» رأسها باحترام، وتجاهلتها تمامًا وهى تناول الطلبة نسخًا من الكتاب. ومن دون أن تغادر الابتسامة وجهها، جلست الأستاذة «أمبريدچ» على أقرب مقعد، بحيث صارت على مسافة بوصات قليلة

خلف مقعد الأستاذة «تريلاونى»، ثم أخرجت ورقها من حقيبتها المزينة بالزهور، وجلست متأهبة فى انتظار بداية الدرس.

شدت الأستاذة «تريلاونى» الوشاح المحيط بوجهها بقوة حولها، ويدها ترتجف قليلاً، ثم مسحت الفصل بنظرة متأنية من خلف عويناتها الكبيرة.

قالت فى محاولة شجاعة منها للكلام بصوتها الحالم الغامض المعهود: «سنبدأ درسنا اليوم باستكمال ما قلناه عن الأحلام التنبؤية» لكن صوتها خانها واهتز قليلاً وهى تقول: «انقسموا إلى مجموعات من اثنين من فضلكم، وفسروا أحلام بعضكم بعضًا بالاستعانة بكتاب فصل الكلام».

كادت تعود للاسترخاء فى مقعدها، لكنها رأت الأستاذة «أمبريدچ» بطرف عينها جالسة خلفها، وبسرعة نهضت متوجهة إلى اليسار نحو «بارفاتى» و«لاڤندر»، اللتين كانتا غارقتين فى نقاش عميق عن آخر أحلام «بارفاتى».

فتح «هارى» نسخته من كتابه، وهو يراقب الأستاذة «أمبريدچ» بنظرات مختلسة. كانت قد بدأت فى كتابة الملحوظات فى ورقها. بعد بضع دقائق نهضت وسارت بطول الحجرة، وهى تستمع لكلام التلاميذ وتسألهم بين الحين والآخر. مال «هارى» برأسه بسرعة ليختفى خلف كتابه.

قال مخاطبًا «رون»: «فكر فى حلم بسرعة.. فقد تقف الضفدع العجوز عندنا».

قال «رون» محتجًا: «لكننى أنا من فكرت فى حلم المرة الماضية.. دورك الآن.. هيا فكر بسرعة».

قال «هارى» بيأس: «لا أعرف» فهو لا يتذكر أى أحلام حلمها طوال الأيام القليلة الماضية.. وأضاف: «لنقل: إننى حلمت بـ.. بـ.. بأننى أغرق سناب فى إناء الوصفات السحرية.. نعم.. هذا حلم جيد..».

ضحك «رون» ضحكة صغيرة وهو يفتح نسخته من (فصل الكلام)، وقال: «حسنًا، تاريخ ميلادك، ثم تاريخ الحلم، والمعادل الرقمى لحروف الموضوع.. تراها (الغرق) أم (الإناء) أم (سناب)؟».

قال «هارى»: «لا يهم.. اختر أيًا منها» وهو يلقى بنظرة مختلسة خلفه. كانت الأستاذة «أمبريدچ» واقفة خلف كتف الأستاذة «تريلاونى» وهى تدون ملاحظاتها، بينما الأخيرة تلقى على «نيفيل» بعض الأسئلة عن مذكرات أحلامه.

قال «رون» وهو غارق فى حساباته: «فى أى ليلة حلمت بذلك الحلم؟».

قال «هارى» محاولاً سماع ما تقوله «أمبريدچ» للأستاذة «تريلاونى»: «لا أعرف.. الليلة الماضية.. الليلة التى تعجبك»، كانا قد جلسا إلى مائدة بعيدة عنه وعن «رون»، والأستاذة «أمبريدچ» تكتب ملحوظة أخرى فى ورقها، بينما الأستاذة «تريلاونى» منزعجة للغاية.

قالت «أمبريدچ» ناظرة إلى «تريلاونى»: «هل تشغلين هذه الوظيفة منذ فترة طويلة؟».

نظرت إليها الأستاذة «تريلاونى» بامتعاض، وذراعاها معقودان وكتفاها عاليان كأنها تحمى نفسها قدر ما تستطيع من إهانة فكرة أن يفتش عليها أحد. بعد برهة من الصمت بدا كأنها تفكر هل تجيب على السؤال أم لا، قررت أخيرًا أن السؤال ليس عدوانيًا بما يكفى لتتجاهله: «منذ ستة عشر عامًا تقريبًا».

قالت الأستاذة «أمبريدچ» وهى تكتب ما قيل فى ورقها: «فترة طويلة.. إذن فالأستاذ دمبلدور هو من قام بتعيينك؟».

قالت الأستاذة «تريلاونى» باقتضاب: «هذا صحيح».

كتبت الأستاذة «أمبريدچ» ملحوظة أخرى..

«وهل جدتك الكبرى هى العرّافة العظيمة كاسندرا تريلاونى؟».

قالت الأستاذة «تريلاونى» وهى ترفع رأسها قليلاً: «أجل».

دونت ملحوظة أخرى على الورق.

«لكننى أعتقد - وصححى لى إن كنت مخطئة - أنك أول فرد فى عائلتك يمتلك موهبة التنجيم منذ وفاة كاسندرا.. أليس كذلك؟».

قالت الأستاذة «تريلاونى»: «فى العادة لا تُمنح هذه الموهبة إلا لـ.. آ.. للحفيدة التى تأتى بعد ثلاثة أجيال».

اتسعت ابتسامة الأستاذة «أمبريدچ» الضفدعية الطابع.

قالت بصوتها العذب وهى تكتب: «بالطبع.. حسنًا.. هلا تنبأت بشىء من أجلى إذن؟» ثم نظرت إليها نظرة متسائلة دون أن تختفى ابتسامتها.

تجمدت الأستاذة «تريلاونى» كأنها لا تصدق أذنيها وقالت وهى قابضة بعنف علىالوشاح المحيط برقبتها: «أنا لا أفهمك».

قالت الأستاذة «أمبريدچ» بهدوء بالغ: «أنا أطلب منك أن تتنبئى بشىء من أجلى».

لم يكن «هارى» و«رون» هما الوحيدين اللذين أخذا ينصتان وينظران إلى ما يحدث من خلف كتبهم. أخذ معظم التلاميذ فى الفصل يحدقون بثبات فى

الأستاذة «تريلاونى» وهى تنتصب بشموخ، ومسبحتها فى يدها تتحرك بعصبية ولا تكف حباتها عن الاصطدام ببعضها البعض محدثة صوت رنين.

قالت أخيرًا بنبرة استنكار شديد: «عين البصيرة لا ترى تحت الطلب يا أستاذة».

قالت الأستاذة «أمبريدچ» بنعومة وهى تكتب ملحوظة أخرى: «واضح».

قالت الأستاذة «تريلاونى» فجأة محاولة استعادة صوتها الحالم الغامض: «انتظرى لحظة» لكن التأثير الدرامى للصوت فسد بسبب إحساسها بالغضب.. «أ.. أ.. أعتقد أننى أرى شيئًا.. شيئًا قد يهمك.. آه.. أشعر بشىء.. شىء مظلم حالم.. خطر عظيم وخطب جلل..».

أشارت الأستاذة «تريلاونى» بأصبع مهتز إلى الأستاذة «أمبريدچ» التى لم تكف عن الابتسام وحاجبها مرفوع.

أنهت الأستاذة «تريلاونى» كلامها بأسلوب تمثيلى قائلة: «أخشى أن.. أن.. أنك فى خطر عظيم».

مرت فترة صمت، فحصت الأستاذة «أمبريدچ» خلالها الأستاذة «تريلاونى» بنظرها.

قالت بنعومة وهى تكتب المزيد فى ورقها: «إن كان هذا هو أفضل ما عندك..».

ابتعدت تاركة الأستاذة «تريلاونى» مضطربة. نظر «هارى» إلى عين «رون» فعرف أنه يفكر فى نفس الشىء كلاهما يعرف أن الأستاذة «تريلاونى» محتالة عجوز، لكن على الجانب الآخر، فهما يكرهان «أمبريدچ» إلى درجة شعرا معها أنهما إلى جانب «تريلاونى».. حتى ضايقتهم بعدها بلحظات.

قالت بحدة وأصابعها الطويلة تحت أنف «هارى»: «ماذا تفعلان؟ دعونى أرى ما فعلتماه فى واجب كتابة الأحلام».

ومع انتهائها من تفسير أحلام «هارى» بأعلى صوت لديها، جاء تفسيرها لها جميعها ـ ومنها حلم كان يأكل فيه العصيدة ـ حول موته وهلاكه المؤكد فى سن صغيرة، فشعر بتعاطف أقل نحوها. وطوال الوقت والأستاذة «أمبريدچ» واقفة على مسافة بضعة أقدام، تدون ملاحظات فى ورقها، وعندما ضرب الجرس هبطت السلم الفضى قبلهم، وجلست تنتظرهم عندما دخلوا فصل الدفاع عن النفس ضد السحر الأسود بعد عشر دقائق.

كانت تهمهم وتبتسم سعيدة بنفسها عندما دخلوا الحجرة. أخبر «هارى» و«رون» «هيرميون» ـ التى كانت فى حصة الرياضيات السحرية[1] ـ بكل ما حدث بالحرف فى حصة التنجيم وهم جميعًا يخرجون نسخهم من كتاب (نظرية السحر الدفاعى)، لكن وقبل أن تسألهما «هيرميون» أى أسئلة، أمرت الأستاذة «أمبريدج» الفصل بالتزام الصمت فحل السكون.

قالت لهم بابتسامتها المشرقة: «ضعوا العصى السحرية جانبًا»، فأعادها المتفائلون الذين أخرجوها إلى الحقائب.. أكملت: «مع انتهائنا من الفصل الأول فى الدرس السابق، أريدكم أن تقفوا عند الصفحة التاسعة عشرة وتبدأوا فى الفصل الثانى بعنوان: النظريات العامة للدفاع ومشتقاتها. ولا حاجة بكم للكلام».

ودون أن تفارقها ابتسامتها الواسعة، جلست إلى مكتبها. تنهد الطلبة بصوت مسموع وقلبوا الصفحات إلى الصفحة التاسعة عشرة. تساءل «هارى» بتبلد إن كان بالكتاب ما يكفى من الفصول ليقرأوها إلى نهاية العام، وكان على وشك التحقق من صفحة الفهرست عندما لاحظ يد «هيرميون» المرفوعة فى الهواء ثانية.

يبدو أن الأستاذة «أمبريدج» قد لاحظتها هى الأخرى، ويبدو أيضًا أنها قد فكرت فى استراتيجية لتتبعها فى مثل هذه المواقف، فبدلاً من محاولة التظاهر بعدم ملاحظة «هيرميون»، نهضت على قدميها وسارت أمام صفوف الطلبة حتى وصلت إلى «هيرميون» وهمست لها حتى لا يسمع باقى الفصل قائلة: «ما الأمر هذه المرة يا آنسة جرانجر؟».

قالت «هيرميون»: «لقد قرأت الفصل الثانى بالفعل».

«إذن انتقلى إلى الفصل الثالث».

«قرأته هو الآخر، لقد قرأت الكتاب بأكمله».

طرفت عينا الأستاذة «أمبريدج»، لكنها استعادت اتزانها بسرعة وقالت: «إذن هل يمكنك إخبارى بما يقوله سيلنكهارد عن تعاويذ النحس المضادة فى الفصل الخامس عشر؟».

---

(١) المتابع لهارى بوتر منذ البداية يعرف أن هيرميون لم تحب أبدًا مادة التنجيم؛ واختارت مادة الرياضيات السحرية بدلاً منها. لو كانت «هيرميون» فى الثانوية العامة، كانت ستنضم لشعبة «علمى رياضة»، بينما «هارى» و«رون» فى الشعبة الأدبية! (المترجم).

قالت «هيرميون» على الفور: «يقول إن (تعاويذ النحس المضادة) كلمة ليست منضبطة مفاهيميًا، وإن تعاويذ النحس المضادة ليست أكثر من اسم يطلقه الناس على تعاويذ النحس التى يؤدونها عندما يريدون أن يقبلها الآخرون».

رفعت الأستاذة «أمبريدچ» حاجبيها وعرف «هارى» أنها مندهشة وإن لم ترغب فى إظهار دهشتها. أردفت «هيرميون»: «لكننى لا أوافقه الرأى».

ارتفع حاجبا الأستاذة «أمبريدچ» أكثر، وأصبحت نظرتها على الفور أكثر برودًا.

«لا توافقينه الرأى؟».

قالت «هيرميون» والتى ـ على النقيض من «أمبريدچ» ـ لم تكن تهمس، لكن تتحدث بوضوح ليلفت صوتها انتباه باقى الفصل: «نعم، لا أوافقه.. إن السيد سلينكهارد لا يحب تعاويذ النحس. أليس كذلك؟ لكننى أراها مفيدة للغاية عند استخدامها فى الدفاع عن النفس».

قالت الأستاذة «أمبريدچ» وقد نسيت أن تهمس هذه المرة واستقامت فى وقفتها: «حقًا؟ أترين هذا؟ يؤسفنى قول: إن الرأى هنا للسيد سلينكهارد، وليس لك، وهذا ما يهمنى فى هذا الفصل يا آنسة جرانجر»

بدأت «هيرميون» فى الكلام قائلة: «ولكن..»

قاطعتها الأستاذة «أمبريدچ» قائلة: «كفاك» وسارت عائدة إلى مكتبها ووقفت أمامه، وقد اختفى كل المرح والخفة التى حرصت على إظهارهما منذ بداية الحصة، وقالت: «الآنسة جرانجر.. سأخصم خمس نقاط من فرقة جريفندور».

تعالت غمغمات الطلاب الاحتجاجية على ما قالته.

قال «هارى» بغضب: «لماذا؟».

همست «هيرميون» له برجاء: «لا تتدخل».

قالت الأستاذة «أمبريدچ» بنعومة: «لأنها أزعجت الطلاب فى حصتى بمقاطعاتها المتكررة.. أنا هنا للتدريس على النهج الذى أقرته وزارة السحر، وهذا النهج لا يدخل فيه دعوة الطلاب للإدلاء برأيهم فى أمور لا يفهمونها. كما أن مدرسى هذه المادة السابقين سمحوا لكم بالكثير، لكن ما كان أى منهم

ـ باستثناء الأستاذ كويرل الذى التزم بتدريس ما يناسب سنكم ـ لينجح فى اختبارات وتفتيش الوزارة..».

قال «هارى» بصوت مرتفع: «أجل.. كان كويرل مدرسًا ممتازًا، لكن عيبه الوحيد أن اللورد ڤولدمورت كان ملتصقًا بمؤخرة رأسه».

ساد صمت رهيب بعد نطق «هارى» للاسم. ثم..

قالت «أمبريدچ»: «أعتقد أن عقابك بالاحتجاز لأسبوع آخر سيفيدك يا سيد بوتر».

***

ما كاد الجرح على ظهر يد «هارى» يلتئم، حتى نزف الصباح التالى. لم يظهر ألمه خلال فترة الاحتجاز المسائية.. كان عازمًا على ألا يرضى «أمبريدچ»، وأخذ يكتب: يجب أن أكف عن الكذب.. مرارًا وتكرارًا دون أن يصدر عنه أدنى صوت، بالرغم من حال الجرح الذى أخذ يسوء مع كل مرة يكتب فيها الجملة.

كان أسوأ ما فى أسبوع الاحتجاز ـ وكما تنبأ «چورچ» ـ هو رد فعل «أنچيلينا»، التى حاصرته وهو جالس على مائدة «جريفندور» أثناء الإفطار يوم الثلاثاء، وصاحت فيه، حتى إن الأستاذة «مكجونجال» جاءت إليهما بسرعة من مائدة المدرسين!

«آنسة چونسون، كيف تجرئين على الصياح هكذا فى القاعة الكبرى؟ خصم خمس نقاط من فرقة جريفندور».

«لكن يا أستاذة.. لقد ورط نفسه فى الاحتجاز ثانية..».

قالت الأستاذة «مكجونجال» بحدة وهى تلتفت إلى «هارى»: «ماذا؟ عقاب مرة أخرى يا بوتر؟ ممن هذه المرة؟».

غمغم «هارى» مبعدًا بصره عن عينى الأستاذة «مكجونجال» الصغيرتين: «من الأستاذة أمبريدچ».

قالت وقد خفضت صوتها؛ حتى لا يسمعها تلاميذ «رافنكلو» الفضوليون: «هل تعنى أنه وبعد تحذيرى إياك الإثنين الماضى فقدت أعصابك ثانية فى فصل الأستاذة أمبريدچ؟». غمغم «هارى» ووجهه إلى الأرض: «أجل».

«بوتر. تماسك يا ولد، تحكم فى نفسك.. ستعرض نفسك لمشكلة خطيرة.. خصم خمس نقاط أخرى من جريفندور».

قال «هارى» غاضبًا من هذا الظلم: «لكن.. ماذا؟ لا يا أستاذة.. لقد تلقيت عقابى منها بالفعل، لماذا تخصمين منى النقاط؟».

قالت الأستاذة «مكجونجال» بنبرة لاذعة: «لأنه من الواضح أن العقاب بالاحتجاز ليس له تأثير عليك.. لا، لا تنطق بكلمة أخرى يا بوتر. وأنت يا آنسة چونسون، ادخرى صياحك لمباريات الكويدتش، وإلا فقدت منصبك ككابتن للفريق».

عادت الأستاذة «مكجونجال» مسرعة إلى مائدة هيئة التدريس. نظرت «أنچيلينا» إلى«هارى» نظرة احتقار عميقة، ثم ابتعدت، فركن إلى مقعده ثانية وقد تمكن منه الغيظ.

«لقد خصمت خمس نقاط من جريفندور لأن يدى نزفت ثانية بالأمس. ياللعدل!».

قال «رون» بتعاطف وهو يلقى بالبيض فى طبق «هارى»: «أعرف يا صاحبى.. أنت تعرف أنها غير متزنة».

لكن «هيرميون» لم تقل شيئًا، وأخذت تقلب فى صفحات جريدة «دايلى بروفيت».

قال «هارى» لها بغضب وهى متوقفة عند صفحة من الجريدة فيها صورة «كورنلياس فادچ»: «هل ترين ما فعلته مكجونجال صحيحًا؟».

قالت «هيرميون»: «لم يعجبنى خصمها للنقاط، وأرى أنها محقة فى تحذيرك من فقدانك أعصابك مع أمبريدچ» بينما صورة «فادچ» تلوح بيدها كأنه يلقى بخطبة ما.

لم يتحدث «هارى» إلى «هيرميون» طوال حصة التعاويذ، لكن عندما دخلوا إلى فصل التحويل نسى غضبه منها. كانت الأستاذة «أمبريدچ» ومعها لوح كتابتها فى ركن الحجرة، ومع رؤيته لها تلاشى من ذاكرته ما حدث وقت الإفطار.

همس «رون» وهم يجلسون على مقاعدهم التى يجلسون عليها عادة: «ممتاز.. لنر أمبريدچ وهى تنال ما تستحقه».

دخلت الأستاذة «مكجونجال» إلى الحجرة دون أن يظهر عليها ملاحظتها لوجود الأستاذة «أمبريدچ».

قالت والصمت يسود من حولها: «سيد فينيجان. تعال هنا من فضلك وخذ منى الواجب الذى صححته، وزعه على زملائك.. آنسة براون، خذى صندوق الفئران هذا.. لا تكونى حمقاء يا فتاة، لن تؤذيك.. أعطى كل طالب فأرًا..».

«إحم إحم» كانت هذه الأستاذة «أمبريدچ» التى طبقت نفس أسلوب السعال

المعتاد الذى قاطعت به «دمبلدور» فى أول ليلة من الفصل الدراسى. لكن الأستاذة «مكجونجال» تجاهلتها. ناول «سيماس» أوراق «هارى» إليه، فأخذها دون أن ينظر نحوه، ورأى أنه قد حصل على درجة (م).

«رائع، اسمعونى جميعًا.. دين توماس، إن فعلت ما فعلته هذا بالفأر ثانية سأعاقبك بالاحتجاز.. معظمكم نجح فى إخفاء صدفته، حتى من لم يخفها تمامًا منكم فقد بدأ فى فهم التعويذة. اليوم سنتدرب على..».

قالت الأستاذة «أمبريدچ»: «إحم إحم».

قالت الأستاذة «مكجونجال» وهى تلتفت إليها وحاجباها معقودان حتى صارا على خط واحد طويل: «ماذا؟».

«أريد سؤالك يا أستاذة إن كنت قد تلقيت ورقتى بشأن قدومى اليوم للتفتيـ..».

قالت الأستاذة «مكجونجال» وهى تشيح برأسها بعيدًا عنها: «من الواضح أنها قد وصلتنى، وإلا كنت سألتك عما تفعلينه فى فصلى» ثم أضافت والكثير من التلاميذ يتبادلون نظرات جَذْلَى: «كما كنت أقول: اليوم سنتدرب على مستوى أصعب من ممارسة تعويذة الإخفاء، على الفئران. والآن، لتعرفوا أن..».

«إحم إحم».

التفتت الأستاذة «مكجونجال» إلى الأستاذة «أمبريدچ» وهى تقول ببرود شديد: «أتعجب كيف ستفهمين أساليبى المعتادة فى التدريس إن كنت لا تكفين عن مقاطعتى هكذا؟ ترين أننى لا أسمح لأحد بالكلام وأنا أتكلم».

بدا كأن الأستاذة «أمبريدچ» قد تلقت صفعة على وجهها. لم تتكلم، لكنها رفعت لوح الكتابة الملصقة إليه أوراقها إلى وجهها وأخذت تكتب بسرعة وغضب.

التفتت الأستاذة «مكجونجال» مخاطبةً الفصل ثانية، وقد لاح على وجهها لا مبالاة تامة.

«كما كنت أقول، فإن تعويذة الإخفاء تصبح أصعب عند ممارستها على الحيوانات معقدة التركيب. الصدفة من اللافقاريات، وهى تعتبر أسهل بكثير فى إخفائها. أما بالنسبة للفئران، فهى كحيوان من الثدييات صعبة بعض الشىء؛ لذا فهذا النوع من السحر لا يمكن ممارسته وأنتم تفكرون فيما ستأكلونه على العشاء، ركزوا، ودعونا نرى ما ستفعلونه..».

غمغم «هارى» مخاطبًا «رون» بصوت خفيض: «كيف تحاضرنا هكذا وهى

غاضبة من أمبريدچ إلى هذه الدرجة؟» لكنه كان يبتسم، وقد تلاشى غضبه من «مكجونجال».

لم تتبع الأستاذة «أمبريدچ» الأستاذة «مكجونجال» فى أرجاء الفصل مثلما فعلت مع الأستاذة «تريلاونى».. لعلها أدركت أن «مكجونجال» لن تسمح لها بهذا. لكنها كتبت المزيد من الملحوظات وهى جالسة فى الركن، وعندما أمرت الأستاذة «مكجونجال» الطلبة أخيرًا أن يستعدوا للخروج من الفصل، نهضت وتعبير متجهم على وجهها.

قال «رون» رافعًا فأرًا طويلاً من ذيله معيدًا إياه إلى الصندوق الذى تمر به «لاڤندر» على الطلبة: «بداية جيدة».

ومع خروجهم من الفصل، رأى «هارى» الأستاذة «أمبريدچ» وهى تقترب من مكتب المعلمة، فلكز «رون»، الذى لكز «هيرميون» بدوره، ووقف ثلاثتهم ينصتون لما يُقال.

قالت الأستاذة «أمبريدچ»: «منذ متى وأنت تقومين بالتدريس فى هوجورتس؟».

قالت الأستاذة «مكجونجال»: «مع حلول شهر ديسمبر القادم يكون قد مضى علىّ تسعة وثلاثون عامًا» وهى تغلق حقيبتها بعصبية.

كتبت الأستاذة «أمبريدچ» المزيد فى ورقها، وقالت: «جيد.. ستتلقين نتيجة تفتيشى عليك فى غضون عشرة أيام».

قالت الأستاذة «مكجونجال»: «لا أطيق الانتظار» بنبرة باردة لا مبالية، ثم وهى تتجه إلى الباب: «بسرعة، أنتم الثلاثة» وهى تدفع «هارى» و«رون» و«هيرميون» أمامها.

لم يستطع «هارى» منع نفسه من أن يبتسم لها ابتسامة واهنة، وكاد يقسم أنها قد بادلته الابتسام.

ظن أن رؤيته لـ«أمبريدچ» المرة القادمة ستكون فى حجرتها وقت الاحتجاز، لكنه كان مخطئًا. عندما ساروا عبر المماشى العشبية إلى الغابة فى طريقهم إلى حصة رعاية الكائنات السحرية، وجدوها ومعها لوح كتابتها وأوراقها واقفة إلى جانب الأستاذة «جروبلى بلانك».

سمعها «هارى» تسأل وهم يقفون بجانب المائدة التى تتجمع حولها

المجموعة، وحيث أخذت «البوتروكلات» تتحرك كأنها مجموعة كبيرة من الأغصان المتحركة: «أنت فى العادة لا تقومين بتدريس هذه المادة.. أليس كذلك؟».

قالت الأستاذة «جروبلى بلانك» ويداها خلف ظهرها: «صحيح.. أنا المعلمة البديلة للأستاذ هاجريد».

تبادل «هارى» نظرات قلقة مع «رون» و«هيرميون». أخذ «مالفوى» يتهامس مع «كراب» و«جويل».. بالطبع جاءته فرصة ليحكى ما لديه من حكايات عن «هاجريد» لأحد أعضاء الوزارة.

قالت الأستاذة «أمبريدچ» وهى تخفض صوتها: «أه..» لكن «هارى» تمكن من سماع صوتها وهى تقول: «يبدو أن الناظر متردد فى منحى بعض المعلومات عن.. بصراحة، هل تستطيعين إخبارى بسبب غياب الأستاذ هاجريد الطويل هذا؟».

رأى «هارى» «مالفوى» وهو ينظر بلهفة إلى أعلى.

قالت الأستاذة «جروبلى بلانك» ببساطة: «فى الواقع لا أعرف.. لا أعرف أى شىء. وصلتنى بومة من دمبلدور تحمل رسالة تقول إننى سأقوم بالتدريس لمدة أسبوعين، فقبلت. هذا كل ما أعرفه.. هلا بدأنا؟».

قالت الأستاذة «أمبريدچ»: «أجل.. من فضلك» وهى تكتب شيئًا ما على ورقها.

استعملت «أمبريدچ» أسلوبًا مختلفًا هذه المرة، وأخذت تسير بين الطلبة، وهى تسألهم أسئلة عن المخلوقات السحرية. معظم الطلبة أجابوها إجابات صحيحة، فتحسنت حالة «هارى» المعنوية.. على الأقل لم يخذل التلاميذ معلمهم «هاجريد».

قالت الأستاذة «أمبريدچ» وقد عادت إلى الأستاذة «جروبلى بلانك» بعد استجوابها الطويل لـ«دين توماس»: «إجمالاً، باعتبارك ضيفة على هيئة تدريس المدرسة، ولن تقضى هنا سوى فترة قليلة، كيف تجدين هوجورتس؟ هل تشعرين بدعم كافٍ لك من إدارة المدرسة؟».

قالت الأستاذة «جروبلى بلانك» بحرارة وصدق: «أجل.. دمبلدور ممتاز. أنا سعيدة بالطريقة التى تسير بها الأمور، سعيدة للغاية».

وقد بدا عليها الضيق، كتبت «أمبريدچ» المزيد فى ورقها وقالت: «وما خطتك التعليمية فى هذه المادة لهذا العام الدراسى إن لم يعد الأستاذ هاجريد؟».

قالت الأستاذة «جروبلى بلانك»: «سأعرفهم بالمخلوقات التى تأتى فى

العادة فى امتحانات الـ(أوه. دبليو. إل.) ولم يعد أمامهم الكثير ليتعلموه، فقد تعرفوا بالفعل على الحصان وحيد القرن، وعلى النيفلر، يبقى أمامى تعريفهم بالبورلوك والنيزل، وأراجع معهم الكروب والنارل كما تعرفين..».

قالت الأستاذة «أمبريدچ» وهى تؤشر بعلامة (صح) واضحة على ورقها: «واضح أنك تفهمين ما تفعلينه» لم يعجب «هارى» بالطريقة التى قالت بها «تفهمين» ولم يعجبه أكثر توجهها بالسؤال التالى إلى «جويل» حين قالت: «والآن، سمعت أنه قد وقعت بعض الإصابات أثناء تدريس هذه المادة».

ابتسم «جويل» ابتسامة حمقاء، فسارع «مالفوى» بالإجابة على السؤال، قائلاً: «أنا من أصبت يا أستاذة.. جرحنى حيوان هيبوجريف».

قالت الأستاذة «أمبريدچ» وهى تكتب بأسرع ما تستطيع: «هيبوجريف؟».

قال «هارى» بغضب: «فقط لأنه كان أغبى من أن ينصت لهاجريد وهو يعرفنا بالحيوان».

أنَّ كل من «رون» و«هيرميون». التفتت الأستاذة «أمبريدچ» إليه ببطء. وقالت بنعومة: «ليلة أخرى من الاحتجاز.. وأشكرك يا أستاذة جروبلى بلانك، أعتقد أن ما رأيته يكفى. ستتلقين نتائج تفتيشى خلال عشرة أيام».

قالت الأستاذة «جروبلى بلانك»: «رائع» ومشت الأستاذة «أمبريدچ» على العشب مبتعدة.

***

كان الوقت منتصف الليل تقريبًا عندما غادر «هارى» مكتب «أمبريدچ» تلك الليلة، كانت يده تنزف بغزارة، حتى إن الجرح جعل الضمادة التى لفها حول يده حمراء من الدم. توقع أن تكون حجرة الطلبة خالية عندما عاد، لكن «رون» و«هيرميون» كانا جالسين بانتظاره. سره رؤيتهما، خاصة وأن «هيرميون» كانت متعاطفة معه أكثر منها منتقدة لسلوكه.

قالت بقلق: «خذ» وهى تناوله طبقًا من السائل الأصفر.. «اغمس يدك فى هذا، إنه محلول أهداب حيوان المورتلاب المخللة، سيساعد جرحك على الالتئام».

وضع «هارى» يده النازفة المتألمة فى الطبق؛ فأحس على الفور براحة جميلة. استلقى «كروكشانكس» عند قدميه وهو يهر بصوت مسموع، ثم قفز إلى حجره وجلس.

قال «هارى» بامتنان وهو يحك ما خلف أذن «كروكشانكس» بيده اليسرى: «أشكرك».

قال «رون» بصوت خفيض: «ما زلت أعتقد أن عليك الشكوى بشأن ما يحدث هذا».

قال «هارى»: «لا».

«سيجن جنون مكجونجال إن عرفت..».

قال «هارى» بفتور: «أجل، على الأغلب.. وكم من الوقت تعتقد أنه سيفوت قبل إصدار أمبريدچ فرمانًا آخر يقول: إن من يشتكى من المفتشة العليا سوف يُطرد على الفور؟».

فتح «رون» فمه ليجيب لكن لم يصدر عنه صوت، وبعد لحظة، أغلق فمه ثانية شاعرًا بالهزيمة.

قالت «هيرميون» بصوت هامس: «إنها امرأة فظيعة.. فظيعة. أتعرف؟ كنت أقول منذ قليل لـ «رون»: إنك لو جئت ونحن جالسان فعلينا نقاش ما نفعله بشأنها».

قال «رون» بعبوس: «أقترح التخلص منها بالسم».

قالت «هيرميون»: «لا! أعنى فعل شىء حيال تدريسها الفظيع، وكيف أننا لا نتعلم أى دفاع عن النفس ضد السحر الأسود منها».

قال «رون» متثائبًا: «وماذا بإمكاننا فعله؟ تأخرنا جدًّا.. أليس كذلك؟ فقد حصلت على الوظيفة، وستبقى. فادچ يريد لها هذا».

قالت «هيرميون» بتردد: «الواقع.. كما تعرف، فكرت اليوم..» ثم حدجت «هارى» بنظرة عصبية وأكملت كلامها قائلة: «.. ربما حان الوقت لفعل شىء.. اعتمادًا على أنفسنا».

قال «هارى» بارتياب ويده لا تزال مغمورة فى محلول أهداب حيوان «المورتلاب»: «نعتمد على أنفسنا؟!».

قالت «هيرميون»: «أجل.. نتعلم الدفاع عن النفس ضد السحر الأسود بأنفسنا».

تأوه «رون» محتجًّا وقال: «اعقلى يا هيرميون.. هل تريدين المزيد من التعب فى الدراسة؟ هل تدركين أننى وهارى تأخرنا فى عمل الواجب ثانية، وأننا ما زلنا فى الأسبوع الدراسى الثانى؟».

قالت «هيرميون»: «لكن هذا أهم بكثير من الواجب».

تبادل «هارى» و«رون» النظرات بدهشة!

قال «رون»: «لا أظن أن هناك شيئًا فى الكون أهم من عمل الواجب».

قالت «هيرميون»: «لا تكن سخيفًا، بالطبع هناك ما هو أهم» فرأى «هارى» على وجهها تعبيرًا غريبًا، أحس بالشبه بين هذه النظرة ونظرة الاهتمام التى تداهمها كلما تكلمت عن جمعية (إس. بى. إى. دبليو.)، وأضافت: «الأهم أن نحضر أنفسنا ـ كما قال هارى فى الحصة الأولى لأمبريدج ـ لمواجهة ما ينتظرنا من مخاطر. يجب أن نضمن قدرتنا على الدفاع عن أنفسنا. إن لم نتعلم لمدة عام كامل فمتى..».

قال «رون» بصوت مهزوم: «لا نقدر على فعل الكثير بأنفسنا.. أعنى.. طيب، يمكننا الذهاب والتدريب على تعاويذ النحس فى المكتبة..».

قالت «هيرميون»: «أنا معك، لقد تجاوزنا مرحلة التعلم من الكتب فقط. نحن بحاجة لمعلم، معلم متميز، يمكنه أن يرينا كيفية عمل التعاويذ ويصحح لنا عندما نخطئ».

قال «هارى»: «إن تحدثنا إلى لوبين..».

قالت «هيرميون»: «لا لا.. أنا لا أتحدث عن لوبين. إنه مشغول كثيرًا فى عمله بالجماعة، كما أن معظمنا لا يراه إلا فى إجازات هوجزميد، وهى ليست كافية بالمرة». قال «هارى» مقطبًا جبينه: «من إذن؟».

تنهدت «هيرميون» تنهيدة عميقة وقالت: «أليس الأمر واضحًا؟ أنا أتحدث عنك يا هارى» مرت لحظة صمت، وهزت نسمات الليل الخفيفة الستائر من خلف «رون»، وطقطقت ألواح الخشب فى النار.

قال «هارى» أخيرًا: «تتحدثين عنى بشأن ماذا؟».

«أتحدث عن تدريسك لنا الدفاع عن النفس ضد السحر الأسود».

حدق «هارى» فيها. ثم التفت إلى «رون»، متأهبًا لتبادل نظرات الحيرة المشتركة معه، كعادتهما كلما فاجأتهما «هيرميون» بأمر غريب مثل جمعية (إس. بى. إى. دبليو.) التى أنشأتها. لكن ولدهشته، وجد «رون» لا يشاركه الحيرة والدهشة.

كان مقطب الجبين، وعلى وجهه علامات التفكير. ثم قال: «فكرة جيدة».

قال «هارى»: «أية فكرة؟».

قال «رون»: «أنت.. أنت تكون معلمنا».

«لكن..».

ابتسم «هارى»، واضح أنهما يوقعان به فى مقلب ما.

«لكننى لست بمعلم، لا يمكننى الـ..».

قالت «هيرميون»: «هارى، أنت أمهر طالب فى دفعتنا فى مادة الدفاع عن النفس ضد السحر الأسود».

قال «هارى» وابتسامته أعرض مما سبق: «أنا؟ لا لست كذلك، لقد تفوقت علىّ فى كل الامتحانات يا هرم..».

قالت «هيرميون» ببساطة: «فى الواقع لم أفعل.. أنت تفوقت علىّ فى الصف الثالث، السنة الوحيدة التى درس لنا فيها المادة أستاذ يفهم المنهج الدراسى. لكننى لا أتحدث عن نتائج الامتحانات، أنا أتحدث عما فعلته عمليًا».

«ماذا تقصدين؟».

قال «رون» مخاطبًا «هيرميون» بسخرية طفيفة: «أتعرفين؟ لا أريد التعلم من شخص بهذا الغباء» ثم التفت إلى «هارى» وقال: «لنفكر معًا» ثم قلد «جويل» عندما ترتسم على وجهه ابتسامة بلهاء: «آه.. فى الصف الأول.. أنقذت حجر الفيلسوف ممن ـ تعرفه».

قال «هارى»: «لكن كان هذا بالحظ.. لم يكن فى المسألة أية مهارة..».

قاطعه «رون» قائلاً بنفس طريقته الطريفة: «وفى الصف الثانى قتلت أفعى الباسيليسك».

«أجل، لكن إن لم تكن فاوكس قد ظهر كنت..».

قاطعه «رون» بصوت أعلى: «وفى الصف الثالث حاربت مائة (ديمنتور) وحدك..».

«أنت تعرف أن الفضل لم يكن لمهارتى وحدها، لولا التغير فى مجرى الزمن لما..».

قال «رون» وصوته أقرب للصياح: «والعام الماضى قاتلت بنفسك الذى ـ تعرفه مرة أخرى..».

قال «هارى» وهو أقرب إلى الغضب بسبب ابتسامات «رون» و«هيرميون» الضاحكة: «اسمعا.. اسمعا.. اتفقنا؟ المسألة تبدو جميلة عندما تحكونها هكذا، لكن هذه الأشياء لم تكن أكثر من حسن حظ.. لم أكن أعرف كيف أتصرف نصف الوقت، ولم أخطط لأى مما حدث، ولم أفكر فيه، وطوال الوقت وأنا أتلقى المساعدة..».

لم تتلاش ابتسامات «رون» و«هيرميون»، فشعر «هارى» بغيظه يزيد، لكنه لم يكن حتى واثقًا من سبب غضبه. قال أخيرًا بغضب: «لا تجلسا مبتسمين هكذا.. أنتما تعرفان تفاصيل ما مر بى.. أليس كذلك؟ أعرف ما جرى، ولم أنجح فى أى من تلك المغامرات لأننى عبقرى فى الدفاع عن النفس ضد السحر الأسود، طوال الوقت وهناك من يساعدنى، ومن يتدخل فى الوقت المناسب.. ولا أعرف لماذا.. **كفا عن الضحك**».

سقط طبق أهداب حيوان «المورتلاب» إلى الأرض وتحطم. هب على قدميه دون أن يشعر. تراجع «كروكشانكس» إلى أسفل الأريكة، وتلاشت ابتسامات «رون» و«هيرميون».

«*أنتما لا تعرفان كيف كان حَالى طوال الوقت*.. ولا أى واحد منكما.. لم تضطرا أبدًا لمواجهة ما واجهته أنا.. أليس كذلك؟ أتحسبان أن حفظ بعض التعاويذ وتأديتها عليه كافية؟ مثلما نفعل فى الفصل؟ ترى كيف تشعران وأنتما تعرفان أن بينكما وبين الموت شعرة؟ هل تقدران على التفكير فى جزء من الثانية وتتخذان قرارًا هو الفارق بين الموت والحياة؟ قبل أن يقتلكما؟ أو يعذبكما؟ أو يجعلكما تريان أصحابكما وهم يموتون؟ لم أتعلم أيًا من هذا فى الفصل.. ترى بم ستشعران إن اضطررتما للتعامل مع أشياء مثل هذه؟ ها أنتما جالسان تتحدثان كأننى ولد صغير ماهر، استطاع البقاء على قيد الحياة، بينما ديجورى الغبى لم يقدر، كأنه أخطأ فى لعبة ما فانتهت حياته، كان من السهل أن أموت أنا وليس هو، كان هذا ليحدث لو لم يكن ڤولدمورت بحاجة إلى..».

قال «رون» مندهشًا: «لم نقل أيًا من هذا يا صديقى.. ولم نتحدث عن ديجورى كما قلت أنت.. لقد فهمتنا فهمًا خاطئًا..».

نظر بحيرة إلى «هيرميون» فوجد وجهها ممقوعًا. قالت بخجل: «هارى.. ألا ترى أن هذا بالضبط هو ما نريد معرفته؟ أن نفهم كيف يشعر المرء فى مواجهته.. فى مواجهة.. مواجهة ڤولدمورت».

كانت هذه هى المرة الأولى التى تنطق فيها اسم «ڤولدمورت»، وكان هذا ـ أكثر من أى شىء آخر ـ هو ما جعل «هارى» يهدأ. وهو ما زال يتنفس بصعوبة، عاود الجلوس فى مقعده، وشعر وهو يجلس بيده تؤلمه بشدة. تمنى لو لم يحطم طبق أهداب «المورتلاب».

قالت «هيرميون» بهدوء: «فـ.. فكر فى الأمر يا هارى.. من فضلك».

لم يعرف «هارى» ماذا يقول. كان يشعر بالخجل لغضبته هذه. أومأ برأسه، دون وعى منه بما يوافق عليه بإيماءته.

وقفت «هيرميون» وقالت: «حسنًا.. أنا ذاهبة للنوم» بصوت حاولت أن تبقيه طبيعيًا.. «مم.. تصبحان على خير».

نهض «رون» هو الآخر وقال بتردد مخاطبًا «هارى»: «هل ستأتى معى؟».

قال: «سآتى خلفك بعد دقيقة.. بعد أن أنظف المكان».

أشار إلى الطبق المحطم على الأرض فأومأ له «رون» برأسه وغادره.

غمغم «هارى» مشيرًا بعصاه السحرية إلى أجزاء الخزف المكسورة: «ريبارو» فطارت وتجمعت والتصقت بعضها ببعض فصار الطبق كأنه جديد، لكن لم يعد محلول أهداب «المورتلاب» إلى الطبق.

شعر بإرهاق مفاجئ أغراه بمعاودة الجلوس فى المقعد الوثير والنوم فيه، لكن بدلاً من هذا حمل نفسه على النهوض على قدميه، واتباع «رون» إلى جناح النوم. ومرة أخرى قاطع نومه أحلام عن ممرات طويلة وأبواب حجرات موصدة، ونهض صباح اليوم التالى من نومه وندبة جبينه تؤلمه.

١٦ فــى رأس الخنــزيــر

لم تتكلم «هيرميون» عن موضوع تدريس «هـارى» لهم لمدة أسبوعين بعد اقتراحها. انتهى أخيرًا عقابه بالاحتجاز مع «أمبريدج» - وأخذ يتساءل إن كانت الكلمات المحفورة على ظهر يده ستتلاشى فى يوم من الأيام - وتدرب «رون» على «الكويدتش» أربع مرات، ولم يصيحوا فيه موبخين فى آخر مرتين، وتمكن ثلاثتهم من إخفاء فئرانهم فى حصة التحويل، وإن كانت «هيرميون» قد سبقتهم فى التحصيل الدراسى إلى حد إخفائها للقطط الصغيرة.. قبل أن يطفو الموضوع إلى السطح ثانية ذات مساء بارد كثير الرياح فى نهاية شهر سبتمبر، عندما كان ثلاثتهم جلوسًا فى المكتبة، يبحثون فى الكتب عن مقادير وصفة سحرية طلبها «سناب».

قالت «هيرميون» بغتة: «ترى هل فكرت فى موضوع دروس الدفاع عن النفس ضد السحر الأسود يا هارى؟».

قال «هارى» متذمرًا: «بالطبع فكرت.. فلا يمكننى النسيان وتلك الحيزبون هى المسئولة عن تدريس المادة..».

«أعنى أن فكرتى أنا ورون..» حدجها «رون» بنظرة فيها شبهة تهديد، فقطَّبت جبينها وأكملت: «.. آه، أعنى فكرتى.. بشأن تعليمك لنا»، لم يجبها «هارى» فورًا. تظاهر بالانهماك فى قراءة صفحة من كتاب (الأمصال الآسيوية المضادة للسموم)؛ لأنه لم يرغب فى قول ما يفكر فيه.

فكر فى الأمر مليًّا طوال الليلة الماضية. أحيانًا كانت تبدو فكرة مجنونة، كحالها ليلة عرضتها عليه «هيرميون»، لكن فى أحيان أخرى يجد نفسه يفكر فى التعاويذ التى ساعدته فى لقاءاته المتعددة مع مخلوقات الظلام وأكلة الموت.. ووجد نفسه - دون أن يشعر - يخطط للدروس التى سيلقيها..

قال بتروٍّ بعد أن وجد نفسه غير قادر على التظاهر باهتمامه بكتاب (الأمصال الآسيوية المضادة للسموم): «فى الواقع.. أجل.. فكرت فى الموضوع».

قالت «هيرميون» بلهفة: «ثم؟».

قال «هارى» محاولاً كسب الوقت وهو ينظر إلى «رون»: «لا أعرف».

قال «رون» الذى بدا أكثر حرصًا على الانضمام للمحادثة وقد ضمن أن «هـارى» لن يبدأ فى الصياح ثانية: «أنا وجدتها فكرة مدهشة منذ البداية».

تحرك «هـارى» فى مقعده بقلق.. وقال: «تراك أنصت لحديثى المطول عن حظى الحسن؟».

قالت «هيرميون» بهدوء: «أجل يا هـارى.. لكن فى نفس الوقت ليس ثمة فائدة من التظاهر بأنك لست ماهرًا فى الدفاع عن النفس ضد السحر الأسود؛ لأنك كذلك. كنت الشخص الوحيد الذى تمكن العام الماضى من التخلص من لعنة الإمبرياس، وتستطيع إطلاق بتروناس، وتؤدى الكثير من السحر الصعب الذى لا يقدر عليه سوى السحرة البالغين.. لطالما قال فيكتور إن..».

التفت «رون» إليها بسرعة حتى بدا كأن رقبته ستنكسر، فقال وهو يحكها ملطفًا أثر الالتفاتة المفاجئة: «حقا؟ ماذا قال فيكتور؟».

قالت «هيرميون» بصوت ملول: «يوه! قال إن هـارى يعرف أشكالاً من السحر لا يعرفها هو، بالرغم من كونه فى الصف الأخير بمدرسة دورمسترانج للسحر».

نظر «رون» إلى «هيرميون» بارتياب.

«تراكِ لستِ على اتصال به؟».

قالت «هيرميون» ببرود وإن كان وجهها محمرًا قليلاً من الخجل: «وما الخطأ فى هذا؟ أليس لى الحق فى صديق يراسلنى إن كنت..».

قال «رون» بنبرة اتهام: «إنه لا يريدك كصديقة للمراسلة فقط».

هزت «هيرميون» رأسها متجاهلة «رون»، الذى استمر فى مراقبتها، وقالت مخاطبة «هـارى»: «المهم.. ما رأيك؟ هل ستعلمنا؟».

«أنت ورون فقط؟».

قالت «هيرميون» وقد تملكها القلق ثانية: «فى الواقع.. أعنى، أرجوك يا هـارى لا تثور ثانية.. أرى أن عليك تعليم أى شخص راغب فى التعلم. أعنى أن الموضوع متعلق بالدفاع عن أنفسنا ضد.. ضد.. فـ.. ڤولدمورت. لا تكن جبانًا هكذا يا رون. ليس من العدل ألا نوفر الفرصة للآخرين».

فكر «هـارى» فى رأيها لحظة، ثم قال: «عندك حق.. لكننى أشك فى رغبة أى شخص آخر غيركما فى أن أعلمه. أنا مجنون كما تذكرين».

قالت «هيرميون» بجدية: «فى الواقع، ستندهش عندما تعرف عدد

الأشخاص المهتمين بسماع ما ستقوله.. انظر..» ثم وهى تميل عليه - «رون» الذى كان ما زال مقطب الجبين مال هو الآخر للأمام - أضافت: «.. أنت تعرف أن أول إجازة يُسمح لنا فيها بزيارة هوجزميد فى أول أكتوبر.. ما رأيك فى إخبار المهتمين بالأمر بمقابلتنا فى القرية ونتحدث عن الموضوع وقتها؟».

قال «رون»: «ولماذا علينا الكلام فى الموضوع خارج المدرسة؟».

قالت «هيرميون» وقد عاودت رسم نبتة الكرنب الصينية التى كانت تنقلها من كتاب أمامها إلى ورقها: «لأن أمبريدچ لن تفرح بالموضوع إن عرفت به».

***

تاق «هارى» إلى عطلة نهاية الأسبوع وذهابهم إلى «هوجزميد»، لكن كان بباله شىء واحد يقلقه.

لم يجد من «سيرياس» إلا الصمت المطبق منذ ظهر فى النار فى أول سبتمبر.. وكان يعرف أنه قد غضب لقوله له إنه لا يريده أن يأتى ثانية.. لكنه كان ما زال قلقًا خوفًا من احتمال أن يضرب «سيرياس» بالحذر عرض الحائط ويظهر فى أى وقت أمامهم. ماذا عساهم يفعلون إذا قابلهم كلب أسود ضخم وهم فى شوارع «هوجزميد»، وربما تحت أنف «دراكو مالفوى».

قال «رون»: «لا يمكنك لومه على رغبته فى الخروج» عندما ناقش «هارى» قلقه معه هو و«هيرميون» وأفضى إليهما بمخاوفه.. وأضاف: «أعنى أنه هارب منذ عامين، أليس كذلك؟ وأعرف أن حياته ليست سعيدة، لكنه على الأقل حر، أليس كذلك؟ والآن عاد للسجن الاختيارى فى بيت الأقزام المنزلية المرعبة هذا».

نظرت «هيرميون» إلى «رون» بغضب، لكن لم تعلق على ذكره للقزم «كريتشر»، وقالت لـ«هارى»: «المشكلة أنه وحتى يخرج ڤـ.. ڤولدمورت - بحق الله يا رون لا ترتجف هكذا - حتى يخرج ويظهر على الساحة فعلى سيرياس البقاء مختبئًا.. أليس كذلك؟ أعنى أن الوزارة الغبية لن تدرك براءة سيرياس حتى تقبل فكرة أن دمبلدور يخبرها بالحقيقة. وحالما يقبض هؤلاء الحمقى على أكلة الموت، سيعرفون أن سيرياس ليس منهم».

قال «رون» باهتمام: «لا أعتقد أنه غبى بما يكفى للظهور بين الناس ثانية.. سيجن جنون دمبلدور إن وجد سيرياس لا ينصت إليه بعد ما حدث».

وعندما وجدا قلق «هارى» مستمرًا قالت «هيرميون»: «اسمع.. أنا ورون سنخبر

الطلبة الذين نراهم حريصين على تعلم الدفاع عن النفس ضد السحر الأسود، وهناك القليل من المهتمين بالفعل ممن أخبرناهم باجتماعنا فى هوجزميد».

قال «هارى» شارد الذهن وهو ما زال يفكر فى «سيرياس»: «حسنًا».

قالت «هيرميون» بهدوء: «لا تقلق يا هارى.. لديك ما يكفيك من أعباء».

كانت على حق بالطبع، فهو لم يكن لديه أى وقت لعمل الواجب المتأخر، وإن كان قد تحسن أداؤه بعد أن انتهت جلسات العقاب مع «أمبريدچ»، وإن كان «رون» متأخرًا أكثر من «هارى»؛ بسبب تمرينات «الكويدتش» التى يحضرها مرتين فى الأسبوع. لكن «هيرميون» - التى تأخذ مواد دراسية أكثر منهما - لم تكن قد انتهت من واجبها فقط، بل أيضًا وجدت الوقت لحياكة المزيد من الملابس للأقزام. كان على «هارى» الاعتراف بأن أداءها يتحسن، بعد أن أمسى من الممكن التمييز بين القبعات والجوارب التى تصنعها.

جاء صباحُ زيارة «هوجزميد» صافيًا لكن كثير الرياح. بعد الإفطار اصطفوا أمام «فيلش»، وهو ينادى أسماءهم من قائمة التلاميذ المسموح لهم من جانب آبائهم أو أولياء أمورهم بزيارة القرية، فتذكر «هارى» أنه لولا «سيرياس» ما كان ليذهب.

عندما وصل «هارى» إلى «فيلش»، اشتمه الفرّاش كأنه يحاول معرفة ما يخبئه. ثم أومأ له فهبط «هارى» درجات السلم خارجًا إلى النهار المشمس البارد.

تساءل «رون» وهو يسير مع «هارى» و«هيرميون» بخطوات واسعة سريعة عبر ممشى الفناء إلى البوابات المفتوحة: «آ.. ما الذى يشمه فيلش؟!».

قال «هارى» بضحكة قصيرة: «أعتقد أنه يحاول كشف الدانجبومب الذى يفترض أنه معى.. نسيت إخباركما بالموضوع..».

وقص عليهما ما حدث عندما صعد لإرسال رسالة إلى «سيرياس» ودخل «فيلش» بعد لحظات من إرسالها، محاولاً رؤيتها. ولدهشته وجدت «هيرميون» الموضوع مثيرًا للاهتمام، أكثر بكثير من اهتمامه به.. وقالت: «هل قال إنه حصل على معلومات عن إرسالك طلبية دانجبومب؟ لكن ترى من أخبره؟!».

قال «هارى» وهو يهز كتفيه: «لا أعرف.. ربما مالفوى، أكيد يرى الموضوع مزحة طريفة».

ساروا بين القوائم الحجرية الطويلة المنتصبة فوقها الخنازير المجنحة، وانحرفوا إلى اليسار مع الطريق الذاهب إلى القرية، والرياح تداعب شعرهم وجفونهم.

قالت «هيرميون» بارتياب: «مالفوى؟ أعنى.. ربما.. فعلاً..».

وأخذت تفكر بعمق فى الموضوع وهم فى طريقهم إلى «هوجزميد».

سألهما «هارى»: «إلى أين سنذهب؟ إلى مقهى المقشات الثلاث؟».

قالت «هيرميون» وقد انتشلها سؤاله من تركيزها العميق: «لا.. فهى دائمة الازدحام وصاخبة. قلت للآخرين أن يقابلونا فى مقهى رأس الخنزير[1] المقهى الآخر بالقرية، الواقع على الشارع الرئيسى. ستجده مختلفاً قليلاً.. لكن الطلبة لا يدخلونه عادة؛ لذا فلا أعتقد أن هناك من سيسمعنا ونحن نتكلم».

ساروا عبر الشارع الرئيسى إلى جوار متجر «زونكو» للمقالب السحرية، حيث وجدوا «فريد» و«چورچ» و«لى چوردن» فلم يندهشوا، ثم من جوار مكتب البريد، الذى أخذ البوم يخرج منه ويدخل إليه على فترات منتظمة، ثم انحرفوا إلى ناصية شارع جانبى قائم عند تقاطعه مع الشارع الرئيسى مقهى صغير. كان على بابه لافتة خشبية قديمة رثة الحال مرسوم عليها لوحة لرأس خنزير مقطوعة، والدم ينزف منها على القماش الأبيض المحيط بها. أحدثت اللافتة صوت صرير مع هبوب الرياح وهم يقتربون، ثم تردد ثلاثتهم أمام الباب.

قالت «هيرميون» بعصبية: «هيا، ادخلا، فقاد هارى الطريق إلى الداخل».

لم يكن المقهى مثل «المقشات الثلاث»، والذى يعطى اتساعه ورحابته إحساسًا بالدفء والنظافة. كان حجرة صغيرة، كريهة الرائحة، وشديدة القذارة، رائحتها تشبه رائحة الماعز، والنوافذ المطلة على الطريق ملطخة بالأوساخ حتى إن أقل القليل من ضوء النهار هو ما ينفذ منها، فتولت بقايا الشموع المنتصبة على حواف الموائد الخشبية إضاءة المكان. بدت الأرضية للوهلة الأولى طينية، لكن مع خطو «هارى» فوقها عرف هناك أوساخًا متراكمة على الملاط منذ قرون.

تذكر «هارى» عندما ذكر «هاجريد» اسم هذا المقهى فى أول عام لهم بالمدرسة، وقال وقتها: «فى رأس الخنزير تجدون الكثير من الأشخاص غريبى الأطوار» شارحًا لهم كيف ربح بيضة التنين من شخص غريب ملثم. وقتها

---

(١) أو Hog's Head، ولكلمة Hog معنيان: الخنزير، والقذر.. وهو الاسم الذى ستتضح دلالاته بعد قليل، كما أن كلمة Hogshead ـ ككلمة واحدة ـ تعنى البرميل بما يوحى به الاسم من عدم رحابة المكان. (المترجم).

تساءل «هارى» لماذا لم يتعجب «هاجريد» من إخفاء الغريب لوجهه، لكنه الآن وجد تغطية الوجه مسألة أشبه بالموضة فى «رأس الخنزير». كان هناك رجل جالس إلى منصة الساقى ورأسه مغطى بالكامل فى ضمادات رمادية قذرة، ويحتسى الكثير من أكواب شراب غريب، يتصاعد منه الدخان، من فتحة فى الضمادات قريبة من الفم. وبالقرب من إحدى النوافذ رأى شخصين جالسين إلى مائدة، ربما كان يحسبهما (ديمنتورين) إن لم يكونا يتحدثان بلهجة ريفية معًا. وفى ركن مظلم إلى جوار المدفأة ساحرة متشحة بالسواد من قمة رأسها حتى أخمص قدميها. رأوا طرف أنفها؛ لأنه كان بارزًا قليلاً من أسفل الثوب.

غمغم «هارى» وهم يعبرون إلى منصة الساقى ناظرًا إلى الساحرة المتشحة بالسواد: «هيرميون.. هل خطر لك أن هذه هى أمبريدچ؟».

فحصت «هيرميون» الساحرة ببصرها، وقالت: «أمبريدچ أقصر من هذه المرأة.. وعلى أية حال، وإن جاءت أمبريدچ إلى هنا فلا يوجد ما تقدر على فعله يا هارى؛ فأنا قد تحققت من قواعد وقوانين المدرسة، ووجدت أننا لم نتعدَّ حدودنا. وسألت الأستاذ «فليتويك» وقال: أجل يمكنكِ الذهاب، لكنه نصحنى باصطحاب كوبى معى. لقد تحققت من كل قواعد التجمعات المدرسية، ومجموعات المذاكرة الجماعية، وجماعات عمل الواجب جماعيًّا، ووجدت أن ما سنفعله مسموح به. لكننى لا أجدها فكرة صائبة أن نعلن عن أنفسنا وعما نفعله للجميع».

قال «هارى»: «فعلاً.. خاصة وأن ما تخططين له ليست جماعة لعمل الواجب.. صح؟».

خرج الساقى إليهم من الحجرة الخلفية. كان رجلاً عجوزًا رثَّ الهيئة، شعر رأسه ولحيته طويل ورمادى. كان طويلاً ونحيفًا وبدا مألوفًا لناظرى «هارى».

قال لهم بصوت أجش: «ماذا تريدون؟».

قالت «هيرميون»: «ثلاث زجاجات عصير لو سمحت».

مد الرجل يده إلى أسفل المائدة الطويلة، وأخرج ثلاث زجاجات متربة شديدة القذارة، وألقى بها على المائدة أمامه، قائلاً: «ستة سيكلات».

قال «هارى» بسرعة معطيًا إياه العملات الفضية: «سأدفع أنا» انتقلت عينا الساقى إلى «هارى»، واستقرت لجزء من الثانية على ندبته، ثم أبعد عينه واضعًا نقود «هارى» فى خزانة خشبية قديمة انفتح درجها آليًّا لتلقى النقود. تراجع «هارى» و«رون» و«هيرميون» إلى أبعد مائدة عن منصة الساقى

وجلسوا ناظرين حولهم متفحصين المكان. ضرب الرجل الملفوف بالضمادات المنصة أمامه بقوة، ليتلقى كوبًا مدخنًا آخر من الساقى.

غمغم «رون» ناظرًا إلى مائدة الساقى بحماس: «أتعرفان؟ يمكننا طلب أى مشروب هنا.. أراهن أن هذا (الجردل) سيبيعنا أى شىء، ولن يهتم.. لطالما أردت شرب الويسكى الـ..».

زجرته «هيرميون» قائلة: «رون! أنت رائد فصل!».

قال «رون» وابتسامته تتلاشى من على وجهه: «آه.. أجل.. فعلاً..».

تساءل «هارى»: «إذن فمَن سيحضر اليوم لمقابلتنا؟» وهو يفتح غطاء زجاجته الصدئ ويأخذ رشفة منها.

قالت «هيرميون» ناظرة إلى ساعتها ثم إلى الباب بقلق: «القليل من الأشخاص.. أخبرتهم أننا سنكون هنا، وأنا واثقة من أنهم سيحضرون.. ها هم.. انظر».

انفتح الباب فدخل شعاع الشمس كثيفًا مغبرًا للحظة قبل أن يتلاشى، وتدخل مجموعة كبيرة من الأشخاص.

فى البداية جاء «نيفيل» ومعه «دين» و«لاڤندر»، تبعتها «بارفاتى» و«بادما باتيل»، ثم ـ ومما أثار توتر «هارى» ـ «تشو» ومعها واحدة من صاحباتها الضاحكات، ثم ـ وعلى وجهها تلك النظرة الحالمة، وكأنها قد دخلت بالمصادفة ـ «لونا لوفجود».. ثم «كاتى بيل» و«أليشيا سبينيت» و«أنچيلينا چونسون»، والأخوان «كولين» و«دينيس كريفى»، و«إرنى ماكميلان» و«چوستين فينش ـ فليتشلى» و«هانا آبوت»، ثم فتاة من «هافلباف» بضفيرة طويلة على ظهرها لا يعرف «هارى» اسمها.. وثلاثة أولاد من «رافنكلو» كان واثقًا أن أسماءهم هى «أنتونى جولدشتاين»، و«مايكل كورنر» و«تيرى بوت»، ثم «چينى» التى دخلت يتبعها ولد أشقر نحيل بأنف معقوف تعرف فيه «هارى» على أحد أعضاء فريق «هافلباف» للكويدتش، وفى النهاية الأخوان «فريد» و«چورچ ويسلى» ومعهما «لى چوردن»، ومع ثلاثتهم حقيبة كبيرة مليئة بأغراض من «زونكو».

قال «هارى» بصوت غاضب مخاطبًا «هيرميون»: «القليل من الأشخاص؟ **القليل من الأشخاص؟**».

قالت «هيرميون» بسعادة: «أجل.. فى الواقع يبدو أن الفكرة قد لاقت نجاحًا.. رون، هلا جلبت بعض المقاعد؟».

تجمد الساقي وسط مسحه لكوب بقطعة قماش قذرة تبدو كأنها لم تُغسل من قبل قط. لعله لم يجد مقهاه مزدحمًا عن آخره هكذا من قبل.

قال «فريد» وقد وصل إلى مائدة الساقي أولاً وبعد أن أحصى الحضور: «أهلاً.. عشرين زجاجة عصير من فضلك».

حدجه الساقي ببصره للحظة، ثم ألقى بقطعة القماش بعصبية كأنه قد تمت مقاطعته عن عمل بالغ الأهمية، ثم أخرج زجاجات العصير من تحت المائدة.

قال «فريد» مناولاً إياهم الزجاجات: «أخرجوا نقودكم جميعًا.. ليس معى ذهب كافٍ ثمنًا لكل هذه الزجاجات..».

راقب «هارى» المجموعة الكبيرة وهى تأخذ الزجاجات من «فريد» ويعبثون بعباءاتهم بحثًا عن العملات النقدية. لم يجد فكرة حضور كل هؤلاء الناس مرعبة إلا عندما خطر على باله أنهم ينتظرون خطبة منه، وهو ما جعله يلتفت إلى «هيرميون» بسرعة قائلاً: «ماذا قلت لهم جميعًا؟ وماذا يتوقعون منى؟».

قالت «هيرميون» مخففة عنه: «قلت لك.. يريدون سماع ما تنوى عمله» لكن «هارى» لم يبعد عينه عنها ناظرًا إليها بغضب، حتى أضافت: «ليس عليك فعل شيء بعد.. سأتحدث أنا إليهم فى البداية».

قال «نيفيل» مبتسمًا: «أهلاً يا هارى» وهو يجلس على المقعد المقابل له.

حاول «هارى» مبادلته الابتسام، لكنه لم يتكلم.. فقد صار فمه شديد الجفاف. ابتسمت له «تشو» وجلست إلى يمين «رون». أما صديقتها ذات الشعر الأشقر المحمر المجعد فلم تبتسم، بل نظرت إلى «هارى» نظرة فاحصة مفعمة بعدم الثقة، مما جعله يفكر أنها لو كان لها الخيار لما حضرت بالمرة.

تجمع الحضور الجدد فى جماعات من فردين وثلاثة أفراد حول «هارى» و«رون» و«هيرميون»، وبعضهم على وجهه علامات الحماس، والبعض ينظر بفضول، و«لونا لوفجود» تحدق بطريقتها الحالمة فى الفراغ. عندما جلس الجميع وتلاشت الجلبة انتقلت كل العيون لتستقر على «هارى».

قالت «هيرميون» وصوتها القلق أعلى قليلاً من المعتاد: «آ.. آ.. أهلاً».

ركزت المجموعة انتباهها عليها بدلاً من «هارى»، وإن كانت أعينهم تعاود النظر إليه من حين لآخر وبانتظام.

«الواقع.. إحم.. أعنى.. أنتم تعرفون سبب تجمعنا هنا.. إحم.. فقد خطر على بال هارى فكرة.. (حدجها هارى بنظره شذرًا).. أعنى خطر على بالى فكرة أنه سيكون من المفيد لنا دراسة الدفاع عن النفس ضد السحر الأسود.. أعنى، أن ندرسها بحق، فأنتم تعرفون الهراء الذى تدرسه لنا أمبريدج.. (فجأة صار صوت «هيرميون» أكثر قوة وثباتًا وثقة). فلا أحد يمكن أن يسمى ما تدرسه دفاعًا عن النفس ضد السحر الأسود..(قال أنتونى جولدشتاين: فعلاً فعلاً).. أعنى.. سيكون من المفيد لو، لو تولينا بأنفسنا دراسة المادة».

سكتت، ونظرت إلى «هارى»، وأضافت: «وأعنى بهذا أن نتعلم بأنفسنا السحر الدفاعى بصورة ملائمة، ليس بدراسة النظريات، بل بأداء تعاويذ حقيقية..».

قال «مايكل كورنر»: «كما أنك تريدين النجاح فى مادة الدفاع عن النفس ضد السحر الأسود فى اختبارات الـ(أوه. دبليو. إل.) أليس كذلك؟».

قالت «هيرميون» على الفور: «بلى، بالطبع.. لكن وأكثر من أى شىء، فأنا أريد التدرب جيدًا على السحر الدفاعى، لأن.. لأن.. (أخذت نفسًا عميقًا ثم قالت: «لأن لورد ڤولدمورت قد عاد»

كان رد الفعل فوريًا ومتوقعًا. صرخت صديقة «تشو» وسكبت العصير على نفسها. أجفل «تيرى بوت» رغمًا عنه، وارتجفت «بادما باتيل»، ونبح «نيفيل» نبحة غريبة تمكن من تحويلها إلى سعلة. لكن جميعهم نظروا بثبات إلى «هارى».

قالت «هيرميون»: «إذن.. فإن كنتم ستنضمون إلينا، فعلينا التفكير كيف سـ..».

قال لاعب «هافلباف» الأشقر بغلظة: «ما الدليل على عودة الذى ـ تعرفينه؟».

قالت «هيرميون»: « فى الواقع دمبلدور يرى أن..».

قال الولد الأشقر مشيرًا برأسه إلى «هارى»: «أتعنين أن دمبلدور يصدقه؟».

قال «رون» بوقاحة: «من أنت؟».

قال الولد: «زكارياس سميث.. وأرى أن لدينا كل الحق فى معرفة سبب تصديقه لعودة الذى ـ تعرفه».

تدخلت «هيرميون» بسرعة قائلة: «انظر.. ليس هذا هو سبب اجتماعنا هنا..».

قال «هارى»: «لا عليك يا هيرميون».

فهم فجأة سبب تجمع كل هؤلاء الأشخاص هنا، وقال لنفسه: إن

«هيرميون» كان عليها فهم السبب هى الأخرى. بعض هؤلاء الأشخاص ـ وربما معظمهم ـ جاءوا؛ أملاً فى سماع القصة من «هارى» نفسه.

كرر سؤال «زكارياس» ناظرًا إليه: «ما الدليل على عودة الذى ـ تعرفينه.. أنا رأيته. لكن دمبلدور أخبر المدرسة كلها بما حدث العام الماضى، وإن كنت لا تصدقه فلن تصدقنى، وأنا لن أضيع جلستنا هنا على محاولتى إقناعك».

انحبست أنفاس كل الجلوس و«هارى» يتكلم، وقد شعر بأن الساقى هو الآخر كان ينصت إليه باهتمام، وهو يمسح نفس الكوب بنفس قطعة القماش القذرة، ليجعله أكثر قذارة مما هو عليه.

قال «زكارياس»: «كل ما قاله دمبلدور العام الماضى أن سيدريك ديجورى مات على يد الذى ـ نعرفه.. وأنه جلب معه جثمان ديجورى إلى هوجورتس. إنه لم يطلعنا على أى تفاصيل، ولم يقل كيف قُتل ديجورى، ومن حقنا..».

قال «هارى» وأعصابه الملتهبة دومًا هذه الأيام آخذة فى التوتر: «إن كنت قد حضرت لتسمع بم يشعر المرء وڤولدمورت يقتله فلن أقدر على مساعدتك». لم يبعد عينه عن وجه «زكارياس» المتحفز، وقرر ألا ينظر نحو «تشو».. أضاف: «لا أريد الحديث عن سيدريك ديجورى، هل فهمتم؟ لذا إن كان هذا هو سبب مجيئكم فربما من الأفضل أن ترحلوا».

حدج «هيرميون» بنظرة غاضبة. شعر بأن الخطأ خطؤها، فما كان عليها أن تظهره بهذا المظهر.. بالطبع جاءوا جميعًا لسماع قصته. لكن لم ينهض أى منهم، ولا حتى «زكارياس سميث»، الذى استمر فى التحديق فى «هارى».

قالت «هيرميون» وقد ارتفع صوتها ثانية: «كنت أقول.. إذا كنتم تريدون تعلم بعض السحر الدفاعى، فنحن بحاجة لتقرير كيف سنرتب للأمر، وكم مرة سنلتقى أسبوعيًّا، وأين سنلتقـ..».

قاطعتها الفتاة ذات الضفيرة الطويلة على ظهرها ناظرة إلى «هارى»: «هل من الصحيح أنك قادر على إطلاق بتروناس؟».

صدر عن المجموعة همهمة، كأنهم يناقشون الموضوع.

قال «هارى» بلهجة دفاعية: «أجل».

«بتروناس متجسدة؟». ذكَّر السؤال «هارى» بشىء ما.

سألها: «آ.. هل تعرفين السيدة بونز؟».

ابتسمت الفتاة وقالت: «إنها عمتى.. أنا سوزان بونز. لقد أخبرتنى بشأن

محاكمتك. إذن فهل الأمر حقيقى؟ هل تقدر على عمل بتروناس على شكل أيل؟».

قال «هارى»: «أجل».

قال «لى» وعلى وجهه أمارات الذهول الشديد: «يا خبر يا هارى! لم أعرف هذا من قبل قط».

قال «فريد» وهو يبتسم مواجهًا «هارى»: «أمرت أمى رون بألا ينشر الخبر.. فهى تقول: إنه قد حصل على شهرة كافية ولن يتحمل المزيد».

غمغم «هارى»: «إنها ليست مخطئة» فضحك بعض الحضور.

تحركت الساحرة المتشحة بالسواد فى مقعدها قليلاً.

سأله «تيرى بوت»: «وهل قتلت أفعى الباسيليسك بالسيف المعلق فى مكتب دمبلدور؟ هذا ما قاله لى أحد الأشخاص الموجودين فى أحد اللوحات بالمكتب عندما دخلت إليه العام الماضى..». فقال «هارى»: «آ.. أجل».

أطلق «جوستين فينش ـ فليتشلى» صفيرًا، وتبادل الأخوان «كريفى» نظرات الذهول، وقالت «لاڤندر براون» بخفوت: «واو». شعر «هارى» بحرارة عند ياقته، وصمم على تفادى النظر نحو «تشو».

قال «نيفيل» للمجموعة: «وفى عامنا الأول أنقذ حجر الفسلسوف..».

همست «هيرميون» بغيظ: «الفيلسوف»[(١)].

قال «نيفيل»: «أجل.. كما قلت.. أنقذه من يد الذى ـ تعرفونه».

صارت عينا «هانا آبوت» مستديرتين مثل عملات «الجاليون» النقدية.

قالت «تشو»: «هذا إلى جانب نجاحه فى كل مهام مسابقة السحر الثلاثية العام الماضى.. من نزاله للتنانين، وعرائس البحر، والأكروماتولا، وغيرها من الأشياء..» نظر إليها «هارى» فخفق قلبه عندما وجدها تبتسم.

صدر عن الجمع همهمة جماعية مذهولة، ولكنها مؤيدة لما ذكرته. اضطرم صدر «هارى» بالتوتر، وحاول أن يبدو غير مسرور بنفسه، لكن مع إطراء «تشو» عليه منذ لحظات صار من الصعب عليه قول الشىء الذى أقسم أنه سيقوله.

---

(١) قال «نيفيل» بالإنجليزية: Philological's stone وكان يقصد قول: Philosopher's stone. وعالم الفيلولوجى هو عالم فقه اللغة، ويتضح الازدواج فى المفارقة، وكان من الممكن القول ـ على لسان «نيفيل»: «حجر الفقيه» فتصححه «هرميون» قائلة: حجر الفيلسوف. لكن فضل المترجم تقديم المفارقة اللفظية: الفسلسوف! (المترجم).

قال والصمت يعم ثانية: «انظروا.. أ.. أنا لا أريد أن أبدو متكلفًا التواضع، لكننى تلقيت الكثير من المساعدة فى هذه المواقف..».

قال «مايكل كورنر» على الفور: «ليس فى مواجهة التنين.. أتذكر كيف طرت بمهارة وتفاديته..».

قال «هارى» شاعرًا أن احتجاجه سيكون فظًّا: «أجل.. أقصد..».

قاطعته «سوزان بونز»: «ولم يساعدك أحد فى مواجهة (الديمنتورات) هذا الصيف».

قال «هارى»: «فعلاً.. أعرف أن بعض الأشياء مررت بها بلا مساعدة، لكن المهم أننى أحاول..».

قال «زكارياس سميث»: «تحاول أن تهرب من تعليمنا أيًّا من هذه الأشياء؟».

قال «رون» بصوت مرتفع قبل أن يتمكن «هارى» من إسكاته: «يالها من فكرة.. لماذا لا تغلق فمك هذا؟» وأخذ ينظر نحو «زكارياس» بغضب شديد، الذى قال: «المهم.. لقد جئنا جميعًا لنتعلم منه، والآن يقول لنا إنه لم يفعل شيئًا».

قال «فريد» بحدة: «ليس هذا ما قاله».

قال له «چورچ» وهو يجذب أداة معدنية مخيفة من حقيبة «زونكو» التى معه: «هل ترغب فى تنظيف أذنيك؟».

قال «فريد»: «أو تنظيف أى جزء من جسدك، فنحن لا نهتم فى أى مكان تود وضع هذه».

قالت «هيرميون» بسرعة: «لنعد إلى موضوعنا.. هل نحن موافقون على إعطاء هارى دروسًا لنا؟».

صدر عن الجمع صوت موافقة جماعية. عقد «زكارياس» ذراعيه ولم يقل شيئًا، والأرجح أن السبب كان انشغاله بمتابعة الأداة الغريبة التى يمسك بها «فريد».

قالت «هيرميون» وقد بدا عليها الارتياح لإنجاز شىء ما أخيرًا: «رائع.. السؤال التالى هو: كم مرة سنلتقى؟ أعتقد أنه لا يجب الالتقاء أقل من مرة فى الأسبوع..».

قالت «أنچيلينا»: «لحظة.. نحن بحاجة لضمان أن هذا لن يتعارض مع تمرين الكويدتش».

قالت «تشو»: «لا.. ليس مع تمريننا». أضاف «زكارياس سميث»: «ولا مع تمريننا».

قالت «هيرميون» بصبر نافد: «أنا واثقة من قدرتنا على العثور على ليلة تناسب الجميع.. لكن كما تعرفون فالموضوع مهم، فنحن سنتعلم الدفاع عن أنفسنا ضد ڤولدمورت وضد أكلة الموت..».

قال «إرني ماكميلان»: «كلامك صحيح.. أنا شخصيًا أرى أن الموضوع مهم، ولعله أهم من أى شىء سنتعلمه هذا العام، حتى مع اقتراب امتحانات الـ(أوه. دبليو. إل.)».

نظر حوله بتوجس، كأنه ينتظر صياح الآخرين: «كلامك خاطئ» لكن عندما لم يحتج أحد.. أضاف: «أنا شخصيًا حائر مما تفعله الوزارة، وكيف توفر لنا معلمة غير ذات نفع ونحن فى هذه المرحلة الحرجة من تعليمنا؟ من الواضح أنهم لا يصدقون عودة الذى ـ تعرفونه، لكن أن يوفروا لنا معلمة تحاول تعطيلنا عن تعلم التعاويذ الدفاعية..».

قالت «هيرميون»: «نحن نرى سبب رغبة أمبريدج فى تفادى تعلمنا الدفاع عن النفس ضد السحر الأسود، هو اعتقادها بأن دمبلدور يجند تلاميذ المدرسة فى جيش سرى ما. وتظن أنه سيقوم بانقلاب ـ بالاستعانة بهذا الجيش ـ ضد الوزارة».

بدا الجميع مذهولين من قولها.. الجميع فيما عدا «لونا لوفجود» التى قالت بصوتها الرفيع: «أه.. قولك معقول، فكورنلياس فادچ عنده جيشه السرى هو الآخر».

قال «هارى» مندهشًا من قولها: «ماذا؟».

قالت «لونا» بوقار: «أجل.. عنده جيش من الهليوباس».

قالت «هيرميون» بحدة: «لا ليس عنده». قالت «لونا»: «بل عنده».

سألها «نيفيل»: «وما هو الهليوباس؟».

قالت «لونا» وعيناها الجاحظتان تتسعان حتى بدت أشد جنونًا من أى وقت مضى: «إنها أرواح النيران.. مخلوقات طويلة هائلة من اللهب تسير على الأرض لتحرق كل ما تقابله فى طريقها..».

قالت «هيرميون» بحدة: «إنها غير حقيقية يا نيفيل».

قالت «لونا» بغضب: «بل هى موجودة».

قالت «هيرميون»: «آسفة.. لكن ما هو دليلك؟».

«هناك الكثير من شهود العيان.. ولأنك ضيقة الأفق فأنت بحاجة لأن تأتى هذه المخلوقات لتجلس تحت أنفك لتصدق..».

قالت «چينى» مقلدة الأستاذة «أمبريدچ» تقليدًا جيدًا، حتى إن البعض نظروا إليها بفزع قبل أن يضحكوا: «إحم إحم.. أليست جلستنا هنا لتقرير كم مرة سنتلقى وأين سنتلقى لدراسة السحر الدفاعى؟».

قالت «هيرميون» على الفور: «أجل.. أجل، أنت محقة يا چينى».

قال «لى چوردن»: «مرة فى الأسبوع مناسبة جدًا».

قالت «أنچيلينا»: «طالما الموعد لا يتعارض مع..».

قاطعتها «هيرميون» بصوت متوتر: «أجل أجل.. نعرف موضوع الكويدتش.. حسنًا، بقى أن نقرر أين سنلتقى..».

كان هذا هو السؤال الأصعب، فعم الصمت المجموعة.

بعد لحظات اقترحت «كاتى بيل» المكتبة.

قالت «هيرميون»: «أعتقد أن السيدة بينس لن تحب كثيرًا رؤيتنا ونحن نؤدى تعاويذ فى المكتبة».

قال «دين»: «ربما فى فصل خالٍ؟».

قال «رون»: «أجل.. ربما تدعنا مكجونجال نستعمل فصلها، فعلت هذا وهارى يتمرن قبل مسابقة السحر الثلاثية».

لكن «هارى» كان واثقًا من أن «مكجونجال» لن تسمح بذلك فى هذا الموضوع. فمع كل ما قالته «هيرميون» عن شرعية جماعات المذاكرة وعمل الواجب جماعيًا، فقد كان يشعر بأنهم بصدد شىء أكثر ثورية من المعتاد.

قالت «هيرميون»: «المهم يا جماعة أن نجد مكانًا.. سنبلغ الجميع بمكان وموعد اللقاء الأول عندما نجد مكانًا صالحًا للقاء».

عبثت فى حقيبتها وأخرجت ريشة كتابة وقنينة حبر، ثم وبتردد كأنها تحمل نفسها على الكلام: «أ.. أعتقد أن على الجميع كتابة أسمائهم هنا؛ لنعرف من حضر. لكن أيضًا..» وهى تأخذ نفسًا عميقًا.. «علينا أن نتفق على عدم إفشاء السر. إذا وقعتم هنا فأنتم توافقون على عدم إخبار أمبريدچ أو غيرها بما نخطط له».

مد «فريد» يده للريشة بسرور ووقع، لكن «هارى» لاحظ أن بعض الناس بدوا أقل سعادة وهم يوقعون بأسمائهم على القائمة.

قال «زكارياس» ببطء، دون أن يأخذ رقعة الورق من «چورچ» الذى مررها إليه: «آ.. أنا واثق من أن إرنى سيخبرنى بموعد انعقاد الاجتماع الأول».

لكن «إرنى» تردد هو الآخر عند التوقيع، فرفعت «هيرميون» حاجبها متسائلة.

انطلق «إرنى» فى الكلام قائلاً: «نحن رواد فصول، وإن تم العثور على هذه القائمة سوف.. أعنى.. كما قلت بنفسك.. إن عرفت أمبريدچ..».

ذكره «هارى» بقوله: «قلت لتوك إن هذه الجماعة هى أهم شىء هذا العام».

قال «إرنى»: «آ. أجل.. أعتقد هذا.. لكن..».

قالت «هيرميون»: «هل تعتقد أننى سأترك هذه القائمة مكشوفة للجميع ليروها؟».

قال «إرنى» والقلق ينحسر عن ملامحه: «لا.. لا. أعنى.. بالطبع سأوقع».

لم يعترض أحد بعد «إرنى»، بالرغم من رؤية «هارى» لصديقة «تشو» تنظر نظرة قلقة على الورقة قبل أن تضيف اسمها. عندما وقع الشخص الأخير - «زكارياس» - أخذت «هيرميون» الورقة وأعادتها بحرص إلى حقيبتها. عم شعور جماعى غريب وسط المجموعة. كأنهم وقعوا على عقد ما.

قال «فريد» بسرعة وهو ينهض: «المهم.. الوقت يمر، وأنا وچورچ ولى وراءنا أشياء هامة نريد شراءها.. نراكم لاحقًا».

أخذت الجماعة فى التحلل إلى جماعات من فردين وثلاثة أفراد، وتصنعت «تشو» إغلاقها لحقيبتها قبل أن تغادر، وشعرها الأسود الطويل يغطى وجهها، لكن صديقتها وقفت إلى جوارها وذراعاها معقودتان، فلم يعد أمام «تشو» غير أن تغادر معها. وصديقتها تدفعها إلى الباب نظرت «تشو» إلى «هارى» ولوحت له بيدها.

قالت «هيرميون» بسعادة وهى تخرج مع «هارى» و«رون» - اللذين أمسكا بزجاجتى العصير وخرجا بهما - من «رأس الخنزير» إلى ضوء الشمس الساطع بعد لحظات: «رائع.. أرى أن الاجتماع قد دار كما يجب».

قال «رون» بغضب ناظرًا إلى «سميث» السائر على مسافة بعيدة منهم: «زكارياس دودة القطن هذا».

قالت «هيرميون»: «أنا لا أحبه كثيرًا، لكنه سمعنى وأنا أكلم إرنى وهانا على مائدة هافلباف، وبدا مهتمًا جدًا بالحضور، فلم يعد أمامى مفر من دعوته. لكن كلما ازداد العدد كان أفضل.. أعنى أن مايكل كورنر وصديقه ما كانا ليأتيا إن لم تَدْعُهما چينى للحضور..».

نظر إليها «رون» فاغرًا فاه ـ الذى كان يرشف آخر قطرات من العصير فى زجاجته ـ فتناثر السائل على وجهه.

قال أخيرًا متلعثمًا شاعرًا بالغضب وأذناه بلون أحمر متوهج: «ماذا؟ هل تخرج مع هذا.. هل أختى تخرج مع هذا.. مع مايكل كورنر؟».

«من أجلها جاء هو وصديقه، كما أعتقد.. إنهما مهتمان بالسحر الدفاعى كما هو واضح، لكن إن كانت چينى لم تدع مايكل للحضور فما كان ليأتـ..».

«متى حدث.. متى قابلته؟».

قالت «هيرميون»: «لقد تقابلا فى حفل العام الماضى المدرسى» وصلوا إلى متجر «سكريفنشافت» لبيع ريشات الكتابة، فرأت «هيرميون» مجموعة من ريشات الكتابة الجميلة المعروضة فى واجهة العرض وقالت: «آه.. أريد شراء ريشات جديدة».

دلفت إلى المتجر، ومن خلفها «هارى» و«رون».

سألها «رون» بغيظ: «من منهما كان مايكل كورنر؟».

قالت «هيرميون»: «الأسمر». قال على الفور: «لا يعجبنى».

قالت «هيرميون» بصوت خفيض مغتاظ: «ياللغرابة».

قال «رون» متتبعًا «هيرميون» بطول صف ريشات الكتابة المعروضة: «لكن.. حسبت چينى معجبة بهارى».

نظرت «هيرميون» إليه بإشفاق وهزت رأسها.. قالت: «كانت معجبة بهارى، لكنها تخلت عن الفكرة منذ شهور. لا يعنى هذا أنها لا تحبه» أضافت الجملة الأخيرة وهى تفحص ريشة كتابة طويلة باللونين الأسود والذهبى.

لم يجد «هارى» ـ الذى كانت رأسه مشغولة بتلويحة «تشو» وهى تغادرهم ـ الموضوع مثيرًا مثل «رون»، الذى ارتجف من الغضب، لكنه فهم شيئًا لم يفهمه من قبل.

سأل «هيرميون»: «إذن فلهذا السبب أصبحت تتحدث؟ إنها لم تتحدث أمامى من قبل».

قالت «هيرميون»: «بالضبط.. أجل.. هذه الريشة جميلة..».

سارت إلى منضدة البائع وناولته خمسة عشر «سيكل» وعملتى «نات»، و«رون» خلفها قريب حتى إنها تشعر بأنفاسه على رقبتها.

قالت بانزعاج وهى تلتفت إليه وتقف على قدمه: «رون.. لهذا السبب لم

تخبرك چينى بخروجها مع مايكل، فهى تعرف أنك لن تقبل بالأمر. من فضلك لا تغنٍ كثيرًا حول الموضوع هكذا».

استمر «رون» فى الكلام بغضب وهم فى طريقهم بطول الشارع: «ماذا تعنين؟ من الذى لا يتقبل الأمر؟ أنا لا أغنى على أى شىء..».

نظرت «هيرميون» إلى «هارى»، ثم قالت بصوت خفيض، و«رون» مستمر فى الكلام عن «مايكل كورنر»: «بمناسبة مايكل وچينى.. كيف حالك مع تشو؟».

قال «هارى» بسرعة: «ماذا تقصدين؟».

كأن ماء مغليًا تفجر داخله.. شعر بإحساس حارق على وجهه فى جو الخريف البارد.. هل فضحه وجهه؟

قالت «هيرميون» مبتسمة: «لم تنزل عينيها عنك.. ألم تر بنفسك؟».

فى حياته لم يشعر «هارى» بجمال قرية «هوجزميد» مثلما شعر به ذلك اليوم.

١٧ الفرمان التعليمى رقم (٢٤)

شعر «هارى» بسعادة غامرة فى عطلة نهاية الأسبوع تلك، تفوق ما شعر به طوال ما مر من الفصل الدراسى. قضى يوم الأحد هو و«رون» فى عمل الواجب المتأخر، ورغم أن هذا ليس مما يسر النفس، إلا أن آخر أشعة للشمس الخريفية جعلته ممتعًا.. فبدلاً من الجلوس على مقعديهما منحنيين على الموائد فى حجرة الطلبة، أخذا حاجياتهما إلى الخارج واستلقيا فى ظل شجرة زان كبيرة على شاطئ البحيرة. جلبت «هيرميون» معها خيوط الصوف وسحرت إبر الحياكة لتعمل بسرعة فى الهواء وهى جالسة إلى جوارها تراقبها تغزل القبعات والجوارب، خالية البال صافية الذهن بعد أن أنهت واجبها.

ومع علمه بأنهم يقومون بشىء ضد إرادة «أمبريدچ» والوزارة، فقد شعر «هارى» بالكثير من الرضا عن النفس. أخذ يتذكر ما جرى فى اجتماع يوم السبت.. كل هؤلاء الأشخاص الذين جاءوا ليعلمهم الدفاع عن النفس ضد السحر الأسود.. ونظرات عيونهم وهم يسمعون ببعض المغامرات التى خاضها، ثم إطراء «تشو» عليه وعلى أدائه فى مسابقة السحر الثلاثية.. مع معرفته بأن كل هؤلاء لم يروه شخصًا مجنونًا، لكن شخصًا مستحقًا للإعجاب والتقدير، فقد شعر بسعادة كبيرة تزايدت مع صباح يوم الإثنين، بالرغم من أنه اليوم المشغول بأقل المواد الدراسية قربًا إلى قلبه.

اتجه هو و«رون» إلى جناح النوم، وهما يتجاذبان أطراف الحديث حول حركة «أنچيلينا» الجديدة فى «الكويدتش» التى أطلقت عليها: «طر - امسك - لف».. واقترحتها عليهم فى تمرين الليلة الماضية، وعندما دخلا لاحظا الإضافة الجديدة للحجرة، والتى جذبت انتباه بعض الطلبة ممن تحلّقوا حولها.

كان هناك لافتة كبيرة مثبتة على لوحة إعلانات «جريفندور».. كبيرة بما يكفى لتغطية كل ما خلفها.. من قوائم كتب التعاويذ المستعملة المعروضة للبيع، وقوائم المحاذير التى يعلقها «فيلش» دومًا، وجدول تمرين فريق

«الكويدتش»، وطلبات تبادل كروت شيكولاتة «فروج»، وإعلان الإخوة «ويسلى» الذى يطلبون فيه أشخاصًا للعمل، ومواعيد زيارات «هوجزميد»، وإعلانات عن الأشياء المفقودة من بعض الطلبة، وتلك الخاصة بالأشياء التى عثر أحدهم عليها. كانت اللافتة الجديدة مكتوبة بحروف سوداء كبيرة، وعليها خاتم رسمى للغاية عند الطرف السفلى منها، وإلى جواره توقيع أنيق رشيق:

باسم مفتشة هوجورتس العليا.. قررنا ما يلى:

يتم حل جميع تنظيمات، وجمعيات، وفرق، وجماعات، ومنتديات الطلبة.
أى منظمة، أو جمعية، أو فريق، أو منتدى قائم لا يجب أن يتجاوز عدد أعضائه ثلاثة طلاب.
على من يرغب فى إعادة تشكيل أى من المذكور أعلاه من منظمات وجمعيات وغيرها فعليه التقدم بطلب للمفتشة العليا:
(الأستاذة أمبريدچ)
غير مسموح لأى تنظيم، أو جمعية، أو فريق، أو منتدى بالتواجد دون علم وموافقة المفتشة العليا.
أى طالب يُكتشف تأسيسه، أو انتماؤه لتنظيم، أو جمعية، أو فريق، أو منتدى لم توافق عليه المفتشة العليا؛ سيتم فصله من المدرسة.
المذكور أعلاه يتفق والفرمان التعليمى رقم (٢٤).
توقيع: دولوريس جان أمبريدچ، المفتشة العليا.

قرأ «هارى» و«رون» الورقة من فوق رءوس بعض طلاب الصف الثانى البادى عليهم القلق.

سأل أحدهم صديقه: «هل تسرى هذه القواعد على منتدى مشجعى نادى جوبستون؟».

قال «رون» واجمًا: «لا أعتقد أن منتدى جوبستون سيتأثر» فأجفل طالب الصف الثانى، ثم أكمل مخاطبًا «هارى»: «لا أعتقد أننا سنكون محظوظين مثل هذا المنتدى.. ما رأيك؟» بينما طلبة الصف الثانى يبتعدون.

قرأ «هارى» اللافتة ثانية. تلاشت السعادة التى يشعر بها منذ يوم السبت، وجاش صدره بالغضب.

قال ويده مكورة فى قبضة مشدودة: «هذه ليست بالمصادفة.. إنها تعرف».

قال «رون» فورًا: «لا يمكن».

«هناك من سمعوا ما قلناه فى المقهى.. دعنا نواجه الحقيقة، نحن لا نعرف عدد الذين جاءوا ونقدر على الثقة بهم.. قد يكون أى منهم قد ذهب وأخبر أمبريدچ..».

وهو *الذى* حسبهم صدقوه، *بل وأعجبوا* به..

قال «رون» بسرعة وهو يضرب قبضته على يده الأخرى: «زكارياس سميث.. أو.. ربما هو مايكل كورنر هذا.. فنظرة عينه تكشف طبيعته المخادعة..».

قال «هارى» ناظرًا نحو جناح نوم البنات: «ألم تر هيرميون هذا الإعلان بعد؟».

قال «رون» وهو يتقدم إلى الأمام ليفتح باب الجناح ويشرع فى صعود درجات السلم: «هيا نذهب ونخبرها».

وصل إلى الدرجة السادسة عندما سمع صوت عواء مرتفع، مثل بوق السيارة، وذابت درجات السلم لتتحول إلى منحدر ناعم. مرت لحظة و«رون» يحاول الجرى، وذراعاه تدوران مثل طاحونة الهواء، ثم سقط على ظهره وانحدر على السلم ليستقر عند قدمى «هارى».

قال «هارى» وهو يرفع «رون» على قدميه ويحاول ألا يضحك فى نفس الوقت: «آ.. لا أعتقد أنه مسموح لنا دخول جناح نوم البنات».

انزلقت بنتان من الصف الرابع على السلم بعد أن تحول، وقالتا وهما تضحكان بسعادة، بعد أن وقفتا تنظران إلى «هارى» و«رون»: «من حاول الصعود؟».

قال «رون»: «أنا.. لم أدرك أن هذا سيحدث. هذا ليس عدلاً» أضاف الجملة الأخيرة مخاطبًا «هارى» والبنتان تتجهان إلى فتحة الجدار وراء اللوحة، وهما تضحكان بهستيرية، وأضاف: «مسموح لهرميون بدخول جناحنا.. فلم لا يسمحون لنا بـ...».

قالت «هيرميون» التى انزلقت هى الأخرى على السلم لتستقر عند البساط الصغير الممدود أمامهما وتنهض على قدميها: «إنها قاعدة قديمة.. مذكور فى كتاب (تاريخ هوجورتس) أن مؤسسى المدرسة كانوا لا يثقون فى الأولاد ثقتهم فى البنات. المهم، لماذا أردت الدخول؟».

قال «رون» وهو يجرها إلى لوحة الإعلانات: «لرؤيتك.. انظرى إلى هذه».

جرت عينا «هيرميون» على اللافتة، وتعبير وجهها جامد.

قال «رون» بغضب: «وشى بنا أحدهم».
قالت «هيرميون» بصوت خفيض: «لا يمكن».
قال «رون»: «يالك من ساذجة.. هل تعتقدين أنهم جميعًا شرفاء ومحل ثقة؟».
قالت «هيرميون» بتجهم: «لا، لا يمكن؛ لأننى سحرت رقعة الورق التى وقعوا عليها.. صدقنى، إن أخبر أحد أمبريدچ سنعرف من هو، وسيندم كثيرًا بعدها».
قال «رون» بلهفة: «ماذا سيحدث له؟».
«سيصاب ببثور كبيرة لم يصب أحد بها من قبل. هيا، لنذهب لتناول الإفطار، ولنعرف رأى الآخرين. هل وضعوا هذه اللافتة فى كل أجنحة الفرق؟».
بدا واضحًا فور ولوجهم القاعة الكبرى أن لافتة «أمبريدچ» لم تعلق فى برج «جريفندور» فقط. كان هناك الكثير من الثرثرة، والجميع فى القاعة يتنقلون بين الموائد يتحدثون عما قرأوه. ما كاد «هارى» و«رون» و«هيرميون» يجلسون، حتى جاءهم «نيفيل» و«دين» و«فريد» و«چورچ» و«چينى».
«هل رأيتم اللافتة؟».
«تراها تعرف؟».
«ماذا سنفعل؟».
نظروا جميعًا إلى «هارى». نظر حوله ليطمئن إلى غياب المدرسين من حولهم، وقال بهدوء: «سنفعل ما خططنا له بالطبع»
قال «چورچ» مبتسمًا وهو يضرب «هارى» بإعزاز على ذراعه: «كنت أعرف أنك ستقول هذا».
قال «فريد» ناظرًا فى حيرة نحو «رون» و«هيرميون»: «وهل سيسمح لنا رواد الفصول؟». فقالت «هيرميون» ببساطة: «بالطبع».
قال «رون» ناظرًا من فوق كتفه: «ها هو إرنى وهانا آبوت.. وها هم أولاد رافنكلو، وسميث.. ليس على وجه أيهم بثور».
انزعجت «هيرميون» بشدة، وقالت: «دعك من البثور، لا يمكن لهؤلاء الحمقى التجمع حولنا، سيبدو المنظر مريبًا.. اجلسا» وأشارت إلى «إرنى» و«هانا» أن يعودا إلى مائدة «هافلباف».. وقالت: «فيما بعد.. سنتحدث فيما بعد».
قالت «چينى» بصبر نافد وهى تنهض من مقعدها: «سأخبر مايكل.. هذا الأحمق..».
هرولت تجاه مائدة «رافنكلو»، راقبها «هارى» وهى تذهب. كانت «تشو»

جالسة على مسافة قريبة منها، تتحدث إلى صديقتها مجعدة الشعر التى دعتها إلى الحضور فى «رأس الخنزير». ترى هل أخافتها لافتة «أمبريدچ» بما يكفى للتغيب عن الاجتماعات؟

لم يشعروا بكامل تداعيات اللافتة إلا عندما غادروا القاعة الكبرى فى طريقهم إلى فصل تاريخ السحر.

«هارى، رون».

كانت تلك «أنچيلينا» التى هرولت تجاههما باديًا عليها اليأس التام.

قال «هارى» بهدوء عندما اقتربت بما يكفى لتسمعه: «لا يهمك.. سنجهز لاجتماعاتنا كما خططنا و..».

قاطعته «أنچيلينا» قائلة: «هل أدركتما أن الفرمان يتضمن الكويدتش؟ علينا الذهاب وطلب الإذن بإعادة تشكيل فريق جريفندور للكويدتش».

قال «هارى»: «ماذا؟». وقال «رون» مذهولاً: «لا يمكن».

«لقد قرأت اللافتة يا هارى، وهى تذكر فيها الفرق أيضًا.. اسمع يا هارى.. سأقول لك هذا للمرة الأخيرة.. من فضلك، من فضلك لا تَثُر فى حصة أمبريدچ ثانية، وإلا لن تسمح لك باللعب ثانية».

عندما رأى «أنچيلينا» على وشك البكاء، قال «هارى»: «حاضر حاضر.. لا تقلقى، سأتصرف بحكمة..».

قال «رون» عابسًا وهم يسيرون نحو فصل «بينز»: «أراهنك أن أمبريدچ فى فصل تاريخ السحر.. فهى لم تفتش على بينز بعد.. أراهنك أنها بالداخل الآن..».

لكنه كان مخطئًا، فالمعلم الوحيد الذى وجدوه مع دخولهم هو «بينز»، الذى أخذ يسرى على ارتفاع بوصة عن مقعده كعادته، وهو يحضر للبدء فى كلامه الممل عن حروب العمالقة. لم يحاول «هارى» حتى متابعة ما يقوله اليوم، واستلقى كعادته على أوراقه متجاهلاً نظرات «هيرميون» ولكزاتها، حتى جعلته لكزة مؤلمة فى ضلوعه ينظر إليها غاضبًا، ويقول: «ما الأمر؟».

أشارت إلى النافذة. نظر «هارى» إلى حيث أشارت، كانت «هدويج» جالسة على إفريز النافذة الضيق، تحدق فيه عبر الزجاج، ورسالة مربوطة فى قدمها. لم يفهم «هارى».. انتهوا من الإفطار منذ قليل، فلماذا لم تسلمه الرسالة حينها كعادتها؟ ووجد العديد من زملائه يشيرون إلى «هدويج» هم الآخرون.

سمع «هارى» «لاڤندر» تقول مخاطبة «بارفاتى» متنهدة: «ياه.. لطالما أردت أن يكون عندى بومة مثل هذه.. يالجمالها».

نظر إلى الأستاذ «بينز» الذى استرسل فى قراءة مذكراته، غير واعٍ بالمرة لانسحاب انتباه الفصل بعيدًا عنه أكثر من العادة. تحرك «هارى» بهدوء، وهرول ناحية النافذة وهو منحنٍ على الأرض، وفتحها ببطء شديد.

توقع أن تمد له «هدويج» قدمها حتى يخلص منها الرسالة وتطير إلى برج البوم، لكن لحظة انفتحت النافذة بما يكفى لمرورها، دخلت وهى تنعب بصوت مرتفع. أغلق النافذة وهو يلقى بنظرة قلقة على الأستاذ «بينز»، ثم انحنى وسارع إلى مقعده ثانية و«هدويج» على كتفه. عاود الجلوس ناقلاً «هدويج» إلى حجره، وهمّ بفك الرسالة من قدمها.

حينها فقط أدرك أن ريش «هدويج» أشعث، وبعضه محنى بطريقة غريبة، ووجد أحد جناحيها مرفوعًا بطريقة غريبة.

همس مقتربًا برأسه منها: «إنها مصابة». مال عليه «رون» و«هيرميون»، من قلقها تخلت «هيرميون» عن ريشة الكتابة، وأضاف هو: «انظرا.. هناك مشكلة فى جناحها..».

ثم قال بصوت مرتفع: «أستاذ بينز» فالتفت إليه الجميع وهو يقول: «أنا مريض».

رفع الأستاذ «بينز» بصره عن أوراقه، وعلى وجهه نظرة مندهشة كالعادة، من رؤيته الحجرة أمامه مليئة بالناس.

كرر الكلام بذهن شارد: «أنت مريض؟».

قال «هارى» وهو ينهض على قدميه ومعه «هدويج» مخبأة خلف ظهره: «مريض جدًا.. أعتقد من الأفضل أن أذهب إلى جناح المستشفى».

قال الأستاذ «بينز» متلعثمًا: «أجل.. أجل.. جناح المستشفى.. اذهب إذن يا بيركنز..».

حالما خرج من الفصل أعاد «هارى» «هدويج» إلى كتفه وهرول عبر الممر، ولم يتوقف ليفكر إلا عندما خرج عن نطاق فصل «بينز». كان يختار «هاجريد» لعلاج «هدويج» إن كان موجودًا، ولأنه لا يعرف أين «هاجريد» فلم يعد أمامه سوى الأستاذة «جروبلى بلانك»، وتمنى لو تقدر على مساعدته.

نظر من نافذة تطل على الفناء. لم يرها عند كوخ «هاجريد»، إن لم تكن فى حصة، فهى فى حجرة المعلمين. نزل السلم بسرعة و«هدويج» تنعب بوهن

على كتفه.

وجد تمثالين للجرجوانات أمام حجرة المعلمين. ومع اقترابه صاحت واحدة منهما: «المفروض أن تكون فى الفصل يا ولد».

قال «هارى» باقتضاب: «الأمر عاجل».

قالت الجرجوانة الأخرى بصوت مرتفع: «عاجل؟ حقًا؟ فعلاً أخفتنا..».

طرق «هارى» الباب. سمع خطوات أقدام تقترب، ثم انفتح الباب ووجد نفسه فى مواجهة الأستاذة «مكجونجال».

قالت وعويناتها المربعة تلمع بشدة: «هل عوقبت باحتجاز آخر؟».

قال «هارى» بسرعة: «لا يا أستاذة».

«إذن لماذا خرجت من الفصل؟».

قالت الجرجوانة الثانية بسخرية: «لأن الأمر عاجل على ما يبدو».

قال «هارى»: «أنا أبحث عن الأستاذة جروبلى بلانك.. إنها بومتى، لقد أصيبت».

«بومة مصابة! حقًا؟».

ظهرت الأستاذة «جروبلى بلانك» من خلف كتف الأستاذة «مكجونجال»، وفى فمها غليون ومعها نسخة من جريدة «دايلى بروفيت».

قال «هارى» رافعًا «هدويج» بحرص من على كتفه: «أجل.. لقد جاءت بعد موعد تسليم الرسائل وقت الإفطار، ووجدت جناحها معوجًا هكذا.. انظرى».

وضعت الأستاذة «جروبلى بلانك» الغليون بين أسنانها وأمسكت «هدويج» بينما وقفت الأستاذة «مكجونجال» تراقب ما يجرى.

قالت الأستاذة «جروبلى بلانك» وغليونها يهتز فى فمها مع الكلام: «أه.. يبدو أن هناك ما هاجمها. لا أعرف ما هو.. ربما الثسترال.. لكن هاجريد روض ثسترالات هوجورتس على عدم لمس البوم».

لم يكن «هارى» يعرف ما هو الـ«ثسترال» ولا اهتم بمعرفة طبيعته، فقط أراد معرفة إن كانت «هدويج» ستكون بخير. لكن الأستاذة «مكجونجال» نظرت إليه بحدة وقالت: «هل تعرف من أين جاءت هذه البومة يا بوتر؟».

قال «هارى»: «آ.. ربما من لندن».

بادلها النظر، وعرف من تقطيبة وجهها فهمها أن «لندن» تعنى «المنزل رقم (١٢) جريمولد بليس».

أخرجت الأستاذة «جروبلى بلانك» نظارة أحادية العدسة من ثنايا

عباءتها، ووضعتها على عينها لتفحص جناح «هدويج»، وقالت: «سأعرف المشكلـة يا بوتر إن تركتها معـى.. وعلى أية حـال ستتمكن من الطيران لمسافات طويلة فى غضون بضعة أيام».

قال «هارى» وجرس فترة الراحة يرن: «آ.. حسنًا.. أشكرك».

قالت الأستاذة «جروبلى بلانك» وهى تعود إلى حجرة المدرسين: «العفو».

قالت الأستاذة «مكجونجال»: «دقيقة يا فلهلمينا[1] ناولينى رسالة بوتر».

قال «هارى» الذى نسى الورقة الملفوفة على قدم هدويج: «أه.. أجل». ناولته «جروبلى بلانك» الورقة واختفت داخل حجرة المدرسين ومعها «هدويج»، التى أخذت تنظر مؤنبة إلى «هارى» غير مصدقة أنه يتخلى عنها. ومع إحساسه ببعض الذنب التفت ليغادر، لكن الأستاذة «مكجونجال» نادته: «بوتر».

«نعم يا أستاذة».

فحصت الممر ببصرها، لتجد طلبة غادين ورائحين من الاتجاهين.

قالت بسرعة وبهدوء وعينها على الرسالة فى يده: «لتعرف أن قنوات الاتصال إلى داخل هوجورتس ومنها قد تكون مراقبة.. مفهوم؟».

قال «هارى» وفيضان الطلبة المتدفق بطول الممر يكاد يداهمه: «أنا..» أومأت لـه الأستـاذة «مكجونجال» بسرعة وعادت إلى حجرة المدرسين، تاركة إياه ليسحبه تيار الطلبة معه. رأى «رون» و«هيرميون» واقفين فى ركن منعزل. فض لفافة الورق وهو فى طريقه إليهما فوجد خمس كلمات بخط يد «سيرياس»: اليوم، نفس المكان، نفس الوقت.

سألته «هيرميون» بقلق لحظة صار على مرمى السمع: «هل هدويج بخير؟».

سأله «رون»: «إلى أين أخذتها؟».

قال «هارى»: «إلى جروبلى بلانك.. وقابلت مكجونجال.. اسمعا».

وأخبرهما بما قالته الأستاذة «مكجونجال». ولدهشته لم يبد الذهول على أيهما. على النقيض، تبادلا نظرات ذات مغزى.

قال «هارى» ناقلاً بصره بين «رون» و«هيرميون»: «ما الأمر؟».

«منذ قليل كنت أقول لرون: ماذا لو حاول شخص ما القبض على هدويج؟ أعنى أنها لم تتأذى فى واحدة من رحلاتها من قبل.. أليس كذلك؟».

---

(١) الأستاذة «جروبلى بلانك» اسمها الأول: «فلهلمينا»، أو هو «فلهلمينا جروبلى بلانك»، فلا خلط هنالك فى الأسماء. (المترجم).

سأله «رون» آخذاً الورقة من يده: «ومن الراسل على أية حال؟».

قال «هارى» بهدوء: «سنافلس».

«نفس الوقت، ونفس المكان؟ هل يعنى هذا حجرة الطلبة؟».

قالت «هيرميون» وهى تقرأ الورقة هى الأخرى بقلق: «هذا واضح.. لكن أتمنى ألا يكون هناك من قرأ هذه غيرنا..».

قال «هارى» محاولاً إقناع نفسه وإقناعها: «لكن الرسالة مختومة وليس بها ما يريب.. ومن سيفهم ما بها إن لم نكن قد أخبرناه بما حدث؟».

قالت «هيرميون» بتوتر وهى ترفع حقيبتها على ظهرها مع رنين الجرس ثانية: «لا أعرف.. ليس من الصعب إعادة ختم الرسالة ولفها بالسحر.. وإذا كان هناك من يراقب شبكة بودرة الفلوف.. لكن لا أعرف كيف يمكننا تحذيره، وتحذيره من المجىء دون أن يكشف من يراقبنا تحذيرنا له».

هبطوا إلى الممر الذى يقع فيه فصل الوصفات السحرية تحت الأرض، وثلاثتهم غارقون فى التفكير، لكن مع وصولهم إلى نهاية الدرج أعادهم للواقع صوت «دراكو مالفوى»، الذى كان واقفاً أمام فصل «سناب» ملوحًا بورقة رسمية فى يده ويتكلم بصوت مرتفع أكثر مما يلزم.

«أجل، أعطت أمبريدچ فريق سليذرين الإذن بالاستمرار فى اللعب.. ذهبت أطلب إذنها صباح اليوم. العملية بسيطة فعلاً، أعنى أنها تعرف أبى جيدًا، فهو يزور الوزارة كثيرًا.. لكن ترى هل ستسمح لجريفندور باللعب أيضًا؟».

همست «هيرميون» لكل من «هارى» و«رون» اللذين كانا يراقبان «مالفوى» ووجهاهما غاضبان: «لا تنهضا.. إن هذا هو ما يريده».

قال «مالفوى» وهو يرفع صوته أكثر وأكثر، وعيناه الرماديتان تلمعان بحقد، وهو ينظر تجاه «هارى» و«رون»: «أعنى إن كانت المسألة مسألة من له نفوذ فى الوزارة، فليس لديهم أدنى فرصة.. فمما أسمعه من أبى، فإن أرثر ويسلى عرضة للطرد من الوزارة منذ سنوات.. وبالنسبة لبوتر فأبى يقول: إن المسألة مسألة وقت، قبل أن تضعه الوزارة فى مستشفى سانت مونجو.. فمن الواضح أن عندهم جناحًا خاصًا لهؤلاء الذين تلفت عقولهم بفعل السحر».

قلب «مالفوى» وجهه متشنجًا، وفمه مفتوح، وعيناه تدوران فى

محجريهما. ضحك «كراب» و«جويل» ضحكتيهما المعتادة، وأخذت «بانسى بـاركنسـون» تضحك جَذْلَى هى الأخرى.

اصطدم شىء ما بقوة بكتف «هارى»، فسقط أرضًا. وبعد جزء من الثانية عرف أنه «نيفيل» الذى ركض إلى جواره، مهاجمًا «مالفوى» مباشرة. «نيفيل.. لا».

قفز «هارى» وجذب عباءة «نيفيل» من الخلف، لكنه قاومه بعنف، وقبضتاه تلوحان فى الهواء محاولاً الوصول إلى «مالفوى» الذى بدا للحظة مصدومًا بشدة.

صاح «هارى» فى «رون»: «ساعدنى» وقد تمكن من إحاطة رقبة «نيفيل» وسحبه إلى الخلف، بعيدًا عن تلاميذ «سليذرين». لوح «كراب» و«جويل» بذراعيهما وهما يتقدمان أمام «مالفوى»، للذود عنه. أمسك «رون» بذراع «نيفيل»، وتمكن هو و«هارى» من سحبه إلى مكان تجمع أولاد «جريفندور». كان وجه «نيفيل» أحمر اللون، والضغط الذى يبذله «هارى» على رقبته جعل تصرفه التالى غير متوقع، لكن أخذت كلمات غريبة تتناثر من فيه.

«لست.. ظريفًا.. لا.. تتحدث.. عن.. مونجو.. سأريك..».

انفتح باب الفصل، ودخل «سناب». انتقلت عيناه إلى تلاميذ «جريفندور»، وإلى حيث يقف «هارى» و«رون» ممسكين بـ«نيفيل».

قال «سناب» بصوته البارد الساخر: «هل تتشاجرون يا بوتر ويا ويسلى ويا لونجبوتم؟ مخصوم عشر نقاط من جريفندور. اترك لونجبوتم يا بوتر، وإلا عاقبتك بالاحتجاز. إلى الداخل جميعكم».

ترك «هارى» رقبة «نيفيل»، الذى وقف يلهث وهو ينظر إليه.

قال «هارى» لاهثًا وهو يرفع حقيبته: «كان علىّ إيقافك.. كراب وجويل كانا سيفتكان بك».

لم ينطق «نيفيل» بكلمة.. رفع حقيبته وسار إلى داخل الفصل.

قال «رون» ببطء وهما يتبعان «نيفيل»: «لماذا ثار هكذا بحق مرلين؟».

لم يجبه «هارى». كان يعرف بموضوع مستشفى «سانت مونجو» للأمراض السحرية، والتى يُحتجز بها من فقدوا عقولهم بسبب إصابتهم بتعاويذ سحرية ضارة.. موضوع مقلق لـ«نيفيل»، لكنه أقسم أمام «دمبلدور» أنه لن يخبر أحدًا أبدًا بسر «نيفيل». حتى «نيفيل» نفسه لم يكن يعرف أن «هارى» يعرف.

جلس «هارى» و«رون» و«هيرميون» فى مقاعدهم المعتادة بآخر الفصل،

وأخرجوا أوراقهم وريشات الكتابة ونسخهم من كتاب (ألف عشب وطحلب سحرى). أخذ التلاميذ من حولهم يتهامسون حول ما فعله «نيفيل» منذ قليل، وعندما أوصد «سناب» باب الفصل من خلفه بصوتٍ مدوٍّ، صمت الجميع على الفور.

قال «سناب» بصوته المنخفض المستفز: «ستلاحظون أن معنا اليوم ضيوفًا».

أشار إلى ركن مظلم من الفصل، فرأى «هارى» «أمبريدچ» جالسة، وعلى حجرها لوح الكتابة الذى تسند إليه أوراقها. اختلس نظرة جانبية إلى «رون» و«هيرميون». «سناب» و«أمبريدچ».. أكثر معلمين يكرههما فى المدرسة. كان من الصعب عليه تقرير أيهما يريد له الانتصار على الآخر.

«سنستكمل اليوم المحلول المقوى، ستجدون المقادير كما تركتموها الحصة الماضية.. إن كانت مُحضرة جيدًا ستجدونها قد نضجت.. والتعليمات..» وهو يشير بعصاه ثانية.. «ستجدونها على السبورة.. هيا ابدأوا».

قضت الأستاذة «أمبريدچ» نصف الساعة الأولى من الدرس تكتب ملاحظات فى ورقها. كان «هارى» متلهفًا لسماع أسئلتها التى ستوجهها إلى «سناب».. متلهفًا لدرجة أنه لم يهتم بتركيبة الوصفة.

قالت «هيرميون»: «دم السمندر يا هارى وليس عصير الرمان» وهى تمسك بيده لتمنعه من إضافة المقادير الخطأ للمرة الثالثة.

قال «هارى» بذهن شارد: «صحيح» وهو يضع الزجاجة على المائدة ويراقب ركن الفصل. كانت «أمبريدچ» قد نهضت. سارت حتى وصلت إلى «سناب»، المائل على قدر «دين توماس» يفحصه.

قالت بخفة مواجهة ظهر «سناب»: «يبدو أن الأولاد فى الفصل متقدمون كثيرًا على مستواهم.. لكن ترى هل من الحكمة أن تعلمهم محلولاً مثل المحلول المقوى؟ أعتقد أن الوزارة قد تفضل حذفه من المقرر الدراسى».

استقام «سناب» ببطء والتفت ناظرًا إليها.

سألته وريشة الكتابة مرفوعة على ورقها: «والآن.. منذ متى وأنت تقوم بالتدريس فى هوجورتس؟».

أجابها قائلاً: «منذ أربعة عشر عامًا». كان من الصعب فهم تعبيرات وجهه. أضاف «هارى» ـ وهو يراقبه عن قرب ـ بعض القطرات إلى محلوله، الذى أخذ يهس بصوت مرتفع وتحول لونه من الفيروزى إلى البرتقالى.

سألت «أمبريدج» «سناب»: «فى البداية تقدمت لوظيفة الدفاع عن النفس ضد السحر الأسود.. أليس كذلك؟». قال «سناب» بهدوء: «بلى».

«لكن لم تنجح فى الاختبارات؟». زم «سناب» شفتيه وقال: «هذا واضح».

كتبت «أمبريدج» المزيد فى ورقها.

«ومنذ انضمامك للمدرسة وأنت تتقدم بطلب لشغل وظيفة معلم الدفاع عن النفس ضد السحر الأسود كل عام.. أليس كذلك؟».

قال «سناب» بهدوء وهو لا يكاد يحرك شفتيه، وقد بدا عليه الغضب الشديد: «بلى».

سألته «أمبريدج»: «وهل تعرف لماذا يرفض دمبلدور تعيينك فى هذا المنصب؟». فقال «سناب» بحدة: «أقترح عليك سؤاله هو».

قالت الأستاذة «أمبريدج» بابتسامة عذبة: «بالطبع سأفعل».

سألها «سناب» وعيناه السوداوان تضيقان: «وهل لهذا علاقة بالتفتيش؟».

قالت الأستاذة «أمبريدج»: «أجل بالطبع.. فالوزارة تريد فهم طبيعة المعلمين.. أقصد فهم خلفياتهم وتاريخهم الوظيفى».

التفتت مبتعدة، وسارت نحو «بانسى باركنسون» وبدأت فى سؤالها فى دروسها. نظر «سناب» إلى «هارى» والتقت عيونهما للحظة. أبعد «هارى» عينيه بسرعة ليركز فى تركيبته السحرية، والتى تجمدت بطريقة غريبة وصارت رائحتها مثل المطاط المحترق.

قال «سناب» مفرغًا قدر «هارى» بتلويحة من عصاه السحرية: «فشلت ثانية يا بوتر ولم تحصل على أية درجة.. عليك كتابة مقال عن التركيبة الصحيحة لهذه الوصفة السحرية، مشيرًا فيها إلى كيف ولماذا أخطأت فى التركيبة، وتسلمها لى الحصة القادمة، هل تفهم؟».

قال «هارى» بغيظ: «أجل». كان «سناب» قد كلفهم بواجب بالفعل، وكان لديه تمرين «الكويدتش» ذلك المساء.. وهذا يعنى أن يقضى ليلتين أخريين من دون نوم. لم يبد له منطقيًا تذكر أنه قد أفاق من نومه ذلك الصباح شاعرًا بالسعادة. كل ما أصبح يشعر به هو الرغبة الشديدة فى انتهاء اليوم.

قال بتجهم وهم واقفون فى الفناء بعد الغداء: «ربما أهرب من حصة التنجيم» كانت الرياح تهب على أطراف العباءات والقبعات، وهو يقول: «سأتظاهر بالمرض وأكتب مقال سناب وقت الحصة، وأنام الليل بدلاً من القيام لكتابة المقال».

قالت «هيرميون» بتوتر: «لا يمكنك الهروب من التنجيم».

قال «رون» مستنكرًا: «انظروا من تتحدث.. أنت هربت من التنجيم إلى الأبد؛ لأنك تكرهين تريلاونى».

قالت «هيرميون» بشمم: «لا أكرهها.. فقط أراها معلمة ضعيفة ونصابة. لكن هارى لم يحضر حصة تاريخ السحر، وعليه حضور باقى الحصص اليوم».

كان فيما تقوله الكثير من الصحة؛ مما جعل تجاهلها غير ممكن؛ لذا فبعد نصف ساعة جلس «هارى» فى الجو الخانق المعطر لفصل التنجيم، شاعرًا بالغضب من الجميع. وزعت عليهم الأستاذة «تريلاونى» نسخًا من كتاب (فصل الكلام فى تفسير الأحلام)، وقال لنفسه: إنه كان من الأفضل كتابة مقال «سناب» بدلاً من الجلوس محاولاً فك طلاسم الأحلام المزيفة.

لكن يبدو أنه لم يكن الشخص الوحيد فى حصة التنجيم ذا المزاج المعتل. ألقت الأستاذة «تريلاونى» بنسخة من (فصل الكلام) بين «هارى» و«رون» على المائدة التى يجلسان عليها، ثم ابتعدت فى طريقها إلى مائدة «سيماس» و«دين»، وقد تفادت بالكاد ضرب رأس «سيماس» بالكتاب الثقيل، ثم ضربت بالنسخة الأخيرة ـ دون تعمد منها ـ صدر «نيفيل» فتأوه متألمًا.

قالت الأستاذة «تريلاونى» بصوت مرتفع هستيرى نوعًا: «استمروا فى التفسير.. أنتم تعرفون ما عليكم فعله. أم أننى معلمة ضعيفة المستوى لدرجة أننى لم أعلمكم كيف تفتحون الكتاب؟».

حدق فيها الفصل متعجبًا، ثم نظروا إلى بعضهم البعض. لكن «هارى» ظن أنه يعرف سبب غضبها. مع عودة الأستاذة «تريلاونى» إلى مقعد المعلمين المرتفع، اغرورقت عيناها اللتان كبرتهما العوينات بالدموع الغاضبة، فمال على «رون» وغمغم: «أعتقد أن نتيجة التفتيش قد وصلتها».

قالت «بارفاتى باتيل» بصوت هامس: «يا أستاذة»، فهى و«لاڤندر» معجبتان بالأستاذة «تريلاونى».. «يا أستاذة.. هل هناك ما يغضبـ..؟».

صاحت الأستاذة «تريلاونى» بصوت متألم ومفعم بالمشاعر: «يغضبنى؟ بالطبع لا.. أنا أهنت إهانات موجهة ضدى.. اتهامات بلا أساس من الصحة.. لكن لا.. لست غاضبة».

أخذت نفسًا عميقًا مرتجفًا، ونظرت بعيدًا عن «بارفاتى» ودموع الغضب تنهمر من تحت عويناتها.

قالت مختنقة: «ولا أى شىء.. ستة عشر عامًا من الخدمة المخلصة والأمانة فى العمل بلا فائدة.. لم يرها أحد.. لكننى لن أسمح لنفسى بالشعور بالإهانة، لا.. أبدًا».

سألتها «بارفاتى» بخجل: «لكن يا أستاذة.. من أهانك؟».

قالت الأستاذة «تريلاونى» بصوت مأساوى متهدج عميق: «المؤسسة.. أجل، هؤلاء ذوو العيون الغائمة بالحقد من بصيرتى الكاشفة.. فلطالما رهب الناسُ العرافين المهرة، إنهم يخافوننا، ومنذ قديم الزمان وهم يقتلوننا.. يا ربى.. إنه قدرنا المحتوم».

شهقت وهى تمسح وجنتها المبتلة بطرف وشاحها، ثم أخرجت منديلاً مطرزًا من عباءتها ومسحت فيه أنفها بصوت يشبه أصوات «بيفيس» الطريفة.

ضحك «رون» ضحكة قصيرة ساخرة فحدجته «لاڤندر» بنظرة احتقار.

قالت «بارفاتى»: «يا أستاذة.. هل تعنين.. هل الأستاذة أمبريدج هى السبب؟».

صاحت الأستاذة «تريلاونى» وهى تهب على قدميها وعويناتها تلمع فى الضوء الخافت: «لا تحدثينى عن تلك المرأة.. واستمرى فى عملك من فضلك».

وهكذا قضت باقى الحصة تتحرك بينهم، والدموع تنهمر من تحت عويناتها، وهى تنطق بما بدا كتهديد ووعيد من تحت أسنانها.

«ربما قدرى أن أغادر. ياللعار تضعنى فى فترة اختبار! سأريها، كيف تجرؤ؟».

أخبر «هارى» «هيرميون» بهدوء عندما تقابلا فى حصة الدفاع عن النفس ضد السحر الأسود: «أنت وأمبريدج بينكما صفة مشتركة.. فهى مثلك ترى تريلاونى نصابة عجوز.. يبدو أنها قد أمرت بوضعها فى فترة اختبار».

دخلت «أمبريدج» الفصل وهو يتحدث، مرتدية غطاء رأس مخمليًا أسود وعلى وجهها تعبير شديد السماجة.

«مساء الخير يا أولاد».

ردوا عليها بنبرة منغمة: «مساء الخير يا أستاذة أمبريدج».

«أبعدوا العصى السحرية من فضلكم».

لكن لم تجبها أصوات الجلبة المعتادة المصاحبة لإعادة العصى إلى الحقائب؛ فلم يتعب أحد نفسه بمحاولة إخراج عصاه أصلاً.

«من فضلكم افتحوا الكتاب على الصفحة رقم (٣٤)، واقرأوا الفصل الثالث: الدفاع اللاعدوانى عن النفس ضد الهجوم السحرى. ولا حاجة بنا..».

قال «هارى» و«رون» و«هيرميون» فى الوقت نفسه بصوت هامس: «.. إلى الكلام».

***

قالت «أنچيلينا» بنبرة حزينة عندما وصل «هارى» و«رون» و«هيرميون» إلى القاعة الكبرى للعشاء تلك الليلة: «تم إلغاء تمرين الكويدتش».

قال «هارى» بصوت خائف: «لكننى حافظت على أعصابى.. لم أنطق بكلمة يا أنچيلينا.. صدقينى، أنا..».

قالت «أنجيلينا» بتعاسة: «أعرف أعرف.. قالت إنها تريد وقتًا للتفكير فى موضوع التمرين».

قال «رون» بغضب: «للتفكير فى ماذا؟ لقد أعطت فريق سليذرين إذنًا بالتمرين، لماذا تمنعنا؟».

لكن «هارى» كان بإمكانه تخيل سرور «أمبريدچ» بمنع فريق «جريفندور» من التمرين، وفهم لماذا تتلاعب بهم ولا تريد منعهم من التمرين بالمرة بسرعة.

قالت «هيرميون»: «انظر إلى الجانب المشرق.. على الأقل ستتمكن الآن من كتابة مقال سناب».

قال «هارى» بحدة: «وهل هذا هو الجانب المشرق؟» بينما حدق «رون» باستنكار بالغ فى «هيرميون» و«هارى» يضيف: «إلغاء تمرين الكويدتش، مع واجب وصفات سحرية إضافى؟».

رمى «هارى» بنفسه على مقعد، وأخرج مقاله عن الوصفات السحرية بتردد من حقيبته وبدأ فى العمل. وجد التركيز صعبًا، ورغم معرفته أن «سيرياس» لن يأتى إليه عن طريق المدفأة إلا فيما بعد، فإنه لم يقاوم النظر إلى اللهب المستعر كل بضع دقائق متوقعًا رؤيته. كان هناك أيضًا جلبة هائلة فى الحجرة.. واضح أن «فريد» و«چورچ» تمكنا أخيرًا من إتقان صنع صنف (حلوى التزويغ)، وأخذا يعلنان عنه للجمهور المحتشد الذى أخذ يهلل ويتصايح.

فى البداية يأخذ «فريد» قضمة من الجانب البرتقالى من قطعة الحلوى

ويمضغه، فيبدأ فى التقيؤ فى دلو موضوع أمامه. ثم يقضم من الجانب البنفسجى فيتوقف عن التقيؤ فورًا. أما «لى چوردن» الذى كان يساعدهما فى العرض، فقد أخذ يخفى القىء بالسحر على فترات منتظمة بتعويذة الإخفاء التى كان «سناب» يستعملها على وصفات «هارى» السحرية.

ومع أصوات التهليل والصياح التى تنطلق تأثرًا بعروض «فريد» و«چورچ» المدهشة، مع استغلالهما لتوافر التجمع الكبير من الطلاب فى الإعلان عن منتجاتهما، وجد «هارى» التركيز فى الكتابة صعبًا. لم تساعده «هيرميون».. فقد تقاطعت أصوات التهليل وتقيؤ «فريد» و«چورچ» فى الدلو مع أصوات الاستنكار والقرف التى تصدرها، والتى وجدها «هارى» أكثر تشتيتًا له من أى شىء.

قال بامتعاض بعد شطبه للرقم الخطأ من مقادير مخالب «الجريفين» للمرة الرابعة: «اذهبى وامنعيهم إذن»

قالت «هيرميون» بغيظ: «لا يمكننى. فهم رسميًا لا يفعلون أى شىء خطأ.. لهم الحق فى أكل أشياء معطوبة، ولا توجد قاعدة تنص على منع البلهاء من شرائها منهم، كيف وهى أطعمة غير مدرجة ضمن الأطعمة الخطرة، ولا تبدو خطيرة؟!».

أخذت ومعها «هارى» و«رون» يراقبون «چورچ» وهو يؤدى عرض التقيؤ الإعلانى، بداية من أكل الحلوى، ثم التقيؤ فى الدلو، ثم أكل الجانب الآخر والوقوف منتصبًا فاتحًا ذراعيه بطريقة استعراضية متلقيًا التهليل والتهانى.

قال «هارى» بينما «فريد» و«چورچ» و«لى» يجمعون الذهب من الجمع المتلهف على الحلوى: «أتعرفان؟ لا أفهم كيف حصل فريد وچورچ على درجات متواضعة فى امتحانات الـ(أوه. دبليو. إل.)، فهما ماهران فيما يفعلانه».

قالت «هيرميون» معترضة: «إنهما ماهران فى الأشياء المقرفة فقط، والتى لا نفع منها لأحد».

قال «رون» بصوت متوتر: «لا نفع منها؟ هيرميون.. لقد جمعا ستًا وعشرين جاليونًا بالفعل».

مرت فترة طويلة قبل أن يخف الزحام حول التوأمين «ويسلى»، ثم جلس «فريد» و«لى» و«چورچ» يحصون النقود.. وكان الليل قد انتصف عندما خلت الحجرة أخيرًا لكل من «هارى» و«هيرميون» و«رون». أخيرًا أوصد «فريد» باب جناح نوم الأولاد من خلفه، ومعه صندوق ملىء بالجاليونات يرن

بصوت مرتفع. قرر «هارى» - الذى كان يكتب مقال الوصفات - أن يكف عن الكتابة الليلة. وهو يلملم كتبه، تأوه «رون» - الذى كان شبه نائم فى مقعده الوثير - وأفاق من نومه، ونظر إلى النيران.

قال: «سيرياس!».

نظر «هارى» حوله. كان رأس «سيرياس» غير الحليق فى النيران ثانية.

قال مبتسمًا: «أهلاً».

قال «هارى» و«رون» و«هيرميون» فى وقت واحد: «أهلاً» وثلاثتهم ينحنون على أقدامهم على البساط القريب من المدفأة. أخذ «كروكشانكس» يهر بصوت مرتفع، وهو يقترب من النيران، محاولاً - بالرغم من الحرارة - أن يقرب وجهه من وجه «سيرياس». الذى قال: «كيف الأحوال؟».

قال «هارى»: «ليست جيدة» بينما «هيرميون» تجذب «كروكشانكس» بعيدًا محاولةً منعه من حرق شاربه.. «فرضت الوزارة فرمانًا آخر، وبمقتضاه تم حل فريق الكويدتش..».

قال «سيرياس»: «وجماعات دراسة الدفاع عن النفس ضد السحر الأسود؟».

مرت برهة من الصمت. ثم سأله «هارى»: «كيف عرفت بها؟».

قال «سيرياس» وابتسامته ما زالت واسعة: «يجب أن تتوخى الحرص فى اختيارك لمكان الاجتماعات.. وليس فى مقهى رأس الخنزير».

قالت «هيرميون» بنبرة دفاعية: «إنه أفضل من المقشات الثلاث.. فهو دائم الازدحام..».

قال «سيرياس»: «هذا يعنى أن التنصت عليكم سيكون أصعب.. أمامك الكثير لتتعلمينه يا هيرميون». سأله «هارى»: «ومن سمعنا؟».

قال «سيرياس»: «مندنجس بالطبع» وعندما نظروا إليه متعجبين ضحك وقال: «كان هو الساحرة ذات الثوب الأسود».

قال «هارى» مذهولاً: «هل كان هذا مندنجس؟ وماذا كان يفعل فى رأس الخنزير؟».

قال «سيرياس» بصبر نافد: «ماذا تحسبه كان يفعل؟ يراقبك بالطبع».

سأله «هارى» بغضب: «وهل مازلتُ موضوعًا تحت الحراسة؟».

قال «سيرياس»: «أجل.. ومع ما تفعله فهذا مطلوب.. إن كان أول ما ستفعله هذا الأسبوع هو التنظيم لجماعة دفاع محظورة».

لكنه لم يبد غاضبًا أو قلقًا. على النقيض، نظر إلى «هارى» بفخر وإعزاز.

سأله «رون» بحسرة: «ولماذا كان دانج مختبئًا منا؟ كنا نرغب فى لقائه».

قال «سيرياس»: «إنه ممنوع من دخول رأس الخنزير لمدة عشرين عامًا.. وذلك الساقى ذاكرته قوية. لقد فقدنا عباءة إخفاء مودى الإضافية مع القبض على ستورجيس؛ لذا يتخفى دانج فى زى ساحرة كثيرًا هذه الأيام.. المهم.. رون، أقسمت لأمك على نقل رسالة منها إليك».

قال «رون» متطلعًا: «حقًا؟».

«تقول لك لا تشارك فى أى جماعة سرية للدفاع عن النفس ضد السحر الأسود. وتقول إنك سيتم فصلك وسينتهى مستقبلك، وإن هناك الكثير من الوقت لتعلم الدفاع عن النفس لاحقًا، وإنك صغير على القلق بشأن هذا الموضوع فى سنك هذه. وتقول أيضًا (تحولت عينا «سيرياس» إلى الآخرين) لهارى وهيرميون ألا يقيما الجماعة، بالرغم من أنها تعرف ألا سلطة لها عليهما، لكنها ترجوهما تذكر أنها تعرف مصلحتهما. أرادت الكتابة إليكم، لكن إن تم الإمساك بالبومة ستقعون فى مشكلة حقيقية، ولم تتمكن من القدوم بنفسها معى لأن عندها واجب عمل الليلة».

قال «رون» بسرعة: «وماذا نفعل بالضبط؟».

قال «سيرياس»: «لا تهتم، إنه عمل لمصلحة الجماعة.. لقد كلفتنى بتوصيل الرسالة، ومن فضلكم أخبروها أن رسالتها قد وصلت؛ لأنها لا تثق بى».

مرت فترة صمت أخرى، أخذ «كروكشانكس» خلالها يموء محاولاً الوصول لرأس «سيرياس» بمخلبه، وأخذ «رون» يداعب ثقبًا فى البساط.

غمغم أخيرًا: «إذن فأنت تريد أن أحجم عن المشاركة فى جماعة الدفاع؟».

قال «سيرياس» وعلى محياه أمارات الدهشة: «أنا؟ بالطبع لا! أراها فكرة ممتازة».

قال «هارى» وقد تحسنت حالته: «حقًا؟».

قال «سيرياس»: «بالطبع.. هل تعتقد أننى ووالدك كنا لنخضع لأوامر حيزبون عجوز مثل أمبريدج؟!».

«لـ.. لكن الفصل الدراسى الماضى كان كل ما قلته لى أن أحذر وأبتعد عن المخاطر..».

قال «سيرياس» بصبر نافد: «العام الماضى كنا نعرف أن هناك من يريد قتلك من داخل هوجورتس يا هارى.. أما هذا العام فنحن نعرف أن هناك من

هو بخارج هوجورتس ويريد قتلنا جميعًا؛ لذا فأنا أرى تعلم الدفاع عن النفس ضد السحر الأسود فكرة جيدة».

سألته «هيرميون» ونظرة تعجب على وجهها: «وإن تم فصلنا من المدرسة؟».

قال «هارى» محدقًا فيها: «هيرميون.. الموضوع منذ البداية فكرتك أنت».

قالت وهى تهز كتفها: «أعرف.. أنا فقط أريد معرفة رأى سيرياس».

قال «سيرياس»: «من الأفضل أن تفصلى وأنت قادرة على الدفاع عن نفسك، لا أن تجلسى فى أمان داخل المدرسة وأنت ضعيفة قليلة الحيلة».

قال «هارى» و«رون» بحماس: «صحيح.. فعلاً».

قال «سيرياس»: «كيف ستنظمون الجماعة إذن؟ أين ستلتقون؟».

قال «هارى»: «هذه مشكلة.. فنحن لا نعرف بعد أين نتقابل».

اقترح عليهم «سيرياس»: «ما رأيكم فى شريكنج شيك؟».

قال «رون» بحماس: «يالها من فكرة جيدة» لكن «هيرميون» امتعضت من الفكرة فنظر الثلاثة إليها.

قالت «هيرميون»: «كنتم أربعة أشخاص يتقابلون فى شريكنج شيك عندما كنتم فى المدرسة.. وكنتم قادرين على التحول إلى حيوانات، وأعتقد أنه كان بإمكانكم السير تحت عباءة الإخفاء إن شئتم. لكن هناك ثمانية وعشرين شخصًا هذه المرة، وليس فيهم أنيماجوس واحد، لذا فعباءة إخفاء لن تكفى، نحن بحاجة إلى بساط إخفاء..».

قال «سيرياس» وقد أصابه بعض الضيق: «نقطة جيدة.. المهم، سأخبركم بمكان مناسب فيما بعد. كان هناك مساحة خالية خلف تلك المرآة الكبيرة فى الدور الرابع، ربما تجدونها كافية للتمرين على التعاويذ».

قال «هارى» وهو يهز رأسه: «قال لى فريد وچورچ إنها قد سُدت، لعلها انهارت».

قال «سيرياس» مقطب الجبين: «آه.. إذن سأفكر وأعود إليكم عندم..».

قطع كلامه. بدا وجهه متوترًا فجأة. التفت ملقيًا بنظرة جانبية، ناظرًا إلى الجانب الحجرى لجدار المدفأة الداخلى.

قال «هارى» بقلق: «سيرياس؟».

لكنه اختفى. حدق «هارى» فى اللهب للحظة، ثم التفت إلى «رون» و«هيرميون» وقال: «أين ذهـ..؟».

ظهرت يد من بين ألسنة اللهب، وهى تتحرك كأنها تحاول الإمساك بشيء ما.. يد بأصابع قصيرة تزينها خواتم قديمة قبيحة.

انطلق ثلاثتهم يجرون. وعند باب جناح نوم الأولاد نظر «هارى» خلفه. كانت يد «أمبريدچ» ما زالت تدور فى اللهب، كأنها تعرف تمامًا أين كان شعر «سيرياس» منذ لحظات، وكأنها تريد الإمساك به.

١٨ جيــش دمبلــدور

«ليس للمسألة تفسير آخر يا هارى.. لا بد وأن أمبريدچ تقرأ رسائلك».

قال غاضبًا: «هل تعتقدين أن أمبريدچ هى من هاجم هدويج؟».

قالت واجمة: «أنا واثقة من هذا.. انظر إلى ضفدعك، إنه يهرب».

صوب «هارى» عصاه السحرية نحو الضفدع الذى أخذ يتقافز أملاً فى الهرب من الجانب الآخر للمائدة وقال: «*آكيو*».. فعاد إلى يده.

كانت حصة التعاويذ من أجمل الحصص، من حيث قدرتهم على الاستمتاع بالكلام والثرثرة، فى العادة تسود الفصل حالة من النشاط والحركة، ويعتبر خطر سماع ما يقال قليلاً جدًّا اليوم، ومع امتلاء الحجرة بالضفادع النقاقة والغربان الناعبة، ومع انهمار الأمطار على النوافذ، أخذ «هارى» و«رون» و«هيرميون» يتهامسون عن كيف أن «أمبريدچ» كادت تقبض على «سيرياس»، وأنه لا أحد شعر بالموضوع بعدها.

همست «هيرميون»: «أنا أشك فى هذا الموضوع منذ اتهمك فيلش بطلب الدانجبومب؛ لأنها تبدو كذبة غبية.. أعنى أنه حال قراءة رسالتك سيتضح أنك لم تكن تطلبها، وما كنت لتقع فى مشكلة بالمرة.. إنه خطأ غير متعمد منها، أليس كذلك؟ ثم فكرت أنه ربما يود شخص ما فى قراءة رسالتك، ويبحث عن عذر لقراءتها. ثم اتضح لى أنها طريقة ممتازة لتتمكن أمبريدچ من قراءتها.. أن تبلغ فيلش عنك، ثم تسرق الرسالة منه أو تطلب رؤيتها.. لا أعتقد أن فيلش كان ليعترض، فمنذ متى يساند التلاميذ؟ هارى، احترس، ستسحق ضفدعك بيدك».

نظر «هارى» إلى حيث أشارت، كانت يده ملتفة بقوة حول ضفدعه، حتى إن عينيها كانتا جاحظتين، فوضعه بسرعة على المائدة.

قالت «هيرميون»: «كادت فعلاً تقبض عليه ليلة أمس.. لكنى أتساءل إن كانت أمبريدچ تعرف بهذا، بأنها كانت قريبة من القبض على.. *سيلينسو*».

تجمد الضفدع الذى يتمرن على أداء تعويذة الصمت عليه وأخذ يحدق فيها بثبات.

«القبض على سنافلس..».

أتم لها «هارى» جملتها: «.. كانت لترسله إلى أزكابان هذا الصباح» لوح بعصاه دون تركيز حقيقى، فانتفخ ضفدعه مثل بالون أخضر وصدر عنها صفير حاد.

قالت «هيرميون» بسرعة مصوبة عصاها إلى ضفدعه «هارى»، والذى رجع إلى حاله الطبيعية أمام أعينهم: «سيلينسو.. لا يجب أن يعود إلينا ثانية، هذا كل شىء. لكن لا أعرف كيف ننقل له هذه التطورات. لا يمكننا إرسال بومة إليه».

قال «رون»: «لا أعتقد أنه سيخاطر بالعودة ثانية.. إنه ليس غبيًا، ويعرف أنها كادت تمسكه.. سيلينسو».

أخذ غراب كبير وقبيح ينعب أمامه.

«سيلينسو.. سيلينسو». أخذ الغراب ينعب بصوت أعلى.

قالت «هيرميون» مراقبة «رون» بنظرة ناقدة فاحصة: «لتؤدِّ التعويذة جيدًا، عليك الاهتمام بطريقة تلويحك بالعصا.. لا تلوح بها هكذا، اضرب بها كأنك تطعن أحدًا». فقال «رون» بغيظ: «الغربان أصعب من الضفادع».

قالت «هيرميون» وهى تمسك بغراب «رون» وتستبدله بضفدعها السمين: «حسنًا.. دعنا نتبادل.. سيلينسو!» فأخذ الغراب يفتح منقاره ويغلقه دون أن يصدر عنه صوت.

قال الأستاذ «فليتويك» بصوته الرفيع: «برافو يا آنسة جرانجر»، فأجفل «هارى» و«رون» و«هيرميون».. «والآن، حاول أنت يا سيد ويسلى».

قال «رون» مرتبكًا: «آ.. ما؟ ماذا؟.. حسنًا.. آه.. سيلينسو».

طعن الضفدع بقوة حتى إنه ضربه فى عينه بعصاه السحرية.. فنق بصوت واهن وقفز من فوق المائدة.

ولم يندهش ثلاثتهم عندما كُلف «هارى» و«رون» بأداء واجب إضافى.. التمرين على تعويذة الصمت.

سُمح لهم بالبقاء داخل حجرات المدرسة بعد الحصة، بسبب الأمطار الغزيرة بالخارج. عثروا على مقاعد فى فصل خالٍ بالطابق الأول أخذ «بيفيس» يسرى فيه بالقرب من الثريا، ساكبًا ـ بين الحين والآخر ـ قنينة حبر على رأس أحد التلاميذ. ما كادوا يجلسون حتى دخلت «أنجيلينا» إليهم عابرة من بين مجموعة من الطلبة المثرثرين.

قالت: «حصلت على تصريح بإعادة تشكيل فريق الكويدتش».

قال «هارى» و«رون» معًا: «ممتاز».

قالت «أنچيلينا» وعلى وجهها ابتسامة مشرقة: «أجل.. ذهبت إلى مكجونجال وأعتقد أنها اعترضت على قرار أمبريدچ. المهم أن أمبريدچ استسلمت لها. هاه! أريدكم جميعًا عند ملعب الكويدتش الساعة السابعة مساء اليوم؛ لأن علينا التعويض فى التمرين. هل تدركون أنه ليس أمامنا سوى ثلاثة أسابيع على أول مباراة لنا؟».

ابتعدت عنهم، وهى تتفادى قنينة حبر أراد «بيفيس» سكبها عليها ـ والتى سقطت على طالب بالصف الأول بدلاً منها ـ ثم اختفت عن الأنظار.

تراجعت ابتسامة «رون» قليلاً وهو ينظر عبر النافذة، والتى صارت غائمة لا يظهر منها شىء بسبب الأمطار الغزيرة.

«أتمنى أن تنتهى هذه الأمطار. ما الأمر يا هيرميون؟».

كانت ـ هى الأخرى ـ تنظر عبر النافذة، لكن ليس كأنها تحاول رؤية ما خلفها. كانت عيناها كأنهما لا تريان، وتقطيبة عابسة على وجهها.

قالت: «أفكر..» والأمطار تضرب النافذة.

قال «هارى»: «بشأن سيريـ.. أقصد سنافلس؟».

قالت «هيرميون» ببطء: «لا.. ليس بالضبط.. أفكر فى.. أعتقد أننا نقوم بالصواب، أليس كذلك؟». تبادل «هارى» و«رون» النظرات.

قال «رون»: «يا سلام.. فهمتك فعلاً.. جميل أنك أوضحت قصدك».

نظرت إليه كأنها أدركت وجوده إلى جوارها للمرة الأولى، وقالت وصوتها يرتفع: «كنت أتساءل إن كنا نقوم بالصواب.. بشأن جماعة الدفاع عن النفس ضد السحر الأسود». فقال «هارى» و«رون» معًا: «ماذا؟».

قال «رون» باستنكار: «هيرميون، كانت فكرتك بالمقام الأول».

قالت «هيرميون» وهى تشبك أصابعها: «أعرف.. لكن وبعد الحديث مع سنافلس..».

قال «هارى»: «لكنه يساندها».

قالت «هيرميون» محدقة فى النافذة ثانية: «أجل.. هذا ما جعلنى أتساءل إن كانت فكرة جيدة..».

اقترب منهم «بيفيس» ساريًا على بطنه فى الهواء، مستعدًا لتصويب الحبر نحو ثلاثتهم، فرفعوا حقائبهم لتغطية رءوسهم حتى يمر.

قال «هارى» بغضب وهم يعيدون حقائبهم إلى الأرض: «أنا لا أفهمك.. هل تعنين أن اتفاق سيرياس معنا فى الرأى جعلك تترددين؟».

بدت «هيرميون» متوترة وتعيسة. وهى تنظر إلى يدها قالت: «هل تثق فى أحكامه حقا؟».

قال «هارى» على الفور: «أجل.. أثق بها.. لطالما منحنا نصائح جيدة».

طارت قنينة حبر إلى جوارهم، وضربت «كاتى بيل» فى أذنها. راقبتها «هيرميون» وهى تهب على قدميها، وتلقى بأشياء على «بيفيس»، وما هى إلا لحظات حتى تحدثت «هيرميون» ثانية، وهى تنتقى كلماتها بعناية..

«عساه لم يتحول إلى شخص مستهتر، منذ.. منذ أن تم حبسه فى جريمولد بليس؟ ألا ترى أنه.. أنه يعيش الحياة من خلالنا؟».

كرر «هارى» ما قالته: «ماذا تعنين بعيشه الحياة من خلالنا؟».

«أعنى.. أعتقد أنه يحب تكوين الجماعات الدفاعية السحرية رغم أنف الوزارة.. فهو محبط من قلة حيلته.. وربما يود أن.. يدفعنا للتهور».

نظر «رون» إليها متعجبًا.

قال: «سيرياس بخير.. لكنك أنت من تتكلمين كأمى».

عضت «هيرميون» على شفتها السفلى ولم تتكلم. ضرب الجرس و«بيفيس» يقترب من «كاتى» ويسكب زجاجة حبر كبيرة فوق رأسها.

***

لم يتحسن الجو مع مرور ساعات النهار، ساعة بعد ساعة.. ليس قبل أن تصبح الساعة السابعة مساء، عندما ذهب «هارى» و«رون» إلى ملعب «الكويدتش» للتمرين، وهما يخوضان فى الوحل، وأقدامهما تنزلق على الأرض العشبية الرطبة. كانت السماء بلون رمادى داكن راعد، وشعرا بالراحة لدى الوصول إلى حجرة تبديل الملابس، وإن كانا يعلمان أن الراحة مؤقتة. وجدا «فريد» و«چورچ» يتناقشان بشأن الاستعانة بـ «حلوى التزويغ» ليهربا من التمرين.

قال «فريد» من ركن فمه: «.. لكن أراهن أنها ستعرف بأن فى الأمر خدعة. فقد اشترت منى علك التقيؤ بالأمس».

غمغم «چورچ»: «يمكننا ابتلاع شيكولاتة ارتفاع درجة الحرارة.. فلم يرها أحد بعد..».

سألهما «رون» متطلعًا والأمطار تضرب السقف بشدة، والرياح تعوى حول المبنى: «وهل أثرها مضمون؟».

قال «فريد»: «أجل.. سترتفع درجة حرارتك فورًا».

قال «چورچ»: «لكن ستصاب بالبثور الكبيرة.. فنحن لم نتخلص من هذا الأثر الجانبى بعد».

قال «رون» متفحصًا التوأمين ببصره: «لكننى لا أرى أية بثور».

قال «فريد» بغموض: «لا يمكنك رؤيتها، فالإصابة بها تكون فى منطقة من الجسد لا يراها أحد».

«لكنها تجعل الجلوس على المقشة ألمًا حقيقيًا فى الـ..».

قالت «أنچيلينا» بصوت مرتفع، بعد أن خرجت من مكتبها: «اسمعوا جميعًا.. أعرف أن الطقس ليس مناسبًا للتمرين، لكن قد نلعب مع سليذرين فى ظروف جوية مشابهة؛ لذا فمن المفيد محاولة التعود على هذا الطقس. هارى.. ألم تعالج عويناتك بحيث لا تصاب بالغمام والمطر إن لعبنا مع سليذرين وسط العاصفة؟».

قال «هارى» وهو يشهر عصاه السحرية ويطرق بها النظارة: «علمتنى هيرميون هذه التعويذة.. *إمبرفياس!*».

قالت «أنچيلينا»: «أعتقد أن علينا تجربة التعويذة على وجوهنا.. لو نجحنا فى منع الأمطار من مضايقة بصرنا سيكون هذا أفضل.. هيا معًا.. *إمبرفياس!*».

أعادوا جميعهم عصيهم السحرية إلى جيوب عباءاتهم، وخرجوا من حجرة تبديل الملابس خلف «أنچيلينا» ومعهم مقشاتهم.

خاضوا فى الوحل إلى منتصف الملعب، والرؤية ضعيفة، حتى مع تعويذة «إمبرفياس».. أخذ النور يتراجع، والمطر ينهمر كأنه ستائر من الماء تضرب الأرض بقوة.

صاحت «أنچيلينا»: «هيا، انطلقوا مع صفارتى».

ضرب «هارى» الأرض بقدمه، ليتناثر الوحل من حوله فى كل الاتجاهات، ثم انطلق إلى أعلى، والرياح تبعده قليلاً عن مساره. كان فى حيرة من أمره، فكيف يستطيع رؤية كرة الـ«سنيتش» فى هذا الطقس.. ولم يتمكن من رؤية كرة «بلادجر» تقترب منه بعد دقيقة من التمرين فكاد يقع من فوق مقشته، وأجبر على أداء حركة «طر ـ أمسك ـ لف» لتفاديها. ومن سوء حظ «أنچيلينا» أنها لم ترها هى الأخرى. فى الواقع يبدو أنها لم تتمكن من رؤية أى شىء، ولم يفهم أى منهم ما يفعله الآخرون. زادت سرعة الرياح، وحتى ومن على مسافة بعيدة سمع «هارى» أصوات الأمطار التى تضرب سطح البحيرة.

أجبرتهم «أنچيلينا» على التمرين لمدة ساعة قبل أن تعلن هزيمتها. قادت فريقها المتعب المبتل إلى حجرة تبديل الملابس ثانية، وهى مصممة على أن التمرين لم يكن تضييعًا للوقت، لكن من غير اقتناع حقيقى فى نبرة صوتها. بدا الانزعاج الشديد ـ وبصفة خاصة ـ على «فريد» و«چورچ»، فكلاهما كانت أقدامهما متعبتين ومرتخيتين، ويتأوهان مع كل خطوة يخطوانها. سمعهم «هارى» يخططون بأصوات هامسة لأمر ما وهو يجفف شعره بالمنشفة.

قال «فريد» بنبرة خاوية: «أعتقد أن بعض بثورى قد انفجرت».

قال «چورچ» ضاغطًا على أسنانه من الألم: «بثورى لم تنفجر بعد.. لكنها تؤلمنى بشدة، وأشعر بها أكبر مع كل دقيقة تمر».

قال «هارى»: «آه».

ضغط المنشفة إلى وجهه، وضاقت عيناه من الألم. أخذت الندبة تؤلمه ثانية، ألم أكثر من الذى شعر به الأسبوع الماضى.

قال أكثر من شخص: «ما الأمر؟».

ظهر وجه «هارى» من خلف المنشفة، فوجد حجرة تبديل الملابس غير واضحة المعالم؛ لأنه لم يكن مرتديًا عويناته، لكنه عرف أن الجميع ينظرون نحوه.

غمغم: «لا شىء.. لقد.. لقد طرفت عيناى، هذا كل شىء».

لكنه نظر إلى «رون» نظرة ذات مغزى، فبقى كلاهما بالحجرة والجميع يخرجون، وعباءاتهما ملفوفة حولهما، وقبعاتهما منخفضة على أعينهما.

قال «رون» لحظة اختفاء «أليشيا» من الباب: «ما الأمر؟ هل هى الندبة؟».

أومأ «هارى» برأسه موافقًا.

قال «رون» والرعب مرتسم على وجهه، وهو يتجه إلى النافذة وينظر نظرة شاخصة إلى الأمطار: «لكن.. هل هو قريب منا؟ هل هذا ممكن؟».

غمغم «هارى» وهو يجلس على المقعد ويمسح على جبهته: «لا.. على الأرجح هو على مسافة بعيدة من هنا.. لكنه.. غاضب».

لم يكن «هارى» يقصد ذكر ما ذكره، لكنه سمع الكلمات كأنها تتسرب من بين شفتيه غريبة عليه، وكأنه لم ينطقها.. لكنه وعلى الفور أدرك أن ما قاله حق. لم يعرف كيف تيقن من هذا، لكنه كان على يقين.. أن «ڤولدمورت» ـ أيًا كان حاليًا، وأيًا كان ما يفعله ـ كان فى حالة مزاجية عاصفة.

قال «رون» والرعب يطل من عينيه: «هل رأيته؟ هـ.. هل رأيت رؤية أو شيئًا من هذا القبيل؟».

جلس «هارى» جامدًا فى مكانه، محدقًا فى قدميه، سامحًا لعقله وذاكرته بالراحة بعد دفقة الألم الرهيب.

رأى أشكالاً، وسمع أصواتًا، متشابكة متراكبة..

قال أخيرًا: «إنه يريد الانتهاء من شىء ما، والأمر لا يسير كما أراد له أن يسير».

مرة أخرى، لم يندهش من كلماته التى خرجت من فمه، لكنه كان على يقين من صدقها. قال «رون»: «لكن.. كيف عرفت؟».

هز «هارى» رأسه، وغطى عينيه بيديه، وضغط عليها براحتى يديه. رأى نجومًا صغيرة تتراقص أمام ناظريه. شعر بجلوس «رون» إلى جانبه وأدرك أنه يرنو إليه.

قال «رون» بصوت مكتوم: «هل الأمر شبيه بالموقف السابق؟ عندما آلمتك رأسك فى مكتب أمبريدچ؟ عندما كان الذى ـ تعرفه غاضبًا؟».

هز «هارى» رأسه نفيًا.

«ما الأمر إذن؟».

أخذ «هارى» يفكر فيما حدث.. عندما كان فى مكتب «أمبريدچ»، وهو ينظر إلى وجهها.. وندبته تؤلمه.. وكيف شعر بالخوف، وبإحساس غريب.. إحساس بالفرحة.. لكن بالطبع لم يعرف وقتها طبيعته؛ لأنه كان تعيسًا..

قال: «المرة السابقة كان إحساسًا بالسرور والرضا.. كان هناك ما يجرى وهو راضٍ عنه، بانتظار حدوث شىء جميل يهمه. والليلة السابقة على عودتنا إلى هوجورتس..» فكر لبرهة فى اللحظة التى آلمته فيها رأسه وهو فى حجرته و«رون» بمنزل «جريمولد بليس».. «كان غاضبًا».

التفت إلى «رون» فوجده يحدق فيه بذهول.. ثم قال: «يمكنك أن تحل محل تريلاونى يا صاحبى».

قال «هارى»: «أنا لا أتنبأ بأشياء».

قال «رون»: «حقًا؟ أتعنى أنك تعرف ما تفعله؟» فى مزيج من الرهبة والدهشة.. «هارى.. إنك تقرأ أفكار الذى تعرفه».

قال «هارى» وهو يهز رأسه: «لا.. الأمر أقرب لفهمى حالته المزاجية. فأنا أرى لمحات من حالته. قال «دمبلدور» إن شيئًا مثل هذا حدث العام الماضى.

قال إنه مع اقتراب ڤولدمورت منى، أو عندما يشعر بالكراهية، فيمكننى معرفة شعوره هذا. والآن أمسيت قادرًا على معرفة إحساسه بالفرحة أيضًا..».

مرت فترة من الصمت. والرياح تعوى والأمطار تضرب جانب المبنى.

قال «رون»: «عليك إخبار أحد».

«أخبرت سيرياس المرة الماضية».

«حسنًا.. أخبره بما حدث اليوم».

قال «هارى» بتجهم: «لا يمكننى.. أليس كذلك؟ أمبريدچ تراقب البوم وشبكة الانتقال عبر النيران.. هل نسيت؟».

«إذن أخبر دمبلدور».

قال «هارى» باقتضاب وهو ينهض: «قلت لك إنه يعرف بالفعل» ثم أضاف وهو يرتدى عباءته: «لا فائدة من إخباره ثانية».

ارتدى «رون» ملابسه هو الآخر، وهو يتفحص «هارى» ببصره، ثم قال: «دمبلدور يريد معرفة هذه الأشياء». هز «هارى» كتفيه.

«هيا بنا.. مازال أمامنا واجب التمرين على تعويذة الصمت».

هرولا عبر الفناء المظلم، وهما يتعثران فى الطرق العشبية الموحلة، من دون أن يتحدثا. أخذ «هارى» يفكر.. ما الذى يريده «ڤولدمورت» أن يتحقق بسرعة ولا يجرى العمل عليه بسرعة كافية؟

«لديه خطط أخرى أيضًا.. خطط بإمكانه تنفيذها بهدوء.. أشياء لا يمكنه الحصول عليها سوى بالخداع.. سلاح مثلاً.. شىء لم يكن لديه المرة السابقة».

لم يفكر «هارى» فى هذه الكلمات منذ أسابيع.. فقد انشغل بما يجرى فى «هوجورتس» عن التفكير، من معارك وصراع مع «أمبريدچ»، والظلم الذى شعر به من تدخل الوزارة.. لكن الآن عاودته هذه الكلمات وأخذ يفكر.. سيكون غضب «ڤولدمورت» منطقيًا إن لم يكن قريبًا من وضع يده على السلاح أيًا كان. هل سبقته الجماعة إليه؟ هل منعته من الحصول عليه؟ وأين يحتفظون به؟ ترى مع من هذا السلاح الآن؟

«ميمبولوس ميمبليتونيا» أعاد صوت «رون» «هارى» إلى أرض الواقع وهو يمر من كوة اللوحة إلى حجرة الطلبة.

بدا أن «هيرميون» قد صعدت لتنام مبكرًا، تاركة «كروكشانكس» يستدفئ

جالسًا على مقعد وأمامه قبعات للأقزام المنزلية على المائدة القريبة من النار.

سر «هارى» كثيرًا لغيابها؛ لأنه لم يرغب فى الكلام عن ألم ندبته، ولا فى سماع طلبها منه أن يذهب إلى «دمبلدور». أخذ «رون» يرمقه بنظرات قلقة، لكن «هارى» أخرج كتب التعاويذ، لينتهى من كتابة مقاله. بالرغم من تظاهره بالتركيز عندما قال «رون» إنه ذاهب إلى الفراش؛ وجد أنه لم يكتب إلا أقل القليل.

حل منتصف الليل ومضى و«هارى» يقرأ، ويعاود قراءة فقرة من الكتاب عن أنواع من الأعشاب السحرية من غير أن يفهم كلمة من المكتوب:

هذه النباتات مؤثرة فى علاج التهابات المخ، ولهذا فهى تستخدم فى وصفات الارتباك والحيرة، وعندما يرغب الساحر فى أن يجعل رأسه حارًا، ويسعى للإحساس بالاستهتار..

قالت «هيرميون»: إن «سيرياس» يميل إلى الاستهتار مع حبسه فى «جريمولد بليس»..

.. مؤثرة فى علاج التهابات المخ، ولهذا فهى تستخدم فى..

.. ستقول جريدة «دايلى بروفيت» إن عقله ملتهب لو عرفوا بأنه يشعر بما يشعر به «ڤولدمورت»..

.. فى وصفات الارتباك والحيرة..

.. الكلمة مربكة.. لماذا يشعر بما يشعر به «ڤولدمورت»؟ وما هى الصلة الغريبة بينهما؟ والتى لم يفسرها له «دمبلدور» بالطريقة التى ترضى فضوله؟

.. عندما يرغب الساحر فى..

.. لكم يود النوم..

.. أن يجعل رأسه حارًا..

.. ما أجمل الدفء والراحة التى يمنحها المقعد، وهو جالس أمام النيران.. والمطر مازال ينهمر على النوافذ، و«كروكشانكس» يهر، والحطب يطقطق بين ألسنة اللهب.. انزلق الكتاب من بين يدى «هارى» وحط بصوت مكتوم على البساط المواجه للمدفأة. ومال رأسه إلى الجانب..

أخذ يسير ثانية فى الممر الخالى من النوافذ، وخطوات أقدامه تدوى وسط السكون. ومع اقتراب الباب المنتصب عند نهاية الممر، أخذ قلبه يخفق بشدة.. إن فتحه.. لو تمكن من الدخول..

مد يده.. كانت أطراف أصابعه على مسافة بضع بوصات منه..
«سيدى هارى بوتر».

أفاق مفزوعًا من نومه. كانت كل الشموع فى حجرة الطلبة قد انطفأت، لكنه
شعر بمن يتحرك بالقرب منه.

قال «هارى» وهو ينهض فى مقعده: «من هناك؟ كانت النيران شبه
منطفئة، والحجرة مظلمة للغاية.

قال صوت رفيع: «دوبى معه بومتك يا سيدى».

قال «هارى» بعقل غائب وهو يحاول سبر أغوار الظلام ناظرًا نحو مصدر
الصوت: «دوبى؟».

كان «دوبى» القزم المنزلى واقفًا إلى جانب المائدة التى تركت عليها
«هيرميون» عشرة من قبعاتها الصوفية. كانت أذناه الكبيرتان المدببتا
الطرف ظاهرة من أسفل واحدة من قبعات «هيرميون».. كان يرتدى الكثير من
القبعات، واحدة فوق الأخرى، حتى صار أطول قدمين أو ثلاثة أقدام، وفوق
كل هذه القبعات جلست «هدويج»، وهى تنعب، باديًا عليها الصحة.

قال القزم وتعبير إعجاب شديد على وجهه: «تطوع دوبى بإعادة بومة
هارى بوتر إليه.. تقول الأستاذة جروبلى بلانك إنها على ما يرام الآن يا
سيدى». أحنى ظهره فى انحناءة إجلال مبالغ فيها، مسح معها أنفه الأرض،
ونعبت «هدويج» مستنكرة، ثم طارت إلى ذراع مقعد «هارى».

قال «هارى» مداعبًا رأس «هدويج» محاولاً التخلص من صورة الباب التى
لازمته من حلمه.. كانت الصورة براقة للغاية. تفحص «دوبى» ببصره،
ولاحظ أنه يرتدى العديد من الأوشحة، وعددًا كبيرًا من الجوارب، حتى إن
قدميه ظهرتا كبيرتين على جسده.

«آ.. هل أخذت كل ملابس هيرميون التى تتركها هنا؟».

قال «دوبى» بسعادة: «لا يا سيدى.. دوبى يأخذ بعضها لوينكى أيضًا يا سيدى».

سأله «هارى»: «أجل.. وكيف حال وينكى؟».

تهدلت أذنا «دوبى» قليلاً.. وقال بحزن وعيناه الكبيرتان بلون أخضر براق
تلمعان مثل كرتى تنس خضراوين: «وينكى تشرب كثيرًا يا سيدى.. إنها لا
تهتم بالملابس، يا هارى بوتر. ولا الأقزام الآخرون يهتمون بها يا سيدى.. لم

يعد أيهم ينظف برج جريفندور، ليس فى وجود القبعات، والجوارب المخبأة فى كل الأركان، فهم يجدونها مهينة لهم يا سيدى. دوبى يأخذها كلها يا سيدى، لكنه لا يهتم يا سيدى، لأنه يتمنى دائمًا رؤية هارى بوتر، والليلة يا سيدى تحققت أمنيته» ثم انحنى مرة ثانية وقال: «لكن هارى بوتر لا يبدو سعيدًا» ثم استرسل فى الكلام بعد أن استقام ظهره وهو ينظر بخجل إلى «هارى»: «سمعه دوبى وهو يتكلم وهو نائم. هل كان هارى بوتر يحلم بأحلام سيئة؟».

قال «هارى» متثائبًا وهو يفرك عينيه: «ليست سيئة للغاية.. حلمت بما هو أسوأ منها من قبل».

أجال القزم طرفه متفحصًا «هارى» بعينيه الواسعتين الجاحظتين.. ثم قال بجدية بالغة وأذناه متهدلتان: «دوبى يتمنى لو يساعد هارى بوتر؛ لأن هارى بوتر حرر دوبى، ودوبى سعيد جدًا الآن». فابتسم «هارى».

«لا يمكنك مساعدتى يا دوبى، لكن شكرًا على عرضك المساعدة».

انحنى ملتقطًا كتاب التعاويذ. عليه محاولة إنهاء المقال قبل الغد. أغلق الكتاب، وبينما هو يغلقه توهجت النيران وأضاءت الندبة البيضاء الرفيعة على ظهر يده.. التى نتجت عن احتجازه مع «أمبريدج».

قال «هارى» ببطء: «انتظر لحظة.. ثمة ما يمكنك مساعدتى فيه يا دوبى».

التفت إليه القزم مبتسمًا، وقال: «أنتظر أمرك يا سيد هارى بوتر».

«أريد معرفة مكان يمكن لثمانية وعشرين شخصًا أن يتمرنوا فيه على الدفاع عن النفس ضد السحر الأسود من غير أن يكشفهم مدرس من المدرسين، وخاصة..» رفع «هارى» يده وشد قبضته على الكتاب، فبدت الندبة واضحة بيضاء لامعة.. «.. الأستاذة أمبريدج».

توقع تلاشى ابتسامة القزم، وأن تتهدل أذناه، وتوقع أن يقول إن الأمر مستحيل، أو أنه سيحاول العثور على مكان، لكن ما لم يتوقعه هو أن يقفز «دوبى» قفزة صغيرة، وتهتز أذناه جذلاً، ويصفق بيديه.

قال بسعادة: «دوبى يعرف المكان المثالى.. دوبى سمع الأقزام الأخرى تتحدث عندما جاء إلى هوجورتس يا سيدى. وهو يعرف حجرة تظهر وتختفى يا سيدى، أو يقال عنها حجرة الاحتياجات».

قال «هارى» بفضول: «لماذا؟».

قال «دوبى» بجدية: «لأنها حجرة لا يقدر المرء على دخولها إلا عندما يكون بحاجة إليها. أحيانًا تجدها وأحيانًا تختفى، لكنها تظهر دائمًا وهى مجهزة باحتياجات الساعى لدخولها. استخدمها دوبى من قبل يا سيدى..» ثم وهو يخفض صوته شاعرًا بالذنب: «.. عندما أصبحت وينكى ثملة دائمًا، بات يخفيها فى حجرة الاحتياجات، وبها يجد مصلاً مضادًا للكحوليات، وفراشًا صغيرًا يناسب الأقزام لترتاح عليه يا سيدى.. ودوبى يعرف أن السيد فيلش وجد مواد تنظيف إضافية بالحجرة عندما نفد ما عنده منها يا سيدى، و..».

قال «هارى» وقد تذكر فجأة شيئًا ما قاله «دمبلدور» ليلة الحفل المدرسى فى رأس السنة الماضية: «وإن شعرت بالحاجة لدخول دورة المياه.. فهل تمتلئ الحجرة بالمراحيض؟».

قال «دوبى» وهو يومئ بحماس: «دوبى يتوقع هذا يا سيدى.. إنها حجرة مدهشة يا سيدى».

قال «هارى» وهو يستقيم أكثر فى جلسته: «وكم من الأشخاص يعرفون بوجودها؟».

«قليلون للغاية يا سيدى. فى الأغلب يتعثر بها بعض الناس عندما يكونون بحاجة إليها يا سيدى، لكن فى العادة لا يجدونها ثانية؛ لأنهم لا يعرفون أنها بانتظارهم دومًا، تنتظر تأدية خدمتها يا سيدى».

قال «هارى» ونبضات قلبه تتسارع: «هذا مدهش.. إنه يناسبنا تمامًا يا دوبى. متى سترينى الطريق إليها؟».

قال «دوبى» وقد سره حماس «هارى»: «فى أى وقت يا سيد هارى بوتر.. يمكننا الذهاب الآن إن شئت».

شعر «هارى» بإغراء الذهاب مع «دوبى» للحظة. قام من مقعده، قاصدًا الإسراع إلى الأعلى لجلب عباءة الإخفاء، عندما أدرك للمرة الأولى وجود صوت يشبه صوت «هيرميون» يهمس فى أذنه: استهتار. فالوقت على أية حال قد تأخر كثيرًا، وهو متعب.

قال مترددًا وهو يعاود الجلوس فى مقعده: «ليس الليلة يا دوبى.. فالأمر هام.. ولا أريد له الفشل؛ لذا فأنا بحاجة إلى خطة جيدة. اسمع، هل يمكنك إخبارى أين حجرة الاحتياجات هذه بالضبط؟ وكيف أصل إليها؟».

***

أخذت عباءاتهم تتطاير من حولهم وهم يهرولون عبر حديقة الخضراوات إلى درس علم الأعشاب، وعندما وصلوا لم يسمعوا ما تقوله الأستاذة «سبروت» بسبب الأمطار الشديدة المنهمرة، فى قطرات كبيرة ضخمة تتساقط على سقف الصوبة الزجاجية. انتقلوا إلى فصل خالٍ بالطابق الأرضى لحضور درس رعاية الكائنات السحرية، بدلاً من حضوره فى الهواء الطلق كالعادة، وشعر «هارى» و«رون» بالارتياح عندما جاءتهما «أنچيلينا» على الغداء لتخبرهما بأنه قد تم إلغاء تمرين «الكويدتش».

قال «هارى» بهدوء عندما أخبرته: «جيد.. لأننا وجدنا مكانًا لاجتماع السحر الدفاعى الأول. الليلة، الساعة الثامنة، الطابق السابع، أمام لوحة برنابة البربرى، تلك التى تجسد الترولات وهى تضربه بالهراوات. هلا أخبرت كاتى وأليشيا؟»

بدت مندهشة قليلاً، لكنها وعدت بإخبارهما. عاد «هارى» جائعًا إلى طعامه. عندما رفع بصره ليلتقط عصير القرع، وجد «هيرميون» تراقبه.

قال بذهن مشغول بالطعام: «ما الأمر؟».

«لا شىء.. خطط دوبى ليست آمنة دومًا. هل تذكر عندما تكسرت كل عظام ذراعك؟».

«هذه الحجرة ليست فكرة مجنونة لدوبى. دمبلدور يعرفها هو الآخر، وذكرها لى مرة ونحن فى الحفل العام الماضى».

انفرجت أسارير «هيرميون» وقالت: «هل أخبرك بها دمبلدور؟».

هز «هارى» كتفيه قائلاً: «ذكر عابر».

قالت «هيرميون» بخفة: «طيب.. هذا ينهى الموضوع» ولم تعترض ثانية.

قضى و«رون» معًا معظم اليوم يحاولان العثور على من كُتبت أسماؤهم فى القائمة، ليخبروهم بموعد الاجتماع. شعر «هارى» ببعض الحسرة عندما عثرت «چينى» على «تشو»، وليس هو، لكن ومع الانتهاء من العشاء كان واثقًا من أن الخبر قد وصل إلى الثمانية والعشرين شخصًا الذين حضروا اجتماع «رأس الخنزير».

مع حلول الساعة السابعة والنصف غادر «هارى» و«رون» و«هيرميون» حجرة طلبة «جريفندور»، وخرج «هارى» قابضًا على رقعة ورق قديمة فى

يده. كان من المسموح لتلاميذ الصف الخامس البقاء خارج أجنحتهم حتى الساعة التاسعة مساء، لكن أخذ ثلاثتهم ينظرون حولهم بتوتر وهم فى طريقهم إلى الطابق السابع.

حذرهما «هارى» وهو يفض رقعة الورق عند طرف السلم: «انتظرا.. ثم طرق الورقة بعصاه السحرية وغمغم: «أقسم إننى شخص ضائع».

ظهرت على الورقة خريطة لمدرسة «هوجورتس»، وعليها نقاط سوداء صغيرة متحركة، وعلى كل منها اسم لشخص مختلف.

قال «هارى» مقربًا الخريطة من عينيه: «فيلش فى الطابق الثانى، والآنسة نوريس فى الرابع». قالت «هيرميون» بقلق: «وأمبريدچ؟».

قال «هارى» مشيرًا إلى النقطة التى تمثلها: «فى مكتبها.. هيا بنا».

هرولوا عبر الممر إلى المكان الذى وصفه «دوبى» لـ«هارى»، وهو مساحة خالية مقابل لوحة «برنابة البربرى»، والتى تصف محاولة «برنابة البربرى» الحمقاء لتدريب «الترولات» على رقص الباليه.

قال «هارى» بهدوء، و«ترول» فى اللوحة قد كف عن ضرب معلم الباليه العالمى بالهراوة ليراقبهم: «قال دوبى لتسير بطول هذا الجدار ثلاث مرات وأنت تركز على تخيل ما تحتاجه».

فعلوا كما قال «دوبى».. فكانوا يدورون على أعقابهم عند طرف النافذة المجاورة للجزء المعنى من الجدار، ثم يعاودون الالتفاف عند الزهرية الكبيرة عند الطرف الآخر. أغلق «رون» عينيه بقوة محاولاً التركيز، وأخذت «هيرميون» تهمس بأشياء مبهمة، وشد «هارى» على قبضته بقوة وهو يحدق أمامه فى الفراغ.

أخذ يفكر: نحن بحاجة إلى مكان لتعلم القتال.. أعطنا مكانًا للتمرين.. مكانًا لا يجدنا فيه أحد..

قالت «هيرميون» بحدة وهم يدورون للمرة الثالثة: «هارى».

ظهر باب مصقول فى وسط الجدار. أخذ «رون» يحدق فيه، متعبًا قليلاً. مد «هارى» يده، وقبض على المقبض النحاسى، ودخل إلى حجرة فخمة مضاءة بمشاعل متوهجة مثل التى تضىء القبو على بعد ثمانية طوابق أسفلهم.

كانت الجدران مزدانة بأرفف للكتب، وبدلاً من المقاعد كان هناك طنافس حريرية مريحة على الأرض. ومجموعة من الأرفف على الجانب البعيد للحجرة

تحمل أدوات مثل «السنيكوسكوب»، ومجسات الاستشعار عن بعد، وزجاجة كبيرة كان «هارى» واثقًا أنها كانت معلقة العام الماضى فى مكتب «مودى» المزيف.

قال «رون» بحماس: «ستكون هذه مفيدة عند التمرين على تعاويذ التجميد» وهو يحرك واحدة من الطنافس بقدمه.

قالت «هيرميون» بحماس وهى تمرر أصبعها على بعض المجلدات الكبيرة: «انظرا إلى هذه الكتب.. دليلك إلى التعاويذ وكيف تعكسها على من يطلقها.. فنون السحر الأسود.. الدفاع عن النفس ضد الأعمال والعكوسات.. ياه..» التفتت إلى «هارى» ووجهها يتوهج، فرأى أن وجود مئات الكتب بالحجرة قد أقنع «هيرميون» أخيرًا بأن ما يفعلونه هو الصواب.. أضافت: «هارى.. هذا مدهش، يوجد هنا كل ما نحتاجه».

وبدون المزيد من الكلام أخذت كتاب (اللعنات للملاعين) من فوق الرف وجلست على أقرب الطنافس إليها وبدأت فى القراءة.

سمعوا طرقة رقيقة على الباب. نظر «هارى» إليه فرأى «چينى» و«نيفيل» و«لاڤندر» و«بارفاتى» و«دين» قد وصلوا.

قال «دين» بانبهار مجيلاً طرفه فى الحجرة: «ياه! ما هذا المكان؟».

بدأ «هارى» فى شرح الأمر لهم، لكن وقبل الانتهاء وصلت جماعة أخرى، وبدأ فى الكلام ثانية. ومع حلول الساعة الثامنة، كانت كل الطنافس قد شغلها الحضور. عبر «هارى» الحجرة إلى المدخل وأدار المفتاح فأغلق الباب بصوت معدنى مسموع محبب، وصمت الجميع، وهم ينظرون إليه. علّمت «هيرميون» بحرص الصفحة التى وقفت عندها فى كتاب (اللعنات للملاعين) ووضعته إلى جانبها.

قال «هارى» شاعرًا ببعض التوتر: «هذا هو المكان الذى سنحضر فيه جلسات التدريب، وواضح أنكم.. آ.. وجدتموه مناسبًا».

قالت «تشو»: «إنه رائع» فغمغم بعض الحضور موافقين.

قال «فريد» مقطبًا جبينه: «غريبة.. لقد حبسنا فيلش هنا من قبل.. هل تذكر يا چورچ؟ لكن المكان لم يكن سوى خزانة للمقشات».

تساءل «دين» من آخر الحجرة مشيرًا إلى «السنيكوسكوب» والزجاجة الكبيرة: «هارى.. ما هذه الأشياء؟».

قال «هارى» عابرًا من بين الطنافس إليها: «أجهزة مراقبة للسحر الأسود..

وهى بالأساس تعرفك بوجود ساحر أسود أو عدو بالقرب، لكن لا تعتمد عليها كثيرًا، فهى سهلة الخداع..».

حدق للحظة فى الزجاجة، حيث كانت هناك أشياء غريبة تتحرك داخلها، لكنه لم يتعرف على أى منها، فأدار ظهره لها.

«أنا أفكر فى الكثير من الأشياء التى يجب أولا أن.. آ..» لاحظ وجود يد مرفوعة فقال: «ما الأمر يا هيرميون؟».

قالت «هيرميون»: «أعتقد أن علينا انتخاب قائد لنا».

قالت «تشو» على الفور ناظرة إلى «هيرميون» كأنها مجنونة: «هارى هو القائد».

شعر «هارى» بالسرور والتوتر يضطرمان فى صدره.

قالت «هيرميون» كأن أحدًا لم يقاطعها: «أجل، لكن أعتقد أن علينا التصويت على الموضوع.. فهو يعطى طابعًا رسميًا وشرعية للقائد. لذا، أسألكم جميعًا: هل ترضون هارى قائدًا لنا؟».

رفع الجميع أيديهم، حتى «زكارياس سميث»، وإن كان قد رفعها بتردد.

قال «هارى»: «آ.. طيب. أشكركم.. ثم.. ماذا يا هيرميون؟» شاعرًا بوجهه حارًا كأنه يحترق.

قالت ويدها ما زالت فى الهواء: «من الأفضل أيضًا أن يكون للمجموعة اسم.. فهذا حَرِىٌّ ببث روح الجماعة داخلنا ويشعرنا بالاتحاد.. ما رأيكم؟».

قالت «أنچيلينا» متطلعة: «هل يمكن تسميتها رابطة معاداة أمبريدچ؟».

اقترح «فريد»: «أو مجموعة (وزارة السحر كلها مجانين)؟».

قالت «هيرميون» وهى تعبس فى وجه «فريد»: «أفكر فى اسم لا يوحى لأحد بما نفعله، حتى نشير إلى جماعتنا دون خوف من سماع أحد لاسمنا».

قالت «تشو»: «ما رأيكم فى اتحاد الدفاع؟ واختصارها (دى. أيه)، ولن يعرف أحد ما نتحدث عنه».

قالت «چينى»: «أجل.. الـ(دى. أيه) اسم مناسب.. لكنه قد يعنى أيضًا (جيش دمبلدور)[1].. لكن دعونا نحول الاسم إلى (جيش دمبلدور)، فهو أكثر ما تخشاه الوزارة. أليس كذلك؟».

أخذ الجميع يضحكون ويتهامسون تعليقًا على كلامها.

(١) D.A. قد تعنى: Defense Association (اتحاد الدفاع) أو: Dumbledor's Army. (المترجم).

قالت «هيرميون» بأسلوب آمر: «هل يوافق الجميع على اسم (دى. أيه.)؟» ثم وهى تحصى الأصابع المرفوعة وهى تميل فى جلستها: «أغلبية.. موافقة!».

مررت رقعة من الورق ليوقعوا عليها، ثم علقتها على الحائط، وكتبت عند طرفها العلوى بحروف كبيرة:

جيش دمبلدور

قال «هارى» عندما جلست ثانية: «حسنًا.. هلا بدأنا فى التدريب؟ أرى أن أول شىء يجب التدرب عليه هو تعويذة إكسبيل ـ أرموس، تعويذة نزع السلاح كما تعرفون. أعرف أنها سهلة وبدائية، لكننى وجدتها مفيدة عندما..».

قال «زكارياس سميث» وعيناه تدوران فى محجريهما، وهو يعقد ذراعيه على صدره: «من فضلك.. لا أعتقد أن إكسبيل ـ أرموس هى ما نحتاجه للدفاع عن أنفسنا ضد الذى تعرفه».

قال «هارى» بهدوء: «لقد استعملتها ضده، وأنقذت حياتى شهر يونيو الماضى».

فتح «سميث» فمه ببلاهة. وساد الهدوء الحجرة.

قال «هارى» ثانية: «لكن إن كنت تحسبها أقل من مستواك فيمكنك المغادرة».

لم يتحرك «سميث»، ولم يتحرك غيره.

قال «هارى» وفمه أجف قليلاً من المعتاد مع كل هذه العيون التى تلاحقه: «حسنًا.. الأفضل أن ننقسم إلى مجموعات من اثنين ونبدأ فى التمرين».

بدا أمرًا غريبًا عليه أن يصدر الأوامر، لكن الأغرب أن يراهم يطيعونه. هب الجميع على أقدامهم وانقسموا إلى أزواج. ولم يكن من الغريب أن يظل «نيفيل» بلا شريك.

قال له «هارى»: «يمكنك التدرب معى.. حسنًا.. سأعد إلى ثلاثة ونبدأ.. واحد.. اثنين.. ثلاثة..».

فجأة امتلأت الحجرة بصيحات: إكسبيل ـ أرموس. طارت العصى السحرية فى كل الاتجاهات، وضربت التعاويذ التى لم تصب أهدافها الكتب والأرفف. كان «هارى» أسرع من «نيفيل» بكثير، فأصابته تعويذته وأطارت العصا السحرية من يده لتضرب السقف ويصدر عنها شرارات كثيرة وتحط فوق أرفف

الكتب، فأرجعها «هارى» إليه بتعويذة الإحضار. وهو ينظر حوله عرف أنه كان محقًا فى التدرب على تعويذة بدائية.. فأكثر الحضور لم ينجحوا فى نزع الأسلحة من خصومهم، وكل ما فعلوه هو أن تراجعوا للخلف بضع خطوات، أو الإجفال والتعاويذ الضعيفة تمر من فوقهم.

صاح «نيفيل»: «*إكسبيل ـ أرموس*» فشعر «هارى»، وقد أصابته التعويذة فى غفلة منه، بعصاه السحرية تطير من يده.

قال «نيفيل» بسرور بالغ: «لقد نجحت.. نجحت.. لم أنجح فى أدائها من قبل قط.. أخيرًا نجحت».

قال «هارى» مشجعًا إياه: «تعويذة جيدة» وقد قرر ألا يخبره بأن خصمه الحقيقى لن يقف محدقًا فى الجهة البعيدة عنه وهو ممسك بعصاه السحرية بلا اكتراث، أضاف: «انظر يا نيفيل، هل يمكنك الاشتراك مع رون وهيرميون فى التدريب لدقيقتين حتى أمر وأرى أداء الباقين؟».

تحرك «هارى» إلى منتصف الحجرة. كان هناك شىء ما غريب يحدث مع «زكارياس سميث».. كل مرة يفتح فمه لينزع سلاح «أنتونى جولدشتاين» كانت عصاه هو تطير من يده، وقف «هارى» فى حيرة من أمره كيف يحل هذا اللغز، فوجد أخيرًا أن «فريد» و«چورچ» كانا واقفين على بعد عدة أقدام منه، يوجهان عصيهما السحرية إلى ظهره بالتبادل.

قال «چورچ» بسرعة: «آسف يا هارى.. لم أقدر على مقاومة الإغراء» بعد أن عرف أن «هارى» قد رآه.

سار متفحصًا أداء الباقين، محاولاً تصحيح ما يراه خطأ فى تعاويذهم. أخذت «چينى» تتدرب مع «مايكل كورنر»، وكان أداؤها جيدًا، بينما وجد «مايكل» غير قادر أو غير راغب فى إصابتها. أخذ «إرنى ماكميلان» يحرك عصاه السحرية بحركات مسرحية لا ضرورة لها وهو يؤدى التعويذة، معطيًا شريكه الوقت الكافى ليهاجمه.. وكان الأخوان «كريفى» شديدى الحماس، والمسئولين بالأساس عن الكتب التى تتطاير متقافزة من فوق الأرفف من حولهم.. كانت «لونا لوفجود» مشابهة لهما فى أدائها، وهى تطير بعصا «فينش ـ فلتشلى» من يده أحيانًا، وتتسبب فى انتصاب شعر رأسه أحيانًا أخرى.

صاح «هارى»: «توقفوا.. توقفوا.. توقفوا».

فكر أنه بحاجة إلى صفارة، وسرعان ما رأى واحدة فوق أقرب صف من الكتب. أمسك بها ونفخ فيها بقوة، فأنزل الجميع عصيهم السحرية.

قال: «لم يكن أداؤكم سيئًا.. لكنكم تقدرون على تحسينه» حدق فيه «زكارياس سميث» وهو ينصت إلى قوله: «دعونا نحاول ثانية».

أخذ يدور في الحجرة من جديد، متوقفًا هنا وهناك مسديًا النصح. ببطء، تحسن الأداء العام.

تفادى الاقتراب من «تشو» وصديقتها لبعض الوقت، لكن بعد فحصه اكل الأزواج بالحجرة مرتين، شعر أنه لا يقدر على تجاهلها.

قالت «تشو» بارتباك وهو يقترب: «يا خبر! إكسبيل ـ أرمياس.. أقصد إكسبيل ـ أرموس.. لا.. آسفة يا مارييتا».

اشتعل كُمّ رداء صديقتها مجعدة الشعر، والتي أطفأته بعصاها وأخذت ترمق «هاري» كأنه المسئول عما حدث.

قالت «تشو» مخاطبة «هاري»: «لكم أصبتني بالارتباك، كنت أؤدي التعويذة أداء جيدًا قبل أن تأتي».

كذب عليها «هاري» قائلاً: «كانت تعويذة جيدة» لكن عندما رفعت حاجبها باستنكار قال: «أعني، كانت سيئة، لكن أعرف أنك قادرة على أدائها كما يجب، فقد كنت أراقبك من بعيد».

ضحكت، ونظرت إليهما صديقتها «مارييتا» بحقد ثم غضت بصرها.

غمغمت «تشو»: «لا تهتم.. إنها لا تود الحضور، لكنني جعلتها تحضر. أبواها حذراها من إغضاب أمبريدج. فأمها تعمل بالوزارة».

سألها «هاري»: «وماذا عن والديك؟».

قالت «تشو» وهي ترفع رأسها بكبرياء: «حذراني من إغضاب أمبريدج أنا الأخرى.. لكن إن كانا يحسبان أنني لن أقاتل الذي ـ تعرفه بعد ما حدث لسيدريك فأنا..».

لم تكمل كلامها، وبدا عليها الارتباك، ثم ساد صمت ثقيل بينهما. رأى «هاري» عصا «تيري بوت» السحرية تطير إلى جوار أذنه ثم تضرب «أليشيا سبينيت» على أنفها.

قالت «لونا لوفجود» بفخر من خلف «هاري»: «أبى مساند للتصرفات المخالفة للوزارة» فمن الواضح أنها كانت تتنصت على حوارهما أثناء محاولة «فينش ـ فلتشلي» إعادة عباءته إلى وضعها بعد أن غطت رأسه..

_____ ٣٥٠ _____

«وهو يقول دومًا إنه يصدق أى شىء يقال عن فادج.. مثل عدد الجان الذين قتلهم. وبالطبع هو يستغل مصلحة الألغاز والغوامض فى إنتاج سموم فظيعة، والتى يدسها فى الطعام لكل من يعارضه. ثم هناك ما يستعين به من كائنات الأومجوبولار سلاشكيلتر..».

قال «هارى» لـ«تشو» التى فتحت فمها لتستفسر: «لا تسألى» فضحكت.

نادته «هيرميون» من الطرف البعيد للحجرة: «هارى.. هل تعرف كم الساعة؟».

نظر إلى ساعته وصدم عندما وجدها التاسعة وعشر دقائق، مما يعنى أنهم بحاجة إلى العودة إلى أجنحتهم على الفور وإلا خاطروا بأن يمسكهم «فيلش» ويعاقبهم لتعديهم الحدود المسموح بها فى هذا الوقت من الليل. أطلق صفارته، فكف الجميع عن الصياح (إكسبيل - أرموس)، وطارت آخر عصا سحرية لتضرب الأرض بصوت مسموع بعد أن انخلعت من يد صاحبها.

قال «هارى»: «كان تدريبنا جيدًا.. لكن داهمنا الوقت، ومن الأفضل أن نغادر الآن. هل نلتقى فى نفس الوقت من الأسبوع المقبل؟».

قال «دين توماس» بلهفة: «بل قبلها» ووافقه الكثيرون.

لكن «أنچيلينا» قالت بسرعة: «موسم كأس الكويدتش على وشك البدء، ونحن بحاجة للتمرين أيضًا».

قال «هارى»: «إذن نجتمع ليلة الأربعاء.. يمكننا تحديد مواعيد لاجتماعات إضافية وقتها. هيا، لنخرج».

أخرج خريطته السحرية ثانية وتفحصها؛ بحثًا عن إشارات على وجود المعلمين فى الطابق السابع. ثم تركهم يخرجون تباعًا فى جماعات من ثلاثة وأربعة أشخاص، وهو يراقب النقاط المعبرة عنهم بتوتر ليرى إن كانوا قد وصلوا إلى أجنحتهم بأمان.. تلاميذ «هافلباف» يذهبون إلى ممر فى القبو يقود أيضًا إلى المطابخ، وتلاميذ «رافنكلو» إلى برج فى الطرف الغربى من القلعة، وتلاميذ «جريفندور» إلى ممر لوحة السيدة البدينة.

قالت «هيرميون» عندما لم يبق إلا هى و«هارى» و«رون»: «كانت جلسة ممتازة يا هارى».

قال «رون» بحماس وهم يخرجون من الباب ويراقبونه وهو يذوب فى الجدار: «أجل.. هل رأيتنى وأنا أنزع سلاح هيرميون يا هارى؟».

قالت «هيرميون» منزعجة: «كانت مرة واحدة.. لكننى نلت منك أكثر بكثير مما فعلت أنت».

«لكننى لم أصبك مرة واحدة فقط.. بل ثلاث مرات على الأقل و..».

«هذا إن كنت قد أحصيت المرة التى تعثرت فيها على قدمك وأسقطت منى عصاى السحرية بيدك».

تجادلا طوال الطريق إلى حجرة الطلبة، لكن «هارى» لم ينصت إليهما. كانت عينه على الخريطة، وهو يفكر فى قول «تشو» عنه.. وأنه جعلها ترتبك.

١٩ الأســد والأفعــى

شعر «هارى» وكأن فى صدره سراجًا منيرًا طوال الأسبوعين التاليين، سرًا متوهجًا بالجمال يشد من أزره فى حصص «أمبريدج»، بل ويجعله قادرًا على الابتسام وهو ينظر إلى عينيها الجاحظتين الفظيعتين. كان ومعه أعضاء جماعة (دى. أيه.) يقاومونها تحت أنفها، ويفعلون أكثر ما تخشاه هى والوزارة، وكلما أمرتهم بقراءة كتاب «ويلبرت سلينكهارد» أثناء دروسها استرجع ذكريات اجتماعهم الأخير، ويتذكر كيف أتقن «نيفيل» أداء تعويذة الإعاقة بعد ثلاثة اجتماعات من المجهود المضنى، وكيف أدت «بارفاتى باتيل» تعويذة «ريداكتور» فحولت كل ما بالحجرة من «سنيكوسكوب» إلى تراب.

وجد من المستحيل تثبيت ليلة معينة فى الأسبوع للقاءات، فهناك تدريبات فرق «الكويدتش» الأربع التى تحتاج لتغييرها من حين لآخر حسب الحالة الجوية.. لكنه لم يكن آسفًا لهذا، لشعوره بأنه من الأفضل عدم تثبيت موعد للاجتماعات. إن راقبهم أحد وهم يتجمعون فى أوقات معينة، سيسهل عليه معرفة ما يفعلونه بعد أن يرتاب فى سلوكهم المنتظم فى التجمع.

توصلت «هيرميون» إلى أسلوب شديد المهارة فى تعريف الجميع بالموعد الخاص بالاجتماعات التالية، فى حالة الحاجة لتغييره قبل البدء فى الاجتماع بوقت قصير؛ لأنه سيبدو مثيرًا للريبة أن يتجمع تلاميذ من فرق المدرسة الأربع فى القاعة الكبرى كثيرًا. أعطت كل أعضاء جماعة (دى. أيه.) عملة جاليون زائفة (تحمس «رون» كثيرًا عندما رأى دلو الجاليونات للمرة الأولى، واقتنع أنها حقًا ستمنحهم ذهبًا حقيقيًا).

قالت حينها رافعة واحدة من العملات لتفحصها مع نهاية اجتماعهم الرابع: «هل ترون الأرقام المنقوشة حول حافة العملة؟» لمعت العملة باللون الأصفر على الضوء المنبعث من المشاعل.. «على الجاليونات الحقيقية هى ليست أكثر من رقم مسلسل يشير إلى الجنى الذى صنع العملة. أما على هذه العملات الزائفة، فالأرقام تتغير لتعكس موعد الاجتماع التالى. عندما يتغير موعد ما

ستشعرون بالجاليون يستعر بالحرارة؛ لذا فإن احتفظتم به - الجاليون - فى جيوبكم ستشعرون بأى تغيير. سيأخذ كل منا عملة واحدة، وعندما يحدد هارى موعد الاجتماع القادم سيغير الأرقام على عملته، ولأننى سحرتها بتعويذة التقلب فسوف تتغير لتماثل التغيير الذى يحدثه هارى فى أرقام عملته».

عم صمت تام ترحيبًا بكلمات «هيرميون». نظرت حولها إلى كل الوجوه المتطلعة إليها، شاعرة ببعض الارتباك.

قالت غير واثقة من وقع كلامها عليهم: «أعنى، حتى ولو طالبتنا أمبريدچ بإخراج ما فى جيوبنا، فلن تجد ما يريب فى عملة جاليون.. أليس كذلك؟ لكن.. إن كنتم لا تودون الاستعانة بها فـ..».

قال «تيرى بوت»: «هل تقدرين على أداء تعويذة التقلب؟».

قالت «هيرميون»: «أجل».

قال بوهن: «لكنها تعويذة لا يعرفها سوى من يدرس لشهادة الـ(إن. إى. دبليو. تى.)».

قالت «هيرميون» محاولة أن تبدو متواضعة: «آه.. آه.. أعنى.. أجل.. عندك حق».

سألها وهو ينظر إليها بانبهار: «كيف لم تنضمى لرافنكلو ولك عقل كهذا؟».

قالت «هيرميون» بإشراق: «فكرت قبعة الاختيار فى وضعى برافنكلو فى عامى الأول.. لكنها قررت اختيار جريفندور فى النهاية.. حسنًا، هل سنستخدم الجاليونات إذن؟».

صدر عن الجمع غمغمة استحسان جماعية وتقدموا للأمام؛ كلٌّ لأخذ واحدة من السلة. ألقى «هارى» نظرة جانبية على «هيرميون» وقال: «هل تعلمين بم تذكرنى هذه العملات؟».

«لا.. بم تذكرك؟».

«ندبات أكلة الموت.. عندما يلمس ڤولدمورت ندبة منها تؤلمهم جميعًا ندباتهم، ويعرفون أن عليهم الذهاب إليه».

قالت «هيرميون» بهدوء: «أجل.. وهكذا توصلت إلى هذه الفكرة.. لكن لاحظ أننى أحفر تاريخ وموعد الحضور على عملة معدنية، وليس على جلد أعضاء الجماعة».

قال «هارى» مبتسمًا، وهو يضع عملته فى جيبه: «أجل.. هكذا أفضل.. إن الخطر الوحيد من هذه العملات هو أن تضيع واحدة منها على سبيل الخطأ».

قال «رون» وهو يفحص عملته الزائفة بعيون ملؤها الحسرة: «هذا صعب.. فأنا ليس عندى جاليون واحد حقيقى لأخلطه بهذا فأنفقه بدلاً منه».

مع اقتراب أول مباريات موسم الكأس من بدايتها - وهى مباراة «جريفندور» مع «سليذرين» - تم تجميد الاجتماعات؛ لأن «أنچيلينا» أصرت على التمرين اليومى للفريق. وحقيقة أن كأس «الكويدتش» لم ينعقد منذ فترة أضافت المزيد من الاهتمام بالمباراة القادمة.. وكان تلاميذ «رافنكلو» و«هافلباف» مهتمين كثيرًا بالمباراة؛ لأنهم بالطبع سيلعبون ضد الفريقين الآخرين فيما بعد.. وكان قادة الفرق المدرسية الأربع (وليست الرياضية) يسعون لرؤية فرقهم الرياضية تتفوق، وإن حاولوا إخفاء هذا. أدرك «هارى» أن الأستاذة «مكجونجال» - قائدتهم - حريصة على هزيمة «سليذرين» عندما لم تعطهم واجبًا خلال الأسبوع السابق على المباراة.

قالت: «أرى أن لديكم حاليًا ما يكفى من مهام» لم يصدق الجميع آذانهم، حتى نظرت إلى «هارى» و«رون» وقالت بعبوس: «لقد ألفت وجود كأس الكويدتش فى حجرة مكتبى يا أولاد، ولا أريد تسليمه للأستاذ سناب؛ لذا أتعبا نفسيكما قليلاً فى التمرين.. مفهوم؟»».

لم يكن «سناب» أقل وطنية وانتماءً منها.. فقد حجز ملعب «الكويدتش» لفريق «سليذرين» كثيرًا، حتى إن فريق «جريفندور» وجد صعوبة فى التمرين بالملعب؛ لأنه مشغول طوال الوقت. كما تجاهل الشكاوى المقدمة إليه عن محاولات لاعبى «سليذرين» لعن لاعبى «جريفندور» وإلقاء التعاويذ عليهم فى ممرات المدرسة. عندما ذهبت «أليشيا سبينيت» إلى جناح المستشفى المدرسى وحاجباها مثقلان بالشعر - حتى إنهما يتشابكان مع فمها وعينيها - صمم «سناب» أنها حاولت تأدية تعويذة إطالة الشعر على نفسها. ورفض الإنصات لشاهد من الصف الرابع أصر على أن حارس مرمى فريق «سليذرين» «مايلز بلتشلى» قد أصابها من الخلف بعصاه السحرية وهى جالسة فى المكتبة.

شعر «هارى» بالتفاؤل حول فرص «جريفندور» فى الفوز.. فهم بعد كل شىء لم يخسروا أبدًا أمام فريق «مالفوى». لكن كان من الواضح أن مستوى «رون» لم يرتفع بعد إلى مستوى «وود»، وإن أخذ يعمل باجتهاد ليحسن من مهاراته. كانت نقطة ضعفه الكبرى هى فقدانه الثقة بعد دخول هدف فيه،

وقتها يصبح أكثر ارتباكًا، وقد يدخل فيه المزيد من الأهداف بسهولة. على الجانب الآخر، رأى «هارى» أنه يصد كرات صعبة جدًا عندما يكون تام اللياقة البدنية ومستقرًا نفسيًا.. ففى واحد من تمريناتهم التى لا تنسى، تعلق «رون» بيد واحدة من مقشته وركل كرة «الكوافل» بقوة بعيدًا عن المرمى، حتى إنها طارت بطول الملعب ودخلت المرمى المقابل.. وقد قارن باقى أعضاء الفريق هذه الصدة الرائعة بواحدة أداها «بارى ريانى» وهو حارس المرمى الدولى لمنتخب أيرلندا، فى مواجهة مهاجم بولندا «لاديسلو زاموجسكى» الرهيب. حتى «فريد» قال إن «رون» قد يجعله هو و«چورچ» فخورين به، وإنه يفكر بجدية فى مسألة الاعتراف به كقريب لهما، وهو ما كان يحاول إنكاره طوال أربع سنوات.

الشيء الوحيد الذى أقلق «هارى» كثيرًا بشأن «رون» هو استجابته لحركات «سليذرين» الملتوية وقلقه وانزعاجه قبل بدء المباراة. تحمل «هارى» بالطبع تعليقاتهم الساخرة طوال أربعة أعوام، من همسات مثل: «بوتر.. سمعت أن وارنجتون أقسم على إسقاطك من فوق مقشتك» وإن كانت لم ترهبه مثل هذه التعليقات، ولا يفعل حيالها أكثر من الابتسام، ويقول: «وارنجتون لا يرى أمامه، وأخاف على من يقف إلى جوارى من ضربة كرته وليس على نفسى» مما يجعل «رون» و«هيرميون» يضحكان لتختفى الابتسامات الساخرة الظاهرة على وجه «بانسى باركنسون».

لكن «رون» لم يتحمل أبدًا حملة التعليقات والإهانات الموجهة إليه.. عندما تهامس بعض طلبة «سليذرين» - وبعضهم من طلاب الصف السابع وأكبر منه وأقوى منه بكثير - بشأنه وهم يسيرون فى ممرات المدرسة قائلين: «هل حجزت سريرك فى المستشفى يا ويسلى؟» لم يضحك، بل تحول لون وجهه إلى الأخضر من الخوف. وعندما قلد «دراكو مالفوى» «رون» وهو يسقط كرة «الكوافل» (وهى الحركة التى يؤديها كلما شاهد «رون»)، تحمر أذنا الأخير غضبًا وتهتز قبضة يده حتى إنه يسقط ما بيده كثيرًا فى هذه المواقف.

انزوى شهر أكتوبر سريعًا وسط دوامات الرياح والأمطار الشديدة ووصل نوفمبر، باردًا ومتجمدًا، من صقيع يحط على الأشياء صباحًا، ورياح مثلجة تهب على الأيدى والوجوه. تحول لون السماء داخل القاعة الكبرى إلى لون رمادى غائم، وصارت الجبال المحيطة بالمدرسة مزينة بقمم من الثلج،

وانخفضت درجة الحرارة فى القلعة حتى إن بعض الطلبة كانوا يرتدون قفازات من جلد التنين تحمى من البرودة حتى داخل الممرات وبين الحصص.

حل صباح انعقاد المباراة مشرقًا وباردًا. عندما أفاق «هارى» من نومه نظر إلى فراش «رون» فرآه جالسًا متجمدًا منتصب الظهر، وذراعاه على ركبتيه، محدقًا بثبات فى الفراغ.

قال «هارى»: «هل أنت على ما يرام؟».

أومأ «رون» برأسه لكنه لم يتكلم. تذكر «هارى» يوم أصاب «رون» نفسه عن غير قصد بتعويذة التقيؤ، كان وقتها شاحبًا وكثير العرق مثل حاله الآن، ناهيك عن فمه المفتوح فى حالة أشبه بالذهول.

قال «هارى» مخففًا عنه: «لا تحتاج سوى إفطار شديد.. هيا».

أخذت القاعة الكبرى تمتلئ من حولهما بعد أن وصلا إليها، والحديث بين الطلبة أعلى صوتًا وأكثر حماسًا من المعتاد. وهما يمران إلى جوار مائدة «سليذرين» نظر «هارى» إليها ولاحظ أنه بالإضافة إلى الوشاحات الخضراء الفضية المعتادة التى يرتديها المشجعون، كان هناك شارة فضية على صدر كل منهم، فى شكل بدا أشبه بالتاج. لسبب ما لوح بعضهم لـ«رون» وانفجروا ضاحكين.. حاول «هارى» رؤية المكتوب على الشارات وهو يمر، لكنه كان حريصًا على مرور «رون» بسرعة من جانبهم، فلم يتوقف ما يكفى من الوقت للقراءة.

رحبت بهما مائدة «جريفندور» ترحيبًا حارًا، حيث جلس الجميع مرتدين الأحمر والذهبى، لكن بالنسبة إلى «رون» فقد بدا أن هتافات الترحيب قد أصابته بالرهبة وأنهت على ما عنده من عزم، فقد جلس بسرعة على أقرب مقعد إليه وعلى وجهه أمارات من يأكل آخر وجبة فى حياته.

قال بهمسة متحشرجة: «لابد أننى كنت مجنونًا عندما فعلت ما فعلته.. مجنونًا».

قال «هارى» بحزم وهو يمرر إليه الطعام: «لا تكن أحمق.. ستلعب جيدًا. من الطبيعى أن تشعر بالتوتر قبل المباراة».

قال «رون»: «أنا لا شىء.. أنا أخرق.. لا يمكننى اللعب لأنقذ حياتى من الضياع. فيم كنت أفكر وقتها؟».

قال «هارى» بصرامة: «تماسك يا رجل.. تذكر الصدة التى قمت بها بقدمك ذلك اليوم، حتى «فريد» و«چورچ» قالا إنها عبقرية».

التفت «رون» بوجهه المعذب إلى «هارى» وهمس بتعاسة: «كانت بطريق المصادفة.. لم أقصد أداءها هكذا.. كنت قد سقطت من فوق مقشتى وأنتم لا تنظرون، وعندما حاولت الرجوع إلى المقشة ركلت الكرة عن غير عمد».

قال «هارى» وقد تعافى بسرعة من المفاجأة غير السارة: «ولا يهمك.. بعض الصدات بطريق الخطأ مثل هذه وستصبح المباراة فى جيبنا.. أليس كذلك؟».

كانت «هيرميون» ومعها «چينى» جالستين مقابلهما مرتديتين الوشاحات والقفازات باللونين الأحمر والذهبى.

سألت «چينى» «رون»، الذى أخذ يحدق فى اللبن العائم بطبقه كأنه يفكر فى إغراق نفسه فيه: «كيف تشعر؟».

قال «هارى»: «إنه متوتر قليلاً فقط».

قالت «هيرميون» بصدق: «هذه علامة خير، فأنا لا أراك تؤدى أفضل أدائك فى الامتحانات إلا عندما تتوتر قليلاً».

قال صوت غائم حالم من خلفهم: «أهلاً» نظر «هارى» من فوق كتفه.. كانت «لونا لوفجود» تسير كأنها تسرى فوق الأرض ساعية إليهم من مائدة «رافنكلو». أخذ بعض الطلبة يحدقون فيها بدهشة وبعضهم الآخر يضحكون ويشيرون إليها.. فقد كانت ترتدى قبعة على شكل رأس أسد بحجمها الطبيعى فوق رأسها.

قالت «لونا» مشيرة إلى قبعتها، وإن لم تكن مضطرة لهذا: «سوف أشجع جريفندور..انظروا إلى ما تفعله القبعة..».

مدت يدها إليها بعصاها السحرية وطرقتها بها. فتحت القبعة الأسد فمها مطلقة زئيرًا مدويًا جعل الجميع يجفلون.

قالت «لونا» بسعادة: «إنها جميلة.. أليس كذلك؟ أردت أن أضيف إلى فم الأسد أفعى يمضغها، وتمثل فريق سليذرين، لكن لم يكن أمامى متسع من الوقت. المهم.. حظ سعيد يا رونالد».

ابتعدت عنهم. لم يتعافوا من صدمة «لونا» حتى جاءت «أنچيلينا» مسرعة ومعها «كاتى» و«أليشيا»، التى كان حاجباها قد عادا إلى طبيعتهما على يد مدام «بومفرى».

قالت: «نحن مستعدون.. سنذهب إلى الملعب مباشرة لنأخذ جو المباراة ونغير ملابسنا».

قال «هارى»: «سنأتى خلفك مباشرة.. فرون يجب أن يفطر جيدًا».

لكن بدا واضحًا بعد عشر دقائق أن «رون» غير قادر على أكل أى شىء، فوجد «هارى» أنه من الأفضل النزول إلى حجرة تغيير الملابس. وهما ينهضان عن المائدة نهضت «هيرميون» هى الأخرى، وأخذت بذراع «هارى» وجذبته إلى الجانب، وهمست برجاء: «لا تدعِ رون يرى المكتوب على شارات سليذرين».

نظر إليها «هارى» متسائلاً، لكنها هزت رأسها محذرة إياه.. فقد اقترب منهما «رون»، وعلى وجهه علامات الضياع واليأس.

قالت «هيرميون» وهى تشب على أطراف أصابع قدميها وتقبله على وجنته: «حظ سعيد يا رون.. وأنت يا هارى..».

بدا كأن «رون» قد أفاق قليلاً وهما يعبران القاعة الكبرى. لامس موضع القبلة على وجنته متعجبًا، كأنه لم يكن واثقًا مما حدث. بدا مشتتًا بما يكفى لعدم ملاحظة الدائر حوله، لكن «هارى» ألقى بنظرة فضول على الشارات التاجية الشكل وهما يمران إلى جوار مائدة «سليذرين»، وهذه المرة رأى المكتوب بوضوح:

ويسلى يا ملك.

مع إحساسه بأن المكتوب لا يعنى خيرًا، هرول مع «رون» تجاه القاعة الأمامية، وعبر درجات السلم، إلى الهواء البارد.

تكسر العشب المتجمد تحت أقدامهما وهما يسيران مسرعين عبر مماشى الحديقة الملتفة التى تقود إلى الإستاد. لم يكن هناك أى هواء، والسماء بلون أبيض لؤلؤى، مما يعنى أن نطاق الرؤية سيكون جيدًا دون إزعاج أشعة الشمس التى تضرب العيون. أوضح «هارى» هذه العوامل المبهجة المشجعة وهما يسيران، لكنه لم يكن واثقًا من إنصات «رون» إليه.

كانت «أنچيلينا» قد غيرت ملابسها بالفعل وخرجت إلى باقى الفريق تشجعهم وهم يدخلون. ارتدى «هارى» و«رون» عباءتيهما (أخذ «رون» يعبث بعباءته كثيرًا قبل أن تعطف عليه «أليشيا» وتساعده فى ارتدائها)، ثم جلسوا يستمعون إلى محاضرة ما قبل المباراة، وأصوات الجمهور بالخارج فى ارتفاع وهم يتوافدون من القلعة إلى الإستاد.

قالت «أنچيلينا» ناظرة إلى رقعة ورق فى يدها: «يا رجال.. عرفت منذ قليل تشكيل فريق سليذرين.. لاعبا المضارب من العام الماضى ـ ديريك وبول ـ قد

غادرا المدرسة، لكن يبدو أن «مونتاج» قد جاء بغوريلتين بديلتين، وليسا ممن يتمتعون بالقدرة على ركوب المقشات والطيران بها بمهارة. إنهما ولدان باسم كراب وجويل، لا أعرف الكثير عنهما..».

قال «هارى» و«رون» فى وقت واحد: «نحن نعرف».

قالت «أنچيلينا» وهى تضع أصبعها على الورقة: «يبدو أنهما ليسا ذكيين بما يكفى لمعرفة طرف المقشة الأمامى من طرفه الخلفى.. لكن يدهشنى إلى الآن كيف كان «ديريك» و«بول» يلعبان دون وجود لافتات للاتجاهات فى الملعب».

قال لها «هارى» مؤكدًا انطباعها: «كراب وجويل من نفس العجين».

سمعوا مئات الأقدام تخطو فوق مدرجات الجمهور. كان بعض المشجعين يغنون، وإن لم يقدر «هارى» على تمييز الكلمات. بدأ يتوتر، لكنه كان يعرف أن قلقه لا يقارن بقلق «رون»، الذى أمسك بمعدته وأخذ يرمق الفراغ ثانية، وفمه مفتوح ووجهه رمادى شاحب.

قالت «أنچيلينا» بصوت خفيض وهى تنظر إلى ساعتها: «حان الوقت.. هيا جميعًا.. حظ موفق».

قام أعضاء الفريق، وفى أيديهم مقشاتهم، فى صف واحد، لاعبًا وراء الآخر، خارجين من الحجرة إلى النهار المشمس. قابلتهم موجة من الأصوات سمع فيها «هارى» بعض الغناء، وإن كانت الكلمات غير واضحة بسبب الهتافات والصفير.

كان فريق «سليذرين» واقفًا متأهبًا بانتظارهم. هم أيضًا يرتدون الشارات التاجية الشكل. كان الكابتن الجديد - «مونتاج» - ذا جسد مشابه لجسد «ددلى دورسلى»، بذراعين مثل ذراعى خنزير غزير الشعر. من خلفه وقف «كراب» و«جويل»، فى نفس حجمه تقريبًا، وهما يطرفان بأعينهما بغباء فى مواجهة الشمس التى سطعت منذ قليل، وعلى كتفيهما مضرباهما. كان «مالفوى» واقفًا إلى الجانب، والشمس تنعكس على رأسه الأشقر. تبادل و«هارى» النظر وابتسم ساخرًا، مشيرًا إلى الشارة المعلقة على صدره.

قالت الحكم، مدام «هوش»: «تصافحا يا كباتن» فمد كل من «أنچيلينا» و«مونتاج» يده للمصافحة. رأى «هارى» «مونتاج» يحاول تحطيم أصابع «أنچيلينا»، وإن لم تطرف عيناها.. «امتطوا مقشاتكم..».

وضعت مدام «هوش» صفارتها فى فمها وصفرت.

انطلقت الكرات الأربع والأربعة عشر لاعبًا محلقين فى السماء. بطرف عينه رأى «هارى» «رون» وهو يطير متجهًا إلى المرمى الثلاثى. طار «هارى» إلى ارتفاع أعلى، متفاديًا كرة «بلادجر»، ثم دار فى دورة واسعة حول الملعب، ناظرًا حوله، باحثًا بعينيه عن لمحة من اللون الذهبى لكرة «السنيتش»، وعلى الجانب الآخر من الإستاد كان «دراكو مالفوى» يفعل المثل.

«چونسون معها الكرة.. چونسون معها الكوافل.. يا لها من لاعبة بارعة هذه البنت، منذ سنوات وأنا أقول لها هذا وهى لا تريد إلى الآن الخروج معى..».

صاحت الأستاذة «مكجونجال»: «**چوردن**».

«.. بعض المعلومات تضيف الإثارة على المباراة يا أستاذة.. وها هى أنچيلينا تتفادى وارنجتون، وتُرقّص مونتاج.. آه.. لا.. ضربتها كرة بلادجر صوبها إليها كراب من الخلف.. مونتاج معه الكوافل، مونتاج يمشى، يتجه لآخر الملعب.. ياه.. تصويبة بلادجر رائعة يا چورچ ويسلى، أصابت البلادجر رأس مونتاج، سقطت الكوافل، تمسكها كاتى بيل، كاتى بيل تمرر الكرة إلى أليشيا سبينيت، وسبينيت معها الكرة..».

دوى تعليق «لى چوردن» فى الإستاد و«هارى» يستمع إليه بحرص والرياح تتداخل معه فى أذنيه، ومعها هتافات الجمهور، والجميع يصيحون ويغنون.

«.. ترقص وارنجتون، وتتفادى بلادجر، هيا يا أليشيا.. والجمهور فرحان.. لكن ما هذه الأغنية يا جمهور؟».

ومع توقف «لى» عن التعليق ليسمع الغناء، ارتفع صوت الأغنية وبدا واضحًا أنها آتية من بين مدرجات جمهور «سليذرين» المصطبغ باللونين الأخضر والفضى من المدرجات:

«ويسلى لا يعرف الصد
ولا يقدر يصد نملة بتعض»
ولهذا كل سليذرين يغنون ويقولون:
«ويسلى يا ملك يا أبو مقشة (زنبلك)

ويسلى مولود فى حظيرة

ودائمًا يفوت الكرة من بين أقدامه الطويلة
ويسلى البس جلباب
يا ويسلى يا ملك يا أبو مقشة (زنبلك)».

«.. وأليشيا تمرر الكرة إلى أنچيلينا» أخذ «لى» يصيح.. شعر «هارى» بالغضب الشديد لما سمعه، وعرف أن «لى» يحاول التغطية على الكلمات.. «هيا يا أنچيلينا.. رقصى يا أنچيلينا، أنچيلينا وبلتشلى.. أنچيلينا وبلتشلى.. أنچيلينا و(الجون).. صوبى يا أنچيلينا.. أنچيلينا تصوب الكرة.. و..آههههه..».

صد «بلتشلى» الكرة، ومررها إلى «وارنجتون» الذى انطلق بها، متفاديًا «أليشيا» و«كاتى».. أخذ الغناء يرتفع ويرتفع من المدرجات وهو يقترب من «رون»:

«ويسلى يا ملك يا أبو مقشة (زنبلك)
ويسلى يا ملك يا أبو مقشة (زنبلك)
ويسلى البس (جلباب)
ويسلى يا ملك يا أبو مقشة (زنبلك)».

لم يتمكن «هارى» من التحكم فى نفسه، تخلى عن بحثه عن كرة «السنيتش»، وأدار مقشته «الفايربولت» تجاه «رون» ليراقبه، فرآه واقفًا بقامته الطويلة عند الطرف البعيد من الملعب، وهو معلق أمام المرمى الثلاثى و«وارنجتون» الهائل الحجم يطير بسرعة كبيرة تجاهه.

«.. وارنجتون معه الكوافل، وارنجتون يتجه للمرمى، خرج من نطاق الإصابة بكرات البلادجر، وارنجتون و(الجون)..»

ارتفع غناء «سليذرين» إلى حد غير مسبوق:

«ويسلى لا يعرف الصد
ولا يقدر يصد نملة بتعض».

«.. الاختبار الحقيقى الأول لحارس مرمى جريفندور ويسلى، شقيق لاعبى

المضارب فريد وچورچ، وهو موهبة صاعدة واعدة فى الفريق.. هيا يا رون.. ابن إمبراطوريتك بفلسفتك الخاصة».

لكن صيحة الفرح جاءت هذه المرة من مدرجات «سليذرين».. فقد طار «رون» لأسفل بحدة، فاتحًا ذراعيه، ومرت الكرة من بينهما لتدخل فى المرمى الأوسط.

جاء صوت «لى» من بين الصيحات والهتافات المشجعة والحزينة: «هدف لسليذرين.. لتصبح النتيجة عشرة صفر لصالح سليذرين.. حظك سيئ يا رون.. ولا يهمك يا بنى».

ارتفعت أصوات الغناء من مدرجات «سليذرين»:

«ويسلى مولود فى حظيرة
ودائمًا يفوت الكرة من بين أقدامه الطويلة».

«.. الكرة مع جريفندور.. مع كاتى بيل.. كاتى بيل تتقدم..» أخذ «لى» يصيح بحماس واستبسال محاولاً التغطية على الأغنية التى صارت تصم الآذان، فكاد لا يسمع صوته نفسه.

«ويسلى البس جلباب
ويسلى يا ملك يا أبو مقشة (زنبلك)».

صرخت «أنچيلينا»: «**هارى.. ماذا تفعل؟**» وهى تمر إلى جواره لتتقدم إلى جوار «كاتى».. «**هيا العب**».

أدرك «هارى» أنه معلق فى الهواء منذ دقيقة يراقب تقدم المباراة دون التفكير فى معرفة مكان «السنيتش».. وهو مذعور من اكتشافه هذا، طار محلقًا فى سماء الملعب على ارتفاع عالٍ ثانية، هو ينظر حوله محاولاً تجاهل الأغنية التى تدوى كالرعد فى الإستاد:

«ويسلى يا ملك يا أبو مقشة (زنبلك)
ويسلى يا ملك يا أبو مقشة (زنبلك)».

لم يعثر على أثر لكرة «السنيتش» وهو ينظر حوله.. كان «مالفوى» لا يزال محلقًا فى سماوات الملعب.. وأخذ يدور حول الإستاد. مرا إلى جوار أحدهما الآخر فى الهواء، وهما يطيران فى اتجاهين متضادين، فسمع «هارى» «مالفوى» وهو يغنى بأعلى صوته:

ويسلى مولود فى حظيرة..

«.. وها هو وارنجتون.. يمرر الكرة لبوسى، بوسى يُرقّص سبينيت، هيا يا أنچيلينا، خذيها منه.. لكنها لا تقدر.. آه.. ضربة بلادجر جميلة من فريد ويسلى، أعنى من چورچ ويسلى، هف، من يهتم.. من أحدهما.. الكرة تسقط من وارنجتون.. تمسكها كاتى.. آ.. تسقطها هى الأخرى.. تصل الكرة لمونتاج كابتن سليذرين، مونتاج يأخذ الكرة ويطير نحو المرمى، هيا يا جريفندور، امنعوه من الوصول يا رجال».

طار «هارى» حول الإستاد من خلف مرمى «سليذرين»، محاولاً ألا ينظر إلى ما يجرى عند مرمى «رون». ومع طيرانه إلى جوار مرمى «سليذرين» سمع حارس المرمى «بلتشلى» يغنى مع الجمهور:

«ويسلى البس جلباب».

«.. بوسى يُرقّص أليشيا ثانية، ويتجه إلى المرمى.. أوقفه يا رون».

لم يضطر «هارى» للنظر ليعرف ما جرى.. سمع صوت امتعاض جماعى من مدرجات «جريفندور»، ومعه تهليل وهتاف مشجعى «سليذرين». وهو ينظر للأسفل وجد «بانسى باركنسون» وقد أعطت ظهرها للملعب وأخذت تلوح بيديها كالمايسترو أمام مشجعى «سليذرين» الذين يغنون:

«ولهذا كل سليذرين يغنون ويقولون:
ويسلى يا ملك يا أبو مقشة (زنبلك)».

لكن نتيجة (عشرين صفر) ليست بالنتيجة الثقيلة، كان أمام «جريفندور» الكثير من الوقت للتعويض، أو للإمساك بكرة «السنيتش». طمأن «هارى»

نفسه وهو يطير إلى جوار اللاعبين مطاردًا شيئًا لامعًا ظهر أمامه منذ لحظة، ثم اتضح أنها ساعة يد «مونتاج» وقد انعكست عليها الشمس.

لكن دخل فى «رون» هدفان آخران. امتزجت رغبة «هارى» فى العثور على «السنيتش» بإحساس بالذعر. آه لو تمكن من الإمساك بها وإنهاء المباراة بسرعة!

«.. كاتى بيل من جريفندور تُرقص بوسى، وترقص مونتاج، يا سلام يا كاتى، (لعيبة) بدرجة قديرة يا بنيتى.. وتمرر الكرة لچونسون.. أنچيلينا چونسون تتقدم.. هيا يا أنچيلينا.. الله يا أنچيلينا.. ماذا أقول فيك يا أنچيلينا.. **هدف لجريفندور**.. أربعون عشرة، أربعون عشرة لسليذرين.. وبوسى أمسك بالكرة..».

سمع «هارى» زئير أسد «لونا» من بين مدرجات «جريفندور» فشعر بالتحسن.. الفرق ثلاثون نقطة فقط، ليست بالكثير، يمكنهم التعادل بسهولة. تفادى «بلادجر» صوبها «كراب» نحوه وعاود بحثه المحموم عن «السنيتش»، وعينه على «مالفوى»، فى حالة رؤيته لملامح الظفر على وجهه إن رأى «السنيتش».. لكن «مالفوى» ـ مثله ـ أخذ يحلق حول الإستاد، باحثا بلا جدوى..

«.. بوسى يمرر الكرة لوارنجتون، وارنجتون لمونتاج، من مونتاج لبوسى.. چونسون تقطع الكرة، ومن چونسون إلى بيل، لعبة جميلة، أقصد لعبة سيئة، أصابت بلادجر بيل، صوبها إليها جويل من سليذرين، والكرة مع بوسى ثانية..».

«ويسلى مولود فى حظيرة
ودائمًا يفوت الكرة من بين أقدامه الطويلة
ويسلى البس جلباب..».

لكن «هارى» رآها أخيرًا.. كرة «السنيتش» الذهبية المرفرفة بجناحيها واقفة على ارتفاع قدم واحد من طرف «سليذرين» من الملعب.

طار إلى الأسفل بسرعة..

خلال ثوانٍ قليلة طار «مالفوى» بسرعة محلقًا إلى يسار «هارى»، كالسهم الأخضر الفضى المنقض من فوق مقشة طائرة..

طارت «السنيتش» إلى جوار إحدى قوائم المرمى، ورفرفت تجاه الجانب الآخر من الملعب، فجاء تغييرها لاتجاهها مناسبًا لـ«مالفوى»، والذى بات الأقرب لها.. أدار «هارى» مقشته، فأصبح هو و«مالفوى» على خط واحد..

على ارتفاع أقدام من الأرض، رفع «هارى» يده اليمنى من فوق المقشة ومدها تجاه «السنيتش».. وإلى يمينه وجد ذراعٍ «مالفوى» ممدودة تحاول إمساكها.

انتهى الأمر فى لحظات قصار.. التفت أصابع «هارى» حول الكرة الصغيرة التى أخذت تقاومه.. وخدشت أصابع «مالفوى» ظهر يده بيأس.. رفع «هارى» مقشته إلى أعلى، وهو ممسك بالكرة المشاغبة فى يده، فانطلقت هتافات وصرخات مشجعى «جريفندور» الظافرة..

انتصروا.. لا يهم الأهداف التى دخلت فى مرمى «رون»، فلا أحد سيتذكرها طالما فاز «جريفندور»..

طاخ

ضربت كرة «بلادجر» «هارى» فى ظهره، فسقط من فوق مقشته. من حسن حظه أنه كان على ارتفاع منخفض، بعد أن هبط للإمساك بكرة «السنيتش»، لكنه أصيب على أية حال بعد أن سقط على ظهره فوق العشب المتجمد للملعب. سمع صفارة مدام «هوش» الحادة، وسمع صوت اهتياج شديد فى المدرجات، بين الاستهجان والسخرية والغضب، ثم صوت «أنچيلينا» المذعور: «هل أنت بخير؟».

قال بتجهم: «بالطبع بخير» وهو يأخذ بيدها ويتركها ترفعه على قدميه. اقتربت مدام «هوش» من أحد لاعبى «سليذرين» فوقه، وإن لم يقدر على تمييزه من هذه الزاوية.

قالت «أنچيلينا» بغضب: «كان ذلك الثور كراب.. ضربك بالبلادجر لحظة شاهدك وكرة السنيتش معك.. لكننا انتصرنا يا هارى.. فزنا».

سمع ضحكة قصيرة ساخرة من خلفه، وهو مازال ممسكًا بالكرة فى يده، رأى «دراكو مالفوى» يحط إلى جواره.. وجهه أبيض من الغضب، وإن كان قد تمكن من رسم ابتسامة على شفتيه.

قال لـ«هارى»: «أنقذت ويسلى.. أليس كذلك؟ لم أر حارس مرمى أسوأ منه فى حياتى.. لكن ماذا نقول وهو مولود فى حظيرة؟ هل أعجبتك كلمات الأغنية يا بوتر؟».

لم يجبه «هارى». التفت بعيدًا لملاقاة باقى الفريق وهم يحطون على الأرض واحدًا تلو الآخر، وهم يتصايحون ويضربون الهواء بقبضاتهم ظافرين.. جميعهم إلا «رون»، الذى ترجل عن مقشته تحت المرمى، وسار متجهًا إلى حجرة تبديل الملابس وحده.

قال «مالفوى» ثانية و«كاتى» و«أليشيا» تعانقان «هارى»: «أردنا كتابة مقطعين آخرين من الأغنية.. لكن لم نجد القافية المناسبة لتلك السيدة البدينة القبيحة.. أردنا الغناء لأمه..».

قالت «أنچيلينا» وهى تنظر إلى «مالفوى» نظرة احتقار: «يا للحقد».

«.. ولم نجد كلمات مناسبة للوزن عن والده، ذلك الفاشل عديم النفع..».

أدرك «فريد» و«چورچ» ما يتحدث عنه «مالفوى». وهما يصافحان «هارى».. تجمدا فى مكانهما، ونظرا إليه.

قالت «أنچيلينا» على الفور وهى تمسك بذراع «فريد»: «اتركاه.. دعه يا فريد، اتركه يتصرف كالبنات، إنه حزين على خسارته ويولول، هذا الصرصار الـ..».

قال «مالفوى» ساخرًا: «.. لكنك تحب آل ويسلى يا بوتر.. أليس كذلك؟ ألست تقضى عطلاتك معهم؟ ألا ترى أنهم مقرفون؟ لكن لا أعتقد أنك سترى هذا وأنت تربية العامة، حتى رائحة ويسلى بالمقارنة بهم رائعة..».

أمسك «هارى» بيد «چورچ». بينما أحاطت «أنچيلينا» و«أليشيا» و«كاتى» بـ«فريد» ليمنعنه من القفز على «مالفوى»، الذى أخذ يضحك.

نظر «هارى» حوله باحثًا عن مدام «هوش»، لكنها كانت لاتزال توبخ «كراب» على تصويب كرة «البلادجر» تصويبة غير قانونية بعد انتهاء المباراة.

قال «مالفوى» ضاحكًا وهو يتراجع: «أو ربما تتذكر كيف كانت رائحة منزل أمك عطنة يا بوتر.. ربما تذكرك رائحة حظيرة خنازير ويسلى برائحتها..» .

لم يدرك «هارى» تركه ذراع «چورچ». كل ما عرفه أنه بعد ثانية كان كلاهما فى طريقهما إلى «مالفوى». نسى تمامًا وجود المدرسين الذين يراقبون ما يجرى.. كل ما أراده هو إيذاء «مالفوى» وإشعاره بالألم قدر استطاعته، ومع غياب الوقت الكافى لإشهاره عصاه ضم أصابعه المحيطة بكرة «السنيتش» فى قبضة قوية وغاص بها بما يملك من قوة فى بطن «مالفوى»..

«هارى.. هارى.. **چورچ. لا**».

سمع صرخات البنات، وصراخ «مالفوى»، وسباب «چورچ»، وصوت صفارة، وتجمع الناس حوله، لكنه لم يهتم. فقط عندما صاح أحدهم: «*إمبديمنتا*» وسقط على ظهره بفعل التعويذة، تخلى عن محاولة لكم كل بوصة يصل إليها من جسد «مالفوى».

صرخت مدام «هوش»: «ماذا تفعل؟» و«هارى» يهب على قدميه. بدا أنها هى من ضربته بالتعويذة.. وقفت ممسكة بصفارتها فى يد والعصا السحرية فى اليد الأخرى. تكوم «مالفوى» على الأرض، وهو يتأوه ويئن، وأنفه ينزف الدماء، أما «چورچ» فقد أخذ يضمد شفته المنتفخة، و«فريد» مازال ممسوكًا من جانب المهاجمات الثلاث.. «لم أر سلوكًا مثل هذا قط.. عودا إلى القلعة، وإلى مكتب قائد الفرقة المدرسية فورًا».

دار «هارى» و«چورچ» على عقبيهما وغادرا الملعب، وكلاهما يلهث من دون أن ينطقا بكلمة. صار صياح وهتافات الجمهور أخفت وأخفت مع وصولهم إلى القاعة الأمامية، حيث لم يتمكنا من سماع أصوات سوى صوت أقدامهما. عرف «هارى» أن هناك ما يكافح للخروج من يده اليمنى، والتى كانت مفاصل الأصابع بها مجروحة من ضربه لفك «مالفوى». نظر ليده فوجد أجنحة كرة «السنيتش» الفضية بارزة من بين أصابعه، وهى تكافح للفرار.

ما كادا يصلان إلى باب حجرة الأستاذة «مكجونجال» حتى جاءت من خلفهما. كانت ترتدى وشاح «جريفندور»، لكنها خلعته من فوق رقبتها بيد تهتز غضبًا وهى تقترب منهما.

قالت بغيظ شديد مشيرة إلى الباب: «ادخلا» دخل «هارى» و«چورچ». دارت حولهما إلى مكتبها وواجهتهما، وهى ترتجف من الغضب ألقت بوشاح «جريفندور» على الأرض.

قالت: «يا للعار! لم أر فى حياتى تصرفًا أكثر همجية من هذا.. أنتما الاثنان.. اشرحا سبب ما فعلتماه».

قال «هارى» بجمود: «لقد استفزنا مالفوى».

صاحت الأستاذة «مكجونجال» وهى تضرب بقبضة يدها على المكتب، فانفتحت علبة الحلوى وتساقطت منها قطع الحلوى على الأرض: «استفزكما؟ لقد خسر، أليس كذلك؟ وبالطبع الخاسر يسعى لاستفزاز الرابح.. لكن ماذا قال بحق السماء ويكفى لاستفزازكما؟..».

صاح «چورچ»: «لقد أهان أبوىّ.. وأم هارى».

«آه.. وبدلاً من اللجوء لمدام هوش للشكوى، قررتما الاستعراض باستخدام أساليب العامة فى الشجار.. أليس كذلك؟ هل لديكما أدنى فكرة عن..».

«إحم إحم»

دار كل من «هارى» و«چورچ» على عقبيهما. كانت «دولوريس أمبريدچ» واقفة عند مدخل الباب ملفوفة فى عباءة خضراء جعلتها فعلاً شديدة الشبه بالضفدع العملاقة، وهى تبتسم ابتسامتها المريضة الرهيبة التى صارت بالنسبة إلى «هارى» مرادفًا للتعاسة.

تساءلت الأستاذة «أمبريدچ» بصوتها الحلو السام: «هل بإمكانى مساعدتك يا أستاذة مكجونجال؟». احتقنت الدماء فى وجه الأستاذة «مكجونجال».

قالت بصوت مختنق: «مساعدتى؟ ماذا تعنين بمساعدتى؟».

تقدمت الأستاذة «أمبريدچ» إلى الأمام داخل المكتب، وهى مازالت مبتسمة ابتسامتها المثيرة للغثيان.

«ماذا؟ كنت أحسبك ستفرحين بمنحى إياك المزيد من السلطة».

ما كان «هارى» ليندهش لو رأى شرارات من اللهب تخرج من فتحتى أنف الأستاذة «مكجونجال».

قالت وهى تعطى «أمبريدچ» ظهرها: «ظنك خاطئ» ثم خاطبتهما قائلة: «اسمعانى جيدًا أنتما الاثنان» لا يهمنى الاستفزازات التى وجهها إليكما مالفوى، ولا يهمنى إن كان قد أهان كل عضو فى أسرتيكما، إن سلوككما خاطئ، وسأعطى كلاًّ منكما أسبوعًا من الاحتجاز. لا تنظر إلىّ هكذا يا بوتر، أنت تستحق العقاب. وإن حاول أيكما أن..».

«إحم إحم»

أغمضت الأستاذة «مكجونجال» عينيها كأنها تدعو الله سائلة الصبر وهى تلتفت لمواجهة الأستاذة «أمبريدچ» ثانية. «أية خدمة؟».

قالت «أمبريدچ» وابتسامتها تتسع: «أعتقد أنهما يستحقان أكثر من الاحتجاز».

انفتحت عينا الأستاذة «مكجونجال» على آخرهما، وقالت فى محاولة مماثلة للابتسام: «لسوء الحظ أنهما فى الفرقة المدرسية التى تقع تحت سلطتى يا دولوريس».

قالت الأستاذة «أمبريدچ»: «حسنًا يا مينرفا.. سترين من له السلطة هنا.. والآن.. أين الورقة؟ لقد أرسلها كورنلياس لتوه.. أعنى» ضحكت ضحكة قصيرة زائفة وهى تعبث بحقيبتها.. «أعنى أن سيادة الوزير أرسلها لتوه.. آه.. ها هى..».

أخرجت رقعة من الورق فضتها بسرعة ثم سعلت قبل أن تبدأ فى القراءة: «إحم إحم.. الفرمان التعليمى رقم (٢٥)».

قالت الأستاذة «مكجونجال» متعجبة بلهجة عنيفة: «غير معقول.. فرمان آخر؟».

قالت الأستاذة «أمبريدج» وهى مازالت تبتسم: «أجل.. فى الواقع يا مينرفا إنك أنت من جعلت هذا التعديل مطلوبًا.. هل تتذكرين حين تعديت سلطاتى؟ عندما كنت غير راغبة فى التعاون فى مسألة إعادة تشكيل فريق جريفندور للكويدتش؟ وكيف أبلغت دمبلدور بالأمر؟ وصمم هو على السماح للفريق باللعب؟ المهم.. اتصلت بالسيد الوزير بعدها على الفور، ووافق فورًا على أن للمفتشة العليا الحق فى نزع الامتيازات عن الطلبة، ولا تكون سلطاتها ـ أعنى سلطاتى ـ أقل من المعلمين العاديين! وكما ترين الآن يا مينرفا كم كنت حكيمة فى محاولتى إعاقة إعادة تشكيل فريق جريفندور. يا لأعصابهم الثائرة دومًا.. المهم.. كنت على وشك قراءة الورقة.. إحم إحم..».

«للمفتشة العليا السلطة المطلقة والعليا فى كل شئون العقاب، ونزع الامتيازات عن طلبة هوجورتس، والحق فى تغيير أوامر العقاب. توقيع كورنلياس فادج، وزير السحر، الحاصل على وسام مرلين من الدرجة الأولى.. إلخ.. إلخ.. إلخ».

لفت الورقة وأعادتها إلى حقيبتها دون أن تفارقها الابتسامة.

قالت ناقلة بصرها بين «هارى» و«چورچ»: «أرى الآن أن علىّ منع هذين اللاعبين من لعب الكويدتش ثانية».

شعر «هارى» بكرة «السنيتش» تقاومه وتحاول الفرار كما لم تفعل من قبل.. قال شاعرًا بصوته بعيدًا عنه كأنه لا ينتمى إليه: «تمنعيننا؟ من اللعب؟».

قالت «أمبريدج» وابتسامتها تتسع وهى تراقبه يحاول استيعاب ما تقوله: «أجل يا سيد بوتر، أرى أن حظركما من اللعب مدى الحياة هو ما تستحقانه.. أنت والسيد ويسلى. وأرى ـ كمزيد من الأمان ـ إيقاف توأم هذا الشاب عن اللعب أيضًا.. فإن لم يقدر زملاؤه على منعه، كان ليهاجم السيد «مالفوى» الصغير. سأصادر مقشاتكم بالطبع.. وسأبقيها فى مكتبى؛ لأضمن عدم تسربها إليكم من أحد» ثم أضافت مواجهة الأستاذة «مكجونجال» الواقفة

كأنها تمثال من الثلج: «باقى الفريق سيُسمح له بالاستمرار فى اللعب، فأنا لا أرى أية أمارات للعنف على أيهم. تصبحون على خير جميعًا».

وبنظرة ظافرة راضية، غادرت «أمبريدچ» الحجرة تاركة صمتًا رهيبًا خلفها.

***

قالت «أنچيلينا» بصوت ملىء بالحسرة ليلاً فى حجرة الطلبة: «محظور عليكم اللعب؟ محظور عليكم اللعب؟ أصبحنا بلا لاعب قناص للسنيتش وبلا لاعبى المضارب.. ماذا سنفعل الآن يا ربى؟».

بدا كأنهم لم يكسبوا المباراة بالمرة. أينما نظر «هارى» وجد وجوهًا غاضبة تتطلع إليه.. أعضاء الفريق أنفسهم كانوا متجمعين حول المدفأة، جميعهم عدا «رون»، الذى لم يره منذ نهاية المباراة.

قالت «أليشيا» بنبرة مخدرة: «هذا ليس عدلاً.. أعنى. وماذا عن كراب والبلادجر التى ضربها بعد انتهاء المباراة؟ هل حظرت عليه اللعب هو الآخر؟».

قالت «چينى» بتعاسة: «لا.. كل ما حدث أنهم فرضوا عليه الكتابة قليلاً كعقاب، سمعت مونتاج يضحك ساخرًا من تفاهة العقاب». كانت هى و«هيرميون» جالستين إلى جانبىّ «هارى».

قالت «أليشيا» بغيظ وهى تضرب ركبتها بقبضتها: «وحظروا على فريد اللعب أيضًا من دون أن يفعل أى شىء».

قال «فريد» ونظرة قبيحة مرتسمة على وجهه: «ليست غلطتى أننى لم أفعل أى شىء.. لو كنت قد وصلت لهذا الحثالة كنت سأسحقه، لولا أن ثلاثتكن أمسكتن بى».

نظر «هارى» بتعاسة إلى النافذة المظلمة. كان الثلج يتساقط.. أخذت كرة «السنيتش» التى أمسكها فى المباراة تطير حولهم فى الحجرة.. والتلاميذ يراقبونها كأنهم منومين مغناطيسيًا، و«كروكشانكس» يتقافز من مقعد إلى مقعد محاولاً الإمساك بها».

قالت «أنچيلينا» وهى تنهض ببطء: «سأصعد لأنام.. ربما أفيق من نومى غدًا لأجد أن ما جرى حلم مزعج، ربما أستيقظ لأجد أننا لم نلعب بعد..».

سرعان ما تبعتها «أليشيا» و«كاتى». بعد قليل ذهب «فريد» و«چورچ» إلى جناح النوم هما الآخران، وهما يزمجران فى مواجهة كل من يقابلهما،

وبعدهما صعدت «چينى» إلى جناح البنات. لم يبق سوى «هارى» و«هيرميون» إلى جوار المدفأة.

تساءلت «هيرميون» بصوت خفيض: «هل رأيت رون؟».

هز «هارى» رأسه نفيًا.

قالت «هيرميون»: «أعتقد أنه مختبئ منا.. أين عساه يكون..؟».

فى تلك اللحظة سمعوا صرير فتحة الباب من خلف لوحة السيدة البدينة، ودلف «رون» إلى الحجرة. كان شديد الشحوب، وبعض الثلج فى شعره. عندما رأى «هارى» و«هيرميون» تجمد فى مكانه.

قالت «هيرميون» بقلق وهى تنهض: «أين كنت؟».

غمغم «رون» وهو مازال مرتديًا زى فريقه: «كنت أمشى».

قالت «هيرميون»: «تبدو متجمدًا من البرد.. تعال واجلس».

سار «رون» إلى النيران وغطس فى أبعد مقعد عن «هارى»، دون أن ينظر إليه.. وكرة «السنيتش» ترفرف فوق رءوسهم.

غمغم «رون» ناظرًا إلى قدميه: «أنا آسف». قال «هارى»: «علام أسفك؟».

«لأننى ظننت أن بإمكانى لعب الكويدتش.. سأعتزل من الفريق صباح الغد».

قال «هارى»: «إن اعتزلت لن يبق سوى ثلاثة لاعبين فى فريقنا» وعندما لاح التعجب على وجه «رون» أضاف: «لقد حُظر علىّ اللعب مدى الحياة.. وكذا فريد وچورچ». صاح «رون»: «ماذا؟».

أخبرته «هيرميون» بالقصة كاملة.. لم يتحمل «هارى» سماعها ثانية. عندما انتهت بدا «رون» أكثر ألمًا من أى وقت مضى.

«كل هذا خطئى..».

قال «هارى» بغضب: «أنت لم تجعلنى ألكم مالفوى».

«.. إن لم أكن لاعبًا سيئًا فى الكويدتش..».

«.. ليس للأمر علاقة بك».

«.. كانت تلك الأغنية هى ما جرحتنى..».

«.. كانت لتجرح أى شخص يسمعها».

نهضت «هيرميون» وسارت إلى النافذة، بعيدًا عن الجدال، وأخذت تراقب الثلج وهو يتساقط بالخارج.

انفجر «هارى» فيه قائلاً: «انظر.. انس الأمر.. المسألة لا تحتمل لومك لنفسك على كل ما حدث».

لم يقل «رون» شيئًا، بل استمر فى التحديق بتعاسة فى طرف عباءته المتسخة. بعد برهة من الصمت قال بصوت خامل: «لم أشعر بهذا الإحساس الفظيع فى حياتى من قبل».

قال «هارى» بسخرية لاذعة: «مرحبًا بك فى نادى التعساء».

قالت «هيرميون» وصوتها يرتجف قليلاً: «أرى أن هناك شيئًا ما قد يبهجكما».

قال «هارى» بسخرية: «حقا؟».

قالت «هيرميون» وهى تلتفت إليهما مديرة بصرها بعيدًا عن النافذة المظلمة وابتسامة واسعة على شفتيها: «حقًا.. لقد عاد هاجريد».

٢٠ حكايــة هاجـريـد

هرول «هـارى» إلى جناح نوم الأولاد ليجلب عباءة الإخفاء والخريطة السحرية من حقيبته.. كان سريعًا لدرجة أنه و«رون» كانـا مستعدين للخروج قبل خمس دقائق من عودة «هيرميون» من جناح البنات، مرتدية وشاحًا، وقفازا، وواحدة من قبعات الأقزام التى تصنعها.

قالت بنبرة دفاعية و«رون» يطرقع بلسانه بصبر نافد: «الطقس بارد بالخارج».

تسللوا من فتحة اللوحة وغطوا أنفسهم بسرعة بالعباءة.. أصبح «رون» أطول كثيرًا عن آخر مرة تجمعوا تحتها، لدرجة أنه سار منحنيًا؛ حتى لا تظهر قدماه من تحت العباءة.. ثم وهم يتحركون ببطء وحذر تقدموا هابطين العديد من السلالم، متوقفين بين الحين والآخر للتحقق من علامات «فيلش» والآنسة «نوريس» على الخريطة. كانوا محظوظين، لم يروا أحدًا سوى «نيك مقصوف الرقبة تقريبًا»، وكان يتغنى بشىء، كأنه أغنية: ويسلى يا ملك. مروا عبر القاعة الأمامية، وإلى الظلام الثلجى الصامت بالخارج. وبإحساس غامر بالسرور رأى «هارى» الضياء يشع من النوافذ والدخان يتصاعد من مدخنة كوخ «هاجريد». سار بسرعة والآخران من خلفه يحاولان اللحاق به.. حتى وصلوا إلى الباب الخشبى. عندما رفع «هارى» قبضته وطرق الباب ثلاث مرات، بدأ كلب فى النباح بحماس من الداخل.

قال «هارى» عبر ثقب المفتاح: «هاجريد.. لقد جئنا».

قال صوت أجش: «كان يجب أن أعرف».

تبادلوا الابتسام تحت العباءة، واضح أن سماع صوت «هاجريد» سرهم.. «حضرت للمنزل منذ «زلاز زوانِ».. ابتعد عن طريقى يا فانج.. ابتعد أيها الكلب (الكزول)[1]..».

انجذب مصراع الباب، وانفتح بصوت صرير، ليظهر «هاجريد» من خلفه.

صرخت «هيرميون».

---

(١) يقصد «هاجريد» قول: الكلب الكسول.. لكن عنده بعض المشكلات فى النطق أوضحناها سابقًا.. أرجو أن نقدر على تحملها لأنه سيتحدث كثيرًا. (المترجم)

قال «هاجريد» بسرعة محدقًا بفزع إلى ما خلفهم: «بحق لحية مرلين، اخفضوا (أظواتكم).. هل أنتم تحت العباءة؟ ادخلوا (بزرعة)».

شهقت «هيرميون» قائلة وثلاثتهم يدخلون إلى البيت ويخلعون العباءة عنهم: «آسفة.. أنا.. فقط.. هاجريد».

قال «هاجريد» بسرعة: «لا يهم لا يهم.. إنها (إظابة) (بزيطة)» وهو يغلق الباب من خلفهم ويسارع بإغلاق الستائر، لكن «هيرميون» لم تنزل عينها عنه وهي تحدق فيه برعب.

كان شعر «هاجريد» مختلطًا بالدماء المتجمدة، وعينه اليسرى لم تعد سوى شق صغير وسط ما يشبه كتلة من الكدمات السوداء والبنفسجية. كان هناك الكثير من الجروح على وجهه ويديه، وبعضها مازال ينزف، أخذ يتحرك بحرص، مما جعل «هاري» يرتاب في انكسار بعض ضلوعه. كان من الواضح أنه قد وصل للبيت منذ قليل، مع وجود معطف أسود سميك خاص بالسفر والارتحال ملقى على مسند المقعد، وجوال كبير بما يكفي لحمل عدة أطفال مستند إلى الحائط. أما «هاجريد» ـ بطوله الذي يصل لضعف طول الإنسان العادي ـ فقد اقترب من المدفأة ووضع براد شاي نحاسيًّا على النيران.

سأله «هاري»: «ماذا حدث؟». بينما «فانج» يتقافز حولهم، محاولاً لعق وجوههم.

قال «هاجريد» بحزم: «قلت لك لا شيء.. تشرب شايًا؟».

قال «رون»: «لا تخفِ عنا.. أنت في حالة صعبة».

قال «هاجريد»: «قلت لك إنني بخير» وهو يستقيم في وقفته ويبتسم لهم جميعًا، لكنه أجفل من الألم وهو يقول: «يا (زلام).. (يزعدني) رؤيتكم جميعًا.. هل قضيتم (ظيفًا) طيبًا؟».

قال «رون»: «هاجريد.. لقد هاجمك شيء ما».

قال «هاجريد» بصرامة: «للمرة الأخيرة.. لم يحدث شيء».

سأله «رون»: «هل ستقول إن شيئًا لم يحدث لو رأيت أحدنا وقد تحول وجهه إلى قطعة من اللحم المفري؟».

قالت «هيرميون» بقلق: «عليك الذهاب لمدام بومفري يا هاجريد.. بعض هذه الجروح خطيرة».

قال «هاجريد» بنبرة من يريد صد الاحتجاجات: «أنا أتعامل مع الجروح كما يجب».

مشى إلى المائدة الخشبية الكبيرة فى منتصف الكوخ، ورفع منشفة مطبخ صغيرة كانت عليها. كان تحتها قطعة لحم نيئ بدمها الأحمر المخضر، أكبر قليلاً من إطار السيارة.

قال «رون» مائلاً للأمام ليلقى نظرة أقرب: «هل ستأكل هذه يا هاجريد؟ تبدو سامة».

قال «هاجريد»: «هكذا شكلها.. فهى لحم التنين.. ولم أحضرها لآكلها».

أمسك بقطعة اللحم وألقى بها على جانب وجهه الأيسر. تساقط الدم المشوب بالاخضرار على لحيته وهو يتأوه شاعرًا بالرضا.

«هكذا أفضل. فهى (تزاعد) على تخفيف الألم».

سأله «هارى»: «إذن فلن تخبرنا بما جرى لك؟».

«لا أقدر يا هارى.. إنه موضوع شديد (الزرية). ولا أقدر على إخباركم».

سألته «هيرميون» بهدوء: «هل ضربك العمالقة يا هاجريد؟».

تركت أصابع «هاجريد» قطعة لحم التنين فسقطت على صدره.. قال وهو يمسك باللحم قبل أن يصل لحزامه ويعيده إلى وجهه: «عمالقة؟ ومن أخبرك بذهابى للعمالقة؟ من (يتحدز) فى هذا الموضوع؟ من قال لكم إننى ذهبت لل.. من قال إننى..؟». فقالت «هيرميون» بنبرة اعتذار: «نحن خمنا هذا».

قال «هاجريد» وهو يمسحها بحزم بعينه التى لم تكن مختفية تحت قطعة اللحم: «حقًا؟ هل خمنتم هذا؟».

قال «رون»: «المسألة.. المسألة واضحة» ووافقه «هارى» بإيماءة من رأسه.

حدق «هاجريد» فيهم، ثم ألقى بقطعة اللحم على المائدة واتجه إلى براد الشاى الذى أخذ يصفر.

غمغم وهو يصب الماء المغلى فى ثلاثة أكواب كل منها بحجم الدلو: «لم أعرف أبدًا أولادًا (مزلكم)، فأنتم تعرفون (أكزر) من المفترض معرفته.. يالفضولكم وتدخلكم فى كل شىء». لكن لحيته اهتزت.

قال «هارى» مبتسمًا وهو يجلس إلى المائدة: «إذن فقد ذهبت إلى العمالقة؟».

وضع «هاجريد» الشاى أمام كل منهم، وجلس، والتقط قطعة اللحم ثانية ليلقى بها على وجهه، وقال: «أجل.. فعلاً.. ذهبت إليهم».

قالت «هيرميون» بصوت خفيض: «وهل وجدتهم؟».

قال «هاجريد»: «فى الواقع (لیز) من (الظعب) (العزور) عليهم.. فهم هائلو الحجم».

قال «رون»: «وأين هم؟».
قال «هاجريد» محاولاً ألا يقدم الكثير من المعلومات: «فى الجبال»
«إذن لماذا لا يجدهم العامة و..؟».
قال «هاجريد» بغموض: «بل يفعلون.. لكن دائمًا ما (يفزرون) موت من يلقى حتفه فى الجبال على أن (حادث) وقع له.. (أليز) كذلك؟».
عدل من وضع اللحم قليلاً على وجهه حتى يغطى أسوأ جزء من الجرح.
قال «رون»: «أخبرنا يا هاجريد ماذا فعلت.. أخبرنا عن هجوم العمالقة، وسيخبرك هارى عن هجوم الديمنتورات..».
سعل «هاجريد» فى كوبه وأسقط قطعة اللحم فى نفس الوقت.. تناثر منه بصاقه، والشاى، ودم التنين على المائدة، وهو يسعل، وسقطت قطعة اللحم بصوت مسموع على الأرض! «ماذا قلت؟ هجوم ديمنتورات؟».
سألته «هيرميون» بعيون واسعة: «ألم تعرف؟».
«لا أعرف أى شىء منذ غادرت. كنت فى مهمة (زرية) ولم أكن راغبًا فى مطاردة البوم لى أينما ذهبت.. ياللديمنتورات الوقحة! هل أنتم جادون؟».
«أجل.. ظهروا فى ليتل وييننج، هاجمونى أنا وابن خالتى، ثم فصلتنى وزارة السحر من..».
« **ماذا**؟ » .
«.. المدرسة وحضرت محاكمة، لكن أخبرنا بشأن العمالقة أولاً».
«هل تم (فظلك)؟».
«أخبرنا بما جرى لك فى الصيف وسنخبرك بما جرى لنا».
حدق «هاجريد» فيه بعينه المفتوحة غير المصابة. بادله «هارى» النظر وعلى وجهه تعبير بالتصميم البرىء.
قال «هاجريد» بصوت مستسلم: «حاضر»
مال وأمسك بلحم التنين الذى كان بين أسنان «فانج».
قالت «هيرميون»: «لا تضعه على وجهك يا هاجريد.. فالكلب ليس مطعمًا ضد الـ..». لكن «هاجريد» كان قد ألقى اللحم بالفعل على وجهه المنتفخ.
أخذ رشفة أخرى من الشاى، ثم قال: «لقد خرجنا مع نهاية (الفظل) (الدرازى) (الزابق)..».
قاطعته «هيرميون» سائلة: «هل كانت مدام ماكسيم معك إذن؟».

قال «هاجريد»: «أجل.. هذا (ظحيح)» وتعبير ناعم يرتسم على ما لم يختفِ من وجهه خلف اللحية أو اللحم الأخضر.. «أجل.. لم يكن هناك (زوانا). ويالشجاعتها يا أولاد. أولمبيه العزيزة، إنها امرأة جيدة (حزنة) المظهر.. عند خروجنا فى الرحلة خفت من تشكّيها من (تزلق) الجبال، والنوم فى الكهوف.. لكنها لم تشتكِ أبدًا».

قال «هارى» ثانية: «هل تعرف إلى أين كنتما ذاهبين؟ هل كنتما تعرفان بمكان العمالقة؟».

قال «هاجريد»: «كان دمبلدور يعرف.. وأخبرنا بكيفية (الوظول) إليهم».

سأله «رون»: «هل يختفون؟ هل يعيشون فى مكان خفى؟».

قال «هاجريد» وهو يهز رأسه غزير الشعر: «لا.. الموضوع أن معظم (الزحرة) لا يهتمون بهم، ماداموا بعيدين عنهم لا يتدخلون فى شئونهم. لكنِ من (الظعب) جدًّا أن تجدهم.. لذا فقد أخذنا تعليمات من دمبلدور. و(ازتغرقنا) الأمر شهرًا حتى (وظلنا) إليهم..».

قال «رون» كأنه لم يسمع أبدًا برحلة تأخذ كل هذا الوقت الطويل: «شهر؟ لكن.. لماذا لم تذهبا عن طريق بوابة عبور سحرية أو شىء من هذا القبيل؟».

ظهر تعبير غريب على وجه «هاجريد» وهو يتأمل «رون»، كأنه يحسبه أحمق.. وقال بصوته الأجش: «نحن تحت المراقبة».

«ماذا تعنى؟».

قال «هاجريد»: «أنت لا تفهم.. الوزارة تراقب دمبلدور وكل من (يزاندونه)..».

قال «هارى» بسرعة، حريصًا على سماع باقى قصة «هاجريد»: «نعرف هذا.. نعرف أن الوزارة تراقب دمبلدور..».

سأله «رون» مندهشًا: «إذن فلم تتمكن من استعمال السحر للوصول إليهم؟ هل ذهبت بطريقة العامة؟».

قال «هاجريد»: «(ليز) طول الطريق.. كان علينا الحذر.. فأنا وأولمبيه ظاهران للناظرين..».

خرج من «رون» صوت يقع بين التنشق والسعال، وأخذ رشفة من كوب الشاى بسرعة.

«.. لذا (فليز) من (الظعب) تتبعنا. تظاهرنا أننا خرجنا فى إجازة معًا، لندخل (فرنزا) كأننا متجهان إلى (مدرزة) أوليمبيه.. لأننا كنا نعرف أن هناك

من يراقبنا من الوزارة. كان علينا التقدم ببطء؛ لأنه (ليز) (مزموحًا) لى (بازتعمال) (الزحر)، وكنا نعرف أن الوزارة تريد حجة للقبض علينا. لكننا تمكنا من تضليل من يراقبنا فى دى - جون..».

قالت «هيرميون» بحماس: «آه.. ديجو.. لقد ذهبت إلى هناك فى الإجازة، هل رأيت الـ..؟». صمتت مع رؤيتها لنظرة «رون» إليها.

«خاطرنا ببعض (الزحر) بعدها، ولم تعد رحلة (زيئة). قابلنا ترولين مجنونين عند الحدود البولندية، ووقع بينى وبين (مظاظ) دماء خلاف (بزيط) بحانة فى (مينزك)، لكن فيما عدا هذا مرت الرحلة (بزلام).

«(زم) (وظلنا) إلى المكان، وبدأنا فى تتبع العمالقة عبر الجبال.

«كان علينا التخلى عن (الزحر) ونحن قريبون منهم؛ لأنهم لا يحبون (الزحرة)؛ ولأننا لم نرد معاداتهم، ولأن دمبلدور حذرنا من أن الذى - تعرفونه قد (يزعى) لمخاطبة العمالقة. قال إنه متأكد من أنه قد (أرزل) لهم (رزولا) بالفعل. وشدد علينا أن نكون حذرين ولا نجذب الانتباه إلى أنفسنا ونحن نقترب من العمالقة، فى حالة تواجد أحد أكلة الموت بالمكان».

كف «هاجريد» عن الكلام ليأخذ رشفة شاى. قال «هارى» بلهفة: «استمر».

«وجدناهم.. عندما نظرت من فوق الجرف (الظخرى) ذات ليلة.. وجدتهم نائمين تحتنا. ونيران (ظغيرة) تشتعل أمامهم، وظلال هائلة تلوح (متراقظة).. كان الأمر أشبه برؤية الجبال تتحرك».

سأله «رون» بصوت خافت: «ما هو حجمهم؟».

قال «هاجريد» بلا اهتمام: «عشرون قدمًا.. بعضهم قد يبلغ (خمز) وعشرين قدمًا».

سأله «هارى»: «وكم عددهم؟».

قال «هاجريد»: «تقريبًا (زبعون) أو (زمانون)».

قالت «هيرميون»: «وهل هذا هو عدد كل العمالقة؟».

قال «هاجريد» بحزن: «أجل.. لم يبقَ إلا (زمانون)، قديمًا كانوا (كزيرين).. (أكزر) من مائة قبيلة فى كل أرجاء العالم. لكنهم أخذوا يموتون لتقدمهم فى العمر، وقتل (الزحرة) بعضهم بالطبع، لكن معظمهم قتلوا بعضهم البعض، والآن هم فى طريقهم للانقراض (الزريع). إنهم لم يخلقوا للعيش فى جماعات كبيرة. يقول دمبلدور إن الخطأ خطؤنا، وإن (الزحرة) هم الذين أجبروهم على التجمع

فى أماكن بعيدة عنا، وعلى التجمع فى أعداد كبيرة للدفاع عن (أنفزهم) ضدنا».
قال «هارى»: «إذن.. ماذا حدث بعد أن رأيتهم؟».
قال «هاجريد»: «المهم.. انتظرنا حتى (الظباح)، فلن نشأ أن (نتزلل) إليهم فى الظلام، حتى لا يقع لنا ما نندم عليه.. فى حوالى (الزاعة) (الزالزة) (ظباحًا) ناموا جميعًا (حيز) كانوا (جالزين) فلم نجرؤ على النوم.. فقد أردنا ضمان ألا أحد منهم قد يفيق ويعرف بمكاننا، كما أن غطيطهم كان لا يحتمل.. فقد (تزبب) فى انهيار جليدى فى (الظباح). المهم.. أول ما طلع النهار ذهبنا إليهم».
قال «رون» والذهول مرتسم على وجهه: «بهذه البساطة؟ مشيتم إلى حيث يجلس العمالقة؟».
قال «هاجريد»: «أجل.. أخبرنا دمبلدور كيف نفعل هذا.. وكيف يجب أن نعطى هدايا (للزعزوع) لنظهر لهم احترامنا».
سأله «هارى»: «تعطون هدايا لمن؟». «(للزعزوع).. آه.. وهى تعنى الزعيم».
سأله «رون»: «وكيف تعرف أيهم الزعزوع؟».
تعجب «هاجريد» من السؤال وقال: «الموضوع (ليز) (ظعبًا) بالمرة.. فهو أضخمهم، وأقبحهم، و(أكزلهم). (يجلز) بانتظار الطعام الذى يأتى به الآخرون. من ماعز ميتة وأشياء مشابهة. (ازمه) كاركوز، طوله يبلغ (زلاز) وعشرين قدمًا، وفى وزن فيلين، وجلده مثل جلد وحيد القرن».
قالت «هيرميون» مبهورة الأنفاس: «وهل دخلتم عليه بهذه البساطة؟».
«كان راقدًا فى الوادى.. بين أربعة جبال، إلى جانب بحيرة الجبل.. كان كاركوز راقدًا يزأر فى الآخرين حتى يطعموه هو وزوجته. هبطت أنا وأولمبيه الجبل..».
سأله «رون» غير مصدق: «لكن ألم يحاولوا قتلكما عندما شاهداكما؟».
قال «هاجريد» وهو يهز كتفه: «كان هذا يدور فى عقول بعضهم.. لكن فعلنا كما أمرنا دمبلدور، وهو حمل هدايانا مرفوعة وأعيننا على الزعزوع وتجاهل الآخرين. وهذا ما فعلناه. هدأوا جميعًا وراقبونا ونحن نمر (لنَظِل) إلى قدم كاركوز، وننحنى أمامه، ونقدم هديتنا له».
سأله «رون» بلهفة: «وما هى هدايا العمالقة؟ الطعام؟».
قال «هاجريد»: «لا.. يمكنه (الحظول) عليه (بنفزه).. لقد جلبنا له (الزحر)..

العمالقة يحبون (الزحر)، لكن لا يحبون (ازتعمالنا) له ضدهم. المهم.. فى أول يوم منحناهم مشعلاً من النيران (الجبريازية)».

قالت «هيرميون»: «مدهش» لكن «هارى» و«رون» قطبا جبينيهما فى تعجب. «مشعل من ماذا..؟».

قالت «هيرميون» بامتعاض: «نيران لا تنطفئ أبدًا.. كان عليكما معرفتها بعد أن ذكرها الأستاذ فليتويك مرتين على الأقل فى الفصل».

قال «هاجريد» بسرعة مقاطعًا «رون» ـ قبل أن يرد عليها: «المهم.. (زحر) دمبلدور هذا المشعل ليضىء إلى الأبد، وهو ما لا يقدر على فعله أى (زاحر)، وهكذا وضعته على (الزلج) تحت قدم كاركوز وقلت: هدية إلى زعزوع العمالقة من (ألبوز) دمبلدور، الذى (يرزل) إليك بتحياته واحتراماته».

سأله «هارى» بلهفة: «وماذا قال كاركوز؟».

قال «هاجريد»: «لا شىء.. فهو لا (يتحدز) الإنجليزية».

«هل تمزح؟».

قال «هاجريد» متجاهلاً السؤال: «لا يهم.. قال لنا دمبلدور ما (زيحدز) بعدها.. (ظاح) كاركوز فى عملاقين يعرفان الإنجليزية بما يكفى للترجمة».

سأله «رون»: «وهل أعجبته الهدية؟».

قال «هاجريد» وهو يقلب قطعة اللحم على جانبها الآخر الأبرد ويضعها على عينه ثانية: «أجل.. لقد مروا (بعواظف) من قبل ويعرفون أهميتها.. فرح جدًا، فقلت له: يطلب (ألبوز) دمبلدور من الزعزوع تلقى (رزالة) (رزوله) عندما يعود غدًا ومعه هدية أخرى».

سألته «هيرميون»: «ولماذا لم تتحدث إليه يومها؟».

قال «هاجريد»: «أراد دمبلدور أن نفاوضهم ببطء.. ونجعلهم يرون أننا نحافظ على وعودنا، قلت (زوف) نأتى غدًا ومعنا هدية أخرى، فعدت فى اليوم التالى ومعى هدية أخرى.. وهو ما يعطى انطباعًا جيدًا.. (أليز) كذلك؟ مع إعطائهم وقتًا لاختبار هديتنا الأولى ليجدوها جيدة، فيتلهفوا على الهدية الأخرى. كما أن العمالقة الزعازيع (مزل) كاركوز يملون من (زماع) المعلومات (الكزيرة)، فيميلون لقتل من يتكلم (لتبزيط) الموضوع. لذا فقد انحنينا ونحن نغادر المكان، ووجدنا كهفًا (يظلح) لقضاء الليل، حتى نعود

فى (الظباح) التالى لنجد كاركوز بانتظارنا متلهفًا على تلقى الهدية الجديدة».

«وهل تحدثتم إليه؟».

«أجل. فى البداية قدمنا له خوذة قتالية جميلة (مظنوعة) بأيدى الجان.. ثم (جلزنا) نتجاذب أطراف الحديث».

«ماذا قال؟».

قال «هاجريد»: «(ليز الكزير).. (أنظت) لنا، لكن رأينا منه علامات طيبة. كان قد (زمع) عن دمبلدور، و(زمع) أنه معارض لقتل آخر العمالقة فى بريطانيا. بدا واضحًا أن كاركوز مهتم بما يريد دمبلدور قوله. وتجمع بعض العمالقة الآخرين ـ (خاظة) من يعرفون الإنجليزية منهم ـ (للزماع). شعرنا بالتفاؤل عندما تركناهم ذلك اليوم. ووعدناهم بالعودة فى (الظباح) التالى بالمزيد من الهدايا. لكن لم تمر الليلة على خير».

قال «رون» بسرعة: «ماذا تعنى؟».

قال «هاجريد» بحزن: «كما قلت.. العمالقة لم يخلقوا للعيش معًا فى جماعات كبيرة. لا يمكنهم التحكم فى (أنفزهم)، و(النزاء) منهم يتقاتلن ويتشاجرن كل فترة، والرجال أيضًا.. والباقون من القبائل القديمة يتقاتلون، وهذا غير الشجار على الطعام، وعلى النيران، وعلى أماكن النوم الجيدة. مع أن المفترض مع اقتراب هذا (الجنز) من الكائنات من الانقراض أن يتعاونوا، لكن..». تنهد «هاجريد» بحسرة.

«شب شجار تلك الليلة، ورأينا من مدخل الكهف الذى يطل على الوادى ما يجرى. (ازتمر) الشجار (لزاعات)، ولم (نظدق) (الظخب) الهائل. وعندما أشرقت (الشمز) كان (الزلج) أحمر من الدم، و(رأزه) ملقى فى قاع البحيرة».

شهقت «هيرميون» قائلة: «رأس من؟».

قال «هاجريد» بحزن: «(رأز) كاركوز. و(أظبح) هناك زعزوع جديد، (ازمه) «جولجوماز» ثم وهو يتنهد بحسرة قال: «لم نكد نتفاوض مع الزعزوع ليومين حتى مات. وشعرنا أن «جولجوماز» لن يكون (حريظا) على (الازتماع) إلينا، لكن كان علينا التجربة».

سأله «رون» غير مصدق: «هل ذهبتم لتكلموه؟ بعد ما رأيتموه يقطع رأس عملاق آخر؟».

قال «هاجريد»: «بالطبع.. فنحن لم نرتحل كل تلك (المزافة) (لنزتزلم) بعد يومين! ذهبنا بالهدية الجديدة التى كنا (زنعطيها) لكاركوز.

عرفت ألا جدوى من الموضوع قبل أن أفتح فمى. كان (جالزًا) مرتديًا خوذة كاركوز، وهو يزمجر نحونا ونحن نقترب. كان هائل الحجم، من بين أضخم العمالقة. شعره (الأزود) لائق على لون (أزنانه) ويرتدى قلادة من العظام حول رقبته. بعضها من عظام البشر. المهم.. حاولت معه ورفعت له الهدية، وهى قطعة كبيرة من جلد التنين، وقلت: هدية لزعزوع العمالقة من.. ثم لم أشعر (بنفزى) إلا وأنا معلق من قدمىّ فى الهواء، و(ازنان) من أتباعه قد حملونى».

قرعت «هيرميون» فمها بيدها.

سأله «هارى»: «وكيف خرجت من هذا المأزق؟».

قال «هاجريد»: «ما كنت لأنجو لولا وجود أولمبيه.. شهرت (عظاها) (الزحرية) وأدت عليهم تعويذة من (أزرع) التعاويذ التى رأيتها فى حياتى. ضربت العملاقين (الممزكين) بى فى أعينهما بتعويذتى (كونجونكتيفيتوز) (فأزقطونى) على الفور. لكن المشكلة أننا (أظبحنا) فى مشكلة (لازتعمالنا) (الزحر) ضدهم، وهم يكرهون هذا فى (الزحرة). كان علينا مهادنتهم، وعرفنا أننا لن نقدر على دخول مخيمهم مرة أخرى».

قال «رون» بهدوء: «معقول يا هاجريد؟».

سألته «هيرميون»: «إذن لماذا أخذت كل هذا الوقت الطويل فى الرجوع إن كنتم قد قضيتم ثلاثة أيام فقط معهم؟».

قال «هاجريد» وعلى وجهه أمارات الغيظ: «لم نرحل بعد (زلازة) أيام.. فدمبلدور يعتمد علينا فى هذا الموضوع».

«لكنك قلت إنه لم يكن أمامكم من سبيل للدخول إليهم ثانية».

«(ليز) فى وقت النهار. كان علينا التفكير فى (وزيلة) للكلام. قضينا يومين (جالزين) فى الكهف نراقب ما يجرى. وما رأيناه لم يكن جيدًا».

سألته «هيرميون» بتقزز: «هل قطع المزيد من الرءوس؟».

قال «هاجريد»: «لا.. أتمنى لو كان قد فعل».

«ماذا تعنى؟».

«أعنى أننا عرفنا أنه لا يمانع فى أخذ الهدايا من كل (الزحرة).. فقط هو لا يحب هدايانا».

قال «هاري» بسرعة: «هل تعني أكلة الموت؟».

قال «هاجريد» بوجوم: «أجل.. (ازنان) منهم كانا يزوران العمالقة كل يوم، ومعهما هدايا للزعزوع، ولم يكن يعلقهما من أقدامهما».

قال «رون»: «وكيف عرفت أنهما من أكلة الموت؟».

قال «هاجريد» بصوت أجش: «لأنني تعرفت على أحدهما.. ماكنير.. هل تتذكرونه؟ هذا (الجردل) الذي (أرزلوه) لقتل باكبيك؟ ماكنير يحب القتل (مزل) حب جولجوماز له، فلا عجب في اتفاقهما إذن».

قالت «هيرميون» بيأس: «إذن فقد أقنع ماكنير العمالقة بالانضمام إلى الذي ـ تعرفه؟».

قال «هاجريد»: «(لزانك) هيبوجريفك[1] يا هيرميون، انتظري.. فأنا لم أنتهِ من (قظتي) بعد». تكلم باستنكار، وباعتبار أنه لم يرغب في الكلام في البداية فقد بدا أنه مستمتع بما يقوله إلى درجة عدم رغبته في أن يقاطعه أحد.. وأضاف: «تناقشت مع أولمبيه وانتهينا إلى أن الزعزوع وإن كان يحب الذي تعرفونه، فهذا لا يعني أن جميعهم يحبونه، وأن علينا محاولة إقناع بعض الآخرين ـ هؤلاء الذين لم يرغبوا في (حظول) جولجوماز على (منظب) الزعزوع».

تساءل «رون»: «وكيف عرفت بهذا؟».

قال «هاجريد» بصبر: «ألم يكونوا هم من تم ضربهم؟ الذين تفادوا جولجوماز واختبئوا في الكهوف (مزلنا). لذا قررنا (البحز) في الكهوف ليلاً لنرى إن كنا نقدر على إقناع بعضهم».

قال «رون»: «هل أخذت تبحث في الكهوف ليلاً عن العمالقة؟». وفي صوته نبرة احترام شديد.

قال «هاجريد»: «لم يكن العمالقة هم من يقلقوننا. كنا (أكزر) تركيزًا على أكلة الموت. أمرنا دمبلدور قبل خروجنا بألا نكشف (أنفزنا) لهم.. لكن المشكلة أنهم عرفوا بوجودنا بعد أن أخبرهم جولجوماز. في الليل، عندما ينام العمالقة ونريد الزحف إلى الكهوف، كان ماكنير والآخر الذي معه (يبحزون) بين الجبال عنا. حاولت بشدة منع أولمبيه من مهاجمتهما»، في هذه اللحظة ارتسمت ابتسامة صغيرة على ركن فم «هاجريد» وهو يقول: «أرادت الهجوم

(١) يقصد «هاجريد»: لسانك حصانك.. لكن نظرًا لولعه بالمخلوقات السحرية الخطيرة فقد استبدل الحصان بالهيبوجريف (المترجم).

عليهما.. يالقوتها عندما (تزور) (أعظابها)! (شرزة)، لابد وأن هذه الدماء الحارة (زيبها) العرق (الفرنزى) فيها..».

حدق «هاجريد» بعيون غائمة فى النيران. سمح «هارى» لنفسه بثلاثين ثانية من الصبر على الحكاية قبل أن يسعل ويقول: «ثم وماذا حدث؟ هل اقتربتم من العمالقة الآخرين؟».

«ماذا؟ آه.. أجل، أجل، فى الليلة (الزالزة) بعد موت كاركوز خرجنا من الكهف الذى اعتدنا على الاختباء فيه، وعيوننا تدور فى كل الاتجاهات (بحزا) عن أكلة الموت. دخلنا إلى بعض الكهوف الأخرى، (زم) وفى الكهف (الزادن) تقريبًا وجدنا (زلازة) عمالقة مختبئين».

قال «رون»: «لا بد وأن الكهف كان ممتلئًا عن آخره».

قال «هاجريد»: «لم يكن به (مزاحة) كافية لأرجحة نيزل[1]».

سألته «هيرميون»: «ألم يهاجموكما عندما شاهدوكما؟».

قال «هاجريد»: «على الأرجح كانوا ليفعلوا هذا فى ظروف أخرى.. لكنهم كانوا مجروحين جميعًا.. فقد ضربهم أتباع جولجوماز حتى أفقدوهم الوعى، فقاموا من إغمائهم ليحتموا بأقرب كهف وجدوه. المهم.. كان أحدهم يعرف بعض الإنجليزية، فترجم للآخرين ما نقول، ويبدو أنهم قد تقبلوه. وداومنا زيارة المجروحين.. وأتذكر أننا أقنعنا (زتة) أو (زبعة) منهم بقضيتنا فى وقت ما».

قال «رون» بلهفة: «ستة أو سبعة؟ هذا ليس بالعدد السيئ.. هل سيأتون ويقاتلون الذى ـ تعرفه معنا؟».

لكن «هيرميون» قالت: «ماذا تعنى بقولك: فى وقت ما يا هاجريد؟».

لاح الحزن على وجه «هاجريد».

«هاجم جولجوماز الكهوف. ومن نجوا من هجماته تخلوا عن الانضمام إلينا».

قال «رون» بحسرة: «إذن.. إذن فأنت لم تعد ومعك عمالقة؟».

قال «هاجريد» وهو يتنهد تنهيدة عميقة ويقلب قطعة اللحم ويضع الجانب الأبرد منها على وجهه: «لا.. لكننا قمنا بواجبنا، أبلغناهم (رزالة) دمبلدور و(زمعها) بعضهم، وأعتقد أن بعضهم (زيتذكرها). ربما من لا يرغبون منهم فى البقاء مع جولجوماز يغادرون الجبال ويتذكرون ودّ دمبلدور معهم.. وربما يأتون».

---

(١) يبدو أننا سنستعين بالكثير من الهوامش مع «هاجريد» بسبب لغته الغريبة! النيزل حيوان سحرى صغير، فكأنه يقول: لم يكن المكان كافيًا حتى لدخول نملة (المترجم).

أخذ الثلج يتراكم على النافذة من الخارج. أدرك «هارى» أن عباءته من عند ركبته قد صارت مبتلة، فقد كان لعاب «فانج» يغرقه والأخير يريح رأسه على حجره.

قالت «هيرميون» بهدوء بعد برهة من الصمت: «هاجريد».

«نعم».

«هل.. هل رأيت علامات لـ.. هل سمعت عن.. عن.. عن أمك؟ بين هؤلاء العمالقة؟».

استقرت عين «هاجريد» غير المصابة عليها فشعرت بالخوف.

«آ.. آسفة.. نسيت..».

قال «هاجريد»: «ماتت.. ماتت منذ (زنوات) كما أخبرونى».

قالت «هيرميون» بصوت خفيض: «آ.. آسفة يا هاجريد حقًا»، فهز «هاجريد» كتفيه الهائلين.

قال بإيجاز: «لا حاجة بك (للأزف)، فأنا لا أتذكرها جيدًا. ولم تكن أمًّا عطوفًا».

صمتوا ثانية. رمقت «هيرميون» «هارى» و«رون» بعصبية، ومن الواضح أنها تريد منهما الكلام.

قال «رون» مشيرًا إلى وجه «هاجريد» الغارق فى الدماء: «لكنك لم تفسر لنا كيف وصلت إلى هذه الحال يا هاجريد».

قال «هارى»: «أو لماذا تأخرت فى العودة.. يقول سيرياس إن مدام ماكسيم قد عادت إلى مدرستها من زمن..».

قال «رون»: «من هاجمك؟».

قال «هاجريد»: «لم يهاجمنى أحد. أنا..».

لكن باقى كلماته غرقت على إثر طرق مفاجئ على الباب. شهقت «هيرميون»، وسقط كوبها من بين أصابعها ليتحطم على الأرض.. ونبح «فانج». أخذ الأربعة يحدقون فى النافذة المجاورة للباب. كان هناك ظل لشخص ضئيل وبدين يتحرك من خلف الستائر.

همس «رون»: «إنها هى».

قال «هارى» بسرعة قابضًا على عباءة الإخفاء: «اختفوا تحتها بسرعة»، وهو يطوحها فوقه هو و«هيرميون»، بينما «رون» يعبر من تحت المائدة ويدخل معهما تحتها.. وهكذا تراجعوا إلى ركنِ الحجرة. أخذ «فانج» ينبح بجنون فى مواجهة الباب، وبدا «هاجريد» مرتبكًا بشدة.

«هاجريد.. خبئ الأكواب».

قبض «هاجريد» على كوبى «هارى» و«رون» وألقى بهما تحت الوسادة الموضوعة فى سلة «فانج». وأخذ الأخير يتقافز من وراء الباب.. أبعده «هاجريد» من طريقه بقدمه وفتح الباب.

وقفت الأستاذة «أمبريدج» أمام الباب مرتدية عباءتها الخضراء وقبعتها من نفس اللون. وبشفاه مزمومة مالت إلى الخلف عند رؤية وجه «هاجريد»، وهى لا تكاد تصل إلى منتصف بطنه.

قالت ببطء وبصوت مرتفع كأنها تتحدث إلى شخص أصم: «إذن فأنت هاجريد.. أليس كذلك؟».

ومن دون انتظار الإجابة دلفت إلى الداخل، وعيناها الجاحظتان تطلان على كل ركن منها.

قالت بحدة مشيرة بحقيبة يدها إلى «فانج»: «ابتعد عنى» وهو يتقافز محاولاً لعق وجهها.

قال «هاجريد» ناظرًا إليها: «إنه لا (يقظد) أن يكون وقحًا معك.. لكن من أنت بحق الجحيم؟».

«اسمى دولوريس أمبريدج».

أخذت عيناها تمسحان الكوخ. نظرت مرتين إلى الركن الذى يقف فيه «هارى»، بين «رون» و«هيرميون» تحت العباءة.

قال «هاجريد» بارتباك: «(دولوريز) أمبريدج؟ لكنك تعملين بالوزارة.. ألا تعملين مع فادج؟».

قالت «أمبريدج» وهى تدور فى الكوخ منقبة فى كل ركن منه: «كنت وكيل أول الوزارة فعلاً.. والآن أنا معلمة الدفاع عن النفس ضد السحر الأسود..».

قال «هاجريد»: «هذه شجاعة منك.. فلا يوجد (الكزيرون) ممن يرغبون فى هذه الوظيفة».

«.. ومفتشة هوجورتس العليا» أضافت العبارة الأخيرة كأنها لم تسمعه.

قال «هاجريد» مقطبًا جبينه: «وما هذا؟».

قالت «أمبريدج» مشيرة إلى قطع الخزف المكسورة على الأرض من كوب «هيرميون» الذى تحطم: «هذا هو ما كنت سأسأله».

قال «هاجريد» ناظرًا بلا داعٍ إلى الركن الذى تجمع فيه الثلاثة: «آه.. إنه.. كان هذا فانج. فقد (كزر) الكوب، (فازتعملت) غيره».

أشار «هاجريد» إلى الكوب الذى كان يشرب فيه، ويده الأخرى ممسكة بقطعة اللحم مضغوطة على عينه. وقفت «أمبريدچ» فى مواجهته، وهى تفحص كل جزء منه بدلاً من كوخه.

قالت بهدوء: «لقد سمعت أصواتًا».

قال «هاجريد»: «كنت (أتحدز) إلى فانج».

«وهل كان يكلمك؟».

قال «هاجريد» منزعجًا: «الواقع.. أعنى أن أحيانًا أرى أن فانج يشبه البشر..».

قالت «أمبريدچ» بسماجة: «لكن هناك آثار أقدام لثلاثة أشخاص - من البشر - قادمة من القلعة إلى هنا».

شهقت «هيرميون»، فوضع «هارى» يده فوق فمها. لحسن الحظ أن «فانج» كان ينبح وقتها ويتشمم عباءة الأستاذة «أمبريدچ» التى بدا أنها لم تسمع شيئًا.

قال «هاجريد» ويده العملاقة تشير إلى الجوال: «لقد عدت منذ قليل.. ربما جاء قبل عودتى من (يزأل) عنى».

«لا توجد آثار أقدام خارجة من الكوخ».

قال «هاجريد» وهو يمسك بلحيته بعصبية، وينظر مرة أخرى إلى الركن الذى وقف فيه «هارى» و«رون» و«هيرميون» كأنه يسألهم المساعدة: «الواقع أن.. لا أعرف لماذا.. إحم».

دارت «أمبريدچ» على عقبيها وسارت بطول الكوخ باحثة بحرص فى كل ركن. انحنت لتنظر تحت السرير، وفتحت خزانات «هاجريد» وأصبحت على مسافة بوصتين من حيث وقف الثلاثة مضغوطين على الحائط.. بل سحب «هارى» بطنه حتى لا تصطدم بها وهى سائرة. وبعد أن فحصت القِدر التى يستخدمها «هاجريد» فى الطهى دارت ثانية وقالت: «ماذا حدث لك؟ وكيف تتحمل كل هذه الجروح؟».

أزال «هاجريد» بسرعة لحم التنين من فوق وجهه، والذى كان فى رأى «هارى» خطأ؛ لأن الكدمات السوداء والبنفسجية حول عينيه صارت مرئية واضحة، دعك من كميات الدم الطازج الذى أخذ ينزف على وجهه.. قال بتردد: «لقد.. آه.. وقع لى (حادز) (بزيط)».

«أى نوع من الحوادث؟».

«تـ.. (تعزرت)».

كررت كلمته ببرود: «تعثرت؟».

«أجل.. فعلاً، (زقطت) من فوق مقشة أحد (أظدقائى)، فأنا لا أطير على مقشات، فلا توجد مقشة قادرة على تحملى. وهناك (ظديق) لى يربى خيول الأبركزان، ولا أعرف إن كنت قد رأيتها من قبل، فهى خيول كبيرة مجنحة كما تعرفين، و(زمعت) أن ركوبها ممتع..».

سألته «أمبريدچ» وقد قاطعته ببرود: «وأين كنت؟».

«أين.. أين ماذا؟».

قالت: «أين كنت. بدأ الفصل الدراسى منذ شهرين. وهناك معلمة أخرى تتولى تدريس مادتك. ولم يعطنى أى من زملائك معلومات عن مكانك. فأنت لم تترك لنا عنوانًا. أين كنت؟».

مرت برهة من الصمت أخذ «هاجريد» يحدق خلالها بعينه المصابة فيها. وشعر «هارى» بعقله يعمل بلا توقف بحثًا عن إجابة.

قال: «كـ.. كنت فى مكان بعيد لأجل (ظحتى)».

كررت الأستاذة «أمبريدچ» كلامه قائلة: «لأجل صحتك؟». وعيناها تدوران على وجه «هاجريد» المنتفخ المصاب، ودم التنين يتساقط على معطفه.. «واضح».

قال «هاجريد»: «أجل.. (بحزًا) عن الهواء المنعش..».

قالت «أمبريدچ» بصوتها العذب: «أجل، يصعب على راعى البهائم العثور على الهواء» فاحتقن الجزء المكشوف من وجه «هاجريد».

«أعنى.. لتغيير المناظر كما تعرفين..».

قالت «أمبريدچ» بسرعة: «تغيير المناظر فى الجبال؟».

قال «هارى» لنفسه بيأس إنها تعرف.

كرر «هاجريد» كلامها وهو يفكر بسرعة: «الجبال؟ لا، جنوب (فرنزا).. فى الجو (المشمز).. على شاطئ البحر».

قالت «أمبريدچ»: «حقًا؟ لكن جلدك ليس مسمرًا من الشمس».

قال «هاجريد» محاولاً رسم ابتسامة مصطنعة: «أجل.. فأنا جلدى (حزاز)». لاحظ «هارى» أن هناك سِنَّيْن من أسنانه غير موجودتين مع ابتسامه. نظرت «أمبريدچ» إليه ببرود، فتراجعت ابتسامته. ثم رفعت حقيبة يدها تحت إبطها

لأعلى قليلاً وقالت: «بالطبع سأعلم الوزارة برجوعك المتأخر».

قال «هاجريد» وهو يومئ برأسه: «طيب».

«يجب أن تعرف أيضًا أنني باعتبارى مفتشة عليا من واجبى التفتيش على زملائك المعلمين؛ لذا أبلغك بأننا سنتقابل قريبًا».

استدارت بحدة ومشت بسرعة إلى الباب.

قال «هاجريد» بخواء وهو ينظر إليها: «هل تفتشين علينا؟».

قالت «أمبريدج»: «أجل» وهى تنظر إليه ويدها على مقبض الباب.. «فالوزارة قد قررت التخلص من المعلمين غير المناسبين يا هاجريد.. تصبح على خير».

غادرته وأغلقت الباب خلفها بحدة. كاد «هارى» يرفع عباءة الإخفاء عنه، لكن «هيرميون» قبضت على معصمه.

قالت هامسة فى أذنه: «ليس بعد.. ربما لم تكن قد ابتعدت بعد».

بدا كأن «هاجريد» يفكر فى نفس الشىء.. فقد سار عبر الحجرة وجذب الستائر قليلاً ليختلس النظر من خلفها.. وقال بصوت منخفض: «إنها عائدة إلى القلعة.. اللعنة.. هل تفتش على الناس حقًا؟».

قال «هارى» وهو يرفع العباءة عنه: «أجل.. فقد وضعت تريلاونى فى فترة اختبار بالفعل..».

تساءلت «هيرميون»: «وما هى خططك فى التدريس هذا العام يا هاجريد؟».

قال «هاجريد» بحماس: «آه.. لا تقلقوا بشأن (الدروز).. عندى (الكزير) منها وقد حضّرتها بالفعل» وهو يلتقط قطعة اللحم من المائدة ويضعها على عينه ثانية، أردف: «فأنا معى كائنان أحفظهما (لزنة) شهادة الـ(أوه. دبليو. إل.)، انتظروا و(زترون) شيئًا (خاظًا) جدًا»

سألته «هيرميون»: «ماذا تعنى بخاص؟».

قال «هاجريد» بسعادة: «لن أخبرك.. فأنا لا أريد إفشاء (الزر) و(إفزاد) المفاجأة».

قالت «هيرميون» برجاء وقد تخلت عن تظاهرها وإخفائها ما تضمره: «انظر يا هاجريد.. الأستاذة أمبريدج لن تفرح بمخلوقات خطيرة فى حصتك».

قال «هاجريد» متعجبًا: «خطيرة؟ لا تكونى حمقاء.. فأنا لن أعلمكم شيئًا خطيرًا، فهى مخلوقات تعرف العناية (بنفزها)».

قالت «هيرميون» بصدق: «هاجريد.. عليك أن تنجح فى تفتيش أمبريدج، ولتفعل هذا، عليك أن تكون حريصًا، وتجعلها تراك مثلاً وأنت تعلمنا العناية

بحيوان البورلوك، وكيفية التفرقة بين النارل والقنافذ ومثل هذه الأشياء».

قال «هاجريد»: «لكن هذه الأشياء (ليزت) جميلة يا هيرميون.. فقد جلبت لكم هذا العام شيئًا مشوقًا. فأنا منذ (زنوات) أضيف المزيد منهم كل عام، وأعتقد أنهم القطيع (المزتأنز) الوحيد فى بريطانيا».

قالت «هيرميون» وفى صوتها نبرة يأس حقيقى: «هاجريد.. من فضلك.. أمبريدچ تبحث عن أى أعذار للتخلص من المعلمين الذين تراهم مقربين إلى دمبلدور. من فضلك يا هاجريد علمنا شيئًا مملاً قد يأتى فى شهادة الـ(أوه. دبليو. إل.)»

لكن «هاجريد» تثاءب بقوة وألقى بنظرة طويلة مشتاقة على سريره الهائل فى ركن الحجرة.

قال: «(ازمعى).. لم أنَم منذ فترة طويلة» وهو يربت على كتف «هيرميون» برفق، إلى درجة أن ركبتيها تهاوتا وسقطت على الأرض، فقال: «آزف..». وجذبها من رقبتها ليرفعها.. «انظرى، لا تقلقى علىّ.. أعدك بأن أعلمكم أشياء جيدة هذا العام، وبعد أن عدت من رحلتى... والآن الأفضل أن تعودوا إلى القلعة، ولا (تنزوا) (مزح) (آزار) أقدامكم».

قال «رون» بعد فترة وجيزة، وبعد أن تحققوا من أن الطريق آمن: «لا أعرف إن كان قد فهمك يا هيرميون» أخذوا يسيرون باتجاه القلعة على الثلج الكثيف، من دون أن يتركوا خلفهم آثار أقدام بفضل تعويذة الإخفاء التى أخذت «هيرميون» تؤديها وهم سائرون.

قالت «هيرميون» بتصميم: «إذن فسوف نعود إليه غدًا.. سأخطط له دروسه إن تعين علىّ هذا. لا يهمنى إن فصلت تريلاونى، لكننى لن أدعها تتخلص من هاجريد».

٢١ عــين الثعــبان

سارت «هيرميون» فى طريقها عائدة إلى كوخ «هاجريد» صباح يوم الأحد. أراد «هارى» و«رون» الذهاب معها، لكن كان لديهما أكوام من الواجب المدرسى المتراكم عليهما وصلت إلى حد غير مسبوق، فجلسا متذمرين فى حجرة الطلبة، يحاولان تجاهل أصوات الصياح والهتافات المرحة القادمة إليهما من الفناء بالخارج، حيث كان الطلبة يستمتعون بوقتهم وهم يتزلجون على البحيرة المجمدة، ويسحرون كرات الثلج لتطير حتى برج «جريفندور» وتضرب النوافذ بقوة.

صاح «رون» وقد نفد صبره أخيرًا: «أنتم» وهو يطل برأسه من النافذة.. «أنا رائد الفصل وإن ألقيتم المزيد من كرات الثلج على هذه النافذة سوف.. آه».

سحب رأسه من النافذة بحدة، ووجهه مغطى بالثلج.

قال بمرار: «إنهما فريد وچورچ» وهو يغلق النافذة من خلفه.. «هذان الأحمقان».

عادت «هيرميون» من عند «هاجريد» قبل الغداء مباشرة، والحماس باديًا عليها، وعباءتها مبتلة ورطبة حتى ركبتيها.

قال «رون» ناظرًا إليها وهى تدخل: «ماذا فعلت؟ هل خططت له كل دروسه؟».

قالت وهى تجلس على المقعد المجاور لـ «هارى»: «حاولت». شهرت عصاها السحرية ولوحت بها؛ فخرج هواء ساخن من طرفها.. ثم صوبتها نحو عباءتها، فتصاعدت الأبخرة منها وهى تجف. أضافت: «لم أجده عندما وصلت، طرقت على الباب نصف الساعة على الأقل، ثم جاء مهرولاً من الغابة..».

تأوه «هارى» متذمرًا، فالغابة المحرمة مليئة بالمخلوقات الجديرة بجعل «هاجريد» عرضة للطرد. قال: «ماذا يخفى بها؟ هل قال لك؟».

قالت «هيرميون» بتعاسة: «لا.. يقول: إنه يريدها مفاجأة للفصل. حاولت شرح موضوع أمبريدچ له، لكنه لم يفهم. أخذ يقول: إنه لا أحد فى حالته العقلية السليمة يحب دراسة النارل بدلاً من الشيمايراس.. لا أعتقد أن معه شيمايراس»، أضافت الجملة الأخيرة مع نظرات «هارى» و«رون» المتعجبة.. «لكن هذا ليس نتيجة لتقصيره فى محاولة الحصول عليها، فقد قال: إنه من

الصعب جدًا الحصول على بيضات هذا الكائن. لا أعرف كم مرة أخبرته أن من الأفضل له اتباع خطة جروبلى بلانك فى التدريس، لكن لا أعتقد أنه قد أنصت لنصف ما قلته. إنه فى حالة مزاجية غريبة نوعًا، ولم يذكر سبب كل هذه الجروح التى أصيب بها».

عاود «هاجريد» الظهور على مائدة المعلمين ساعة الإفطار صباح اليوم التالى، ولم يقابله الطلبة بحماس. بعضهم ـ مثل «فريد» و«چورچ» و«لى» ـ صاحوا جذلين وهرولوا عبر الممر الفاصل بين مائدتى «جريفندور» و«هافلباف» إلى مصافحة يد «هاجريد» الكبيرة.. وبعض الباقين ـ مثل «بارفاتى» و«لاڤندر» ـ تبادلوا النظرات المتجهمة وهزوا رءوسهم. كان «هارى» يعرف أن الكثيرين منهم يفضلون حصص الأستاذة «جروبلى بلانك»، وأسوأ ما شعر به وقتها أن جزءًا صغيرًا محايدًا داخله كان يعرف أن أسبابهم وجيهة: فالأستاذة «جروبلى بلانك» مهتمة بالأساس بألا يصاب أى من الطلبة بمكروه، ناهيك عن حرصها على ألا تُقطع رقبة أحدهم.

توجه «هارى» و«رون» و«هيرميون» بوجل إلى كوخ «هاجريد» يوم الثلاثاء، والثلج الكثيف يعيق تقدمهم. كان «هارى» قلقًا، ليس فقط بسبب ما يمكن أن يكون «هاجريد» قد قرر تدريسه لهم، لكن أيضًا بسبب الطريقة التى سيتصرف بها باقى التلاميذ إن وقفت «أمبريدچ» تراقبهم أثناء تفتيشها على الحصة.

لكن المفتشة العليا لم تكن موجودة بعدما جاهدوا فى سيرهم وسط الثلج الكثيف، وبعد أن وصلوا إلى كوخ «هاجريد»، الذى وقف منتظرًا عند طرف الغابة. لم يكن شكله مطمئنًا.. فالندبات والجروح والكدمات الكثيرة على وجهه، والتى كانت بنفسجية يوم الأحد أضيف إليها كدمات بلون أخضر وأصفر، وبعض جروحه كانت عميقة ولم تكف عن النزف. لم يفهم «هارى» الأمر.. هل هاجم «هاجريد» كائن سحرى ما منع سمه الجروح من الالتئام؟ وليكمل «هاجريد» الصورة الصعبة؛ فقد كان يحمل ما يشبه بقرة ميتة على ظهره.

قال بسعادة للتلاميذ المقتربين: «(زنعمل) هنا اليوم» وهو يشير برأسه إلى الأشجار المظلمة من خلفه.. «إنها توفر حماية (أكزر).. فهى تفضل الظلام».

سمع «هارى» «مالفوى» يقول بحدة لـ «كراب» و«جويل» ولمسة من الذعر فى صوته: «ما الذى يفضل الظلام؟ هل ذكر أنه يحب الظلام؟ هل سمعته؟».

تذكر «هارى» المناسبة الوحيدة السابقة التى دخل فيها «مالفوى» الغابة..

لم يكن شجاعًا وقتها. ابتسم لنفسه، فبعد مباراة «الكويدتش» كان كل ما يسبب الضيق لـ«مالفوى» يسعده كثيرًا.

قال «هاجريد» بجذل: «هل أنتم جاهزون؟». وهو ينظر حوله إلى التلاميذ، ليضيف: «جيد.. لقد جهزت رحلة (خاظة) إلى داخل الغابة لتلاميذ (الظف) (الخامز). فضلت أن نرى هذه المخلوقات فى بيئتها الطبيعية. فما (زتعرفونه) اليوم كائن نادر جدًا، وأعتقد أننى الوحيد تقريبًا فى بريطانيا كلها الذى تمكن من ترويضه».

قال «مالفوى» والذعر فى صوته أكثر وضوحًا: «وهل أنت واثق أنك روضته جيدًا؟ فلن تكون المرة الأولى التى تفصل فيها بسبب حيوان متوحش.. صح؟».

أخذ أولاد «سليذرين» يغمغون موافقين، وبعض أولاد «جريفندور» بدا وكأنهم يرون التعقل فى كلام «مالفوى».

قال «هاجريد» وهو يئن تحت ثقل البقرة الميتة وهو يعدل من وضعها على ظهره: «بالطبع ترويضها جيد». فسأله «مالفوى»: «ماذا حدث لوجهك إذن؟».

قال «هاجريد» بغضب: «لا شأن لك بهذا.. والآن، إن كنتم قد انتهيتم من الأسئلة الغبية.. ورائى».

دار على عقبيه وسار إلى داخل الغابة. لم يبدُ على أيهم الحماس لاتباعه. نظر «هارى» إلى «رون» و«هيرميون»، التى تنهدت وأومأت برأسها، فانطلق ثلاثتهم خلف «هاجريد»، ليقودوا مجموعة الطلبة.

ساروا لمدة عشر دقائق حتى وصلوا إلى مكان تتقارب فيه الأشجار الكثيفة، حتى إنه كان مظلمًا كوقت السحر، ولم يكن هناك أى ثلوج على الأرض. وهو يئن ثانية وضع «هاجريد» نصف البقرة التى يحملها على الأرض، وخطا للخلف، ليواجه الفصل، ومعظمهم يزحفون من شجرة إلى شجرة من خلفه فى طريقهم إليه، وهم يجيلون طرفهم حولهم فى عصبية كأنهم يتوقعون ما يهاجمهم فى أية لحظة.

قال «هاجريد» مشجعًا: «تجمعوا حولى هنا.. تجمعوا. والآن، (زتجتذبهم) رائحة اللحم، لكننى (زأناديهم) على أية حال؛ لأنهم (زيفرحون) عندما يعرفون أننى من حضر».

التفت وهز رأسه غزير الشعر ليبعد شعره عن وجهه، ثم صدرت عنه صيحة حادة غريبة دوت بين الأشجار المظلمة مثل نداء طائر عملاق متوحش. لم يضحك أحد.. بدا معظمهم خائفين، فتجمدوا وقد حل عليهم الصمت.

خرجت الصيحة من «هاجريد» ثانية. بعد مرور دقيقة استمر فيها التلاميذ فى التحديق حولهم ومن فوق أكتافهم وبين الأشجار؛ بحثًا عن الكائن الذى يفترض أنه يقترب. ولما كان «هاجريد» يهز رأسه للمرة الثالثة وينفخ صدره الهائل، لكز «هارى» «رون» وأشار إلى مساحة سوداء بين شجرتين عملاقتين.

ظهر زوج من العيون البيضاء اللامعة، والتى أخذت تكبر وتكبر حتى ظهر من حولهما وجه تنينى الطابع، ثم رقبة، وجسد عظمى، لحصان هائل الحجم، أسود، مجنح، انشق عنه الظلام. مسح التلاميذ بعينيه للحظات قليلة، وهو يهز ذيله الأسود الطويل، ثم أحنى رأسه وبدأ فى تمزيق اللحم من البقرة الميتة بأنيابه المدببة.

شعر «هارى» براحة شديدة. ها هو ذا أخيرًا إثبات على أنه لا يتخيل وجود المخلوقات، وعلى أنها حقيقية.. و«هاجريد» أيضًا يعرف بوجودها. نظر بلهفة إلى «رون»، لكن «رون» كان يحدق فى الأشجار، وبعد لحظات قليلة همس قائلاً: «لماذا لم يصح هاجريد ثانية؟».

كان على وجوه معظم التلاميذ تعابير الارتباك والقلق مثل «رون»، وهم ينظرون حولهم، كأنهم لا يرون الجواد الواقف أمامهم. كان هناك اثنان فقط بدا كأنهما قد رأياه: ولد نحيل من تلاميذ «سليذرين» واقف خلف «جويل» يراقب الجواد يأكل، وعلى وجهه تعبير امتعاض، و«نيفيل».

قال «هاجريد» بفخر بعد ظهور حصان آخر من بين الأشجار المظلمة، وجناحاه الجلديان منكمشان على جسده وهو يقترب برأسه من اللحم: «وها هو واحد آخر.. والآن.. من يراه يرفع يده؟».

مع إحساسه بالسرور الشديد لأنه سيفهم أخيرًا لغز هذه الجياد، رفع «هارى» يده. أومأ له «هاجريد».

قال بجدية: «أجل.. أجل، عرفت أنك (زتراها) يا هارى.. وأنت أيضًا يا نيفيل.. (ظح)؟».

قال «مالفوى» بصوت ساخر: «عذرًا.. لكن ما هذا بالضبط الذى تريدنا أن نراه؟».

كإجابة، أشار «هاجريد» إلى البقرة الملقاة على الأرض. حدق فيها جميع الحضور للحظات، ثم شهق البعض وصرخت «بارفاتى». فهم «هارى» سبب انزعاجهم.. فقد كان هناك قطع من اللحم قد اختفت، وظهرت من تحتها العظام، فبدا شكلها غريبًا؛ لأنهم لا يرون ما يأكلها.

تساءلت «بارفاتى» بصوت مفزوع، وهى تتراجع إلى أقرب شجرة: «ماذا يجرى؟ ما الذى يأكل اللحم؟».

قال «هاجريد» بفخر: «(الزيزترال)» فتأوهت «هيرميون» بصوت خفيض على سبيل الاهتمام والتعجب، وأكمل «هاجريد» كلامه: «لدى (هوجورتز) قطيع كامل منها. والآن من يعرف..؟».

قاطعته «بارفاتى» وعلى وجهها علامات الانزعاج الشديد: «لكنها جالبة لسوء الحظ.. فهى تصيب من يقتنيها بالويلات والفظائع. قالت الأستاذة تريلاونى هذا ذات مرة..».

قال «هاجريد» محتجًا: «لا لا لا.. إنها خرافات، فهى لا تجلب (زوء) الحظ، إنها مفيدة للغاية وماهرة جدًا. بالطبع هى هنا لا تقوم (بالكزير) من العمل، فوظيفتها (الأزازية) هى جر عربات (المدرزة)، إلا إذا أراد دمبلدور الخروج فى رحلة طويلة ولا يريد الاختفاء.. وها هو زوج آخر منها.. انظروا..».

ظهر جوادان آخران من خلف الأشجار، ومر أحدهما إلى جوار «بارفاتى»، التى ارتجفت وضغطت جسدها إلى الشجرة وهى تقول: «أعتقد أننى قد شعرت بشىء ما، واضح أنه قريب منى».

قال «هاجريد» بصبر: «لا تقلقى، فهى غير مؤذية. والآن.. من يعرف لماذا يراها بعضكم ولا يراها البعض الآخر؟». رفعت «هيرميون» يدها.

قال «هاجريد» مبتسمًا: «تفضلى يا هيرميون».

قالت: «الوحيدون الذين يرون الثيسترال هم من رأوا الموت».

قال «هاجريد»: «هذا (ظحيح) تمامًا.. عشر نقاط لجريفندور. والآن.. (الزيزترال) هو..».

«إحم إحم».

وصلت الأستاذة «أمبريدج». وقفت على مسافة بضع أقدام من «هارى»، وعليها عباءتها وقبعتها الخضراوان، ولوح كتابتها فى يدها. أخذ «هاجريد» يحدق فى أحد حيوانات «الثيسترال» وهو يحسبها قد أصدرت صوت السعال، فهو لم يكن قد ألف سعلتها الاعتراضية من قبل.

«إحم إحم».

قال «هاجريد» وقد حدد مصدر الضوضاء أخيرًا: «آه.. أهلاً».

قالت «أمبريدج» بنفس الصوت المرتفع البطىء الذى استخدمته معه من

قبل، كأنها تخاطب شخصًا لا يفهم اللغة، وبطيء الفهم: «هل تلقيت إخطارى لك بالحضور صباح اليوم الذي أخبرك فيه بأننى سأفتش على حصتك؟».

قال «هاجريد» بإشراق: «حقا؟ (يزعدنى) معرفتك لمكان انعقاد (الدرز). وكما ترين. لا أعرف.. هل ترينها؟ فلدينا فى (حظتنا) اليوم حيوان (الزيزترال)..».

قالت الأستاذة «أمبريدچ» بصوت مرتفع وهى تضع يدها حول أذنها وتقطب جبينها: «عذرًا.. ما الذى تدرسونه اليوم؟».

قال بصوت مرتفع: «آ.. (زيزترال).. جياد كبيرة مجنحة كما تعرفينها»

حرك يديه العملاقتين فى محاولة لإيصال الصورة إليها. رفعت الأستاذة «أمبريدچ» حاجبيها وغمغمت وهى تكتب فى ورقها: «يضطر.. أحيانًا.. للكلام.. بلغة.. الإشارة..».

قال «هاجريد» وقد عاد لمواجهة الأولاد وعلى وجهه بعض أمارات الضيق: «المهم.. إحم.. ماذا كنت أقول؟».

غمغمت «أمبريدچ» بصوت مرتفع هذه المرة يكفى لأن يسمعه الجميع: «يبدو.. أنه.. مصاب.. بضعف.. فى.. الذاكرة». بدا على وجه «مالفوى» كأن عيد الميلاد قد جاءه قبل شهر من حلوله.. لكن «هيرميون» على النقيض، صار لونها أحمر من الغيظ المكتوم.

قال «هاجريد» وهو يحدج أوراق «أمبريدچ» بنظرة غاضبة: «حقًّا؟». وليكمل بعدها بشجاعة: «كنت (زأخبركم) كيف (حظلنا) على قطيع من هذه الحيوانات. بدأنا فى ترويض ذكر واحد و(خمز) (إناز). (ازم) هذا..». وهو يربت على أول من ظهر من الجياد.. زتنبروز.. إنه جوادى المفضل من بينهم، وهو أول من ولد منهم فى هذه الغابة..».

قالت «أمبريدچ» بصوت مرتفع مقاطعة إياه: «هل تعرف أن وزارة السحر تصنف الثيسترال كحيوان خطير؟».

أصاب «هارى» الخوف، لكن «هاجريد» قال بحدة: «(الزيزترال) (ليز) خطيرًا.. بل هو غريب بعض الشيء، وإن كان يزعجك..».

«تبدو.. عليه.. مظاهر.. الحب.. لفكرة.. العنف» أخذت تكتب فى ورقها ثانية.

قال «هاجريد» وقد أصابه بعض القلق أخيرًا: «لا.. لا تبالغى. أعنى أن الكلب قد يعضك لو ضربته، (ظح)؟ لكن (الزيزترال) لاحقته (زمعة) (زيئة) لأنه مرتبط بالموت.. فاتفق (الناز) على اعتباره فألاً سيئًا.. فهم لا يفهمون.. (ظح)؟».

لم تُجبه الأستاذة «أمبريدچ»، بل انتهت من كتابة آخر كلمة ثم نظرت إلى «هاجريد» وقالت بصوت مرتفع وبطيء مرة أخرى: «من فضلك استمر فى تدريسك المعتاد. فأنا سأسير قليلاً» أوضحت له عمليًا كيف ستسير (أخفى «مالفوى» و«بانسى باركنسون» ضحكات مكتومة) بين التلاميذ (أشارت إلى بعض التلاميذ) وأضافت: «واسألهم بعض الأسئلة» وهى تشير إلى فمها لتوضح أنها ستتكلم.

حدق فيها «هاجريد»، وهو لا يفهم لماذا تتصرف هكذا، وكأنه لا يفهم الإنجليزية. أما «هيرميون» فقد اغرورقت عيناها بدموع الغضب.

همست و«أمبريدچ» تسير نحو «بانسى باركنسون»: «أيتها الحيزبون، أيتها الحيزبون الشريرة.. أعرف ما تحاولين فعله أيتها الشريرة المريضة..».

قال «هاجريد» وهو يجاهد لاستعادة السير الطبيعى لحصته: «إحم.. المهم.. إذن (فالزيزترال).. أجل.. هناك (الكزير) من المزايا فى هذا الحيوان..».

قالت الأستاذة «أمبريدچ» بصوت رنان مخاطبة «بانسى باركنسون»: «هل تجدين نفسك قادرة على فهم الأستاذ هاجريد عندما يتكلم؟».

مثل «هيرميون»، كانت عينا «بانسى» مغرورقتين بالدموع، لكنها دموع الضحك بالطبع، وجاءت إجابتها غير متماسكة بالمرة نتيجة لضحكاتها المكبوتة.

«لا.. لأنه.. هه.. لأن كلامه.. يشبه.. الغطيط.. وصوته غليظ».

كتبت «أمبريدچ» المزيد فى ورقها. والأجزاء غير المصابة بالكدمات والجروح من وجه «هاجريد» تلمع من الغضب، لكنه حاول التصرف كأنه لم يسمع.

«المدهش فى (الزيزترال) أنه.. حينما يتم ترويضه، (مزل) هذا القطيع، لا تفقده أبدًا.. لديه (إحزاز) خطير بالاتجاهات، وهو ما يجعله يعرف طريقه جيدًا..».

قال «مالفوى» بصوت مرتفع: «المدهش فى الثيسترال أنه يفهمك»، فأصيبت «بانسى باركنسون» بنوبة من الضحك. ابتسمت الأستاذة «أمبريدچ» لهما والتفتت إلى «نيفيل».

سألته: «أنت ترى الثيسترال يا لونجبوتم.. أليس كذلك؟». فأومأ لها موافقًا.

قالت مشيرة بيدها قصيرة الأصابع إلى الجياد التى لم تترك من البقرة سوى بعض العظام: «وما رأيك فيها؟».

قال «نيفيل» بتوتر وهو ينظر إلى «هاجريد» نظرة سريعة: «إحم.. إنها جيدة».

غمغمت «أمبريدچ» وهى تكتب المزيد فى ورقها: «التلاميذ.. خائفون.. إلى درجة.. عدم الاعتراف.. بالخوف».

قال «نيفيل» منزعجًا: «لا.. أنا لست خائفًا منها».

قالت «أمبريدچ» وهى تربت على كتف «نيفيل»: «لا تقلق» وعلى وجهها ما أرادت أن تجعله ابتسامة مشجعة متفاهمة، فخرج منها أشبه بابتسامة سخرية. التفتت إلى «هاجريد» ثانية وهى تقول: «المهم يا هاجريد.. أعتقد أننى حصلت على ما يكفينى للتقييم. ستتلقى (أشارت وقتها بيدها كأنها تمسك بشىء ما من الهواء) نتيجة تفتيشى عليك قريبًا (وهى تشير إلى الورق) فى ظرف عشرة أيام» وهى ترفع أصابعها القصيرة العشرة، ثم اتسعت ابتسامتها وأصبحت شبيهة بالضفادع أكثر من أى وقت مضى من تحت قبعتها الخضراء، ومرقت من بينهم، تاركة «مالفوى» و«بانسى باركنسون» فى نوبة ضحك، و«هيرميون» تنتفض من الغضب، و«نيفيل» مرتبكًا وغاضبًا.

صاحت «هيرميون» بعد نصف ساعة وهم فى طريق العودة إلى القلعة عبر القنوات التى تركتها أقدامهم صباحًا: «تلك الجرجوانة الشمطاء الكاذبة الكريهة.. هل رأيتما ما تنتويه؟ إن السبب هو كراهيتها لأنصاف السحرة.. فهى تحاول معاملة هاجريد على أنه ترول أحمق لا يفهم شيئًا، فقط لأن أمه عملاقة.. وبالمناسبة لم يكن ما فعلته جيدًا بالمرة.. فقد كانت الحصة جيدة، الثيسترال جيد، فى الواقع بالنسبة لهاجريد كان اختيارًا موفقًا».

قال «رون»: «قالت أمبريدچ إنها خطيرة».

قالت «هيرميون» بنفاد صبر: «فى الواقع هى كما قال هاجريد عنها.. فهى يمكنها الدفاع عن نفسها.. وأعتقد أن معلمة مثل جروبلى بلانك ما كانت لتقدم لنا هذه الحيوانات قبل الوصول لمستوى شهادة الـ(إن. إى. دبليو. تى.) لكنها مثيرة.. أليس كذلك؟ لأن بعض الناس يرونها وبعضهم لا يرونها. أتمنى لو أراها».

سألها «هارى» بهدوء: «حقًا؟». بدا عليها فزع مفاجئ.

«آسفة يا هارى.. بالطبع لا أعنى الـ.. ما كان يجب أن أقول هذا».

قال بهدوء: «لا عليك.. لا تقلقى».

قال «رون»: «يدهشنى أن رآها الكثيرون.. ثلاثة أشخاص فى فصل واحد..».

قال صوت ساخر: «أجل يا ويسلى، فنحن أيضًا نتعجب من هذا». فعلى الثلج الكاتم للصوت كان «مالفوى» و«كراب» و«جويل» يسيرون من خلفهم.. «لكنها للأسف خفية عليك ولا تراها مثلما لا ترى كرة الكوافل فى المباريات».

أخذ هو و«كراب» و«جويل» يزأرون ضاحكين وهم يجدون السير فى طريقهم إلى القلعة، ثم أخذوا يغنون معًا: «ويسلى يا ملك..» فاحتقن وجه «رون».

قالت «هيرميون» وهى تشهر عصاها وتؤدى تعويذة لبعث الهواء الساخن ثانية، حتى تذيب الثلج أمامها وتمهد لهم طريقًا فى الثلج الذى لم يمسسه أحد هذا الصباح، فى طريقهم إلى الصوبة الزجاجية: «تجاهلهم.. تجاهلهم تمامًا».

* * *

جاء شهر ديسمبر، ومعه المزيد من الثلوج، وانهيارات جليدية من الواجب لطلبة الصف الخامس. صارت واجبات ومهام «رون» و«هيرميون» كرائدين لفصليهما أكثر إزعاجًا وتعبًا مع اقتراب أعياد الميلاد. باتا يُستدعيان للإشراف على تجميل القلعة، ومراقبة تلاميذ الصف الأول والثانى وهم يقضون أوقاتهم داخل القلعة بسبب البرد القارس بالخارج، ويقول «رون» عنهم: «يالهم من صغار ملاعين.. لم نكن بهذه الوقاحة ونحن فى الصف الأول»، ويحرسون الممرات فى دوريات مع «أرجوس فيلش»، الذى ارتاب فى أن روح الإجازة والعيد قد تتجسد فى شكل مبارزات سحرية، ويقول عنه «رون»: «عقله بطاطس» وهو مقطب الجبين. كانا مشغولين بشدة، حتى إن «هيرميون» كفت عن حياكة القبعات للأقزام، وأخذت تتشكى وتقول: «ياللأقزام المسكينة التى لم أحررها بعد، سيكون عليها البقاء هنا وقت أعياد الميلاد؛ فليس معها قبعات».

مال «هارى» إلى واجب تاريخ السحر أكثر، فهو لم يجرؤ على قول أن «دوبى» هو الذى يأخذ كل ما تصنعه.. كما أنه لم يرغب فى التفكير فى عيد الميلاد. للمرة الأولى منذ دخوله المدرسة أراد قضاء الإجازة بعيدًا عن «هوجورتس». بين تمرينات «الكويدتش» وقلقه على نتيجة تفتيش «هاجريد» وأنه قد يوضع فى فترة اختبار، شعر باستياء شديد من المكان. الشىء الوحيد الذى كان ينتظره ويشتاق إليه هو اجتماعات الـ (دى. أيه.) والتى كانت ستتوقف بسبب إجازة عيد الميلاد؛ لأن معظم الأعضاء سيقضون الإجازة مع ذويهم. «هيرميون» ستذهب

فى رحلة للتزلج مع والديها، وهو الشىء الذى تعجب له «رون» كثيرًا، الذى لم يسمع من قبل عن ارتداء «العامة» لأعواد خشبية رفيعة فى أقدامهم للانزلاق من فوق الجبال، أما «رون» نفسه فكان سيذهب إلى بيت «البارو». قضى «هارى» بضعة أيام شاعرًا بالحسد نحو «رون»، قبل أن يقول الأخير ردًا على سؤال وجهه إليه «هارى» عن كيفية رجوعه للبيت وقت عيد الميلاد: «لكنك ستعود معى.. ألم أذكر لك هذا؟ كاتبتنى أمى لتدعوك منذ أسابيع مضت».

بدا على «هيرميون» الانزعاج، لكن روح «هارى» المعنوية حلقت فى السحاب.. ففكرة قضاء إجازة عيد الميلاد فى «البارو» رائعة، وإن كان شابها إحساس بالذنب لأنه لن يكون قادرًا على قضاء وقته مع «سيرياس». تساءل إن كان من الممكن إقناع السيدة «ويسلى» بدعوة أبيه الروحى لقضاء وقته معهم. ومع شكه فى سماح «دمبلدور» بمغادرة «سيرياس» «جريمولد بليس»، فلم يقدر على منع نفسه من التفكير فى أن السيدة «ويسلى» قد لا ترحب به أو ترغب فى وجوده.. فهما كثيرا الشجار. لم يراسل «سيرياس» «هارى» منذ ظهوره الأخير فى المدفأة، وبالرغم من أن «هارى» كان يعرف أن «أمبريدج» تراقب المدفأة ويعرف أن محاولته الاتصال به ستكون غير آمنة، إلا أنه لم يرغب فى التفكير بأن «سيرياس» سيكون وحده فى بيت أمه، وربما يتشاجر مع «كريتشر» المجنون.

وصل «هارى» مبكرًا إلى حجرة الاحتياجات قبل آخر اجتماعات الـ(دى. أيه.) قبل الإجازة، وسره وصوله المبكر، فعندما أضاءت المشاعل وجد «دوبى» قد تولى تزيين الحجرة. فلا يمكن لأحد غيره أن يزينها بهذه الطريقة.. فقد وجده معلقًا فى السقف مائة دمية صغيرة، وعلى كل منها صورة لوجه «هارى» ومكتوب عليها: «هارى كريسماس» بدلاً من: «مارى كريسماس».

انتهى «هارى» من نزع آخر اثنتين منها قبل أن ينفتح الباب وتدخل «لونا لوفجود»، بعيونها الحالمة كالعادة.

قالت بغموض وهى تنظر حولها لما تبقى من الزينة: «أهلاً.. إنها جميلة، هل علقتها بنفسك؟». فقال «هارى»: «لا.. إنه دوبى القزم المنزلى».

قالت «لونا» بنبرة حالمة مشيرة إلى كومة كبيرة من التوت موضوعة فوق

رأس «هارى»: «دبق» فقفز من تحتها.. وأكملت «لونا» بغموضها المعتاد: «تصرف حكيم، فهى دائمًا مليئة بالنارجلز».

خفف عن «هارى» عبء سؤالها عن ماهية «النارجلز» وصول «أنچيلينا»، و«كاتى»، و«أليشيا». كان ثلاثتهن مبهورات الأنفاس ويبدو عليهن البرد الشديد.

قالت «أنچيلينا» بفتور وهى تخلع عنها معطفها وتلقى به فى الركن: «أخيرًا عثرنا على بديل لك». قال «هارى»: «بديل لى؟».

قالت بنفاد صبر: «بديل لك ولچورچ ولفريد.. عثرنا على قناص للسنيتش».

قال «هارى» بسرعة: «من؟».

قالت «كاتى»: «چينى ويسلى». فحدق فيها «هارى» فاغرًا فاه.

قالت «أنچيلينا» وهى تشهر عصاها السحرية وتثنى ذراعها: «أجل أعرف.. لكنها لاعبة جيدة. وإن كانت لا تقارن بك بالطبع»، وأضافت وهى ترمقه بنظرة امتعاض شديد: «لكن لأنك لا يمكن أن تلعب معنا..».

منع «هارى» نفسه من الإجابة عليها.. هل ظنت للحظة أنه لم يندم على طرده من فريقه أكثر من ندمها مائة مرة؟

قال محاولاً جعل صوته عاديًّا: «وماذا عن لاعبى المضارب؟».

قالت «أليشيا» بلا حماس: «أندرو كيرك.. وجاك سلوبر. إنهما ليسا موهوبين، لكن مقارنة بباقى الحمقى الذين تقدموا للاختبارات فهما جيدان..».

أنهى وصول «رون» و«هيرميون» و«نيفيل» هذه المحادثة الكئيبة، وخلال خمس دقائق امتلأت الحجرة بما يكفى لمنع «هارى» من رؤية نظرات «أنچيلينا» الحارقة المؤنبة.

قال وهو يطالب الحضور بالسكوت: «أعتقد أن الليلة سيكون علينا مراجعة ما تعلمناه؛ لأنها الليلة الأخيرة لنا قبل الإجازات، وليس ثمة جدوى من البدء فى شىء جديد قبل إجازة مدتها ثلاثة أسابيع..».

قال «زكارياس سميث» فى صوت هامس مستاء مرتفع بما يكفى ليسمعه باقى الحضور: «ألن نقوم بأداء تعاويذ جديدة؟ لو عرفت هذا ما كنت حضرت».

قال «فريد» بصوت مرتفع: «يؤسفنا أن هارى لم يقل لك قبلها إذن».

ضحك البعض بصوت مكتوم. رأى «هارى» «تشو» وهى تضحك وأحس بإحساس جميل اعتاد عليه فى معدته، كأنه ينوى وطء درجة سلم ويجدها

غير موجودة فيحط على الدرجة التى أسفلها. وقال: «.. يمكننا التدرب فى مجموعات من اثنين.. سنبدأ بتعويذة الإعاقة، لعشر دقائق، ثم نخرج الطنافس ونتدرب على تعويذة التجميد».

انقسموا إلى مجموعات كما أمرهم، وكان شريك «هارى» «نيفيل» كالعادة. سرعان ما امتلأت الحجرة بصيحات: «*إمبديمنتا*»، فيتجمد من يصاب بالتعويذة لدقيقة، فيراقب شريكه فى التمرين الأزواج الأخرى وهم يتمرنون، ثم تنفك التعويذة وتنتهى إعاقته ويبدأون فى التمرين ثانية.

تحسن «نيفيل» إلى درجة تفوق التوقعات. بعد فترة، وبعد أن أعاق «هارى» ثلاث مرات، طالبه الأخير بالانضمام إلى «رون» و«هيرميون»، حتى يتفقد الحجرة ويراقب الآخرين. وعندما مر على «تشو» ابتسمت له، فلم يقاوم إغراء السير إلى جانبها عدة مرات.

بعد عشر دقائق من تعويذة الإعاقة، أخرجوا الطنافس وصفوها على الأرض، وبدأوا فى التدرب على تعويذة التجميد. كانت مساحة الحجرة غير كافية ليتدربوا جميعهم عليها.. أخذ نصفهم يراقب النصف الآخر وهم يتدربون، ثم يتبادلون الأدوار. شعر «هارى» بالفخر وهو يراقبهم. حقًا قام «نيفيل» بتجميد «بادما باتيل» بدلاً من «دين»، الذى كان يستهدفه أصلاً، إلا أن تصويبه كان أفضل من العادة، أما الآخرون فكان تقدمهم مدهشًا.

بعد مرور ساعة طالبهم «هارى» بالكف عن التدرب.. وقال موزعًا ابتساماته عليهم: «لقد تحسنتم كثيرًا.. عندما تعودون من الإجازات سنبدأ فى تعاويذ أكبر.. ربما تعويذة البتروناس».

عمت الحجرة غمغمة حماسية جماعية. ثم بدأوا فى الخروج فى جماعات من فردين وثلاثة أفراد كالعادة. جمع «هارى» الطنافس مع «رون» و«هيرميون» شاعرًا بالفرحة، ثم انتظر قليلاً؛ لأن «تشو» كانت ما زالت موجودة، وأراد أن يقول لها: «عيد ميلاد سعيد».

سمعها تقول لصديقتها «مارييتا»: «لا.. اذهبى أنت» فشعر بدفقة كبيرة من الفرح.

تظاهر بتعديل وضع كومة الطنافس، وكان واثقًا أنهما قد صارا وحدهما، وانتظر منها أن تتحدث، لكنه سمعها تشهق.

التفت ورأى «تشو» واقفة فى منتصف الحجرة، والدموع تنهمر على وجهها.

«ماذا..؟».

لم يعرف كيف يتصرف، وهى واقفة هكذا تبكى.

قال بوهن: «ما المشكلة؟». فهزت رأسها ومسحت عينيها على كمها.

قالت: «آسفة.. أنا.. تعلمت كل هذه الأشياء.. وهذا يجعلنى أتساءل.. ماذا لو كان قد تعلمها هو الآخر؟ ما كان ليموت!».

غاض قلب «هارى» فى صدره إلى مستوى أسفل مستواه المعهود، وكأنه قد استقر قريبًا من معدته. كان عليه أن يعرف هذا.. فهى تريد التحدث عن «سيدريك».

قال ببطء: «كان يعرف هذه الأشياء.. كان ماهرًا فى السحر، وإلا ما كان ليصل إلى منتصف تلك المتاهة. لكن إن شاء ڤولدمورت أن يقتل أحدًا فهو يصل إلى ما يشاؤه».

سعلت عند سماع اسم «ڤولدمورت»، لكنها حدقت فى «هارى» دون أن تطرف عيناها. وقالت بهدوء: «لكنك نجوت منه وأنت طفل رضيع».

قال «هارى» بضجر وهو يتقدم إلى الباب: «أجل.. لا أعرف كيف، ولا يعرف أى أحد كيف، لذا فهو شىء لا يستدعى التفاخر».

قالت «تشو» دامعة ثانية: «لا تذهب من فضلك.. أنا آسفة على مضايقتك هكذا.. لم أعرف أن..».

سعلت ثانية. كانت جميلة حتى وعيناها حمراوان ومنتفختان. شعر «هارى» بالتعاسة. كان سيفرح بتهنئتها له بعيد الميلاد دون كل هذه التفاصيل المتعبة.

قالت وهى تمسح عينيها: «أعرف أن الأمر فظيع بالنسبة لك.. بكلامى عن سيدريك بعد أن رأيته أنت وهو يموت.. أعنى أنك تريد نسيانه.. أليس كذلك؟».

لم ينطق «هارى» ردًا على سؤالها.. كان ما قالته صحيحًا، لكنه شعر أن ذكر هذا قاسٍ جدًا.

قالت «تشو» بابتسامة دامعة: «أنت معلم جيد حقًا.. لم أتمكن من تجميد أحد من قبل». فقال «هارى» بارتباك: «أشكرك».

تبادلا النظرات لفترة طويلة. شعر «هارى» برغبة حارقة فى مغادرة الحجرة، وفى نفس الوقت، بعجز تام عن تحريك قدميه.

قالت «تشو» بهدوء مشيرة إلى السقف من فوق رأسه: «الدبق».

قال «هارى» وفمه شديد الجفاف: «أجل.. لعله ممتلئ بالنارجلن».

«وما هى النارجلز؟».

قـال «هـارى»: «ليس عنـدى فكـرة». اقتربت مـنـه.. بدا كـأن عقلـه أصيب بتعويذة التجميد، وقال: «إن أردت أن تعرفين فعليك بسؤال لونى.. أعنى لونا».

خرج من «تشو» صوت يقع بين البكاء والضحك. لم تقترب منه هكذا من قبل. تمكن من عد حبات النمش على أنفها.

«أنا معجبة بك حقًا يا هارى».

لم يقدر على التفكير.. داهمه إحساس واخز سرى فى أوصاله، ليشل يديه وذراعيه وعقله.

اقتربت كثيرًا.. رأى كل دمعة صغيرة معلقة برموشها.

***

عاد إلى حجرة الطلبة بعد نصف الساعة ليجد «هيرميون» و«رون» جالسين على أفضل مقعدين إلى جوار المدفأة.. كان جميع الطلبة تقريبًا قد صعدوا إلى أجنحة النوم. أخذت «هيرميون» تكتب رسالة طويلة، وكانت قد ملأت بالفعل نصف رقعة الورق بالكلام، وباقى الورقة معلق فى الهواء من فوق طرف المائدة. أما «رون» فقد تمدد على البساط المواجه للمدفأة، محاولاً إنهاء واجب مادة التحويل.

سأله وهو يجلس على المقعد المجاور لمقعد «هيرميون»: «ما الذى أخرك هكذا؟».

لم يجبه «هارى». كان فى حالة صدمة. نصفه يريد إخبار «رون» و«هيرميون» بما وقع منذ قليل، لكن نصفه الآخر يريد كتمان السر لنفسه إلى أن يصل لقبره.

سألته «هيرميون» وهى ترمقه من فوق طرف ريشة الكتابة: «هل أنت بخير يا هارى؟».

هز «هارى» رأسه نصف هزة. فى الواقع لم يكن يعرف إن كان بخير أم لا.

قال «رون»: «ما المشكلة؟». وهو يستند إلى مرفقه ليرى «هارى» من زاوية أفضل.. «ماذا حدث؟».

لم يعرف كيف يبدأ فى إخبارهما، هذا إن كان يعرف مدى رغبته فى إخبارهما أصلاً. وعندما قرر أخيرًا ألا يقول لهما أى شىء أمسكت «هيرميون» بالخيوط من يده.

سألته بطريقة عملية: «هل هى تشو؟ هل حاصرتك بعد الاجتماع؟».

شاعرًا بالاندهاش والخدر، أومأ «هارى» برأسه. كتم «رون» ابتسامته، ثم انطلق فى الضحك عندما نظرت إليه «هيرميون».

سأل متظاهرًا بعدم الاهتمام: «إذن.. فماذا.. آ.. ماذا أرادت؟».

بدأ «هارى» بالكلام فى صوت أجش: «إنها..». ثم سعل وقال: «لقد.. آ.. أعنى...».

سألته «هيرميون» بسرعة: «هل قبلتك؟».

استقام «رون» فى جلسته بسرعة حتى إن قنينة الحبر سقطت على البساط. حدق بجشع فى «هارى» متجاهلاً ما حدث. سأله: «حقًا؟».

نقل «هارى» بصره من وجه «رون» الفضولى المرح إلى تقطيبة وجه «هيرميون» وأومأ برأسه.

«ها»

لوح «رون» بقبضته، وأخذ يضحك بشدة؛ مما جعل بعض تلاميذ الصف الثانى الجالسين بجوار النافذة يجفلون. ظهرت ابتسامة مترددة على وجه «هارى» وهو يراقب «رون» يتقلب على البساط.. فرمقته «هيرميون» بنظرة اشمئزاز عميق وعادت إلى كتابة رسالتها.

أخيرًا قال «رون» ناظرًا إلى «هارى»: «المهم.. كيف كانت؟».

فكر «هارى» للحظة، ثم قال بصدق: «مبتلة».

صدر عن «رون» صوت، قد يكون ابتهاجًا أو إشارة إلى تقززه، كان من الصعب التمييز. أردف «هارى»: «لأنها كانت تبكى».

قال «رون» وابتسامته تتلاشى: «حقًا، وهل قبلاتك بشعة هكذا؟».

فكر «هارى» للحظة: «لا أعرف» وبعد أن شعر ببعض القلق قال: «ربما».

قالت «هيرميون» بذهن غائب وهى تكتب رسالتها: «كلا بالطبع.. لست كذلك».

قال «رون» بحدة شديدة: «وكيف عرفت؟».

قالت «هيرميون» بغموض: «لأن تشو تقضى نصف وقتها فى البكاء هذه الأيام.. تبكى وقت الأكل، وفى دورات المياه، وفى كل مكان».

قال «رون» مبتسمًا: «حسبت أن بعض القبلات ستبهجها».

قالت «هيرميون» بنبرة جادة وهى تغمس طرف ريشة الكتابة فى قنينة الحبر: «رون.. أنت أكثر الأولاد الذين قابلتهم افتقادًا للحساسية والعاطفة».

قال «رون» بجدية: «وماذا يعنى هذا؟ أنا لا أفهم كيف يبكى أحد وهناك من يقبله».

قال «هارى» بصوت مشوب باليأس: «أجل.. ماذا يعنى هذا؟».

نظرت «هيرميون» إليهما وعلى وجهها أمارات الإشفاق عليهما.. فسألته: «ألا تفهمان مشاعر تشو حاليًا؟».

قال «هارى» و«رون» معًا: «لا».

تنهدت «هيرميون» وألقت بريشة الكتابة على المائدة:

«من الواضح أنها تشعر بحزن شديد؛ بسبب موت سيدريك. ثم هى تشعر بالارتباك؛ لأنها أحبت سيدريك، والآن تحب هارى، ولا تعرف أيهما تحبه أكثر. ثم إنها تشعر بالذنب، لتفكيرها فى أن تقبيلها هارى إهانة لذكرى سيدريك، وستظل قلقة بشأن ما سيقوله الآخرون إن بدأت فى الخروج مع هارى. وعلى الأرجح فهى لا تعرف نوعية مشاعرها نحو هارى؛ لأنه كان مع سيدريك ساعة موته؛ لذا فهى مرتبكة وتشعر بالألم. كما أنها خائفة من طردها من فريق رافنكلو للكويدتش لأن لعبها أصبح سيئًا».

عم صمت مذهول مع انتهائها من خطبتها، ثم قال «رون»: «لا يمكن لشخص أن يشعر بكل هذه المشاعر فى نفس الوقت، سينفجر».

قالت «هيرميون» بحدة وهى تلتقط ريشة الكتابة ثانية: «إذا كان ما عندك من تنوع فى المشاعر قليلاً فهذا لا يعنى أن الآخرين مثلك».

قال «هارى»: «هى من بدأت.. ما كنت لأفعل.. فهى اقتربت منى، وبعدها أخذت تبكى على كتفى.. لم أعرف ماذا أفعل...».

قال «رون» منزعجًا من الفكرة: «لا تؤنب نفسك يا صاحبى».

قالت «هيرميون» وهى تنظر إليه بتوتر: «عليك أن تعاملها برقة.. عاملتها برقة وقتها.. أليس كذلك؟».

قال «هارى» والحرارة تزحف على وجهه: «يعنى.. ربتُّ على ظهرها قليلاً».

بدا كأن «هيرميون» تجاهد لمنع نفسها من إظهار استيائها بصعوبة.. وقالت: «لا يهمك.. كان من الممكن أن يكون أداؤك أسوأ.. هل ستراها ثانية؟».

قال «هارى»: «أعتقد هذا.. فنحن سنحضر اجتماعات (دى. أيه.) أخرى.. أليس كذلك؟».

قالت «هيرميون» بنفاد صبر: «أنت تعرف ما أعنيه».

لم ينطق «هارى». فتحت أمامه كلمات «هيرميون» طاقة من الاحتمالات

المخيفة. حـاول تـخيل الخروج مـع «تشو» إلى بـعض الأمـاكن ـ ربما إلى «هوجزميد» ـ وجلوسه معها وحدهما لساعات فى المرة الواحدة. بالطبع ستتوقع منه سؤالها للخروج بعد ما حدث منذ قليل.. أصابته الفكرة بالتوتر والخوف، فشعر ببطنه تتقلص وتؤلمه.

قالت «هيرميون» وهى تدفن وجهها ثانية فى رسالتها: «طيب.. سيكون لديك الكثير من الفرص لسؤالها الخروج معك».

قال «رون» الذى أخذ يراقب «هارى» بتعبير لاذع غريب على وجهه: «ماذا لو لم يكن يريد الخروج معها؟».

قالت «هيرميون» بغموض: «لا تكن أحمق.. هارى يحبها منذ فترة طويلة.. أليس كذلك يا هارى؟».

لم يجبها. بلى.. هو يحب «تشو» منذ فترة طويلة، لكنه لم يتصور أبدًا موقفا تكون فيه «تشو» مستمتعة بوقتها، ومع بكائها الغزير على كتفه.

سأل «رون» «هيرميون»: «المهم.. لمن توجهين هذه الرواية؟». محاولاً قراءة جزء من الورقة التى وصلت إلى الأرض، فحجبتها «هيرميون» عن ناظريه.

«فيكتور؟».

«كرام؟».

«وكم فيكتور نعرف؟».

لم ينطق «رون»، لكن بدا عليه السخط الشديد. جلسوا واجمين لمدة عشرين دقيقة أخرى، وانتهى «رون» من عمل واجب التحويل المزدان ببعض الشطب والإضافات الجانبية، وأخذت «هيرميون» تكتب على وتيرة ثابتة إلى نهاية الورقة، ثم لفتها بحرص وأغلقتها، وأخذ «هارى» يحدق فى النيران، متمنيًا أكثر من أى شىء أن تظهر رأس «سيرياس» أمامه ويعطيه بعض النصح بشأن البنات. لكن النيران أخذت تطقطق فى المدفأة بصوت أخفت وأخفت، حتى لم يبقَ منها سوى جمرات حمراء انهارت وتحولت إلى رماد، ثم وهو ينظر حوله رأى «هارى» أنهم آخر من تبقى بحجرة الطلبة.

قالت وهى تتثاءب وتمضى لجناح نوم البنات: «تصبحان على خير».

تساءل «رون» وهو يصعد مع «هارى» إلى جناح الأولاد: «ترى ماذا ترى فى كرام؟».

قال «هارى» متفكرًا: «أعتقد لأنه أكبر منها، كما أنه.. لاعب كويدتش دولى..».

قال «رون» بغضب متفاقم: «أجل، لكن بخلاف هذا فهو (جردل)، ومتكبر.. أليس كذلك؟».

قال «هارى» وفكره مشغول بما وقع مع «تشو»: «بلى.. متكبر قليلاً».

خلعا عباءتيهما وارتديا المنامات فى صمت.. كان «دين توماس» و«نيفيل» قد ناما. وضع «هارى» عويناته على المائدة المجاورة للسرير، لكنه لم يغلق الستائر حول فراشه رباعى القوائم، بل أخذ ينظر إلى السماء عبر النافذة المجاورة لفراش «نيفيل». لو كان يعرف ليلة أمس، أنه بعد أربع وعشرين ساعة سيُقبّل «تشو تشانج»..

قال «رون» إلى يمناه: «تصبح على خير» فجاوبه.

ربما المرة القادمة ـ إن كان هناك مرة قادمة ـ تكون أسعد. عليه سؤالها الخروج، وعلى الأرجح هى تتوقع هذا، وربما هى غاضبة منه الآن لأنه لم يفعل.. أو لعلها راقدة فى فراشها وهى تبكى على «سيدريكَ». لم يعرف فيمَ يفكر. تفسير «هيرميون» جعل المسألة معقدة أكثر منها بسيطة واضحة.

قال لنفسه وهو يتقلب على جانبيه: «هذا هو ما يجب أن يعلموه لنا هنا.. كيف تفكر البنات.. سيكون هذا أكثر فائدة من حصص التنجيم».

سمع «نيفيل» يغط فى نومه. ونعبت بومة بالخارج وسط الليل الحالك الظلام.

حلم «هارى» بأنه قد عاد إلى حجرة الاجتماعات. كانت «تشو» تلومه على خداعها وإغرائها بالحضور لأسباب مزيفة.. قالت إنه قد وعدها بمائة وخمسين كارت شيكولاتة «فروج» إن جاءت. احتج «هارى».. وصاحت «تشو»: «أعطانى سيدريك الكثير من كروت الشيكولاتة.. انظر» وأخرجت له ملء قبضتها من الكروت، ثم تحولت إلى «هيرميون» التى قالت: «لقد وعدتها يا هارى.. أرى أن عليك إعطاءها شيئًا بديلاً.. ما رأيك فى مقشة الفايربولت؟». وأخذ «هارى» يعترض قائلاً إنه ليس بإمكانه إعطاء «تشو» مقشته؛ لأنها مع «أمبريدج»، وعلى أية حال فالمسألة سخيفة، فهو قد حضر إلى الحجرة لتزيينها من أجل عيد الميلاد بدمى صغيرة على شكل رأس «دوبى»..

تغير الحلم..

شعر بجسده ناعمًا، وقويًا، ومرنًا. أخذ يسرى بين قضبان معدنية لامعة، وعبر الظلام، والأحجار الباردة.. كان قريبًا من الأرض، يسرى فوق بطنه..

والظلام من حوله حالك، لكنه رأى الأشياء بألوان غريبة مهتاجة.. أدار رأسه.. مع النظرة الأولى شاهد الممر خاليًا.. ثم رأى رجلاً واقفًا على الأرض أمامه، وذقنه مستقرة على صدره، والشكل الخارجى لجسده واضح فى الظلام..

أخرج «هارى» لسانه.. وتذوق رائحة الرجل فى الهواء.. كان حيًّا وناعسًا.. جالسًا أمام باب عند نهاية الممر.

تاق إلى عض الرجل.. لكن عليه التحكم فى رغبته.. فلديه عمل هام بانتظاره..

لكن الرجل تحرك.. وسقط معطف فضى على قدميه وهو يهب واقفًا.. رأى «هارى» جسده المهتز غير واضح المعالم طويلاً أمامه، ورأى عصا سحرية تنسحب من الحزام.. ولم يعد أمامه خيار.. ارتفع عن الأرض وهاجمه مرة، ومرتين، وثلاث مرات، وهو يغرس أنيابه الحادة فى جسد الرجل، شاعرًا بضلوعه تتكسر تحت ضغط فكه، والدم الحار يتدفق منه..

أخذ الرجل يصرخ من الألم.. ثم صمت.. وسقط إلى الخلف مصطدمًا بالحائط.. والدم يتدفق على الأرض..

شعر بجبينه يؤلمه إلى درجة فظيعة.. والألم فى ازدياد..

«هارى.. هارى».

فتح عينيه. كل بوصة من جسده كانت مغطاة بعرق بارد مثلج، وأغطيته من حوله متناثرة، شعر كأن عصا تقليب الحطب فى المدفأة تنغرس فى جبينه.

«هارى».

كان «رون» واقفًا فوقه ينظر إليه بخوف بالغ، والمزيد من الأشخاص عند طرف فراشه. أمسك برأسه بين يديه، والألم يكاد يصيبه بالعمى.. انقلب على بطنه وتقيأ من فوق طرف الفراش.

قال صوت خائف: «إنه مريض جدًّا.. ألا يجب استدعاء أحد؟».

«هارى.. هارى».

عليه إخبار «رون»، من المهم إخباره.. وهو يشهق شهقات متلاحقة رفع «هارى» نفسه عن الفراش، ومنع نفسه من التقيؤ، والألم يكاد يعميه..

قال لاهثًا: «أبوك.. تعرض والدك لهجوم..».

قال «رون» وهو لم يفهم ما قيل: «ماذا؟».

«والدك تعرض للعض.. الإصابة خطيرة، هناك دم متناثر حوله..».

قال الصوت الخائف: «سأخرج لأطلب المساعدة» وسمع «هارى» خطوات أقدام تعدو خارجة من الحجرة.

قال «رون» بتردد: «هارى يا صاحبى.. كنت.. كنت تحلم..».

قال «هارى» بغضب شديد: «لا». كان على «رون» أن يفهم. أضاف: «أنا لم أكن أحلم.. ليس حلمًا عاديًا.. كنت هناك، ورأيت ما حدث.. أنا من فعلها..».

سمع «سيماس» و«دين» يغمغمان، لكنه لم يهتم. أخذ ألم جبهته فى التراجع ببطء، وإن كان عرقه مازال غزيرًا وارتجافه شديدًا. تقيأ ثانية وقفز «رون» إلى الخلف مفسحًا له مساحة كافية.

قال مرتجفًا: «هارى.. أنت لست على ما يرام.. خرج نيفيل طالبًا المساعدة».

قال «هارى» وهو يمسح فمه بكم منامته وينتفض غير قادر على التحكم فى نفسه: «أنا بخير.. لا يوجد ما يسوءنى ، إنه والدك من عليك القلق بشأنه.. نحن بحاجة لمعرفة مكانه.. إنه ينزف بغزارة.. كنت... كنت على هيئة ثعبان عملاق».

حاول النهوض من الفراش، لكن «رون» دفعه للخلف ثانية.. أخذ «دين» و«سيماس» يتهامسان بالقرب. سواء مرت دقيقة أم عشر، لم يكن «هارى» يعرف، فقد جلس يرتجف فى مكانه، شاعرًا بالألم ينحسر ببطء عن ندبته.. ثم سمع خطوات أقدام تسارع بالصعود، وصوت «نيفيل» ثانية.

«من هنا يا أستاذة».

هرولت الأستاذة «مكجونجال» إلى داخل الحجرة فى ثوبها الصوفى، وعويناتها معلقة على أنفها الحاد.

«ما الأمر يا بوتر؟ أين تشعر بالألم؟».

لم يسره رؤيتها منذ عرفها مثل ذلك اليوم، إنها عضو فى جماعة العنقاء، وهذا ما يحتاجه الآن، وليس شخصًا يقلق بشأنه ويصف له وصفات طبية سحرية بلا فائدة.

قال وهو ينهض ثانية: «إنه والد رون.. فقد هاجمه ثعبان والأمر خطير.. رأيته يحدث».

قالت الأستاذة «مكجونجال» وحاجباها الثقيلان يلتقيان: «ماذا تعنى بقولك رأيته يحدث؟».

«لا أعرف.. كنت نائمًا، وفى ذلك المكان..».

«هل تعنى أنك حلمت به؟».

قال «هارى» بغضب شاعرًا ألاَّ أحد يفهمه: «لا.. كنت أحلم فى البداية بشىء مختلف تمامًا، شىء سخيف.. ثم قاطعته هذه الرؤية. كانت حقيقية، ولم أتخيلها. السيد ويسلى نائم الآن على الأرض بعد أن هاجمه ثعبان عملاق، وحوله دماء كثيرة، بعد أن سقط فى المواجهة.. يجب العثور عليه فورًا..».

أخذت الأستاذة «مكجونجال» تحدق فيه عبر عويناتها المائلة كأنها خائفة.

قال «هارى» لها وصوته يرتفع ويقترب من الصياح: «أنا لا أكذب ولست بمجنون.. ما حكيته هو ما رأيته».

قالت الأستاذة «مكجونجال» باقتضاب: «أصدقك يا بوتر.. ارتدِ ملابسك فورًا.. علينا الذهاب إلى الناظر».

٢٢ مستشفى سانت مونجو للأمراض والإصابات السحرية

شعر «هارى» بالراحة لأخذها كلامه على محمل الجد، حتى إنه لم يتردد لحظة، بل قفز فورًا من الفراش، وارتدى ملابسه وعويناته بسرعة.

قالت الأستاذة «مكجونجال»: «ستأتى أنت الآخر يا ويسلى».

تبعا الأستاذة «مكجونجال» بعد أن خلفا وراءهما «نيفيل» و«دين» و«توماس». وعبر السلم الحلزونى، إلى حجرة الطلبة، ومن خلال كوة لوحة السيدة البدينة. شعر «هارى» كأن الذعر المتجمع داخله قد يطفو على السطح فى أية لحظة.. أراد الجرى والصياح مناديًا على «دمبلدور».. السيد «ويسلى» ينزف وهم يسيرون بهذه الرصانة، وتلك الأنياب ـ حاول «هارى» كثيرًا عدم التفكير فيها على أنها كانت أنيابه ـ هل كانت سامة؟ مروا بجوار الآنسة «نوريس» التى لمعت عيناها الشبيهتان بالمصابيح، وهمست بصوت خفيض، لكن الأستاذة «مكجونجال» زجرتها فابتعدت إلى الظلال، وخلال دقائق معدودة وصلوا إلى الجرجوانة الحجرية التى تحرس المدخل إلى مكتب «دمبلدور».

قالت الأستاذة «مكجونجال»: «نحلة طنانة».

فدبت الحياة فى أوصال التمثال، ومال إلى الجانب، كاشفًا عن الجدار من خلفه، والذى انشق إلى نصفين، وظهر من خلفه سلم حجرى حلزونى يتحرك لأعلى. خطا ثلاثتهم على الدرجات المتحركة، وأوصد الجدار من خلفهم بصوت مكتوم، وهم يرتقون لأعلى عبر الدرجات الحلزونية، حتى وصلوا إلى باب بلوطى مصقول لامع، عليه مطرقة لطرق الباب تشبه «الجريفين».

بالرغم من أن الوقت قد تجاوز منتصف الليل، فقد كانت هناك أصوات قادمة من داخل الحجرة ـ أصوات ثرثرة ـ كأن «دمبلدور» يتحدث إلى عشرة أشخاص على الأقل.

طرقت الأستاذة «مكجونجال» الباب ثلاث مرات بمطرقة «الجريفين»، فسكتت الأصوات فجأة كأن هناك من أدار مفتاح المذياع ليصمت. انفتح الباب وحده وقادت الأستاذة «مكجونجال» كلاً من «هارى» و«رون» إلى الداخل.

كانت الحجرة نصف مظلمة، وفيها آلات فضية غريبة منتصبة على الموائد فى صمت، دون أن يتصاعد منها الدخان كحالها دائمًا. ولوحات نظار وناظرات المدرسة القدامى التى تغطى الجدران تغط فى النوم. كان هناك طائر أحمر وذهبى اللون خلف الباب.. فى حجم البجعة.. نائم ورأسه تحت جناحه.

«هاه.. هذه أنت يا أستاذة مكجونجال.. و.. آه».

كان «دمبلدور» جالسًا على مقعد مرتفع الظهر خلف مكتبه.. وهو مائل إلى الأمام منحنيًا على الشمعات التى تضىء الأوراق. كان يرتدى عباءة بنفسجية مطرزة بالذهب فوق منامة بيضاء ثلجية، لكنه بدا كامل الانتباه واليقظة، وعيناه الزرقاوان العميقتان ثابتتان بتركيز على الأستاذة «مكجونجال».

قالت الأستاذة «مكجونجال»: «يا أستاذ دمبلدور، لقد وقع لبوتر.. آ.. كابوس.. إنه يقول..».

قال «هارى» بسرعة: «لم يكن كابوسًا».

التفتت الأستاذة «مكجونجال» إلى «هارى» مقطبة الجبين قليلاً.

«هكذا إذن يا بوتر.. أخبر الناظر بما رأيته».

قال «هارى» وهو مذعور وحريص على أن يفهم «دمبلدور» ما جرى: «كنت.. آ.. نائمًا..». شعر ببعض الغضب؛ لأن الناظر لم يكن ينظر إليه، بل يفحص أصابعه المتشابكة بعينه.. لكنه أضاف: «لم يكن حلمًا عاديًا.. كان حقيقيًا، رأيت ما حدث..». أخذ نفسًا عميقًا وأكمل: «.. لقد هوجم السيد ويسلى.. والد رون.. هاجمه ثعبان عملاق..».

بدا كأن الكلمات معلقة فى الهواء بعد أن قالها، وإن بدت له سخيفة، بل حتى مثيرة للسخرية. مرت فترة من الصمت استقام خلالها «دمبلدور» فى جلسته، وحدق فى السقف متأملاً. نقل «رون» بصره من «هارى» إلى «دمبلدور»، ووجهه أبيض شاحب، وعليه أمارات الصدمة.

سأله «دمبلدور» بهدوء دون أن يرفع بصره إليه: «كيف رأيته؟».

قال «هارى» غاضبًا وهو يفكر فيما يهم سؤاله: «فى الواقع.. لا أعرف.. داخل رأسى على ما أعتقد..».

قال «دمبلدور» بنفس النبرة الهادئة: «لقد أسأت فهمى.. أعنى.. هل يمكنك

تذكر.. آ.. أين كان موقعك فى الحلم من الهجوم؟ تراك كنت تقف إلى جوار الضحية؟ أم تنظر على المشهد من فوق؟».

كان السؤال مدهشًا لدرجة أن «هارى» حدق فاغرًا فاه فى «دمبلدور»، كأنه يعرف ما وقع.. فقال: «كنت أنا الثعبان.. رأيت ما جرى من وجهة نظر الثعبان».

لم يتحدث أحد للحظة، ثم سأله «دمبلدور» ناظرًا إلى «رون» بصوت مختلف وحاد: «هل رأيت جروح آرثر خطيرة؟».

قال «هارى» بحسم: «أجل».. لماذا فهمهم للأخبار بطىء هكذا؟ ألم يفهموا أن هناك شخصًا ينزف بعد أن انغرست أنياب طويلة فى جانبه؟ ولماذا لا يتعب «دمبلدور» نفسه وينظر إليه مباشرة؟

لكن «دمبلدور» نهض بسرعة جعلت «هارى» يجفل، وخاطب واحدًا من شاغلى إحدى اللوحات القديمة المعلقة بالقرب من السقف.

قال بحدة: «إفيرارد، وأنت أيضًا يا ديليس».

فتح ساحر شاحب الوجه وساحرة ترتدى حلقات فضية طويلة فى اللوحة المجاورة له عيونهما، وكل منهما عليه علامات النوم العميق.

قال «دمبلدور»: «هل تسمعاننى؟».

أومأ الساحر برأسه، وقالت الساحرة: «بالطبع».

قال «دمبلدور» للرجل شعر أحمر ويرتدى عوينات «إفيرارد.. عليك بعمل إنذار، واحرص على أن يشعر به من نريد لهم الشعور به..».

أومأ كلاهما وتحركا جانبيًا فى إطارى لوحتيهما، لكن بدلاً من الخروج منها إلى اللوحات المجاورة - كما يحدث عادة فى «هوجورتس» - لم يعاودا الظهور. أحد الإطارين لم يعُد به شىء غير ستار داكن، والآخر به مقعد جلدى وثير حسن الشكل. لاحظ «هارى» كثيرًا من النظار والناظرات المعلقين على الحائط، وبالرغم من غطيطهم المقنع، إلا أنه لاحظ نظراتهم المختلسة من تحت جفونهم، وفهم فجأة مَن كانوا يتحدثون عندما طرقوا الباب.

قال «دمبلدور» وهو يدور من حول «هارى» و«رون» والأستاذة «مكجونجال» حتى يصل إلى الطائر الجميل المهيب النائم على مجثمه: «إفيرارد وديليس هما أشهر نظار هوجورتس.. ولشهرتهما فلهما لوحات معلقة فى معظم المؤسسات والمنظمات السحرية الهامة؛ لذا فهما قادران على التنقل بين اللوحات، ويمكنهما إخبارنا بما يحدث فى الأماكن الأخرى..».

قال «هـارى»: «لكن السيد ويسلى يمكن أن يكون فى أى مكان».

قال «دمبلدور» كأن «هـارى» لم يتحدث: «اجلسوا من فضلكم.. ثلاثتكم.. إفيرارد وديليس قد لا يعودان إلا بعد بضع دقائق. يا أستاذة مكجونجال، من فضلك أحضرى المزيد من المقاعد».

شهرت الأستاذة «مكجونجال» عصاها السحرية من جيبها ولوحت بها، فظهرت ثلاثة مقاعد من الهواء، مقاعد طويلة الظهر، وخشبية، مختلفة كثيرًا عن مقاعد «دمبلدور» الوثيرة ذات المساند التى استدعاها فى جلسة المحاكمة. جلس «هارى»، وأخذ يراقب «دمبلدور» من فوق كتفه. أخذ «دمبلدور» يربت على رأس «فاوكس» الذهبى بإحدى أصابعه. أفاق طائر العنقاء على الفور. مد رأسه الطويل الجميل، وأخذ يراقب «دمبلدور» بعيون براقة داكنة.

قال «دمبلدور» بهدوء بالغ للطائر: «نحن بحاجة إلى تحذير».

اختفى طائر العنقاء وسط لسان من اللهب.

اقترب «دمبلدور» من إحدى الأدوات الفضية الهشة التى لا يعرف «هارى» لها وظيفة، وحملها إلى مكتبه، وجلس فى مواجهتها ثانية، ثم طرقها بخفة بطرف عصاه السحرية.

دبت الحياة فى الجهاز فجأة وصدرت عنه أصوات معدنية منتظمة الإيقاع. تصاعدت منه سحب دخان أخضر صغيرة، من الأنبوب الفضى الصغير عند قمته. أخذ «دمبلدور» يراقب الدخان باهتمام، وجبينه مقطب. بعد بضع ثوانٍ صارت السحب الصغيرة تدفقًا ثابتًا من الدخان، أخذ يزيد فى سمكه وهو يتطاير فى الهواء.. وخرجت منه رأس أفعى، وفتحت فمها. تساءل «هارى» إن كان الجهاز يؤكد قصته أم لا.. نظر بلهفة إلى «دمبلدور» بحثًا عن علامة تصديقه، لكن «دمبلدور» لم يرفع رأسه.

غمغم «دمبلدور» وهو يراقب دفقات الدخان من دون أية علامة على الاندهاش: «طبعًا طبعًا.. لكن هل هو فى الأساس منقسم؟».

لم يفهم «هارى» شيئًا من السؤال. لكن الأفعى الدخانية انقسمت على الفور إلى ثعبانين، كلاهما يدور ويتموج فى حركته فى الهواء. وبنظرة رضا متجهمة ضرب «دمبلدور» الجهاز بعصاه ضربة خفيفة أخرى.. فتباطأت أصوات الصلصلة ثم كفت تمامًا، وتلاشى الثعبانان بعد أن صارا دخانًا غير واضح المعالم.

أعاد «دمبلدور» الجهاز إلى مكانه على المائدة. رأى «هارى» العديد من نظار المدرسة المعلقين على الجدران يتبعونه بعيونهم، وعندما يدركون أن «هارى» يراقبهم يعاودون ـ بسرعة ـ التظاهر بالنوم. رغب «هارى» فى السؤال عن الجهاز الفضى الغريب وفائدته، لكن وقبل أن يفعل سمع صياحًا من جهة اليمين، فقد عاد الساحر المسمى «إفيرارد» إلى لوحته وقال وهو يلهث: «دمبلدور».

قال «دمبلدور» على الفور: «ماذا عندك من أخبار؟».

قال الساحر الذى أخذ يمسح جبينه من العرق على الستار المعلق خلفه فى اللوحة: «أخذت أصيح حتى جاء أحدهم.. وقلت إننى سمعت شيئًا ما يتحرك بالأسفل.. لم يصدقونى، لكنهم نزلوا ليتحققوا من كلامى.. أنت تعرف أنه لا توجد بالأسفل لوحات لترى ما يجرى. المهم، حملوه بعد عدة دقائق. لا يبدو بحالة جيدة، فهو مغطى بالدماء.. وقد جريت إلى لوحة إلفريدا كراج لأراه من زاوية أفضل وهم يغادرون..».

قال «دمبلدور»: «جيد.. لابد وأن ديليس قد رأته وهو يصل..». بينما ارتجف «رون».

بعد لحظات ظهرت الساحرة الفضية الحلقات فى لوحتها هى الأخرى، جلست وهى تسعل فى مقعدها، وقالت: «أجل، لقد أخذوه إلى سانت مونجو يا دمبلدور.. حملوه إلى جوار لوحتى.. ويبدو بحالة سيئة..».

قال «دمبلدور»: «شكرًا لك» ثم نظر إلى الأستاذة «مكجونجال».

«مينرفا.. من فضلك اذهبى وأيقظى باقى أولاد ويسلى».

«بالطبع..».

نهضت الأستاذة «مكجونجال» وتحركت بسرعة إلى الباب. اختلس «هارى» نظرة إلى «رون»، الذى بدا خائفًا.

قالت الأستاذة «مكجونجال» وهى واقفة عند الباب: «دمبلدور.. وماذا عن مولى؟».

قال «دمبلدور»: «ستكون هذه مهمة فاوكس بعدما يضمن عدم اقتراب أحد.. لكنها ربما عرفت بالفعل.. بسبب ساعة الحائط الممتازة تلك التى تملكها..».

عرف «هارى» ما يشير إليه «دمبلدور» بشأن الساعة، التى لا تخبر الوقت، لكن أماكن وحالات أفراد عائلة «ويسلى»، وعرف أن الذراع الدالة على السيد «ويسلى» لابد وأنها تشير إلى كلمة «فى خطر مميت». لكن الوقت قد تأخر، لابد وأن السيدة «ويسلى» نائمة. شعر «هارى» بالبرودة تتسرب إلى قلبه عندما

تذكر (عو) السيدة «ويسلى» الذى تحول إلى جسد السيد «ويسلى» الخالى من الحياة، وعويناته المكسورة، والدم الذى يجرى على وجهه.. لكن إصابة السيد «ويسلى» غير مميتة.. لا يمكن أن تكون هكذا..

أخذ «دمبلدور» يعبث بالخزانة المنتصبة خلف «هارى» و«رون». عاد من أمامها حاملاً غلاية شاى قديمة، وضعها بحرص على مكتبه. رفع عصاه السحرية وغمغم: «بورتوس» ارتجفت الغلاية للحظات، وتوهجت بنور أزرق غريب، ثم ارتجفت واستقرت.

سار «دمبلدور» إلى لوحة أخرى، هذه المرة لساحر تبدو عليه المهارة بلحيته المدببة، وملابسه من ألوان «سليذرين» الخضراء والفضية، ونومه ثقيل حتى إنه لم يسمع صوت «دمبلدور» عندما اقترب ليوقظه.

«فينياس.. فينياس»

لم يعد شاغلو اللوحات يتظاهرون بالنوم.. أخذوا يتنقلون بين اللوحات؛ حتى يعرفوا ما يجرى. عندما استرسل الساحر الماهر فى تصنع النوم، صاح بعضهم باسمه هم الآخرون: «فينياس.. فينياس.. فينياس».

لم يعد بإمكانه التظاهر بالنوم، ففتح عينيه على اتساعهما بحركة مسرحية وقال: «ماذا؟ من ينادى؟».

قال «دمبلدور»: «أريد منك زيارة لوحتك الأخرى ثانية يا فينياس.. معى رسالة أريدك أن توصلها».

قال «فينياس» بصوت رفيع وهو يتثاءب تثاؤبًا مصطنعًا زائفًا: «أزور لوحتى الأخرى؟». وأخذت عيناه تدوران فى الحجرة لتتركزا على «هارى» وهو يضيف: «لا يا دمبلدور.. أنا متعب جدًّا الليلة».

وجد «هارى» صوت «فينياس» مألوفًا. أين سمعه من قبل؟ لكن وقبل أن يفكر صدر عن شاغلى اللوحات على الجدران من حوله صيحات احتجاج.

زأر ساحر بدين أحمر الأنف وهو يلوح بقبضته: «هذا تمرد يا سيدى.. إهمال فى أداء الواجب».

صاح ساحر عجوز هزيل المظهر عرف فيه «هارى»، الناظر السابق على «دمبلدور» «أرماندو ديبيت»: «يشرفنا تقديم خدماتنا للناظر الحالى لهوجورتس.. عار عليك يا فينياس».

قالت ساحرة ذات عيون ضيقة وهى ترفع عصًا سحرية سميكة إلى حد غير معقول، تبدو مثل هراوة تصلح للشجار: «هل تريد منى إقناعه يا دمبلدور؟».

قال الساحر المسمى «فينياس» وهو يرمق العصا بقلق: «حاضر.. وإن كان على الأرجح قد دمر لوحتى، فقد تخلص من لوحات معظم أفراد العائلة..».

قال «دمبلدور»: «سيرياس لن يتخلص من لوحتك أبدًا، فهو يعرف فائدتها». فعرف «هارى» على الفور أين سمع صوت «فينياس» من قبل: من اللوحة الخالية فى حجرته فى «جريمولد بليس».. وسمع «دمبلدور» يضيف: «عليك إبلاغه برسالة.. أن آرثر ويسلى مصاب وإصابته خطيرة، وأن زوجته، وأولاده، وهارى بوتر سيصلون إلى منزله عن قريب. هل تفهم؟».

كرر «فينياس» بنبرة ملول: «آرثر ويسلى مصاب، الزوجة والأولاد وهارى بوتر سيصلون إلى المنزل للإقامة.. واضح».

خرج من اللوحة واختفى عن أعينهم فى نفس اللحظة التى انفتح فيها باب الحجرة ثانية. دخل «فريد» و«چورچ» و«چينى» ومن خلفهم الأستاذة «مكجونجال»، وثلاثتهم على وجوههم الصدمة، وهم فى ثياب النوم.

تساءلت «چينى» التى ظهر عليها الخوف: «هارى.. ماذا يجرى؟ الأستاذة مكجونجال تقول: إنك رأيت والدى مصابًا..».

قال «دمبلدور» قبل أن يتكلم «هارى»: «أصيب والدك أثناء عمله لصالح جماعة العنقاء.. أخذوه إلى مستشفى سانت مونجو للأمراض والإصابات السحرية. سأعيدكم إلى بيت سيرياس، فهو قريب من المستشفى عن البارو. وستجتمعون بأمكم هناك».

سأله «فريد» مرتجفًا: «وكيف سنذهب؟ ببودرة الفلو؟».

قال «دمبلدور»: «لا.. بودرة الفلو ليست آمنة، فالشبكة تحت المراقبة. ستذهبون عن طريق هذه البوابة» أشار إلى الغلاية القديمة بريئة المظهر على مكتبه، وأضاف: «نحن فى انتظار فينياس نيجيلوس.. أريد ضمان أمان المكان قبل إرسالكم..».

لمع لسان من اللهب فى منتصف المكتب تمامًا، تاركًا خلفه ريشة واحدة رست بهدوء على الأرض.

قال «دمبلدور» ملتقطًا الريشة وهى تسقط: «إنه تحذير فاوكس.. لابد أن أمبريدچ قد عرفت أنكم غادرتم الفراش.. مينرفا.. اذهبى وأخبريها بأى شىء..».

خرجت الأستاذة «مكجونجال» بسرعة.

قال صوت ضجر من خلف «دمبلدور»: «يقول: إنه يسره حضورهم» كان هذا هو الساحر «فينياس» الذى عاود الظهور فى لوحته.. وأردف: «لطالما كان لحفيد حفيدى ذوق غريب فى ضيوفه».

قال «دمبلدور» مخاطبًا «هارى» والإخوة «ويسلى»: «تعالوا هنا.. وبسرعة، قبل أن ينضم إلينا آخرون». فتجمع «هارى» والآخرون حول مكتب «دمبلدور».

سألهم «دمبلدور»: «هل استخدمتم البوابة فى السفر من قبل؟». فأومأوا بنعم، وكل منهم يلامس جزءًا من الغلاية السوداء.. فأضاف: «رائع. سنعد إلى ثلاثة.. واحد.. اثنين...».

فى جزء من الثانية حدث ما حدث.. فى السكتة السابقة على قول «دمبلدور»: ثلاثة، نظر «هارى» إليه ـ وقد كانا قريبين وهما متحلقان حول البوابة ـ فانتقلت عينا «دمبلدور» الزرقاوين من البوابة إلى وجه «هارى».

فجأة شعر «هارى» بألم رهيب فى ندبته، شعر بالجرح القديم ينفتح.. وشعور كريه لا يرغب فيه ـ لكنه شديد القوة ـ ينمو داخله، مع رغبة شديدة فى الإيذاء، فى العض، وفى غرس أنيابه فى الرجل الواقف أمامه.. «.. ثلاثة».

شعر «هارى» بجذبة قوية من عند سرته، وبالأرض تختفى من تحت قدميه، ووجد يده ملتصقة بالغلاية.. اصطدم بالآخرين وهم يدورون إلى الأمام فى دوامة من الألوان وسط رياح شديدة، والغلاية تجذبهم إلى الأمام.. حتى لامست قدمه الأرض ثانية بقوة، حتى إن ركبته آلمته، وسقطت الغلاية على الأرض وصوت قريب منهم يقول: «هل عدتم إذن؟ يا خونة الدم؟ هل صحيح أن أباكم يحتضر؟».

زأر صوت آخر: «اخرج».

هب «هارى» على قدميه ونظر حوله، وصلوا إلى المطبخ الكئيب فى المنزل رقم (١٢) «جريمولد بليس». كان مصدر الضوء الوحيد هو نيران المدفأة وشمعة واحدة، أضاءت ليروا على ضوئها بقايا طعام العشاء المعد لشخص واحد. اختفى «كريتشر» من الباب، ناظرًا إليهم بكراهية شديدة، وهو يعدل من وضع القماش المحيط بخصره. اقترب منهم «سيرياس»، وعلى وجهه القلق.

كان غير حليق، ومازال فى ملابس الخروج العادية، وعليه رائحة تشبه رائحة «مندنجس» الثمل دومًا.

قال وهو يمد يده ليساعد «چينى» على النهوض: «ماذا يجرى؟ قال فينياس نيجيلوس: إن أرثر قد أصيب..». فقال «فريد»: «سل هارى».

قال «چورچ»: «أجل، فأنا أود سماع ما حدث».

أخذ التوأمان و«چينى» يحدقون فيه. وتوقف «كريتشر» بالخارج على درجات السلم فى مكانه.

شرع «هارى» فى الكلام: «رأيت..». لكنه وجد الأمر أسوأ من محاولة إخبار «دمبلدور» و«مكجونجال».. «رأيت.. رؤية من نوع ما..».

وأخبرهم بما رأى، وإنْ غيَّر القصة حتى تبدو كأنه راقب الموقف من بعيد والثعبان يهاجم، بدلاً من كونه هو الثعبان. نظر إليه «رون» نظرة قلقة لكنه لم ينطق. عندما انتهى «هارى» من كلامه لم تنزل أعين «فريد» و«چورچ» و«چينى» عنه للحظة. لم يعرف «هارى» إن كان يتخيل ما يراه، لكنه وجد فى أعينهم نوعًا من الاتهام. إن كانوا يريدون لومه لما رآه، فيسره أنه لم يخبرهم بأنه كان داخل الثعبان.

قال «فريد» ملتفتًا إلى «سيرياس»: «هل أمى هنا؟».

قال «سيرياس»: «على الأغلب هى لا تعرف بما جرى بعد.. كان الأهم أن نخرجكم قبل أن تتدخل أمبريدچ. أتوقع أن يُعلِم دمبلدور مولى بما جرى على الفور، ربما الآن».

قالت «چينى» بنبرة لحوح: «علينا الذهاب إلى سانت مونجو فورًا»، ونظرت حولها إلى أشقائها، الذين كانوا بالطبع لايزالون مرتدين مناماتهم.. فقالت: «سيرياس، هلا أعرتنا بعض عباءاتك أو بعض ثيابك؟».

قال «سيرياس»: «لحظة.. لا يمكنكم دخول سانت مونجو الآن».

قال «فريد» بعناد: «بل نستطيع بالطبع دخول سانت مونجو إن شئنا.. فهو والدنا».

«وكيف ستفسرون معرفتكم بالهجوم الذى وقع على أرثر قبل أن تُعلِم المستشفى زوجته؟».

قال «چورچ» باندفاع: «وماذا يهم؟».

قال «سيرياس» بغضب: «الموضوع مهم؛ لأننا لا نريد جذب الانتباه لرؤى

هارى حول أشياء تحدث على مسافة مئات الأميال منه.. هل لديك أدنى فكرة عما ستفهمه الوزارة من هذه المعلومة؟».

بدا كأن «فريد» و«چورچ» لا يهتمان بما تفهمه الوزارة أو تقوله. وبقى «رون» شاحب الوجه صامتًا.

قالت «چينى»: «قد يكون شخصًا آخر هو من أخبرنا.. ربما يظنون أننا سمعنا بالخبر من شخص آخر غير هارى».

قال «سيرياس» بنفاد صبر: «مثل من؟ اسمعوا.. أصيب والدكم أثناء أدائه لمهمة لصالح الجماعة فى ظروف مريبة، ولاشك أن علم الوزارة بأن أولاده عرفوا بالإصابة بعد لحظات من وقوعها، سيضر الجماعة ضررًا كبيـ...».

صاح «فريد»: «نحن لا نهتم بهذه الجماعة الحمقاء».

وانفجر فيه «چورچ» قائلاً: «أبونا المحتضر هو من يهمنا»

قال «سيرياس» بغضب مماثل: «كان أبوكم يعرف بما هو مقدم عليه ولن يشكركم بعد أن يفيق على العبث بمصلحة الجماعة.. هذه هى الحقيقة، ولهذا فأنتم لستم بأعضاء فى الجماعة.. أنتم لا تفهمون.. توجد أشياء تستحق الموت من أجلها».

صاح «فريد»: «سهل عليك قول هذا وأنت لا تخاطر بحياتك أبدًا وأنت جالس هنا».

انسحب اللون الباقى فى وجه «سيرياس». بدا للحظة على وشك ضرب «فريد»، لكن عندما تكلم كان صوته هادئًا وقد قرر له أن يخرج هكذا.. «أعرف أن الأمر صعب، لكن علينا جميعًا التصرف كأننا لا نعرف شيئًا بعد. علينا الانتظار متأهبين؛ حتى يُعلموا والدتكم.. مفهوم؟».

لم يتراجع التمرد من على وجه «فريد» و«چورچ». لكن «چينى» جلست على أقرب مقعد. نظر «هارى» إلى «رون»، الذى هز رأسه هزة غريبة، ثم جلسوا هم الآخرون. حدج التوأمان «سيرياس» بأعينهما لدقيقة، ثم جلسا إلى جانبى «چينى».

قال «سيرياس» مشجعًا: «هكذا.. دعونا.. دعونا نشرب شيئًا».

ثم شهر عصاه السحرية ولوح بها لتظهر ست زجاجات شراب، طارت من حجرة المؤن إليهم، لتتوقف على المائدة، وتبعثر طعام «سيرياس»، وتقف كل منها برشاقة أمام شخص من الجالسين. شربوا جميعًا، ولبرهة لم تكن هناك سوى أصوات النيران تطقطق فى المدفأة، وصوت الزجاجات المكتوم وهى تصطدم بسطح المائدة.

لم يشرب «هارى» إلا لكى يجد شيئًا يفعله بيده. كانت معدته ساخنة، وتفور

بالإحساس بالذنب. ما كانوا ليصلوا إلى هنا لولاه.. كانوا سينامون الليل. ولم تكن ثمة جدوى ـ فى سبيل تخفيف الإحساس بالذنب ـ من إخبار نفسه بأن لولاه ما كانوا ليجدوا السيد «ويسلى»؛ لإحساسه الفظيع بأنه هو من هاجمه أصلاً.

قال لنفسه: «لا تكن غبيًّا فأنت ليست لديك أنياب.. كنت راقدًا فى فراشك، ولم تهاجم أحدًا محاولاً البقاء هادئًا»، لكن يده المحيطة بزجاجة الشراب أخذت تهتز.

سأل نفسه: «لكن ماذا حدث فى مكتب دمبلدور؟ شعرت بالرغبة فى مهاجمة دمبلدور هو الآخر».

أعاد الزجاجة إلى المائدة بحدة أكثر مما أراد، فانزلقت على المائدة قليلاً. لم يهتم أحد. ثم أضاء لسان من اللهب ظهر فى وسط الحجرة فصدرت عنهم صيحات الدهشة، ووقعت على المائدة لفافة من الورق، ومعها ريشة من ذيل طائر العنقاء.

قال «سيرياس» على الفور وهو يلتقط الورقة: «فاوكس.. هذا ليس خط دمبلدور.. لا بد وأنها رسالة من أمكم.. ها هى».

ألقى بالرسالة فى يد «چورچ»، الذى فتحها وقرأ بصوت جهورى: «أبوكم على قيد الحياة. أنا فى سانت مونجو الآن. ابقوا مكانكم. سأرسل لكم بالأخبار بأسرع ما أستطيع. أمكم». أجال «چورچ» طرفه فى الحجرة من حوله.

قال ببطء: «على قيد الحياة.. لكن هذا يبدو..».

لم يكن بحاجة لإنهاء الجملة. فهم «هارى» هو الآخر من الكلام أن السيد «ويسلى» معلق بين الحياة والموت. وهو مازال شاحب الوجه، أخذ «رون» يحدق فى ظهر رسالة أمه كأنها قد تنطق بما يطمئنه. جذب «فريد» الورقة من يد «چورچ» وقرأها بنفسه، ثم نظر إلى «هارى»، الذى شعر بيده تهتز من حول الزجاجة ثانية، فقبض عليها بقوة حتى تكف يده عن الاهتزاز.

لو كان «هارى» قد قضى فى حياته ليلة أطول من هذه، فهو لا يتذكرها. اقترح عليهم «سيرياس» مرة ـ من دون اقتناع حقيقى ـ أن يصعدوا للنوم، لكن نظرات الأشقاء «ويسلى» كانت كافية للرد. جلسوا حول المائدة، يراقبون الشمعة، وهى تذوى وتذوى والشمع المُذاب يسيل عليها، ومن الحين للآخر يرفعون الزجاجات إلى أفواههم، ويتحدثون فقط للسؤال عن الوقت، وليتساءلوا عما يحدث، وليطمئنوا بعضهم البعض إلى أنه لو وقع ما يسوء فسوف يعرفون على الفور.

هـاجم النعـاس «فريد»، ومـال رأسه على صدره. تكومت «چينى» كالقطة فى مقعدهـا، لكن عينيهـا كانتـا مفتوحتين.. رأى «هـارى» انعكاس النار عليهمـا. وجلس «رون» ورأسه بين يديه، ولا سبيل لمعرفة إن كان متيقظًا أم نـائمًا. أخـذ «هـارى» و«سيريـاس» يـتـبـادلان النظرات من الحين لـلآخر، شـاعرين بـأنـهمـا دخلاء على أحزان الأسرة.. ينتظرون.. ينتظرون.

مـع حـلـول السـاعـة الخـامسـة والعشر دقـائق صبـاحًـا، كمـا أشـارت سـاعـة «رون»، انفتح بـاب المطبخ ودخلت السيدة «ويسلى». كانت شديدة الشحوب، لكن عندمـا التفتوا إليـهـا نـهض «فـريـد» و«رون» و«هـارى» من مقـاعدهم، وابتسمت لهم ابتسامة واهنة.

قالت وصوتها الضعيف مشوب بـالتعب: «سيكون بخير.. إنه نـائم. يمكننا الذهـاب جميعًا لزيارته لاحقًا. بيل جالس إلى جواره، ولن يحضر عمله اليوم».

تراجع «فريد» إلى مقعده ويداه على وجهه. نـهض «چورچ» و«چينى»، وسـارا بسرعة إلى أمهمـا واحتضناهـا. ضحك «رون» ضحكة مهتزة وأجهز على البـاقى فى زجاجته.

قـال «سيرياس» بصوت مرتفع مبتهج وهو يهب على قدميه: «الإفطار! أين هذا القزم الملعون؟ كريتشر.. كريتشر». لكن «كريتشر» لم يستجب للنداء.

غمغم «سيريـاس» وهو يحصى الجـالسين أمـامـه: «انسوه إذن.. الإفطار لـ.. سبعة أشخـاص.. بيض ولحم. وبعض الشاى والخبز المحمص..».

سـارع «هـارى» إلى الموقد ليسـاعد فى التحضير. لم يرغب فى التدخل فى فرحة آل «ويسلى» وأرهبـه طلب السيدة «ويسلى» منه أن يعيد سرد رؤيته. لكنه مـا كـاد يخرج الأطبـاق من الخزانـة حتى رفعتهـا السيدة «ويسلى» من يده وجذبتـه لتعانقه.

قـالت بصوت مكتوم: «لا أعرف مـا كـان يحدث لولاك يـا هـارى.. ربمـا كـانوا سيجدون أرثر بعد سـاعـات، وربمـا يكون الوقت قد فـات على إنقـاذه، لكنـه ـ وبفضلك ـ حى يرزق، ودمبلدور يفكر فى قصة لتبرير وجود أرثر هنـاك، أنت لا تعرف كمّ المشكلات التى كـان سيقع فيهـا، انظر مـاذا جرى لستورجيس المسكين..».

لم يتحمل «هـارى» شعورهـا بـالامتنـان، لكن ولحسن حظه تركتـه والتفتت إلى «سيريـاس» تشكره على الاعتنـاء بصغـارهـا تلك الليلة. قـال «سيريـاس»: إنه

سعيد لقدرته على المساعدة، وتمنى لو يبقون لأطول مدة، طوال بقاء السيد «ويسلى» فى المستشفى.

«أنا ممتنة لك كثيرًا يا سيرياس.. إنهم يعتقدون أنه سيقضى الكثير من الوقت، وسيكون من الجميل بالطبع أن نكون قريبين منه، وربما يعنى هذا البقاء حتى أعياد الميلاد».

قال «سيرياس» بصدق شديد: «كلما بقيتم هنا أكثر؛ زادت فرحتى»، فابتسمت له السيدة «ويسلى» ولفت مئزرًا حول وسطها لتساعده فى تحضير الإفطار.

غمغم «هارى»: «سيرياس.. هل تسمح بكلمة؟ آ.. الآن؟». غير قادر على تحمل الانتظار.

سار إلى حجرة المؤن المظلمة وتبعه «سيرياس». من دون مقدمات أخبر «هارى» أباه الروحى بتفاصيل رؤيته، ومنها أنه كان هو نفسه الثعبان الذى هاجم السيد «ويسلى».

عندما توقف ليلتقط أنفاسه قال «سيرياس»: «هل أخبرت دمبلدور بهذا؟».

قال «هارى» بنفاد صبر: «أجل.. لكنه لم يخبرنى بمعنى هذا.. فهو لا يخبرنى بأى شىء هذه الأيام».

قال «سيرياس» بثبات: «أنا واثق من أنه كان سيخبرك لو لم يكن فى الأمر ضرر».

قال «هارى» بصوت لا يزيد عن الهمسة: «لكن هذا ليس كل شىء.. سيرياس.. أعتقد.. أعتقد أننى مجنون. فى مكتب دمبلدور، وقبل أن نأتى عن طريق البوابة.. شعرت لثانيتين أننى ثعبان، شعرت بهذا وآلمتنى ندبتى، وعندما نظرت إلى دمبلدور يا سيرياس أردت أن أهاجمه».

لم يرَ سوى جزء من وجه «سيرياس»، والباقى مختفٍ فى الظلام.

قال «سيرياس»: «لابد وأن هذا كان بقايا الرؤية.. كنت تفكر فى الحلم..».

قال «هارى» وهو يهز رأسه: «لا لم يكن هكذا.. كان أشبه بشىء يثور ويتحرك داخلى، مثل ثعبان».

قال «سيرياس» بحزم: «عليك بالنوم.. تناول الإفطار واصعد للنوم، وبعد الغداء يمكنك الذهاب لرؤية أرثر مع الآخرين. أنت فى حالة صدمة يا هارى، وتلوم نفسك على شىء شاهدته، ومن حسن الحظ أنك شاهدته وإلا كان أرثر سيموت. كُفَّ عن القلق».

ربت على كتف «هارى» وغادر الحجرة، تاركًا إياه واقفًا وحده فى الظلام.

***

قضى الجميع ـ فيما عدا «هارى» ـ الصباح نائمين. صعد إلى حجرته ومعه «رون»، لكن بينما صعد الأخير إلى فراشه ونام فى دقائق، جلس هو بكامل ملابسه، مستندًا إلى قضبان السرير المعدنية الباردة، متعمدًا ألا يريح نفسه، ومصممًا على عدم الإغفاء والنوم، خائفًا من التحول إلى الأفعى ثانية ويفيق من النوم ليجد أنه قد هاجم «رون»، أو ربما خرج من المنزل ساعيًا وراء آخرين.

عندما استيقظ «رون» تظاهر «هارى» باستمتاعه بفترة نوم منعشة. وصلت حقائبهم من «هوجورتس» وهم يتناولون الغداء، حتى يرتدوا ثياب «العامة» فى طريقهم إلى «سانت مونجو». كان الجميع فيما عدا «هارى» سعداء وكثيرى الكلام، وهم يغيرون عباءاتهم ويرتدون (الجينز) و(التى. شيرت). عندما ظهر كل من «تونكس» و«ماد آى» ليصحبوهم إلى لندن، قابلاهما بالسرور والضحك من القبعة الغريبة التى يرتديها الأخير ليخفى عينه السحرية، وليضمن أن تجذب «تونكس» ـ التى أصبح شعرها قصيرًا وورديًّا وبراقًا ثانية ـ انتباهًا أقل فى محطة المترو.

وَجَد «هارى» لدى «تونكس» اهتمامًا بالغًا برؤيته الخاصة بالهجوم على السيد «ويسلى»، وهو ما لا يريد نقاشه.

سألته بفضول وهما يجلسان متجاورين فى المترو المتجه إلى قلب المدينة: «لا يوجد أى عرافين فى عائلتك يا هارى.. أليس كذلك؟».

قال «هارى» مفكرًا فى الأستاذة «تريلاونى» وشاعرًا بالإهانة: «لا».

قالت «تونكس» باهتمام: «لا.. لا، أعتقد أنها ليست بنبوءة.. أليس كذلك؟ أعنى أنك لا ترى المستقبل، بل ما يجرى فى الواقع.. هذا غريب.. أليس كذلك؟ لكنه مفيد..».

لم يجب «هارى».. لحسن الحظ توقفوا المحطة التالية، وهى المحطة الواقعة فى قلب لندن بالضبط، وفى خضم الارتباك والحركة أثناء مغادرة القطار تمكن من اللحاق بكل من «فريد» و«چورچ» وفى الابتعاد عن «تونكس»، التى قادت الطريق. تبعوها جميعًا إلى السلم الكهربى، و«مودى» من خلفهم وقبعته مائلة بحدة، ويده العجوز ظاهرة من بين أزرار معطفه، قابضة على العصا

السحرية. شعر «هارى» بالعين السحرية ترمقه باهتمام. محاولاً تفادى أى أسئلة عن حلمه، سأل «ماد آى» عن مكان «سانت مونجو».

قال «مودى» بصوته الأجش وهم يخطون إلى النهار الشتوى البارد وسط الشارع الزاخر بالمشترين من أجل أعياد الميلاد: «ليست بعيدة عن هنا». دفع «هارى» أمامه وأخذ يسير خلفه.. تيقن «هارى» من أن العين تدور فى كل الاتجاهات من تحت القبعة المائلة.. وسمع «مودى» يضيف: «لم يكن من السهل العثور على موقع جيد لمستشفى. لا يوجد مكان بزقاق دياجون يتسع لمستشفى، ولا يمكن أن تكون تحت الأرض مثل الوزارة.. فلن تكون صحية. وفى النهاية تمكنا من الحصول على مبنى هنا، فالمهم أن يختلط السحرة المرضى بالجموع ويتخفون وسطهم».

قبض على كتفى «هارى» حتى لا ينفصلا بين جموع المشترين، الذين دخلوا بينهم لا يلوون على شىء سوى دخول متجر قريب ملىء بالأدوات الكهربية.

قال «مودى» بعد لحظة: «ها نحن ذا».

وصلوا إلى متجر كبير، قديم الطراز، ومبنى بالطوب الأحمر يسمى «برج آند دوس ليمتد». كان للمكان عبق خاص، وحوله إحساس بالتعاسة، والمعروض فى النوافذ يتكون من تماثيل عرض قديمة على رءوسها شعر مستعار مائل، وعليها ملابس قديمة تعود إلى عشر سنوات مضت على الأقل. كان هناك لافتة كبيرة على الأبواب المتربة مكتوب عليها: «مغلق للتحسينات». سمع «هارى» صوت امرأة تحمل حقائب مليئة بالمشتريات، وهى تخاطب رفيقتها وهما سائرتان: «هذا المتجر لا يفتح أبدًا..».

قالت «تونكس» وهى تدفعهم إلى النافذة التى لا تعرض سوى تمثال لامرأة قبيحة: «فعلاً.. هل الجميع مستعدون؟».. كانت جفونها الزائفة معلقة، وتعرض ثوبًا لونه أخضر من النايلون، وبلا أكمام.

أومأوا جميعًا برءوسهم، وتحلقوا حولها. دفع «مودى» «هارى» بيده بين لوحى كتفه ليدفعه إلى الأمام، ومالت «تونكس» على الزجاج، ونظرت إلى الدمية القبيحة، وتنفسها يكون بخارًا أبيض عليه، وقالت: «وتشر.. نحن هنا لرؤية أرثر ويسلى».

قال «هارى» لنفسه: إن ما تفعله «تونكس» غريب، فكيف تتوقع من التمثال

الرد عليها، وقد زاد من تعجبه حالة الشارع الملىء بالناس والحافلات. ثم تذكر أن التماثيل لا تسمع أيضًا. بعد لحظة فغر فاه فى دهشة والتمثال يومئ إيماءة صغيرة، وتشير إليهم المرأة بأصابعها، وتقبض «تونكس» على «چينى» والسيدة «ويسلى» من مرفقيهما، ويخطين عبر الزجاج ويختفين.

خطا خلفهن «فريد» و«چورچ» و«رون». نظر «هارى» حوله إلى الشارع المزدحم، ولم يبدُ على أى من السائرين رغبة فى النظر إلى متجر «برج آند دوس ليمتد» القبيح، ولا بدا على أحد ملاحظته اختفاء ستة أشخاص أمام أعينهم.

قال «مودى»: «هيا» دافعًا «هارى» ثانية من الخلف، فتقدما معًا إلى الأمام، عبر ما أحسا به كشلال من الماء البارد، ليخرجا من الجانب الآخر شاعرين بالدفء.

لم يكن هناك أدنى أثر للتمثال القبيح، أو للمساحة الفارغة التى كان فيها. وقفا فيما يشبه قاعة الاستقبال الكبيرة، وفيها صفوف من الساحرات والسحرة جلوس على مقاعد خشبية صغيرة، وبعضهم طبيعى ويقرأ بإمعان مجلة «ويتش ويكلى»، وبعضهم الآخر مصاب بإصابات غريبة، مثل بدانة غير طبيعية فى منطقة الجذع فقط، أو أيدٍ زائدة تبرز من صدورهم. كانت الحجرة لا تكاد تقل فى ازدحامها عن الخارج، والكثيرون من المرضى يصدر عنهم أصوات غريبة، وساحرة جالسة فى منتصف الصف الأول بوجهٍ يتصبب عرقًا، وهى تلوح بجريدة «دايلي بروفيت» قديمة على وجهها بحثًا عن نسمة هواء، وبخار كثيف يخرج مصفرًا من فمها.. وإلى جوارها ساحر عجوز، رث الهيئة، رأسه معلق بجسده كالجرس، يتحرك كلما مشى، وفى كل مرة يتحرك يقبض على رأسه من الأذنين ليمنع نفسه من الاهتزاز.

أخذ بعض الساحرات والسحرة يسيرون بعباءات خضراء ليمونية، بطول الصفوف، ملقين بأسئلة، وهم يكتبون ملاحظات على لوحات كتابة مثل لوح كتابة «أمبريدچ». لاحظ «هارى» الشعار المطرز على صدورهم: عصا سحرية وعظمة بشرية، متقاطعين. سأل «رون» بهدوء: «هل هم أطباء؟».

قال «رون» منزعجًا ومتعجبًا: «أطباء؟ هل تعنى هؤلاء العامة المجانين الذين يقطعون الناس؟ لا، إنهم حكماء».

قالت السيدة «ويسلى»: «من هنا»، فاتبعوها إلى الصف الواقف أمام ساحرة شقراء بدينة جالسة على مكتب مكتوب عليه: الأسئلة. كان الجدار من خلفها مغطى بلافتات مثل: «**القدر النظيف يحافظ على سلامة الوصفات السحرية**

من السموم». و«لا تأخذ الأمصال إلا بعد موافقة الحكيم». كان هناك أيضًا لوحة كبيرة لساحرة ترتدى حلقات فضية وعليها اسم:

ديليس ديروينت

حكيمة *سانت مونجو* **١٧٢٢ ـ ١٧٤١**

ناظرة مدرسة هوجورتس لتعليم الساحرات والسحرة

١٧٤١ ـ ١٧٦٨

أخذت «ديليس» ترمق آل «ويسلى» وهم يقتربون كأنها تحصيهم، وعندما التقت عيناها بعينى «هارى» غمزت له غمزة خفيفة، وخرجت من لوحتها مختفية.

أما فى مقدمة الصف، فقد كان هناك ساحر شاب يتقافز بسرعة محاولاً بين نوبات الألم شرح أعراضه المرضية للساحرة الجالسة خلف المكتب.

«إنه.. آه.. الحذاء الذى أعطاه لى أخى.. أى.. إنه يأكلنى.. آه.. انظرى إليه.. لابد وأنه.. آه.. مصاب بتعويذة، ولا يمكننى.. آآآه.. خلعه»، وأخذ يتقافز من قدم إلى قدم كأنه واقف على جمرات ساخنة.

قالت الساحرة الشقراء باستياء مشيرة إلى لافتة كبيرة إلى يسراها: «هل أنساك الحذاء القراءة؟ أنت بحاجة لقسم إصابات التعاويذ، الطابق الرابع. مثلما هو مكتوب فى الدليل.. التالى».

مع تراقص الساحر وتقافزه مبتعداً عن الطريق، تقدم آل «ويسلى» خطوات للأمام، وتمكن «هارى» من قراءة الدليل:

الحوادث الاصطناعية .... الطابق الأرضى

انفجار القدور، إصابة بالعصا السحرية عن طريق الخطأ، سقوط من فوق مقشة... إلخ.

إصابات بسبب المخلوقات السحرية .... الطابق الأول

عضات، لسعات، حروق، مخالب مغروسة فى اللحم... إلخ.

الحشرات السحرية............................. الطابق الثانى

أمراض معدية، مثل حصبة التنين، وحمى الوادى السحرى، وإنفلونزا الهيبوجريف... إلخ.

التسمم من الوصفات والنباتات السحرية............ الطابق الثالث

طفح جلدى، تقيؤ، ضحك لا إرادى... إلخ.

الإصابات بسبب التعاويذ............................ الطابق الرابع

تعاويذ، عكوسات، تعاويذ عن طريق الخطأ.

حجرة انتظار الزوار/متجر المستشفى......... .... الطابق الخامس

إن كنت لا تعرف على وجه الدقة إلى أين تذهب، أو كنت غير قادر على الكلام، أو لا تتذكر سبب وجودك هنا، فيسعد ساحرة الاستقبال مساعدتك.

كان قد وصل إلى أول الصف ساحر عجوز يرتدى جهازًا فى أذنه لضعاف السمع، وقال: «أريد زيارة بروديريك بود».

قالت الساحرة بسرعة: «جناح رقم تسعة وثلاثين، لكنك تضيع وقتك.. فهو يخرف.. ما زال يعتقد أنه إبريق شاى.. التالى».

تقدم إليها ساحر يحمل ابنته الصغيرة من كاحلها وهى ترفرف بجناحين هائلين من الريش، برزا من ظهرها.

قالت الساحرة بضجر من دون أن تسأل الرجل أى أسئلة: «الطابق الرابع» فاختفى الرجل خلف الباب ذى الضلفتين إلى جانب المكتب، حاملاً ابنته غريبة المظهر.. «التالى».

تقدمت السيدة «ويسلى» إلى المكتب.

قالت: «أهلاً.. زوجى أرثر ويسلى، من المفترض انتقاله إلى جناح آخر هذا الصباح، هلا أخبرتنى بـ..؟».

قالت الساحرة وهى تجرى أصبعها على قائمة طويلة أمامها: «أرثر ويسلى؟ أجل، الطابق الأول، الباب الثانى إلى اليمين.. جناح داى لولين».

قالت السيدة «ويسلى»: «أشكرك» ثم مخاطبة الأولاد: «تعالوا.. هيا بنا».

تبعوها عبر الباب ذى الضلفتين وعبر الممر الضيق من خلفه، والذى اصطفت على جدرانه لوحات حكماء شهيرين، وزينته قناديل كبيرة داخلها شمع معلق فى السقف من دون رابط، وكأنها فقاعات صابون عملاقة محيطة بالشموع.

وجدوا المزيد من الساحرات والسحرة يسيرون فى عباءات خضراء ليمونية داخلين وخارجين من وإلى الحجرات المصطفة على الجانبين.. وعند أحد الأبواب رأوا غازا أصفر سيئ الرائحة، وهم يمرون إلى جواره، ومن الحين والآخر يسمعون نحيبًا بعيدًا. صعدوا درجات السلم ودخلوا إلى ممر قسم الإصابات بسبب المخلوقات السحرية، فوجدوا الباب الثانى إلى اليمين يحمل لافتة باسم: جناح «داى لولين» للعضات الخطرة. وتحته كارت نحاسى مكتوب عليه: الحكيم المسئول: «أبو قراط سميثويك»، حكيم تحت التمرين: «أوجوستوس باى».

قالت «تونكس»: «سننتظر بالخارج يا مولى.. لا يمكن دخول زوار كثيرين على أرثر مرة واحدة.. لا بد من دخولكم أولاً وحدكم».

أعلن «ماد آى» استحسانه الفكرة بحشرجة غير مفهومة من حنجرته، وأسند ظهره إلى جدار الممر، وعينه السحرية تدور فى كل الاتجاهات. تراجع «هارى» هو الآخر، لكن السيدة «ويسلى» مدت يدها إليه ودفعته عبر الباب وهى تقول: «لا تكن سخيفًا يا هارى.. أرثر يود أن يشكرك»

كان الجناح صغيرًا وأقرب إلى القذارة، والنافذة الوحيدة به ضيقة وعالية وتقف على الحائط المواجه للباب. كان معظم الضوء يأتى من فقاعات كريستالية لامعة متجمعة فى منتصف السقف. والجدران من خشب البلوط، وثمة لوحة لساحر يبدو عليه الشر مكتوب تحتها: «أوركوهارت راكهارو، ١٦١٢ - ١٦٩٧، مخترع تعويذة طرد الأمعاء خارج الجسد».

لم يكن هناك سوى ثلاثة مرضى. السيد «ويسلى» يشغل الفراش عند الطرف البعيد من الجناح إلى جانب النافذة الصغيرة. سُر «هارى» وارتاح لرؤيته جالسًا مستندًا إلى عدة وسادات، وهو يقرأ جريدة «دايلى بروفيت» على ضوء شعاع الشمس الوحيد الساقط على فراشه. رفع بصره إليهم وهم يسيرون نحوه، وابتسم لـ«هارى» عندما وقع بصره عليه.

قال وهو يلقى بالجريدة إلى جواره: «أهلاً.. غادر بيل منذ قليل يا مولى، عليه العودة إلى العمل، لكنه يقول: إنه سيمر علىّ فيما بعد».

سألته السيدة «ويسلى» وهى تميل وتقبل وجنته والقلق بادٍ على وجهها: «كيف حالك يا أرثر؟ مازال وجهك شاحبًا».

قال السيد «ويسلى» بابتهاج: «أنا فى أحسن حال» وهو يمد يده ويحتضن «چينى» أضاف: «فقط لو يخلعون عنى هذه الضمادات، يمكننى العودة إلى البيت».

سأله «فريد»: «ولماذا لا يخلعونها يا أبى؟».

قال السيد «ويسلى» بمرح: «لأنه كلما فعلوا؛ نزفت جروحى» وهو يمد يده إلى عصاه السحرية على المائدة المجاورة لفراشه، ويلوح بها لتظهر ستة مقاعد إضافية إلى جانب الفراش.. قال: «يبدو أن السم الذى تسلل إلى جسدى من أنياب الثعبان من نوعٍ خطير يجعل الجروح لا تلتئم. إنهم واثقون من أنهم سيجدون له مصلاً مضاداً، ويقولون: إن هناك حالات أسوأ من حالتى بكثير، وأثناء بحثهم عن علاج فأنا آخذ تركيبة تجديد الدم السحرية كل ساعة. لكن ذلك الرجل هناك..». قال الجملة الأخيرة مشيرًا برأسه إلى الفراش المقابل له، والذى يرقد عليه رجل شاحب الوجه محدق بثبات فى السقف، وأردف: «هذا الرجل عضه مذءوب، يا للمسكين. لا علاج لهذه الإصابة بالمرة».

همست السيدة «ويسلى» منزعجة: «مذءوب؟ هل وجوده فى جناح مستشفى عام آمن؟ ألا يجب أن يكون فى حجرة خاصة؟».

قال السيد «ويسلى» بهدوء: «بقى أسبوعان على تحول القمر إلى بدر. تحدث إليه الحكماء هذا الصباح، محاولين إقناعه بأنه سيكون قادرًا على أن يحيا حياة طبيعية. قلت له ـ من دون ذكر أسماء طبعًا ـ إننى أعرف مذءوبًا، وهو رجل لطيف، وحالته المرضية بسيطة وسهلة».

سأله «چورچ»: «وماذا قال؟».

قال السيد «ويسلى» بأسى: «قال: إنه سيعضنى إن لم أصمت.. وتلك المرأة هناك»، مشيرًا إلى شاغلة الفراش الآخر، والذى كان إلى جوار الباب مباشرة، وأضاف: «لم تخبر الحكماء بما عضها، مما دفعنا للتفكير فى أنه شىء كانت تتعامل معه بصفة غير قانونية. أيًا كان فقد التهم جزءًا كبيرًا من قدمها، ياللرائحة الكريهة التى تنبعث من جرحها».

سأله «فريد» مقربًا مقعده من الفراش: «إذن فسوف تخبرنا بما حدث يا أبى؟».

قال السيد «ويسلى» مبتسمًا ابتسامة ذات مغزى مواجهًا «هارى»: «أنتم تعرفون القصة بالفعل، أليس كذلك؟ الموضوع بسيط.. مررت بيوم شاق طويل، ونعست، وتسلل الثعبان وعضنى».

سأله «فريد» مشيرًا إلى الجريدة التى ألقى بها السيد «ويسلى» إلى جواره: «وهل الحادث مذكور فى الجريدة؟ هل كتبوا أنك قد هوجمت؟».

قال السيد «ويسلى» بابتسامة مريرة: «بالطبع لا.. الوزارة لا تريد نشر خبر تسلل أفعى عملاقة إلى...».

حذرته السيدة «ويسلى» قائلة: «أرثر»

قال السيد «ويسلى» بسرعة وإن كان «هارى» على يقين من أن ما ذكره لم يكن ما ينوى قوله فى البداية: «.. آه.. تسللت أفعى عملاقة إلى...».

سأله «چورچ»: «إذن فأين كنت يا أبى عندما وقع الحادث؟».

قال السيد «ويسلى» بصرامة، وإن كان هناك ابتسامة صغيرة مرتسمة على وجهه: «هذا شأنى أنا» والتقط الجريدة، وفضها ليقول: «كنت أقرأ لتوى عن اعتقال ويلى ويدرشينس حينما وصلتم. هل تعرفون أن ويلى ويدرشينس هو المتسبب فى حادث المرحاض المتقيئ الصيف الماضى؟ انطلقت إحدى تعاويذه عن طريق الخطأ عكس الاتجاه وضربته، وانفجر المرحاض ورقد هو مغشيًا عليه وسط الحطام، مغطى من قمة رأسه حتى أخمص قدميه فى...».

قاطعه «فريد» بصوت خفيض: «لكن ماذا كنت تفعل وقت الحادث يا أبى؟».

همست السيدة «ويسلى»: «سمعتم والدكم. نحن لن نناقش ما جرى هنا. استمر فى كلامك عن ويلى ويدرشينس يا أرثر».

قال السيد «ويسلى» بتجهم: «لا تسألونى كيف، لكنه فى الواقع خرج ببراءة من موضوع المرحاض.. لابد وأن الذهب الذى يغير النفوس هو السبب...».

قال «چورچ» بهدوء: «ماذا كنت تحرس وقت الحادث يا أبى؟ السلاح؟ الشىء الذى يسعى إليه الذى ـ تعرفه؟».

قالت السيدة «ويسلى» بحدة: «چورچ.. اسكت»

قال السيد «ويسلى» بصوت مرتفع: «المهم.. هذه المرة قبضوا على ويلى وهو يبيع للعامة مقابض أبواب تعض، ولا أعتقد أنه سيقدر على الخروج بالبراءة هذه المرة؛ لأنه طبقًا للمكتوب فى الجريدة، فإن اثنين من العامة قد فقدا أصابعهما، وهم الآن فى سانت مونجو يعيدون تشكيل عظامهما، ويجرون تعديلات على ذاكرتهما. شىء غريب.. عامة فى سانت مونجو.. ترى ما هو الجناح الذى يقيمون فيه؟».

ونظر بلهفة حوله كأنه ينتظر من أحدهم الإجابة.

تساءل «فريد» ناظرًا لوالده؛ سعيًا لفهم رد فعله: «ألم تقل إن الذى ـ تعرفه عنده ثعبان يا هارى؟ ثعبان كبير؟ ألم تره ليلة عودته؟».

قالت السيدة «ويسلى» بغضب: «هذا يكفى.. ماد آى وتونكس بالخارج يا أرثر، ويريدان الدخول والاطمئنان عليك. أما أنتم، فانتظروا بالخارج»، قالت الجملة الأخيرة مخاطبة أولادها و«هارى»، وأضافت: «يمكنكم الدخول فيما بعد وتوديع أبيكم».

عادوا إلى الممر. دخل «ماد آى» و«تونكس» وأغلقا الباب من خلفهما.. رفع «فريد» حاجبيه متعجبًا مستنكرًا، وقال ببرود وهو يعبث فى جيبه: «رائع.. هكذا إذن؟ لا يريدون إخبارنا بأى شىء».

قال «چورچ» وهو يمد إليه يده بما بدا كخيط لحمى اللون ومتشابك: «هل تبحث عن هذه؟».

قال «فريد» مبتسمًا: «أنت تقرأ أفكارى.. هيا نرى إن كانت أبواب سانت مونجو محصنة ضد التنصت».

فك هو و«چورچ» الخيوط وفصلوا خمسة أطراف للأذن الممتدة عن بعضها. ناولهم «فريد» و«چورچ» الأطراف، وتردد «هارى» فى قبول الطرف الذى قدماه له.

«خذها يا هارى. أنت من أنقذ حياة أبى. إن كان لأحدنا الحق فى التنصت فهو أنت».

أخذ «هارى» طرف الخيط مبتسمًا رغمًا عنه ووضعه فى أذنه مثلما فعل التوأمان.

همس «فريد»: «هيا.. اذهبى».

مشت الخيوط اللحمية ملتوية على الأرض ودخلت من تحت الباب. فى البداية لم يسمع «هارى» شيئًا، ثم أجفل عندما سمع «تونكس» تهمس بصوت مسموع كأنها واقفة إلى جواره.

«.. لقد فتشوا المكان بأكمله ولم يجدوا الثعبان. يبدو أنه اختفى بعد مهاجمتك يا أرثر.. لا.. ما كان الذى تعرفه ليفكر فى إدخال ثعبان عملاق إلى المكان.. أليس كذلك؟».

قال «مودى»: «أعتقد أنه أرسله للاستكشاف.. لأنه لم يحالفه الحظ إلى الآن.. أليس كذلك؟ واضح أنه يريد الحصول على الصورة الكاملة لما يواجهه، وإن لم يكن أرثر هناك، كان الوحش ليقضى المزيد من الوقت متفحصًا المكان. إذن فبوتر يقول: إنه رأى كل شىء؟».

قالت السيدة «ويسلى» قلقة: «أجل.. يبدو وكأن دمبلدور كان ينتظر رؤية هارى لشىء مثل هذا».

قال «مودى»: «أجل.. هناك شىء غريب فى هذا الولد بوتر».

همست السيدة «ويسلى»: «بدا دمبلدور قلقا على هارى عندما تحدثت إليه هذا الصباح».

قال «مودى»: «بالطبع من حقه القلق، فالولد يرى أشياء كأنه داخل ثعبان الذى - تعرفينه. من الواضح أن بوتر لا يدرك معنى هذا، لكن إن كان الذى - تعرفينه قد استحوذ عليه فإن..».

جذب «هارى» طرف الأذن من أذنه، وأخذ قلبه يخفق بقوة وسرعة وزادت حرارة وجهه، نظر حوله إلى الآخرين. كانوا يحدقون فيه، والخيوط متدلية من آذانهم، وقد تملكهم الخوف فجأة.

٢٣ عيد الميلاد فى الجناح المغلق

ألِهذا السبب لم يعد «دمبلدور» ينظر إلى عينى «هارى»؟ هل يتوقع رؤية «ڤولدمورت» فيهما؟ عساه خائفًا من تحول لونهما الأخضر اللامع إلى الأحمر بشقوق فى وسطهما كعيون القطط؟ تذكر «هارى» كيف خرج يومًا وجه «ڤولدمورت» الثعبانى الطابع من رأس الأستاذ «كويرل»، فتحسس مؤخرة رأسه متسائلاً بم سيشعر إذا خرج «ڤولدمورت» من جمجمته.

شعر بالقذارة، والتلوث، وكأنه يحمل جرثومة مميتة، ولا يستحق الجلوس فى عربة المترو هذه التى تقله عائدة من المستشفى مع أشخاص أبرياء ونظيفين ذوى عقول وأجساد خالية من وصمة وسخ «ڤولدمورت».. إنه لم ير الثعبان فقط، بل كان هو الثعبان، وهو على يقين من هذا..

ثم خطرت على باله فكرة بشعة، ذكرى طفت إلى سطح عقله، ذكرى جعلت صدره يضطرم، وأمعاءه تتلوى مثل الثعابين.

إلام يسعى بخلاف الحصول على أتباع؟

أشياء لا يمكنه الحصول عليها سوى بالخداع.. سلاح مثلاً. شىء لم يكن لديه المرة السابقة.

قال «هارى» لنفسه: إنه هو السلاح، وكأن السم يتدفق إلى أوردته، يجمده، ويجعل العرق يتصبب على جبينه وهو يترنح فى القطار الذى يجرى داخل النفق المظلم. أنا السلاح الذى يحاول «ڤولدمورت» استخدامه، ولهذا يحرسوننى فى كل مكان أذهب إليه، ليس لحمايتى، بل لحماية الآخرين، لكن لا جدوى مما يفعلون، لا يمكنهم حراستى طوال الوقت وأنا فى «هوجورتس».. لقد هاجمت السيد «ويسلى» ليلة أمس، كان أنا من فعلها.. جعلنى «ڤولدمورت» أهاجمه، وهو بإمكانه الدخول إلى جسدى، والاستماع إلى أفكارى فى هذه اللحظة..

همست السيدة «ويسلى» وهى تميل عليه من فوق «چينى» والقطار يسير فى النفق المظلم بصوته الصاخب: «هل أنت بخير يا هارى؟ لا تبدو بحال جيدة.. هل تشعر بالتعب؟».

كانوا يراقبونه جميعًا. هز رأسه بعنف ورفع بصره إلى إعلان عن التأمين على المنازل.

قالت السيدة «ويسلى» بصوت مفعم بالقلق وهم يسيرون على العشب المُهمَل أمام «جريمولد بليس»: «هارى يا عزيزى.. هل أنت بخير فعلاً؟ تبدو شاحبًا.. هل نمت صباح اليوم حقًّا؟ اصعد إلى الفراش فورًا ونَمْ ساعتين حتى موعد تناول العشاء، ما رأيك؟».

أومأ برأسه، فها هو مبرر لعدم الحديث مع أحد، وهو ما كان يريده بالضبط؛ لذا فعندما فتحت الباب الأمامى سارع بالمرور إلى جوار حاملة المظلات المأخوذة من قدم الترول، ثم صعد السلم ودلف إلى حجرة «رون» وحجرته.

أخذ يذرع الحجرة جيئة وذهابًا، إلى جوار السريرين، ولوحة «فينياس نيجيلوس» الخالية، وعقله زاخر ومهتاج بالأسئلة والأفكار المخيفة.

كيف أصبح ثعبانًا؟ لعله «أنيماجوس».. لا، لا يمكنه، كان سيعرف وقتها.. لعل «ڤولدمورت» «أنيماجوس».. أجل، هكذا تتضح الأمور، يتحول إلى ثعبان بالطبع.. وعندما يتملكنى نتحول معًا.. لكن هذا لا يفسر كيف وصل إلى لندن وعاد منها إلى فراشه فى خمس دقائق. لكن «ڤولدمورت» أقوى ساحر فى العالم ـ باستثناء «دمبلدور» ـ وعلى الأرجح لا يمثل نقل الناس هكذا مشكلة بالنسبة إليه.

ثم وبإحساس بشع بالذعر قال لنفسه: *هذا جنون.. إن كان «ڤولدمورت» قد استحوذ علىّ فأنا أنقل إليه صورة كاملة لما يجرى فى مقر جماعة العنقاء فى هذه اللحظة! سيعرف من بالجماعة ومكان «سيرياس».. كما أننى سمعت الكثير من الأشياء التى ما كان يجب أن أسمعها، كل ما قاله «سيرياس» لى فى الليلة الأولى لوصولى إلى هنا..*

لا يوجد أمامه سوى خيار واحد: أن يغادر «جريمولد بليس» على الفور. سيقضى عيد الميلاد فى «هوجورتس» من غير الآخرين، وهو ما سيبقيهم آمنين طوال فترة الإجازة على الأقل.. لكن لا.. هذا لا يكفى.. سيكون هناك الكثيرون فى «هوجورتس» ممن سيتعرضون للخطر. ماذا لو أصيب «سيماس» أو «دين» أو «نيفيل»؟ كَفّ عن السير ووقف محدقًا فى لوحة «فينياس نيجيلوس» الفارغة. أحس بوطء التوتر يجثم على صدره ثقيلاً. ليس عنده الخيار: سيعود إلى «بريفت درايف»، ويقطع علاقته بعالم السحرة نهائيًّا.

فكر أنه لو كان عليه فعل هذا فلا فائدة من البقاء هنا. حاول أن يتخيل كيف سيتصرف آل «دورسلى» مع وصوله إلى باب دارهم قبل ستة أشهر من الموعد المفترض وصوله فيه، وهرول إلى حقيبته، وأغلقها، ثم نظر حوله بحثًا عن «هدويج» قبل أن يتذكر أنها ما زالت فى «هوجورتس».. لا يهم، سيزاح عنه حمل إضافى وهو قفصها.. قبض على الحقيبة وجرها نحو الباب قبل أن يصله صوت يقول: «هل تحاول الهروب؟».

التفت خلفه. كان «فينياس نيجيلوس» قد ظهر فى اللوحة ومال على إطارها، وهو يراقب «هارى» بتعبير ساخر على وجهه.

قال «هارى» باقتضاب وهو يجر حقيبته عدة أقدام أخرى تجاه باب الحجرة: «لا، لست أهرب».

قال «فينياس نيجيلوس» وهو يداعب لحيته المدببة: «حسبت أن انتماءك لفرقة جريفندور يعنى أنك شجاع. كان الأفضل لك الانضمام إلى فرقتى. نحن فرقة سليذرين شجعان، ولسنا أغبياء. على سبيل المثال لو كان لنا الاختيار فنحن ننقذ أنفسنا قبل أن نفكر فى التهور».

قال «هارى» بسرعة: «أنا لا أنقذ نفسى» وهو يجر الحقيبة على جزء غير ممهد من البساط المتآكل القديم أمام الباب.

قال «فينياس نيجيلوس» وهو ما زال يداعب لحيته: «هذا واضح.. هذا ليس هروب الجبناء، بل هو هروب النبلاء».

تجاهله «هارى» ويده على مقبض الباب، عندما قال «فينياس نيجيلوس» بتكاسل: «عندى رسالة إليك من ألبوس دمبلدور». التفت إليه «هارى».

«ما هى؟».

«ابق مكانك».

قال «هارى» ويده ما زالت على مقبض الباب: «أنا لم أتحرك.. ما هى الرسالة؟».

قال «فينياس نيجيلوس» بنعومة: «تلوتها عليك لتوى يا أحمق.. دمبلدور يقول لك: ابق مكانك».

قال «هارى» بلهفة وقد أسقط الحقيبة: «لماذا؟ لماذا يريد منى البقاء؟ ماذا قال بخلاف هذا؟».

قال «فينياس نيجيلوس» وهو يرفع حاجبه الرفيع، وكأنه يتعجب من وقاحة «هارى»: «لا شىء».

توتر مزاج «هارى» بسرعة، مثل ثعبان يسعى على العشب مقتربًا من فريسته. كان متعبًا، ومرتبكًا إلى حد غير مسبوق، ومر بأحاسيس الفزع، والراحة، ثم الفزع ثانية، وهذا فيما يقل عن اثنتى عشرة ساعة، وما زال «دمبلدور» لا يريد التحدث إليه!

قال بصوت مرتفع: «إذن، فهذا كل شىء؟ ابق مكانك! هل هذا ما يصح أن يقال لى بعد ما مررت به؟ مثلما حدث بعد هجوم الديمنتورات، هذا كل ما لديهم ليقولوه. ابق مكانك؛ حتى يحل الكبار المشكلات يا هارى. لا نريد إزعاجك بشىء؛ لأن عقلك الصغير الضئيل لن يفهم ولن يقدر».

قال «فينياس نيجيلوس» بصوت أعلى من صوت «هارى»: «أتعرف؟ هذا بالضبط هو ما كرهته فى حياتى وأنا مدرس! الصغار المقتنعون إلى أقصى حد برؤيتهم الصحيحة للأمور. ألم يخطر على بالك يا صغيرى المسكين أنه ربما يكون لدى الناظر سبب مقنع لحجب بعض تفاصيل خطته عنك؟ ألم تتوقف يومًا لتتأمل ـ بينما تشعر بالظلم هكذا ـ وتلاحظ أن اتباع أوامر دمبلدور لم يؤد بك إلى الأذى قط؟ لا.. بالطبع لا.. فالصغار من أمثالك واثقون تمام الثقة من أنهم وحدهم من يفكرون ويشعرون، أنت وحدك من يدرك وجود الخطر، وأنت وحدك الماهر بما يكفى لإدراك أن سيد الظلام يخطط لـ...».

قال «هارى» بسرعة: «يخطط لشىء يفعله معى؟ شىء يخصنى؟».

قال «فينياس نيجيلوس» وهو يداعب قفازه الحريرى بإمعان: «هل قلت هذا؟ والآن، عذرًا، عندى أشياء أفعلها أهم من الاستماع لكلام المراهقين المتألمين.. أتمنى لك صباحًا سعيدًا. وخرج من لوحته مختفيًا.

صاح «هارى» فى اللوحة الفارغة: «طيب.. اذهب إذن وأبلغ دمبلدور شكرى على لا شىء».

ظلت اللوحة ساكنة، والدخان يكاد يتصاعد من أنفه من السخط، عاد إلى فراشه، وألقى بنفسه على الفراش، ووجهه فى مواجهة الأغطية التى أكلتها العثة، وأغمض عينيه شاعرًا بجسده ثقيلاً متوجعًا.

شعر بأنه ارتحل أميالاً وأميالاً.. بدا من المستحيل أنه منذ أربع وعشرين ساعة

اقتربت منه «تشو تشانج» وقبلته.. شعر بالتعب.. وبالخوف من النوم.. لكنه لا يعرف إلى متى سيكون عليه مقاومة النوم.. «دمبلدور» قال له: ابق مكانك.. واضح أن هذا يعنى سماحه له بالنوم.. لكنه خائف.. ماذا لو حدث ما حدث ثانية؟

أخذ يغوص فى الظلال..

كأن فيلمًا ينتظر أن يدور فى رأسه. كان يسير فى ممرات خالية متجهًا نحو باب خلفى، وعبر درجات سلم حجرية خشنة، ومشاعل، وباب مفتوح، إلى درجات حجرية أخرى متجهة إلى الأسفل..

وصل إلى الباب الأسود لكنه لم يقدر على فتحه.. وقف يحدق فيه ورغبته فى الدخول شديدة.. شىء ما يرغب فيه بشدة يرقد بالداخل.. شىء يتجاوز أحلامه.. فقط لو كفت الندبة عن إيلامه.. سيكون قادرًا على التفكير بصورة أكثر صفاءً..

جاءه صوت «رون» بعيدًا بعيدًا: «هارى.. أمى تقول إن العشاء جاهز، لكنها أعدت لك بعض الطعام إن أردت الأكل فى الفراش».

فتح «هارى» عينيه، لكن «رون» كان قد خرج من الحجرة.

إنه لا يريد أن يكون على سجيته معى.. ليس بعد ما سمعه من «مودى». مؤكد، لا أحد منهم يريد بقاءه، ليس بعد أن عرفوا ما بداخله.

لن ينزل لتناول العشاء، ولن يزعجهم ويفرض نفسه عليهم. تقلب فى الفراش على جانبه الآخر وبعد برهة عاود النوم. أفاق من نومه فيما بعد، فى ساعات الصباح الأولى، وبطنه تؤلمه من الجوع و«رون» يغط فى الفراش بجواره. وهو يضيق عينيه؛ ليرى فى الظلام، رأى «فينياس نيجيلوس» فى لوحته، وقال لنفسه إن «دمبلدور» على الأرجح قد أرسله ليراقبه، فى حالة ما إذا نهض ليهاجم أحدًا.

تكثف شعوره بالقذارة. تمنى لو لم يطع «دمبلدور».. إن كان هذا هو شكل الحياة فى «جريمولد بليس» فربما يجد «بريفت درايف» أفضل.

***

قضى جميعهم ـ سواه ـ الصباح التالى يعلقون زينة عيد الميلاد. لم يتذكر «هارى» رؤية «سيرياس» فى حالة مزاجية جميلة كهذه من قبل.. أخذ يغنى أغنيات العيد، وقد سره وجود صحبة وقت الأعياد. سمعه «هارى» وصوته يدوى، وهو فى حجرة الرسم حيث جلس وحده مراقبًا السماء تبيض وتبيض

من النوافذ مهددة بسقوط الثلوج، شاعرًا طوال الوقت بمتعة غريبة فى إعطائه فرصة للآخرين كى يتحدثوا عنه، لابد وأن هذا ما يفعلونه. عندما سمع السيدة «ويسلى» تناديه بنعومة وقت الغداء، تجاهلها وبقى بالأعلى.

حوالى الساعة السادسة مساء رن جرس الباب، وأخذت السيدة «بلاك» فى الصراخ ثانية. ومع افتراضه قدوم «مندنجس» أو عضو آخر من الجماعة استرخى «هارى» أكثر فى جلسته بحجرة «باكبيك» حيث اختبأ، محاولاً تجاهل إحساسه بالجوع وهو يطعم الهيبوجريف جرذانًا ميتة. شعر بصدمة خفيفة عندما طرق أحدهم الباب بشدة بعد دقائق.

جاءه صوت «هيرميون» تقول: «أعرف أنك بالداخل.. هلا خرجت من فضلك؟ أريد الحديث إليك».

سألها «هارى» وهو يفتح الباب و«باكبيك» يعاود حكه للأرض المفروشة بالقش؛ بحثًا عن أية قطعة من جرذ قد يكون أسقطها: «ماذا تفعلين هنا؟ حسبتك تتزلجين مع أمك وأبيك».

قالت «هيرميون»: «فى الواقع، التزلج ليس هوايتى المفضلة؛ لذا فقد جئت لقضاء أعياد الميلاد معكم» كان هناك ثلج فى شعرها، ووجهها أحمر من البرد. أضافت: «لكن لا تخبر رون. قلت له: إن التزلج جيد؛ لأنه ضحك كثيرًا عندما سمع به. أمى وأبى شعرا ببعض الحسرة، لكننى قلت لهما: إن جميع المهتمين بالنجاح بتفوق فى الامتحانات سيقيمون فى هوجورتس للدراسة. يريدون منى النجاح بتفوق، وسوف يتفهمون. المهم.. دعنا نذهب إلى حجرتك، فوالدة رون قد أوقدت المدفأة بها وستحضر الشطائر».

تبعها «هارى» إلى الطابق الثانى. عندما دخل الحجرة، اندهش لرؤية «چينى» و«رون» فى الانتظار، جالسين على فراش الأخير.

قالت «هيرميون» برشاقة وهى تخلع عنها سترتها قبل أن يتمكن «هارى» من الكلام: «جئت فى الحافلة.. أخبرنى دمبلدور بما حدث بالأمس، لكن كان علىّ الانتظار حتى نهاية الفصل الدراسى رسميًّا قبل المجىء. أمبريدچ مصدومة لاختفائكم من تحت أنفها، حتى مع إخبار دمبلدور إياها بأن السيد ويسلى فى سانت مونجو وبأنه قد أعطاكم الإذن بالزيارة».

جلست إلى جوار «چينى»، ونظرت كلتاهما ومعهما «رون» إلى «هارى».

سألته «هيرميون»: «بم تشعر؟».

قال «هارى» بعنف: «بخير».

قالت بنفاد صبر: «لا تكذب يا هارى.. رون وچينى يقولان إنك مختبئ هنا منذ عودتك من سانت مونجو».

قال «هارى» محدجًا «رون» و «چينى» بغضب: «حقًا.. هل قالا هذا؟». نظر «رون» إلى قدميه، لكن لم يبد التأثر على «چينى» وقالت: «أجل.. كما أنك لا تنظر إلى أحد منا».

قال «هارى» بغضب: «أنتم الذين لا تنظرون إلىّ».

قالت «هيرميون» وركن فمها يرتعش: «ربما تتبادلون الأدوار، ولا تتقابل عيونكم أبدًا». فقال «هارى» بحدة وهو يشيح بوجهه: «ياللظرف».

قالت «هيرميون» بحدة: «كف عن الإحساس بألا أحد يفهمك.. انظر، قال لى الآخرون ما سمعتموه ليلة أمس، بشأن الآذان الممتدة..».

قال «هارى» مزمجرًا ويداه فى جيبه وهو يشاهد الثلج المتساقط بكثافة بالخارج: «حقا؟ تتحدثون عنى؟ أليس كذلك؟ لقد تعودت على هذا».

قالت «چينى»: «أردنا الكلام معك يا هارى.. لكن مع اختبائك فقد...».

قال «هارى» وهو يشعر بغيظ متزايد: «لم أرغب فى الكلام مع أحد».

قالت «چينى» بغضب: «واضح.. كان هذا غباء منك.. مع معرفتك بأننى الوحيدة هنا التى استحوذ عليها الذى ـ تعرفه، وأننى الوحيدة التى تقدر على إخبارك بما تشعر وهو متملكك».

صمت «هارى» مع إحساسه بكلماتها، ثم دار على عقبيه.

قال: «نسيت». فقالت «چينى» ببرود: «يالحسن حظك»

قال «هارى» قاصدًا ما يقوله: «أنا آسف.. إذن، هل تعتقدين أنه يستحوذ علىّ؟».

سألته «چينى»: «هل تتذكر كل ما تفعله؟ هل هناك فترات فى ذاكرتك لا تعرف ما فعلته خلالها؟». فكر «هارى» مليًا وقال: «لا».

قالت «چينى» ببساطة: «إذن فالذى ـ تعرفه لم يستحوذ عليك.. عندما يفعل فلا يمكنك تذكر ما تفعله لساعات. كنت أجد نفسى فى مكان ما ولا أعرف كيف وصلت إليه».

لم يجرؤ «هارى» على تصديقها، لكنه شعر بالراحة رغم رفضه كلامها.

«ذلك الحلم عن والدك والثعبان، كان...».

قالت «هيرميون»: «هارى، لقد راودتك هذه الأحلام من قبل.. العام الماضى عرفت بعض ما يخطط له ڤولدمورت».

قال «هارى» وهو يهز رأسه: «لكن الأمر مختلف هذه المرة.. فقد كنت داخل الثعبان.. كأننى أنا الثعبان.. ماذا لو كان ڤولدمورت قد نجح فى نقلى إلى لندن بطريقة ما و...؟».

قالت «هيرميون» ساخطة: «يومًا ما ستقرأ كتاب (تاريخ هوجورتس)، ولعلك ساعتها تتذكر أنه لا يمكن لأحد الاختفاء أو الظهور سحريًا داخل هوجورتس. حتى ڤولدمورت لا يقدر على إخراجك طائرًا من نافذة حجرتك يا هارى».

قال «رون»: «أنت لم تغادر فراشك يا صاحبى.. رأيتك تتحرك أثناء نومك لمدة دقيقتين على الأقل قبل أن أوقظك».

شرع «هارى» فى السير جيئة وذهابًا بطول الحجرة ثانية، مفكرًا. ما يقولونه جميعًا ليس فقط مريحًا، بل أيضًا منطقيًا.. وبدون تفكير أخذ شطيرة من الطبق الموضوع على الفراش، وألقى بها فى فمه الجائع.

قال لنفسه: إنه ليس السلاح السرى بعد كل شىء. امتلأ قلبه حبورًا وراحة، وأحس بحاجته للانضمام إليهم مع سماعه «سيرياس» يغنى بأعلى صوته مقتربًا من الباب.

***

كيف فكر فى العودة إلى «بريفت درايف» وقت عيد الميلاد؟ كانت فرحة «سيرياس» بامتلاء المنزل ثانية، وبصفة خاصة بعودة «هارى»، من النوع المعدى. لم يعد مضيفهم العابس كما كان وقت الصيف، فقد بدا مصممًا على الاستمتاع بالوقت، ودفع الجميع للاستمتاع بأوقاتهم مثله، وعمل بلا كلل أثناء التجهيز للعيد، وأخذ ينظف ويزين وهم يساعدونه، حتى ومع ذهابهم جميعًا إلى الفراش ليلة العيد أصبح المنزل وكأنه مكان آخر مختلف بالمرة عن حاله فيما سبق. لم تعد الثريات والقناديل معبأة بأعشاش العنكبوت، بل تلمع بالزينة الذهبية والفضية، والثلج السحرى يتساقط فى أكوام فوق الأبسطة، وشجرة عيد الميلاد الكبيرة التى جاء بها «مندنجس» وزينها بحوريات حقيقيات أخفت شجرة عائلة «سيرياس» عن العيون، وحتى رءوس الأقزام المعلقة على جدار الصالة ارتدت قبعات ولحى «بابا نويل».

أفاق «هارى» من نومه صباح العيد ليجد الحجرة مليئة بالهدايا أمام

فراشه، ووجد «رون» وقد فتح بالفعل نصف كومة هداياه الأكبر.

قال مخاطبًا «هارى» من خلف سحابة من الورق: «الغنيمة جيدة هذا العام.. شكرًا على بوصلة المقشة، إنها ممتازة. هيرميون أحضرت لى مخططًا لعمل الواجب.. تخيل!..».

تفحص «هارى» هداياه فوجد على إحداها إهداء بخط «هيرميون». أعطته هو الآخر كتابًا على شكل دفتر يوميات، كان كلما فتح منه صفحة؛ سمع أشياء مثل: «لا تؤجل عمل اليوم إلى الغد».

حصل من «سيرياس» و«لوبين» على كتب ممتازة منها كتاب بعنوان: «السحر الدفاعى العملى واستخداماته ضد السحر الأسود» والذى وجد به رسومًا متحركة رائعة توضح كل التعاويذ المضادة الموصوفة بالكتاب. أخذ «هارى» يقلب فى الكتاب بلهفة، فوجده مفيدًا فى اجتماعات الـ(دى. أيه.). أرسل «هاجريد» إليه محفظة من المفترض أنها ضد السرقة، لكن كلما حاول «هارى» وضع النقود فيها؛ عضت أصابعه محاولة قضمها. قدمت له «تونكس» نموذجًا مصغرًا من مقشة «فايربولت»، التى أخذ «هارى» يراقبها وهى تطير فى الحجرة متمنيًا القدرة على ركوب المقشة الكبيرة منها. أهداه «رون» صندوقًا كبيرًا من حلوى «كل النكهات»، أما السيد والسيدة «ويسلى» فقد وصله منهما السترة اليدوية الصنع المعتادة وبعض الفطائر، أما «دوبى» فقد قدم لوحة فظيعة، ارتاب «هارى»، إنها من رسم القزم. وقلبها رأسًا على عقب؛ ليرى إن كانت ستبدو أفضل هكذا، وبصوت فرقعة ظهر «فريد» و«چورچ» عند قاعدة فراشه.

قال «چورچ»: «عيد ميلاد سعيد.. لا تهبط للطابق السفلى».

قال «رون»: «لماذا؟».

قال «فريد» بتثاقل: «أمى تبكى ثانية.. أعاد لها بيرسى السترة الهدية التى أرسلتها له بمناسبة عيد الميلاد».

أضاف «چورچ»: «بدون رسالة تفسر رفضه، وبدون أن يسأل عن أحوال أبى أو يقول: إنه زاره أو ما شابه».

قال «فريد» وهو يدور حول الفراش ناظرًا إلى اللوحة التى تلقاها «هارى» هدية: «حاولنا التخفيف عنها. قلنا لها: إن بيرسى ليس أكثر من كومة من فضلات الفئران».

قال «چورچ» وهو يأكل قطعة شيكولاتة «فروج»: «لم يفلح هذا معها، فتولى لوبين الأمر. الأفضل أن نتركه يحاول التخفيف عنها قبل أن ننزل لتناول الإفطار».

تساءل «فريد» وهو يحدق فى لوحة «دوبى»: «ما هذا؟ يبدو قردًا بعينين سوداوين».

قال «چورچ» مشيرًا إلى ظهر اللوحة: «إنه هارى، هذا هو المكتوب على ظهرها».

قال «فريد» مبتسمًا: «ياللتشابه». ألقى «هارى» بمذكرة الواجب الجديدة عليه، فضربت الحائط المقابل وسقطت على الأرض، حيث قالت بسعادة: «إن كنت قد وضعت النقطتين على حرف التاء، والنقطة على حرف الفاء، وانتهيت من عمل الواجب بذكاء؛ فاخرج وافعل ما تشاء».

نهضوا وارتدوا ثيابهم. سمعوا كل من بالمنزل يقولون: «عيد ميلاد سعيد» لأحدهم الآخر. وفى طريقهم إلى الأسفل قابلوا «هيرميون».

قالت بسعادة: «شكرًا على الكتاب يا هارى. لطالما أردت اقتناء كتاب نظرية الأرقام الجديدة هذا. وهذا العطر مميز للغاية يا رون».

قال «رون»: «لا عليك»، وأضاف وهو يشير برأسه إلى الهدية الملفوفة التى تحملها: «ولمن هذه؟». قالت «هيرميون» مبتسمة: لـ «كريتشر».

حذرها «رون» قائلاً: «الأفضل ألا تكون ثيابًا. فأنت تعرفين ما قاله سيرياس: كريتشر يعرف الكثير، ولا يمكننا تحريره».

قالت «هيرميون»: «إنها ليست ثيابًا، ولو كان الأمر قد تُرك لى لأعطيته شيئًا يرتديه بدلاً من تلك الخرقة البالية. إنه لحاف يدوى الصنع، لعله يجعل حجرته أفضل حالاً».

قال «هارى» وهو يخفض صوته إلى همسة وهم يمرون إلى جوار لوحة أم «سيرياس»: «أية حجرة؟».

قالت «هيرميون»: «يقول سيرياس إنها ليست حجرة بالمعنى المتفق عليه، إنها أقرب للمأوى الصغير، فهو ينام تحت الغلاية فى المطبخ».

لم تكن السيدة «ويسلى» وحدها فى القبو عندما وصلوا إليه. لأعطيته أمام الموقد، وبدا من صوتها وكأنها مصابة ببرد شديد وهى تقول لهم: «عيد ميلاد سعيد»، فتجنبوا النظر إليها.

قال «رون» وهو يقترب من الباب القذر فى الركن المقابل من حجرة المؤن التى لم يرها «هارى» من قبل: «إذن، فهذه هى حجرة كريتشر؟».

قالت «هيرميون» وصوتها متوتر قليلاً: «أجل.. آ.. الأفضل أن نطرق الباب».

طرق «رون» الباب بمفاصل أصابعه، لكن لم يجبهم أحد. قال من دون التفكير فى الانتظار: «لابد من أنه قد تسلل لأعلى محاولاً التنصت»، ثم صاح فى اشمئزاز.

نظر «هارى» إلى الداخل. كانت معظم الخزانة مشغولة بغلاية قديمة للغاية، لكن عند المساحة الخالية أسفلها وتحت الأنابيب صنع «كريتشر» لنفسه ما يشبه العش. كان على الأرض الكثير من الخرق البالية والبطانيات القديمة المهترئة فى منتصف ما بدا كفراش. هنا وهناك كسرات الخبز وقطع من الجبن. وفى الركن البعيد أشياء صغيرة لامعة وعملات، خمن «هارى» أن «كريتشر» قد أخذها؛ ظنًّا منه أنه ينقذها، كما تمكن من أخذ صور فوتوغرافية للأسرة موضوعة فى أطر من الفضة، وكانت قد اختفت من «سيرياس» على مدار الصيف. قد يكون زجاج اللوحات قد انكسر، لكنَّ الأفراد الواقفين فى كل منها بالأبيض والأسود أخذوا يحدقون فيه بكبرياء، ومنهم سيدة غامضة ثقيلة الأجفان شهد محاكمتها فى مفكرة «دمبلدور» السحرية، فشعر كأن هناك من وخزه فى بطنه من الرهبة.. كانت «بيلاتريكس ليسترانج». ومن وضْعها فى المكان بدا أنها صورة «كريتشر» المفضلة، فقد وضعها أمام كل الصور الأخرى، وعالج الزجاج باللاصق السحرى بشكل أخرق.

قالت «هيرميون» وهى تضع هديتها بأناقة فى منتصف الخرق والبطانيات ثم توصد الباب بسرعة: «أرى من الأفضل أن نترك الهدية هنا.. سيجدها لاحقًا».

قال «سيرياس» وهو يطل من باب حجرة المؤن وفى يده ديك رومى كبير وهم يغلقون باب الخزانة: «بالمناسبة.. هل رأى أحدكم كريتشر؟».

قال «هارى»: «لم أره منذ ليلة عودتنا. فأنت أمرته بالخروج من المطبخ».

قال «سيرياس» مقطبًا جبينه: «أجل.. أتعرف، أعتقد أنها آخر مرة رأيته فيها أيضًا.. لا بد أنه مختبئ بالأعلى».

قال «هارى»: «لا يمكن أن يكون قد غادر.. أليس كذلك؟ أعنى عندما تقول (اخرج) فقد يكون قد فهمها اخرج من المنزل».

قال «سيرياس»: «لا.. لا، الأقزام المنزلية لا يغادرون إلا إذا أعطيتهم ثيابًا، فهم مرتبطون بمنزل الأسرة».

قال «هارى» معارضًا إياه: «يمكنهم مغادرة المنزل إن رغبوا فى هذا

بشدة.. دوبى فعل هذا، غادر منزل آل مالفوى ليحذرنى منذ ثلاثة أعوام، وعاقب نفسه بعدها.. لكنه جرؤ على المغادرة».

بدا «سيرياس» منزعجًا للحظة، ثم قال: «سأبحث عنه لاحقًا، وأتوقع أن أجده بالأعلى يبكى على أمى. بالطبع ربما يكون قد تسلل إلى نفق التهوية ومات فيه.. لكننى لا آمل فى هذا كثيرًا».

ضحك «فريد» و«چورچ» و«رون»، لكن «هيرميون» بدا عليها الضيق.

حالما أكلوا غداء عيد الميلاد، خطط آل «ويسلى» و«هارى» و«هيرميون» لزيارة السيد «ويسلى» ثانية، ومعهم «ماد آى» و«لوبين». ظهر «مندنجس» وقت أكل الحلوى وقد تمكن من «استعارة» سيارة للزيارة، مع توقف مترو الأنفاق يوم عيد الميلاد عن العمل. أما السيارة التى ارتاب «هارى» كثيرًا فى أنها قد أُخذت من دون موافقة صاحبها فقد تضخمت بفعل التعاويذ، مثل سيارة آل «ويسلى» القديمة. بالرغم من كونها على حجمها الطبيعى من الخارج، فقد ركبها عشرة أشخاص ومعهم «مندنجس» الذى قادها دون أى إحساس بضيق المساحة. ترددت السيدة «ويسلى» قبل الركوب، وعرف «هارى» أن ضيقها من «مندنجس» كان يتصارع مع ضيقها من الارتحال من دون السحر.. لكن أخيرًا ركبت بفعل البرد الشديد وإلحاح أولادها، واستقرت فى المقعد الخلفى بين «فريد» و«بيل» بسهولة.

كانت الرحلة إلى «سانت مونجو» سريعة. عندما وصلوا، شاهدوا جماعة من الساحرات والسحرة يسيرون على الجانب الآخر من الطريق لزيارة المستشفى. خرج «هارى» والآخرون من السيارة، وقادها «مندنجس» إلى ناصية الشارع وانتظرهم. هرولوا نحو نافذة العرض ذات تماثيل العرض الخضراء، ثم ـ واحدًا تلو الآخر ـ خطوا عبر الزجاج إلى الداخل.

بدت قاعة الاستقبال مستعدة للعيد: الأقمار الكريستالية التى تضىء «سانت مونجو» صار لونها أحمر وذهبيًا، وطفت فقاقيع هائلة متألقة، وأشجار عيد الميلاد المغطاة بالثلج السحرى تلمع فى كل ركن، وكل منها عليه نجمة ذهبية. وجدوا المستشفى أقل ازدحامًا من المرة الماضية.. لكن عند منتصف الحجرة، رأى «هارى» ساحرة فى فتحة أنفها اليسرى قضيب حديدى طويل.

قالت الساحرة الشقراء بسخرية من خلف مكتبها: «السبب خلاف عائلى.. أليس

كذلك؟ أنت ثالث من رأيت اليوم بهذه الحالة.. ضرر ناتج عن تعويذة، الطابق الرابع».

وجدوا السيد «ويسلى» جالسًا فى فراشه، معه ما تبقى من عشاء من الديك الرومى على صينية على حجره، وثمة تعبير غريب على وجهه.

بعد أن سلموا على السيد «ويسلى» وناولوه هداياهم. سألته السيدة «ويسلى»: «هل أنت بخير يا أرثر؟».

قال السيد «ويسلى» بصوت حار أكثر من اللازم: «أجل بخير.. أنت.. آ.. هل... ألم تروا الحكيم سميثويك؟». فقالت السيدة «ويسلى» بريبة: «لا.. لماذا؟».

قال السيد «ويسلى» بلا اهتمام وقد بدأ فى فك كومة هداياه: «لا شىء.. المهم، هل قضيتم يومًا سعيدًا؟ ما الذى أحضرتموه لى من هدايا؟ هارى.. هذه الهدية رائعة!» فقد فض هدية «هارى» ليجد سلكًا كهربائيًّا ومعه علبة مفكات.

لم يبد على السيدة «ويسلى» الرضا برد السيد «ويسلى» عليها. وزوجها يميل على «هارى» ليصافحه نظرت إلى الضمادات من تحت منامته.

قالت بصوت حاد: «أرثر.. لقد غيروا لك ضماداتك.. لماذا غيروا لك الضمادات قبل موعد تغييرها بيوم يا أرثر؟ لقد أخبرتنى أنهم لن يغيروها قبل الغد».

قال السيد «ويسلى» بصوت خائف وهو يجذب الأغطية إلى صدره: «ماذا؟ لا.. لا يهمك.. الأمر..». تراجع احتجاجه تحت أعين السيدة «ويسلى» القوية.

«لا تغضبى يا مولى، لكن أوجوستوس باى ورد على خاطره فكرة.. إنه حكيم تحت التمرين كما تعرفين، ويا له من شاب ممتاز مهتم بـ... بالطب البديل.. أعنى طب العامة.. فهناك ما يطلقون عليه غرزًا طبية يا مولى، وهى رائعة فى علاج جروح الـ... العامة..».

صدر عن السيدة «ويسلى» صوت يقع بين الصرخة والزمجرة. هرول «لوبين» بعيدًا عن الفراش متجهًا نحو المذءوب، الذى لم يأته زوار وأخذ ينظر بحسرة إلى الجمع المتحلق حول السيد «ويسلى». غمغم «بيل» بشىء ما عن حاجته لفنجان من الشاى، وخرج مع «فريد» و«چورچ» وعلى وجوههم ابتسامة.

قالت السيدة «ويسلى» وصوتها يعلو ويعلو مع كل كلمة تنطقها، وقد بدا أنها غير واعية لهرولة من جاء معها من زوار كلٌّ إلى مكان ما؛ اتقاء لغضبها: «أتعنى أنك تعبث بطب العامة؟».

قال السيد «ويسلى» برفق: «لا أعبث يا مولى يا عزيزتى.. المسألة أن... كان

هناك شيء اتفقت وباي على محاولته.. لكن وللأسف، فمع هذا النوع من الجروح.. يبدو أن العلاج لا ينفع كما تمنينا..».

«ماذا تعني؟».

«آه.. أعني... لا أعرف إن كنت تعرفين طبيعة الغرز».

قالت السيدة «ويسلي» بصوت عابس: «يبدو أنك حاولت حياكة جلدك، لكن حتى أنت يا أرثر لا يمكن أن تكون بهذا الغباء».

قال «هاري» وهو يهب على قدميه: «أنا بحاجة إلى فنجان شاي أنا الآخر».

هرول نحو الباب ومعه كل من «هيرميون» و«رون» و«چيني». وهم يغلقون الباب من خلفهم سمعوا السيدة «ويسلي» تصرخ: «**ماذا تعني؟ ماذا فعلت في نفسك؟**».

قالت «چيني» وهي تهز رأسها في حكمة: «هكذا أبي دائمًا.. أي شخص عاقل يخيط نفسه بالغرز؟!».

قالت «هيرميون» منصفة إياه: «إنها تعالج الجراح غير السحرية.. وأعتقد أن هناك شيئًا ما في سم هذا الثعبان جعلها تتحلل. تُرَى، أين حجرة الشاي؟».

قال «هاري» وقد تذكر المكتوب على اللافتة المعلقة فوق مكتب ساحرة الاستقبال: «الطابق الخامس».

ساروا بطول الممر عبر مجموعة من الأبواب المزدوجة، ليجدوا سلّمًا قديمًا عليه المزيد من لوحات حكماء قساة المظهر. وأثناء صعودهم أخذ شاغلو اللوحات ينادونهم وهم يصفون أعراضًا مرضية غريبة يرونها عليهم ويقترحون أدوية رهيبة لها. انزعج «رون» كثيرًا من ساحر من العصور الوسطى ناداه من إحدى اللوحات قائلاً: إنه مصاب بمرض «سباترجرويت».

تساءل بغضب والحكيم يطارده من خلال ست لوحات وهو يزيح قاطنيها جانبًا: «وما هو هذا المرض؟».

«إنه أشد الأمراض خطرًا على الجلد أيها السيد الصغير، سيترك جلدك مشوهًا أكثر من حاله حاليًا..».

قال «رون» وأذنه آخذة في الاحمرار: «احفظ لسانك».

«.. الدواء الوحيد له هو كبد الضفدع، لفه حول رقبتك، وقف عاريًا على برميل ملىء بثعابين الماء ساعة ظهور القمر بدرًا..».

«لست مصابًا بالسباترجرويت».

«لكن هذه الحبوب على وجهك يا سيدى الصغير..».

قال «رون» بغضب: «إنها نمش.. والآن عد إلى لوحتك ودعنى لشأنى».

التفت إلى الآخرين الذين صمموا على الحفاظ على وجوههم ثابتة من غير الضحك أو الابتسام. «أى طابق هذا؟».

قالت «هيرميون»: «أظنه الخامس»

قال «هارى»: «لا.. إنه الرابع. مازال أمامنا طابق آخر حتى نصل».

لكن وهو يخطو على منبسط السلم تجمد فى مكانه، وأخذ يحدق فى النافذة الصغيرة المركبة على الباب المكتوب عليه: «قسم الإصابات بسبب التعاويذ». كان هناك رجل يحدق فيهم وأنفه مضغوط على زجاج النافذة. كان شعره أشقر مموّجًا، وعيونه زرقاء لامعة، وعلى وجهه ابتسامة واسعة خالية من التعبير تكشف عن أسنان بيضاء لامعة.

قال «رون» وهو يحدق فى الرجل هو الآخر: «اللعنة».

قالت «هيرميون» فجأة مبهورة الأنفاس: «يا ربى، إنه الأستاذ لوكهارت».

فتح معلم مادة الدفاع عن النفس ضد السحر الأسود السابق الباب وتحرك نحوهم، فوجدوه مرتديًا ثوبًا أرجوانيًّا فاتحًا طويلاً.

قال: «أهلاً بكم.. طبعًا تريدون توقيعى.. أليس كذلك؟».

غمغم «هارى» مخاطبًا «چينى»: «لم يتغير كثيرًا.. أليس كذلك؟»، فابتسمت.

قال «رون» شاعرًا ببعض الذنب: «آ.. كيف حالك يا أستاذ؟».

كانت عصا «رون» السحرية الفاسدة هى التى أتلفت ذاكرة الأستاذ «لوكهارت» بشدة وأدخلته مستشفى «سانت مونجو»، وإن كان هو من قصد مسح ذاكرة «هارى» و«رون» وقتها، ولهذا كان تعاطف «هارى» معه قليلاً.

قال «لوكهارت» بحيوية وافرة وهو يخرج من جيبه ريشة طاووس يستعملها فى الكتابة: «أنا بخير، أشكرك.. والآن، كم توقيعًا تريدون؟ يمكننى التوقيع بأكثر من أسلوب».

قال «رون» وهو يرفع حاجبه مواجهًا «هارى»: «آ.. لا نريد توقيعك الآن.. شكرًا لك»، فقال الأخير: «يا أستاذ.. هل لك حرية التنقل فى ردهات المستشفى هكذا؟ أليس من الواجب أن تكون فى جناح ما؟».

تلاشت الابتسامة ببطء من على وجه «لوكهارت». لبضع ثوانٍ، ركز بصره على «هارى» ثم قال: «ألم نتقابل من قبل؟».

قال «هارى»: «آ.. أجل تقابلنا.. كنت أنت معلمنا فى هوجورتس، هل تذكر؟».

كرر «لوكهارت» الكلمة: «معلم» وكأنه يتذكر، مضيفًا: «أنا؟ هل كنت أدرس حقًا؟».

ثم عاودت الابتسامة الظهور على وجهه فجأة بطريقة مثيرة للقلق.

«لا شك أننى علمتكم كل ما تعرفونه، أليس كذلك؟ ما رأيكم فى الحصول على توقيعى إذن؟ هل أوقع عشرة توقيعات لكل منكم؟ وزعوها على أصدقائكم الصغار؛ وهكذا فلن يحزن أحد على عدم حصوله على توقيعى».

لكن فى تلك اللحظة، ظهر رأس عند الطرف البعيد للممر ونادى صوت: «جيلدروى، أيها الولد الشقى، أين أنت؟».

اقتربت منهم حكيمة، عليها مظاهر الأمومة وهى مرتدية إكليلاً من أشرطة الزينة فى شعرها، مبتسمة بوهن فى مواجهة «هارى» والآخرين.

«معقول يا جيلدروى؟ جاءك زوار؟ شىء جميل، ويوم عيد الميلاد أيضًا.. أتعرفون؟ إنه لا يصله زوار أبدًا.. يااللمسكين، ولا أعرف لم لا؟! فهو ظريف.. أليس كذلك؟».

قال «جيلدروى» للحكيمة بابتسامة متألقة أخرى: «نحن نوقع الأوتوجرافات. فهم يريدون الكثير منها، ولا يقبلون برفضى. أرجو أن يكون معنا ما يكفى من الأوتوجرافات».

قالت الحكيمة وهى تمسك بذراع «لوكهارت» وتبتسم له بحب كأنه ولد فى الثانية من عمره: «اسمعوا ماذا يقول.. كان شهيرًا منذ سنوات مضت، ونتمنى أن تكون رغبته فى توقيع الأوتوجرافات علامة على بدئه فى استعادة ذاكرته. اقترب منى. إنه مستقر فى جناح مغلق، ولابد أنه قد تسلل خارجًا وأنا أحضر هدايا عيد الميلاد، فالأبواب مغلقة فى الأغلب.. إنه ليس خطيرًا، لكن...». خفضت صوتها حتى لم يرتفع عن الهمسة وهى تقول: «.. إن خطره على نفسه أفدح، فهو لا يعرف من هو، ويتجول فى المكان ولا يعرف كيف يعود.. جميل منكم أن جئتم لترونه».

قال «رون» مشيرًا إلى الطابق الأعلى: «فى الواقع.. نحن... كنا...».

لكن الحكيمة استمرت فى الابتسام، وتلاشت همهمة «رون» وهو يقول: «فى

طريقنا لتناول فنجان من الشاى» حتى إنها لم تخرج منه مسموعة. نظروا إلى أحدهم الآخر، ثم اتبعوا «لوكهارت» والحكيمة بطول الممر.

قال «رون» بهدوء: «دعونا لا نجلس هنا كثيرًا».

أشارت الحكيمة بعصاها إلى باب جناح «جانوس ثيكى» وغمغمت: «*ألوهومورا*»: «انفتح الباب» وقادت الطريق إلى الداخل، وهى قابضة بحزم على ذراع «جيلدروى» حتى أجلسته على المقعد المجاور لفراشه.

قالت مخاطبة «هارى» و«رون» و«هيرميون» و«چينى» بصوت خفيض: «هذا جناح النزلاء لفترات طويلة؛ نتيجة لإصابة مستدامة سببها التعاويذ. بالطبع، بالوصفات السحرية الطبية المركزة، والتعاويذ المضادة وببعض الحظ يمكن أن يتحسنوا قليلاً. يبدو أن جيلدروى قد استعاد بعض ذاكرته وبدأ يشعر بذاته، كما شهدنا تحسنًا ملحوظًا فى حالة السيد بود، يبدو أنه استعاد أخيرًا القدرة على الكلام، بالرغم من أنه لا يتكلم بلغة معروفة بعد. المهم، لابد من الانتهاء من تقديم هدايا عيد الميلاد، سأترككم تتجاذبون أطراف الحديث قليلاً».

أجال «هارى» طرفه فى المكان. واضح أن الجناح يحمل كل أمارات كونه مقرًا دائمًا لنزلائه. كان حول أسرتهم أشياء شخصية أكثر مما فى جناح السيد «ويسلى».. الحائط خلف فراش «جيلدروى» على سبيل المثال معلق عليه الكثير من صوره الشخصية، وجميعها تبتسم مظهرة أسنانها وتلوح للقادمين الجدد. وقَّع العديد منها بخط يد طفولى. لحظة أجلسته الحكيمة فى مقعده، جذب مجموعة من الصور وقبض على الريشة وأخذ يوقعها بحماس.

قال مخاطبًا «چينى»: «يمكنكم وضعها فى الأظرف» وهو يلقى بالصور الموقعة فى حجرها واحدة تلو الأخرى، ويضيف: «أنا لست منسيًّا كما تعرفين. لا.. ما زلت أتلقى الكثير من رسائل المعجبين.. جلاديس جديون تكتب لى أسبوعيًّا.. أتمنى لو أعرف السبب..». توقف وبدا عليه التعجب، ثم ابتسم ثانية وعاد لتوقيع صوره بحماس متجدد، وأضاف: «السبب هو شكلى الجميل بلا شك..».

وجدوا على الفراش المواجه له ساحرًا شاحب الوجه تبدو عليه الحسرة، وهو يحدق فى السقف.. أخذ يغمغم لنفسه وبدا غير واعٍ بالمرة بما يجرى حوله. على مسافة سريرين كانت هناك سيدة، جسدها غارق بأكمله فى فراء كثيف، تذكر «هارى» شيئًا مماثلاً وقع لـ«هيرميون» فى عامهم الدراسى الثانى، بالرغم

من أن إصابتها لم تكن دائمة. وعند الطرف البعيد من الجناح كانت الستائر مجذوبة حول فراشين يبدو أن شاغليهما وزوارهما يبغيان بعض الخصوصية.

قالت الحكيمة مبتسمة للمرأة ذات الفراء وهى تناولها كومة من هدايا عيد الميلاد: «خذى يا آجنس.. لم ينسك أحد، أرأيت؟ وأرسل لك ابنك برسالة تقول: إنه سيزورك الليلة، أليس هذا رائعًا؟». نبحت «آجنس» عدة نبحات مرتفعة الصوت.

«انظر يا برودريك، لقد أرسلوا إليك نبتة، وتقويم حائط عليه هيبوجريف لعبة، شكله يتغير كل شهر، ستبهج أيامك.. أليس كذلك؟». تكلمت الحكيمة وهى تنتقل إلى جوار الرجل كثير الغمغمة، وتضع بجانبه نبتة قبيحة بأهداب طويلة مترنحة، وتثبت التقويم على الحائط بعصاها السحرية، وتقول: «و.. آ.. سيدة لونجبوتم، هل ستغادرين بسرعة هكذا؟».

دار «هارى» على عقبيه بسرعة. انكشفت الستائر عند طرف الجناح البعيد ليظهر من خلفها سريران وزائران يمران بين الأسرّة بطول الجناح: ساحرة عجوز مهيبة المظهر ترتدى ثوبًا أخضر، وفراء ثعلب أكلته العثة، وقبعة مدببة الطرف مزينة بنسر محنط وتجر من خلفها الزائر الآخر المكتئب المحسوس: «نيفيل».

أدرك «هارى» فى لحظة من هما المريضان الراقدان عند طرف الجناح. أخذ يحاول تشتيت انتباه الآخرين؛ حتى يتمكن «نيفيل» من مغادرة الجناح من دون أن يلاحظه أحد، لكن «رون» رفع بصره هو الآخر مع سماعه لفظة: «لونجبوتم»، لكن وقبل أن يتمكن «هارى» من منعه قال: «نيفيل».

أجفل «نيفيل» وكأن رصاصة قد مرت إلى جواره.

قال «رون» مبتسمًا وهو يهب على قدميه: «هذا نحن يا نيفيل.. هل رأيت..؟ لوكهارت هنا. من كنت تزور؟».

قالت جدة «نيفيل» بتأدب وهى تنظر إليهم جميعًا: «هل هم أصدقاؤك يا عزيزى نيفيل؟».

بدا كأن «نيفيل» يتمنى لو تنشق الأرض وتبتلعه. ظهر احمرار شديد على وجهه البدين ولم يبادل أحدهم النظر.

قالت جدته وهى تنظر عن قرب إلى «هارى» وتمد له يدًا نحيلة تشبه المخالب ليصافحها: «آه.. أجل.. أجل.. أجل، أنا أعرفك. نيفيل يثنى عليك كثيرًا».

قال «هارى» وهو يصافحها: «آ.. أشكرك». لم ينظر «نيفيل» إليه، لكنه أخذ يفحص قدمه، واللون الأحمر على وجهه يوغل فى الاحمرار.

أردفت السيدة «لونجبوتم»: «وأنتما بالطبع من آل ويسلى» وهى تقدم يدها بتأنق إلى «رون» و«چينى» على التوالى وتقول: «أعرف أبويكما.. ليس كثيرًا بالطبع.. لكنهما لطيفان.. وأنت.. لا بد أنك هيرميون جرانجر».

أجفلت «هيرميون» عندما وجدت أن السيدة «لونجبوتم» تعرف اسمها، لكنها صافحتها على أية حال.

«أجل، نيفيل حكى لى عنك الكثير. لقد ساعدته فى مواقف صعبة.. أليس كذلك؟ إنه ولد طيب» أضافت الجملة الأخيرة وهى تلقى بنظرة صارمة عليه، ثم قالت: «لكن ليس عنده موهبة أبيه للأسف»، وأشارت برأسها ناحية السريرين عند طرف الجناح، فاهتز النسر المحنط فوق قبعتها مهددًا بالسقوط.

قال «رون» باديًا عليه الذهول: «ماذا؟». (أراد «هارى» وقتها الوقوف على قدم «رون»، لكن مثل هذه الفعلة صعبة الأداء وأنت ترتدى بنطلونًا بدلاً من العباءة).. «هل هذا أبوك يا نيفيل؟».

قالت السيدة «لونجبوتم» بحدة: «ما هذا؟ ألم تخبر أصدقاءك بشأن أبويك يا نيفيل؟».

أخذ «نيفيل» شهيقًا عميقًا، ونظر إلى السقف وهز رأسه. لم يتذكر «هارى» رؤيته أكثر حزنًا من حاله وقتها، لكنه لم يعرف كيف يساعده ويخرجه من هذا الموقف.

قالت السيدة «لونجبوتم» بغضب: «هذا ليس مما لا يستدعى خجلك. عليك أن تكون فخورًا بهما يا نيفيل، فخورًا. فهما لم يضحيا بصحتهما وعقليهما حتى يخجل ابنهما الوحيد منهما».

قال «نيفيل» بصوت واهن مُصرًا على عدم النظر إلى «هارى» أو أىٍّ من الآخرين: «أنا لا أخجل منهما». وقف «رون» على أطراف أصابعه؛ حتى يتمكن من رؤية شاغلى الفراشين.

قالت السيدة «لونجبوتم»: «واضح عدم خجلك هذا، وطريقتك فى التعبير عنه غريبة. ابنى وزوجته..». أضافت الجملة الأخيرة ناظرة إلى «هارى» و«رون» و«هيرميون» و«چينى» وأكملت: «.. تعذبا حتى جُنَّا على يد أتباع الذى ـ تعرفونه».

رفعت كل من «هيرميون» و«چينى» أيديهما على وجهيهما. كف «رون» عن لف عنقه محاولاً إلقاء نظرة على والدى «نيفيل» وبدا عليه الخزى.

استرسلت السيدة «لونجبوتم» فى كلامها: «إنهما مقاتلان للسحر الأسود كما تعرفون، ومن أكثر السحرة احترامًا فى مجتمع السحرة.. موهوبان بشدة، كل منهما. أ... أجل، ما الأمر يا عزيزتى أليس؟».

اقتربت والدة «نيفيل» منهم فى منامتها. لم يعد وجهها بدينًا سعيدًا كما رآها «هارى» فى صورة «مودى» القديمة لجماعة العنقاء الأولى. أصبح وجهها نحيلاً وباليًا، وعيناها كبيرتين على وجهها، الذى صار أبيض شاحبًا. لم تبد عليها الرغبة فى الكلام، أو لعلها لم تكن قادرة عليه، لكنها أشارت بحركات خجول ناحية «نيفيل» وفى يدها الممدودة إليه شىء ما.

قالت السيدة «لونجبوتم» بإرهاق: «ثانية؟ حسنًا يا عزيزتى أليس.. نيفيل.. خذها منها، أيًا كانت».

لكن «نيفيل» كان قد مد يده بالفعل، فأسقطت فيها والدته غلافًا فارغًا لقطعة حلوى.

قالت جدة «نيفيل» بصوت مبتهج مصطنع وهى تربت على كتف أمه: «رائع يا حبيبتى». وقال «نيفيل» بسرعة: «شكرًا يا أمى».

عادت أمه، متجهة ناحية طرف الجناح البعيد، وهى تغنى بصوت خفيض لا يسمعه سواها. نظر «نيفيل» حوله مجيلاً بصره فى الآخرين، ووجهه ملىء بالتحدى، كأنه يتحداهم أن يضحكوا، لكن «هارى» أحس بأنه لم ير شيئًا أقل إثارة للبهجة من هذا فى حياته.

تنهدت السيدة «لونجبوتم» وهى ترتدى قفازها الأخضر الطويل وقالت: «المهم، علينا العودة.. يسعدنى لقاؤكم جميعًا. نيفيل، ألق بهذه الورقة فى القُمامة، لابد وأنها أعطتك إلى الآن ما يكفى من الورق لتزيين حجرتك».

لكن وهما يغادران كان «هارى» واثقًا من أن «نيفيل» قد ألقى بغلاف قطعة الحلوى فى جيبه.

أقفل الباب من خلفهما.

قالت «هيرميون» وعيناها مغرورقتان بالدموع: «لم أكن أعرف».

قال «رون» بصوت أجش: «ولا أنا». وهمست «چينى»: «ولا أنا».

نظروا جميعًا إلى «هارى».

قال بوجوم: «أنا كنت أعرف.. أخبرنى دمبلدور وجعلنى أعده بألا أخبر أحدًا.. فهذا هو سبب دخول بيلاتريكس ليسترانج أزكابان، لاستخدامها لعنة الكروكياتوس على والدى نيفيل حتى أصيبا بالجنون».

همست «هيرميون» مروعة: «بيلاتريكس ليسترانج هى من فعلت هذا؟ تلك المرأة الواقفة فى صورة كريتشر؟ فى حجرته؟».

عم الصمت لبرهة، ثم كسره صوت «لوكهارت» الغاضب.

«انظروا.. أنا لم أحسّن من خطى لتتجاهلوا توقيعى هكذا».

٢٤ أوكلـومينسـى

«كريتشر» ـ كما اتضح لاحقًا ـ كان فى السقيفة. قال «سيرياس» إنه قد وجده بالأعلى غارقًا فى التراب، وبالطبع قد صعد؛ بحثًا عن المزيد من آثار آل «بلاك» القديمة ليخبئها فى خزانته. وبالرغم من أن «سيرياس» قد بدا راضيًا بهذا التفسير، فإنه أصاب «هارى» بالقلق. بدا «كريتشر» فى حالة مزاجية جيدة مع عودته، وتراجعت غمغماته اللاذعة القاسية ليحل محلها خضوعه للأوامر بطاعة لم يعهدوها فيه، لكن مرة أو مرتين وجد «هارى» القزم يحدق فيه بحدة، لكنه كان ينظر بسرعة بعيدًا كلما وجد «هارى» قد لاحظه.

لم يصرح «هارى» بأى من شكوكه أمام «سيرياس»، الذى تلاشى سروره بسرعة مع مرور عيد الميلاد. ومع اقتراب موعد مغادرتهم إلى «هوجورتس» صار أكثر عرضة للحالة التى تطلق عليها السيدة «ويسلى»: «نوبات العبوس»، والتى يصبح خلالها قليل الكلام متذمرًا، وفى العادة يصعد إلى حجرة «باكبيك» يقضى بها الساعات الطوال. وتسرب وجومه إلى باقى المنزل، متسللاً من تحت الأبواب مثل غاز سام، حتى أصيب الجميع بعدواه.

لم يرغب «هارى» فى ترك «سيرياس» ثانية ومعه «كريتشر» وحده فى رفقته. فى الواقع، وللمرة الأولى فى حياته، لم يكن يتطلع للعودة إلى «هوجورتس»؛ العودة إلى المدرسة تعنى أن يضع نفسه مرة أخرى تحت طغيان «دولوريس أمبريدج»، التى ربما أصدرت عشرة فرمانات على الأقل أثناء غيابهم، ولم تكن هناك مباريات ولا تمارين «كويدتش» ينتظرها بعد أن حظرت عليه اللعب، وعلى الأرجح سيزيد حمل الواجب المدرسى عليهم مع اقتراب الامتحانات، وسيظل «دمبلدور» بعيدًا عنه كعهده. فى الواقع، إن لم تكن اجتماعات (دى. أيه.) هى التى تخفف عنه، كان ليرجو «سيرياس» أن يسمح له بترك «هوجورتس» ليقيم معه فى «جريمولد بليس».

ثم وفى آخر أيام الإجازة، حدث شىء أخاف «هارى» بشدة من العودة إلى المدرسة.

قالت السيدة «ويسلى» وهى تطل برأسها من باب الحجرة حيث أخذ «هارى» و«رون» يلعبان «شطرنج سحرى» و«هيرميون» و«چينى» و«كروكشانكس» يراقبون اللعب: «عزيزى هارى.. هلا نزلت إلى المطبخ؟ الأستاذ سناب يريدك فى كلمة».

لم يدرك «هارى» ما قالته بسرعة.. فقد كانت إحدى طوابيه مشتبكة فى صراع عنيف مع فيل من أفيال «رون».. وأخذ يقول: «دمريه يا حمقاء، إنه مجرد فيل، عذرًا.. ماذا كنت تقولين يا سيدة ويسلى؟».

«الأستاذ سناب يا عزيزى.. فى المطبخ، ويريدك فى كلمة».

فغر «هارى» فاه فى رعب. نظر إلى «رون» و«هيرميون» و«چينى» فوجدهم جميعًا بأفواه مفتوحة مثله. أما «كروكشانكس» الذى أبقته «هيرميون» حبيسها طوال ربع الساعة المنقضى، فقد قفز أخيرًا من بين يديها بحبور، ليحط على لوحة الشطرنج وتجرى قطع اللعب؛ بحثًا عن مأوى منه، وهى تصرخ بأعلى صوتها. قال «هارى» بصوت محايد: «سناب؟».

قالت السيدة «ويسلى» مصححة: «الأستاذ سناب يا عزيزى، والآن هيا بسرعة، فهو يقول إنه لن يجلس هنا طويلاً».

قال «رون» - مسلوب العزم والسيدة «ويسلى» تغادر الحجرة: «ماذا يريد منك؟ تراك لم تفعل شيئًا أغضبه.. هل فعلت؟».

قال «هارى» بسخط وهو يحاول التفكير فيما يريده «سناب» منه وجعله يطارده هكذا إلى «جريمولد بليس»: «لا».. هل حصل فى آخر واجب مدرسى له على تقدير «ت»؟

بعد دقيقة فتح باب المطبخ ليجد «سيرياس» و«سناب» جالسين على مائدة المطبخ الطويلة، ينظر كل منهما بعيدًا عن الآخر. كان الصمت بينهما ثقيلاً محملاً بالكراهية المتبادلة، وعلى المائدة رسالة موضوعة أمام «سيرياس».

قال «هارى» معلنًا حضوره: «آ..».

التفت «سناب» إليه، ووجهه يظهر من خلف ستائر من شعره الأسود اللامع السميك.

«اجلس يا بوتر».

قال «سيرياس» بصوت مرتفع وهو يميل للخلف على مقعده ويتحدث

مخاطبًا السقف: «أتعرف؟ أعتقد أنه من الأفضل ألا تصدر الأوامر هنا يا سناب. إنه بيتى كما ترى».

داهم وجه «سناب» احمرار عنيف وقبيح. جلس «هارى» فى المقعد المجاور لمقعد «سيرياس»، وواجه «سناب» عبر المائدة.

قال «سناب» وابتسامته الساخرة المعتادة تلوى فمه: «كان من المفترض أن أقابلك وحدك يا بوتر.. لكن بلاك...».

قال «سيرياس» بصوت أعلى مما سبق: «أنا أبوه الروحى».

قال «سناب» وصوته على النقيض آخذ فى الانخفاض: «أنا هنا بناء على أوامر دمبلدور.. لكن فلتبق يا بلاك، فأنا أعرف أنك تحب الإحساس بـ... بالمشاركة».

قال «سيرياس» وهو يتخلى عن مقعده ليسقط بصوت مرتفع: «ماذا تعنى؟».

قال «سناب»: «ما أقوله هو أنك تشعر بالإحباط والضيق؛ لأنك لا تعمل عملاً مفيدًا»، ثم وهو يضغط على مخارج ألفاظه أضاف: «لصالح الجماعة».

جاء دور «سيرياس» لكى يتوهج وجهه محمرًا من الغضب، وزم «سناب» شفتيه تعبيرًا عن الظفر وهو يلتفت إلى «هارى».

«أرسلنى الناظر إليك يا بوتر؛ لأخبرك بأنه يريدك أن تدرس الأوكلومينسى هذا الفصل الدراسى». فقال «هارى» بدهشة: «أدرس ماذا؟».

أصبحت ابتسامة «سناب» الساخرة أوضح.

«الأوكلومينسى يا بوتر؛ السحر الدفاعى عن العقل ضد الاختراق الخارجى، وهو فرع غامض من السحر، لكنه مفيد».

بدأ قلب «هارى» فى ضخ الدماء بسرعة كبيرة.. الدفاع ضد الاختراق الخارجى؟ لكنه ليس مستحوذا عليه، قالوا له هذا..

قال بدون تفكير: «ولماذا يجب علىّ دراسة الأوكلو...؟».

قال «سناب» بنعومة: «لأن الناظر يراها فكرة صائبة.. ستتلقى درسًا خاصًا مرة أسبوعيًا، لكنك لن تخبر أحدًا بما تفعله، على الأقل لن تخبر دولوريس أمبريدج، مفهوم؟».

قال «هارى»: «أجل.. ومن سيعلمنى؟». رفع «سناب» حاجبه.

قال: «أنا».

أحس «هارى» باضطراب شديد.. المزيد من الحصص مع «سناب».. ماذا فعل ليستحق كل هذا؟ التفت إلى «سيرياس»؛ سعيًا للحصول على بعض المساندة والدعم.

تساءل «سيرياس» بعدوانية: «ولماذا لا يدرس دمبلدور لهارى بنفسه؟ لماذا أنت؟».

قال «سناب» بنعومة: «لأن الناظر يفوض للآخرين مهامه التى لا يحبها، وأؤكد لك أننى لم أطلب منه منحى هذه الوظيفة»، ثم قال وهو يهب على قدميه: «سأنتظرك الساعة السادسة مساء يوم الإثنين يا بوتر. فى فصلى. إن سألك أحد فقل له إنك تأخذ حصص وصفات سحرية تعويضية. لا أحد ممن رأوا أداءك فى حصتى سيشك فى حاجتك لحصص تعويضية».

دار على عقبيه ليغادر، وعباءته السوداء تدور معه.

قال «سيرياس» وهو يستقيم فى جلسته: «انتظر».

«أنا على عجلة من أمرى يا بلاك، على النقيض منك، فوقت فراغى محدود».

قال «سيرياس» وهو ينهض: «وصلنى ما تريد قوله» كان أطول من «سناب»، الذى لاحظ «هارى» تكويره لقبضة يده فى عباءته؛ تحسبًا لإشهار عصاه السحرية.. أضاف «سيرياس»: «إن عرفت بقضاء هارى أوقاتًا عصيبة فى حصص الأوكلومينسى ستجدنى لك بالمرصاد».

قال «سناب» بسخرية: «مسست شغاف قلبى حقًا.. لكنك بالطبع لاحظت أن بوتر شبيه بأبيه.. أليس كذلك؟». قال «سيرياس» بفخر: «بلى لاحظت».

قال «سناب» بتأنق: «إذن، ستعرف أنه متعجرف مثله، حتى إن النقد والذم لا يؤثران فيه».

دفع «سيرياس» مقعده جانبًا ودار حول المائدة ساعيًا نحو «سناب»، وهو يشهر عصاه السحرية مع اقترابه. شهر «سناب» عصاه. وقفا فى مواجهة أحدهما الآخر، «سيرياس» بادٍ عليه الشحوب، وهو يحسب ما سيجرى، وعيناه تدوران من عصا «سناب» إلى وجهه والعكس.

قال «هارى» بصوت مرتفع: «سيرياس»، لكن بدا وكأنه لم يسمعه.

قال «سيرياس» ووجهه على مسافة قدم واحدة من وجه «سناب»: «لقد حذرتك يا سنيفيلوس.. أنا لا أهتم باعتقاد دمبلدور فى توبتك، فأنا أعرفك جيدًا..».

همس «سناب»: «حقًا؟ ولماذا لم تخبره برأيك؟ أم أنك خائف ألا يأخذ النصح من رجل مختبئ فى بيت أمه منذ ستة أشهر؟».

«أخبرنى.. كيف حال لوكياس مالفوى هذه الأيام؟ تراه مسرورًا بكلب التجارب الحقير الذى يعمل لصالحه فى هوجورتس؟».

قال «سناب» بخفوت: «بمناسبة الكلاب.. هل تعرف أن لوكياس مالفوى قد تعرف عليك آخر مرة ظهرت فيها بالخارج؟ يالمهارتك يا بلاك، وصلت إلى محطة القطار متخفيًا.. وهو ما أعطاك حجة قوية تتحجج بها حتى لا تغادر جحرك هذا.. أليس كذلك؟». رفع «سيرياس» عصاه السحرية.

صاح «هارى» وهو يميل على المائدة محاولاً الوقوف بينهما: «لا.. لا يا سيرياس».

زأر «سيرياس» محاولاً دفع «هارى» بعيدًا عن الطريق: «هل ترمينى بالجبن؟». لكن «هارى» لم يتزحزح. قال «سناب»: «أجل، أعتقد هذا».

أخذ «سيرياس» يزمجر قائلاً: «هارى ـ ابتعد ـ عن ـ طريقى» وهو يدفعه إلى الجانب بيده الخالية.

انفتح باب المطبخ ودخلت أسرة «ويسلى» بأكملها غير ناقصة، ومعهم «هيرميون» التى دخلت وجميعهم على وجوههم السرور، ومعهم السيد «ويسلى» الذى سار بفخر حتى وقف بينهم مرتديًا منامة مقلمة.

أعلن بسرور لكل الواقفين فى المطبخ: «لقد شفيت.. شفيت تمامًا».

تجمد ـ ومعه كل أفراد الأسرة ـ عند المدخل، وأخذوا يحدقون فيما أمامهم، وقد تجمد «سناب» و«سيرياس» هما الآخران، وهما ينظران جهة الباب وعصواهما السحريتان مرفوعتان وموجهتان إلى وجه أحدهما الآخر، و«هارى» بينهما لا يتحرك، ويد من يديه مرفوعة فى مواجهة كل منهما؛ محاولاً إبعادهما عن بعضهما.

قال السيد «ويسلى» والابتسامة تتلاشى من على وجهه: «بحق لحية مرلين.. ماذا يجرى هنا؟».

أنزل كل من «سيرياس» و«سناب» عصويهما السحريتين. نقل «هارى» بصره من أحدهما إلى الآخر، وعلى وجه كل منهما أقسى تعابير الاحتقار، لكن دخول الشهود غير المتوقع أعادهما إلى صوابهما. أعاد «سناب» عصاه

إلى حزامه، ودار على عقبيه مغادرًا المطبخ، مارًا بآل «ويسلى» دون أدنى تعليق، وعند الباب نظر خلفه:

«السادسة مساء يوم الإثنين يا بوتر» وخرج بسرعة. حدق فيه «سيرياس» وعصاه إلى جانبه. تساءل السيد «ويسلى» ثانية: «ماذا جرى؟».

قال «سيرياس» بنفَس ثقيل كأنه يستريح من الجرى لمسافة طويلة: «لا شيء يا أرثر.. كان مجرد لقاء ودود بين أصدقاء مدرسة قدامى»، ثم وهو يجبر نفسه علي الابتسام بصعوبة شديدة أضاف: «إذن.. فقد عوفيت؟ هذا خبر رائع! رائع حقًا!».

قالت السيدة «ويسلى» وهى تقود زوجها إلى مقعد أمامه: «فعلاً.. نجح سحر الحكيم سميثويك فى النهاية، فقد وجد مصلاً لسم الثعبان، وتعلم أرثر درسًا: أن المداواة بطب العامة لا تفيد، أليس كذلك يا عزيزى؟». وقالت السؤال الأخير بلهجة تهديد. قال السيد «ويسلى» بخنوع: «بلى يا عزيزتى مولى».

كان من المفترض أن تكون وجبة تلك الليلة سعيدة، مع عودة السيد «ويسلى» بينهم. رأى «هارى» كيف يحاول «سيرياس» جعلها كذلك، لكن عندما كان أبوه الروحى لا يحمل نفسه على الضحك بصوت مرتفع على ما يلقيه «فريد» و«چورچ» من مزاح أو يقدم للآخرين المزيد من الطعام، كان وجهه يعود إلى طبيعته المتجهمة المكتئبة. انفصل عنه «هارى» مع ظهور «مندنجس» و«ماد آى»، اللذين قدما ليهنئا السيد «ويسلى». أراد الحديث إلى «سيرياس»، وأن يخبره بأنه لا يجب عليه الاكتراث لكلمة مما قاله «سناب»، وأن «سناب» يحاول إثارته متعمدًا، وأنهم جميعًا لا يرون «سيرياس» جبانًا؛ لأنه يفعل كما أمره «دمبلدور»؛ أن يظل فى «جريمولد بليس». لكنه لم يجد فرصة للكلام، ومن رؤيته النظرة القبيحة المرتسمة على وجه «سيرياس» تساءل «هارى» إن كان سيجرؤ على الحديث إن أتيحت له الفرصة. بدلاً من هذا أخبر «رون» و«هيرميون» بصوت منخفض بشأن دروس «الأوكلومينسى» مع «سناب».

قالت «هيرميون» على الفور: «يريد دمبلدور لك التخلص من تلك الأحلام عن ڤولدمورت.. ولن يحزنك التخلص منها.. أليس كذلك؟».

قال «رون» مذعورًا: «دروس إضافية مع سناب! أفضّل عليها الكوابيس».

كان عليهم العودة إلى «هوجورتس» اليوم التالى بالحافلة السحرية، فخرجوا يصاحبهم - ثانية - «تونكس» و«لوبين»، وكلاهما كان يتناول إفطاره فى المطبخ عندما نزل «هارى» و«رون» و«هيرميون» من حجراتهم صباح اليوم التالى. بدا أن الكبار كانوا منهمكين فى حوار هامس عندما فتح «هارى» الباب؛ فنظروا إليه جميعهم وصمتوا.

بعد إفطار سريع، ارتدوا جميعًا السترات والوشاحات؛ ليحتموا من الصباح البارد. أحس «هارى» بإحساس قابض فى صدره، ولم يرغب فى توديع «سيرياس»؛ أحس بأن هذا الفراق مشئوم، فهو لا يعرف متى سيتقابلان ثانية، وشعر بأن لزامًا عليه قول أى شىء لـ«سيرياس»؛ ليمنعه من فعل أى شىء أحمق.. كان قلق «هارى» على اتهام «سناب» «سيرياس» بالجبن، فلربما خطط بالفعل لرحلة متهورة بعيدًا عن «جريمولد بليس». لكن وقبل أن يفكر فى قول شىء أخذه «سيرياس» إلى ركن منفرد.

قال بسرعة وهو يمد يده بحزمة فى حجم كتاب نحو يد «هارى»: «أريدك أن تأخذ هذه». فسأله «هارى»: «ما هذا؟».

قال «سيرياس» ملقيًا بنظرة متعبة على السيدة «ويسلى» التى أخذت تحاول إقناع التوأمين بارتداء قفازات؛ للحماية من البرد: «طريقة تجعلنى أعرف إن كان سناب يضايقك.. أشك أن «مولى» ستوافق.. لكننى أريدك أن تستخدمها إن احتجت إليها.. مفهوم؟».

قال «هارى» وهو يلقى باللفافة فى جيب سترته: «حاضر» لكنه كان يعرف أنه لن يستخدمها أبدًا أيًا كانت. فلن يخاطر بإخراج «سيرياس» من بيته الآمن، مهما كان ما يعرضه له «سناب» من متاعب فى دروس «الأوكلومينسى».

قال «سيرياس» وهو يربت على كتف «هارى» ويبتسم ابتسامة صغيرة: «هيا اذهب». وقبل أن يقول «هارى» شيئًا اتجهوا إلى أعلى صاعدين من المطبخ ووقفوا أمام الباب الأمامى الموصد بالمصاريع والسلاسل، ومن حولهم آل «ويسلى».

قالت السيدة «ويسلى» وهى تحتضنه: «وداعًا يا هارى، انتبه لنفسك».

قال السيد «ويسلى» بلطف وهو يصافحه: «إلى اللقاء يا هارى، وراقب لى الثعابين».

قال «هارى» مشتتًا: «آه.. حاضر»، كانت هذه الفرصة الأخيرة لنصح «سيرياس» بالاحتراس، التفت ونظر فى وجه أبيه الروحى وفتح فمه ليتكلم،

لكن وقبل أن يفعل عانقه «سيرياس» عناقًا قصيرًا بذراع واحدة، وقال بفظاظة: «انتبه لنفسك يا هارى» وفى اللحظة التالية، وجد «هارى» نفسه وقد دفعوه إلى النهار الشتوى المتجمد، ومعه «تونكس» - واليوم متنكرة فى صورة امرأة طويلة بشعر رمادى - تنزل به درجات السلم القليلة خارج المنزل.

أوصد باب المنزل رقم (١٢) بقوة من خلفهم. اتبعوا «لوبين»، ومع وصوله إلى الرصيف نظر «هارى» خلفه. أخذ المنزل رقم (١٢) يتضاءل بسرعة والمنزلان إلى جانبيه يتمددان ويضغطانه ليختفى عن الأنظار، حتى اختفى تمامًا بعدها بلحظة.

قالت «تونكس»: «هيا، كلما وصلنا إلى المحطة أسرع كان أفضل»، ورأى «هارى» نظرتها العصبية المتوترة وهى تلقى بمربع صغير ويمد «لوبين» يده اليمنى.

طاك

ظهرت حافلة بنفسجية براقة اللون، بثلاثة طوابق، من الهواء أمامهم، وبالكاد أفلتت من الاصطدام بأقرب مصابيح الشارع إليها.

قفز شاب نحيل فى زى رسمى بنفسجى إلى الرصيف وقال: «مرحبًا بكم فى...».

قالت «تونكس» بسرعة: «أجل أجل، نعرف، شكرًا لك.. هيا اركبوا..».

ودفعت «هارى» إلى الأمام على درجات الحافلة، إلى جوار المحصل الذى نظر إلى «هارى» وهو يمر. «آ.. أهلاً (آرى)..».

غمغمت «تونكس» بنبرة تهديد وهى تدفع «چينى» و«هيرميون» إلى الأمام: «إن صحت باسمه سأصيبك بتعويذة النسيان».

قال «رون» بسعادة وهو ينضم إلى «هارى» فى الحافلة وينظر حوله: «لطالما أردت ركوب هذا الشىء».

كان الوقت ليلاً آخر مرة ركب فيها «هارى» الحافلة السحرية بطوابقها الثلاثة، التى كانت مليئة بالأسرَّة النحاسية. والآن، وفى الصباح الباكر، كانت ممتلئة بمقاعد غير متشابهة مرصوصة بشكل عشوائى إلى جوار النوافذ. بعضها سقط عندما توقفت الحافلة أمام «جريمولد بليس».. كان بعض السحرة والساحرات يستعدون للنهوض، وأخذوا يغمغمون ممتعضين، وانزلقت حقيبة أحدهم بطول الحافلة، فسقط منها مزيج غير محبب من بيض الضفادع، والصراصير، والكريم على الأرض.

قالت «تونكس» وهى تنظر حولها إلى المقاعد الخالية: «يبدو أن علينا الانقسام على المقاعد.. فريد وچورچ وچينى، اجلسوا على هذه المقاعد فى الخلف.. ريموس سيجلس معكم».

ذهبت هى و«هارى» و«رون» و«هيرميون» إلى الطابق العلوى، حيث وجدوا مقعدين شاغرين عند صدر الحافلة واثنين آخرين عند طرفها الخلفى. اتبع «ستان شونبايك» المحصل «هارى» و«رون» بلهفة إلى الخلف. دارت الرءوس مع مرور «هارى» إلى جوارها، وعندما جلس رأى الوجوه ترتد لتنظر أمامها ثانية.

و«هارى» و«رون» يناولان «ستان» أحد عشر «سيكل» عن كل منهما، انطلقت الحافلة ثانية وهى تتمايل بشدة. سارت عبر «جريمولد بليس»، صاعدة ونازلة الرصيف، ثم وبصوت فرقعة فظيع آخر انضغطوا جميعًا إلى الخلف فى مقاعدهم، وانقلب مقعد «رون» فوق «بيجودجيون»، الذى كان على حجره؛ فخرج من قفصه وأخذ يرفرف بشدة عند أول الحافلة، ثم سقط على كتف «هيرميون». أما «هارى» الذى تفادى السقوط بالكاد عندما قبض على شمعدان، فقد نظر عبر النافذة؛ فرأى أنهم يسيرون فى طريق سريع.

قال «ستان» بسعادة مجيبًا سؤال «هارى» الذى لم يسأله ـ و«رون» يجاهد للقيام من على الأرض ـ: «خرجنا من برمنجهام.. هل أنت بخير يا (آرى)؟ رأيت اسمك فى الجريدة كثيرًا طوال الصيف، لكن لم يذكروك بخير. قلت لـ «إرن»: إنه لم يكن مجنونًا هكذا كما يقولون يوم قابلناه، فالجنون يظهر على الناس.. صح؟».

ناولهما تذكرتيهما واستمر فى التحديق فى «هارى». من الواضح أن «ستان» لم يهتم بجنون الناس، إن كانوا معروفين بما يكفى للظهور فى الجرائد. ترنحت الحافلة السحرية بشدة وهى تمر أمام صف من السيارات، وهو ينظر إلى مقدمة الحافلة رأى «هارى» «هيرميون» وهى تغطى عينيها بيديها، و«بيجودجيون» يتمايل بسعادة على كتفها.

طراخ

انزلقت المقاعد إلى الخلف ثانية والحافلة تقفز من طريق «برمنجهام» السريع إلى طريق ريفى ضيق ملىء بالمنحنيات الحادة. رأوا من دقيقة لأخرى سياج أشجار يقفز أمامهم فجأة والحافلة تدور فى المنحنيات، ثم عبروا جسرًا تحيطه أكمة النباتات، ثم عبروا طريقًا ترابيًا قديمًا يقع بين السهول، وفى كل مرة ينتقلون فيها إلى مكان جديد يصدر عن الحافلة صوت فرقعة شديد.

غمغم «رون» وهو ينهض من على الأرض للمرة السادسة: «غيرت رأيى.. لا أريد ركوب هذا الشىء ثانية».

قال «ستان» بإشراق وسعادة وهو يقترب مترنحًا منهما: «اسمعا، محطة (آوجورتس) هى التالية.. تلك المرأة المتسلطة الجالسة فى الأمام ركبت معكم، وأعطتنا بقشيشًا لتنزل قبلكم. سننزل السيدة مارش أولاً..». سمعوا صوتًا من الأسفل، وأتبعه صوت تقيؤ بشع، فأضاف: «إنها تشعر بالغثيان اليوم».

بعد دقائق قليلة، توقفت الحافلة أمام حانة صغيرة، حيث ابتعدت عن الطريق؛ لتتفادى الاصطدام. سمعوا «ستان» يساعد السيدة «مارش» على الهبوط من الحافلة ويخفف عن الركاب الجلوس فى الطابق الثانى. تحركت الحافلة ثانية، وأخذت سرعتها تزيد، ثم..

طاك

مروا وسط بلدة «هوجزميد» المغمورة بالثلوج. لمح «هارى» مقهى «رأس الخنزير» فى شارعه الجانبى، ولافتة الرأس المقطوع تصر فى الرياح الشتوية. أخذ الثلج يضرب نافذة الحافلة الأمامية. وأخيرًا توقفوا خارج بوابات «هوجورتس».

ساعدهم «لوبين» و«تونكس» فى الهبوط من الحافلة بأمتعتهم، ثم ودعوهم.. نظر «هارى» إلى الحافلة الثلاثية الطوابق ورأى الركاب يحدقون فيهم، وأنوفهم مضغوطة على النوافذ.

قالت «تونكس» ملقية بنظرة حذرة على الطريق المهجور: «ستكونون فى أمان حالما تصلون إلى أرض المدرسة.. أتمنى لكم فصلاً دراسيًا سعيدًا».

قال «لوبين» وهو يصافحهم حتى وصل إلى «هارى» أخيرًا: «انتبهوا لأنفسكم.. اسمعنى..». ثم خفض صوته والآخرون يصافحون «تونكس»: «.. أعرف أنك لا تحب سناب يا هارى، لكنه ساحر ماهر فى الأوكلومينسى، وجميعنا ـ و«سيرياس» معنا ـ نريدك أن تتعلم حماية نفسك؛ لذا اعمل بجد.. مفهوم؟!».

قال «هارى» بتثاقل وهو ينظر إلى وجه «لوبين» الذى شاب قبل الأوان: «أجل.. حاضر.. إلى اللقاء».

ساروا جميعًا نحو القلعة، وهم يجرّون حقائبهم خلفهم. بدأت «هيرميون» فى الكلام عن صنع بعض القبعات للأقزام قبل النوم. نظر «هارى» خلفه عندما وصلوا إلى الأبواب الأمامية، وجد الحافلة قد اختفت، وتمنى، مع اقتراب ما ينتظره الليلة التالية، لو كان على متنها ولم ينزل.

قضى «هارى» اليوم التالى متخوفًا من المساء. لم يخفف درس الوصفات السحرية الصباحى من خوفه، و«سناب» كريه كعهده دائمًا. وأزعجه أكثر اقتراب أعضاء الـ(دى. أيه.) منه فى الممرات بين الحصص يسألونه بأمل إن كان اجتماعهم سينعقد هذه الليلة.

أخذ «هارى» يقول مرارًا وتكرارًا لكل من يقترب منهم: «سأعلمكم بالطريقة المعتادة بالموعد التالى.. لكننى لا أقدر على الحضور الليلة، فعندى.. آ.. حصص وصفات سحرية تعويضية».

سأله «زكارياس سميث» بتعالٍ بعد أن حاصره فى القاعة الأمامية بعد الغداء: «هل تأخذ حصص وصفات سحرية تعويضية؟ يا ربى، لابد أنها فظيعة. سناب لا يعطى حصصًا تعويضية فى العادة، أليس كذلك؟».

و«سميث» يهرول مبتعدًا متقافزًا بطريقته المزعجة أخذ «رون» يحدق فيه.

قال وهو يرفع عصاه السحرية ويصوبها نحو كتف «سميث»: «هل أصوب عليه تعويذة؟ هل ألعنه؟ يمكننى إصابته من هذه المسافة».

قال «هارى» بوجوم: «انسَ الأمر.. هذا ما سيظنه الجميع، أننى غبى وأحتاج لحصص تعويضية..».

«أهلاً يا هارى» جاءه الصوت من خلفه. التفت ليجد «تشو» واقفة.

قال «هارى» وقلبه يختلج فى صدره: «آه.. أهلاً».

قالت «هيرميون» بلهجة ذات مغزى وهى تقبض على ذراع «رون» من فوق مرفقه وتجره معها إلى السلم الرخامى: «ستجدنا فى المكتبة يا هارى».

سألته «تشو»: «هل قضيت عيدًا سعيدًا؟».

قال «هارى»: «أجل، لم يكن سيئًا».

قالت «تشو»: «أنا قضيته فى هدوء تام». لسبب ما كانت محرجة وهى تقول: «إحم.. مسموح لنا بالذهاب إلى «هوجزميد» الشهر القادم. هل رأيت الإعلانٍ؟».

«حقا؟ لا.. لم أنظر إلى لوحة الإعلانات منذ عودتى».

«إنه يوم عيد الحب..».

قال «هارى» متسائلاً عما تقصد قوله: «فعلاً.. ربما تودين أن...؟».

قالت بلهفة: «إن كان هذا ما تريده».

حدق فيها «هارى» وكان على وشك أن يقول: «ربما تودين أن تعرفى موعد اجتماع الـ(دى. أيه.) القادم؟». لكن ردها لم يبدُ مناسبًا لما أراد قوله.

قال: «آه.. آ..».

قالت شاعرة بالخزى: «آه.. لا يهم، إن كنت لا تريد.. لا تقلق.. أعنى.. أراك لاحقًا».

سارت مبتعدة. وقف «هارى» يحدق فيها، وعقله يعمل بكد. ثم فهم فجأة الموضوع.

«تشو.. تشو».

ركض خلفها، حتى وصل إليها عند منتصف السلم الرخامى.

«آ.. هلا ذهبت معى إلى هوجزميد يوم عيد الحب؟».

قالت ووجهها يحمر وهى تبتسم له: «آه.. أجل.. موافقة».

قال «هارى» وهو يشعر أن اليوم لم يضِع بأكمله: «رائع.. اتفقنا إذن». وهو فى طريقـه إلى المكتبـة ليقابـل «رون» و«هيرميون» قبل حصص الفترة المسائية كاد يطير من الفرح.

لكن مع قدوم الساعة السادسة مساءً، لم تضئ له فرحة الموعد مع «تشو تشانج» قلبه المثقل بالضيق مع كل خطوة يخطوها نحو مكتب «سناب».

توقف أمام الباب عندما وصل إليه، متمنيًا أن يكون فى أى مكان آخر بخلاف هنا، ثم أخذ نفسًا عميقًا وطرق الباب ودخل.

كانت الحجرة المظلمة زاخرة بالرفوف الحاملة لمئات من البرطمانات المليئة بالأجزاء اللزجة من أجساد الحيوانات وأنسجة النباتات، والكثير من الوصفات السحرية الملونة. فى أحد الأركان، رأى خزانة مليئة بالمكونات التى اتهم «سناب» «هارى» ذات مرة ـ من دون سبب ـ بسرقتها. انجذب انتباهه نحو المكتب، الذى وجد عليه حوضًا حجريًا محفورًا عليه رموز عتيقة ومحاطًا بالكثير من الشموع المضاءة التى تغمره فى ضوئها. تعرف فيه «هارى» على مفكرة «دمبلدور» السحرية، وتساءل ماذا تفعل المفكرة هنا بحق السماء؟ ثم أجفل عندما جاءه صوت «سناب» البارد من الظلال.

«أوصد الباب من خلفك يا بوتر».

فعل «هارى» كما أُمر، يصاحبه إحساس فظيع بأنه يسجن نفسه. عندما التفت لمواجهة الحجرة ثانية، كان «سناب» قد تقدم إلى النور، وأشار إشارة صامتة إلى مقعد مواجه لمكتبه. جلس «هارى» وكذا فعل «سناب»، وعيناه السوداوان اللتان لا ترمشان ثابتتان عليه، والكراهية تطل من كل جزء فى وجهه.

قـال: «تـعـرف يـا بـوتـر سبب وجـودك هـنـا.. طـلب مـنـى الـنـاظر تـعـليـمك الأوكلومينسى،أتمنى أن تكون فيه أفضل حالاً من خيبتك فى الوصفات السحرية».
قال «هـارى»: «مفهوم».
قال «سناب» وعيناه تضيقان بشدة: «قد لا تكون هذه حصة عادية يا بوتر، لكننى معلمك وستنادينى بكلمة (سيدى) أو (أستاذ) طوال الوقت».
قال «هـارى»: «حاضر.. يا سيدى».
قال «سناب»: «والآن.. الأوكلومينسى.. كما قلت لك فى مطبخ أبيك الروحى العزيز، هو فرع من السحر يغلق العقل أمام محاولات الاختراق السحرية والتأثير على التفكير».
قال «هـارى» وهو ينظر إلى عينى «سناب» مباشرة ويتساءل إن كان سيجيب: «ولماذا يراك الأستاذ دمبلدور الشخص المناسب لتعليمى يا سيدى؟».
نظر «سناب» إليه للحظة، ثم قال: «بالطبع حتى أنت قد تكون قد فهمت وحدك يا بوتر.. سيد الظلام ماهر جدًّا فى الليجيلمينسى..».
«وما هذا يا سيدى؟».
«القدرة على استخلاص المشاعر والذكريات من عقل شخص آخر..».
قال «هـارى» بسرعة وأسوأ مخاوفه قد تأكد: «هل يقدر على قراءة الأفكار؟».
قال «سناب» وعيونه المظلمة تلمع: «أنت لا تفهم يا بوتر، ولا ترى الفروق الصغيرة بين الأشيـاء؛ وهـو مـا يـجعلك سيئًـا للغـايـة فى مـادة الـوصفـات السحرية، ولن تكون أبدًا ساحرًا ماهرًا فيها».
توقف «سناب» للحظة، على الأرجح لفرحه بإهانة «هـارى» قبل أن يكمل: «العامة فقط هم من يطلقون على هذا الأمر قراءة الأفكار. العقل ليس كتابًا لينفتح ويقرأ وقت الفراغ. الأفكار ليست مكتوبة على الجماجم ليتطلع إليها غزاة العقول. العقل شىء شديد التعقيد ومتعدد المستويات يا بوتر.. أو على الأقل معظم العقول هكذا» قالها بسخرية.. وأضاف: «لكن حقًا هؤلاء الذين يتقنون فن الليجيلمينسى يقدرون - فى ظروف معينة - على الولوج إلى عقول ضحاياهم ويترجمون ما يجدونه بصورة صحيحة.. سيد الظلام على سبيل المثال يعرف عندما يكذب أحد عليه. أما المهرة فى فن الأوكلومينسى فهم وحدهم مَن يقدرون على حجب مشاعرهم وذكرياتهم التى تكشف الكذب، وهكذا ينطقون بالكذب فى حضوره من دون أن يكتشف كذبهم».

مهما قال «سناب»، فإن «الليجيلمينسى» بدا كقراءة العقول بالنسبة إلى «هارى»، ولم يعجبه الموضوع بالمرة.

«إذن، فهو يعرف ما أفكر فيه الآن يا سيدى؟».

«سيد الظلام على مسافة بعيدة وتحجبه حوائط هوجورتس المحمية بتعاويذ قديمة لضمان السلامة الجسدية والعقلية لشاغلى القلعة.. الزمان والمكان مهمان فى السحر يا بوتر. والاتصال بالعين أساسى فى الليجيلمينسى».

«إذن، لماذا أتعلم الأوكلومينسى؟».

رمق «سناب» «هارى»، وأصبعه على طرف فمه وهو ينظر إليه.

«يبدو أن القواعد العادية لا تنطبق عليك يا بوتر. اللعنة التى فشلت فى قتلك أرست صلة ما بينك وبين سيد الظلام. الدلائل الحاضرة بين أيدينا حاليًا تشير إلى أنه أحيانًا عندما يرتاح عقلك ويصبح قابلاً للاختراق ـ عندما تكون نائمًا على سبيل المثال ـ تشارك سيد الظلام الأفكار والمشاعر. يرى الناظر أن هذا الوضع لا يجب أن يستمر. ويريدنى أن أعلمك كيف توصد عقلك أمام سيد الظلام».

أخذ قلب «هارى» يخفق بسرعة. فلم يشبع فضوله أى مما قيل، ولم يضف شيئًا.

سأله فجأة: «لكن لماذا يريد الأستاذ دمبلدور لهذه المسألة أن تتوقف؟ أنا لا أحبها، لكنها كانت مفيدة ذات مرة، أليس كذلك؟ أعنى.. أنا رأيت الثعبان وهو يهاجم السيد ويسلى، وإن لم أفعل ما كان الأستاذ دمبلدور ليقدر على إنقاذه، أليس كذلك يا سيدى؟».

حدق «سناب» فى «هارى» لبرهة، من دون أن ينزل أصبعه من على فمه، وعندما تكلم ثانية كانت كلماته بطيئة وثقيلة كأنه يزن كل كلمة ينطقها.

«يبدو أن سيد الظلام لم يكن واعيًا للصلة بينكما حتى وقت قريب للغاية.. فحتى الآن يبدو أنك تشاركه مشاعره، وأفكاره، من دون أن يلاحظ هو ذلك. لكن الرؤية التى رأيتها قبل عيد الميلاد بقليل كانت...».

«تلك الخاصة بالسيد ويسلى والثعبان؟».

قال «سناب» بنبرة خطيرة: «لا تقاطعنى يا بوتر.. كما كنت أقول: فإن الرؤية التى رأيتها قبل عيد الميلاد بقليل كانت بمثابة هجوم قوى على أفكار سيد الظلام..».

«رأيت ما رأيته من داخل رأس الثعبان، وليس كمراقب من بعيد».

«حسبتنى أمرتك بألا تقاطعنى يا بوتر.. أليس كذلك؟».

لكن «هارى» لم يبالِ بغضب «سناب»، أخيرًا بدا أنه وصل إلى أصل الموضوع.. مال إلى الأمام فى مقعده، ومن دون أن ينهض جلس على طرفه متوترًا ومستعدًا للجرى.

«كيف رأيت من داخل عينى الثعبان إن كانت أفكار ڤولدمورت هى ما أشاركه فيها؟». قال «سناب» بغضب: «لا تنطق اسم سيد الظلام».

مرت فترة صمت ثقيل. تبادلا النظر من فوق المفكرة السحرية.

قال «هارى» بهدوء: «الأستاذ دمبلدور ينطق اسمه».

غمغم «سناب»: «دمبلدور ساحر شديد البأس بالغ القوة. وربما يكون آمنًا شره بما يكفى عندما ينطق الاسم.. أما الباقون..». حك ساعده الأيسر ـ من دون أن يشعر بما يفعله على الأرجح ـ على النقطة التى يعرف «هارى» أن العلامة السوداء محفورة فيها على جلده.

قال «هارى» ثانية محاولاً جعل صوته مهذبًا: «كل ما أردت قوله إن....».

قال «سناب» مزمجرًا: «يبدو أن زيارتك لعقل الثعبان جاءت لحظة وجود سيد الظلام هناك.. لقد سيطر على الثعبان لحظة حلمك بما يجرى».

«وڤولد... أعنى هو.. هل أدرك أننى معه داخل الثعبان؟».

قال «سناب» ببرود: «يبدو هذا».

قال «هارى» بلهفة: «وكيف عرفت؟ هل هذا ما خمنه الأستاذ دمبلدور أم أن...؟».

قال «سناب» وهو جامد فى جلسته، وعيناه قد صارتا شقين رفيعين: «قلت لك أن تنادينى بسيدى».

قال «هارى» بصبر نافد: «حاضر يا سيدى.. كيف عرفت بـ...؟».

قال «سناب» مقاطعًا إياه ليصمت: «يكفى أننا نعرف النقطة المهمة، وهى أن سيد الظلام قد بات واعيًا بقدرتك على الولوج إلى أفكاره ومشاعره. كما استنتج أيضًا أن العملية قد تكون عكسية.. بمعنى أنه قد أدرك قدرته على الولوج إلى أفكارك ومشاعرك..».

سأله «هارى»: «وهل يمكن أن يحاول إجبارى على القيام بأشياء يا سيدى؟». أضاف الكلمة الأخيرة بسرعة.

قال «سناب» ببرود وبالقليل من الاهتمام: «ربما.. وهو ما يقودنا إلى موضوع الأوكلومينسى».

شهر «سناب» عصاه السحرية من جيب عباءته فتوتر «هارى» فى جلسته،

لكن «سناب» رفعها إلى مستوى وجنته، ووضع طرفها فى شعره اللامع. عندما سحبها خرج معها مادة فضية ممتدة من رأسه إلى العصا كخيط من القماش الناعم، الذى انقطع عندما أبعد العصا عن رأسه وسقط برشاقة فى المفكرة السحرية، فأخذت تدور بلون فضى أبيض، لا هى غازية ولا هى سائلة. كرر «سناب» ما فعله مرتين؛ ليضع المزيد من الخيوط الفضية فى المفكرة، ومن دون أن يفسر ما يفعله التقط المفكرة السحرية بحرص، ووضعها على رف بعيد عنهما ورجع لمواجهة «هارى» بعصاه مشهرة ومتأهبة.

«انهض وأشهر عصاك يا بوتر».

هب «هارى» واقفًا شاعرًا بالتوتر. واجها أحدهما الآخر والمكتب بينهما.

قال «سناب»: «يمكنك استعمال عصاك فى نزع سلاحى منى، أو فى الدفاع عن نفسك بالطريقة التى تراها مناسبة».

سأله «هارى» وهو ينظر إلى عصا «سناب» باهتمام: «وماذا ستفعل؟».

قال «سناب» بنعومة: «سأحاول اختراق عقلك.. لنرى كيف ستقاوم. قيل لى إنك قادر على مقاومة لعنة الإمبرياس. ستجد أن نفس طريقة الدفاع تنفع فى مواجهة هذه التعويذة.. استعد، والآن.. *ليجيليمينس*».

ضرب «سناب» «هارى» قبل أن يستعد، وقبل أن يبدأ حتى فى استحضار القوة الكافية للمقاومة. شعر بالمكتب يغمر بالماء أمام عينيه ثم يختفى.. شعر بالصور العقلية تمر فى عقله صورة بعد صورة، كأنه فيلم سينمائى يعميه عما يجاوره من موجودات.

كان فى الخامسة من عمره، يراقب «دودلى» وهو يجرى بدراجته الحمراء الجديدة، وقلبه ملىء بالغيرة.. أصبح فى التاسعة والكلب «ريبر» يطارده حتى تسلق شجرة، وآل «دورسلى» يضحكون وهم جلوس على العشب.. وجد نفسه جالسًا وعلى رأسه قبعة الاختيار، وهى تخبره بأنه سينضم إلى «سليذرين».. «هيرميون» راقدة فى جناح المستشفى، ووجهها مغطى بشعر أسود كثيف.. مائة «ديمنتور» يحاصرونه إلى جوار البحيرة.. «تشو تشانج» تقترب منه فى حجرة الاحتياجات..

قال صوت ما داخل رأس «هارى»: «لا» وذكرى «تشو» تقترب وتقترب.. «أنت لن ترى هذا، لن تراه، إنه أمر خاص..».

شعر بألم حاد فى ركبته. عاود مكتب «سناب» الظهور من حوله وأدرك أنه قد سقط على الأرض، وواحدة من ركبتيه قد ارتطمت بإحدى أرجل مكتب «سناب» وتؤلمه بشدة. نظر إلى «سناب»، الذى جلس خافضًا عصاه السحرية وهو يحك رسغه الذى رأى عليه سحجة غاضبة حادة.

سأله «سناب» ببرود: «هل استعملت تعويذة اللسع؟».

قال «هارى» بمرار وهو ينهض من فوق الأرض: «لا».

قال «سناب» وهو يراقبه: «لقد تركتنى أتوغل كثيرًا. وفقدت القدرة على التحكم».

سأله «هارى» غير واثق من رغبته فى سماع الإجابة: «هل رأيت كل ما رأيت أنا؟».

قال «سناب» وشفته مزمومة: «لقطات منه.. لمن كان الكلب؟».

غمغم «هارى» وكُرهُه لـ«سناب» يزيد: «للعمة مارچ».

قال «سناب» وهو يرفع عصاه ثانية: «المرة الأولى لم تكن سيئة كما توقعت أن تكون.. لقد تمكنت من إيقافى، بالرغم من إضاعتك الوقت والطاقة فى الصياح لابد من التركيز. ارفضنى بعقلك ولن تكون بحاجة لاستعمال عصاك».

قال «هارى» بغضب: «أنا أحاول.. لكنك لا تريد إخبارى بالطريقة».

قال «سناب» بغضب: «تأدب يا بوتر.. والآن أريدك أن تغمض عينيك».

حدجه «هارى» بنظرة غاضبة قبل أن يفعل كما أُمر. لم يعجبه الوقوف هكذا وعيناه مغمضتان، و«سناب» فى مواجهته رافعًا عصاه السحرية.

قال صوت «سناب» البارد: «ليصفو عقلك يا بوتر.. تخلَّ عن كل المشاعر..».

لكن غضب «هارى» من «سناب» استمر فى التدفق فى أوردته مثل السم. يتخلى عن غضبه؟! الأسهل عليه أن ينزع قدميه..

«أنت لا تصفى عقلك يا بوتر.. أنت بحاجة لمزيد من الانضباط.. ركز الآن..».

حاول «هارى» أن يفرغ عقله من الأفكار، حاول ألا يفكر، أو يتذكر، أو يشعر بشىء.

«لنبدأ ثانية.. سأعد إلى ثلاثة.. واحد.. اثنين.. ثلاثة.. *ليجيليمينس*».

رأى تنينًا أسود هائلاً واقفًا أمامه.. أبوه وأمه يلوحان له من المرآة المسحورة..

«سيدريك ديجورى» راقد على الأرض يحدق فيه بعيون خالية من الحياة..

«لاااااا».

وجد نفسه على ركبتيه ثانية، ووجهه مدفون بين يديه، ومخه يؤلمه كأن هناك من حاول إخراجه من جمجمته.

قال «سناب» بحدة: «انهض.. انهض.. أنت لا تحاول فعل ما أمرتك به، لا تقوم بأى مجهود. أنت لا تدعنى أقترب من ذكريات الخوف، لا تدعنى أقترب من الأسلحة».

وقف «هارى» ثانية، وقلبه يخفق فى صدره وكأنه رأى «سيدريك» قتيلاً فى المقبرة منذ لحظة. بدا «سناب» أكثر شحوبًا من العادة، وأكثر غضبًا، وإن كان غضبه لم يصل لحدة غضب «هارى».

«قلت لك فرغ عقلك من المشاعر». فقال «هارى»: «حقًّا؟ هذا صعب علىَّ الآن».

قال «سناب» بقسوة: «إذن ستجد نفسك فريسة سهلة لسيد الظلام.. الحمقى الذين يضعون قلوبهم بفخر على أيديهم، لا يمكنهم التحكم فى مشاعرهم، والذين يستهلكون الذكريات ويسمحون لأنفسهم بالسقوط بسهولة.. الضعفاء.. الذين ليس لهم من حيلة أمام قواه العظيمة.. سيخترق عقلك بسهولة مذهلة يا بوتر».

قال «هارى» بصوت خفيض والغيظ يسرى فى عروقه كثيفًا كثيرًا حتى إنه خاف من مهاجمة «سناب» بعد لحظة: «أنا لست ضعيفًا».

قال «سناب»: «إذن أَثبِت ذلك.. تفوق على نفسك، وتحكم فى غضبك واضبط عقلك.. سنحاول ثانية. استعد. الآن.. *ليجيليمينس*».

وقف يراقب زوج خالته «فرنون» وهو يوصد نافذة الخطابات بالمسامير.. مائة «ديمنتور» يسرون مقتربين منه من فوق البحيرة.. يجرى فى ممر بلا نوافذ مع السيد «ويسلى».. يقترب من باب أسود فى نهاية الممر.. يتوقع المرور عبره.. لكن السيد «ويسلى» يقوده إلى اليسار، وعبر درجات السلم الحجرى..

«**أعرف أعرف**».

وجد نفسه على أطرافه الأربعة فى مكتب «سناب» ثانية، وندبته تؤلمه، لكن الصوت الذى خرج من فمه كان صوتًا ظافرًا. نهض ثانية ليجد «سناب» يحدق فيه، وعصاه مرفوعة. بدا - هذه المرة - أنه قد رفع التعويذة عن «هارى» حتى قبل أن يقاومها الأخير.

سأله وعيناه ثابتتان عليه: «ماذا جرى يا بوتر؟».

لهث «هارى» قائلاً: «رأيت.. تذكرت. أدركت ما جرى».

سأله «سناب» بحدة: «ماذا أدركت؟».

لم يُجبِه «هارى»، عاش لحظة الإدراك الصافى وهو يحك جبينه..

كان يحلم بممر بلا نوافذ ينتهى بباب موصد منذ شهور، من دون أن يدرك أن المكان موجود وحقيقى. والآن، وهو يعيش الذكرى ثانية، عرف أنه كان يحلم طوال الوقت بممر جرى عبره يوم الثانى عشر من أغسطس مع السيد «ويسلى»، متجهين إلى قاعة المحكمة، وهو الممر الذى يقود إلى المكان الذى كان فيه السيد «ويسلى» ليلة هاجمه ثعبان «ڤولدمورت».

تطلع إلى «سناب».

«ماذا يوجد فى مصلحة الغوامض بالوزارة؟».

سأله «سناب» بسرعة: «ماذا تعنى؟». وأدرك «هارى» - وإحساسه بالظفر عميق - أن «سناب» قد انزعج من السؤال.

قال: «قلت: ماذا يوجد فى مصلحة الغوامض بالوزارة يا سيدى؟».

قال «سناب» ببطء: «ولماذا تسأل مثل هذا السؤال؟».

قال مراقبًا تعبير وجه «سناب» عن قرب: «لأن ذلك الممر الذى رأيته، والذى أحلم به منذ شهور.. تعرفت عليه، وعرفت فيه الممر الذى يقود إلى مصلحة الغوامض.. وأعتقد أن ڤولدمورت يريد شيئًا من...».

«أمرتك ألا تذكر اسم سيد الظلام».

تبادلا النظر. شعر «هارى» بالألم فى ندبته ثانية، لكنه لم يبالِ. بدا «سناب» ممتعضًا، لكنه عندما تكلم ثانية بدا كأنه يحاول أن يظهر بمظهر غير المهتم.

«يوجد الكثير من الأشياء فى مصلحة الغوامض يا بوتر، وبعضها لا تفهمه ولا شأن لك به.. هل كلامى واضح؟».

قال «هارى» وهو ما زال يحك ندبته التى تزايد ألمها: «أجل»

«أريدك أن تعود ليلة الأربعاء فى نفس الوقت. سنكمل عملنا وقتها».

قال «هارى»: «حاضر». كان حريصًا على الخروج من مكتب «سناب» والعثور على «رون» و«هيرميون».

«عليك أن تصفى ذهنك من كل المشاعر كل ليلة قبل النوم، أفرغه، اجعله صافيًا وهادئًا.. مفهوم؟».

قال «هارى» وهو لا يكاد يسمع منه شيئًا: «أجل».

«ولتحذر يا بوتر.. سأعرف إن كنت تجرى التمرين كما أمرتك أم لا..».

غمغم «هارى»: «أجل» والتقط حقيبته المدرسية، ورفعها على كتفه،

ثم هرول نحو باب المكتب. وهو يفتحه عاود النظر تجاه «سناب»، فوجده قد أعطاه ظهره، وأخذ يعيد خيوط أفكاره إلى مخه من المفكرة السحرية بطرف عصاه. غادر المكتب دون أن ينطق بكلمة أخرى، وأغلق الباب خلفه بحرص، وندبته ما زالت تؤلمه بشدة.

وجد «رون» و«هيرميون» فى المكتبة، حيث كانا يعملان بجد فى آخر واجب للأستاذة «أمبريدج»، وإلى جوارهما المزيد من طلبة الصف الخامس ـ تقريبًا كل الجلوس منهم ـ جالسين إلى منضدة مضاءة بالمصابيح، وأنوفهم على كتبهم، وريشات الكتابة تتحرك بسرعة بالغة، والسماء بالخارج آخذة فى الإظلام. الصوت الوحيد الذى سمعه كان صوت حذاء السيدة «بينس»، موظفة المكتبة التى أخذت تفحص الممرات بين صفوف الكتب بحرص، متنفسة على رقاب من يلمسون كتبها الغالية.

أخذ «هارى» يرتجف وندبته تؤلمه، وأحس بالحمى تداهمه. عندما جلس أمام «رون» و«هيرميون» لمح نفسه فى المرآة المقابلة.. كان شاحبًا وندبته بارزة واضحة أكثر من المعتاد.

همست «هيرميون» باهتمام: «كيف مرت الحصة؟ هل أنت بخير يا هارى؟».

قال «هارى» بنفاد صبر وهو يجفل من الألم الذى ضرب ندبته ثانية: «أجل.. بخير.. لا أعرف. اسمعا.. أدركت لتوى شيئًا..».

وأخبرهم بما شاهده واستنتجه.

همس «رون» والسيدة «بينس» تمر إلى جوارهم: «إذن.. فأنت تقول إن... إن هذا السلاح.. الشىء الذى يسعى إليه الذى ـ تعرفه.. موجود فى وزارة السحر؟!».

همس «هارى»: «فى مصلحة الألغاز والغوامض.. لابد أنه هناك.. لقد رأيت ذلك الباب وتعرفت فيه على الباب الذى رأيته يوم نزلت أنا وأبوك إلى قاعة المحكمة لحضور محاكمتى، وهو قطعًا نفس الباب الذى كان أبوك يحرسه ليلة عضه الثعبان».

تنهدت «هيرميون» تنهيدة طويلة بطيئة وقالت: «بالطبع».

قال «رون» بنفاد صبر: «بالطبع ماذا؟».

«رون، فكر فى الأمر.. ستورجيس بودمور كان يحاول المرور عبر أحد الأبواب بالوزارة.. لا بد أنه ذلك الباب، المسألة أعقد من أن تكون مصادفة».

قال «رون»: «وكيف يحاول ستورجيس اختراق باب وهو إلى جانبنا؟».

اعترفت «هيرميون» بقولها: «لا أعرف. هذا الجزء صعب التفسير..».

سأل «هارى» «رون»: «إذن ماذا يوجد فى مصلحة الألغاز والغوامض؟ هل ذكر لك والدك شيئًا عما بداخله؟».

قال «رون» مقطب الجبين: «أعرف أن العاملين فى هذه المصلحة يطلقون عليهم (الذين لا يتكلمون)؛ لأنه لا أحد يعرف على وجه الدقة ماذا يفعلون.. مكان غريب يصعب إخفاء سلاح داخله».

قالت «هيرميون»: «ليس غريبًا بالمرة، فهكذا يصبح التفسير سهلاً. واضح أن السلاح شىء سرّى تطوره الوزارة على... هارى، هل أنت واثق من أنك بخير؟».

لأن «هارى» أخذ يحك جبينه بيديه وكأنه يحاول فرده.

قال وهو يخفض يديه المرتجفتين: «أجل.. بخير.. أشعر بـ... بأننى لا أحب الأوكلومينسى كثيرًا».

قالت «هيرميون» بتعاطف: «أتوقع أن يهتز أى شخص عندما يُهاجم عقله مرارًا.. انظر، تعالَ نعود إلى حجرة الطلبة، سنكون هناك أكثر راحة».

لكن حجرة الطلبة كانت زاخرة بالصيحات والضحكات والحماس.. كان «فريد» و«چورچ» يعلنان عن آخر منتجاتهما.

صاح «چورچ»: «قبعات نزع الرءوس» و«فريد» يلوح بقبعة مدببة الطرف مزينة بريش وردى أمام الطلبة الواقفين الذين يشاهدون ما يجرى.. «ثمنها جليونان فقط.. راقبوا فريد وهو يعرضها».

وضع «فريد» القبعة على رأسه مبتسمًا. لثانية بدا ما فعله غبيًا، ثم اختفت القبعة ورأسه معها. صرخت بضع فتيات، لكن الجميع ضجوا بالضحك.

صاح «چورچ» ورأس «فريد» يعاود الظهور فوق كتفه: «ومرة ثانية» فعاد رأسه كاملاً وهو ينزع القبعة ذات الريش الوردى عنه.

قالت «هيرميون» وقد فقدت اهتمامها بالواجب وأخذت تراقب «فريد» و«چورچ» بتركيز: «كيف تعمل هذه القبعات؟ أعنى، من الواضح أن عليها تعويذة إخفاء ما، لكن المهارة هنا فى تركيز نطاق الاختفاء بعيدًا عن الشىء المخفى ذاته.. لكن أتوقع ألا يسرى مفعول التعويذة كثيرًا».

لم يُجبها «هارى»..

غمغم وهو يعيد الكتب التى أخرجها من الحقيبة منذ قليل إليها: «سأقوم بعمل الواجب غدًا».

قالت «هيرميون» مشجعة: «اكتب هذا فى مفكرة الواجب إذن.. حتى لا تنسى».

تبادل «هارى» و«رون» النظرات والأول يمد يده إلى داخل الحقيبة ليجذب منها مفكرة ويفتحها.

أخذ الدفتر يغنى و«هارى» يكتب كلمة عن واجب «أمبريدج»: «لا تؤجل عمل اليوم إلى الغد، وإلا فأنت حمار ووغد» فابتسمت «هيرميون» بسعادة.

قال «هارى» وهو يعيد مفكرة الواجب إلى الحقيبة ويذكر نفسه بأن يلقى بها ـ المفكرة ـ فى نيران المدفأة حالما واتته الفرصة: «سأقوم لأنام».

مشى عبر حجرة الطلبة، متفاديًا «چورچ» الذى حاول وضع القبعة على رأسه، ووصل إلى درجات سلم جناح الأولاد الباردة المريحة. شعر بالغثيان ثانية، مثل ليلة رؤيته الثعبان، لكنه قال لنفسه إن رقد قليلاً فسيكون بخير.

فتح باب الجناح، وخطا بقدم واحدة داخله عندما شعر بالألم يكتسحه، وكأن هناك مَن شطر رأسه من قمتها. لم يعرف أين هو، وإن كان واقفًا أم راقدًا، ولم يعرف حتى اسمه.

سمع ضحكًا جنونيًا يدوى فى أذنيه.. كان سعيدًا سعيدًا كأنه لم يشعر بالسعادة منذ زمن بعيد.. فرحًا، سعيدًا، ظافرًا. إحساس رائع، رائع، بشىء ما..

«هارى؟ هارى؟».

أحس بمن يضربه على وجهه. امتزجت الضحكات المجنونة بصيحة ألم. انسحبت السعادة منه، لكن الضحك استمر..

فتح عينيه؛ فصار واعيًا بأن الضحكات المجنونة نابعة من فمه. لحظة أدرك هذا صمتت الضحكات.. جلس يلهث على الأرض، محدقًا فى السقف، والندبة تؤلمه بشكل فظيع. وجد «رون» مائلاً عليه وعلى وجهه القلق الشديد.

سأله: «ماذا حدث؟».

شهق «هارى» قائلاً: «لا أعرف.. إنه سـ... سعيد... سعيد جدًا..».

«الذى ـ تعرفه؟».

غمغم «هارى»: «شىء ما حدث وأسعده»، أخذ يرتجف كما فعل ليلة هجوم الثعبان، وشعر بالغثيان. أضاف: «حدث شىء كان يتوق إليه».

خرجت الكلمات كيوم جلوسهم فى حجرة تبديل ملابس فريق «جريفندور» كأن غريبًا ينطقها من فم «هارى»، لكنه كان يعرف أنها حقيقية. أخذ أنفاسًا عميقة، محاولاً ألا يتقيأ على «رون». أحس بالراحة لغياب «دين» و«سيماس» لحظة ما حدث لكيلا يروا حاله وقتها.

قـال «رون» بصوت خفيض وهـو يساعده على النهوض: «طلبت مني هيرميون أن أصعد وأطمئن عليك.. قالت: إن قدرتك على الصد ستكون فى الحضيض الآن، بعد أن اخترق سناب عقلك.. لكن أعتقد أن ما فعله سيساعدك على المدى البعيد.. أليس كذلك؟».

نظر بريبة إلى «هارى» وهو يساعده على الوصول لفراشه. أومأ «هارى» برأسه من دون اقتناع، ورقد على وسادته وجسده يؤلمه من السقوط المتكرر على الأرض تلك الليلة، وندبته ما زالت تؤلمه. لم يتمكن من حجب الإحساس بأن درس «الأوكلومينسى» الأول له قد أضعف قدرة عقله على المقاومة بدلاً من تقويته، وتساءل بغضب كبير إن كان ما شعر به اللورد «ڤولدمورت» منذ قليل هو أكبر إحساس بالسعادة يحس به منذ أربعة عشر عامًا؟

٢٥ الخنفساء فى المصيدة

وجد «هـارى» فـى الصبـاح التـالى إجابـة لسؤالـه. عندمـا وصلت نسخـة «الدايلى بروفيت» إلى «هيرميون» ففتحتها، ونظرت إلى الصفحة الأولى، ثم أطلقت صيحة؛ جعلت الجميع يحدقون فيها بدهشة.

قـال «هـارى» و«رون» معًا: «ماذا جرى؟».

فردَت الجريدة أمام أعينهما على سبيل الإجابة، وأشارت إلى عشر صور بالأبيض والأسود تملأ الصفحة الأولى بأكملها، تسع منها لسحرة، والعاشرة لساحرة. أخذ بعض شاغلى الصور يبتسمون بسخرية، وطرق بعضهم إطار صورته بلا مبالاة. تحت كل صورة اسم شخص والجريمة التى دخل من أجلها «أزكابان».

أنطونين دولوهوف.. كان مكتوبًا تحت صورة لرجل وجهه شاحب طويل، مشوه الملامح، يزمجر مواجهًا «هـارى».. *أدين بقتل* «جديون» *و*«فابيان» *و*«بريڤيت».

أوجوستوس روكوود.. كان مكتوبًا تحت صورة لرجل بشعر لامع يميل على إطار صورته باديًا عليه الملل.. «*أدين بتسريب أسرار وزارة السحر لمن ـ لا ـ يجب ـ ذكر ـ اسمه*».

لكنَّ عينى «هـارى» انجذبتا لصورة الساحرة. برز إليه وجهها لحظة حط بصره على الصفحة. كان شعرها أسود طويلاً، بدا أشعث وغير معتنى به، وإن كان سميكًا لامعًا ناعمًا. حدقت فيه بعيون ثقيلة الجفون، وبابتسامة متعالية متعجرفة. مثل «سيرياس» فقد بدا عليها جمال قديم، لكنَّ شيئًا ما ـ ربما بفعل «أزكابان» ـ جعلها تفقد معظم جمالها.

بيلاتريكس ليسترانج، مدانة بتعذيب فرانك وأليس لونجبوتم وإصابتهما بالجنون.

لكزت «هيرميون» «هـارى» وأشارت إلى العنوان من فوق الصور، الذى لم يقرأه وقد ركز بصره على «بيلاتريكس»:

هروب جماعى من أزكابان
الوزارة تخشى تجميع بلاك
لأعضاء أكلة الموت القدامى

قال «هارى» بصوت مرتفع: «بلاك؟ ليس...».
همست «هيرميون» بسرعة: «صه.. لا ترفع صوتك، اقرأ الخبر بهدوء».

أعلنت وزارة السحر ليلة أمس عن حادث هروب جماعى من سجن أزكابان.
وقد أكد السيد «كورنلياس فادچ» وزير السحر فى مؤتمر صحفى بمكتبه أن السجناء العشرة الخاضعين للحراسة المشددة قد هربوا فى الساعات الأولى من مساء الأمس، وأنه قد أبلغ بالفعل رئيس وزراء العامة بخطورة هؤلاء الأشخاص.
هذا وقد ذكر فادچ بالأمس فى معرض حديثه: «نجد أنفسنا وللأسف فى نفس الموقف الذى عشناه منذ عامين ونصف العام مع هروب القاتل سيرياس بلاك. ونحن لا نغفل العلاقة بين حادثى الهروب، فهروب على هذا النطاق الواسع يعنى أن الهاربين قد تلقوا مساعدة خارجية، وعلينا تذكر أن بلاك ـ أول شخص ينجح فى الهروب من أزكابان ـ هو الأقرب لمساعدة رفاقه، ونعرف كم سيسعد بعودتهم إليه. نرى أن هؤلاء الأفراد، ومنهم ابنة عم بلاك بيلاتريكس ليسترانج، قد خرجوا خلف بلاك قائدهم. لكننا سنفعل ما بوسعنا لحصار المجرمين، ونرجو مجتمع السحرة أن يظل متيقظًا متأهبًا. ولا يجب تحت أى ظرف من الظروف الاقتراب من هؤلاء الأشخاص».

قال «رون» مندهشًا: «ها قد عرفت يا هارى.. لهذا السبب كان سعيدًا ليلة أمس».
قال «هارى» بغضب: «لا أصدق.. فادچ يلقى باللوم فى الهروب على سيرياس».
قالت «هيرميون» بمرار: «وما الخيارات الأخرى المتاحة أمامه؟ لا يمكنه أن يقول: آسف يا جماعة، لقد حذرنى دمبلدور من احتمال حدوث هذا، وإن حراس أزكابان قد انضموا إلى اللورد ڤولدمورت ـ وكف عن الارتجاف يا رون ـ أما الآن، فقد هرب أشد أعوان ڤولدمورت بأسًا أيضًا.. أعنى أنه قد قضى ستة أشهر يخبر الجميع أنك ودمبلدور كاذبان، أليس كذلك؟».

قلبت «هيرميون» صفحات الجريدة وبدأت فى قراءة التقرير الداخلى، و«هارى» ينظر حوله فى القاعة الكبرى. لم يفهم لماذا لا يبدو الخوف على زملائه من الطلبة، أو على الأقل يناقشون الأخبار الرهيبة التى وجدوها على الصفحة الأولى، لكنَّ القليلين منهم كانوا يقرأون الجرائد يوميًا مثل «هيرميون». ها هم جميعًا، يتحدثون عن الواجب وعن «الكويدتش» وغيره من الهراء، بينما خارج هذه الجدران عشرة أشخاص من أكلة الموت، وقد شدوا من أزر «ڤولدمورت».

رفع «هارى» بصره إلى حجرة المعلمين، فوجد الأمر مختلفًا: انهمك «دمبلدور» والأستاذة «مكجونجال» فى نقاش عميق، وكلاهما يبدو عليه الجدية التامة. الأستاذة «سبروت» فى يدها الجريدة مستندة إلى زجاجة «كاتشاب» وهى تقرأ الصفحة الأولى بتركيز؛ جعلها لا تلاحظ البيض المتساقط على حجرها من ملعقتها. بينما عند طرف المائدة انهمكت الأستاذة «أمبريدج» فى طبق العصيدة. ولمرة لم تكن عيناها الضفدعيتان تمسحان القاعة الكبرى بحثًا عمن يخل بالأدب من الطلبة. أخذت تبلع الطعام وبين الحين والآخر تلقى بنظرة إلى المائدة حيث جلس «دمبلدور» و«مكجونجال» يتجاذبان أطراف الحديث باهتمام.

قالت «هيرميون» متعجبة وهى ما زالت تحدق فى الجريدة: «يا ربى».

قال «هارى» بسرعة: «ما الأمر؟»، وكان يشعر بالخوف.

قالت «هيرميون» وهى تنتفض: «شىء فظيع»، وفتحت الجريدة على صفحة عشرة، وناولتها إلى «هارى» و«رون».

موظف بالوزارة يهلك فى ظروف مأساوية

طالبت مستشفى سانت مونجو بتحقيق موسع ليلة أمس، بعد العثور على «برودريك بود» البالغ من العمر ٤٩ عامًا الموظف بوزارة السحر، ميتًا فى فراشه، وحول رقبته نبات متسلق تسبب فى خنقه. الحكماء الذين شهدوا ما حدث لم يقدروا على إنقاذ السيد بود، الذى أصيب فى محل عمله فى حادث وقع منذ أسابيع.

الحكيمة ميريام ستروت، التى كانت مسئولة عن جناح السيد بود ليلة الحادث تم التحفظ عليها؛ للتحقيق معها، ولم نجدها أمس للتعليق على ما حدث، لكنَّ متحدثًا رسميًا سحريًا باسم المستشفى ألقى بالبيان التالى:

«يؤسف مستشفى سانت مونجو وفاة السيد بود، الذى كانت صحته آخذة فى التحسن قبل الحادث الرهيب».

«لدينا أصول وقواعد لتزيين الأجنحة، لكن يبدو أن الحكيمة ستروت، والمشغولة قبيل فترة عيد الميلاد، لم تعرف خطورة النبات الموضوع إلى جانب فراش السيد بود.. بل ومع تحسن قدرته على الكلام والحركة، شجعت الحكيمة ستروت السيد بود على العناية بالنبات بنفسه، غير عابئة لخطورة النبتة، التى لم تكن فليتربلود عادية، بل نبتة «ضحكة الشيطان» التى عندما لمسها السيد بود خنقته على الفور».

«والمستشفى غير قادر إلى الآن على معرفة كيف دخلت النبتة إلى الجناح، وتسأل أى ساحر أو ساحرة عنده معلومات أن يدلى بها فورًا».

قال «رون»: «بود.. سمعت اسمه من قبل..».

همست «هيرميون»: «لقد رأيناه فى سانت مونجو.. هل نسيت؟ كان فى الفراش المقابل لفراش لوكهارت، كان يحدق فى السقف. ورأينا وصول نبتة ضحكة الشيطان، وقالت الحكيمة إنها هدية عيد الميلاد».

عاود «هارى» النظر إلى الخبر، فشعر بإحساس الفزع ينمو داخله.

«وكيف لم نتعرف فيها على نبتة ضحكة الشيطان؟ لقد رأيناها من قبل.. كان يمكننا منع ما حدث قبلما يحدث».

قال «رون» بحدة: «ومن كان يتوقع أن تظهر نبتة ضحكة الشيطان فى المستشفى متنكرة فى صورة نبات ظل برىء المظهر؟ إنه ليس خطأنا، ومن أرسلها هو من يجب لومه، يا له من أحمق، ذلك الذى أرسلها.. لماذا لم يتحقق منها قبل شرائها؟».

قالت «هيرميون»: «رون! لا أعتقد أن من وضع نبتة ضحكة الشيطان فى إناء النباتات لم يدرك أنها تقتل من يقترب منها.. هذه جريمة ارتكبها قاتل ماهر.. إن كان النبات قد أُرسل من مجهول، فكيف لأحدٍ أن يعرف من أرسله؟».

لم يكن «هارى» يفكر فى نبتة ضحكة الشيطان. تذكر عندما نزل بالمصعد إلى الطابق التاسع تحت الأرض فى الوزارة يوم جلسة المحاكمة، والرجل شاحب الوجه الذى استقل المصعد عند طابق قاعة الاستقبال.

قال بهدوء: «لقد قابلت بود، رأيته فى الوزارة مع أبيك».

فتح «رون» فمه فى دهشة.

«سمعت أبى يتحدث عنه فى البيت، كان من الذين لا يتكلمون.. أى يعمل فى مصلحة الألغاز والغوامض».

تبادلا النظرات للحظة، ثم جذبت «هيرميون» الجريدة منهما، وقربتها منها، وهى تحدّق فى صور الهاربين العشرة من أكلة الموت فى صدرها، ثم هبت واقفةً.

أجفل «رون» وقال: «إلى أين تذهبين؟».

قالت «هيرميون» وهى ترفع حقيبتها إلى كتفها: «لإرسال رسالة، إنها... لا أعرف إن كان يجب أن... الأمر يستحق المحاولة.. وأنا الوحيدة القادرة».

غمغم «رون» عابسًا وهو ينهض مع «هارى» ويسيران ببطء؛ ليخرجا من القاعة الكبرى: «أكرهها عندما تتكلم هكذا.. هل ستصاب بالشلل إن أخبرتنا بما ستفعل مرة؟ سيأخذ الأمر منها عشر ثوان إضافية.. أهلاً يا هاجريد».

كان «هاجريد» واقفًا إلى جانب الأبواب المفضية إلى القاعة الأمامية، منتظرًا مرور جمع من طلاب «رافنكلو». كان لايزال مصابًا بالكثير من الجراح مثل يوم أن وصل من مهمته الخاصة بالعمالقة، وعلى أنفه جرح جديد.

قال محاولاً الابتسام من دون أن ينجح إلا فى رسم نظرة متألمة: «هل أنتما بخير؟».

سأله «هارى» وهو يتبعه من خلف جمع «رافنكلو»: «هل أنت بخير يا «هاجريد»؟».

قال «هاجريد» فى محاولة ضعيفة لإظهار أنه بخير: «بخير بخير، مشغول بعلاج بعض حيوانات (الزمندر)» ولوح بيده فكاد يضرب بها عن غير قصد رأس الأستاذ «فيكتور» ويصيبه بارتجاج فى المخ وهو يعبر أمامه، وأضاف: «مشغول كالعادة بالأشياء العادية.. من (دروز) أحضرها، كما أننى أعمل فى فترة اختبار».

قال «رون» بصوت مرتفع جعل العديد من الطلبة المارين يلتفتون إليهم: «هل أنت فى فترة اختبار؟ آسف.. أعنى: هل أنت فى فترة اختبار؟» كرر سؤاله بصوت هامس.

قال «هاجريد»: «أجل.. الأمر (ليز) (أزوأ) مما توقعت. ذلك التفتيش لم يمر على خير.. المهم»، تنهد بعمق وأكمل: «الأفضل أن أذهب وأجهز المزيد من

البودرة لعلاج حيوانات (الزمندر) وإلا (زتتزاقط) ذيولها.. أراكما لاحقًا».

ابتعد عنهما واختفى خلف الأبواب الأمامية بعد أن نزل الدرجات القليلة المفضية إلى الفناء الرطب. راقبه «هارى» وهو يبتعد، متسائلاً كم من الأخبار السيئة التى يمكنه تحملها؟!

***

عرفت كل المدرسة خلال الأيام القليلة التالية أن «هاجريد» موضوع فى فترة اختبار، لكن ما أثار غضب «هارى» هو أن أحدًا لم يبدُ مستاءً لهذا.. بالطبع شعر البعض - وعلى رأسهم «دراكو مالفوى» - بالفرحة. أما بالنسبة للميتة الغريبة التى تعرض لها موظف مصلحة الألغاز والغوامض فى مستشفى «سانت مونجو» فيبدو أنه ما من أحد بخلاف «هارى» و«رون» و«هيرميون» قد عرفها أو اهتم بها. كان هناك موضوع واحد يتناقش فيه الجميع فى ممرات المدرسة وردهاتها: هرب أكلة الموت العشرة، الذين وصلت قصتهم أخيرًا إلى المدرسة من الطلبة القليلين الذين يقرأون الجرائد. تطايرت الشائعات حول أن بعضهم قد شوهد بالقرب من «هوجزميد»، وأنهم يختبئون فى «شريكنج شيك» وسيقتحمون «هوجورتس» كما فعل «سيرياس» ذات مرة.

هؤلاء الذين ينتمون لعائلات عريقة فى السحر شبوا وهم يسمعون أسماء أكلة الموت هؤلاء وهى تنطق بنفس الخوف المصاحب لنطق اسم «ڤولدمورت».. الجرائم التى ارتكبوها أيام مجد «ڤولدمورت» وعصر الرعب كانت أسطورية. كان هناك أقرباء للضحايا من بين تلاميذ «هوجورتس»، والذين وجدوا أنفسهم عُرضةً للشهرة غير المحببة وهم يسيرون فى الممرات والآخرون يشيرون إليهم: «سوزان بونز»، التى مات عمها وزوجته وأولاد عمها على يد واحد من العشرة، قالت بتعاسة فى حصة علم الأعشاب: إنها تعرف ما يشعر به «هارى»!!

قالت وهى تلقى بالكثير من سماد التنين على نبتتها السحرية؛ لتجعلها تتمايل وتتلوّى فى ضيق: «لا أعرف كيف يتحمل كل هذا.. شىء فظيع».

حقًا، كان «هارى» مصدرًا للغمغمة والثرثرة والغمزات هذه الأيام، لكنه أحس بنبرة مختلفة بعض الشىء فى همساتهم. بدت أصواتهم زاخرة بالفضول أكثر منها بالعدوانية، ومرة أو مرتين كان واثقًا من سماع أجزاء

من حديثهم تعبر عن عدم رضائهم عما تنشره جريدة «دايلى بروفيت» عن سبب تمكن عشرة من أكلة الموت من الهرب، ومن قلعة «أزكابان» الحصينة، وفى خضم ارتباكهم وخوفهم، تحول الجميع للتفكير فى التفسير العقلانى الوحيد المتاح أمامهم: ذلك الذى قدمه لهم «دمبلدور» العام الماضى.

لم يكن مزاج وأسلوب تفكير التلاميذ فقط هو ما تغيّر. بل صار من الطبيعى رؤية معلمين أو ثلاثة يتهامسون فى الممرات، ويصمتون لحظة اقتراب أحد الطلبة.

قالت «هيرميون» بصوت منخفض ومعها «هارى» و«رون» يمرون إلى جوار الأستاذة «مكجونجال» و«فليتويك» و«سبروت» المتجمعين إلى جانب فصل التعاويذ ذات يوم: «من الواضح أنهم لا يمكنهم التحدث بحرية فى حجرة المعلمين.. ليس وأمبريدچ معهم».

قال «رون» محدقًا فى المعلمين الثلاثة: «تراهم يعرفون أى شىء جديد؟».

قال «هارى» بغضب: «إن عرفوا فلن يدعونا نسمع بما عرفوه، أليس كذلك؟ ليس بعد الفرمان.. ماذا كان رقمه؟»؛ لأن التعليمات الجديدة ظهرت على لوحة إعلانات حجرة الطلبة فى الصباح التالى لهروب المجرمين من «أزكابان»:

بأمر مفتشة هوجورتس العليا
يحظر على المعلمين إعطاء الطلبة أية معلومات
غير متعلقة بالمواد الدراسية التى يأخذون أجرهم مقابل تدريسها
المذكور أعلاه يتفق والفرمان التعليمى رقم (٢٦)
توقيع: دولوريس جان أمبريدچ، المفتشة العليا

أصبح هذا الفرمان الأخير مصدرًا للكثير من النكات والمزاح بين الطلبة. أوضح «لى چوردن» لـ«أمبريدچ» أنه طبقًا للتعليمات الجديدة فليس مسموحًا لها بأمر «فريد» و«چورچ» بألا يلقيا بالألعاب النارية فى الفصل.

«الألعاب النارية لا علاقة لها بمادة الدفاع عن النفس ضد السحر الأسود يا أستاذة. هذه المعلومة غير متعلقة بمادتك الدراسية».

عندما رأى «هارى» «لى» ثانية، كان ظهر يده ينزف بشدة. أوصاه «هارى»

بوضع «المورتلاب» على يده.

ظن «هارى» أن حادث الهرب الجماعى من «أزكابان» قد يثبِّط من عزم «أمبريدچ» قليلاً، وربما تكبح جماحها الكارثة التى وقعت تحت أنف صاحبها «فادچ». لكن بدا أن ما جرى كثّف من غضبها ورغبتها الشديدة فى وضع كل مظاهر الحياة فى «هوجورتس» تحت إشرافها المباشر. بدت مصممة - على الأقل - على طرد أحدهم، واقتصرت المسألة على من ستطرد.. الأستاذة «تريلاونى» أم «هاجريد».

أصبحت كل حصص التنجيم ورعاية الكائنات السحرية تتم فى وجود الأستاذة «أمبريدچ» ولوح كتابتها.. كانت تجلس بجوار المدفأة فى حجرة البرج المعطرة بالروائح النفاذة، وتقاطع كلام الأستاذة «تريلاونى» الهيستيرى بأسئلة عن علوم «الأورنيثومانسى» و«الهيبتومولوجى»، وتطالبها بالتنبؤ بإجابات الطلبة قبل أن يجيبوا، وتسألها إظهار قدراتها فى قراءة الكرة البللورية، وأوراق الشاى، والأحجار القديمة، فقال «هارى» لنفسه إن الأستاذة «تريلاونى» لن تتحمل هذا الضغط طويلاً وقد تجن. مر إلى جوارها عدة مرات فى الممرات - وهى مصادفة نادرة؛ لأنها تقضى معظم وقتها فى برجها - وهى تهمهم لنفسها بجنون، وتحرك يديها وتلقى بنظرات فظيعة من فوق كتفها، وطوال الوقت تنبعث منها رائحة خمر قوية. إن لم يكن قلقًا على «هاجريد» كان ليشعر بالأسف تجاهها.. لكن إن كان على أحدهما أن يفقد وظيفته، فليس أمام «هارى» سوى خيار واحد ورغبة واحدة.

للأسف، لم يجد «هاجريد» يؤدى أداء أفضل من «تريلاونى». بالرغم من أنه قد اتبع نصح «هيرميون» ولم يدرس لهم شيئًا مخيفًا سوى «الكروب» - وهو مخلوق لا فرق بينه وبين الكلب سوى ذيله المشقوق - لكنه بدأ يفقد أعصابه هو الآخر. صار مشتتًا ومتقلبًا أثناء الحصص، ويفقد مسار الحديث وينسى ما كان يقوله منذ لحظات، ويجيب عن الأسئلة بإجابات خاطئة، وطوال الوقت ينظر بتوتر تجاه «أمبريدچ». أصبح بعيدًا عن «هارى» و«رون» و«هيرميون» أكثر مما سبق، وحظر عليهم زيارته بعد حلول الظلام.

قال لهم بوضوح: «إن (أمزكتكم) (زوف) (تظبحون) فى خطر»، وحرصًا منهم على محافظته على وظيفته فلم ينزلوا إليه بعد حلول الظلام أبدًا.

بدا لـ«هارى» أن «أمبريدچ» تحرمه بالتدريج من كل شىء يجعل حياته فى

«هوجورتس» محتملة: الزيارات لمنزل «هاجريد»، والرسائل المتبادلة مع «سيرياس» ومقشّة «الفايربولت» و«الكويدتش». فانتقم منها بالطريقة الوحيدة المتاحة أمامه؛ وهى مضاعفة جهوده فى اجتماعات الـ(دى. أيه.)

سرّ «هارى» لرؤيتهم جميعًا ـ حتى «زكارياس سميث» ـ وقد حرصوا على بذل جهد أكثر فى التدريب مع وصول أخبار هروب أكلة الموت العشرة، لكن لم يتحسن أحدهم مثل «نيفيل»، فقد أصابته أخبار هروب قتلة والديه بتغير غريب وإن كان مثيرًا للقلق. لم يذكر أبدًا لقاءه مع «هارى» و«رون» و«هيرميون» فى الجناح المغلق بمستشفى «سانت مونجو»، وحرصًا منهم على عدم مضايقته، فعلوا مثله. كما لم يقل شيئًا عن «بيلاتريكس» ورفاقها الهاربين ممن عذبوا والديه. كان «نيفيل» لا يكاد يتكلم طوال الاجتماعات، بل يعمل بلا كلل على إجادة كل التعاويذ والتعاويذ الدفاعية الجديدة التى يعلمهم «هارى» إياها، ووجهه البدين ينقلب عندما يركز تفكيره، ولا يبالى بالجراح والإصابات، ويعمل أكثر من أى من الحضور. أخذ يتحسن بسرعة خرافية، وعندما علمهم «هارى» تعويذة الدرع ـ طريقة لعكس التعاويذ المصوبة حتى ترتد على المهاجم ـ لم يتمكن أحد من إجادة التعويذة قبل «نيفيل» سوى «هيرميون».

كان «هارى» ليفعل أى شىء حتى تكون إجادته لفن «الأوكلومينسى» مثل إجادة «نيفيل» للتعاويذ. لم تتحسن جلساته مع «سناب» التى كانت بالفعل سيئة. على النقيض، شعر بأن كل حصة يسوء معها الوضع أكثر وأكثر.

قبل البدء فى دراسة «الأوكلومينسى» كانت ندبته تؤلمه، وفى العادة وقت الليل من الحين للآخر، أو عندما تنتقل إليه إحدى أفكار أو دفقات مشاعر «ڤولدمورت». لكن الآن، أصبحت ندبته تؤلمه طوال الوقت، وكثيرًا ما شعر بدفقات من الضيق أو الفرحة لا علاقة لها بما يدور من حوله، وهو ما كان يصاحبه دفقات ألم قصيرة فى ندبته. أصبح على وعى بأنه يتحول ببطء إلى جهاز هوائى مضبوط على حالة «ڤولدمورت» المزاجية، وكان واثقًا من قدرته على تأريخ هذا التغير بالبدء فى دروس «الأوكلومينسى» مع «سناب». والأكثر من هذا، أنه أمسى يحلم بالسير فى الممر ناحية مدخل مصلحة الألغاز والغوامض كل ليلة، أحلام تصل إلى الذروة عندما يقف أمام الباب الأسود.

قالت «هيرميون» باهتمام عندما أفضى إليها «رون» بما يجرى له: «ربما هو

نوع من الأمراض.. حمى أو ما شابه. ربما تصل إلى أسوأ حالاتك قبل أن تتحسن».

قال «هارى» بنبرة خاوية: «حصصى مع سناب تجعل الأمر أسوأ.. أشعر بالغثيان كلما آلمتنى الندبة، وأكلُّ من السير بطول الممر كل ليلة فى أحلامى»، حك جبينه بغضب وأضاف: «أتمنى لو ينفتح الباب، وأرتاح من الوقوف أمامه أراقبه..».

قالت «هيرميون» بحدة: «أُمنية سخيفة.. دمبلدور لا يريدك أن تحلم بالممر بالمرة، وإلا ما كان طالب سناب بتعليمك الأوكلومينسى. عليك العمل بجد واجتهاد أكثر فى دروسك».

قال «هارى» مغتاظًا: «أنا أعمل.. حاولى أنت حضور أحد هذه الدروس.. تخيلى سناب وهو يحاول دخول عقلك.. الأمر ليس طريفًا ولا مضحكًا كما تعرفين».

قال «رون» بهدوء: «ربما...».

قالت «هيرميون» بحدة شديدة: «ربما ماذا؟».

قال «رون» بغموض: «ربما ليس ذنب هارى أنه غير قادر على إغلاق عقله أمام محاولات الاختراق». قالت «هيرميون»: «ماذا تعنى؟».

«ربما لا يساعده سناب كما ينبغى..».

تبادل «هارى» و«هيرميون» النظرات، ونقل «رون» بصره بينهما بتجهم وقلق.

قال ثانية بصوت خفيض: «ربما يحاول فتح عقل هارى أكثر وأكثر؛ ليجعل الأمر أسهل على الذى - تعرفينه..».

قالت «هيرميون» بغضب: «اصمت يا رون.. كم مرة ارتبت فى سناب وتبين لك بعدها أنك كنت مخطئًا؟ دمبلدور يثق به، وهو يعمل لصالح الجماعة، هذا يكفى».

قال «رون» بعناد: «كان من أكلة الموت.. ولم نرَ أبدًا دليلاً على إخلاصه لنا».

كررت «هيرميون» ما قالته: «دمبلدور يثق به، وإن كنا لا نثق فى دمبلدور، فلا يمكننا أن نثق بأحد».

***

مع وجود الكثير من الأشياء المثيرة للاهتمام والقلق، من كمٍّ هائلٍ من الواجب الذى يجعل تلاميذ الصف الخامس متيقظين حتى منتصف الليل، واجتماعات الـ(دى. أيه.) السرية، والحصص الإضافية مع «سناب»، مر شهر يناير بسرعة فائقة. وقبل أن يعرف «هارى» حلّ شهر فبراير، ومعه طقس أكثر

ابتلالاً ودفئًا، ومعه فرحة انتظار زيارة الطلبة لـ«هوجزميد». لم يجد الوقت الكافى للكلام مع «تشو» منذ اتفقا على زيارة القرية معًا، لكن وجد نفسه فجأة فى مواجهة يوم عيد الحب الذى سيقضيه وحده معها.

صباح يوم الرابع عشر من فبراير، انتقى ملابسه بحرص.. وصل ومعه «رون» إلى مائدة الإفطار مع وصول بريد بوم الصباح. لم يجدوا «هدويج» ـ ولم يكن يتوقع قدومها ـ لكن «هيرميون» أخذت رسالة من منقار بومة بنية مألوفة لهم استقرت أمامها.

قالت بلهفة وهى تفض الظرف وتخرج منه رقعة ورق صغيرة: «فى الوقت المناسب. إن لم تصلنى اليوم كنت...». تسارعت عيناها من اليسار إلى اليمين على الكلام وهى تقرأ الرسالة، وتعبير حبور واضح يملأ وجهها.

قالت وهى تنظر لأعلى: «اسمع يا هارى.. الأمر مهم، هل تعتقد أن بإمكاننا اللقاء فى مقهى المقشات الثلاث منتصف النهار؟».

قال «هارى» بقلق: «آ.. لا أعرف.. تشو تتوقع منى قضاء اليوم معها، لكن لا نعرف إلى أين سنذهب وماذا سنفعل».

قالت «هيرميون» برجاء: «إذن هاتها معك إن تعين عليك هذا.. لكن هل ستأتى؟».

«آ.. حاضر.. لكن لماذا؟».

«ليس عندى وقت لإخبارك الآن، علىَّ الرد على هذه الرسالة بسرعة»، وهرولت خارجة من القاعة الكبرى، وهى قابضة على الرسالة فى يد، وفى اليد الأخرى كسرة من الخبز المحمّص.

سأل «هارى» «رون»: «هل ستأتى؟»، لكنه هز رأسه بعبوس.

«لا يمكننى النزول إلى هوجزميد بالمرة.. تريد أنچيلينا منى التدرب طوال اليوم. وكأن هذا سيُحدث فرقًا.. فريقنا فى أسوأ حالاته. عليك رؤية أداء سلوبر وكيرك، إنهما مثيران للشفقة، بل حتى أسوأ منى». وتنهد تنهيدة كبيرة وأضاف: «لا أعرف لماذا لا تدعنى أنچيلينا أعتزل».

قال «هارى» بضيق: «لأنك تلعب بمهارة عندما تكون فى كامل لياقتك، هذا هو السبب».

وجد التعاطف مع حزن «رون» صعبًا، بينما هو مستعد لعمل أى شىء للعودة إلى اللعب فى المباراة القادمة أمام «هافلباف». بدا أن «رون» قد لاحظ نبرة صوت «هارى»؛ لأنه لم يذكر المزيد عن «الكويدتش» خلال الإفطار، وكان

هناك بعض البرود فى الطريقة التى ودَّعا بها بعضهما. غادر «رون» متجهًا إلى ملعب «الكويدتش»، بينما حاول «هارى» تصفيف شعره بيده وهو يحدق فى انعكاس صورته على ظهر ملعقة الشاى، ثم قام وحده متجهًا للقاعة الأمامية لمقابلة «تشو»، شاعرًا بالخوف والتوتر، متسائلاً عما سيتكلمان؟!.

كانت فى انتظاره بجوار الأبواب الأمامية.. كانت جميلة للغاية، بشعرها المعقود على شكل ذيل حصان. شعر «هارى» بأقدامه كبيرة على جسده وهو سائر نحوها، وانتبه فجأة للطريقة الحمقاء التى تتأرجح بها يداه إلى جانبه وهو يسير.

قالت «تشو» مبهورة الأنفاس: «أهلاً». رد «هارى»: «أهلاً».

تبادلا النظر لوهلة، ثم قال «هارى»: «آه.. إحم.. هلا ذهبنا؟».

«آه.. أجل..».

انضما إلى طابور التلاميذ الواقف أمام «فيلش» لتسجيل الخروج، وبين الحين والآخر، يختلسان النظرات لبعضهما البعض، فتتلاقى العيون ويبتسمان ابتسامات مقتضبة، لكن لا يتحدثان. شعر «هارى» بالراحة عندما خرجا إلى الفضاء الرحب، ووجد السير إلى جوارها فى صمت أسهل من الوقوف فى قلق. كان نهارًا منعشًا زاخرًا بالنسمات اللطيفة.. وعندما مرَّا بجوار ملعب «الكويدتش»، لمح «هارى» «رون» و«چينى» وهما سائران أمام مقاعد الجماهير، وشعر بضيق شديد؛ لأنه ليس معهما.

قالت «تشو»: «واضح أنك تفتقد اللعب بشدة.. أليس كذلك؟».

التفت إليها فوجدها تراقبه. تنهد قائلاً: «بلى.. فعلاً».

سألته: «هل تذكر أول مرة لعبنا ضد بعضنا؟».

قال «هارى» مبتسمًا: «أجل، كنت تسدين الطريق أمامى».

قالت «تشو» بابتسامة رسمتها الذكريات: «وطالبك وود بألا تكون مهذبًا وأن تسقطنى من فوق مقشتى إن تعيَّن عليك هذا.. سمعت أن فريق برايد بورترى قد أخذه.. هل هذا صحيح؟».

«لا، إنه يلعب فى فريق بودلمير يونايتد.. رأيته فى كأس العالم العام الماضى».

«فعلاً، رأيتك أنت الآخر.. هل تذكر؟ كنت فى نفس المخيم. كانت أيامًا جميلة.. أليس كذلك؟».

استمر الكلام عن كأس العالم «للكويدتش» طوال الطريق بطول الممشى العُشبى وحتى الوصول إلى البوابات الخارجية. لم يصدق «هارى» سهولة قدرته على الحديث إليها.. بل لم تعد هناك أية صعوبة، ووجد الكلام معها سهلاً مثل الكلام مع «رون» و«هيرميون»، وأخذ يكتسب المزيد من الثقة والفرحة، حتى مرت إلى جوارهم مجموعة من بنات «سليذرين»، ومنهن «بانسى باركنسون».

صاحت «بانسى» بصوتها المذعور: «بوتر وتشانج» مخاطبةً الفتيات الساخرات الضاحكات.. «يع.. تشانج.. يا لذوقك المقرف! على الأقل ديجورى كان وسيمًا».

تسارعت خطى الفتيات، وهن يتكلمن ويضحكن بطريقة مبالغ فيها، ويلقين بنظرات مختلسة على «هارى» و«تشو»، ليتركن صمتًا زاخرًا بالقلق من خلفهن. لم يقدر «هارى» على التفكير فى شىء يتحدث عنه بخلاف «الكويدتش»، وأخذت «تشو» ـ وكان وجهها محمرًا من الخجل ـ تنظر إلى حذائها.

سألها «هارى» وهما يلجان إلى «هوجزميد»: «إذن.. إلى أين تريدين الذهاب؟». كان الشارع الرئيسى زاخرًا بالطلبة الرائحين والغادين، وهم ينظرون إلى نوافذ العرض بالمتاجر ويمزحون على الأرصفة.

قالت «تشو» وهى تهز رأسها: «آه.. لا أعرف.. ما رأيك فى إلقاء نظرة على المعروض فى المتاجر؟».

سارا تجاه متجر «الدرويش النشيط»، وجدا فى نافذة عرضه ملصقًا كبيرًا وجمعًا من سكان «هوجزميد» ملتفين حوله. تحركوا إلى الجانب مع اقتراب «تشو» و«هارى»؛ ليجدا أمامهما ـ مرة أخرى ـ صور أكلة الموت العشرة. كان الملصق إعلانًا به: «بأمر وزارة السحر»، ويقدم جائزة ألف جاليون لأى شخص يدلى بمعلومات تؤدى إلى القبض على أى من المجرمين العشرة.

قالت «تشو» بصوت خفيض وهى تحدق فى صور أكلة الموت: «شىء غريب.. أليس كذلك؟ هل تذكر عندما هرب سيرياس بلاك؟ وعندما جاءت الديمنتورات إلى هوجورتس بحثًا عنه؟ والآن ومع هروب عشرة من أكلة الموت لا نجد أى ديمنتور..».

قال «هارى» مبعدًا عينيه عن وجه «بيلاتريكس ليسترانج» لينظر بطول الشارع الرئيسى: «بلى.. بلى، هذا غريب».

لم يشعر بالأسف لغياب «الديمنتورات»، لكنه أخذ يفكر فى أن غيابهم مثير للريبة فعلاً. فهم لم يدعوا أكلة الموت يهربون فقط، بل أيضًا لم

يزعجوا أنفسهم بمحاولة البحث عنهم.. بدا أنهم بالفعل خرجوا عن سيطرة الوزارة.

حدق أكلة الموت العشرة فيه وفى «تشو» وهما يمران. بدأت السماء تمطر وهما يمران إلى جوار متجر «سكريفنشافت»، قطرات باردة ثقيلة من الماء تضرب وجه «هارى» وعنقه.

قالت «تشو» بتردد والأمطار تزيد: «إحم.. ما رأيك فى فنجان قهوة؟».

قال «هارى» وهو ينظر حوله: «أجل، فكرة جيدة.. لكن أين؟».

قالت مبتسمة بسعادة: «هناك مكان رائع.. ألم تذهب من قبل إلى مقهى مدام بوديفوت؟»، وهى تقوده إلى شارعٍ جانبى، ثم إلى مقهى صغير لم يلاحظه «هارى» من قبل، كان ضيقًا ودافئًا وكل شىء فيه مزينًا بالزخارف وأقواس الزينة. ذكّرته هذه الزينة بمكتب «أمبريدج».

قالت «تشو» بسعادة: «لطيف.. أليس كذلك؟». قال «هارى» كذبا: «آ.. بلى».

قالت «تشو» مشيرة إلى بعض تماثيل «كيوبيد» الذهبية المعلقة فوق الموائد الصغيرة الدائرية، التى تلقى على الجلوس زينة صغيرة من القصاصات بين الحين والآخر.

«آاااه..».

جلسا إلى آخر مائدة شاغرة، كانت بجانب النافذة المشبعة بالبخار. كان «روجر ديفين» كابتن فريق «رافنكلو» لـ «الكويدتش» جالسًا على مسافة قدم ونصف القدم ومعه فتاة شقراء جميلة. كانا متشابكى الأيدى. جعل مشهدهما «هارى» يشعر بالتوتر، خاصة عندما لم يجد - وهو يجيل طرفه فى المكان - أحدًا فى المقهى بخلاف الأحباب، وجميعهم متشابكو الأيدى. لعل «تشو» تتوقع منه أن يمسك بيدها!

قالت مدام «بوديفوت» - وهى سيدة بدينة للغاية بشعر أسود لامع - وهى تقترب من مائدتهما متفادية الاصطدام بمائدة «روجر ديفين» بصعوبة: «ماذا تشربان يا أحبائى؟».

قالت «تشو»: «فنجانى قهوة من فضلك».

وقت تحضيرها للقهوة، بدأ «روجر ديفين» يتبادل القبلات مع فتاته من

فوق سلطانية السكر على مائدتهما. تمنى «هارى» لو لم يفعلا.. شعر بأن «ديفين» بفعله هذا يسن أسلوبًا قد تتوقع منه «تشو» أن ينهجه. شعر بوجهه يتوهّج، وحاول النظر من النافذة، لكنها كانت مغطاة بالبخار فلم يرَ منها الشارع. لتأجيل لحظة نظره ناحية «تشو»، نظر إلى السقف كأنه يفحص زينته فسقط على وجهه باقة من قصاصات ورق الزينة من أحد تماثيل «كيوبيد».

بعد دقائق مؤلمة، ذكرت «تشو» «أمبريدچ». قبض «هارى» على الخيط وإحساس بالراحة يراوده، بعد لحظات قليلة سعيدة من ذم «تشو» لها، لكن الموضوع كان قد قتل كلامًا ونقاشًا فى اجتماعات الـ(دى. أيه.) حتى إنه لم يستمر طويلاً. عمَّ الصمت بينهما ثانية. أحس «هارى» بأصوات القبلات القادمة من المائدة المجاورة، وأخذ يبحث عن شيء يقوله.

«آ.. اسمعى.. هل تريدين الذهاب معى إلى المقشات الثلاث ساعة الغداء؟ سأقابل هيرميون جرانجر هناك».

رفعت «تشو» حاجبيها. وقالت: «هل ستقابل هيرميون جرانجر؟ اليوم؟».

«أجل، طلبت منى هذا، هل تريدين القدوم معى؟ قالت إنها لا تمانع فى حضورك».

«حقًا؟ رائع.. كم هى لطيفة».

لكن لم تبدُ كأنها تراها لطيفة حقًّا. على النقيض، كانت نبرة صوتها باردة وفجأة وجدها عابسة.

بعد مرور دقائق أخرى من الصمت الثقيل، أخذ «هارى» يشرب قهوته بسرعة تستدعى طلبه لقدح آخر. إلى جوارهما كان «روجر ديفين» وصديقته قريبين من بعضهما وشفاههما ملتصقة كأنما بفعل الغراء.

استلقت يد «تشو» على المائدة بجانب القهوة، وشعر «هارى» بضغط وجوب إمساكه بيدها. حاول حمل نفسه على مد يده إليها، وينبوع من الذعر والإثارة يتفجر فى صدره، «*مد يدك وأمسك بيدها*». من المدهش كيف يجد مد أصابعه اثنتى عشرة بوصة ليلمس يدها صعبًا هكذا. وهو الذى يقبض على كرة «السنيتش» فى الهواء بسرعة فائقة.

لكن وقبل أن يمد يده للأمام أنزلت «تشو» يدها من فوق المائدة. أخذت تراقب «روجر ديفين» وهو يقبل فتاته ببعض الاهتمام.

قالت بصوت هادئ: «طلب منى روجر الخروج معه منذ أسبوعين.. لكننى رفضت».

لم يفهم «هارى»، الذى أمسك بسلطانية السكر ليفسر حركة يده المفاجئة على المائدة، سبب إخبارها له بهذا. إن كانت تتمنى جلوسها إلى المائدة المجاورة، و«روجر ديفين» يقبلها بحرارة هكذا، فلماذا وافقت على الخروج معه؟

لم ينطق. ألقى «كيوبيد» المعلق فوقهما بالمزيد من قصاصات الورق الملونة، بعضها حط على القهوة الباردة فى الفنجان الذى كان يشربه.

قالت «تشو»: «جئت إلى هنا مع سيدريك العام الماضى».

فى اللحظة التى أخذها ليستوعب ما قالته، شعر بصدره يتجمد كالثلج. لم يصدق أذنيه وهى تتحدث عن «سيدريك»، بينما «كيوبيد» يحلق فوق رأسيهما والجالسان إلى جوارهما يتبادلان القبلات.

ارتفع صوت «تشو» ثانية.

«أردت أن أسألك منذ فترة.. هل... هل ذ... ذكر سيدريك شيئًا عنى قبل أن يموت؟».

كان هذا هو آخر موضوع على وجه الأرض يريد «هارى» الخوض فيه، على الأقل ليس مع «تشو».

قال بهدوء: «إحم.. لا.. لم يكن أمامه وقت لذكر أى شىء. إحم.. هل شاهدت أية مباريات كويدتش فى الإجازة الصيفية؟ أنتِ تشجعين فريق ترونادوز.. أليس كذلك؟».

بدا صوته مفعمًا بالمرح الزائف. ومما أثار فزعه رؤيته عينيها مغرورقتين بالدموع ثانية، مثلما حدث فى اجتماع الـ(دى. أيه.) السابق على العيد.

قال بيأس وهو يميل عليها؛ حتى لا يسمعه أحد غيرها: «انظرى.. أرجوكِ ألاَّ نتحدث عن سيدريك الآن.. دعينا نتحدث عن شىء آخر..».

لكن من الواضح أن هذا كان أسوأ ما قاله.

قالت والدموع تنهمر من عينيها على المائدة: «ظننت... ظننتك ستفهم. أنا بحاجة للحديث عنه. وأنت أيضًا بحاجة إلى هذا؛ أعنى أنك شاهدت موته.. أل... أليس كذلك؟».

ساءت الأمور فجأة.. انفصلت فتاة «روجر» عنه؛ لتشاهد «تشو» وهى تبكى.

قال «هارى» هامسًا: «لقد تحدثت عن الموضوع.. مع رون وهيرميون، لكن...».

قالت بصوت رفيع ووجهها يلمع بالدموع: «آه.. ستتحدث مع هيرميون جرانجر»، فانفصل المزيد من المنهمكين فى القبلات؛ ليشاهدوا ما يجرى، وهى تكمل: «لكنك لا تتحدث معى.. ر... ربما سيكون من الأفضل أن... أن نقوم من هنا وتذهب؛ لتقابل هيرميون جـ... جرانجر، فرغبتك فى هذا واضحة».

حدَّق «هارى» فيها، وهو فى حيرة شديدة من أمره، وهى تمسك بمنشفة مطرَّزة من على المائدة وتمسح بها وجهها اللامع.

قال بوهنٍ متمنيًا لو يقبض «روجر» ثانية على فتاته، ويبدأ فى تقبيلها؛ ليمنعها من التحديق فيهما: «تشو؟».

قالت وهى تبكى فى المنشفة: «هيا اذهب.. لا أعرف لماذا طلبت منى الخروج معك، إن كنت قد رتبت للقاء فتيات أخريات بعدى.. كم واحدة ستقابل بعد هيرميون؟».

قال «هارى» وقد ارتاح فجأة؛ لمعرفته سبب ضيقها، حتى إنه ضحك وهو يقول: «الأمر ليس هكذا»، وهو ما أدرك بعد جزء من الثانية أنه خطأ فظيع.

هبت «تشو» واقفةً. حط الهدوء على المقهى بأكمله وأخذوا جميعًا يراقبونهما.

قالت بصورة درامية وقد أصيبت بالفُواق، وهى تجرى إلى الباب وتفتحه لتخرج إلى المطر المنهمر: «وداعًا يا هارى».

ناداها «هارى»: «تشو». لكن الباب كان قد أغلق خلفها بصوت رنان.

عمَّ صمت تام فى المقهى. حطت جميع العيون على «هارى». ألقى بجاليون على المائدة، وأزاح قصاصة ورق وردية من شعره، وتبع «تشو» إلى الخارج.

كانت الأمطار شديدة، ولم يجدها فى أى مكان حوله. لم يفهم - ببساطة - سبب ما حدث، فمنذ نصف ساعة كانا على ما يرام.

غمغم بغضب وهو يسير بطول الشارع الممطر ويداه فى جيبه: «ياللنساء! لماذا أرادت الكلام عن سيدريك؟ لماذا تريد دومًا الحديث فى الموضوع؟».

التفت إلى يمناه وأخذ يجرى على الأرض الموحلة، وخلال دقائق كان قد دلف من باب «المقشات الثلاث». كان يعرف أن الوقت مبكر على لقاء «هيرميون»، لكنه فكر فى قضاء الوقت مع أى من أصدقائه حتى يحين الموعد. أبعد شعره المبتل عن عينيه ونظر حوله. كان «هاجريد» جالسًا فى الركن وعلى وجهه أمارات الاكتئاب الشديد.

قال عندما تمكن من الوصول إليه من بين الموائد المزدحمة وبعد أن اتخذ مجلسه إلى جواره: «أهلاً يا هاجريد».

أجفل «هاجريد» ونظر إلى «هارى» كأنه بالكاد يعرفه. رأى «هارى» قطعين جديدين فى وجهه وبضع سحجات.

قال «هاجريد»: «آه.. هذا أنت يا هارى.. هل أنت بخير؟».

كذب عليه «هارى» وقال: «أجل، بخير».. لكن بالنظر إلى حال «هاجريد» البشع، فقد وجد نفسه غير قادر على الشكوى.. قال: «آ.. هل أنت بخير؟».

قال «هاجريد»: «أنا؟ أنا حالتى هائلة يا هارى، هائلة».

حدَّق فى إناء الشرب الموضوع أمامه، والذى كان فى حجم دلو كبير، ثم تنهد. لم يعرف «هارى» ماذا يقول. جلسا متجاورين للحظة، ثم قال «هاجريد» فجأة: «فى (نفذ) القارب أنا وأنت يا هارى.. (أليز) كذلك؟».

قال «هارى»: «آ..».

«بلى.. كما قلت لك من قبل.. أنا وأنت غريبان على هذا العالم». قالها وهو يهز رأسه بحكمة، وأضاف: «وكلانا يتيم.. أجل، يتيم»

تجرع جرعة هائلة من إناء شربه.

قال: «لكن الفرق فى (أزرتك) الكريمة.. أبى كان مهذبًا، وأبوك وأمك كانا مهذبين. إن عاشا لكانت الحياة قد اختلفت، (أليز) كذلك؟».

قال «هارى» بحذر: «أجل.. أعتقد هذا»، وقد وجد «هاجريد» فى حالة مزاجية غريبة. قال «هاجريد» بعبوس: (الأزرة).. أيًا كانت.. الدم مهم..».

ومسح بعضه على كمِّه.

قال «هارى» غير قادر على منع نفسه: «هاجريد.. ما سبب كل هذه الإصابات؟».

قال «هاجريد» مندهشا: «ماذا؟ أية (إظابات)؟».

قال «هارى» مشيرًا إلى وجه «هاجريد»: «كل هذه الإصابات».

قال «هاجريد» بلا مبالاة: «آه.. إنها كدمات (ظغيرة)، لا أهمية لها.. فأنا عندى مهمة (ظعبة)». أفرغ قدحه فى جوفه، وأعاده إلى المائدة ونهض واقفًا.

«أراك لاحقًا يا هارى.. انتبه (لنفزك)».

ومشى مشية عرجاء خارجًا من المقهى واختفى وسط الأمطار الغزيرة. شاهده «هارى» وهو يمضى، فشعر بالتعاسة. كان «هاجريد» تعيسًا ويخفى

شيئًا ما عنهم، لكنه بدا مصممًا على عدم قبول المساعدة. ماذا تراه يفعل؟ لكن وقبل أن يفكر «هارى» فى المزيد سمع من ينادى اسمه.

«هارى.. هارى.. تعال هنا».

أخذت «هيرميون» تلوح له من الجانب الآخر من المقهى. نهض وسار إليها وسط الصخب والزحام. كان بينه وبينها بعض الموائد عندما أدرك أن «هيرميون» ليست وحدها. كانت جالسة إلى مائدة مع آخر اثنين يتوقع الجلوس معهما والكلام: «لونا لوفجود» و«ريتا سكيتر»، الصحفية السابقة بجريدة «الدايلى بروفيت»، وواحدة من أقل الأشخاص قربًا إلى قلب «هيرميون» فى العالم.

قالت «هيرميون» وهى تتحرك إلى الجانب؛ لتفسح له مكانًا؛ ليجلس: «جئت مبكرًا.. حسبتك مع تشو، لم أتوقع رؤيتك قبل ساعتين من الآن».

قالت «ريتا» وهى تدور فى مقعدها لتنظر إلى «هارى» بشراهة: «تشو؟ فتاة؟!».

أمسكت بحقيبتها المصنوعة من جلد التمساح وأخذت تعبث بيدها داخلها.

قالت «هيرميون» مخاطبةً «ريتا» ببرود: «ليس من شأنك إن تعرف هارى على مائة فتاة.. لذا نحِّى هذه الأشياء جانبًا».

كانت «ريتا» على وشك إخراج ريشة كتابة خضراء من حقيبتها. وكأنها قد أجبرت على ابتلاع فأرٍ ميت، أغلقت حقيبتها ثانية.

تساءل «هارى» وهو يجلس وينقل بصره بين «ريتا» و«لونا» و«هيرميون»: «ما سبب تجمعكن هنا؟».

قالت «ريتا» وهى تتجرع جرعة كبيرة من شرابها: «الأستاذة الفاضلة رائدة الفصل كانت على وشك إخبارى قبل حضورك.. هل تسمحين لى بالكلام إليه؟». ألقت السؤال الأخير وهى تحدج «هيرميون» بنظرة حادة.

قالت «هيرميون» ببرود: «أجل، أظن هذا».

الجلوس بلا عمل لا يناسب «ريتا». شعرها الذى كان فيما سبق مصففًا بعناية وحرص شديدين تهدل على وجهها. الطلاء الأحمر على مخالبها بطول البوصتين كان مخدوشًا ورث الحال، وثمة جوهرتان زائفتان مفقودتان من عويناتها المجنحة. أخذت رشفة أخرى من شرابها وقالت بطرف فمها: «هل هى فتاة جميلة يا هارى؟».

قالت «هيرميون» بضيق: «كلمة أخرى عن حياة هارى الشخصية وينتهى اتفاقى معك، أعدك بهذا».

قالت «ريتا» وهى تمسح فمها بظهر يدها: «أى اتفاق؟ أنت لم تتفقى معى على شيء بعد يا آنستى، كل ما قلته لى أن أحضر اليوم..». وأخذت رشفة كبيرة أخرى.

قالت «هيرميون» بحياد: «أجل، أجل، قريبًا ستكتبين عنى وعن هارى تحقيقًا فظيعًا من تحقيقاتك الصحفية المزيفة.. أليس كذلك؟».

قالت «ريتا» وهى تلقى بنظرة جانبية على «هارى» من فوق طرف عويناتها: «إنهم يكتبون عنه أخبارًا فظيعة هذا العام، ومن دون مساعدتى» ثم وهى تهمس: «بم شعرت يا هارى؟ بالخيانة؟ بالذهول؟ بسوء الفهم؟».

قالت «هيرميون» بصوت صافٍ وقوى: «شعر بالغضب بالطبع؛ لأنه أخبر وزارة السحر بحقيقة ما حدث، وقالت عنه الوزارة إنه مجنون ولم تصدقه».

قالت «ريتا» وهى تخفض كوبها وتعرض «هارى» لواحدة من نظراتها العميقة وأصبعها يقترب بتوق من حقيبتها: «إذن، فأنت ما زلت مصرًا على ما قلت.. الذى لا يجب ذكر اسمه قد عاد» هل تؤيد كل الهراء الذى ذكره دمبلدور للجميع، عن عودة الذى ـ تعرفه وكونك الشاهد الوحيد على عودته؟».

قال «هارى» مزمجرًا: «لم أكن الشاهد الوحيد.. كان هناك أكثر من عشرة من أكلة الموت شهود على ما جرى. هل تريدين معرفة أسمائهم؟».

قالت «ريتا» بحماس وهى تعبث فى حقيبتها ثانية وتحدق فيه كأنه أجمل شيء وقعت عيناها عليه: «لكم أود هذا.. وينزل الخبر بالبنط العريض: بوتر يتهم.. ثم: هارى بوتر يؤكد أن أكلة الموت ما زالوا بيننا.. ثم وتحت صورة كبيرة لك: الولد المراهق المضطرب نفسيًا والناجى من هجوم الذى ـ تعرفونه، هارى بوتر، ١٥ عامًا، يتسبب فى قلق واسع النطاق أمس بعد أن اتهم أعضاء بارزين فى مجتمع السحرة بأنهم من أكلة الموت..».

كانت ريشة الكتابة المسحورة فى يدها، وتقربها من فمها؛ استعدادًا لكتابة ما قالته بنفس الشكل، عندما تلاشى التعبير الحماسى من على وجهها.

قالت وهى تخفض الريشة وتنظر نظرات طاعنة نحو «هيرميون»: «لكن بالطبع الآنسة رائدة الفصل لا تريد انتشار الخبر.. أليس كذلك؟».

قالت «هيرميون» بصوت عذب: «فى الواقع هذا بالضبط هو ما تريده الآنسة رائدة الفصل».

نظرت «ريتا» إليها بذهول، وكذا فعل «هارى». لكن «لونا»، أخذت تغنى بنبرة حالمة: «ويسلى يا ملك»، بصوت خفيض وهى تقلب قدح كوكتيل البصل الذى تشربه بعصا صغيرة.

سألت «ريتا» «هيرميون» بصوت خفيض: «هل تريدين منى كتابة ما قاله عن الذى لا يجب ذكر اسمه؟».

قالت «هيرميون»: «أجل.. هذا ما أريده. القصة الحقيقية. كل الحقائق. تمامًا كما شهدها هارى. سيعطيك كل التفاصيل، سيذكر لك أسماء أكلة الموت الذين رآهم، وسيقول لك ما هو شكل ڤولدمورت الآن.. بربك، تماسكى أضافت الكلمة الأخيرة بازدراء وهى تلقى بمنشفة إلى «ريتا»، التى مع ذكر اسم «ڤولدمورت» ارتجفت وأسقطت نصف كوبها على ثوبها.

مسحت «ريتا» الثوب بالمنشفة وهى ما زالت تحدّق فى «هيرميون». ثم قالت بصراحة شديدة: «جريدة البروفيت لن تنشر هذا الكلام. فى حالة ما لم تكونى قد لاحظتِ، فلا أحد يصدق قصته هذه. الجميع يرونه موهومًا. والآن، إن تركتنى أكتب القصة من هذه الزاوية فسوف...».

قالت «هيرميون» بغضب: «نحن لسنا بحاجة إلى قصة أخرى عن فقدان هارى لعقله.. لدينا الكثير منها بالفعل، شكرًا لك! أريد أن تتاح له الفرصة لنشر الحقيقة».

قالت «ريتا» ببرود: «لا أحد سينشر قصة مثل هذه».

قالت «هيرميون» بضيق: «تقصدين أن البروفيت لن تنشرها؛ لأن فادج لن يسمح لهم».

حدّجت «ريتا» «هيرميون» بنظرة طويلة قاسية.. ثم وهى تميل للأمام عبر المائدة نحوها، قالت بنبرة عملية: «حسنًا.. فادج له تأثير على البروفيت، لكن النتيجة لن تتغير. فلن ينشروا قصة تُظهر هارى بصورة جيدة. لا أحد يريد قراءة هذا. إنه ضد الذوق العام وتوجهات الرأى العام. حادث هروب أزكابان جعل الناس يقلقون بما يكفى، وهم ليسوا بحاجة لسماع أن الذى - تعرفينه قد عاد».

قالت «هيرميون» بمرارة: «إذن، فالدايلى بروفيت وظيفتها إخبار الناس بما يريدون سماعه، أليس كذلك؟».

استقامت «ريتا» فى جلستها، ورفعت حاجبيها، وأجهزت على كوب الشراب. قالت ببرود: «البروفيت وظيفتها أن تُباع أيتها الفتاة الغبية».

قالت «لونا» وهى تشرب كوكتيل البصل، وعيناها الواسعتان الجاحظتان على عينى «ريتا» المجنونتين وقد دخلت فى الحوار على غير المتوقع كالعادة: «أبى يراها جريدة شديدة السوء».. وأضافت: «إنه ينشر أخبارًا هامة يرى الجماهير بحاجة إلى معرفتها. ولا يهتم بالربح»

نظرت «ريتا» باستخفاف تجاه «لونا»، وقالت: «واضح أنّ أباك يدير نشرة بلهاء صادرة عن قرية صغيرة.. لعل موضوعاتها هكذا: أربع وعشرون طريقة للاختلاط بالعامة، وجدول بمواعيد التخفيضات على الملابس ومعدات الطيران فى المتاجر المحلية».

قالت «لونا» وهى تعبث بكوكتيل البصل: «لا، إنها رئيس تحرير الكويبلر».

أطلقت «ريتا» صيحة احتجاج عالية لفتت انتباه الجالسين إلى المائدة المجاورة.

قالت بحدة شديدة: «ياللأخبار الهامة التى يعرف بها الجماهير.. يمكننى تسميد حديقتى بما تحتويه هذه الجريدة الصفراء القذرة».

قالت «هيرميون» بسرور: «ها قد واتتك الفرصة إذن.. تقول لونا إن أباها يسعده نشر حوار مع هارى، هو من سينشره».

حدقت «ريتا» فيهما للحظة، ثم ضحكت ضحكة هائلة، وقالت: «الكويبلر؟ هل تعتقدون أن الناس يأخذون ما ينشر فى الكويبلر على محملَ الجد؟».

قالت «هيرميون» بصوت يحاكى صوتها: «بعض الناس لا يفعلون. لكن قصة الدايلى بروفيت عن الهروب من أزكابان زاخرة بالثغرات، وهو ما سيدفع الكثيرين للبحث عن تفسير أفضل لما جرَى، وإن وجدوا قصة بديلة ننشرها فى...». وهى تلقى بنظرة جانبية على «لونا» أكملت: «.. مجلة غير عادية، فأعتقد أنهم سيعكفون على قراءتها».

لم تنطق «ريتا» بشىء لبرهة، لكنها أخذت ترمق «هيرميون» بقسوة، ورأسها مائل إلى الجانب.

قالت فجأة: «حسنًا، لنقل للحظة إننى أوافق. ما الأتعاب التى سأتقاضاها؟».

قالت «لونا» بنبرتها الحالمة: «لا أعتقد أن أبى يدفع نقودًا لمن يكتبون فى المجلة. إنهم يكتبون؛ لأن هذا شرف لهم، وبالطبع لرؤية أسمائهم على ما يكتبون».

بدا كأن «ريتا سكيتر» تشعر بمذاق الفئران فى فمها ثانية وهى تلتفت إلى «هيرميون» وتقول: «هل من المفترض أن أكتب هذا التحقيق بلا مقابل؟».

قالت «هيرميون» بهدوء وهى تأخذ رشفة من مشروبها: «أجل.. وإلا ـ وكما تعرفين جيدًا ـ سأبلغ السلطات أنك أنيماجوس بلا رخصة[1]. بالطبع قد تهتم البروفيت بنشر حلقات مسلسلة عن قصة أحد سجناء أزكابان يكتبها بنفسه».

بدا كأن «ريتا» لا ترغب فى شىء أكثر من القبض على المظلة الورقية الموضوعة فوق كوب «هيرميون» وغرسها فى أنفها.

قالت «ريتا» بصوتٍ مهتز قليلاً: «لا أعتقد أن أمامى الخيار.. أليس كذلك؟». فتحت حقيبتها، وأخرجت منها رقعة ورق، ورفعت ريشة كتابتها المسحورة.

قالت «لونا» مبتسمة: «سيفرح أبى كثيرًا بهذا الموضوع».

قالت «هيرميون» ملتفتة إلى «هارى»: «موافق يا هارى؟! هل أنت جاهز لإخبار الناس بالحقيقة؟».

قال «هارى» مراقبًا «ريتا» وهى تضع الريشة على وضع الاستعداد والورقة تحتها: «جاهز».

قالت «هيرميون» بهدوء وهى تلتقط ثمرة كرز من قاع كوبها: «ابدئى إذن يا ريتا».

---

(١) عندما تتحول «ريتا سكيتر» كأنيماجوس تتخذ شكل خنفساء، وهو ما يفسر اسم هذا الفصل الغريب: الخنفساء فى المصيدة (المترجم).

٢٦ المتوقع وغير المتوقع

قالت «لونا» بغموض إنها لا تعرف متى سيظهر حوار «ريتا» مع «هارى» فى «الكويبلر»، وإن والدها يسعى لنشر مقال طويل عن مشاهدات «السنوركاك» ذى القرن، وإنه بالطبع سيكون مقالاً مفيدًا وهامًّا، حتى إن حوار «هارى» قد يضطر للانتظار إلى العدد التالى.

لم يجد «هارى» الكلام عن ليلة عودة «ڤولدمورت» مما يسرُّ، استجوبته «ريتا» فى كل تفصيلة صغيرة، وذكر لها كل ما تمكن من تذكره، وهو يعرف أنها فرصته الكبرى؛ لإخبار العالم بالحقيقة. تساءل، كيف سيتفاعل الناس مع حكايته. خمن أنها ستؤكد للكثيرين فكرة جنونه، ليس لأن حكايته ستظهر إلى جوار الهراء المكتوب عن «السنوركاك» فقط، كما أن هروب «بيلاتريكس ليسترانج» ورفاقها من أكلة الموت قد بعث فى «هارى» رغبة محمومة فى فعل شىء ما، سواء أكان سينجح أم لا.

قال «دين» مندهشًا على مائدة العشاء مساء الإثنين: «لا أطيق انتظار معرفة رأى «أمبريدچ» عندما تُفشى ما عندك». كان «سيماس» يلتهم كميات كبيرة من طعامه؛ من الدجاج وفطيرة اللحم إلى جوار «دين»، لكن «هارى» كان يعرف أنه ينصت إليهم.

قال «نيفيل» الذى كان جالسًا مقابله وكان شاحب الوجه: «هذا هو الشىء الصحيح الذى يجب فعله يا هارى»، لكنه استرسل فى الكلام بصوت خفيض: «لا بد أنك وجدت صعوبة فى الكلام عن هذا الموضوع.. أليس كذلك؟».

غمغم «هارى»: «بلى.. لكن للناس الحق فى معرفة ما يقدر «ڤولدمورت» على فعله، أليس كذلك؟».

قال «نيفيل» وهو يومئ برأسه: «هذا صحيح، وكذا أكلة الموت من حوله أيضًا.. على الناس أن يعرفوا...».

ترك «نيفيل» كلامه معلقًا هكذا وعاد للانغماس فى طبق البطاطس الذى أمامه. رفع «سيماس» بصره.. لكن عندما بادله «هارى» النظر، عاود النظر

لطبقه ثانية.. وبعد برهة، غادر «دين» و«سيماس» و«نيفيل» المكان إلى حجرة الطلبة، تاركين من خلفهم «هارى» و«هيرميون» على المائدة فى انتظار «رون» الذى لم يظهر على مائدة العشاء؛ بسبب تمرين «الكويدتش».

دلفت «تشو تشانج» إلى القاعة الكبرى مع «ماريتا» صديقتها. شعر «هارى» بالتوتر، لكنها لم تنظر تجاه مائدة «جريفندور» وجلست وظهرها إليه.

قالت «هيرميون» مبتسمة وهى تنظر نحو مائدة «رافنكلو»: «آه.. نسيت سؤالك.. كيف سارت الأمور فى لقائك بتشو؟ لماذا عدتما مبكرًا يومها؟».

قال «هارى» وهو يجذب إليه طبقه ويأكل: «آ.. كان... كـ... كان إخفاقًا تامًّا».

وأخبرها بما جرى فى مقهى مدام «بوديفوت».

أنهى كلامه بعد عدة دقائق وآخر كِسرة خبز تختفى فى فمه: «.. وبعدها قامت وقالت وداعًا يا هارى، وجرت خارجة من المكان»، أعاد ملعقته إلى المائدة ونظر إلى «هيرميون» قائلاً: «ما السبب فى رأيك؟ ماذا جرى لكل هذا؟».

نظرت «هيرميون» تجاه «تشو» وتنهدت.

قالت بحزن: «آسفة يا هارى، لكنك كنت قليل الذوق».

قال «هارى» بغضب: «أنا؟ أنا قليل الذوق؟ كنا على ما يرام وبعد دقيقة، بدأت تحكى لى أن «روجر ديفيز» طلب منها الخروج معه، وكيف أنها كانت تواعد «سيدريك» فى ذلك المقهى السخيف.. أليس لى مشاعر أنا الآخر؟».

قالت «هيرميون» بصبر من يشرح لولد صغير أن واحدًا زائد واحدٍ تساوى اثنين: «انظر.. ما كان يجب إخبارها بأنك أردت مقابلتى وسط اليوم».

قال «هارى» متلعثمًا: «لكن... لكن... لكنك طلبت منى لقاءك الساعة الثانية عشرة وأن أحضرها معى، كيف كان بإمكانى أن أطلب منها الحضور دون أن تعرف؟».

قالت «هيرميون» بنفس الصبر الشديد: «كان عليك إخبارها بطريقة مختلفة. كان عليك القول بأنك منزعج جدًّا من لقائى، لكنك للأسف وعدتنى بالحضور، وأنك لم ترغب فى الحضور، وتفضل قضاء اليوم معها، وإن أحببت؛ فيمكنها الذهاب معك، وربما كان من المفيد أن تذكر لها كم أنا قبيحة».. أضافت «هيرميون» الجملة الأخيرة بعد أن تفكرت قليلاً.

قال «هارى» بدهشة: «لكننى لا أراكِ قبيحة يا هيرميون». فضحكت.

تنهدت قائلة: «هارى، أنت أسوأ من رون.. أعنى، لا.. لست أسوأ»، ومع اقتراب «رون» متعثرًا متجهمًا أضافت: «انظر.. لقد ضايقت تشو عندما قلت لها إنك ستقابلنى؛ لذا فقد حاولت هى أن تشعرك بالغيرة.. كانت هذه طريقتها فى محاولة معرفة كم تحبها».

قال «هارى» و«رون» يحط على المقعد المقابل لهما ويجذب كل الأطباق التى تصل إليها يده ناحيته: «هل هذا ما كانت تفعله؟ ألم يكن من الأسهل أن تسألنى إن كنت أحبها أكثر منك؟».

قالت «هيرميون»: «البنات لا تسأل فى العادة أسئلة مثل هذه».

قال «هارى» بقوة: «عليهن أن يسألن إذن. كان يمكننى وقتها أن أقول لها إننى معجب بها، وإنه لا يجب عليها الحزن على موت سيدريك».

قالت «هيرميون» و«چينى» تنضم إليهم وهى ليست أحسن حالاً من «رون»: «أنا لا أدَّعى أن ما فعلته كان من الذوق. كل ما أحاوله هو أن أجعلك ترى إحساسها وقتها».

قال «رون» مخاطبًا «هيرميون» وهو يقطّع البطاطس: «عليك كتابة كتاب، تترجمين فيه الأشياء المجنونة التى ترتكبها الفتيات حتى يفهمهن الأولاد».

قال «هارى» مصدقًا وهو يلقى بنظرة إلى مائدة «رافنكلو» و«تشو» تنهض من دون أن تنظر إليه مُغادرةً القاعة الكبرى: «أجل».. وبإحساس بالحزن، التفت إلى «رون» و«چينى» وقال: «إذن، كيف كان تمرين الكويدتش؟».

قال «رون» بصوت متذمر: «كان كابوسًا».

قالت «هيرميون» ناظرة إلى «چينى»: «لا تبالغ.. أنا واثقة أنه لم يكن بهذا الـ...».

قالت «چينى»: «بل كان بهذا السوء. كادت أنچيلينا تبكى مع نهاية التمرين».

ذهب كل من «رون» و«چينى» إلى الحمامات بعد العشاء. عاد «هارى» و«هيرميون» إلى حجرة طلبة «جريفندور» المشغولة وأمامهما كومة الواجب المعهودة. أخذ «هارى» يجاهد فى عمل خريطة النجوم الجديدة لمادة علم الفلك لمدة نصف ساعة، ثم ظهر «فريد» و«چورچ».

سأل «فريد» ناظرًا حوله وهو يجذب مقعدًا: «أليس رون وچينى هنا؟»، وعندما هزَّ «هارى» رأسه نافيًا قال: «رائع. كنا نراقب التمرين. سيذبحهم الفريق المنافس. إنهم بلا نفع من غيرنا».

قال «چورچ» بنبرة مُنصفة وهو يجلس بجوار «فريد»: «لا تتحامل عليهما هكذا، چينى ليست سيئة. فى الواقع، لا أعرف كيف تحسن لعبها هكذا، مع منعنا إياها من اللعب معنا».

قالت «هيرميون» من خلف كومة كتبها القديمة: «كانت تتسلل إلى خزانة المقشات منذ كانت فى السادسة من عمرها وتتدرب على مقشاتكم وأنتم لا تعلمون».

قال «چورچ» مندهشًا: «حقًا؟ هكذا إذن».

تساءلت «هيرميون» وهى تنظر إليهم من خلف كتاب «اللوغاريتمات والرموز الخفية فى السحر»: «هل صدَّ رون أى تصويبة على المرمَى؟».

قال «فريد» وهو يرفع عينيه: «كان هذا بإمكانه، إن لم يتخيل أن الجميع يراقبونه. كل ما علينا فعله هو أن نطلب من الجمهور إدارة ظهورهم للعب كلما اقتربت منه الكوافل يوم السبت القادم».

نهض وتحرك نحو النافذة، وأخذ يحدق فى الفناء المظلم بالخارج قائلاً: «أتعرفين؟ كان لعب «الكويدتش» هو الشىء الوحيد الذى يستحق البقاء هنا».

رمقته «هيرميون» بنظرة صارمة. وقالت: «امتحاناتك تقترب».

قال «فريد»: «قلنا لك بالفعل إننا لا نهتم بشهادة الـ(إن. إى. دبليو. تى.) فحلوى التزويغ جاهزة للبيع، وعرفنا كيف نتخلص من الآثار الجانبية ومن البثور، فقط مع إضافة نقطتين من محلول المورتلاب».

تثاءب «چورچ» فاغرًا فاه على آخره ونظر بقلق نحو سماء الليل الزاخرة بالسحاب قائلاً: «لا أعرف إن كنت سأقدر على مشاهدة تلك المباراة. إن تغلب علينا «زكارياس سميث» فربما أنتحر».

قال «فريد» بجدية: «بل الأفضل أن نقتله».

قالت «هيرميون» بذهن شارد وقد انحنت على واجبها ثانية: «هذه مشكلة الكويدتش، إنه يتسبب فى كل تلك المشاعر السلبية والتوترات بين فرق المدرسة».

رفعت بصرها بحثًا عن نسختها من كتاب «كشاف الرموز»، فوجدت «فريد» و«چورچ» و«هارى» يحدقون فيها بتعبير هو مزيج من الضيق والغضب.

قالت بصبر نافد: «حقًا.. إنها ليست أكثر من لعبة، أليس كذلك؟».

قال «هارى» وهو يهز رأسه: «هيرميون. أنت ماهرة فى مسائل المشاعر والأحاسيس، لكنكِ لا تفهمين شيئًا عن الكويدتش».

قالت بتجهّم وقد عادت بانتباهها إلى واجبها: «ربما، لكن على الأقل لا تعتمد سعادتى على قدرات رون فى حراسة المرمى».

وبالرغم من أن «هارى» كان يفضل القفز من فوق برج مادة علم الفلك عن الاعتراف لها بصحة ما قالته، فإنه وهو يشاهد المباراة فى اليوم التالى شعر برغبة شديدة فى دفع أى مبلغ من «الجاليونات» مقابل تخليه عن حب «الكويدتش» مثلها.

أفضل ما يمكن أن يقال عن تلك المباراة إنها كانت قصيرة.. لم يكن على جمهور «جريفندور» تحمل ما يزيد على عشرين دقيقة من العذاب. يصعب قول ما هو أسوأ ما فى المباراة.. قال «هارى»: إن العنصر الأسوأ عليه منافسة شديدة، بين «رون» الذى فشل فى صد أربعة عشر هدفًا، و«سلوبر» الذى حاول ضرب «بلادجر» بمضربه وضرب بدلاً منها فم «أنچيلينا»، و«كيرك» الذى أخذ يصيح وهو يسقط من فوق مقشته عندما حلّق «زكارياس سميث» إلى جواره ومعه «الكوافل». كانت المعجزة أن «جريفندور» خسر بفارق عشر نقاط فقط، بعد أن أمسكت «چينى» بكرة «السنيتش» تحت أنف قنّاص «هافلباف» «سامرباى»، حتى صارت النتيجة النهائية مائتين وأربعين إلى مائتين وثلاثين.

قال «هارى» لـ«چينى» عندما عادوا إلى حجرة الطلبة: «كان لعبك جيدًا» والجو من حولهما أشبه بيوم جنازة.

قالت وهى تهز رأسها: «كنت محظوظة. لم تكن الكرة سريعة للغاية، كما أن «سامرباى» مصاب بالبرد، وأخذ يعطس وأغلق عينيه لحظة مرور الكرة. المهم عندما تعود إلى الفريق سوف...».

«چينى.. أنا محظور من اللعب مدى الحياة».

صححت له «چينى» كلامه قائلة: «أنت محظور من اللعب مادامت أمبريدچ فى هذه المدرسة. هناك فرق. المهم، حال عودتك سأحاول اللعب فى موقع المهاجم. ستترك كل من أنچيلينا وأليشيا المدرسة العام القادم، وأفضل تسجيل الأهداف على قنص السنيتش على أية حال».

نظر «هارى» إلى «رون» الذى جلس منكمشًا فى الركن، ناظرًا إلى ركبتيه، وزجاجة عصير فى يده.

قالت «چينى» كأنها تقرأ أفكار «هارى»: «أنچيلينا لا تريد له الاعتزال. تقول إنها تعرف أنه موهوب».

لكم أحب «هارى» «أنچيلينا» على ما أظهرته من ثقة فى «رون»، لكن فى نفس الوقت وجد أنه من الأفضل أن تدعه يترك الفريق. ترك «رون» الملعب ومن خلفه تدوى أغنية «ويسلى يا ملك» من مدرجات «سليذرين»، الذين أصبحوا الأقرب للحصول على كأس «الكويدتش» لهذا العام.

تقدم كل من «فريد» و«چورچ».

قال «فريد» ناظرًا إلى «رون»: «ليس عندى حتى العزم الكافى للسخرية منه وتوبيخه. لكن عندما دخل فيه الهدف الرابع عشر...».

أخذ يحرك ذراعه فى حركات قصيرة صغيرة أشبه بأيدى الكلب وهو فى المياه.

«.. إحم.. طيب.. سأوضح ما أريد قوله وقت الحفلات إذن».

جر «رون» نفسه إلى فراشه بعدها.. وبدافع من احترامه لمشاعره، انتظر «هارى» حتى صعد إلى جناح الأولاد ثم صعد بعده، حتى يتمكن «رون» من تصنّع النومٍ إن شاء. وبكل تأكيد، عندما دخل «هارى» أخيرًا الحجرة وجد «رون» يغطُ بصوت أعلى من الطبيعى.

صعد «هارى» إلى فراشه، مفكرًا فى المباراة. كان من المحبط أن يجلس فى مقاعد المتفرجين هكذا. أدهشه أداء «چينى»، لكنه كان يعرف أنه لو لعب كان ليمسك بكرة «السنيتش» أسرع منها.. مرت لحظة وجد الكرة فيها تتأرجح إلى جوار قدم «كيرك»، إن لم تكن «چينى» قد ترددت، لتمكنت من قنص الفوز لـ«جريفندور».

كانت «أمبريدچ» جالسة أمام «هارى» بينهما القليل من الصفوف. ومرة أو مرتين التفتت فى مقعدها ونظرت نحوه، وفمها الواسع الضفدعى الشكل منفرج عما يشبه الابتسامة. جعلته ذكرى نظرتها يشعر بالمزيد من الغضب وهو راقد فى الظلام. لكن بعد دقائق، تذكر أنه يجب إخلاء عقله قبل النوم، كما داوم «سناب» على تذكيره مع نهاية كل درس من دروس «الأوكلومينسى».

حاول لدقيقة أو اثنتين، لكن فكرة «سناب» فوق ذكرى «أمبريدچ» جعلت

إحساسه بالتجهم يزيد، ووجد نفسه يركز على كيف يحتقر كلاً منهما. وبهدوء تلاشى غطيط «رون»، ليصدر بدلاً منه صوت تنفس عميق بطيء. استغرق «هارى» كثيرًا حتى نام، لكن عقله أخذ المزيد من الوقت حتى يغلق».

حلم بأن «نيفيل» والأستاذ «سبروت» يرقصان «الفالس» فى حجرة الاحتياجات، بينما الأستاذة «مكجونجال» تلعب على آلة القرب. راقبهم بسعادة لبعض الوقت، ثم قرر أن يبحث عن باقى أعضاء الـ(دى. أيه.)

لكن عندما غادر الحجرة وجد نفسه يواجه شعلة تحترق على الحائط الصخرى. أدار رأسه ببطء إلى اليمين وإلى اليسار، فوجد عند الطرف البعيد من الممر الخالى من النوافذ بابًا أسودَ.

سار تجاهه بإحساس بالحماس المتزايد، أحس بأن هذه المرة سيكون حسن الحظ ويمر بالفعل، ووجد طريقة فتحه.. وأصبح على مسافة قدم منه، ورأى، والحماس يتوقد داخله، أن هناك شقًا من الضوء الأزرق اللامع يأتى من الجانب الأيمن للباب.. كان مواربًا.. مد يده ليفتحه و...

سمع غطيط «رون» المرتفع اللاهث فاستيقظ فجأة ويده اليمنى ممتدة إلى جانبه فى الظلام، أصبح الباب على مسافة مئات الأميال.. تركه يبتعد بإحساس هو مزيج من الحسرة والذنب. عرف أنه ما كان له رؤية الباب، لكن فى نفس الوقت شعر بالفضول الشديد يأكله لمعرفة ما يقع خلفه، فأحس بالضيق من «رون».. إن تمكن فقط من حجب غطيطه لدقيقة أخرى.

***

دلفوا إلى القاعة الكبرى؛ لتناول طعام الإفطار صباح يوم الإثنين وقت وصول بوم البريد بالضبط. لم تكن «هيرميون» هى الوحيدة المتطلعة لجريدة «دايلى بروفيت».. تقريبًا كانت لهفة الجميع هائلة لمعرفة المزيد من الأخبار عن أكلة الموت، الذين بالرغم من بلاغات مشاهدتهم الكثيرة لم يتم القبض عليهم بعد. أعطت بومة توصيل الجريدة عملة «نات» وفضت الجريدة بلهفة، بينما «هارى» يرشف عصير البرتقال، فهو لم يتلق سوى رسالة واحدة طوال العام، وكان واثقًا عندما حطت أول بومة بريد أمامه أنها قد وصلته بطريق الخطأ.

سألها: «من تريدين إيصال الرسالة إليه؟». وهو يبعد عصير البرتقال من تحت منقارها ويميل إلى الأمام لرؤية اسم المرسل إليه والعنوان فوجد:

هارى بوتر
القاعة الكبرى
مدرسة «هوجورتس»

وهو مقطب الجبين همَّ بتناول الرسالة من البومة، لكن قبل أن يصل إليها حطت ثلاث، ثم أربع، ثم خمس بومات أخرى إلى جوارها، وأخذت تتحرك محاولة الوقوف فى مكان مناسب قريب منه، لتصدم الزبد، وتسقط الملح، وكل منها تحاول إعطاءه رسالتها أولاً.

تساءل «رون» فى ذهول: «ماذا يجرى؟». والجلوس إلى مائدة «جريفندور» يميلون إلى الأمام؛ لمشاهدة ما يجرى، بينما سبع بومات أخرى تحط بين السابقة عليها، وهى تنعب بصوت مرتفع وترفرف بأجنحتها.

قالت «هيرميون» مبهورة الأنفاس وهى تمد يدها إلى كتلة البوم الممتلئة بالريش وتجذب بومة تحمل حزمة أسطوانية طويلة: «هارى، أحسبنى أعرف ماذا يعنى هذا.. افتح هذه أولاً».

مزق «هارى» غطاء الطرد؛ فخرجت منه نسخة ملفوفة بحرص من مجلة «كويبلر». فضها؛ ليرى وجهه يبتسم إليه من الصفحة الأولى. وبحروف حمراء كبيرة بطول الصفحة وجد الكلمات التالية:

أخيرًا هارى بوتر يتحدث:
حقيقة الذى لا يجب ذكر اسمه
وليلة عودته

قالت «لونا» التى سارت إلى مائدة «جريفندور» وأخذت تحاول المرور من بين «فريد» و«رون»: «موضوع رائع.. أليس كذلك؟ لقد صدر بالأمس، وطلبت من أبى أن يرسل نسخة مجانية، وأعتقد أن هذه...». وهى تشير إلى البوم المصطف أمام «هارى» أضافت: «.. رسائل من القرَّاء».

قالت «هيرميون» بلهفة: «هذا ما حسبته سيحدث. هارى، هل تمانع إن...».

قال «هارى» شاعرًا ببعض الدهشة: «بالطبع لا.. تفضلى».

بدأ «رون» و«هيرميون» فى فض الرسائل.

قال «رون» ناظرًا إلى رسالة فى يده: «هذه من واحد (جردل) يراك مجنونًا».

قالت «هيرميون» باديًا عليها الحسرة وهى تكوِّم الرسالة التى فى يدها بضيق وتفض أخرى: «هذه من سيدة توصيك بالعلاج بتعاويذ الصدمات فى مستشفى سانت مونجو».

قال «هارى» ببطء وهو يمسح ببصره رسالة طويلة من ساحرة مقيمة فى «بايسلى»: «هذه تبدو جيدة.. ياه! تقول إنها تصدقنى».

قال «فريد» الذى انضم إلى حفل فض الرسائل بحماس: «هذه الرسالة مرتابة.. يقول كاتبها إنك لا تبدو مجنونًا، لكنه لا يريد تصديق أن الذى ـ تعرفه قد عاد، ولا يعرف ماذا يصدق. اللعنة. خسارة الورق فى كل هذه الكتابة».

قالت «هيرميون» بحماس: «ها هى رسالة أخرى تصدقك يا هارى». وأخذت تقرأ: بعد *أن قرأت ما شاهدته وجدت لزامًا علىّ أن أستنتج أن «الدايلى بروفيت» قد عاملتك بإجحاف.. لكننى أود ألا أصدق فى عودة الذى ـ لا ـ يجب ـ ذكر ـ اسمه، وفى نفس الوقت أجدنى مجبرة على تصديق أن ما تقوله هو الحق.*

قال «رون» ملقيًا برسالة مكومة من فوق كتفه: «هذه تراك مدعيًا.. لكن هذه الراسلة تقول إنك قد جعلتها تؤمن بالفعل بعودته، وأنها تراك بطلاً حقيقيًّا.. أرفقت برسالتها صورة إليك.. ياللجمال!».

سمعوا صوت بنت صغيرة يقول بعذوبة زائفة: «ماذا يجرى هنا؟».

رفع «هارى» عينه ويده ممتلئة بالرسائل. وجد الأستاذة «أمبريدچ» واقفة خلف «فريد» و«لونا»، وعيناها الجاحظتان تمسحان الفوضى التى تركها البوم والرسائل التى تغرق المائدة أمام «هارى»، ومن خلفها رأى عددًا من الطلبة يراقبونه باهتمام.

سألته ببطء: «لماذا وصلتك كل هذه الرسائل يا سيد بوتر؟».

قال «فريد» بصوت مرتفع: «وهل صار تلقى البريد جريمة؟».

«احترس يا سيد ويسلى، وإلا سأعاقبك بالاحتجاز.. ما ردك يا سيد بوتر؟».

تردد «هارى»، لكنه لم يعرف كيف كان له أن يحافظ على سرية الأمر.. فالمسألة مسألة وقت قبل أن تصلها نسخة من «الكويبلر».

قال: «كتب الناس إلىّ؛ لأن هناك حوارًا نشر لى، عما حدث فى شهر يونية الماضى».

لسبب ما، نظر إلى مائدة المدرسين وهو يتكلم. شعر بأن «دمبلدور» كان يراقبه قبل لحظة، ثم نظر بعيدًا عندما بادله النظر وانشغل فى نقاش مع الأستاذ «فليتويك».

كررت «أمبريدج» ما قاله: «حوار؟». وصوتها أحدُّ وأكثرُ ارتفاعًا من قبل، أضافت: «ماذا تعنى؟».

قال «هارى»: «أعنى أن هناك صحفية سألتنى أسئلة وأجبتها. انظرى..». وألقى إليها نسخة مجلة «كويبلر». أمسكت بها وحدقت فى صورة الغلاف. تحول لون وجهها الشاحب إلى لون بنفسجى قبيح.

سألته وصوتها يرتجف: «متى قمت بهذا؟».

قال «هارى»: «فى آخر زيارة إلى هوجزميد».

نظرت إليه وعلى وجهها أمارات الغضب الشديد، والمجلة تهتز بين أصابعها القصيرة البدينة.

قالت هامسةً: «لن تذهب إلى هوجزميد ثانية يا سيد بوتر. كيف تجرؤ؟ كيف تقدر؟». أخذت نفسًا عميقًا قبل أن تكمل: «حاولت مرارًا أن أعلمك الكف عن الكذب. واضح أن الرسالة لم تصلك بعد. مخصوم خمسون نقطة من جريفندور وعليك عقاب احتجاز لمدة أسبوع آخر».

سارت مبتعدة والمجلة بين يديها، وعيون الكثير من الطلبة تتابعها.

ومع منتصف النهار، تم تعليق لافتات كبيرة فى كل مكان بالمدرسة، ليس فقط على لوحات الإعلانات، بل أيضًا فى الممرات والفصول.

بأمر من مفتشة «هوجورتس» العليا
أى طالب يتم العثور على مجلة الكويبلر معه
يُفصل من المدرسة على الفور.
المذكور أعلاه يتفق وأحكام
الفرمان التعليمى رقم (٢٧)
توقيع: «دولوريس جان أمبريدج»، المفتشة العليا

لسبب ما، كلما رأت «هيرميون» واحدة من تلك اللافتات أشرق وجهها بالابتسام.

سألها «هارى»: «ما الذى يسعدك بالضبط؟».

قالت «هيرميون»: «ألا ترى يا هارى؟ إن كان لها أن تفعل شيئًا لضمان قراءة كل التلاميذ بالمدرسة للحوار فقد فعلته بالفعل بحظرها قراءة المجلة»

وبدا أن «هيرميون» على حق. مع نهاية اليوم، بالرغم من عدم رؤية «هارى» لأية نسخ من مجلة «كويبلر» فى المدرسة، فإن الجميع أخذوا يذكرون مقتطفات من الحوار لبعضهم البعض. سمعهم «هارى» يتهامسون حول الموضوع وهم مصطفون أمام الفصول، يناقشون الأمر على الغداء، وبعد أن عادوا للفصول، كما قالت «هيرميون» إن دورة مياه البنات مليئة بالكلام عن الموضوع.

قالت مخاطبةً «هارى» وعيناها تلمعان: «ثم عرفن بوجودى، فكففن عن الكلام وحوصرت بالأسئلة.. أتعرف يا هارى؟ أعتقد أنهم يصدقوك، فعلاً، يبدو أنك قد أقنعتهم أخيرًا.

فى هذه الأثناء، كانت الأستاذة «أمبريدج» تذرع المدرسة جيئة وذهابًا، متوقفة عند تجمعات الطلبة بشكل عشوائى، ثم تطالبهم بفتح كتبهم وقلب جيوبهم.. عرف «هارى» أنها تبحث عن نسخ من «الكويبلر»، لكن التلاميذ كانوا يسبقونها بخطوات دائمًا. الصفحات التى تحمل حوار «هارى» قاموا بسحرها وحولوها إلى صفحات عادية من الكتب، حتى لا يقدر على قراءتها سواهم، وعندما ينظر إليها غيرهم يختفى ما بها من كلام. وسرعان ما بدا واضحًا أن جميع من بالمدرسة قد قرأوا الحوار بالفعل.

بالطبع، حظر على المدرسين ذكر أى شىء عن الحوار بمقتضى الفرمان التعليمى رقم (٢٦)، لكنهم وجدوا أساليبَ أخرى يعبّرون بها عن مشاعرهم تجاه الموقف. كافأت الأستاذة «سبروت» «جريفندور» بعشرين نقطة عندما ناولها «هارى» إناء رى النباتات، وناوله الأستاذ «فليتويك» صندوقًا من حلوى الفئران وهو يبتسم له ويقول: «صه!» ويبتعد بسرعة.. أما الأستاذة «تريلاونى»، فقد أخذت تبكى بهيستيرية شديدة فى درس التنجيم، وأعلنت للفصل المفزوع ولـ«أمبريدج» أن «هارى» لن يموت ميتة بشعة، لكنه سيعيش حتى يصبح مسنًا، ويصبح وزيرًا للسحر ويصير عنده اثنا عشر طفلاً.

لكن ما جعل «هارى» يحلّق فى سماوات السعادة هو ملاحقة «تشو» له وهو فى طريقه إلى حصة التحويل اليوم التالى. وقبل أن يعرف ما يجرى، وجد

يدها في يده ونفسَها في أذنه وهي تقول: «أنا آسفة حقًّا. نشر ذلك الحوار كان شجاعة منك.. لقد جعلني أبكي».

شعر بالأسف لسماع أنها بكت ثانية، لكن سرَّهُ أنهما رجعا للكلام مع بعضهما، بل والأكثر أنها قبّلته قبلة سريعة على وجنته وانطلقت مبتعدة. والأغرب أن مع وصوله إلى باب فصل التحويل حدث شيء آخر رائع: خرج «سيماس» عن الصف؛ ليواجهه.

غمغم وهو ينظر إلى ركبة «هاري» اليسرى: «أردت أن أقول إنني أصدقك. كما أرسلت نسخة من المجلة إلى أمي».

إن كان هناك المزيد مما يتمم سعادة «هاري»، فقد كان رد الفعل الذي وجده من «مالفوي» و«كراب» و«جويل». رآهم ورءوسهم متقاربة بعد الظهر في المكتبة.. كان معهم ولد، قالت له «هيرميون» إن اسمه «ثيودور نوت». التفتوا إلى «هاري» وهو يفحص الرفوف؛ بحثًا عن كتاب يحتاجه للتدرب على تعويذة الاختفاء الجزئي. طرقع «جويل» أصابعه مهددًا وهمس «مالفوي» بشيء ما لـ«كراب». تيقن «هاري» من سبب تصرفهم هذا؛ فآباؤهم جميعًا كانوا ممن ذُكرت أسماؤهم ضمن أكلة الموت.

همست «هيرميون» بجذل وهما يغادران المكتبة: «وأفضل شيء أنهم لا يقدرون على معارضتك؛ لأنه لا يمكنهم الاعتراف بقراءة الحوار».

ولتصل سعادته إلى الذروة، فقد أخبرته «لونا» على العشاء أنه لم يسبق بيع كل أعداد «الكويبلر» بهذه السرعة.

قالت لـ«هاري» وعيناها تجحظان من فرط الحماس: «أبي يصدر طبعة ثانية. إنه لا يصدق، ويقول كيف يهتم الناس بهذا الموضوع أكثر من السنوركاك».

أصبح «هاري» بطلاً في حجرة طلبة «جريفندور» تلك الليلة. وضع «فريد» و«چورچ» ـ بكل جرأة ـ تعويذة تضخيم على غلاف مجلة «كويبلر» وعلقوه على الحائط، وأخذ رأس «هاري» العملاق يحدق في الجميع، ومن حين لآخر يقول أشياء من قبيل: «مسئولو الوزارة مجانين» و«لتأكلي نفسك من الغيظ يا أمبريدچ» بأصوات مدوية. لم تجد «هيرميون» هذا مسليًا، وقالت: إنه يمنع عنها التركيز، وانتهى بها الحال بالصعود إلى فراشها بامتعاض. أصبح على «هاري» الاعتراف بأن الملصق ليس طريفًا بعد مرور ساعة أو اثنتين، خاصة

عندما بدأت تعويذة الكلام تتلاشَى، وأصبح ما يقوله كلمات متفرقة، مثل: «لتأكلى» و«أمبريدج»، على فترات أقرب وأقرب وبصوت أكثر ارتفاعًا. فى الواقع، بدأ رأسه وندبته يؤلمانه. وأخيرًا وفى مواجهة طلبات التلاميذ الحضور بالحجرة أن يعيد حكْى الحوار للمرة (الدشليون)، فقد أعلن أنه سيصعد للنوم.

وجد جناح النوم خاليًا عندما وصله. أراح جبينه للحظة على زجاج النافذة البارد إلى جوار فراشه، شعر بالبرودة تسرى إلى ألمه وتخفف منه، ثم خلع ملابسه وصعد إلى الفراش، متمنيًا أن ينحسر الألم تمامًا. كما شعر ببعض الغثيان. انقلب على جنبه، وأغمض عينيه، وسقط نائمًا على الفور.

كان واقفًا فى حجرة مظلمة مغطاة بالستائر تضيئها شمعة واحدة. كانت يداه قابضتين على ظهر مقعد أمامه. وجد أصابع يده طويلة وبيضاء كأنها لم تر ضوء النهار منذ سنوات، وكأنها عناكب بيضاء كبيرة شاحبة قابعة فوق المقعد المخملى الأسود.

خلف المقعد وفى مساحة الضوء القادمة من الشمعة والمركزة على الأرض، رقد رجل مرتدٍ عباءة سوداء.

قال «هارى» بصوت مرتفع بارد ينبض بالغضب: «لقد تلقيت نصحًا خاطئًا كما يبدو».

قال الرجل الراكع على الأرض بصوت أجش: «مولاى.. أرجو عفوك يا مولاى»، وظهر رأسه لامعًا فى ضوء الشمعة.. كان يرتجف.

قال «هارى» بذلك الصوت البارد القاسى: «أنا لا ألومك يا روكوود» تخلَّى عن المقعد وسار حوله، مقتربًا من الرجل الجاثى على الأرض، حتى وقف فوقه فى الظلام، وشعر بأن رأسه على ارتفاع لم يصل إليه من قبل.

سأله «هارى»: «هل أنت واثق من الحقائق التى ذكرتها يا روكوود؟».

«أجل يا مولاى، أجل.. فأنا كنت أعمل فى المصلحة..».

«أخبرنى أفيرى أن بود سيقدر على أخذها».

«ما كان بود ليقدر على أخذها أبدًا يا مولاى.. بود يعرف أنه لا يقدر.. بلا شك.. ولهذه فقد قاوم بشدة لعنة إمبرياس التى ألقاها مالفوى..».

همس «هارى»: «انهض يا روكوود».

كاد الرجل يسقط وسط مسارعته بتنفيذ الأمر. كان وجهه معلمًا بالندوب،

واختفت الجروح عندما ألقى ضوء الشمعة عليها الظلال. ظل منحنيًا حتى عندما وقف، كأنه فى نصف ركعة، وألقى بنظرات خائفة على وجه «هارى».

قال «هارى»: «فعلت خيرًا بإخبارى هذا.. رائع.. لقد ضيعت شهورًا على سيناريوهات غير مثمرة كما يبدو.. لكن لا يهم، سنبدأ ثانية، بداية من الآن. اللورد ڤولدمورت يعلن لك عن امتنانه يا روكوود..».

شهق «روكوود» وصوته الأجش يملأه الارتياح: «مولاى.. أشكرك يا مولاى».

«سأحتاج لمساعدتك، سأحتاج لكل المعلومات التى تقدر على منحها لى».

«بالطبع يا مولاى، بالطبع.. ما تريده مُجاب..».

«حسنًا.. يمكنك الخروج. أرسل أفيرى لى».

تراجع «روكوود» بظهره منحنيًا حتى اختفى من الباب.

بعد أن أصبح وحده فى الحجرة، التفت «هارى» إلى الحائط. كانت هناك مرآة قديمة معلقة على الجدار وسط الظلال. أخذ انعكاسه عليها يكبر ويتضح وسط الظلام.. وجه أكثر بياضًا من الجمجمة.. بعيون حمراء لامعة..

«لاااااااااا».

سمع صوتًا قريبا يسأله: «ما الأمر؟».

أخذ «هارى» يتحرك بجنون، فاشتبك بأغطية الفراش وسقط من فوقه.. ولثوان قليلة، لم يعرف أين هو.. أيقن أنه سيرى الوجه الأبيض الشبيه بالجمجمة فوقه فى الظلام، ثم سمع صوت «رون» قريبًا منه.

«هلا كففت عن التصرف كالمجانين؛ حتى أخرجك من بين هذه الأغطية؟».

أبعد «رون» الأغطية عنه وأخذ «هارى» يحدق فيه على ضوء القمر، وهو راقد على ظهره، وندبته تؤلمه بشدة. بدا كأن «رون» يستعد للنوم، وذراعه مازالت خارج كُمِّ عباءته.

تساءل «رون» وهو يجذب «هارى» بشدة؛ حتى يقف على قدميه: «هل وقع هجوم آخر؟ هل هو أبى؟ هل هو الثعبان؟».

شهق «هارى» وندبته كأنها فوق النيران وهو يقول: «لا، الجميع بخير.. لكن يبدو أن أفيرى ليس بخير.. وقع فى مشكلة.. لقد أعطاه معلومات خطأ.. ڤولدمورت غاضب بشدة..».

تأوه «هارى» وعاود السقوط مرتجفًا على فراشه وهو يحك ندبته.

«لكن روكوود سيساعده.. لقد عاد إلى صوابه ثانية..».

قال «رون» بصوت خائف: «عم تتحدث؟ هل تعنى أنك رأيت الذى ـ تعرفه؟».

قال «هارى» وهو يمد يديه فى الظلام أمام وجهه؛ ليتحقق من أنهما ليسا بأصابع طويلة بيضاء كبياض الموت: «كنت أنا الذى ـ تعرفه.. كان مع روكوود، وهو أحد أكلة الموت الذين هربوا من أزكابان، أتذكر؟ أخبره روكوود منذ لحظات أن بود لا يمكنه فعلها». «فعل ماذا؟».

«أخذ شيئًا ما.. قال إن بود كان ليعرف بأنه لا يقدر.. بود واقع تحت تأثير لعنة الإمبرياس.. أعتقد أنه قال إن والد مالفوى هو من سلطها عليه..».

قال «رون»: «بود تم سحره؛ ليأخذ شيئًا ما؟ لكن يا هارى، لا بد أن هذا هو...».

أنهى «هارى» عبارته بقوله: «السلاح.. أعرف».

انفتح باب الجناح، ودخل «دين» و«سيماس».. أعاد «هارى» قدميه إلى الفراش.. لم يرغب فى أن يبدو فى حال غريبة بعد أن كف «سيماس» عن الاعتقاد بأنه مجنون.

غمغم «رون» وهو يقرب رأسه من رأس «هارى» متظاهرًا بالشرب من إناء الماء الموضوع على مائدة فراش الأخير: «هل قلت إنك كنت الذى ـ تعرفه؟».

قال «هارى» بهدوء: «أجل».

تجرع «رون» جرعة كبيرة من الماء بغير ضرورة، ورأى «هارى» الماء ينساب على ذقنه وصدره.

قال و«دين» و«سيماس» يتحركان بأصوات مزعجة وهما يخلعان عباءتيهما ويتحدثان: «هارى.. عليك بإخبار...».

قال «هارى» باقتضاب: «ليس علىَّ إخبار أحد.. ما كنت لأرى ما رأيت إن كنت ناجحًا فى الأوكلومينسى. من المفترض أننى أتعلم كيف أمنع عن نفسى هذه الرؤى. هذا ما يريدونه».

بقوله «يريدونه» كان يشير إلى «دمبلدور». عاد إلى فراشه وتقلب عليه معطيًا ظهره إلى «رون»، وبعد قليل، سمع حاشية فراش «رون» تصر وهو ينقلب على جانبه هو الآخر. بدأت ندبته تؤلمه.. عض على الوسادة بقوة؛ ليمنع نفسه من إصدار أى صوت. فى مكان ما، كان يعرف أن «أفيرى» يتعرض للعقاب.

***

انـتـظـر «هـارى» و«رون» حـتـى إفـطـار صبـاح الـيـوم الـتـالى، ثـم أخبرا «هيرميون» بما جرى بالضبط.. كانا يريدان ضمان أنه لن يسمعهم أحد. وهم واقفون فى ركنهم المعتاد من الفناء البارد، أخبرها «هارى» بكل تفاصيل الحلم كما تذكره. وعندما انتهى، لم تقل شيئًا للحظات، لكن أخذت تنظر إلى «فريد» و«چورچ»، اللذين وقفا بلا رءوس يبيعان قبعاتهما السحرية من أسفل عباءتيهما على الجانب الآخر من الفناء، نظرات نارية.

قالت بهدوء وهى تبعد بصرها عن «فريد» و«چورچ» أخيرًا: «لهذا السبب قتلوه.. عندما حاول بود سرقة ذلك السلاح، حدث شىء غريب له. لابد أنها تعويذة دفاعية، أو ما شابه، على السلاح أو حوله؛ لتمنع الناس من لمسه. لهذا كان فى مستشفى «سانت مونجو» غير قادر على الكلام. لكن، هل تتذكران ما قالته الحكيمة لنا؟ كان آخذًا فى التعافى. ولم يقدروا على المخاطرة بتحسين حالته أكثر من حاله وقتها، أليس كذلك؟ أعنى أن الصدمة التى لاقاها عندما لامس السلاح رفعت عنه لعنة «الإمبرياس». حالما يعود إليه صوته كان ليشرح ما فعله، أليس كذلك؟ كانوا سيعرفون أنه قد جاء لسرقة السلاح. بالطبع، كان من السهل على لوكياس مالفوى أن يصيبه باللعنة، فهو لا يغادر الوزارة».

قـال «هـارى»: «كـان هـنـاك يـوم محـاكـمـتـى.. فـى ممر مصلحـة الألـغـاز والغوامض. قال أبوك إنه على الأرجح يحاول التسلل للأسفل ومعرفة ما يجرى بشأن محاكمتى.. لكن، ماذا لو...».

شهقت «هيرميون» والفزع مرتسم على وجهها: «ستورجيس».

قال «رون» مرتبكًا: «ماذا؟».

قالت «هيرميون» مبهورة الأنفاس: «ستورجيس بودمور.. ألقى القبض عليه؛ لمحاولته التسلل عبر الباب! لا بد أن لوكياس مالفوى قد استحوذ على عقله هو الآخر! أراهن أنه فعل هذا يوم وجودك بالوزارة يا هارى. ستورجيس معه عباءة مودى السحرية، أليس كذلك؟ إذن، ماذا لو كان واقفًا فى حراسة الباب، مختفيًا تحت عباءة الإخفاء وسمعه مالفوى يتحرك.. أو خمن أن هناك شخصًا واقفًا.. أو ألقى بلعنة الإمبرياس أملاً فى أن تصيب الحارس الخفى؟ عندما أتيحت لستورجيس الفرصة حاول دخول المصلحة؛ لسرقة السلاح لصالح ڤولدمورت ـ اهدأ يا رون ـ لكن تم إلقاء القبض عليه وأرسلوه إلى أزكابان..».

أخذت تحدق فى «هارى».

«والآن روكوود يخبر ڤولدمورت بكيفية الحصول على السلاح!».

قال «هارى»: «لم أسمع كل الحوار، لكن هذا هو ما بدا عليه الحال. روكوود كان يعمل بالوزارة.. ربما أرسل ڤولدمورت روكوود هو الآخر».

أومأت «هيرميون» برأسها موافقة، وهى شاردة تفكر فى الأمر، ثم قالت فجأة: «لكن ما كان لك أن ترى ما رأيت يا هارى».

قال «هارى» مندهشًا: «ماذا؟».

قالت «هيرميون» وقد أصبحت صارمة فجأة: «من المفترض أنك تتعلم كيف تغلق عقلك فى مواجهة مثل هذه الأشياء».

قال «هارى»: «أعرف هذا.. لكن...».

قالت «هيرميون» بحزم: «أعتقد أن علينا محاولة نسيان ما رأيت، وعليك بذل مجهود أكبر فى دروس الأوكلومينسى من الآن».

شعر «هارى» بغضب شديد حتى إنه لم يتكلم معها باقى اليوم، وهو سبب آخر جعله يومًا سيئًا. عندما لم يكن التلاميذ يتكلمون عن هروب أكلة الموت فى الممرات، كانوا يضحكون من فشل «جريفندور» الذريع فى مباراتهم مع «هافلباف»، ويغنى أولاد «سليذرين»: «ويسلى يا ملك» بصوت مرتفع وبصورة متكررة جعلت «فيلش» يمنع غناءها فى الممرات؛ بسبب ملله منها.

لم تتحسن الأحوال طوال الأسبوع.. نال «هارى» درجات ضعيفة فى مادة الوصفات السحرية، ولم يتراجع خوفه من طرد «هاجريد»، ولم يتمكن من منع نفسه من تذكّر الحلم الذى كان فيه «ڤولدمورت»، بالرغم من أنه لم يتحدث عنه مع «رون» و«هيرميون» ثانية.. لم يرغب فى تلقى المزيد من التوبيخ من «هيرميون». تمنى لو يقدر على الكلام مع «سيرياس» ثانية، لكن هذا غير ممكن؛ لذا حاول إبعاد رغبته هذه عن ذهنه.

لكن للأسف، لم يعد ذهنه مكانًا آمنًا كما كان.

«انهض يا بوتر».

بعد أسبوعين من حلمه بـ«روكوود»، وجد «هارى» نفسه ثانية راكعًا على الأرض فى مكتب «سناب»، محاولاً أن يصفى ذهنه. لكنه أجبر - ثانية - على إخراج تيار من الذكريات، معظمها من الإهانات التى تلقاها من «ددلى» وعصابته وهم فى المدرسة الابتدائية.

قال «سناب»: «آخر ذكرى.. ماذا كانت؟».

قال «هارى» وهو ينهض بوهنٍ واقفًا: «لا أعرف». وجد صعوبة فى فصل الذكريات عن بعضها فى خضم تدفق الصور والأصوات التى يستدعيها «سناب».. وأضاف: «هل تعنى تلك التى يحاول فيها ابن خالتى أن يجعلنى أقف فوق المرحاض؟».

قال «سناب» بنعومة: «لا، أعنى تلك التى بها رجل راكع فى منتصف حجرة مظلمة..».

قال «هارى»: «إنها.. لا شىء».

اخترقت عينا «سناب» الداكنة عينى «هارى» وهو يتذكر ما قاله «سناب» عن الاتصال بالعين وأهميته فى فن «الليجيليمينسى»، فقد طرف بعينه وأشاح بوجهه عنه.

قال «سناب»: «كيف دخل هذا الرجل وهذه الحجرة إلى رأسك يا بوتر؟».

قال «هارى» وهو ينظر إلى كل الاتجاهات إلا حيث يقف «سناب»: «إنه.. إنه مجرد حلم». كرر «سناب» قوله: «حلم؟!».

مرت فترة من الصمت أخذ «هارى» يحدق فيها بثبات فى ضفدع كبير ميت موضوع فى إناء زجاجى به سائل بنفسجى.

قال «سناب» بصوت منخفض مخيف: «هل تعرف سبب وجودنا هنا يا بوتر؟ هل تعرف سبب قضائى وقت المساء فى هذا العمل الممل؟».

قال «هارى» بجمود: «أجل».

«ذكرنى بسبب وجودنا هنا يا بوتر».

قال «هارى» وهو ينظر إلى ثعبان ماء ميت: «حتى أتعلم الأوكلومينسى».

«فعلاً يا بوتر. وبالرغم من عقلك البليد..». نظر إليه «هارى» بكراهية «.. إلا أننى حسبت أن بعد شهرين من الدروس ستتحسن. كم من الأحلام حلمت بها عن سيد الظلام؟». كذب عليه «هارى» قائلاً: «ذلك الحلم فقط».

قال «سناب» وعيناه الداكنتان الباردتان تضيقان قليلاً: «ربما تستمتع بتلك الرؤى والأحلام يا بوتر. هل تجعلك تشعر بأن لك خصوصية؟ أو أهمية؟».

قال «هارى» وفكه يتوتر وأصابعه تضيق حول مقبض عصاه السحرية: «لا».

قال «سناب» ببرود: «فعلاً يا بوتر؛ لأنك لست ذا خصوصية أو أهمية، وليس من شأنك معرفة ماذا يقول سيد الظلام لأكلة الموت».

رماه «هارى» بسؤال حاد: «لا، فهذه مهمتك.. أليس كذلك؟».

لم يقصد قول هذا، لكن الكلمة خرجت منه فى غضبه. تبادلا النظر لبرهة، و«هارى» مقتنع أنه قد تمادى كثيرًا، لكنه وجد تعبيرًا هادئًا غريبًا، أشبه بالرضا، مرتسمًا على وجه «سناب» وهو يجيبه.

قال وعيناه تلمعان: «أجل يا بوتر.. هذه هى مهمتى. والآن، إن كنت جاهزًا، فهيًّا نبدأ ثانية». رفع عصاه وقال: «واحد.. اثنان.. ثلاثة.. *ليجيليمينسى*».

مائة «ديمنتور» يقتربون من «هارى» عبر البحيرة وإلى أرض المدرسة.. رفع وجهه؛ محاولاً التركيز. يقتربون.. يرى الثقوب السوداء من تحت عباءاتهم.. لكن «سناب» واقف أمامه، وعيناه مركزتان على وجهه، وهو يغمغم.. وبطريقة ما، أصبح «سناب» أصفى وأوضح، وتراجعت «الديمنتورات» إلى الظلال أكثر وأكثر.

رفع «هارى» عصاه. «بروتيجو».

ترنح «سناب»، وطارت عصاه السحرية إلى أعلى، بعيدًا عن «هارى».. وفجأة، أخذ عقل الآخير يموج بذكريات ليست له: رجل بأنف معقوف يصيح فى سيدة خائفة، بينما ثمة ولد صغير أسود الشعر يبكى فى الركن.. ولد مراهق جالس فى حجرة نوم مظلمة، مشيرًا بعصاه السحرية إلى السقف، ويصوب نحو الذباب؛ ليسقط.. فتاة تضحك وولد هزيل يحاول امتطاء مقشة تتحرك من تحته..».

«**كفى**».

شعر «هارى» وكأن هناك من ضربه بشدة فى صدره، ترنح متراجعًا عدة خطوات، واصطدم ببعض الرفوف التى تغطى جدران مكتب «سناب» وسمع شيئًا ما يتكسّر. وجد «سناب» يرتجف، وبياض شديد فى وجهه.

كانت عباءة «هارى» من الخلف رطبة. واحد من البرطمانات من خلفه سقط وانكسر عندما سقط عليها، وأخذت الأشياء الصغيرة الزلقة داخلها تدور داخل الوعاء والسائل يتسرب منه.

قال «سناب»: «*ريبارو*» فاغلق البرطمان نفسه، ثم قال: «جيد يا بوتر.. أحرزت بعض التقدم..». وهو يلهث قليلاً ويميل على المفكرة السحرية التى

خزن فيها بعض أفكاره قبل بدء الدرس، وكأنه يتحقق من وجودها. أضاف: «لا أتذكر أننى علمتك تعويذة الدرع.. لكن لا شك فى أنها كانت مؤثرة..».

لم يتكلم «هارى». شعر بأنه قد يقول ما تترتب عليه أشياء خطيرة. كان واثقا من أنه قد اخترق ذكريات «سناب»، وأنه قد رأى مشاهد من طفولته. شعر بغرابة التفكير فى أن ذلك الولد الصغير الذى كان يبكى وهو يراقب أبويه يصيحان، هو نفسه الواقف أمامه بكل هذا الحقد فى عينيه.

قال «سناب»: « هيا نحاول ثانية».

شعر «هارى» برهبة وخوف.. سيدفع ثمن ما حدث، هو واثق من هذا. تحركا إلى وضعهما السابق والمكتب بينهما، وشعر «هارى» بأنه سيواجه صعوبة أكبر فى تفريغ عقله هذه المرة.

قال «سناب» وهو يرفع عصاه ثانية: «مع العدد ثلاثة.. واحد.. اثنان..».

لم يجد «هارى» الوقت الكافى لمحاولة تفريغ ذهنه قبل أن يصيح «سناب»: «ليجيليمينسى».

وجد نفسه يهرول عبر ممر متجه إلى مصلحة الألغاز والغوامض، وإلى جانب الجدران الصخرية المصمتة، والمشاعل، والباب الأسود يقترب ويقترب، وهو يتحرك بسرعة تجعله على ثقة من أنه يصطدم به، أصبح على مسافة بعض الأقدام وأمكنه رؤية شق من النور الأزرق الباهت.

انفتح الباب! مر من خلاله أخيرًا، بالداخل وجد حجرة مستديرة سوداء الجدران، والأرضية، ومضاءة بشموع زرقاء اللهب، والمزيد من الأبواب من حوله.. عليه التقدم.. لكن أى باب يفتح؟

«بوتر».

فتح «هارى» عينيه. وجد نفسه راقدًا على ظهره من دون أن يتذكر رقاده. أخذ يلهث وكأنه جرى مسافة طويلة فى ممر مصلحة الألغاز والغوامض، وركض عبر الباب الأسود؛ ليجد الحجرة المستديرة.

قال «سناب» وهو واقف فوقه والغيظ يتملكه: «فسر ما حدث».

قال «هارى» بصدق وهو يقف: «لا، لا أعرف ماذا جرى»، كانت هناك كدمة على رأسه من الخلف؛ حيث اصطدم بالأرض، وشعر بالحمى تهاجمه، وهو يقول: «لم أرها من قبل. أعنى كما أخبرتك أننى حلمت بالباب، لكن لم أفتحه من قبل أبـ...». «أنت لا تعمل باجتهاد كافٍ».

لسبب ما، بدا «سناب» أكثر غضبًا من حاله قبل دقيقتين، عندما اخترق «هارى» ذكريات معلمه.

«أنت كسول وأخرق يا بوتر، ومما لا يثير العجب أن سيد الظلام...».

قاطعه «هارى» وقد ثار ثانية: «هلا أخبرتنى بشىءٍ يا سيدى؟ لماذا تطلق على ڤولدمورت اسم سيد الظلام؟ لم أسمع سوى أكلة الموت ينادونه بهذا الاسم».

كشر «سناب» عن أنيابه فيما يشبه الزمجرة.. وسمعوا سيدة تصرخ من مكان ما خارج الحجرة. رفع «سناب» رأسه بسرعة، وأخذ يحدق فى السقف.

غمغم: «ماذا حدث؟».

سمع «هارى» صوت جلبة مكتومة من مكان بدا قريبًا من القاعة الأمامية. التفت «سناب» إليه مقطّب الجبين.

«هل رأيت ما يريب فى طريقك إلى أسفل يا بوتر؟».

هز «هارى» رأسه. فى مكان ما فوقهم، أخذت السيدة تصرخ ثانية. هرع «سناب» إلى باب مكتبه، وعصاه ما زالت مشهرة مستعدة، وخرج. تردد «هارى» للحظة، ثم لحقه.

كانت الصرخات قادمة بالفعل من القاعة الأمامية، وأخذت ترتفع وترتفع و«هارى» يجرى فوق الدرجات الحجرية التى تقود من الممرات السفلية إلى أعلى. وعندما وصل إلى القاعة الأمامية، وجدها ممتلئة عن آخرها بالطلبة الذين توافدوا من القاعة الكبرى، حيث كان العشاء مستمرًا؛ ليروا ماذا يجرى، وآخرين واقفين فوق درجات السلم الرخامى. دفع «هارى» مَن أمامه من طلبة «سليذرين»؛ ليرى المشهد الذى تحلق الطلبة حوله فيما يشبه الحلقة، وبعضهم على وجهه الصدمة، البعض الآخر خائف. كانت الأستاذة «مكجونجال» فى مواجهة «هارى» بالضبط، على الجانب الآخر من القاعة، بدا كأن ما تراقبه جعلها تشعر بالغثيان.

كانت الأستاذة «تريلاونى» واقفة فى منتصف القاعة الأمامية وعصاها السحرية فى يد وفى الآخرى زجاجة خمر فارغة، وعلى وجهها أعتى أمارات الجنون. كان شعرها أشعث غير مصفف، وعويناتها مائلة حتى إن عينيها بدتا أكبر من المعتاد، ووشاحاتها المتعددة تتساقط من عليها. كانت هناك حقيبتان كبيرتان على الأرض بجانبها، واحدة منهما مقلوبة، ومن الواضح

أن هناك من ألقى بها إليها من فوق السلم. أخذت الأستاذة «تريلاونى» تحدق بخوف فى شىء لا يراه «هارى» لكنه واقف عند قاعدة السلم.

صرخت: «لا.. لا، لا يمكن أن هذا يحدث، لا يمكن.. أنا أرفض قبوله».

قال صوت بناتى مرتفع حاد أقرب للقسوة: «ألم ترى أن هذا مصيرك من البداية؟». وتحرك «هارى» إلى يمينه؛ ليرى أن نظر «تريلاونى» مستقرٌ على الأستاذة «أمبريدچ» وهى تقول: «بالرغم من عدم قدرتك على التنبؤ بطقس الغد، كان عليك تخمين أن مصيرك هو الطرد، بعد أن فتشت عليك ولم أجد أى تحسن، وماذا تعتقدين يجعلك غير قابلة للطرد من هنا؟».

عوت الأستاذة «تريلاونى» والدموع تنهمر من عينيها على وجهها من خلف العدسات العملاقة للعوينات: «لا.. لا يمكنك.. لا يمكنك طردى.. أنـ... أنا هنا منذ ستة عشر عامًا.. هوجورتس هى بـ... بيتى».

قالت الأستاذة «أمبريدچ»: «كانت بيتك» وتقزز منها «هارى» عندما أحس بالسرور يطل من وجهها الضفدعى الطابع وهى تراقب الأستاذة «تريلاونى» تسقط على واحدة من حقيبتيها وهى تبكى غير قادرة على التحكم فى نفسها.. أضافت: «حتى ساعة مضت، عندما أصدرت وزارة السحر قرارًا بفصلك من عملك. والآن، من فضلك اخرجى من هذه القاعة. أنت تحرجيننا».

لكنها وقفت وأخذت تراقب بتعبير جذل متشفٍ الأستاذة «تريلاونى» وهى ترتجف وتتأوه، وتهز جسدها للأمام والخلف جالسة على حقيبتها تنتحب. سمع «هارى» انتحابة مكتومة إلى يساره ونظر إلى مصدرها. كانت «لاڤندر» و«بارفاتى» تبكيان بهدوء، وذراعاهما متشابكتان، ثم سمع خطوات. خرجت الأستاذة «مكجونجال» من بين صفوف المشاهدين واتجهت مباشرة إلى الأستاذة «تريلاونى» وأخذت تربت على ظهرها بحزم وهى تخرج منديلاً كبيرًا من بين ثنيات عباءتها.

«خذى يا سيبيل.. اهدئى.. تمخطى فى هذا.. الأمر ليس بالسوء الذى ترينه.. إنك لن تغادرى هوجورتس..».

قالت «أمبريدچ» بصوت رهيب وهى تقترب: «حقًا يا أستاذة مكجونجال؟ وسلطة من التى تـ...؟». قال صوت عميق: «سلطتى أنا».

انفتحت الأبواب الأمامية. ابتعد الطلبة الواقفون خلفها من طريق «دمبلدور». لم يكن «هارى» يعرف ماذا يفعل فى الفناء، لكن مشهده وهو واقف فى مدخل الباب والليل البهيم من خلفه هكذا أصابه بالرهبة والوجل. بعد أن ترك الأبواب مفتوحة اتجه إلى دائرة المتفرجين، وإلى الأستاذة «تريلاونى» الدامعة المرتجفة الجالسة على حقيبتها، و«مكجونجال» الواقفة إلى جوارها.

قالت «أمبريدچ» بضحكة قصيرة شريرة: «سلطتك أنت يا أستاذ دمبلدور؟ يؤسفنى القول أنك لا تفهم موقفك.. معى هنا..». وجذبت من بين ثنيات عباءتها رقعة من الورق وأضافت: «.. قرار موقع بالفصل من السيد وزير السحر. طبقًا لأحكام الفرمان التعليمى رقم (٢٣)، فلمفتشة هوجورتس العليا السلطة فى التفتيش، ووضع المعلمين تحت الاختبار وفصل المعلم الذى تراه.. أعنى: الذى تشعر أن أداءه ليس كما تتطلب معايير الوزارة. وأنا قد قررت أن الأستاذة تريلاونى ليست على المستوى المطلوب؛ ولهذا فصلتها».

لدهشة «هارى» الشديدة لم تختفِ الابتسامة على وجه «دمبلدور». نظر إلى الأستاذة «تريلاونى» التى لم تكف عن البكاء بانفعال فوق حقيبتها وقال: «أنتِ محقة بالطبع يا أستاذة أمبريدچ. كمفتشة عليا؛ لك كل الحق فى فصل مدرسينى. لكن ليس لك الحق فى إخراجهم من قلعتى على ما أخشى»، استمر فى الكلام بعد أن انحنى انحناءة احترام خفيفة: «هذه السلطة ممنوحة للناظر فقط، وأنا قد شئت أن تبقى الأستاذة تريلاونى وتقيم فى هوجورتس».

مع قوله هذا، ضحكت الأستاذة «تريلاونى» ضحكة صغيرة ممتزجة بالفُواق.

«لا.. لا.. هئ.. سأخرج يا.. هئ.. دمبلدور.. سأغادر هوجورتس و... هئ.. أبحث عن نصيبى فى مكان آخر..».

قال «دمبلدور» بحدة: «لا، أنا من شاء أن تبقى يا سيبيل».

التفت إلى الأستاذة «مكجونجال».

«من فضلك يا أستاذة مكجونجال.. هلا تفضلتِ باصطحاب سيبيل إلى أعلى؟».

قالت «مكجونجال»: «بالطبع.. هيا معى يا سيبيل.. سنصعد..».

جاءت الأستاذة «سبروت» مهرولة من بين الجموع وجذبت الأستاذة «تريلاونى» من يدها الأخرى. معًا قادتاها إلى جوار «أمبريدچ» وفوق السلم

الرخامى. هرول الأستاذ «فليتويك» من خلفهم، وقد رفع عصاه أمامه وقال بصوته الحاد: «*لوكوموتر ترانكس*» فارتفعتا حقيبتا الأستاذة «تريلاونى» فى الهواء وصعدتا السلم خلفها، والأستاذ «فليتويك» فى الخلف.

وقفت الأستاذة «أمبريدج» مصدومة تحدق فى «دمبلدور»، الذى لم تختفِ ابتسامته اللطيفة.

قالت بهمسة طافت بالقاعة الأمامية: «وماذا ستفعل بها حينما أعين معلم تنجيم جديدًا يحتاج لحجرتها؟».

قال «دمبلدور» بعذوبة: «هذه ليست مشكلة. لقد وجدت معلم التنجيم الجديد بالفعل، وهو يفضل الإقامة فى الطابق الأرضى».

قالت «أمبريدج» بصوت حاد: «وجدت... وجدت ماذا؟ هلا ذكرتك بالقرار التعليمى رقم (٢٢) يا دمبلدور، القائل بأن...».

قال «دمبلدور»: «للوزارة الحق فى تعيين المرشحين، إن وجدهم الناظر مناسبين. ويسعدنى القول بأننى قد وجدت مرشحًا ممتازًا. هلا قدمته إليك؟».

التفت لمواجهة الأبواب المفتوحة، التى تسلل نسيم الليل البارد عبرها. سمع «هارى» وقع حوافر. سمع غمغمة حوله فى القاعة، وهؤلاء الأقرب إلى الباب ابتعدوا عنه بسرعة، وبعضهم تعثر وهو يبتعد مُفسحًا للقادم الجديد.

عبر الضباب الليلى، رأى «هارى» وجهًا رآه مرة من قبل فى ليلة مظلمة مخيفة فى الغابة المحرمة: شعرًا أشقرَ فاتحًا وعيونًا مذهلة الزرقة، والرأس والجذع لإنسان وباقى جسده جسد حِصان.

قال «دمبلدور» بسعادة مخاطبًا «أمبريدج» المصعوقة: «هذا فايرنز.. أراه مناسبًا للوظيفة».

٢٧ القنطور والواشية

«أراهن أنك ندمت على ترك مادة التنجيم، أليس كذلك يا هيرميون؟». كان هذا سؤال «بارفاتى» الذى ألقته بسخرية.

كان وقت الإفطار، بعد يومين من طرد الأستاذة «تريلاونى»، وأخذت «بارفاتى» تضبط رموش عينيها بعصاها السحرية وهى تنظر لانعكاس وجهها على ظهر الملعقة. وأول حصة مع «فايرنز» لهم كانت ستبدأ بعد الإفطار ذلك الصباح.

قالت «هيرميون» بلا اكتراث وهى تقرأ «الدايلى بروفيت»: «لا، فأنا لا أحب الجياد».

قالت «لاڤندر» وقد بدت مصدومة فى كلامها: «إنه ليس جوادًا، بل قنطورًا».

تنهدت «بارفاتى» قائلة: «قنطور وسيم..».

قالت «هيرميون» ببرود: «على أية حال فهو بأربع أقدام. حسبت أنكما حزنتما على رحيل تريلاونى».

قالت «لاڤندر»: «فعلاً.. ذهبنا إلى مكتبها؛ لنراها، وجلبنا لها بعض النرجس الأصفر.. ليست مثل زهرات النرجس العاوية التى نراها عند سبروت، بل نرجس طبيعى جميل». سألها «هارى»: «وكيف حالها؟».

قالت «لاڤندر» بتعاطف: «ليس بخير، يا لها من مسكينة! إنها تبكى وتقول إنها تود مغادرة القلعة على البقاء حيث تبقى أمبريدچ، ولا ألومها، فأمبريدچ تصرفت معها بكل وضاعة، أليس كذلك؟».

قالت «هيرميون» بغموض: «أشعر بأن أمبريدچ ستبدأ فى التصرف بوضاعة من الآن فصاعدًا».

قال «رون» وهو مشغول بطبق كبير من البيض واللحم: «مستحيل، لا يمكن أن تكون أوضع من حالها الآن».

قالت «هيرميون» وهى تغلق الجريدة: «تذكر كلامى، ستحاول الانتقام من دمبلدور؛ لأنه قام بتعيين معلم جديد من دون استشارتها. خاصة أنه نصف آدمى. رأيت النظرة التى ارتسمت على وجهها عندما رأت فايرنز».

بعد الإفطار، غادرت «هيرميون» متجهة إلى حصة الرياضيات السحرية،

بينما تبع «هارى» و«رون» «بارفاتى» و«لافندر» إلى القاعة الأمامية متجهين إلى حصة التنجيم.

سأل «رون» متعجبًا و«بارفاتى» تمر إلى جوار السلم الرخامى: «ألن نصعد إلى البرج الشمالى؟». نظرت إليه «بارفاتى» باستخفاف من فوق كتفها:

«وكيف تتخيل أن يتمكن فايرنز من صعود السلم؟ سنأخذ الحصة فى الفصل رقم (١١)، وقد أعلن عن هذا على لوحة الإعلانات بالأمس».

كان الفصل رقم (١١) فى الطابق الأرضى إلى جوار الممر المفضى إلى القاعة الأمامية من الجانب الآخر للقاعة الكبرى. كان «هارى» يعرف أن الفصول الواقعة فى تلك المنطقة لا يشغلها أحد إلا فيما ندر؛ ولهذا كانت مهملة. عندما دخل خلف «رون» ووجد نفسه وسط مساحة مكشوفة من الغابة أصابه الذهول: «ما هذا؟».

كانت أرضية الفصل مكسوة بالطحالب الربيعية والأشجار، وفروع الأشجار العريضة تضرب السقف والنوافذ، حتى أصبح الضوء الذى يغمر الحجرة أخضر اللون. الطلبة الذين وصلوا بالفعل جلسوا على الأرض الطينية مستندين إلى جذوع الأشجار أو الأحجار، وأذرعهم معقودة فوق ركبهم أو حول صدورهم، وجميعهم يبدو عليهم التوتر. وفى منتصف الغابة حيث لا توجد أشجار، وقف «فايرنز».

قال وهو يمد يدًا لـ«هارى» وهو يدخل: «هارى بوتر».

قال «هارى» وهو يصافح «القنطور» الذى فحصه بعينيه الزرقاوين الصافيتين لكن من دون أن يبتسم: «آ.. أهلاً.. آ.. يسعدنى رؤيتك».

قال «القنطور» وهو يُمِيل رأسه الأشقر: «وأنا أيضًا.. مكتوب لنا أن نتقابل ثانية».

لاحظ «هارى» أثر سحجة بسبب ضربة حافر على صدر«فايرنز». وهو يدور على عقبيه ليجلس مع باقى الفصل على الأرض، رآهم ينظرون إليه بإعجاب ورهبة، والسبب الواضح هو سابق معرفته بـ«فايرنز» ومعرفة الأخير به، وهو ما بدا لهم أمرًا مدهشًا يستحق الإعجاب.

عندما أوصد الباب وجلس آخر الطلاب الواقفين على جذع شجرة ميتة إلى جانب سلة القمامة، أومأ«فايرنز» للحضور.

قال«فايرنز» بعد أن جلس الجميع: «تفضَّلَ الأستاذ دمبلدور ورتب هذا الفصل من أجلنا؛ ليتشابه مع بيئتى الطبيعية. كنت أفضّل التدريس فى الغابة المحرمة، التى - وحتى يوم الإثنين - كانت بيتى.. لكن هذا لم يعد ممكنًا».

قالت «بارفاتى» مبهورة الأنفاس وهى ترفع يدها: «مـ... من فضلك يا... آ.. سيدى.. لِمَ لم يعد هذا ممكنًا؟ نحن نخرج إليها مع هاجريد، ولا نخاف».

قال «فايرنز»: «المسألة ليست متعلقة بالشجاعة والخوف، لكن بموقعى. لا يمكننى العودة إلى الغابة، لقد نفانى قطيعى منها».

قالت «لاڤندر» بصوت مرتبك: «قطيعك؟!». فعرف «هارى» أنها تقارنه بالأبقار، أضافت: «ماذا.. آه».

لاحت على وجهها أمارات الفهم وقالت مذهولة: «وهل هناك المزيد؟».

سأله «دين» بلهفة: «وهل يروضكم هاجريد؟ مثل الثيسترال؟».

التفت «فايرنز» ببطء شديد ليواجه «دين»، الذى أدرك أن ما قاله مهينٌ جدًّا.

أنهى كلامه بصوت مضطرب: «لم... لم أقصد.. أعتذر».

قال «فايرنز» بهدوء: «القناطير ليسوا خدمًا أو حيوانات أليفة للبشر».. مرت برهة من الصمت، ثم رفعت «بارفاتى» يدها ثانية:

«من فضلك يا سيدى.. لماذا نفاك القناطير؟».

قال «فايرنز»: «لأننى وافقت على العمل مع دمبلدور. فهم يرون هذا خيانة لجنسنا».

تذكر «هارى» كيف صاح «القنطور» «بان» منذ سنوات فى«فايرنز» عندما سمح لـ«هارى» بركوبه؛ حتى يصل إلى بر الأمان ويخرج من الغابة، وقال عنه «بغل». تساءل إن كان «بان» هو من ضرب«فايرنز» فى صدره؟

قال «فايرنز»: «هيًا نبدأ». هز ذيله الطويل الناعم، ورفع يده نحو نبتة خضراء فوقه، ثم خفضها ببطء.. وهو يفعل هذا، أعتم الضوء فى الحجرة، حتى بدا كأنهم جلوس فى الغابة وقت الشفق، وظهرت النجوم فى السقف. صدر عنهم آهات الدهشة والإعجاب، وقال «رون» بصوت مسموع: «اللعنة».

قال «فايرنز» بصوته الهادئ: «ارقدوا على الأرض، وراقبوا السماء؛ فعليها مكتوبة - لمن يرى - أقدارنا».

رقد «هارى» على ظهره وحدّق فى السقف. رأى نجم الشفق الأحمر يغمز له من فوقه.

قال صوت«فايرنز» الهادئ: «أعرف أنكم عرفتم أسماء الكواكب والأقمار فى مادة علم الفلك، وأنكم قد رسمتم خرائط بالنجوم وحركتها فى السماء. القناطير تقوم بحل هذه الألغاز منذ قرون خلت. وما اكتشفناه علمنا أننا يمكننا إلقاء نظرة على المستقبل بالنظر إلى السماء من فوقنا..».

قالت «بارفاتى» بحماس وهى ترفع يدها أمامها وهى راقدة على ظهرها: «علمتنا الأستاذة تريلاونى بعضًا من علم التنجيم الفلكى: كوكب المريخ يتسبب فى حوادث وحرائق وأشياء من هذا القبيل عندما يكون على زاوية مع زحل، مثل الآن..». رسمت بيدها زاوية قائمة فى الهواء وقالت: «.. هذا يعنى أن الناس بحاجة إلى الاحتراس عند التعامل مع الأشياء الساخنة..».

قال «فايرنز» بهدوء: «هذا.. من خرافات البشر..».

سقطت يد «بارفاتى» إلى جانبها.

قال «فايرنز» وحوافره تضرب الأرض المكسوة بالطحالب: «إصابات تافهة، وحوادث بشرية صغيرة قليلة الشأن.. هذا أشبه بمراقبة النمل وحده من بين عناصر الكون الشاسع».

قالت «بارفاتى» بصوت مجروح متألم: «الأستاذة تريلاونى..».

قال«فايرنز» ببساطة: «.. من البشر؛ ولهذا فهى تقف عند حدود نوعكم، وتقتصر على الفهم البشرى للأشياء».

أدار «هارى» رأسه ببطء نحو «بارفاتى»، التى بدت متضررة بشدة مما قاله، وكذا الكثير من المحيطين بها.

أكمل«فايرنز» قائلاً: «ربما يكون عند سيبيل تريلاونى البصيرة، لا أعلم». وسمع «هارى» ذيله وهو يهتز أثناء حركته ذهابًا وإيابًا أمامهم، ثم أضاف: «لكنها تضيع وقتها على ما يسميه البشر قراءة الطالع. لكننى هنا؛ لأشرح لكم حكمة القناطير، التى تعتبر غير شخصية وغير متحيزة لشىء. نحن نراقب السماوات؛ بحثًا عن تغيرات حادة فى الشر الذى يملأ العالم، أو بحثًا عن بعض العلامات أو الإشارات. ربما يأخذ الأمر منا عشرة أعوام حتى نتأكد مما نراه».

أشار«فايرنز» إلى النجم الأحمر فوق رأس «هارى» مباشرة قائلاً: «على مر العقد الماضى من الزمان، رأينا إشارات على أن جنس السحرة يمرون بفترة هدنة بين حربين. المريخ جلّاب الحروب يلمع فوقنا، وهو ما يؤكد أن الحرب

ستبدأ قريبًا ثانية. لكن، متى سيحدث هذا؟ تحاول القناطير معرفة ذلك بالتنجيم عن طريق حرق بعض الأعشاب وأوراق الأشجار، وبمراقبة ألسنة اللهب..».

كان هذا أغرب درس يحضره «هارى». أحرقوا أوراق الأشجار والأعشاب فى الفصل، وأمرهم«فايرنز» بأن يبحثوا بعيونهم عن أشكال ورموز معينة بين ألسنة اللهب، لكن بدا أنه على يقين من أن أحدهم لن يقدر على رؤية العلامات التى وصفها، وأخبرهم أن البشر ليسوا ماهرين فى هذا النوع من السحر، وأن الأمر استغرق قرونًا من «القناطير» حتى يصبحوا مهرة فيه.. وفى النهاية، قال لهم: إنه من الغباء الاعتقاد بكل هذه الأشياء؛ لأنه حتى «القناطير» يخطئون تفسيرها.. لم يكن كأى معلم بشرى عرفه «هارى»، لم تكن أولوياته هى تعليمهم ما يعرفه، لكن أن يثبت فى عقولهم أنه لا شىء ـ ولا حتى معرفة «القناطير» ـ مؤكد.

قال «رون» بصوت خفيض وهم يطفئون النيران: «إنه ليس محددًا فى شىء مما قاله.. أليس كذلك؟ أعنى أن معرفتنا بالمزيد من التفاصيل عن تلك الحرب التى سنخوضها قد تعيننا كثيرًا.. أليس كذلك؟».

رن الجرس إلى جوار باب الفصل، فأجفل الجميع. نسى «هارى» تمامًا أنهم ما زالوا داخل القلعة، وحسبَ أنهم بالفعل فى الغابة. خرج التلاميذ من الفصل تباعًا، وعلى وجههم أمارات التعجب.

كان «هارى» و«رون» على وشك الخروج عندما نادى «فايرنز» قائلاً: «هارى بوتر، أريدك فى كلمة من فضلك..».

دار «هارى» على عقبيه.. تقدم منه «القنطور» قليلاً. تردد «رون» واختلط عليه الأمر.

قال «فايرنز» له: «يمكنك البقاء.. لكن، أغلق الباب من فضلك».

هرع «رون»؛ لتنفيذ الأمر.

قال «القنطور»: «هارى بوتر. أنت صديق لهاجريد، أليس كذلك؟».

قال «هارى»: «بلى».

«إذن، أبلغه بتحذير منى. محاولته لن تجدى. عليه التخلى عنها».

ردد «هارى» ما قاله: «محاولته لن تجدى؟».

قال «فايرنز» وهو يومئ برأسه: «وعليه التخلى عنها. كنت لأحذر هاجريد

بنفسى، لكن تم نفيى.. من غير الحكمة أن أقترب من الغابة الآن.. هاجريد واقع فيما يكفى من المشكلات، بجانب احتمال الدخول فى حرب مع القناطير».

قال «هارى» بتوتر: «لكن، ماذا يحاول هاجريد فعله؟».

تفحص «فايرنز» «هارى» بعينيه.

قال أخيرًا: «هاجريد أسدَى لى خدمة كبيرة مؤخرًا، ومنذ فترة وأنا أحترمه؛ لحرصه على الاهتمام بالمخلوقات الحية. لن أخون سره. لكن عليك أن تعيده إلى صوابه. المحاولة لن تجدى، أخبره بهذا يا هارى بوتر، وأتمنى لك يومًا سعيدًا».

***

تبخرت السعادة التى أحسها «هارى» فى أعقاب نشر حواره فى «الكويبلر» منذ فترة. مع تسليم شهر مارس الفاتر راياته إلى إبريل ثقيل الهواء، بدا وكأن حياته قد تحولت إلى سلسلة طويلة من التوترات والمشكلات.

استمرت «أمبريدچ» فى حضور كل حصص مادة رعاية الكائنات السحرية، وأصبح من الصعب عليه نقل تحذير «فايرنز» إلى «هاجريد». أخيرًا، وذات يوم، تمكن من التظاهر بأنه قد فقد نسخته من كتاب (الوحوش المدهشة وأماكن تواجدها)، وعاد إلى الفصل بعد انتهاء الحصة. عندما تلا على مسامع «هاجريد» كلمات «فايرنز»، حدق فيه للحظة من بين عينيه الضيقتين، وقد أصابه الذهول. ثم أخذ يتماسك.

قال بصوته الأجش: «فايرنز هذا لطيف.. لكنه لا يعرف عما يتكلم، أنا أتقدم فى محاولتى بنجاح».

سأله «هارى» بجدية: «هاجريد.. ماذا تنوى أن تفعل؟ إن عليك توخى الحذر، أمبريدچ فصلت تريلاونى بالفعل، وإن سألتنى رأيى سأقول لك إنها لن تتوقف عندها. إن فعلت شيئًا لا يجب عليك فعله؛ فسوف تـ...».

قال «هاجريد»: «لا شىء أهم عندى من الحفاظ على الوظيفة»، وأخذت يداه تهتزان قليلاً وهو يتكلم، فسقط من بين يديه إناء كبير ملىء بالـ«نارل»، فأضاف: «لا تقلق بشأنى يا هارى، هيا اذهب، أنت ولد طيب».

لم يجد «هارى» أمامه خيارًا سوى أن يترك «هاجريد»؛ ليجمع ما وقع على الأرض، لكنه شعر بالضيق وهو عائد إلى القلعة.

وكما يداوم المعلمون و«هيرميون» على تذكيرهم، فقد اقتربت امتحانات

الـ(أوه. دبليو. إل.). أصبح جميع طلبة الصف الخامس يعانون من ضغط المذاكرة والواجب بدرجات متفاوتة، لكن «هانا آبوت» صارت أول من يتلقى وصفة التهدئة من مدام «بومفرى» بعد أن انفجرت دموعها فى حصة علم الأعشاب وأخذت تبكى وتقول: إن الامتحانات تقترب وإنها تريد هجر المدرسة.

لولا اجتماعات الـ(دى. أيه.) لعاش «هارى» فى تعاسة مطبقة. كان أحيانًا يشعر بالفخر وهو يعيش الساعات التى يقضيها فى حجرة الاحتياجات، يعمل بجد وباستمتاع فى نفس الوقت؛ لأنه يرى تقدم رفاقه من أعضاء الـ(دى. أيه.). بالطبع، كان «هارى» يتساءل أحيانًا كيف ستتصرف «أمبريدج» عندما تجد كل أعضاء الـ(دى. أيه.) يتلقون أعلى الدرجات فى اختبارات مادة الدفاع عن النفس ضد السحر الأسود فى شهادة الـ (أوه. دبليو. إل.).

بدأوا أخيرًا فى عمل تعويذة «البتروناس»، التى كان الجميع حريصين على تعلمها، وإن داوم «هارى» على تذكيرهم بأن إخراج «البتروناس» وسط حجرة مضيئة أسهل بكثير من إخراجها وقت الخطر أو مواجهة شىء مثل «الديمنتور».

قالت «تشو» مبتسمة وهى تراقب «البتروناس» التى أخرجتها على شكل بجعة فضية تطوف بحجرة الاحتياجات أثناء آخر اجتماع لهم قبل عيد الفصح: «لا تفسد علينا فرحتنا. إنها جميلة للغاية».

قال «هارى» بصبر: «ليس المطلوب أن تكون جميلة، بل أن تحميك. ما نحتاجه للتمرين هو (عو) أو ما شابه، فأنا قد تعلمت إخراج البتروناس الخاصة بى، والعو يتخذ شكل الديمنتور..».

قالت «لاڤندر» التى خرجت أبخرة واهنة من الفضة من طرف عصاها السحرية: «لكن الأمر سيكون مخيفًا، وأنا مازلت... مازلت لا أقدر على القيام... بالتعويذة» أضافت الكلمة الأخيرة بغضب.

واجه «نيفيل» مشكلة فى هذه التعويذة. أخذ وجهه ينقلب من مجهود التركيز، لكن لم يخرج من عصاه سوى أبخرة رفيعة من الدخان الفضى.

ذكره «هارى» قائلاً: «عليك التفكير فى شىء سعيد».

قال «نيفيل» بتعاسة وهو يحاول قدر استطاعته أداء التعويذة حتى أن وجهه المستدير صار لامعًا وعليه عرق غزير: «أنا أحاول».

صاح «سيماس» الذى جاء لأول مرة إلى اجتماعات الـ(دى. أيه.) بناء على

طلب «دين» منه: «هارى. أعتقد أننى أديتها. انظر، لقد اختفى.. لكنه كان شيئًا مشعرًا يا هارى».

أخذ «بتروناس» «هيرميون»، الذى اتخذ شكل ثعلب الماء، يتواثب حولها.

قالت وهى تنظر إليه بحب: «جميلة هذه الأشياء، أليس كذلك؟».

انفتح باب حجرة الاحتياجات ثم أغلق. نظر «هارى» نحوه؛ ليرى من القادم، لكن لم يبد أن هناك أحدًا خلفه. مرت لحظات قبل إدراكه أن من خلف الباب مباشرة قد صمتوا. ثم شعر بشىء يمسك بعباءته بالقرب من ركبته، فنظر لأسفل ورأى لدهشته «دوبى» القزم المنزلى وهو ينظر إليه من تحت قبعاته الثمانى.

قال: «أهلاً يا دوبى. ماذا.. ما الأمر؟».

رأى عينى القزم ـ الذى أخذ يرتجف ـ واسعتين من الفزع. صمت أعضاء الجماعة الأقرب إلى «هارىٍ»، أخذ جميع من بالحجرة يراقبون «دوبى».. تلاشى كل «بتروناس». تمكن القليلون من الأعضاء من إخراجه متحولاً إلى دخان فضى، تاركًا الحجرة أكثر إظلامًا مما سبق.

قال القزم المرتجف من رأسه حتى أخمص قدميه: «سيدى هارى بوتر.. سيدى هارى بوتر.. دوبى جاء يحذرك.. لكن الأقزام المنزلية حذرتنى من إخبارك..».

اندفع نحو الحائط ليصدم رأسه بها. تقدم «هارى»، الذى كان يعرف عاداته الغريبة الخاصة بالعقاب الذاتى؛ محاولاً إمساكه، لكن «دوبى» ارتد بعد أن صدم الحائط، فقد ضربت القبعات الثمانى الجدار فلم يتأذّ. صدر عن «هيرميون» وبعض الفتيات الأخريات صرخات الخوف والتعاطف.

سأله «هارى» وهو يمسك بيده الصغيرة ويحمله بعيدًا عن أى شىء يمكن أن يؤذى رأسه: «ماذا جرى يا دوبى؟».

«هارى بوتر... إنها... إنها...».

ضرب «دوبى» أنفه بيده الحرة بشدة، فأمسك «هارى» بها هى الأخرى قائلاً: «عمن تتحدث يا دوبى؟».

لكنه يعرف، لا يوجد سوى إنسانة واحدة يمكنها التسبب فى كل هذا الخوف لـ «دوبى».. نظر إليه القزم بعيون ضيقة وفم مغلق لا يسعى للكلام.

سأله «هارى» برعب: «أمبريدچ؟».

أومأ «دوبى» برأسه موافقًا، ثم حاول أن يضرب رأسه ثانية على ركبتى «هارى». فأمسك به الأخير بعيدًا عنه على امتداد ذراعيه.

«ما شأنها؟ دوبى.. هل عرفت بأمر اجتماعنا وبجماعة دى. أيه؟».

قرأ الإجابة فى وجه القزم المفزوع، الذى أوثقه «هارى» بيده. حاول القزم المقاومة فسقط على الأرض. سأله «هارى» بهدوء: «هل هى قادمة؟».

أطلق «دوبى» عواءً، وأخذ يضرب قدميه الحافيتين على الأرض.

«أجل يا هارى بوتر.. أجل».

استقام «هارى» فى وقفته ونظر إلى المتحلقين من حوله، الذين يحدّقون فى القزم المصدوم. صاح فيهم: «**ماذا تنتظرون؟ اجروا**».

هرعوا جميعًا إلى الباب فى وقت واحد، فتكوّن تجمع منهم أمام المدخل، ثم أخذوا يخرجون بسرعة. سمع «هارى» وقْع أقدامهم وهم يجرون عبر الممرات وتمنى أن يتحلوا بالعقل وألا يصدروا كل هذه الجلبة وهم يجرون إلى أجنحتهم. كانت الساعة التاسعة إلا عشر دقائق، وإن اختبأوا فى المكتبة أو برج البوم القريبين من هنا..

صاحت «هيرميون» من وسط تجمهر التلاميذ الذين يحاولون الخروج: «هيًا يا هارى».

أمسك بـ«دوبى»، الذى أخذ يحاول جرح نفسه بجروح خطيرة، وجرى والقزم على يديه؛ لينضم للذين يحاولون الخروج.

قال «هارى»: «دوبى.. هذا أمر.. عد إلى المطبخ واجلس مع باقى الأقزام، وإن سألتْك إن كنت قد حذرتنى أم لا، فاكذب عليها، وقل لها: لا. كما أننى آمرك بألا تؤذىَ نفسك». أضاف الجملة الأخيرة وهو يتخلى عن القزم عند المخرج ويغلق الباب من خلفه.

قال «دوبى» وهو يخرج: «شكرًا لك يا هارى بوتر». نظر «هارى» ذات اليمين وذات اليسار، وجد الآخرين يتحركون بسرعة حتى إنه لم يلمح سوى أطياف أعقابهم وهى تختفى من جانبى الممر قبل أن يختفوا تمامًا.. بدأ فى الجرى إلى اليمين، وجد حمّامًا للأولاد أمامه، يمكنه التظاهر بأنه كان به طوال الوقت إن وصل إليه..

«**آاااه**».

شعر بشيء ما يقبض على ركبتيه، فسقط لينسحب على الأرض ست أقدام قبل أن يتوقف. سمع شخصًا خلفه يضحك. انقلب على ظهره ورأى «مالفوى» واقفًا خلف زهرية كبيرة على شكل تنين.

قال الأخير: «تعويذة تعثر يا بوتر. يا أستاذة.. أستاذة. أمسكت بأحدهم».

جاءت «أمبريدچ» تسعى من عند الطرف البعيد، مبهورة الأنفاس لكن على وجهها ابتسامتها السعيدة.

قالت متهللة عندما رأت «هارى» على الأرض: «ممتاز يا دراكو، ممتاز يا بنى، يا سلام.. خمسون نقطة لسليذرين! سأتسلمه منك.. قف يا بوتر».

هب «هارى» واقفًا، وحدجهما بنظره. لم ير «أمبريدچ» بهذه السعادة من قبل قط. أمسكت بذراعه بقوة والتفتت، وهى تبتسم ابتسامة واسعة لـ«مالفوى».

قالت: «قم بلفة أخرى، ولْتَرَ إن أمكنك إمساك الآخرين يا دراكو. أخبر الآخرين أن يبحثوا عنهم فى المكتبة.. أى شخص يلهث.. ودورات المياه، يمكن للآنسة باركنسون تفتيش دورة مياه البنات.. هيا اذهب، وأنت» أضافت الكلمة الأخيرة بصوتها العذب الخطير، و«مالفوى» يبتعد..«وأنت تعال معى إلى مكتب الناظر يا بوتر».

وصلا إلى تمثال الجرجوانة الصخرية خلال دقائق. تساءل «هارى»: كم من الآخرين أمسكوهم؟ فكر فى «رون»، الذى ستعنفه السيدة «ويسلى» بشدة، وكيف ستشعر «هيرميون» إن طردوها قبل أن تحصل على شهادة الـ(أوه. دبليو. إل.) وكان هذا اجتماع «سيماس» الأول.. و«نيفيل» الذى كان يتحسن.

قالت «أمبريدچ» كأنها تغنى: «نحلة طنانة». فقفزت الجرجوانة الحجرية إلى الجانب لتكشف عن الحائط الذى ينقسم من خلفها، فصعدا السلالم المتحركة، ووصلا إلى باب مصقول لامع، لكن «أمبريدچ» لم تطرق، دلفت إلى الداخل على الفور وهى تمسك بشدة يد «هارى».

كان المكتب ممتلئًا. كان «دمبلدور» جالسًا إلى مكتبه، وعلى وجهه تعبير هادئ، وأطراف أصابعه الطويلة متشابكة. وقفت الأستاذة «مكجونجال» بجمود أمامه، ووجهها عليه أقصى علامات التوتر. «كورنلياس فادچ» وزير السحر أخذ يتأرجح للأمام والخلف على مقعده وأطراف أصابع قدميه إلى جوار نيران المدفأة، ومن الجلى أن الموقف قد سرَّه كثيرًا.. كما رأى «هارى»

«كنجسلى شاكلبولت» ومعه ساحر قصير الشعر لم يتعرف عليه، وقفا جنبًا إلى جنب إلى جانبى الباب كحارسين، و«بيرسى ويسلى» وقف يتحرك فى مكانه بحماس إلى جوار الحائط، وريشة كتابة ورقعة ورق ثقيلة فى يده، ومن الواضح أنه متأهب لكتابة بعض الملاحظات.

لم تكن لوحات النظار والناظرات هادئة ونائمة تلك الليلة. جميعهم كانوا متيقظين ومنتبهين، يراقبون ما يجرى تحتهم بحرص. مع دخول «هارى»، أخذ بعضهم يتهامسون فى أذن من يجاورهم.

حرر «هارى» نفسه من قبضة يد «أمبريدچ» والباب يغلق من خلفهما. أخذ «كورنلياس فادچ» يحدق فيه برضاء وتشفٍ.

قال: «هاه.. رائع.. رائع.. رائع».

رد عليه «هارى» بأقذر نظرة يمكنه رمقه بها. أخذ قلبه يخفق بجنون فى صدره، لكن عقله نَعِم ببرود وصفاء غريبين.

قالت «أمبريدچ»: «كان فى طريقه إلى برج جريفندور». وكان فى صوتها بعض الحماس، ونفس السرور القاسى الذى أحسه «هارى» منها وهى تراقب الأستاذة «تريلاونى» تنهار باكية فى القاعة الأمامية، أضافت: «حاصره وأمسك به ابن مالفوى».

قال «فادچ» باستحسان: «حقًا؟ علىَّ تذكر إخبار لوكياس.. بوتر.. طبعًا تعرف سبب وجودك هنا».

قصد «هارى» الإجابة بنعم، لكن فمه انفتح وحده وكاد يخرج الكلمة عندما لمح وجه «دمبلدور». لم ينظر «دمبلدور» إليه مباشرة.. بل ركز عينيه على كتفه.. ولكن عندما نظر «هارى» إليه، هز رأسه مسافة بوصة لليمين ولليسار.

غيَّر «هارى» كلامه قائلاً: «نعـ... لا». فقال «فادچ»: «ماذا قلت؟».

قال «هارى» بحسم: «لا».

«ألا تعرف سبب وجودك هنا؟».

قال «هارى»: «لا، لا أعرف».

نقل «فادچ» بصره بريبة بين «هارى» والأستاذة «أمبريدچ». انتهز «هارى» فرصة انشغاله اللحظى؛ ليختلس نظرة أخرى إلى «دمبلدور»، الذى أومأ إيماءة خفيفة، ومن خلفها لمح ما يشبه الغمزة.

قال «فادچ» بصوت مغرق فى السخرية: «إذن، فأنت لا تعرف سبب إحضار الأستاذة أمبريدچ لك؟ ألا تعرف أنك قد خالفت قوانين المدرسة؟».

قال «هارى»: «قوانين المدرسة! لا».

صحح له «فادچ» بغضب: «أو فرمانات الوزارة؟».

قال «هارى» بلطف: «ولا فرمانات الوزارة».

أخذ قلبه يخفق بسرعة. الأمر يستحق الكذب لمجرد رؤية «فادچ» وضغط دمه يرتفع، لكنه لم يعرف كيف سيتملص منهم، إن كان هناك من أبلغ «أمبريدچ» عن الـ(دى. أيه.)، فربما عليه حزم حقائبه ومغادرة المدرسة، فهو القائد على أية حال.

قال «فادچ» وصوته أجش من الغضب: «إذن، فالموضوع جديد عليك. إن ثمة تنظيمًا مخالفًا من الطلبة قد تم اكتشافه فى هذه المدرسة؟».

قال «هارى» راسمًا نظرة براءة غير مقنعة على وجهه: «أجل، الموضوع جديد».

قالت «أمبريدچ» من موقعها إلى جواره بنعومة: «أعتقد يا سيادة الوزير أنه يمكننا استخلاص معلومات أكثر منه لو أحضرت من وشى بهم».

قال «فادچ» وهو يومئ برأسه ويلقى بنظرة كراهية على «دمبلدور»، و«أمبريدچ» تغادر الحجرة: «أجل، افعلى هذا.. لا شىء أفضل من شاهد صالح. أليس كذلك يا دمبلدور؟».

قال «دمبلدور» برصانة وهو يميل برأسه: «فعلاً يا كورنلياس».

مرت فترة انتظار استغرقت دقائق لم ينظر فيها أحد إلى الآخر، ثم سمع «هارى» الباب ينفتح من خلفه. تقدمت «أمبريدچ» من خلفه، وقد أمسكت فى يدها صديقة «تشو» مجعدة الشعر «ماربيتا»، التى خبَّأت وجهها بين يديها.

قالت الأستاذة «أمبريدچ» بنعومة وهى تربت على ظهرها: «لا تخافى يا عزيزتى، لماذا تخفين وجهك بين يديك؟ لا تقلقى. لقد فعلت الصواب. سيادة الوزير مسرور جدًا منك. سيخبر أمك كم كنت فتاة طيبة». ثم أضافت وهى تنظر إلى «فادچ»: «أم ماربيتا يا سيادة الوزير هى مدام إيدجكومب، التى تعمل بمصلحة النقل السحرى، فى قسم شبكة الفلو. وهى تساعدنا على حراسة عموم نيران مدافئ هوجورتس».

قال «فادچ» بسرور: «يا سلام، ابن الوز عوام، أليس كذلك؟ والآن هيا يا عزيزتى، ارفعى وجهك، لا تخجلى، دعينا نسمع ما لديك.. بحق الجرجوانات الشمطاوات!».

وبينما «مارييتا» ترفع يديها، تراجع «فادچ» إلى الخلف مصدومًا، وكاد أن يقع فى نيران المدفأة. أطلق سبة ثم تعثر فى طرف عباءته التى بدأ يتصاعد منها الدخان. عوت «مارييتا» ورفعت ياقة عباءتها إلى عينيها، لكن ليس قبل أن يرى الجميع وجهها المشوه، والملىء بالبثور البنفسجية الكبيرة القبيحة التى انتشرت على أنفها ووجنتيها لتشكل كلمة: «**الواشية**».

قالت «أمبريدچ» بنفاد صبر: «لا تقلقى بشأن البثور الآن يا عزيزتى.. أبعدى عباءتك عن فمك وتحدثى إلى السيد الوزير..».

لكن «مارييتا» أطلقت عواءً مكتومًا آخرَ وهزت رأسها بشدة.

قالت «أمبريدچ»: «حسنًا أيتها الفتاة الغبية، سأخبره أنا.. الموضوع يا سيادة الوزير إن الآنسة إيدجكومب هذه؛ جاءت إلى مكتبى بعد العشاء بقليل هذا المساء، وقالت لى: إنها تريد قول شىء ما. قالت: إننى لو توجهت إلى حجرة سرية فى الطابق السابعِ، التى يقولون إنها حجرة الاحتياجات؛ فسوف أجد ما يهمنى. استجوبتها قليلاً فاعترفت بأن نوعًا ما من الاجتماعات يعقد هناك. للأسف، وقتها ظهرت هذه اللعنة عليها».. أشارت بنفاد صبر إلى وجه «مارييتا» المخفى، وأردفت: «ظهرت عليها وعندما رأت وجهها فى المرآة أصابها الضيق والقلق حتى إنها لم تقدر على ذكر المزيد من الأخبار التى لديها».

قال «فادچ» مركزًا بصره على «مارييتا» محاولاً أن تبدو نظرته طيبة وأبوية الطابع: «رائع.. أنت شجاعة يا عزيزتى بما قلتهِ للأستاذة أمبريدچ. لقد فعلت الصواب. والآن.. هلا أخبرتِنا بما جرى فى الاجتماع؟ ما هدفه؟ ومن حضره؟».

لكن «مارييتا» لم تتكلم، هزت رأسها ثانية بعيون واسعة يملؤها الخوف والتعب.

سأل «فادچ» «أمبريدچ» بنفاد صبر، مشيرًا إلى وجه «مارييتا» برأسه: «أليس عندنا تعويذة مضادة لهذه؟».

اعترفت «أمبريدچ» قائلة بضيق: «لم أتوصل إلى واحدة بعد». فشعر «هارى» بالفخر من قدرات تعاويذ «هيرميون»، وسمع «أمبريدچ» تضيف: «لكن لا يهم إن لم تتكلم، يمكننى إكمال ما قالته لكم».

«تذكر يا سيادة الوزير أننى قد أرسلت إليك تقريرًا فى شهر أكتوبر الماضى عن مقابلة بوتر لمجموعة من الطلبة فى رأس الخنزير بقرية هوجزميد..».

قاطعتها الأستاذة «مكجونجال» قائلة: «وما دليلك على هذا؟».

قالت «أمبريدج» باعتداد: «عندى شهادة ويلى ويدرشينز يا مينرفا، وقد تصادف وجوده بالمقهى وقتها. كان ملفوفًا بالضمادات فعلاً، لكن سمعه لم يكن به ما يعيبه. سمع كل كلمة نطق بها بوتر وهرع إلى المدرسة؛ ليبلغنى..».

قالت الأستاذة «مكجونجال» وهى ترفع حاجبيها: «آه.. لهذا السبب إذن لم يحاكم بتهمة تفجير المراحيض المتقيأة. يسعدنى معرفة هذه التفاصيل المهمة عن نظامنا القضائى».

زأر أحد شاغلى اللوحات من خلف مكتب «دمبلدور»، وهو ساحر بدينٌ أحمر الأنف: «فساد بيّن. على أيامى، لم تكن الوزارة تعقد اتفاقات مع المجرمين، حاشا وكلا أيها السادة».

قال «دمبلدور» بلين: «شكرًا لك يا فورتيسكو، ما ذكرته يكفى».

استرسلت الأستاذة «أمبريدج» فى كلامها: «الغرض من اجتماع بوتر مع هؤلاء التلاميذ كان إقناعهم بالمشاركة فى جمعية غير قانونية، هدفها تعلم التعاويذ واللعنات التى قررت الوزارة أنها غير ملائمة لسن المدرسة..».

قال «دمبلدور» بهدوء ناظرًا إليها من فوق عويناته نصف الدائرية المستقرة على أنفه الطويل: «أراكِ غير مصيبة يا دولوريس».

نظر «هارى» إليه. لم يعرف كيف سيخرجه «دمبلدور» من هذا المأزِق.. إن كان «ويلى ويدرشينز» قد سمع كل كلمة قالها فى «رأس الخنزير» فلا فكاكَ من هذه المشكلة.

قال «فادج» وقد أخذ يتقافز على أقدامه وهو جالس ثانية: «أها. أجل. دعونا نسمع آخر قصة مؤلفة لإخراج بوتر من هذا المأزِق. هيًّا يا دمبلدور، قل إن ويلى ويدرشينز كان يكذب، أليس هذا ما ستقوله؟ أم أن توأم بوتر الذى يشبهه كان فى رأس الخنزير ذلك اليوم؟ أم أن تفسيرك متعلق بالسحر الذى يتلاعب بالزمن، وبرجل ميت يعود إلى الحياة وزوج من الديمنتورات الخفية؟».

صدرت عن «بيرسى ويسلى» ضحكة صافية من القلب.

«آه.. حلوة يا سيادة الوزير، حلوة».

ودَّ «هارى» لو يركله، ثم رأى «دمبلدور» يبتسم برفق هو الآخر لدهشته.

«كورنلياس. أنا لا أنكر - ومعى هارى فى هذا بالطبع - أنه كان فى مقهى

رأس الخنزير ذلك اليوم، ولا أنكر أنه كان يحاول استقطاب التلاميذ لتكوين مجموعة لدراسة الدفاع عن النفس ضد السحر الأسود. كل ما أقوله إن دولوريس مخطئة فى اعتقادها فى أن مثل هذه الجمعية كانت وقتها غير قانونية. إن تذكرت معى، فإن فرمان الوزارة الذى يحظر تكوين الطلبة للجمعيات والجماعات لم يكن نافذ الأثر وقتها، وحتى بعد يومين من زيارة هارى إلى هوجزميد؛ لذا فهو لم يخالف أيًا من القوانين وهو فى رأس الخنزير».

بدت الصدمة على وجه «بيرسى» ثقيلة. بقى «فادج» جامدًا فى مكانه وقد كف عن التقافز والحركة، وفمه مفتوح. أول من تعافى من الصدمة هى «أمبريدج».

قالت وهى تبتسم بعذوبة: «هذا رائع يا حضرة الناظر، لكن مرَّ على صدور الفرمان التعليمى رقم (٢٤) ستة أشهر. إن كان الاجتماع الأول لهم قانونيًا، فكل الاجتماعات التالية غير قانونية».

قال «دمبلدور» متفحصًا إياها بنظرة اهتمام مهذبة من فوق أصابعه المتشابكة: «بالطبع مثل هذه الاجتماعات غير قانونية، هذا إن كانوا قد استمروا فى الاجتماع بعد سريان أحكام الفرمان. هل لديك أى دليل على استمرار مثل هذه الاجتماعات؟».

مع كلام «دمبلدور»، سمع «هارى» صوتًا من خلفه وكأن «كنجسلى» قد همس بشىء. كاد يقسم أنه قد شعر بما يلامس جانبه، شىء ناعم مثل جناح طائر، لكن عندما نظر لنقطة التلامس، لم يجد شيئًا.

رددت «أمبريدج» بابتسامتها الضفدعية الرهيبة الواسعة: «دليل؟ ألم تسمع يا دمبلدور؟ ما هو فى رأيك سبب وجود الآنسة إيدجكومب هنا؟».

قال «دمبلدور» رافعًا حاجبه: «هل يمكنها إخبارنا بما انعقد من اجتماعات طوال الشهور الستة؟ حسبتها جاءت تبلغك باجتماع الليلة فقط».

قالت «أمبريدج» على الفور: يا آنسة إيدجكومب.. أخبرينا منذ متى تنعقد هذه الاجتماعات يا عزيزتى. يمكنك الإيماء برأسك موافقة، أو هز رأسك نفيًا، أنا واثقة أن هذا لن يجعل البثور فى حالة أسوأ. هل انعقدت الاجتماعات بانتظام طوال الأشهر الستة الماضية؟».

شعر «هارى» باضطراب شديد فى معدته. كان هذا دليلاً قويًا ولن يقدر «دمبلدور» على مواجهته.

قالت «أمبريدج» بلطف لـ«ماريتا»: «حركى رأسك فقط يا عزيزتى، لا تقلقى، فهذا لن ينشط التعويذة».

أخذ جميع من بالحجرة يحدّقون فى رأس «مارييتا»، وما يبين منها من خلف العباءة المرفوعة على وجهها.. ربما كان ضوء النيران هو السبب، لكن بدت جامدة لوهلة، ثم لدهشة «هارى»، هزت «مارييتا» رأسها نفيًا.

نظرت «أمبريدج» إلى «فادچ»، ثم إلى «مارييتا» ثانية قائلةً: «لا أعتقد أنكِ تفهمين السؤال يا عزيزتى، أنا أسألك إن كنتِ تحضرين هذه الاجتماعات طوال الشهور الستة الماضية.. هل فعلت ذلك يا عزيزتى؟».

هزت «مارييتا» رأسها ثانية مجيبة بالنفى.

قالت «أمبريدچ» بصوت غاضب: «ماذا تقصدين بهز رأسك يا عزيزتى؟».

قالت الأستاذة «مكجونجال» بخشونة: «أعتقد أن معنى ما تفعله واضح.. لم تنعقد اجتماعات سرية طوال الأشهر الستة المنقضية. أليس كذلك يا آنسة إيدجكومب؟».

أومأت «مارييتا» برأسها موافقة.

قالت «أمبريدچ» بغيظ شديد: «لكن تم عقد اجتماع الليلة. كان هناك اجتماع يا آنسة إيدجكومب، وقد أخبرتنى عنه فى حجرة الاحتياجات. وبوتر هو القائد، أليس كذلك؟ بوتر هو من نظم الاجتماع.. بوتر هو... لماذا تهزين رأسك يا فتاة؟».

قالت «مكجونجال» ببرود: «فى العادة، عندما يهز شخص رأسه فكأنه يقول: لا. إلا إذا كانت الآنسة إيدجكومب تستعمل لغة إشارة غير التى يعرفها البشر..».

قبضت الأستاذة «أمبريدچ» على «مارييتا»، وجذبتها؛ لتواجهها، وأخذت تهزها بشدة. بعد لحظة هب «دمبلدور» واقفًا، ورفع عصاه السحرية، وتقدم «كنجسلى» للأمام، فتراجعت «أمبريدچ» عن «مارييتا» وهى تلوح بيديها فى الهواء كأنها قد احترقت.

قال «دمبلدور» وقد بدا عليه الغضب للمرة الأولى: «لن أسمح لك بتعنيف تلاميذى بيدك يا دولوريس».

قال «كنجسلى» بصوته العميق الهادئ: «اهدئى يا مدام أمبريدچ، فأنت لا تسعين للوقوع فى المشكلات، أليس كذلك؟».

قالت «أمبريدچ» بصوت لاهث وهى تحدق فى «كنجسلى» بالغ الطول: «نعم. أعنى، بلى، أنت محق يا شاكلبولت.. أ.. أ.. أنا نسيت نفسى».

وقفت «مارييتا» حيث أطلقتها «أمبريدچ». بدت غير منزعجة من هجوم «أمبريدچ» المفاجئ أو مسرورة من تركها لها، ما زالت قابضة على عباءتها وعيناها الخاويتان تحدقان أمامها.

ثارت ريبة مفاجأة فى عقل «هارى» عندما ربط بين همسة «كنجسلى» والشىء الناعم الذى لامسه منذ لحظة.

قال «فادچ» بطريقة من يبغى تسوية مسألة ما تسوية نهائية: «دولوريس.. بالنسبة لاجتماع الليلة.. الذى وقع فعلاً..».

قالت «أمبريدچ» وهى تستقيم فى وقفتها: «أجل.. آه.. الآنسة إيدجكومب وشتْ بهم، وصعدتُ إلى الطابق السابع على الفور، ومعى مجموعة من التلاميذ محل الثقة؛ للقبض على المجتمعين متلبسين، لكن يبدو أن هناك مَن حذّرهم قبل أن أصل؛ لأنه عندما وصلنا إلى الطابق السابع وجدناهم يجرون كل فى اتجاه. معى كل أسمائهم، دخلت الآنسة باركنسون إلى حجرة الاحتياجات؛ لترى إن كانوا تركوا شيئًا خلفهم. نحن بحاجة لدليل، الحجرة ستوفره لنا»

ولرعب «هارى» أخرجت من جيبها قائمة الأسماء التى كانت معلقة على الحائط فى حجرة الاحتياجات وناولتها إلى «فادچ».

قالت بنعومة: «لحظة رؤيتى لاسم بُوتر على القائمة؛ عرفت أنها خاصة بالاجتماعات المقصودة».

قال «فادچ» بابتسامة واسعة ترتسم على وجهه: «هائل.. هائل يا دولوريس.. و.. يا إلهى!».

تطلع إلى «دمبلدور» الذى كان ما زال واقفًا إلى جوار «مارييتا»، قابضًا على عصاه السحرية.

قال «فادچ» بهدوء: «ماذا يسمون أنفسهم؟ جيش دمبلدور».

مد «دمبلدور» يده وأخذ رقعة الورق من «فادچ». حدّق فيما كتبته «هيرميون» منذ شهور.. وللحظة، بدا غير قادر على الكلام، ثم رفع بصره وابتسم.

قال ببساطة: «انتهت اللعبة.. هل تريد اعترافًا مكتوبًا منى يا كورنلياس؟ أم تكفيكَ كلمتى أمامِ الشهود؟».

رأى «هارى» كلاً من «مكجونجال» و«كنجسلى» يتبادلان النظر، والخوف مرتسم على وجهيهما. لم يفهم ما يجرى، ولا فهم «فادچ».

قال «فادچ» ببطء: «اعترف؟ ماذ؟ لا أفهـ...».

قال «دمبلدور» مبتسمًا وهو يلوح بقائمة الأسماء أمام وجه «فادچ»: «جيش دمبلدور يا كورنلياس، وليس جيش بوتر. جيش دمبلدور».

«لكن... لكن...».

توهج الفهم فجأة على وجه «فادج». تراجع خطوة للخلف مرعوبًا، وهو يصيح ويتقافز أمام النيران ثانية بعد أن لسعته.

همس وهو يتعثر فى عباءته المحترقة الأطراف: «أنت؟».

قال «دمبلدور» بسرور: «أجل».

«هل نظمت هذا؟».

«أجل فعلت».

«هل استقطبت التلاميذ من أجل... من أجل جيشك؟».

قال «دمبلدور» وهو يومئ برأسه: «الليلة كان الاجتماع الأول. فقط ليروا إن كانوا سينضمون إلىّ أم لا. أرى الآن أن دعوة الآنسة إيدجكومب كانت خطأ بالطبع».

أومأت «مارييتا» برأسها. نقل «فادج» بصره منها إلى «دمبلدور»، وصدره ينتفخ.

صاح: «إذن، فأنت تخطط لعمل ضدى».

قال «دمبلدور» بجذل: «هذا صحيح». فصاح «هارى»: «لا».

رمقه «كنجسلى» بنظرة تحذير، واتسعت عينا «مكجونجال» بتهديد، لكن فجأة، اكتشف «هارى» ما سيفعله «دمبلدور»، ولا يمكنه السماح لهذا بالحدوث.

«لا.. أستاذ دمبلدور..».

قال «دمبلدور» بهدوء: «اهدأ يا هارى، وإلا سأضطر لأمرك بمغادرة مكتبى».

صاح «فادج» وهو ما زال يرمق «دمبلدور» بنظرة سرور ورهبة: «أجل، اصمت يا بوتر. رائع، رائع، رائع.. جئت الليلة متوقعًا فصل بوتر وبدلاً من هذا...».

قال «دمبلدور» مبتسمًا: «بدلاً من هذا، قبضت علىّ، كأنك فقدت نات لتجد جاليون، أليس كذلك؟».

صاح «فادج» وهو يرتجف من الفرح: «ويسلى. ويسلى، هل كتبت ما قيل؟ ما قاله الجميع؟ واعترافه أيضًا؟».

قال «بيرسى» بنبرة من يشعر بأهمية ما يقوله وأنفه ملطخ بالحبر من سرعة كتابة الملاحظات: «أجل يا سيدى.. أعتقد هذا».

«وهل كتبت ما قاله عن محاولته تأسيس جيش ضد الوزارة؟ وكيف يعمل على سحب كرسى الوزارة من تحتى؟».

قال «بيرسى» وهو يمسح بعينه أوراقه بسرور: «أجل يا سيدى، كتبت ما قاله».

قال «فادچ» وهو متوهج بالسرور: «رائع.. انسخ مذكرتك يا ويسلى، وأرسل بنسخة إلى جريدة الدايلى بروفيت فورًا. إن أرسلنا بومة إليهم بسرعة؛ فقد يظهر الخبر فى الطبعة الصباحية»؛ فهرع «بيرسى» خارجًا من الحجرة، وأوصد الباب خلفه، والتفت «فادچ» إلى «دمبلدور» قائلاً: «والآن سنصحبك إلى الوزارة، حيث سيتم توجيه التّهم إليك رسميًّا، ثم نرسلك إلى أزكابان على الفور».

قال «دمبلدور» برفق: «آه.. أجل أجل.. حان وقت هذه التفاصيل التافهة».

قال «فادچ» وصوته ما زال يرتجف من الجذل: «تافهة؟ لا أرى أى تفاهة فى الأمر يا دمبلدور». فقال «دمبلدور» بتهذيب: «لكننى أرى هذا».

«حقًّا؟».

«أنت طبعًا لست خاضعًا للأوهام، ولا تتوقع منى - ما هى الكلمة المناسبة - أن آتى معكم بهدوء. يؤسفنى أننى لن آتى بهدوء بالمرة يا كورنلياس، يمكننى الهرب بالطبع، لكن يالإضاعة الوقت، وبصراحة، لدىَّ الكثير من الأشياء التى علىَّ عملها».

أخذ وجه «أمبريدچ» فى الاحمرار أكثر وأكثر، وبدا كأنه إناء ملىء بالماء المغلى. حدق «فادچ» فى «دمبلدور» بتعبير أحمق على وجهه، وكأنه قد أصابته صدمة مفاجئة، ولا يمكنه تصديق ما جرى. صدر عنه صوت غريب مختنق، ثم التفت إلى «كنجسلى» وإلى الرجل ذى الشعر الرمادى القصير، الذى ظلّ صامتًا حتى هذه اللحظة. أومأ الأخير برأسه بثقة لـ «فادچ» وتقدم قليلاً للأمام. رأى «هارى» يده تقترب بهدوء من جيبه.

قال «دمبلدور» برقة: «لا تكن أحمق يا داوليش.. أنا واثق من أنك مقاتل ممتاز للسحر الأسود.. كما أتذكر الدرجة العالية التى أحرزتها فى امتحانات الـ(إن. إى. دبليو. تى.) لكن إن حاولت أن.. آ.. تجبرنى على القدوم معكم، فسأضطر إلى إيذائك».

طرفت عينا المسمى «داوليش» بغباء نظر نحو «فادچ» ثانية، لكن هذه المرة بحثًا عن إشارة لما سيفعله.

قال «فادچ» مزمجرًا وقد عاد إليه عقله: «إذن، فأنت تنوى إصابة داوليش وشاكلبولت ودولوريس وأنا، وحدك يا دمبلدور؟!».

قال «دمبلدور» مبتسمًا: «بحق لحية مرلين.. لا بالطبع. ليس إلا لو كنتم أغبياء بما يكفى لتحاولوا هذا».

قالت الأستاذة «مكجونجال» بصوت مرتفع وهى تُدخل يدها فى جيبها: «ليس وحده».

قال «دمبلدور» بحدّة: «بل وحدى يا مينرفا. هوجورتس بحاجة إليك».

قال «فادچ» وهو يشهر عصاه: «كفى هراء. داوليش، شاكلبولت، هاجماه».

ملأ الحجرة شعاع فضى، ثم صوت أشبه بطلقات النيران وارتجّت الأرض، وأمسكت يد بعنق «هارى» وأجبرته على السقوط أرضًا قبل لحظة من انطلاق الشعاع الفضى.. صرخ بعض شاغلى اللوحات، ونعب «فاوكس» وملأت سحابة من التراب الهواء. وهو يسعل وسط التراب، رأى «هارى» جسدًا يرتطم بالأرض أمامه، ثم سمع صرخة من يقول: «لا»، ثم صوت تحطم زجاج، وخطوات تهرول على الأرض، وصوت تأوه، ثم صمت مُطبق.

دار «هارى» ليرى من الذى صرعه أرضًا، فوجدها الأستاذة «مكجونجال» الراقدة إلى جواره، أبعدته هو و«مارييتا» عن الخطر. أخذ التراب يستقر ببطء على الأرض من حولهم.. وهو يلهث، رأى ظل شخص طويل يقترب منهم.

قال «دمبلدور»: «هل أنتم بخير؟».

قالت الأستاذة «مكجونجال» وهى تنهض وترفع «هارى» و«مارييتا» معها: «أجل».

استقر الغبار. ظهر المكتب المحطم من خلفه. كان مكتب «دمبلدور» مقلوبًا، وكل الموائد الصغيرة ساقطة على الأرض، والأجهزة الفضية محطمة، و«فادچ»، و«أمبريدچ» و«كنجسلى» و«داوليش» راقدين بلا حراك على الأرض. و«فاوكس» - طائر العنقاء - يرفرف فى دائرة واسعة فوقهم وهو يغنى أغنية رقيقة.

قال «دمبلدور» بصوت خفيض: «للأسف، اضطررت لإصابة كنجسلى بتعويذة هو الآخر، وإلا كان سيبدو موقفه مريبًا. لقد فهمنى بسرعة، وغير من ذاكرة الآنسة إيدجكومب بهدوء، بينما الجميع ينظرون بعيدًا عنها - هلا أبلغته شكرى يا مينرفا؟».

«سيفيقون جميعًا بعد قليل، ومن الأفضل ألا يجدوا الوقت اللازم للكلام، عليكم التصرف كأنه لم يمر أى وقت، وكأنهم قد سقطوا على الأرض ثم نهضوا، فلن يتذكروا فقدانهم الوعى..».

همست «مكجونجال»: «إلى أين ستذهب يا دمبلدور؟ إلى جريمولد بليس؟».

قال «دمبلدور» بابتسامة واجمة: «لا، لن أغادر هنا لأختبئ. قريبًا، سيتمنى فادچ لو لم يبعدنى عن هوجورتس، أعدك بهذا».

قال «هارى»: «أستاذ دمبلدور..».

لم يعرف ماذا يقول أولاً: هل يتأسف على أنه من كوّن الـ(دى. أيه.) التى تسببت فى كل هذه المشكلات، أن يخبره بشعوره لأنه سيغادر لينقذه من الفصل من المدرسة؟ لكن «دمبلدور» قطع عليه أفكاره قبل أن يتكلم.

قال باهتمام: «اسمعنى يا هارى. لابد من دراسة الأوكلومينسى قدر استطاعتك وبكل اجتهاد، هل تفهمنى؟ افعل كل ما يأمرك به الأستاذ سناب، وتمرّن كل ليلة قبل النوم؛ حتى توصد عقلك أمام الأحلام السيئة.. سرعان ما ستفهم السبب، لكن عليك أن تعدنى..».

بدأ المدعو «داوليش» فى التقلب. قبض «دمبلدور» على رسغ «هارى» قائلاً: «تذكَّر.. أوصد عقلك..».

لكن مع التفاف أصابع «دمبلدور» حول جلد «هارى»، شعر بالألم الشديد فى جبينه وأحسَّ بذلك الإحساس الثعبانى الرهيب بضرب «دمبلدور»، وعضه، وإيذائه.. همس «دمبلدور»: «.. سوف تفهم».

حلَّق «فاوكس» حول المكتب وحطَّ فوقه. أطلق «دمبلدور» يد «هارى»، ورفع يده وأمسك بذيل طائر العنقاء الذهبى الطويل. رأوا لهبًا من نار واختفى كلاهما.

صاح «فادچ» وهو يرفع نفسه من فوق الأرض: «أين هو؟ *أين هو*؟».

صاح «كنجسلى» وهو يهب واقفًا هو الآخر: «لا أعرف!».

صاح «داوليش» وهو يهرع إلى الباب: «السلم»، ثم يفتحه ويختفى من خلفه، وتبعه «كنجسلى» و«أمبريدچ». تردد «فادچ» ثم نهض ببطء واقفًا، ونفض الغبار عنه. عمَّت فترة صمت طويلة ومؤلمة.

قال «فادچ» بنبرة قاسية وهو يعدل من وضع كُمٍّ قميصه المقطوع: «مينرفا.. يؤسفنى أن هذه هى نهاية صديقك دمبلدور».

قالت الأستاذة «مكجونجال» بغضب: «هل تعتقد هذا؟».

لم يبد أن «فادچ» قد سمعها. نظر حوله إلى المكتب المحطم. وجد بعض شاغلى اللوحات ينظرون إليه شزرًا، وواحد أو اثنان منهم قد رفعوا أيديهم بتلويحات غير مهذبة بالمرة.

قال «فادچ» وهو يعاود النظر إلى الأستاذة «مكجونجال» ويومئ إيماءة يصرف بها «هارى» و«مارييتا»: «لتأخذى هذين الصغيرين إلى الفراش».

لم تنطق الأستاذة «مكجونجال» بشىء، لكن سارت مع «هارى» و«مارييتا» إلى الباب. وهى تغلقه من خلفهم، سمع «هارى» صوت «فينياس نيجيلوس».

«أتعرف يا وزير، أنا أختلف مع دمبلدور فى الكثير من الأمور. لكن لا أنكر أن له أسلوبه المتميز..».

٢٨ أسوأ ذكريات سناب

بأمر من وزارة السحر

تتولى دولوريس جان أمبريدج منصب ناظر مدرسة هوجورتس لتعليم الساحرات والسحرة بدلاً من ألبوس دمبلدور.
المذكور أعلاه يتفق وأحكام الفرمان التعليمى رقم (٢٨)
توقيع: كورنلياس أوزولد فادچ، وزير السحر

ليلاً.. تم تعليق اللافتات فى كل مكان بالمدرسة، لكنها لم تفسر كيف عرف كل فرد بالقلعة بتفاصيل تغلب «دمبلدور» على اثنين من مقاتلى السحر الأسود المحترفين، والمفتشة العليا، ووزير السحر ومساعده، ثم هروبه. أينما يذهب «هارى» فى القلعة؛ يجد الموضوع الوحيد الذى يتكلم التلاميذ عنه هو هروب «دمبلدور»، وبالرغم من أن التفاصيل قد حُرِّفت بعد أن تم حكيها أكثر من مرة، (سمع «هارى» فتاة من الصف الثانى تقسم لأخرى بأن «فادچ» راقد الآن فى مستشفى سانت مونجو ورأسه قد تحوَّل إلى قرعة عسل)، فقد بدا من المدهش مدى دقة باقى المعلومات الخاصة بالموضوع. عرف الجميع ـ على سبيل المثال ـ أن «هارى» و«ماريتا» كانا هما الطالبين الوحيدين اللذين قد شهدا ما جرى فى مكتب «دمبلدور»، وأن «ماريتا» راقدة فى جناح المستشفى، فوجد «هارى» نفسه محاصراً بمن يرغبون فى سماع الحكاية منه مباشرة.

قال «إرنى ماكميلان» بثقة، فى طريق العودة من حصة علم الأعشاب بعد الاستماع بحرص لقصة «هارى»: «سيعود دمبلدور بسرعة. لم يقدروا على إبعاده طويلاً ونحن فى الصف الثانى، ولن يقدروا هذه المرة أيضًا. قال لى شبح فرقتنا..»، ثم خفض صوته بأسلوب تآمرى؛ حتى لا يسمعه سوى «هارى» و«رون» و«هيرميون» مضيفًا: «.. إن أمبريدچ حاولت اقتحام مكتبه ليلة أمس بعد هروبه، وبعد أن فتشوا القلعة بحثًا عنه، ولم تتمكن من المرور

من الجرجوانة؛ فقد أغلق مكتب الناظر نفسه أمامها، وبالتأكيد قد جن جنونها من الغضب». أضاف «إرنى» الجملة الأخيرة بسخرية.

قالت «هيرميون» بقسوة وهم يسيرون إلى درجات السلم الصخرية المُفضية للقاعة الأمامية: «آه.. طبعًا تخيلت نفسها وهى جالسة فى مكتب الناظر؛ لترتقى فوق باقى المعلمين، تلك العجوز الشمطاء الغبية المتهالكة المجنونة الـ...».

«هل تودين حقًا إكمال هذه الجملة يا جرانجر؟».

خرج «دراكو مالفوى» إليهم من خلف الباب، ومن خلفه «كراب» و«جويل». ووجهه الشاحب الحاد القسمات متوهج بالحقد.

قال: «يؤسفنى إعلان أن علىّ خصم بعض النقاط من جريفندور وهافلباف».

قال «إرنى» على الفور: «لا يمكنك خصم النقاط من رواد الفصول يا مالفوى».

زمجر «رون» قائلاً: «كما أننا رائدا فصول أيضًا. هل تذكر؟».

قال «مالفوى»: «أعرف أن رواد الفصول لا يمكنهم خصم النقاط من بعضهم». فضحك «كراب» و«جويل» بسخرية، وأضاف: «لكن أعضاء الفرقة التفتيشية...».

قالت «هيرميون» بحدة: «أعضاء ماذا؟».

قال «مالفوى» مشيرًا إلى شارة فضية صغيرة منقوش عليها حرف (I) لاتينى على عباءته تحت شارة رائد الفصل: «الفرقة التفتيشية يا جرانجر، مجموعة من الطلبة المساندين لوزارة السحر، اختارتهم الأستاذة أمبريدچ، المهم أن لأعضاء الفرقة التفتيشية خصم النقاط؛ لذا خصمت خمس نقاط على إهانة ناظرة مدرستنا. وخمس نقاط من ماكميلان؛ لأنه عارضنى. وخمس نقاط منك يا بوتر؛ لأننى لا أحبك. وأنت يا ويسلى، قميصك ليس مهندمًا؛ لذا سأخصم منك خمس نقاط أخرى. وآه.. نسيت، وأنت لستِ ساحرة من سلالة نقية يا جرانجر، مخصوم منك عشر نقاط».

شهر «رون» عصاه، لكن «هيرميون» دفعتها بعيدًا وهمست: «لا».

قال «مالفوى»: «تصرف حكيم يا جرانجر. الناظرة الجديدة جاءت بعصر جديد.. وأنت يا بوتر أحسِن التصرف.. ويسلى يا ملك..».

وهو يضحك من قلبه ابتعد ومعه «كراب» و«جويل».

قال «إرنى» مرعوبًا: «إنه يحتال علينا. لا يمكنه خصم النقاط.. هذا سخف، ويشوه نظام رواد الفصول تمامًا».

لكن «هارى» و«رون» و«هيرميون» التفتوا تلقائيًا إلى الساعات الكبيرة التى تمثل نقاط الفرق المدرسية الأربع. كانت ساعة «جريفندور» وساعة «رافنكلو» متساويتين ذلك الصباح. وهو يراقب الساعات وجد الرصيد يقل. فى الواقع، كانت الساعة الوحيدة الممتلئة هى ساعة «سليذرين».

جاءهم صوت «فريد» يقول: «لاحظتم ما جرى؟».

نزل هو و«چورچ» لتوِّهما من فوق درجات السلم الرخامية وانضما إلى «هارى» و«رون» و«هيرميون» و«إرنى» أمام الساعات.

قال «هارى» بغضب وهم يراقبون اختلال ميزان الساعات: «خصم منا مالفوى حوالى خمسين نقطة».

قال «چورچ»: «أجل، حاول مونتاج الخصم منا وقت الإفطار».

قال «رون» بسرعة: «ماذا تعنى بقولك: حاول؟».

قال «فريد»: «لم يتمكن أبدًا من قول الكلمات؛ لأننا دفعنا به إلى كابينة الاختفاء فى الطابق الأول». بدت «هيرميون» مصدومة بشدة.

«لكن هكذا ستتعرضان لمشكلات رهيبة».

قال «فريد» ببساطة: «ليس حتى يعاود مونتاج الظهور، وقد يأخذ الأمر منه أسابيع، ولا أعرف إلى أين أرسلناه أصلاً. المهم أننا قررنا ألا نهتم بالوقوع فى المشكلات بعد الآن».

سألته «هيرميون»: «وهل سبق لكما الاهتمام بهذا؟».

قال «چورچ»: «بالطبع، فنحن لم نطرد من قبل أبدًا.. أليس كذلك؟».

قال «فريد»: «لطالما وضعنا لأنفسنا خطًا لا نتعداه».

قال «چورچ»: «ربما تجاوزناه فى بعض المرات القليلة».

قال «فريد»: «لكن لم نتسبب أبدًا فى عاهة مستديمة لأحد».

قال «رون» بتردد: «والآن؟». وقال «چورچ»: «الآن..».

قال «فريد»: «.. مع مغادرة دمبلدور..».

قال «چورچ»: «.. قد نصيب البعض بالعاهات المستديمة..».

قال «فريد»: «.. وهو ما تستحقه ناظرتنا الجديدة بالضبط».

همست «هيرميون»: «لا تفعلا. لا تفعلا. إنها تبحث عن حجة لطردكما».

قال «فريد» مبتسمًا لـ«هيرميون»: «أنت لا تفهمين يا هيرميون.. أليس كذلك؟ نحن لم نعد نبالى بالبقاء. كنا سنغادر المدرسة على الفور، إن لم نصمم على الانتقام لدمبلدور أولاً. المهم..». وهو ينظر لساعته أضاف: «.. المرحلة الأولى على وشك البدء، إن كنت مكانكم كنت سأذهب للقاعة الكبرى لأتناول الغداء؛ حتى لا يرتاب فيكم المعلمون وفى اشتراككم فى التدبير».

قالت «هيرميون» بتوتر: «تدبير ماذا؟». فقال «چورچ»: «سترين. هيا تعالوا».

التفت «فريد» و«چورچ» واختفيا وسط التلاميذ النازلين السلم متجهين للقاعة الكبرى؛ لتناول الطعام. غمغم «إرنى» بشىء عن واجب التحويل الذى لم ينتهِ منه وهرول مبتعدًا.

قالت «هيرميون» بتوتر: «أعتقد أن علينا الخروج من هنا، فقد يحدث شىء..».

قال «رون»: «فعلاً.. هيا بنا»، وتحرك ثلاثتهم نحو أبواب القاعة الكبرى، لكن «هارى» ما كاد يلمح السقف المزين بسحابات بيضاء، حتى طرق أحدهم على كتفه بأصابعه، وعندما التفت وجد نفسه فى مواجهة «فيلش» فرّاش المدرسة. وأخذ يتراجع عدة خطوات سريعة للخلف، فمن الأفضل رؤية «فيلش» من بعيد.

قال بخبث: «السيدة الناظرة تريد رؤيتك يا بوتر».

قال «هارى» بغباء مفكرًا فيما يخطط له «فريد» و«چورچ»: «لم أفعل شيئًا»، فانفرجت أسارير «فيلش» وضحك ضحكة صامتة.

قال: «يالضميرك المثقل بالذنوب. اتبعنى».

اختلس «هارى» نظرة إلى «رون» و«هيرميون» اللذين بدا عليهما القلق. هز رأسه وتبع «فيلش» إلى القاعة الأمامية فى مواجهة مد الطلبة الجائعين المتجهين لتناول الأكل.

بدا «فيلش» فى حالة مزاجية رائعة، أخذ يغنى بصوت خفيض وهما يصعدان السلم. وعندما وصلا إلى الطابق الأول، قال: «ستتغير القواعد يا بوتر».

قال «هارى» ببرود: «لاحظت هذا».

قال «فيلش» ضاحكًا: «أجل.. منذ سنوات وسنوات وأنا أخبر دمبلدور بأنه

رفيقٌ بكُم للغاية. أيها الوحوش الصغيرة النجسة، ما كنتم لتلقوا بالألعاب النارية الكريهة الرائحة إن كنتم تعرفون أن من سلطاتى ضربكم بالسياط، أليس كذلك؟ ما كان ليلقى أحد بالأطباق الطائرة ذات الأنياب إن كان فى استطاعتى ضربكم فى مكتبى، أليس كذلك؟ لكن الفرمان التعليمى رقم (٢٩) قادم يا بوتر، وسيسمح لى بفعل هذه الأشياء.. وستسأل الوزارة أن ترسل أمرًا بطرد بيفيس.. ستتحسن الأمور كثيرًا هنا بعد أن تولت هى المسئولية..».

قال «هارى» لنفسه إن «أمبريدچ» قد تمادت كثيرًا؛ حتى تضم «فيلش» إلى صفها، والأسوأ أنه سيكون سلاحًا مهمًّا فى يدها؛ لمعرفته بالمدرسة وممراتها السرية وأماكن الاختباء، فهو التالى للتوأمين «ويسلى» فى المعرفة بالمدرسة.

قال وهو ينظر شزرًا إلى «هارى» بعد أن طرق ثلاث طرقات على باب مكتب الأستاذة «أمبريدچ» وفتحه: «ها نحن.. الولد بوتر جاء؛ ليقابلك يا سيدتى».

لم يختلف مكتب «أمبريدچ» الذى اعتاده «هارى» من قبل طوال جلسات الاحتجاز إلا فى اللوح الخشبى الكبير الموضوع على مكتبها بحروف ذهبية: **الناظرة**. كما وضعت مقشته «الفايربولت» ومقشتى «فريد» و«چورچ» فى قيود وعلقتها على الحائط من خلفها.

وجد «أمبريدچ» جالسة خلف المكتب، وهى تكتب شيئًا ما على ورقها الوردى اللون، لكنها رفعت بصرها إليه وابتسمت ابتسامة واسعة مع دخولهما.

قالت بعذوبة: «شكرًا لك يا أرجوس».

قال «فيلش» وهو ينحنى أوسع انحناءة يسمح له بها مرض الروماتيزم، وهو يتراجع ليخرج: «العفو يا سيدتى».

قالت «أمبريدچ» باقتضاب مشيرة إلى مقعد: «اجلس»، فجلس «هارى». أخذت تكتب لبرهة. راقب بعض الهريرات تدور حول الأطباق الخزفية فوق رأسها، وتساءل: ما الرعب الذى تحضّره له؟

قالت أخيرًا وهى تضع ريشة الكتابة على المكتب وتفحصه ببصرها برضا مثل ضفدع على وشك التهام ذبابة لذيذة وممتلئة: «ماذا تشرب؟».

قال «هارى» وهو على ثقة تامَّة من أنه لم يسمعها جيدًا: «ماذا؟».

قالت وابتسامتها واسعة: «ماذا تشرب يا بوتر؟ شايًا؟ قهوة؟ عصير قرع العسل؟».

وهى تنطق بأسماء المشروبات، لوحت بعصاها فظهر قدح وكوب على مكتبها.

قال «هارى»: «لا شىء.. أشكرك».

قالت وصوتها العذب يوحى بخطورة ما تضمره: «أتمنى لو تشرب معى.. اختر مشروبًا».

قال «هارى» وهو يهز رأسه: «طيب.. سأشرب شايًا».

نهضت وأضافت اللبن بسرعة وظهرها إليه، ثم دارت حول المكتب والقدح فى يدها، وهى تبتسم ابتسامتها العذبة المشئومة.

قالت وهى تناوله القدح: «تفضل. اشربه قبل أن يبرد. والآن يا سيد بوتر.. قلت لنفسى لم لا نتحدث قليلاً، بعد الأحداث السيئة التى وقعت أمس».

لم ينطق بشىء. جلست فى مقعدها منتظرة. وعندما مرت برهة من الصمت، قالت بمرح: «لم لا تشرب؟».

رفع القدح إلى شفتيه، ثم خفضه فجأة. لمح عينَ واحدةٍ من القطيطات من خلف «أمبريدج» ورأى فيها شبهًا بعين «ماد آى» السحرية، وخطر له أن يتساءل عما قد يقوله «ماد آى» إذا عرف بأن «هارى» قد شرب شيئًا يقدمه له عدوه.

قالت «أمبريدج» التى جلست تراقبه عن قرب: «ما الأمر؟ هل تريد بعض السكر؟».

قال «هارى»: «لا».

رفع القدح إلى شفتيه ثانية وتظاهر بأخذ رشفة منه، وإن أبقى فمه مغلقًا. اتسعت ابتسامة «أمبريدج».

همست: «رائع. رائع جداً. الآن..». ثم قالت وهى تميل إلى الأمام قليلاً: «.. أين ألبوس دمبلدور؟». فردَّ «هارى» فورًا: «ليس عندى فكرة».

قالت وهى ما زالت تبتسم: «اشرب، اشرب. والآن يا سيد بوتر، انظر، نحن لا نلعب لعبة صبيانية. أعرف أنك تعرف مكانه. فأنت ودمبلدور شريكان فى الأمر من البداية. ونظرًا لموقفك يا بوتر..».

«لا أعرف أين هو».

تظاهر بالشرب ثانية. قالت: «رائع» وإن بدت غير مقتنعة، وأضافت: «فى هذه الحالة، هلا أخبرتنى بمكان سيرياس بلاك؟».

اضطرب صدر «هارى» واهتزت يده القابضة على القدح حتى أنه اهتز وصدر عن اصطدامه بطبق القدح صوت مسموع. أمال القدح على شفتيه الموصدتين، فتساقط المشروب الساخن على عباءته.

قال بسرعة هذه المرة: «لا أعرف».

قالت «أمبريدچ»: «سيد بوتر.. دعنى أذكرك بأننى أنا من كدت أقبض على المجرم بلاك فى أكتوبر الماضى. أعرف تمام المعرفة أنه كان معك، وإن كان معى الدليل، ما كان أحدكما ليبقى حرًا طليقًا كحالكما اليوم؛ لذا أكرر يا بوتر: أين سيرياس بلاك؟».

قال «هارى» بصوت مرتفع: «ليس عندى فكرة.. لا أعرف».

تبادلا النظر لبرهة، حتى شعر «هارى» بعينيه تؤلمانه من كثرة التركيز، ثم وقفت «أمبريدچ».

«سآخذ بكلمتك يا بوتر هذه المرة. لكن لتحذر: إرادة الوزارة هى التى تساندنى. كل قنوات الاتصال من وإلى هذه المدرسة تحت المراقبة. منظم شبكة الفلو يراقب كل مدفأة فى هوجورتس.. إلا مدفأتى بالطبع. فرقتى التفتيشية تفتح وتقرأ كل الرسائل المرسلة بالبوم، والتى يرسلها الطلبة من المدرسة. والسيد «فيلش» يراقب كل الممرات السرية فى المدرسة. وإن تحصلت على دليل..».

بوم

ارتجت أرضية المكتب ذاتها. ترنحت «أمبريدچ» وأمسكت بمكتبها؛ حتى لا تسقط، والصدمة مرتسمة على وجهها. «ما الذى...؟».

أخذت تحدّق فى الباب. فوجدها «هارى» فرصة لإفراغ قدحه الممتلئ بالشاى فى أقرب زهرية مليئة بالزهور المجففة. سمع الناس يجرون ويصرخون فى الطوابق السفلية».

صاحت «أمبريدچ» وهى ترفع عصاها السحرية وتهرع خارجة من المكتب: «عد إلى الغداء يا بوتر». تركها «هارى» تسبقه قليلاً، ثم خرج خلفها؛ ليرى مصدر هذه الجلبة الشديدة.

لم يلقَ صعوبة فى البحث. فتحته بطابق واحد وجد مصدر الجلبة. فأحدهم - و«هارى» عنده فكرة واضحة عن ماهيته - قد أطلق صندوقًا كبيرًا من الألعاب النارية السحرية.

أخذت تنانين من الشرارات الخضراء والذهبية تحلق فى الممرات، وهى تُخرج نيرانًا من أفواهها وهى تطير.. وعجلات كبيرة قطرها يصل إلى خمس أقدام تدور مرسلة الشرر المتطاير فى الهواء، وصواريخ بذيول طويلة ونجومًا

فضية تصطدم وترتد عن الجدران، وكلمات من الشرر ترتسم فى الهواء، وصواريخ صغيرة تنفجر كالألغام أينما نظر «هارى»، وبدلاً من أن تحترق وتختفى، أخذت تكتسب الطاقة والقوة مع مرور الوقت.

وقف «فيلش» مع «أمبريدچ» والرعب يتملكهما عند منتصف السلم المفضى إلى الطابق السفلى.. و«هارى» يراقب ما يجرى قررت عجلة من الشرر أنها بحاجة لساحة مناورة أكبر، فطارت نحو «أمبريدچ» و«فيلش» بصوت مشئوم: وييييييى. صرخا وانحنيا فى خوف، فحلقت خارجة من النافذة من خلفهما. بينما أخذت بعض التنانين ووطواط بنفسجى فى التقدم نحو الباب المفتوح عند نهاية الممر هربًا إلى الطابق الثانى.

صاحت «أمبريدچ»: «أسرع يا فيلش، أسرع.. سيملأون المدرسة إن لم نتصرف بسرعة.. *ستوبيفاى*».

انطلق شعاع أحمر اللون من طرف عصاها السحرية وأصاب أحد الصواريخ. بدلاً من أن يتجمد فى الهواء، تفجر بقوة كافية لعمل ثقب فى لوحة ساحرة جالسة فى حديقة، والتى هربت من اللوحة فى الوقت المناسب، لتعاود الظهور بعد لحظات فى اللوحة المجاورة، حيث جلس ساحران يلعبان الورق، واللذان قاما بدورهما؛ ليفسحا لها مكانًا.

صاحت «أمبريدچ» بغضب: «لا تجمدها يا فيلش» وكأنه هو من ألقى بالتعويذة وليست هى.

قال «فيلش» - وكان كمساعد ساحر لا يقدر على تجميد الألعاب النارية -: «حاضر يا حضرة الناظرة» ثم هرع إلى خزانة قريبة، وجذب منها مقشة وأخذ يضرب بها الألعاب النارية فى الهواء.. وخلال لحظات، استعرت النيران فى المقشة.

رأى «هارى» ما يكفيه، وهو يضحك انحنى وأخذ يجرى إلى باب يعرف أنه مختفٍ خلف لوحة جدارية فى ذلك الممر، ودلف منه ليجد «فريد» و«چورچ» و«چينى» مختبئين خلفه، يستمعون لصياح وصراخ «أمبريدچ» و«فيلش» بمرح مكتوم.

قال «هارى» بهدوء مبتسمًا: «شىء مدهش.. مدهش جدًا.. سيفلس دكتور فيليباستر[1] هكذا..».

همس «چورچ» وهو يمسح دموع الضحك من على وجهه: «ابتهج. أرجو أن تجرب تعويذة الإخفاء عليها.. فهى تتكاثر عشرة أضعاف كل مرة تصيبها هذه التعويذة».

---

(١) دكتور «فيليباستر» هو اسم متجر شهير للألعاب النارية السحرية.. يقصد «هارى» أن ألعاب «فريد» و«چورچ» النارية تقدر على منافسة ألعاب «فيليباستر»! (المترجم).

استمرت الألعاب النارية فى الاحتراق والانتشار فى المدرسة طوال فترة الأصيل ذلك اليوم. وبالرغم من أنها قد تسببت فى الكثير من الفوضى، فإن المعلمين الآخرين لم يلتفتوا إليها أو يعيروها انتباهًا.

قالت الأستاذة «مكجونجال» بتهكم وواحد من التنانين يطوف فى فصلها باعثًا لهبًا مصحوبًا بجلبة شديدة: «يا إلهى.. آنسة براون، هلا ذهبتِ لحضرة الناظرة وأبلغتِها بأن عندنا تنينًا هاربًا من الألعاب النارية فى الفصل؟».

وهكذا قضت الأستاذة «أمبريدج» أول يوم لها وهى تجرى فى المدرسة استجابة لاستدعاءات المعلمين الآخرين، ومن الواضح أنه لا أحد منهم قدر على التخلص من الألعاب النارية من دون مساعدتها. عندما رن جرس آخر الحصص، وتوجهوا إلى برج «جريفندور» بحقائبهم، رأى «هارى» - وهو ما أرضاه كثيرًا - «أمبريدج» وقد تلوث وجهها بالغبار الأسود، والعرق الغزير يتصبب منها، وهى تمشى بقدم عرجاء خارجة من فصل الأستاذ «فليتويك».

قال الأستاذ «فليتويك» بصوته الرفيع الحاد: «شكرًا جزيلاً لك يا أستاذة.. كنت أستطيع التخلص من هذه الأشياء بالطبع، لكن لم أعرف إن كان عندى سلطة التخلص منها أم لا».

وهو يبتسم ابتسامة واسعة، أغلق باب الفصل فى وجهها الغاضب.

أصبح «فريد» و«چورچ» من الأبطال تلك الليلة فى حجرة طلبة «جريفندور». حتى «هيرميون» جاهدت لتقترب منهما؛ لتهنئهما، من بين الطلبة المتجمهرين حولهما. قالت بإعجاب: «كانت ألعابًا نارية رائعة».

قال «چورچ» مندهشًا ومسرورًا فى نفس الوقت: «أشكرك.. إنها ألعاب ويسلى النارية، لكن المشكلة أننا قد أحرقنا كل مخزوننا منها، وسنبدأ ثانية من لا شىء».

قال «فريد» الذى أخذ يتلقّى طلبات الشراء من طلبة «جريفندور» المتحلقين من حوله: «لكن الأمر كان يستحق.. تعالى لتضيفى اسمك لقائمة الحجز يا هيرميون. ثمن صندوق الألعاب النارية العادى خمسة جاليونات، والصندوق الفاخر بعشرين جاليونًا..».

عادت «هيرميون» إلى المائدة التى كان «هارى» و«رون» جالسين إليها يحدقان فى حقائب المدرسة كأنهما يتمنيان أن يخرج الواجب وحده من الحقائب ويبدأ فى حل نفسه.

قالت بسعادة، وصاروخ فضى الذيل من صواريخ التوأمين «ويسلى» يمرق من خلف النافذة: «لماذا لا نأخذ الليلة راحة؟ فإجازة عيد الفصح ستبدأ يوم الجمعة، وسنجد الكثير من الوقت حينها لعمل الواجب».

سألها «رون» محدقًا فيها غير مصدق: «هل أنت مريضة؟».

قالت «هيرميون» بسرور: «آه.. فى الواقع أشعر بشىء من *التمرد*».

كان «هارى» ينصت لأصوات الألعاب النارية الهاربة وهو يصعد مع «رون» بعد ساعة إلى الفراش.. وهو يغير ملابسه، رأى صاروخًا يمر أمام البرج ومن خلفه شريط منير عليه كلمة: «طظ».

صعد إلى الفراش، وتثاءب. وعندما خلع عويناته صارت الصواريخ التى تمر من خلف النافذة غير واضحة المعالم، مثل سحابات مضيئة، بألوان جميلة وغامضة والسماء سوداء من خلفها. تقلب على جانبيه، متسائلاً: «كيف تشعر «أمبريدچ» بأول يوم لها فى وظيفة «دمبلدور»؟ وكيف سيتصرف «فادچ» عندما يسمع بأن المدرسة قضت معظم اليوم فى حالة من الفوضى الشديدة؟». وهو يبتسم لنفسه أغمض «هارى» عينيه.

أخذت أصوات الألعاب النارية الهاربة إلى حديقة المدرسة وفنائها تبتعد وتبتعد.. أو لعله هو من يبتعد عنها..

كان فى الممر المفضى إلى مصلحة الألغاز والغوامض. أخذ يجرى مقتربًا من الباب الأسود.. *افتح.. افتح*.

انفتح، دخل إلى الحجرة المستديرة ذات الأبواب المصطفة على جدارها.. عبر بطول الحجرة، وضع يده على باب مماثل للباب الأول وفتحه..

صار فى حجرة مستطيلة ممتلئة بآلات غريبة تُصدر رنينًا. وجد بقعًا ضوئية متراقصة على الجدران، لكنه لم يتوقف ليفحصها.. عليه التقدم..

باب آخر عند الطرف البعيد من الحجرة.. انفتح هو الآخر عندما لمسه.

صار فى حجرة قليلة الضوء مرتفعة السقف وواسعة ككنيسة، ممتلئة بصفوف وصفوف من الرفوف العالية، وكل منها عليه كرات زجاجية صغيرة مغبرة.. أخذ قلبه يخفق بسرعة وشدة.. لايعرف إلى أين يذهب.. جرى إلى الأمام، لكن خطواته لم تُصدر صوتًا على أرض الحجرة الهائلة الخالية..

شىء فى هذه الحجرة يريده بشدة..

شيء يريده هو.. أو يريده شخص آخر.. آلمته ندبته..

طاخ!

أفاق من النوم على الفور مرتبكًا وغاضبًا. وجد الحجرة المظلمة مستغرقة فى أصوات الضحكات.

قال «سيماس» الذى رآه واقفًا أمام النافذة: «رائع. أعتقد أن إحدى عجلات الألعاب النارية قد ضربت صاروخًا، فصدر هذا الصوت. تعالوا وانظروا».

سمع «هارى» «رون» و«دين» يبادران بالقيام من فراشيهما؛ سعيًا لرؤية أفضل. رقد بجمود على ظهره، بينما ألم ندبته يتراجع، والحسرة تملؤه. شعر كأن شيئًا جميلاً قد سحب من تحت يده قبل أن يحصل عليه بلحظات.. عليه أن يُغمض عينيه.

أخذت ألعاب نارية على شكل خنازير صغيرة من اللونين الوردى والفضى تحلق خلف نوافذ برج «جريفندور». رقد «هارى» منصتًا إلى آهات التقدير والدهشة من تلاميذ «جريفندور» فى الحجرات المجاورة. تقلصت معدته عندما تذكر درس «الأوكلومينسى» الذى سيحضره مساء الغد.

***

قضى «هارى» اليوم التالى خائفًا مما سيقوله «سناب» عندما يعرف بتوغله فى مصلحة الألغاز والغوامض الليلة الماضية. ومع إحساسه بالذنب، أدرك أنه لم يتدرب على «الأوكلومينسى» ولو مرة واحدة منذ آخر درس له؛ فقد وقع الكثير منذ مغادرة «دمبلدور»، وكان واثقًا من أنه ما كان ليقدر على تصفية عقله حتى لو حاول، لكنه شك فى أن «سناب» سيقبل هذا العذر.

حاول التدرب قبل النزول للدرس مباشرة ذلك اليوم، لكنه لم يفلح. أخذت «هيرميون» تسأله عما به كلما صمت؛ محاولاً التخلص من كل الأفكار والمشاعر، وأفضل وقت للتدرب على تفريغ عقله ليس والمعلمون يسألون التلاميذ فى الفصل عن دروسهم.

متأهبًا لتلقى أسوأ ما قد يواجهه، توجه إلى مكتب «سناب» تلك الليلة بعد العشاء. لكن وفى منتصف القاعة الأمامية، جاءته «تشو» مسرعة.

قال «هارى» وقد سرَّه أن يجد عذرًا لتأجيل مقابلته مع «سناب»: «أنا هنا.. هل أنت بخير؟ ألم تسألك أمبريدج عن اجتماعات الـ(دى. أيه.)؟».

قالت «تشو» بسرعة: «لا، لا.. الموضوع أن... أعنى، أردت أن أقول.. هارى، أنا لم أتخيل أبدًا أن مارييتا قد تشى بنا..».

قال «هارى» بمزاج مضطرب: «آه.. أجل». شعر بأن «تشو» تختار صديقاتها دون حرص، فالقليل مما سره فى الموضوع هو أن «مارييتا» ما زالت فى جناح المستشفى ومدام «بومفرى» لم تقدر على تحسين حالها بالمرة».

قالت «تشو»: «إنها إنسانة لطيفة للغاية.. لكنها أخطأت خطأ..».

نظر إليها «هارى» باستنكار:

«إنسانة لطيفة للغاية لكنها أخطأت! لقد وشت بنا كلنا، وأنت معنا».

قالت «تشو» مدافعة عنها: «لكننا خرجنا من الموضوع بسلام، أليس كذلك؟ تعرف أن أمها تعمل فى الوزارة، وكان من الصعب عليها أن...».

قال «هارى» بغيظ: «والد رون يعمل فى الوزارة أيضًا، وإن لم تكونى قد لاحظتِ فإنه لم يُكتب على وجهه: واشٍ».

قالت «تشو» بغضب: «كانت تلك حركة سيئة للغاية من هيرميون جرانجر.. كان عليها إخبارنا بأنها وضعت تعويذة على القائمة..».

قال «هارى» ببرود: «أراها فكرة هائلة»، توهج وجه «تشو» بالاحمرار ولمعت عيناها. «آه.. طبعًا.. نسيت، فكرة هيرميون العزيزة..».

قال «هارى» محذرًا: «لا تبكى ثانية». صاحت: «لا أنوى هذا».

قال: «حسنًا.. هكذا أفضل.. عندى ما يكفينى حاليًا».

قالت «تشو» بغيظ وهى تدور على عقبيها وتسير مبتعدة: «اذهب وتعامل مع هذا الذى يكفيك إذن».

وهو يشتاط غضبًا، نزل «هارى» السلم إلى الممر المُفضى إلى مكتب «سناب»، وبالرغم من معرفته أنه سيكون من الأسهل على «سناب» اختراق عقله وهو غاضب، فإنه لم ينجح سوى فى التفكير فى الأشياء التى قالها لـ«تشو» عن «مارييتا» قبل أن يصل إلى باب المكتب.

قال «سناب» ببرود: «تأخرت يا بوتر» و«هارى» يغلق الباب من خلفه. وقف «سناب» معطيًا له ظهره، وهو يزيل كعادته بعض ذكرياته ويضعها

بحرص فى مفكرة «دمبلدور» السحرية. أسقط آخر خيط فضى فى الحوض الحجرى، ثم التفت لمواجهة «هارى». قال له: «إذن، هل تدربت؟».

كذب عليه «هارى» وقال وهو ينظر إلى واحدة من أرجل مكتب «سناب»: «أجل».

قال «سناب» بنعومة: «حسنًا.. سنعرف الآن، أليس كذلك؟ أشهر عصاك يا بوتر».

تحرك «هارى» إلى مكانه المعتاد، فى مواجهة «سناب» والمكتب بينهما. أخذ قلبه يخفق بشدة من «تشو» والقلق حول ما سيستخرجه «سناب» من عقله.

قال معلمه بكسل: «عند العدد ثلاثة.. واحد.. اثنان..».

صوت طرقة على الباب ودلف «دراكو مالفوى» مسرعًا إلى الحجرة.

«أستاذ سناب.. سيدى.. آه.. آسف..».

نقل «مالفوى» بصره بين «سناب» و«هارى» فى دهشة.

قال «سناب» وهو يخفض عصاه: «لا عليك يا دراكو. بوتر معى فى حصص وصفات سحرية تعويضية».

لم ير «هارى» «مالفوى» مسرورًا هكذا منذ خرجت «أمبريدج» لتفتش على «هاجريد».

قال ناظرًا شزرًا إلى «هارى» الذى وجد وجهه يحترق: «لم أكن أعرف». كان ليفعل أى شىء ليصيح بالحقيقة فى وجه «مالفوى».. أو - الأحسن - أن يصيبه بتعويذة أو لعنة قوية. سأله «سناب»: «ما الأمر يا دراكو إذن؟».

قال «مالفوى»: «إنها الأستاذة أمبريدج يا سيدى.. فهى بحاجة إلى مساعدتك.. لقد وجدوا «مونتاج» محشورًا داخل مرحاض بالطابق الرابع يا سيدى».

سأله «سناب»: «وكيف انحشر فيه؟».

«لا أعرف يا سيدى.. فهو مرتبك قليلاً».

قال «سناب»: «حسنًا، حسنًا. بوتر، سنكمل الدرس مساء الغد».

التفت وخرج من مكتبه، وكون «مالفوى» بفمه الكلمات: «حصص وصفات تعويضية؟» لـ«هارى» من خلف ظهر «سناب» قبل أن يتبعه.

شاعرًا بالاهتياج، أعاد «هارى» عصاه السحرية إلى ثنيات عباءته وهمَّ بمغادرة الحجرة. على الأقل حصل على أربع وعشرين ساعة يمكنه التمرين فيها، وكان يعرف أن عليه الامتنان لإفلاته اليوم، وبالرغم من هذا وجد من

الصعب الإحساس بالراحة بعدما عرف أن «مالفوى» سيخبر المدرسة كلها بأنه يحضر حصص وصفات تعويضية.

وصل إلى باب المكتب قبل أن يرى ما حدث: خيطًا من الضوء يتراقص على إطار الباب.. ثم تذكر؛ فقد كان أشبه بالضوء الذى رآه فى حلمه بالأمس، والأضواء التى وجدها فى ثانى حجرة يدخلها فى رحلته عبر مصلحة الألغاز والغوامض.

دار على عقبيه، كان الضوء قادمًا من المفكرة السحرية على مكتب «سناب». كانت محتوياتها البيضاء الفضية تدور وتتحرك داخلها. أفكار «سناب».. الأشياء التى لا يريد لـ«هارى» أن يراها إن اخترق عقله.

حدّق «هارى» فى المفكرة، والفضول يتزايد داخله.. ما الذى يحرص «سناب» على إخفائه هكذا؟

تراقصت الأضواء الفضية على الحائط. تقدم «هارى» خطوتين نحو المكتب، متفكّرًا. تراها معلومات عن مصلحة الألغاز والغوامض ويريد «سناب» إخفاءها عنه؟

نظر «هارى» من فوق كتفه، وقلبه يخفق بقوة أكبر وأسرع من أى وقت مضى. كم من الوقت سيستغرقه «سناب» فى إخراج «مونتاج» من المرحاض؟ هل سيتوجه بعدها إلى مكتبه مباشرة؟ أم سيصحب «مونتاج» إلى جناح المستشفى؟ بالطبع سيصحبه.. فهو كابتن فريق «سليذرين» فى «الكويدتش»، و«سناب» يريده بالطبع فى حالة جيدة.

قطع «هارى» الخطوات القليلة الباقية التى تفصله عن المفكرة ووقف فوقها يحدّق فى أعماقها. تردد، وأنصت، ثم شهر عصاه ثانية. المكتب والممر من خلفه صامتان تمامًا. نخس محتويات المفكرة بطرف عصاه السحرية.

بدأ المحتوى الفضى للمفكرة فى الدوران بسرعة. مال «هارى» إلى الأمام عليه ورأى أنه قد صار شفافًا. ومرة أخرى، وجد نفسه ينظر إلى حجرة بنافذة دائرية فى السقف.. إن لم يكن مخطئًا فهو ينظر إلى القاعة الكبرى.

تكثف بخار أنفاسه على سطح أفكار «سناب».. وعقله فى ورطة لا يعرف لها مخرجًا.. من الجنون أن يفعل ما يرغب فيه بشدة.. أخذ يرتجف.. سيعود «سناب» فى أية لحظة.. لكن «هارى» فكر فى غضب «تشو»، وفى وجه «مالفوى» الساخر، فتملكه إحساس بالجرأة والاستهتار.

أخذ نفسًا عميقًا، وقرّب وجهه من سطح أفكار «سناب». تمايلت الأرض على الفور لتقلب «هارى» رأسًا على عقب فى المفكرة..

سقط عبر فراغ بارد، وهو يدور أثناء سقوطه.. ثم...

وقف فى منتصف القاعة الكبرى، لكن بدلاً من موائد الفرق الأربعة وجد أكثر من مائة مائدة صغيرة، وجميعها فى نفس الاتجاه، أمام كل منها جلس طالب، محنى الظهر على رقعة من الورق، يكتب عليها بسرعة. الصوت الوحيد الذى سمعه، هو احتكاك ريشات الكتابة بالورق، وصوت تعديل وضع الأوراق بين الحين والآخر وأحدهم يحرك ورقه. كان من الواضح أن هذا امتحان.

دخلت الشمس من النوافذ العالية لتطل على الرءوس المحنية، التى أخذت تلمع بألوان كستنائية وشقراء فى مواجهة الضوء الساطع. نظر «هارى» حوله بحرص. لا بد أن «سناب» هنا فى مكان ما.. فهذه ذكراه هو.

ها هو جالس إلى المائدة الواقعة خلف «هارى» تمامًا. نظر إليه «هارى». «سناب» المراهق له جسد نحيل وكئيب، مثل نبتة تنمو فى الظلام. كان شعره ناعمًا ولامعًا ويصل إلى المائدة، وأنفه المعقوف على مسافة نصف بوصة من سطح الورقة التى يكتب عليها. دار «هارى» من خلف «سناب» وقرأ المكتوب أعلى ورقة الامتحان: **الدفاع عن النفس ضد السحر الأسود ـ مستوى السحر العادى.**

إذن فلابد وأن «سناب» فى سن الخامسة عشرة أو السادسة عشرة، تقريبًا فى نفس سن «هارى». طارت يده عبر الورقة، كتب ما لا يقل عن قدم، أكثر من أقرب طالب إليه، وخطه صغير ومتداخل. «باقٍ من الوقت خمس دقائق».

جفل «هارى» مع الصوت.. وهو يلتفت، رأى قمة رأس الأستاذ «فليتويك» تتحرك بين المكاتب على مسافة قصيرة. سار الأستاذ «فليتويك» إلى جوار ولد، له شعر أسود غير مصفف.. شعر أسود غير مصفف بالمرة..

تحرك «هارى» بسرعة ـ إن كان معها متجسد وله كيان مادى ـ تجعله يصطدم بالموائد. بدلاً من هذا، أخذ يسرى وكأنه يحلم عبر ممرين بين الموائد، وإلى ثالث. اقترب منه رأس الولد أسود الشعر أكثر.. استقام فى جلسته، ووضع ريشته على الورق، وقرب رقعة الورق منه؛ حتى يقرأ ما كتبه.

توقف «هارى» أمام المائدة وحدّق فى أبيه ذى الخمسة عشر ربيعًا.

خفق قلبه بشدة، كأنه يرى نفسه لكن مع خطأ ما، فعيون «چيمس» عسلية،

وأنفه أطول من أنف «هارى»، ولا توجد ندبة على جبينه، لكن له نفس الوجه الرفيع، ونفس الفم، ونفس الحاجبين.. وجد شعره غير مصفف مثل شعره تماماً، وعرف أن يد أبيه مثل يده، وأنه لو وقف سيجد طولهما متماثلاً.

تثاءب «چيمس» بقوة وعبث فى شعره ليجعله أقل تصفيفاً مما كان. ثم وبنظرة مختلسة إلى الأستاذ «فليتويك»، التفت فى مقعده وابتسم للصبى الجالس على مسافة أربعة مقاعد خلفه.

رأى «هارى» «سيرياس» يرفع أصبعه مشجعًا «چيمس». كان «سيرياس» جالسًا فى مقعده وقد أماله للخلف. كان وسيمًا، وشعره الأسود ينسدل على عينيه بطريقة أنيقة لم تتوافر لـ«هارى» ولا «چيمس» أبدًا، حتى أن الفتاة الجالسة خلفه أخذت ترمقه بأمل، بالرغم من أنه لم يلاحظها. وعلى مسافة مقعدين آخرين من تلك الفتاة، رأى «هارى» «ريموس لوبين». بدا شاحبًا ونحيلاً (هل يقترب القمر من الاكتمال بدرًا؟) ومستغرقًا تمامًا فى امتحانه.. أخذ يقرأ إجاباته، ويحك ذقنه بطرف ريشته، مقطب الجبين قليلاً.

إذن، فهذا يعنى أن «وورمتيل» قريب من هنا هو الآخر.. وها هو.. رآه «هارى» بعد لحظات: ولدًا ضئيلاً بشعر كشعر الفئران وأنف حادة. بدا «وورمتيل» متوترًا.. وأخذ يمضغ أظفاره، ويحك الأرض بقدمه. من الحين للآخر، يلقى بنظرة آملة إلى ورقة جاره. نظر «هارى» إلى «وورمتيل» للحظة، ثم عاد إلى «چيمس» الذى أخذ يكتب فى رقعة ورق صغيرة. أخرج من جيبه كرة «سنيتش» وكتب بالريشة حرفى: «L.E.» لاتينية.. ماذا تعنى يا ترى؟

قال الأستاذ «فليتويك» بصوته الرفيع: «أنزلوا الريشات من فضلكم.. وأنت معهم يا ستيبنز.. ابقوا فى مقاعدكم من فضلكم، بينما أجمع أوراقكم.. *أكيو*».

طار ما يزيد على مائة ورقة فى الهواء واستقرت على ذراع الأستاذ «فليتويك» الممدودة، ليسقط أرضًا. ضحك البعض. ونهض اثنان من الطلبة الجالسين فى الصفوف الأمامية، وأخذا بيد الأستاذ «فليتويك» من تحت مرفقه؛ ليرفعاه ثانية إلى قدميه.

قال الأستاذ «فليتويك» لاهثًا: «شكرًا، شكرًا.. رائع.. يمكنكم الخروج جميعًا».

نظر «هارى» إلى أبيه الذى شطب بسرعة كلمة .L.E التى كتبها، وهب واقفًا، وألقى بريشة الكتابة وورقة الامتحان فى حقيبته، التى رفعها على ظهره، ثم وقف ينتظر انضمام «سيرياس» إليه.

نظر «هارى» إلى «سناب» الذى تقدم بين الموائد إلى أبواب القاعة الأمامية، وهو ما زال غارقا فى ورقة امتحاناته. بأكتاف مستديرة ومهدلة، سار بطريقة غريبة أشبه بحركة العنكبوت، وشعره اللامع يتناثر حول وجهه.

فصلت جماعة من البنات المثرثرات «سناب» عن «چيمس» و«سيرياس» و«لوبين»، وعندما دخل «هارى» وسطهن تمكن من متابعة «سناب» بعينيه وهو ينصت لما يقوله «چيمس» وأصدقاؤه.

تساءل «سيرياس» وهم يلجون إلى القاعة الأمامية: «ما رأيك فى السؤال العاشر يا مونى؟».

قال «لوبين» بخفة: «سؤال رائع: اذكر خمس علامات تعرف بها المذءوب. سؤال ممتاز».

قال «چيمس» بنبرة اهتمام ساخرًا: «هل تعتقد أنك عرفت كل العلامات؟».

قال «لوبين» بجدية وهم ينضمون للجمع المتحلق حول الأبواب الأمامية متلهفًا للخروج إلى الفناء النهارى: «أعتقد هذا. واحد: يجلس على مقعدى. اثنان: يرتدى ملابسى. ثلاثة: اسمه ريموس لوبين».

كان «وورمتيل» هو الوحيد الذى لم يضحك.

وقال بجدية: «كتبت علامة شكل الأنف، وحدقة العين، والذيل، لكن لم أجد ما أذكره بخلاف هذا..».

قال «چيمس» بنفاد صبر: «يالغباءك يا وورمتيل. أنت تجرى إلى جوار مذءوب متحول مرة فى الشهر..». فقال «لوبين» بحدة: «اخفض صوتك».

نظر «هارى» خلفه بقلق ثانية. ظل «سناب» بالقرب، وما زال رأسه مدفونًا فى ورقة الأسئلة ـ لكن هذه ذكرى «سناب» و«هارى» واثق من أن «سناب» إن اختار السير فى مسار مختلف فلن يقدر هو على اتباع «چيمس». لكنه تنفَّس الصعداء عندما هرول «چيمس» وأصحابه الثلاثة إلى جانب البحيرة، وتبعهم «سناب»، وهو ما زال مركزًا انتباهه على ورقة الأسئلة، ومن الواضح أن ليس لديه فكرة إلى أين يتوجه. وبحفاظه على مسافة بينهما وهو أمامه، تمكن «هارى» من مراقبة «چيمس» والآخرين.

سمع «سيرياس» يقول: «أعتقد أن الامتحان كان سهلاً جدًا.. لن أندهش لو حصلت على درجة عالية فيه».

قال «چيمس»: «وأنـا أيضًـا». ثم وضع يده فى جيبه؛ ليخرجها وكرة «السنيتش» الذهبية تقاوم قبضة يده بعد أن خرجت يده بها.

«من أين حصلت على هذه؟».

قال «چيمس» بـاستخفاف: «سرقتهـا». أخذ يلعب بـالكرة، يسمح لها بالطيران لمسافة قدم قبل أن يمسكها ثانية.. كانت ردود فعله ممتازة. راقبه «وورمتيل» بدهشة وإعجاب.

وقفوا فى ظلال نفس الشجرة على حافة البحيرة التى يقضى تحتها «هـارى» و«رون» و«هيرميون» يوم الأحد ينهون واجبهم، واستلقوا على العشب. نظر «هارى» من فوق كتفه ثانية ليرى ـ لسروره ـ أن «سناب» قد استقر على العشب فى ظل شجيرات كثيفة. كان مستغرقًا بكل جوارحه فى ورقة الامـتحـان، وهو مـا أعطـى «هـارى» حرية الجلوس بين الشجرة والشجيرات يراقب أربعتهم. سطع ضوء الشمس على سطح البحيرة الناعم.. وعلـى شاطئـهـا، جلست مجمـوعـة مـن الفتيـات الضاحكات، وأحذيتهن وجواربهن مخلوعة، وأخذن يبردن أقدامهن فى ماء البحيرة.

أخرج «لوبين» كتابًا وأخذ يقرأ. نظر «سيرياس» حوله إلى الطلبة الجالسين على العشب، وعلى وجهه أمارات الملل والضجر، لكن بوسامة فائقة. أخذ «چيمس» يلعب بالـ«سنيتش»، يتركها تبتعد حتى تكاد تهرب وفى اللحظة الأخيرة يمسك بها. و«وورمتيل» يراقبه بفم مفتوح مندهش. وكل مرة يقوم «چيمس» بمسكة صعبة؛ يشهق «وورمتيل» ويهلل. بعد خمس دقائق على هذا الحال، تساءل «هارى» لماذا لا يقول «چيمس» لـ «وورمتيل» أن يكف عن التهليل، لكن يبدو أنه يسره الاهتمام المركز عليه. لاحظ «هارى» أن أباه تلازمه عادة التدخل بيده فى شعره؛ حتى يبقى دائمًا غير مهندم أو مصفف، ولاحظ أنه ينظر للفتيات الجالسات إلى جوار البحيرة.

قال «سيرياس» أخيرًا و«چيمس» يمسك بالكرة برشاقة ويهلل «وورمتيل» ثانية: «هلا أبعدت هذه الكرة قبل أن يبلل وورمتيل نفسه من الإثارة».

احتقن وجه «وورمتيل» قليلاً باللون الوردى لكن «چيمس» ابتسم.

قال وهو يعيد الكرة إلى جيبه: «إن كان هذا يضايقك». فهم «هارى» أن «سيرياس» هو الشخص الوحيد الذى يكف «چيمس» عن الاستعراض بناء على طلبه.

قال «سيرياس»: «أشعر بالملل. أتمنى لو كان القمر بدرًا».

قال «لوبين» بغموض من خلف كتابه: «ما زال أمامنا امتحان مادة التحويل، يمكنك التسميع لى، تفضل..». وناوله كتابه.

لكن «سيرياس» قال: «لست بحاجة للنظر فى هذا الشىء. أعرف كل ما به».

قال «چيمس» بهدوء: «انظر يا بادفوت.. أعرف أن هذا سيسعدك..».

دار رأس «سيرياس». ثبت فى مكانه؛ ككلب يستعد للانقضاض على أرنب، قال بصوت خافت: «رائع.. سنيفيلوس». التفت «هارى»؛ ليرى لمن ينظر «سيرياس».

هب «سناب» واقفًا ثانية، وأدخل ورقة الامتحان فى حقيبته. وهو يغادر ظل الشجيرات ويشرع فى السير على العشب، نهض «سيرياس» و«چيمس».

ظل «لوبين» و«وورمتيل» جالسين.. «لوبين» يقرأ فى كتابه وعيناه لا تتحركان على السطور وثمة تقطيبة صغيرة بين حاجبيه، و«وورمتيل» ينقل بصره بين «سيرياس» و«چيمس» و«سناب» باهتمام.

قال «چيمس» بصوت مرتفع: «هل أنت بخير يا سنيفيلوس؟».

تصرف «سناب» بسرعة وكأنه يتوقع هجومًا عليه: أسقط حقيبته، وأدخل يده إلى ثنيات عباءته وأخرجها وفيها عصاه السحرية مشهرة فى الهواء، بينما «چيمس» يقول: «*إكسبيل آرموس*».

طارت عصا «سناب» مسافة اثنتى عشرة قدمًا فى الهواء وارتطمت بصوت خفيض على العشب خلفه. صدر عن «سيرياس» ضحكة أشبه بالنباح.

قال مشيرًا بعصاه إلى «سناب»: «*إمبيديمنتا*»، فسقط أرضًا، بينما هو ينحنى؛ ليلتقط عصاه التى سقطت.

تجمع الطلبة من حولهم؛ للمشاهدة، نهض بعضهم واقفين واقتربوا. بعضهم الآخر بدا عليه القلق، والبعض الآخر رأى الأمر أشبه بالتسلية.

رقد «سناب» يلهث على الأرض. تقدم منه «چيمس» و«سيرياس»، وعصيهم السحرية مرفوعة، اختلس «چيمس» نظرة إلى الفتيات من خلفه وهو يتقدم. نهض «وورمتيل» وراقب بجشع ما يجرى وهو يدور حول «لوبين»؛ بحثًا عن زاوية مشاهدة أفضل. قال «چيمس»: «كيف سار الامتحان معك يا سنيفلى؟».

قال «سيرياس» بقسوة: «كنت أراقبه.. لم يرفع أنفه عن الورقة.. ستجد عليها بقعًا دهنية، ولن يقدروا على قراءة كلمة منها».

ضحك بعض المشاهدين، فمن الواضح أن «سناب» غير محبوب بينهم. ضحك «وورمتيل» ضحكة حادة، وحاول «سناب» النهوض، لكن اللعنة التى أصابته لم يخف أثرها، أخذ يصارع؛ للقيام وكأنه مربوط بحبل خفى.

قال لاهثًا محدقًا فى «چيمس» بتعبير كراهية عميق: «انتظر.. سأريك».

قال «سيرياس» ببرود: «ينتظر ماذا؟ ماذا ستفعل يا سنيفلى؟ هل ستتمخط علينا؟».

صدر عن «سناب» خليط من السباب والتعاويذ، لكن عصاه كانت على مسافة عشر أقدام ولم يحدث شىء.

قال «چيمس» ببرود: «لتغسل فمك.. *سكورجيفاى*».

خرجت فقاقيع صابون وردية من فم «سناب» على الفور، وغطى الصابون شفتيه فسعل، وأحسَّ بالاختناق.

«دعه لشأنه».

التفت «چيمس» و«سيرياس» خلفهما. وصعدت يد «چيمس» بتلقائية إلى شعره.

كانت واحدة من الفتيات الجالسات أمام البحيرة. كان شعرها أحمر كثيفًا ويتهدّل على كتفيها، وعيناها خضراوين لامعتين مثل عين «هارى» تمامًا.

أم «هارى».

قال «چيمس» ونبرة صوته قد صارت عذبة وأعمق وأكثر نضجًا فجأة: «هل أنت بخير يا إيفانز؟». ردت «ليلى»: «دعه لشأنه. ماذا فعل لك؟».

قال «چيمس» وكأنه يبرز ما يريد قوله متعمدًا: «المسألة أنه موجود، أعتقد أنك تفهمين ما أعنى..».

ضحك بعض المحيطين بهم من الطلبة، ومنهم «سيرياس» و«وورمتيل»، لكن «لوبين» الذى ركز بصره على كتابه لم يضحك، ولا ضحكت «ليلى».

قالت ببرود: «أترى نفسك مرحًا؟ لكنك متعجرف ومغرور يا بوتر. دعه لشأنه».

قال «چيمس» بسرعة: «سأفعل إن وافقت على الخروج معى يا إيفانز.. هيا.. اخرجى معى ولن أصوب عصاى السحرية نحو سنيفلى ثانية».

من خلفه أخذ مفعول تعويذة الإعاقة فى التلاشى. بدأ «سناب» يقترب من عصاه الواقعة، ويبصق فقاقيع الصابون وهو يزحف.

قالت «ليلى»: «لن أخرج معك لو كنت سأختار بينك وبين حبار عملاق».

قال «سيرياس» بخفة وهو يلتفت ثانية إلى «سناب»: «حظ سيئ يا برونجس.. أنت!».

لكنه تأخر، فقد صوب «سناب» عصاه إلى «چيمس» مباشرة.. صدر عنها ضوء لامع وأصيب «چيمس» إصابة مباشرة فى وجهه، ليتدفق الدم من وجهه على عباءته. دار «چيمس» على عقبيه.. وبعد ثانية وبعد لمعان عصاه هو الآخر، وجد «سناب» نفسه معلقًا من قدميه فى الهواء، وقد سقطت عباءته على وجهه لتكشف عن ساقين نحيلتين شاحبتين وسروال رمادى قصير.

ضحك الكثير من المتحلقين حولهم.. وتفجرت ضحكات «سيرياس» و«چيمس» و«وورمتيل».

أما «ليلى» التى ارتسم تعبير غريب على وجهها كأنها تقاوم الضحك، فقد قالت بعد ثانية: «اتركه».

قال «چيمس» وهو يرفع عصاه لأعلى: «حاضر».. سقط «سناب» على الأرض متكومًا. وهو يخلص عباءته من تحته هب واقفًا، ورفع عصاه، لكن «سيرياس» قال: «*بتريفيكوس توتالوس*» وسقط «سناب» وطُرح أرضًا ثانية وهو متجمد كاللوح.

صاحت «ليلى» وقد شهرت عصاها هى الآخرى: «**دعوه لشأنه**». فنظر إليها «چيمس» و«سيرياس» بحذر.

قال «چيمس» بجدية: «إيفانز.. لا تجبرينى على إصابتك بتعويذة».

«جرب.. هيًا حاول».

تنهد «چيمس» بعمق، ثم التفت إلى «سناب» وغمغم بالتعويذة المضادة.

قال و«سناب» يجاهد للوقوف على قدميه: «ها أنت ذا.. من حسن حظك أن إيفانز موجودة يا سنيفيلوس..».

«لست بحاجة إلى مساعدة ذات الدم الطينى النجس من أمثالها».

طرفت عينا «ليلى».

قالت ببرود: «رائع.. إذن، لن أزعج نفسى بمساعدتك فيما بعد. ولو كنت مكانك لغسلت سروالى يا سنيفيلوس».

صاح «چيمس» فى «سناب» وعصاه مرفوعة موجهة إليه: «اعتذر لإيفانز».

صاحت «ليلى» وهى تلتفت إلى «چيمس»: «لا أريد اعتذاره.. وأنت مثلك مثله تمامًا».

صاح «چيمس»: «ماذا؟ ما كنت لأقول عليك أبدًا ما قاله».

«أنت تعبث بشعرك؛ لأنك ترى نفسك وسيمًا هكذا وكأنك ترجلت عن مقشتك الطائرة منذ لحظات، وتستعرض بتلك الكرة الغبية، وتسير فى الممرات تصيب كل من يزعجك بالتعاويذ فقط؛ لأنك تقدر على هذا.. يدهشنى أن مقشتك تطير من على الأرض وعليها ذلك الرأس المثقل بالغباء. أنت تصيبنى بالغثيان».

دارت على عقبيها وسارعت بالابتعاد.

صاح «چيمس» فيها: «إيفانز.. **يا إيفانز**». لكنها لم تلتفت.

قال «چيمس» محاولاً التظاهر بأن الأمر لا يهمه، وإن فشل فى هذا: «ما خطبها؟».

قال «سيرياس»: «من قراءتى لما بين السطور أرى أنها تراك مغرورًا قليلاً يا صاحبى». قال «چيمس» وقد بدا عليه الغضب: «طيب!».

دفقة أخرى من الضياء الساطع وتعلق «سناب» ثانية مقلوبًا فى الهواء.

«من يريد نزع سروال سنيفلى؟».

لكن سواء نزع «چيمس» سروال «سناب» أم لم ينزعه، فلن يعرف «هارى» أبدًا. أحكمت يد قبضتها حول ذراعه، وكأنها كلابات. وهو يجفل من الألم نظر «هارى» حوله؛ ليرى من يمسكه، ورأى لرعبه المطبق «سناب» البالغ واقفًا إلى جواره ووجهه أبيض شاحب من الغضب. «تراك مستمتعًا بوقتك؟».

شعر «هارى» بنفسه يطير فى الهواء، النهار الصيفى يتبخر من حوله.. أخذ يطير عبر الظلام البارد ثانية، ويد «سناب» مطبقة حول ذراعه. ثم وبإحساس وكأنه انقلب رأسًا على عقب فى الهواء، ضربت قدمه الأرض الحجرية فى مكتب «سناب» ووقف إلى جانب المفكرة السحرية فى الحجرة المظلمة لمعلم مادة الوصفات السحرية.

قال «سناب» قابضًا على ذراع «هارى» بإحكام حتى أنه بدأ يشعر بالخدر فيها: «إذن.. إذن فأنت تستمتع بوقتك، أليس كذلك يا بوتر؟».

قال «هارى» محاولاً الإفلات من يده: «لـ... لا».

شعر بالرعب؛ شفتا «سناب» ترتجفان، ووجهه أبيض، وأسنانه مكشوفة.

قال «سناب» وهو يهزه بقوة جعلت عويناته تسقط على أنفه: «رجل مدهش أبوك هذا، أليس كذلك؟».

«لـ... لم...».

أبعد «سناب» «هارى» عنه بكل قوته، فسقط على أرض المكتب.

صاح «سناب»: «لن تقول لأحد ما رأيته اليوم».

قال «هارى» ناهضًا على قدميه وهو يبتعد عن معلمه قدر استطاعته: «لا... لن أفعـ...».

«اخرج.. اخرج، لا أريد رؤيتك فى مكتبى ثانية».

و«هارى» يهرع إلى الباب تفجر برطمان من الصراصير الميتة فوق رأسه. فتح الباب وطار إلى الممر، ولم يتوقف إلا عندما أصبح بينه وبين «سناب» ثلاثة طوابق. وقتها فقط، مال على الجدار لاهثًا، وربت على ذراعه المصاب.

لم يرغب فى العودة إلى برج «جريفندور» مبكرًا هكذا، ولم يرد إخبار «رون» و«هيرميون» بما رآه لتوه، ليس الصياح ولا سقوط البرطمانات عليه. ما جعله يشعر بالخوف والتعاسة لكن لأنه يعرف مدى الإحراج الذى يشعر به المرء عندما يُهان أمام الناس، ويعرف تمامًا بما شعر «سناب» ووالده يهينه هكذا، ومما رآه عرف أن أباه كان متعجرفًا كما قال «سناب» عنه.

٢٩ النصـــح المهنـــى

«لـكـن، لماذا لم تـعـد تحضـر دروس الأوكـلـومـيـنسـى؟». كـان هـذا سؤال «هيرميون» المقطبة الجبين.

غمغم «هـارى» قـائلاً: «أخبرتك.. سناب يرى أننى أستطيع إكمال التدرب بعد أن عرفت الأساسيات».

قالت «هيرميون» بريبة: «إذن، فهل كففت عن الحلم بتلك الأحلام الغريبة؟».

قال من دون أن ينظر إليها: «أجل».

قالت بضيق: «لا أعتقد أن لسناب الحق فى إيقاف الدروس حتى تتمكن من التحكم فى أحلامك بمهارة. هارى، أرى أن عليك العودة إليه وسؤاله أن....».

قال «هـارى» بقوة: «لا.. أنهى الموضوع يا هيرميون».

كان أول يوم من أيام إجازة عيد الفصح، وقضت «هيرميون» ـ كعادتها ـ معظم الـيـوم تـخـطط لجداول المذاكرة لثلاثـتـهم. تركـهـا «هـارى» و«رون» تجهزها، فهذا أسهل من الجدال معها، وعلى أية حال، فهما يجدانها مفيدة.

انزعج «رون» عندما عرف أنه لم يبق سوى ستة أسابيع على الامتحانات.

تساءلت «هيرميون» وهى تطرق بعصاها المربعات الصغيرة فى الجدول، المعبرة عن المواد الدراسية المختلفة، فيلمع كل مربع بضوء مختلف: «لماذا صدمت هكذا؟».

قال «رون»: «لا أعرف.. فقد حدث الكثير مما شتتنى».

قالت وهى تناوله جدوله: «خذ.. إن اتبعته كما خططته؛ فستنجح بلا مشكلات».

نظر إليه «رون» بوجوم، ثم أشرق وجهه.

«لقد تركت لى وقت استراحة مساء يوم واحد فى الأسبوع».

قالت «هيرميون»: «هذا متروك لتمرين الكويدتش».

تلاشت الابتسامة من على وجه «رون».

قال ببلادة: «وما الدافع؟ فرصة حصولنا على كأس الكويدتش هذا العام مثل فرصة أبى فى أن يصبح وزيرًا للسحر».

لم تنطق «هيرميون»، كانت ما زالت تنظر إلى «هـارى»، الذى أخذ يحدّق

بذهن غائب فى الحائط المقابل من حجرة الطلبة، بينما «كروكشانكس» يمد رأسه إلى يده، محاولاً حك أذنيه عليها. «ما الأمر يا هارى؟».

قال بسرعة: «ماذا؟ لا شىء».

قبض على نسخته من كتاب (نظرية السحر الدفاعى)، وتظاهر بالنظر إلى شىء ما فى الفهرست. تخلى عنه «كروكشانكس» كأنه مزحة سخيفة وتراجع إلى أسفل مقعد «هيرميون».

قالت «هيرميون» بتردد: «رأيت تشو اليوم.. تبدو فى حالة تعيسة هى الآخرى. هل تشاجرتما ثانية؟».

قال «هارى» قابضًا على طرف الحديث بامتنان: «ماذ.. آه... أجل، تشاجرنا».

«وما السبب؟». قال «هارى»: «بسبب صديقتها الواشية.. ماريتا».

قال «رون» بغضب وهو ينحى جدول مذاكرته جانبًا: «أجل، لا ألومك على الشجار.. إن لم تكن هى التى أحضرتها..».

أخذ «رون» يثرثر عن «ماريتا إيدجكومب»، وهو ما وجده «هارى» فى صالحه.. كل ما عليه فعله هو التظاهر بالغضب والإيماء برأسه وقول: «أجل» و«هذا صحيح» كلما قال «رون» شيئًا؛ ليترك عقله يفكر بتعاسة فيما رآه فى المفكرة.

شعر كأن الذكرى تأكله من الداخل. كان واثقًا من أن والديه رائعان، حتى أنه لم يجد صعوبة فى تكذيب ما قاله «سناب» عن شخصية والده. ألم يقل أشخاص مثل «هاجريد» و«سيرياس» كم كان والد «هارى» رائعًا؟ (آه.. فعلاً.. وسيرياس نفسه كان مثله.. كان شريرًا، أليس كذلك؟) بلى، لقد سمع الأستاذة «مكجونجال» مرة تقول إن أباه و«سيرياس» كانا من مثيرى الشغب وهما فى المدرسة، وقالت: إنهما رائدان سبقا التوأمين «ويسلى»، لكن «هارى» لم يتخيل أبدًا أن يعلق «فريد» و«چورچ» شخصًا ما هكذا؛ لمجرد الضحك.. حتى إن كانا يحتقرانه ويكرهانه لسبب ما.. ربما «مالفوى» أو غيره يستحق هذا..

حاول إقناع نفسه بأن «سناب» استحق ما عاناه على يدى «چيمس».. لكن وكما قالت «ليلى»: «ماذا فعل لك؟».. ألم يرد «چيمس» قائلاً إن وجوده ذاته هو ما يزعجه؟ ألم يبدأ «چيمس» التعنيف لمجرد أن «سيرياس» قال:

إنه يشعر بالملل؟ تذكر «هارى» ما قاله «لوبين» فى «جريمولد بليس» عن أن «دمبلدور» قد جعله رائدًا للفصل؛ أملاً فى ممارسة بعض التحكم على «چيمس» و«سيرياس».. لكن فى المفكرة كان جالسًا ولم يتحرك لمواجهة ما جرى.

أخذ «هارى» يذكّر نفسه بأن «ليلى» قد تدخلت.. أمه كانت مهذبة وطيبة. لكن ذكرى النظرة التى ارتسمت على وجهها وهى تصيح فى «چيمس» أزعجته أكثر من أى شىء آخر.. كانت تكره «چيمس» وهذا واضح، ولم يفهم «هارى» كيف انتهى بهما الأمر بالزواج.. مرة أو مرتين، تساءل إن كان «چيمس» قد أجبرها عليه.

لمدة خمس سنوات، كانت ذكرى والديه مصدرًا لراحته وإلهامه. كلما أخبره شخص أنه مثل «چيمس» يشعر بالفخر. أما الآن، فهو يشعر بالبرودة والتعاسة عندما يفكر فيه.

أصبح الهواء أقوى، وأدفأ مع مرور إجازة عيد الفصح، لكن «هارى» من دون باقى طلبة الصفين الخامس والسابع كان محبوسًا داخل المكتبة رائحًا غاديًا فيها. تظاهر بأن حالته المزاجية السيئة سببها اقتراب الامتحانات، فقد كان رفاقه من طلبة «جريفندور» مطحونين من المذاكرة هم الآخرون، وهكذا لم يجد من يشكك فى قوله. «هارى، أنا أتحدث إليك.. هل تسمعنى؟».

«هاه؟».

أدار رأسه. رأى «چينى ويسلى» فى حالة سيئة، وكانت قد انضمت إليه على مائدة المكتبة حيث جلس وحده. كان الوقت مساء الأحد.. وقد عادت «هيرميون» إلى برج «جريفندور»؛ لتُذاكر، وخرج «رون» إلى تمرين «الكويدتش».

قال «هارى» وهو يجذب كتبه إليه: «آه... أهلاً.. لماذا لا تتمرنين؟».

قالت «چينى»: «لقد انتهى.. وأخذ رون جاك سلوبر إلى جناح المستشفى».

«لماذا؟».

تنهدت وقالت: «لا أعرف بالضبط، لكن نعتقد أنه ضرب نفسه بمضربه. المهم.. وصل طرد بريدى، وقد خرج لتوه من عملية تفتيش أمبريدچ الجديدة».

رفعت صندوقًا ملفوفًا بورق بنىٍّ على المائدة.. من الواضح أنه قد تم فكه وإعادة ربطه بإهمال. وُجدت ورقة مكتوبة بالحبر الأحمر، عليها: «تم التفتيش والتسليم من جانب مفتشة هوجورتس العليا».

قالت «چينى»: «إنه بيض عيد الفصح، من أمى.. هناك واحدة إليك، ها هى».

ناولته بيضة شيكولاتة جميلة مزينة برسوم لكرات «سنيتش» صغيرة، وداخلها كيس من الحلوى. نظر إليه «هارى» للحظة، ثم شعر بالخوف عندما أحس بورم يتكوّن فى حلقه. سألته «چينى» بهدوء: «هل أنت بخير يا هارى؟».

قال بصوت أجش: «أجل بخير». أحس بالألم من الورم. لم يفهم لماذا تجعله بيضة عيد الفصح يشعر بهذا؟!

قالت «چينى»: «تبدو حزينًا فى الفترة الأخيرة. أنا واثقة من أنك إذا تحدثت مع تشو...».

قال «هارى» بفظاظة: «ليست تشو هى من أريد الكلام معه».

سألته «چينى»: «مَن إذن؟».

«أنا..».

نظر حوله؛ ليضمن أن لا أحد يسمعه. كانت مدام «بينس» على مسافة عدة رفوف، وهى تخرج كومة من الكتب؛ لتناولها لـ «هانا آبوت» المذعورة.

غمغم: «أتمنى لو أحادث سيرياس. لكن أعرف أننى لا أقدر».

فض ورق بيضة عيد الفصح؛ ليعطى نفسه شيئًا يفعله أكثر من حاجته إليها، وكسر جزءًا منها ووضعه فى فمه.

قالت «چينى» ببطء وهى تفض بيضتها هى الأخرى: «حسنًا.. إن كنت تريد التحدث إلى سيرياس هكذا، فيمكن أن نفكر فى طريقة للقائه».

قال «هارى»: «لا يمكن. مع مراقبة أمبريدچ لشبكة نيران المدافئ وقراءتها لبريدنا!».

قالت «چينى» متفكرة: «فائدة الحياة مع فريد وچورچ هى معرفة أن أى شىء ممكن؛ لو كان لديك الجرأة الكافية لتنفيذه».

نظر «هارى» إليها. ربما كان هذا تأثير الشيكولاتة - والتى طالما نصحه «لوبين» بأكلها بعد مواجهة «الديمنتورات» - أو ربما كان السبب أنه قد قال ما يرغب فيه منذ أسبوع، لكنه شعر ببعض التفاؤل.

« **ماذا تفعلين**؟ ». همست «چينى» وهى تهب على قدميها: «اللعنة، نسيت..».

تقدمت منهما مدام «بينس»، ووجهها الهزيل يرتجف من الغضب.

صرخت: «شيكولاتة فى المكتبة؟ اخرجا.. اخرجا.. اخرجا».

وهى تلوح بعصاها السحرية، جعلت كتب «هارى» وحقيبته، وقنينة حبره

تطارده هو و«چینى» وهما يخرجان من المكتبة؛ لتضربهما على رأسيهما وهما يجريان.

***

ولتذكيرهم بأهمية الامتحانات القادمة، تم توزيع كتيبات وملصقات تعلن عن وظائف متعددة فى عالم السحر على موائد برج «جريفندور» قبل نهاية الإجازة بقليل، ومعها لافتة معلقة على لوحة الإعلانات بها:

النصح المهنى

جميع طلبة الصف الخامس مدعوون لحضور اجتماع مع رؤساء فرقهم المدرسية خلال الأسبوع الأول من فصل الصيف الدراسى؛ لمناقشة مهنهم المستقبلية.. المواعيد الفردية للطلبة مدرجة فيما يلى...

نظر «هارى» إلى القائمة فوجد موعده مع الأستاذة «مكجونجال» فى مكتبها الساعة الثانية والنصف يوم الإثنين، وهو ما يعنى أنه لن يحضر معظم حصة التنجيم. قضى هو وباقى طلبة الصف الخامس وقتًا لا يُستهان به من آخر أيام إجازة لعيد الفصح فى قراءة المعلومات المتوافرة عن المهن، والتى تم تركها على الموائد ليقرأوها.

قال «رون» فى الأمسية الأخيرة من الإجازة: «لا أحب مهنة الحكيم». كان غارقًا فى قراءة كتيبٍ عليه رمز العظمة والعصا السحرية لمستشفى «سانت مونجو». أضاف: «مكتوب هنا أننى بحاجة لدرجة «ص» (صعب يتكرر) على الأقل فى امتحان الوصفات السحرية بشهادة الـ (إن. إى. دبليو. تى.). وفى مواد علم الأعشاب والتحويل، والتعاويذ، والدفاع عن النفس ضد السحر الأسود... اللعنة.. لا يطلبون الكثير.. أليس كذلك؟».

قالت «هيرميون» بذهن شارد: «إنها مهنة تتطلب توافر قدر كبير من المسئولية.. أليس كذلك؟»، كانت مستغرقة فى قراءة كتيب وردى وبرتقالى عنوانه: «إذن، فأنت ترى نفسك قادرًا على إدارة العلاقات مع العامة؟». وأضافت: «لن تحتاج للكثير من المؤهلات للتعامل مع العامة.. كل ما تحتاجه هو شهادة (أوه. دبليو. إل.) فى مادة دراسات العامة، بالإضافة إلى ما يقولونه هنا: الأهم هو حماسك، وصبرك، وحس الدعابة».

قال «هارى» بوجوم: «ستحتاجين إلى قدر كبير من حس الدعابة؛ للتعامل مع زوج خالتى.. وحس جيد لتفادى غضبه»، كان يقرأ كتيبًا فى يده، فقال: «اسمعوا، هل تبحث عن مهنة مليئة بالتحدى والترحال والمغامرات والبحث عن الكنوز؟ إذن، فكر فى الانضمام لبنك جرينجوتس للسحرة، الذى يقوم حاليًا بتوظيف مسئولى فك اللعنات ممن يسعون للعمل بالخارج.. إنهم يبحثون عمن يجيدون الرياضيات السحرية يا هيرميون.. يمكنك شغل هذه الوظيفة».

كانت «هيرميون» مستغرقة فى قراءة كتيب بعنوان: **هل عندك الشجاعة الكافية؛ لتدريب الترول على أن يكون حارس أمن؟** وقالت: «لا أحب العمل بالبنوك».

تنامى صوت إلى مسامع «هارى» يقول: «أهلاً». كانا «فريد» و«چورچ» وقد انضما إليهم. قال «فريد» وهو يمدد قدميه على المائدة أمامه؛ لتسقط بعض كتيبات النصح المهنى ومعها كتيب عن وزارة السحر على الأرض: «كلمتنا چينى بشأنك.. تقول: إنك بحاجة إلى الكلام مع سيرياس.. أليس كذلك؟».

قالت «هيرميون» بحدة: «ماذا؟»، وقد تجمدت وهى تلتقط كتيبًا: **ادخل بطريقة لطيفة مصلحة الحوادث والكوارث السحرية.**

قال «هارى» محاولاً أن يبدو هادئًا: «أجل.. أجل.. أردت أن...».

قالت «هيرميون» وهى تستقيم فى جلستها وتنظر إليه كأنها لا تصدق عينيها: «لا تكن سخيفًا.. مع مراقبة أمبريدچ للمدافئ والبوم.. ماذا ستفعل؟».

قال «چورچ» متمطئًا: «بإمكاننا الوصول إلى طريقة.. المسألة ببساطة تتلخص فى إحداث ما يشتت انتباهها. والآن، ربما تلاحظون أننا هادئان منذ الفوضى التى وقعت فى ذلك اليوم وحتى الآن!».

أكمل «فريد» كلام أخيه: «الفكرة هى أننا سألنا أنفسنا: ما فائدة إقلال راحتنا فى وقت فراغنا؟ ووجدنا الإجابة ببساطة أنه لا فائدة بالمرة من الموضوع. بالطبع سنتسبب فى التنغيص على الطلبة وهم يذاكرون، وهذا آخر ما نريده».

أومأ لـ«هيرميون» إيماءة توحى بالتقوى والأدب. بدت مندهشة من مراعاته لمشاعر الآخرين.

أردف «فريد»: «لكن سنعود إلى العمل كعادتنا بداية من الغد.. وإن تسببنا فى بعض الجلبة، فلمَ لا نقوم بها حتى يتمكن هارى من الكلام مع سيرياس؟».

قالت «هيرميون» بطريقة من يشرح شيئًا بسيطًا لشخص متبلد: «لكن حتى ولو تسببتم فى تشتيتها، فكيف سيتكلم هارى معه؟».

قال «هارى» بهدوء: «من مكتب أمبريدج؟».

أخذ يفكر فى الأمر طوال الليلة الماضية ولم يجد بديلاً آخر. «أمبريدج» أخبرته بنفسها أن مدفأتها هى الوحيدة غير الخاضعة للمراقبة.

قالت «هيرميون» بصوت خفيض: «هل جننت؟».

خفض «رون» كتيبه عن العمل فى تجارة الفطر، وأخذ يراقب المناقشة بحذر.

قال «هارى» وهو يهز رأسه: «لا أعتقد».

«كيف ستصل إلى هناك إذن؟».

كان «هارى» جاهزًا للرد على هذا السؤال. قال: «سأستعمل سكين سيرياس».

«ماذا؟».

قال «هارى»: «فى عيد الميلاد قبل الماضى، أعطانى سيرياس سكينًا يفتح أى قفل. حتى ولو سحرت الباب؛ حتى لا تعالجه تعويذة الوهومورا، وهو ما أعتقد أنها تفعله..».

سألت «هيرميون» «رون»: «وما رأيك فى هذا الموضوع؟». فتذكر «هارى» على الفور طريقة السيدة «ويسلى» فى استجواب زوجها أثناء عشاء «هارى» الأول فى «جريمولد بليس».

قال «رون» وقد أزعجه سؤالها عن رأيه: «لا أعرف. إن أراد هارى هذا، فله أن يقرر، أليس كذلك؟».

قال «فريد» وهو يربت على ظهر «رون» بقوة: «تتحدث كصديق حقيقى وكأحد أفراد عائلة ويسلى. المهم، نحن نفكر فى فعل ما سنفعله غدًا، بعد الدروس مباشرة؛ لأن هذا سيحقق أعظم الأثر على الجميع وهم بالممرات.. هارى، سنقوم بالعملية فى الجناح الشرقى؛ لنسحبها بعيدًا عن مكتبها.. أعتقد أنه يمكننا أن نضمن لك عشرين دقيقة؟». أضاف السؤال الأخير ناظرًا إلى «چورچ».

قال «چورچ»: «بسهولة».

سأله «رون»: «وما نوع التشتيت هذا الذى تفكران فيه؟».

قال «فريد»: «سترى يا أخى الصغير» وهو ينهض مع «فريد» ثانية قال: «ستعرف إن مررت فى ممر جريجورى الدجال حوالى الساعة الخامسة غدًا».

***

صباح اليوم التالى، أفاق «هارى» من نومه مبكرًا جدًّا، شاعرًا بقلق، مثل الذى شعر به صباح جلسة محاكمته فى وزارة السحر. لم تكن فقط مسألة الدخول إلى مكتب «أمبريدچ» واستعمال مدفأتها فى الكلام مع «سيرياس» هما ما يشعرانه بالتوتر، وإن كان هذا يكفيه للشعور بالتوتر، بل أيضًا وجد اليوم هو أول يوم له يقترب فيه من «سناب» منذ طرده الأخير من مكتبه.

بعد الرقاد لبرهة فى الفراش مفكرًا فيما ينتظره من أحداث اليوم، نهض «هارى» بهدوء تام وتحرك إلى النافذة المجاورة لفراش «نيفيل»، وحدّق فى النهار المشرق اللامع. كانت السماء بلون أزرق صافٍ متلألئ، وأمامه مباشرة رأى شجرة الزان التى عذب أبوه يومًا «سناب» تحت ظلها. لم يكن واثقًا مما قد يقوله «سناب» له ليعوض نفشه عما رآه «هارى» فى المفكرة السحرية، لكنه كان تواقًا لسماع حكاية «سيرياس» عما حدث؛ ليعرف إن كان ثمة عوامل مخففة لما وقع، أو أى عذر لسلوك أبيه.

جذب شىء ما انتباهه؛ حركة على طرف الغابة المحرمة، ركز بصره مجاهدًا لضياء الشمس الشديد ليرى «هاجريد» يخرج من بين الأشجار. كان يعرج. ومع مشاهدة «هارى» له عرج «هاجريد» إلى باب كوخه واختفى خلفه. راقب الكوخ لدقائق. لم يخرج «هاجريد» ثانية، لكنه رأى الدخان يتصاعد من المدخنة، إذن فـ«هاجريد» لا يمكن أن يكون مصابًا إصابة خطيرة تعجزه عن إيقاد النيران.

التفت بعيدًا عن النافذة، واتجه إلى حقيبته وشرع فى ارتداء ثيابه.

مع انتظاره لاقتحام مكتب «أمبريدچ»، لم يتوقع يومًا مريحًا، وكذلك لم يتوقع محاولات «هيرميون» الهائلة؛ لإقناعه بالعدول عما انتواه الساعة الخامسة. للمرة الأولى فى حياتها، كان انتباهها مع الأستاذ «بينز» فى حصة تاريخ السحر مماثلاً لانتباه «هارى» و«رون» فيها، وأخذت تلقى إليه بتيار متدفق من الهمسات حاول «هارى» تجاهله.

«.. وماذا لو أمسكت بك وأنت بالداخل؟ دعك من الفصل من المدرسة، ستخمن ما كنت تفعله، وأنك كنت تكلم سنافلس وهذه المرة ستجبرك على شرب الفيريتاثيرام وستجيب عن جميع أسئلتها..».

قال «رون» بصوت خفيض وبنبرة ساخطة: «هيرميون.. هلا كففت عن إقناع هارى واستمعتِ لبينز؟ أم تراك تريدين أن أكتب وراءه بنفسى؟».

«اكتب أنت على سبيل التغيير، فهذا لن يؤذيك».

لكن مع وصولهم إلى حصة الوصفات السحرية لم يتحدث «هارى» أو «رون» إلى «هيرميون». ومع عدم عدولها عن إقناعه، استغلت صمتهما وأطلقت تيارًا من التحذيرات بلا توقف، وكلها بصوتها الهامس الأشبه بالهسيس، مما جعل «سيماس» يضيع خمس دقائق من وقته؛ باحثًا عن ثقوب بقدره يتسرب منها المحلول الساخن محدثًا هذا الهسيس.

أما «سناب»، فقد بدا وكأنه قد قرر التصرف كأن «هارى» غير موجود. كان «هارى» ـ بالطبع ـ قد اعتاد هذه الطريقة، كواحد من الأساليب المفضلة عند الخال «فرنون»، كما أنه لم يضطر للمعاناة من طريقة أخرى. فى الواقع، مقارنة بما كان يتحمله فيما سبق من «سناب»، من تعليقات سخيفة ومضايقات مبالغ فيها، وجد هذه الطريقة نوعًا من التحسن فى معاملته له، وسرَّه أن يتركه لشأنه، فصار قادرًا على عمل الوصفة المطلوبة منه بسهولة. وفى نهاية الحصة وضع بعضًا من محلوله فى دورق، وأغلقه، وأخذه إلى مكتب «سناب»؛ ليختبره ويعطيه درجة عليه، شاعرًا بأنه قد يحصل على درجة «ص».

التفت مبتعدًا عندما سمع جلبة شديدة، وسمع ضحكة «مالفوى» الجذلى. أدار «هارى» رأسه. وجد عينة وصفته السحرية سائلةً على الأرض والدورق مكسورًا، و«سناب» يحدجه بنظرة حبُور.

قال بصوت ناعم: «للأسف.. صفر آخر لك يا بوتر».

كان «هارى» ساخطًا إلى درجة لم يقدر معها على الكلام. عاد إلى قدره، قاصدًا ملء دورق آخر وإجبار «سناب» على إعطائه درجة عليه، لكنه رأى لرعبه الشديد أن باقى محتويات القدر قد اختفت.

قالت «هيرميون» ويدها مرفوعة إلى فمها: «آسفة.. آسفة حقًا يا هارى. حسبتك انتهيت، فنظفت لك قدرك».

لم يقدر «هارى» على إجابتها. عندما رن الجرس، سارع بالخروج من الحجرة دون أن ينظر خلفه، وجلس بين «نيفيل» و«سيماس» على مائدة الغداء؛ حتى لا تصل إليه «هيرميون» وتعاود تحذيره من استعمال مكتب «أمبريدج».

كان فى حالة مزاجية سيئة مع بدء حصة التنجيم حتى أنه نسى موعد

مقابلته بشأن مهنته المستقبلية مع الأستاذة «مكجونجال»، متذكرًا فقط عندما سأله «رون» لماذا لم يذهب إلى مكتبها. هرول صاعدًا السلم ووصل إليها مبهور الأنفاس، متأخرًا بضع دقائق.

قال لاهثًا وهو يغلق الباب خلفه: «آسف يا أستاذة.. نسيت».

قالت بخفة: «لا يهمك يا بوتر» لكن وهى تتحدث كان هناك شخص جالسٌ فى الركن. التفت «هارى»؛ لينظر.

رأى الأستاذة «أمبريدج» جالسة ولوح الكتابة على ركبتها، وطوق حريرى غريب الشكل حول رقبتها، وابتسامة سمجة فظيعة على وجهها.

قالت الأستاذة «مكجونجال» بأسلوب مهذب: «اجلس يا بوتر». كانت يداها ترتجفان قليلاً وهى تقلب فى بعض الكتيبات التى تملأ مكتبها.

جلس «هارى» وظهره لـ«أمبريدج» وحاول التظاهر بأنه لا يسمع صرير ريشتها على الورق.

قالت الأستاذة «مكجونجال»: «انظر يا بوتر. هذا الاجتماع هدفه الحديث عن أفكارك الخاصة بالمهنة التى تبغيها، ولمساعدتك على تقرير أى المواد الدراسية تختار لتكمل دراستك فى الصفين السادس والسابع. هل لديك أية أفكار عما تريد أن تفعله بعد خروجك من هوجورتس؟».

قال «هارى»: «آ...». وجد صوت الصرير من خلفه مزعجًا للغاية.

قالت الأستاذة «مكجونجال» مقاطعة «هارى»: «ماذا؟».

غمغم «هارى»: «يعنى.. أرغب فى... ربما.. أقصد.. أريد أن أكون مقاتلاً للسحر الأسود».

قالت الأستاذة «مكجونجال» مستخرجة كتيبًا من بين الأوراق المكومة على مكتبها وهى تفتحه: «ستحتاج لأعلى الدرجات لتضمن هذه الوظيفة. مطلوب منك على الأقل النجاح بدرجات (صعب يتكرر) فى خمس مواد دراسية فى شهادة الـ(إن. إى. دبليو. تى.)، ثم ستخضع لسلسلة طويلة وشاقة من الاختبارات الشخصية واختبارات الجدارة فى قسم مقاتلى السحر الأسود.. إنه مستقبل مهنى شاق يا بوتر، ولا يمتهنه سوى الأفضل. فى الواقع، لا أعتقد أنهم قد ضموا أحدًا لهذه الوظيفة منذ ثلاث سنوات».

وقتها سعلت الأستاذة «أمبريدج» سعلة خفيفة صغيرة وكأنها تحاول معرفة مدى الهدوء الذى ستسعل به. تجاهلتها الأستاذة «مكجونجال».

استرسلت فى كلامها بصوت أعلى قليلاً مما سبق: «عليك معرفة المواد الدراسية التى ستأخذها».

قال «هارى»: «أجل.. مادة الدفاع عن النفس ضد السحر الأسود.. أليس كذلك؟».

قالت الأستاذة «مكجونجال» بحسم: «هذا طبيعى.. كما أنصحك بـ....».

سعلت الأستاذة «أمبريدچ» ثانية، سعلة أقوى هذه المرة. أغمضت الأستاذة «مكجونجال» عينيها للحظة، ثم فتحتهما ثانية، وأكملت كأن شيئًا لم يحدث.

«كما أنصحك بأخذ مادة التحويل؛ لأن مقاتل السحر الأسود يحتاج إلى التحول كثيرًا أثناء عمله. كما يتوجب علىّ إخبارك يا بوتر بأننى لا أقبل الطلبة فى شهادة الـ(إن. إى. دبليو. تى.) فى فصلى إلا من يحصل منهم على درجة «صعب يتكرر». أو أعلى منها فى شهادة مستوى السحر العادى. وأراك بحالتك هذه لن تأخذ درجة أعلى من «مقبول»؛ لذا فأنت بحاجة إلى الاجتهاد أكثر قبل الامتحانات؛ حتى تحصل على فرصة الإكمال فى مادتى. ثم عليك بمادة التعاويذ، والوصفات السحرية كذلك. أجل يا بوتر، وصفات سحرية»، ثم أضافت بما يشبه الابتسام: «السموم والأمصال المضادة لها، مفيدة فى عمل مقاتلى السحر الأسود، وعلىّ إخبارك بأن الأستاذ سناب يرفض تمامًا من يحصلون على درجة أقل من «امتياز» فى اختبارات الـ(أوه. دبليو. إل.) فى مادته، إذن...».

سعلت الأستاذة «أمبريدچ» سعلة أقوى وأعلى صوتًا.

قالت الأستاذة «مكجونجال» بنبرة جافة من دون النظر للأستاذة «أمبريدچ»: «هل تريدين دواءً للسعال يا دولوريس؟».

قالت «أمبريدچ» بضحكة متكلَّفة يكرهها «هارى» كثيرًا: «لا، أشكرك كثيرًا.. إننى أتساءل إن كان لى الحق فى مقاطعتك يا مينرفا».

قالت الأستاذة «مكجونجال» من بين أسنانها: «أجرؤ على القول إن لك الحق».

قالت الأستاذة «أمبريدچ» بعذوبة: «أتساءل إن كان السيد بوتر له موهبة مقاتلة السحر الأسود أم لا؟».

قالت الأستاذة «مكجونجال» بغطرسة: «حقًا؟»، ثم استمرت فى كلامها مع «هارى» كأن أحدًا لم يقاطعها: «المهم يا بوتر.. إن كنت جادًا فى طموحك هذا، فإننى أنصحك بالتركيز فى مادة التحويل، ومادة الوصفات السحرية

وإتقانهما إتقانًا تامًا. أرى أن الأستاذ فليتويك قد منحك درجتى مقبول وصعب يتكرر، عبر العامين الماضيين، كما أن قدرتك على عمل التعاويذ مرضيةٌ. أما بالنسبة للدفاع عن النفس ضد السحر الأسود، فإن درجاتك كانت عالية بصفة عامة، مع الأستاذ لوبين على الأخص بالرغم من أنك... هل أنت واثقة من أنك لست بحاجة إلى دواء للسعال يا دولوريس؟».

قالت الأستاذة «أمبريدج» ضاحكة: «لا.. أشكرك يا مينرفا.. أنا فقط مهتمة بمسألة أنك قد لا تكونين على علم بدرجات بوتر فى مادة الدفاع عن النفس ضد السحر الأسود هذا العام. فأنا واثقة من أننى قد أرسلت لك ورقة بتقديرى له».

قالت الأستاذة «مكجونجال» بنبرة اشمئزاز وهى تسحب ورقة وردية من بين الأوراق فى ملف «هارى»: «ماذا؟ هذا الشيء؟». نظرت إليها، ورفعت حاجبيها قليلاً، ثم أعادتها إلى الملف من دون تعليق.

«المهم، كنت أقول يا بوتر إن الأستاذ لوبين قال إن لديك موهبة كبيرة فى هذه المادة، وبالنسبة لوضعك كراغب فى العمل كمقاتل للـ...».

تساءلت الأستاذة «أمبريدج» بنبرة معسولة وقد نسيت السعال هذه المرة: «هل فهمت ورقتى يا مينرفا؟».

قالت الأستاذة «مكجونجال» وأسنانها مُطبقة حتى أن الكلمات خرجت غير واضحة: «فهمتها بالطبع».

«أنا لا أفهم إذن.. لا أفهم كيف تعطين السيد بوتر أملاً زائفًا فى أنه...».

رددت الأستاذة «مكجونجال»: «أمل زائف!». وهى ما زالت رافضة النظر إلى الأستاذة «أمبريدج»، أضافت: «لقد حصل على أعلى الدرجات فى اختبارات الدفاع عن النفس ضد السحر الأسود..».

«يؤسفنى معارضتك يا مينرفا.. لكن، كما ترين من ورقتى، فهارى يحرز تقدمًا بطيئًا للغاية فى حصصى..».

قالت الأستاذة «مكجونجال» وقد التفتت؛ لمواجهة «أمبريدج» ناظرة إليها فى عينيها: «كان علىَّ إيضاح ما أقصده.. لقد أحرز أعلى الدرجات فى مادة الدفاع عن النفس ضد السحر الأسود مع مدرسين أكفَاء».

تلاشت ابتسامة الأستاذة «أمبريدج» فجأة، مثلما ينطفئ المصباح الكهربى. عادت للاسترخاء فى مقعدها، وقلبت ورقة من لوح كتابتها، ثم

شرعت فى الكتابة بسرعة، وعيناها الجاحظتان تدوران من جانب إلى آخر. التفتت الأستاذة «مكجونجال» إلى «هارى»، وفتحتا أنفها الرفيعتان متسعتان من الضيق، وعيونها تكاد تحترق من الغيظ. «أى أسئلة يا بوتر؟».

قال «هارى»: «أجل.. ما الاختبارات الشخصية واختبارات الجدارة التى تعقدها الوزارة إن لم أحصل على درجات (إن. إى. دبليو. تى.) كافية؟».

قالت الأستاذة «مكجونجال»: «اختبارات خاصة بالقدرة على التعامل مع المواقف الصعبة، والعمل تحت الضغط وما إلى ذلك، والمثابرة والإخلاص فى العمل؛ لأن تمرين المقاتل ضد السحر الأسود يأخذ ثلاث سنوات أخرى، هذا إلى جانب القدرات الفائقة فى السحر الدفاعى العملى. وهو ما يعنى الكثير من الكد والاجتهاد بعد أن تترك المدرسة، فإن لم تكن مجهزًا لـ...».

قالت «أمبريدج» وصوتها شديد البرود: «أعتقد أن الوزارة تجرى تحريات على من يرغب فى العمل كمقاتل للسحر الأسود. وتفحص سجله الجنائى».

«.. إن لم تكن مجهزًا لامتحانات أخرى بعد هوجورتس، فعليك البحث عن مهنة أخـ...».

«مما يعنى أن فرصة هذا الصبى فى أن يصبح مقاتلاً للسحر الأسود هى نفس فرصة عودة دمبلدور إلى هذه المدرسة».

قالت الأستاذة «مكجونجال»: «إذن فهى فرصة كبيرة».

قالت «أمبريدج» بصوت مرتفع: «لبوتر سجل جنائى حافل».

قالت «مكجونجال» بصوت أعلى: «أبرئت ساحته من كافة الاتهامات».

وقفت الأستاذة «أمبريدج».. كانت قصيرة حتى أن قيامها لم يمثل فارقًا، لكن غضبها الشديد جعل وجهها العريض المترهل شديد القبح مشئومًا.

«بوتر ليس لديه أية فرصة فى أن يصبح مقاتلاً للسحر الأسود».

هبت الأستاذة «مكجونجال» واقفة هى الأخرى، لكن فى حالتها فقد كان لنهوضها أثر بالغ، مع وقوفها على ارتفاع أعلى من «أمبريدج» بكثير.

قالت بصوت رنان: «بوتر، سأساعدك؛ حتى تصبح مقاتلاً للسحر الأسود إن كان هذا آخر ما أفعله فى حياتى! سأدربك كل ليلة، وسأضمن أن تحصل على النتائج المطلوبة».

قالت «أمبريدچ» بصوت مرتفع من الغيظ: «لن توظف الوزارة هارى بوتر».

صاحت الأستاذة «أمبريدچ»: «سيكون للوزارة وزير جديد، عندما يصير بوتر مستعدًا للانضمام إليها».

صرخت الأستاذة «أمبريدچ» وهى تشير بإصبعها القصير البدين إلى «مكجونجال»: «أها.. أجل أجل أجل! بالطبع! هذا ما تريدين، أليس كذلك يا مينرفا مكجونجال؟ تريدين أن يأتى ألبوس دمبلدور مكان كورنلياس فادچ.. وتسعين للحصول على منصبى أنا.. أليس كذلك؟ تريدين خلع مساعد أول وزير السحر وناظرة المدرسة من منصبها».

قالت الأستاذة «مكجونجال» بازدراء شديد: «أنت تهذين.. بوتر، انتهى لقاؤنا».

رفع «هارى» الحقيبة على ظهره، وسارع بالخروج من الحجرة، دون أن يجرؤ على النظر إلى الأستاذة «أمبريدچ». أمكنه سماعها هى والأستاذة «مكجونجال» مستمرتين فى الصياح فى وجه إحداهما الأخرى طوال سيره بالممر.

كانت الأستاذة «أمبريدچ» لاتزال تلهث وكأنها جرت فى سباق طويل، عندما دخلت إلى فصل الدفاع عن النفس ضد السحر الأسود بعد الظهر.

همست «هيرميون»: «أتمنى لو تعدل عما تفكر فيه يا هارى.. تبدو أمبريدچ فى حالة مزاجية شديدة السوء».. لحظة، فتحت الكتاب على الفصل الرابع والثلاثين بعنوان: «لا للانتقام ونعم للتفاوض والسلام».

من حين لآخر، أخذت «أمبريدچ» تحدّج «هارى» بنظرات نارية، والذى أبقى رأسه منخفضًا، محدقًا فى كتاب «نظرية السحر الدفاعى» وعيناه غير مركزتين على شىء محدد، متفكرًا فيما جرى.

تخيل رد فعل الأستاذة «مكجونجال» إن وجدته متسللاً فى مكتب «أمبريدچ» بعد ساعات من دفاعها الشديد عنه.. لا يوجد ما يمنعه من العودة إلى برج «جريفندور» وتمنى لو يقدر على سؤال «سيرياس» فى أى وقت طوال الصيف المقبل عما رآه فى المفكرة السحرية.. لا شىء فيما عدا أنه يشعر وكأن ثمة ثقلاً شديدًا جاثمًا على صدره.. ثم إن هناك «فريد» و«چورچ» اللذين خططا لعملية التشتيت بالفعل، دعك من السكين التى أخذها من «سيرياس»، والتى ترقد حاليًا فى حقيبته مع عباءة اختفاء والده. لكن، ماذا لو أمسكت به؟

همست «هيرميون» وهى ترفع الكتاب؛ لتخفى وجهها عن «أمبريدچ»: «لقد ضحى دمبلدور بنفسه؛ لتبقى فى المدرسة يا هارى.. وإن رموك إلى الخارج اليوم فستذهب تضحية دمبلدور سُدَى».

يمكنه التخلى عن خطته ومحاولة التعايش مع ذكرى ما شاهد أباه يفعله ذات نهار صيفى منذ عشرين عامًا.

ثم تذكر «سيرياس» ورأسه فى نيران المدفأة داخل حجرة طلبة «جريفندور»:

أنت لست مثل أبيك، ليس كما كنت أظن. كانت المخاطرة لتجعل الأمر مثيرًا وشائقًا لچيمس.

لكن، هل يريد أن يكون مثل أبيه؟!

قالت «هيرميون» بصوت معذب مع رنين الجرس عند طرف الفصل البعيد: «هارى، لا تفعلها، أرجوك لا تفعلها». لم يجبها، لم يعرف ماذا يفعل.

بدا «رون» عاقدًا العزم على ألا يدلى برأيه أو نصحه.. لم ينظر إلى «هارى»، رغم أن «هيرميون» عندما كانت تفتح فمها لإقناع «هارى» بالتراجع، فإنه كان يقول بصوت خفيض: «اهدئى يا هيرميون.. إنه قادر على التقرير بنفسه».

أخذ قلب «هارى» يخفق بقوة وهو يغادر الفصل. كان قد وصل إلى منتصف الممر، عندما سمع أصواتًا عالية فى مكان بعيد. سمع صرخات وصيحات ترج المدرسة من مكان ما فوقهم.. والتلاميذ الذين خرجوا من الفصول من حوله قد تجمدوا فى أماكنهم ونظروا إلى السقف بخوف شديد.

خرجت «أمبريدچ» منطلقة من الفصل بسرعة لا تقدر معها قدماها القصيرتان على حملها. وهى تجذب عصاها السحرية، سارعت إلى الجانب المضاد.. الآن وإلا فلا.

قالت «هيرميون» بوهن راجية إياه: «أرجوك يا هارى».

لكنه اتخذ قراره.. عدل بيده وضع حقيبته على ظهره، وانطلق يجرى، متفاديًا التلاميذ الذين أخذوا يجرون فى الاتجاه المضاد؛ ليروا سبب الجلبة فى الجناح الشرقى من القلعة.

وصل إلى الممر الواقع فيه مكتب «أمبريدچ» فوجده مهجورًا. وهو يختبئ خلف درع حديدية كبيرة قائمة فى الركن، التفتت الخوذة لتراقبه.. أنزل

حقيبته وأمسك بسكين «سيرياس» وأخرج عباءة الإخفاء. ثم تسلل ببطء وحذر من خلف الدرع الحديدية وسار بطول الممر حتى وصل إلى باب مكتب «أمبريدج».

أدخل السكين السحرى فى شق الباب وحركه ببطء صعودًا وهبوطًا بطول الشق، ثم سحبه. سمع طقطقة خفيفة، ثم انفتح الباب. دخل إلى المكتب، وأغلق الباب بسرعة خلفه ونظر حوله.

لم يكن من شىء يتحرك سوى القطيطات الزخرفية على الحائط فوق المقشات المصادرة.

أخرج «هارى» عباءة الإخفاء وهو يسير إلى المدفأة ليجد ما كان يبحث عنه فى ثوان: صندوقًا صغيرًا ممتلئًا ببودرة الفلو.

انحنى أمام حاجز المدفأة ويداه ترتجفان. لم يفعل هذا من قبل قط، بالرغم من أنه يعرف أنه سينجح فى فعلته هذه، أدخل رأسه فى المدفأة، ثم أخذ ملء قبضته من البودرة ونثرها على ألواح الحطب تحته. تفجرت على الفور بلهب أخضر ياقوتى.

قال «هارى» بصوت مرتفع واضح: «المنزل رقم (١٢)، جريمولد بليس».

كان من أغرب الأحاسيس التى يحسها فى حياته. انتقل ببودرة الفلو من قبل.. لكن، كان جسده كله يدور فى اللهب عبر شبكة الانتقال السحرية الممتدة بطول البلاد وعرضها. هذه المرة ظلت ركبتاه مرتكزتين على الأرض الباردة فى مكتب «أمبريدج»، ورأسه فقط هو ما يدور فى النيران الياقوتية.

ثم وفجأة، كما بدأ الأمر فجأة، توقف الدوران، شعر بالغثيان وكأنه يرتدى قناعًا ساخنًا فوق وجهه. فتح عينيه ليجد نفسه فى مدفأة المطبخ وأمامه المائدة الخشبية الطويلة، وهناك رجل جالس منكب على رقعة طويلة من الورق.

«سيرياس؟». هب الرجل واقفًا ونظر حوله. لم يكن «سيرياس» بل «لوبين».

قال مصدومًا: «هارى.. ماذا حدث؟ هل كل شىء على ما يرام؟».

قال «هارى»: «أجل.. أردت فقط التحدث إلى سيرياس لبعض الوقت».

قال «لوبين» واقفًا والعجب مرتسم على وجهه: «سأناديه.. لقد صعد؛ ليبحث عن كريتشر، يبدو أنه قد اختبأ فى السقيفة ثانية..».

ورأى «هارى» «لوبين» يسارع بالخروج من المطبخ. أصبح وحده، لا شىء أمامه ينظر إليه سوى المقعد وأرجل المائدة. تساءل لماذا لم يذكر له «سيرياس» من قبل مدى الضيق الذى يشعر به المرء وهو يتكلم من نيران المدفأة.. أخذت ركبتاه تؤلمانه من اتصالهما المطول بأرضية مكتب «أمبريدج» الحجرى البارد. عاد «لوبين» ومعه «سيرياس» من خلفه بعد لحظات.

قال «سيرياس» بلهفة وهو يزيح شعره الأسود الطويل عن وجهه ويسقط على الأرض أمام المدفأة حتى أصبح هو و«هارى» على مستوى واحد: «ما الأمر؟». جلس «لوبين» هو الآخر، وعلى وجهه الاهتمام.. أضاف «سيرياس»: «هل أنت بخير؟ هل تحتاج لمساعدة؟».

قال «هارى»: «لا، الأمر ليس كذلك.. أردت فقط الكلام عن... عن أبى..».

تبادلا نظرات الدهشة، لكن «هارى» ليس لديه الوقت للإحساس بالإحراج أو الارتباك.. فركبتاه تؤلمانه، وبدأ يفكر فى أن خمس دقائق قد مرت بالفعل منذ بداية حادث التشتيت.. ضمن له «چورچ» عشرين دقيقة فقط؛ لذا فقد دخل فى الموضوع مباشرة وذكر ما رأى فى المفكرة السحرية.

عندما انتهى، لم يتكلم «سيرياس» أو «لوبين» للحظة، ثم قال «لوبين» بهدوء: «لا أريدك أن تحكم على أبيك بما رأيته يا هارى.. كان فى الخامسة عشرة وقتها..».

قال «هارى» بانفعال: «وأنا فى الخامسة عشرة».

قال «سيرياس» مهدئًا إياه: «انظر يا هارى.. كان چيمس وسناب يكرهان أحدهما الآخر منذ وقعت عيونهما على بعضهما، يمكنك فهم هذا، أليس كذلك؟ أعتقد أن چيمس كان كل ما يريد سناب أن يكونه.. كان له شعبية واسعة، ويلعب الكويدتش بمهارة.. ويقدر على فعل أشياء كثيرة. وسناب كان ولدًا صغيرًا غريب الأطوار وغارقًا حتى أذنيه فى فنون السحر الأسود.. وچيمس - وإن كنت ما رأيته يختلف عما أرويه - كان يكره السحر الأسود بشدة».

قال «هارى»: «أجل.. لكنه هاجم سناب من دون سبب واضح، فقط لأن... أعنى... لأنك قلت إنك تشعر بالملل».. أنهى كلامه بنبرة معتذرة فى صوته.

قال «سيرياس» بسرعة: «أنا لست فخورًا بهذا».

نظر «لوبين» إلى «سيرياس» ثم قال: «انظر يا هارى، ما عليك فهمه هو أن

أباك وسيرياس كانا أمهر اثنين فى هوجورتس فى أى شىء يفعلانه.. والجميع يرونهما شديدى المهارة والأناقة.. وإن بالغا فى تصرفاتهما..».

قال «سيرياس»: «إنه يعنى أننا كنا مغرورين ومتغطرسين بشدة».

ابتسم «لوبين». قال «هارى» بصوت متألم: «لكنه كان يعبث بشعره كثيرًا».

ضحك «سيرياس» و«لوبين».

قال «سيرياس» بحب شديد: «نسيت أنه كان يفعل هذا».

قال «لوبين» بلهفة: «وهل كان يلعب بالسنيتش؟».

قال «هارى» مراقبًا إياهما من غير فهم وهما يبتسمان ابتسامة مشرقة: «أجل.. أعنى... حسبته أبله قليلاً لفعله هذا».

قال «سيرياس» بتوق شديد: «بالطبع كان أبله فى هذا.. كنا بلهاء. ولكن باستثناء مونى».. أضاف الجملة الأخيرة بنبرة من يريد الإنصاف وهو ينظر إلى «لوبين».

لكن «لوبين» هز رأسه وقال: «هل سبق أن طالبتكما بالعدول عن مضايقة سناب؟ هل واتتنى الشجاعة يومًا لأن أقول لكما إنكما تخالفان النظام والقواعد؟».

قال «سيرياس»: «أجل.. جعلتنا نخجل من أنفسنا فى بعض الأوقات.. وهذا يكفيك..».

قال «هارى» بعناد مصممًا على قول كل ما يدور بعقله وهو معهما: «وكان كثير النظر للفتيات الجالسات على شاطئ البحيرة، متمنيًا أن يستدرن إليه ويراقبنه».

قال «سيرياس» وهو يهز كتفيه: «فعلاً.. كان دائمًا يتصرف بغباء وبلاهة وليلى بالقرب منه.. لم يتمكن أبدًا من منع نفسه عن الاستعراض كلما اقترب منها».

تساءل «هارى» بتعاسة: «وكيف تزوجته؟ كانت تكرهه بشدة».

قال «سيرياس»: «لا، لم تكرهه».

قال «لوبين»: «بدأت تخرج معه فى الصف السابع».

قال «سيرياس»: «حالما بدأ چيمس فى التراجع قليلاً عن غروره».

قال «لوبين»: «وعندما كف عن إصابة الناس بالتعاويذ سعيًا للضحك».

قال «هارى»: «وحتى سناب؟».

قال «لوبين» ببطء: «كان سناب حالة خاصة.. أعنى أنه لم يفوت أية فرصة قط؛ لإصابة چيمس بتعويذة أو بأخرى، فلمَ تتوقع من چيمس ألا يعامله بالمثل؟».

«وهل كانت أمى راضية عن تصرفه هذا؟».

قال «سيرياس»: «لأصدقكَ القول، فهى لم تعرف الكثير عن تصرفه هذا. أعنى أن چيمس لم يأخذ سناب معه فى مواعيده معها ليلعنه ويصيبه بالتعاويذ أمامها».

قطَّب «سيرياس» جبينه فى مواجهة «هارى»، الذى بدا غير مقتنع.

قال أخيرًا: «انظر.. كان أبوك أفضل صديق لى، وكان شخصًا صالحًا.. فقد تجد الكثيرين حمقى فى سن الخامسة عشرة، ثم يتعقلون بعدها».

قال «هارى» ببطء: «أجل، فعلاً.. لكننى لم أتخيل يومًا أننى قد أشعر بالأسف على سناب».

قال «لوبين» وثمة قُطُوب صغير على وجهه: «والآن قد ذكرته.. كيف تصرف سناب عندما وجدك وقد رأيت كل ما رأيت؟».

قال «هارى»: «قال لى إنه لن يعلمنى الأوكلومينسى ثانية.. كأن هذا سيحزنـنـ...».

صاح «سيرياس»: «ماذا؟». فأجفل «هارى» وشهق، فابتلع بعض الغبار.

قال «لوبين» بسرعة: «هل أنت جاد يا هارى؟ هل كفَّ عن إعطائك الدروس؟».

قال «هارى» وقد أدهشه ما رآه من رد فعل مبالغ فيه منهما: «أجل.. لكن هكذا أفضل. لا يهمنى، فقد ارتحت عندما...».

قال «سيرياس» بقوة: «سآتى معك؛ لأتحدث قليلاً مع سناب»، ونهض بالفعل قبل أن يقبض عليه «لوبين» ويعيده إلى جواره.

قال بصرامة: «إن كان هناك من سيتحدث مع سناب فهو أنا.. لكن يا هارى، عليك أولاً أن تعود إلى سناب وتخبره بأنه ليس من حقه ـ وتحت أى ظرف من الظروف ـ أن يوقف الدروس.. عندما يسمع دمبلدور بهذا سوف...».

قال «هارى» والغيظ يتملكه: «لا يمكننى أن أقول له هذا.. سيقتلنى.. أنت لم تره عندما خرجت من المفكرة السحرية».

قال «لوبين» بتصميم: «هارى، لا يوجد أهم من تعلم الأوكلومينسى. هل تفهمنى؟ لا شىء».

قال «هارى» وقد شعر بالقلق الشديد يصاحبه بعض الضيق: «حسنًا حسنًا... سـ... سأحاول إخباره.. لكن لا تقـ...». صمت فجأة، سمع خطوات أقدام تقترب.

«هل هذا كريتشر ينزل السلم؟».

قال «سيرياس» وهو ينظر خلفه: «لا، لا بد أنه شخص ما عندك».

خفق قلب «هارى» بقوة.

قال بسرعة وهو يخرج برأسه من مدفأة «جريمولد بلِيس»: «علىّ العودة». للحظة، أخذ رأسه يدور فوق كتفيه، ثم وجد نفسه راقدًا أمام مدفأة «أمبريدچ» يراقب ألسنة اللهب الياقوتية وهى تخبو.

سمع صوتًا لاهثًا يقول من خارج الحجرة: «بسرعة بسرعة.. آه.. لقد تركته مفتوحًا..».

انقض «هارى» على عباءة الإخفاء وتمكن من ارتدائها قبل أن يقتحم «فيلش» المكتب. بدا مسرورًا بشدة لسبب ما، وهو يتحدث إلى نفسه بصوت محموم وهو يعبر الحجرة، ويفتح أحد أدراج «أمبريدچ» ويبدأ فى العبث بالأوراق داخله.

«تصريح الضرب.. تصريح الضرب.. أخيرًا، سأضربهم.. إنهم يستحقون هذا، ومنذ سنوات..».

أخرج رقعة من الورق، وقبّلها، ثم خرج بسرعة من الباب، وهو يرفعها إلى صدره.

هب «هارى» واقفًا، وتأكد أن عباءة الإخفاء تخفيه هو وحقيبته، ثم فتح الباب وسارع بالخروج من خلف «فيلش»، الذى أخذ يتقافز بسرعة، لم يعهدها «هارى» فيه من قبل.

عندما ابتعد عن مكتب «أمبريدچ» بمسافة طابق، حسب «هارى» أن بإمكانه نزع العباءة عنه. خلعها عنه، ووضعها فى حقيبته، ثم تقدم بسرعة.. سمع الكثير من الصياح والحركة القادمة من عند القاعة الأمامية.. جرى على درجات السلم الرخامية ليجد المدرسة متجمعة بالقاعة الأمامية.

تمامًا مثل ليلة طرد «تريلاونى»: الطلبة متحلقون واقفون بطول الجدران فى حلقة واسعة ـ بعضهم كما لاحظ «هارى» مغطى بما يشبه بقايا الألعاب النارية كريهة الرائحة ـ والمعلمون والأشباح مع الجمع. ومن بين المراقبين لما يجرى رأى أعضاء الفرقة التفتيشية الذين بدوا فخورين بأنفسهم، و«بيفيس» الذى أخذ يحلق فوقهم، وهو ينظر إلى «فريد» و«چورچ» الواقفين فى مركز الحلقة وعلى وجهيهما نظرة من وقَع أخيرًا بعد مطاردة طويلة.

قالت «أمبريدچ» بظفر: «إذن». أدرك «هارى» أنها واقفة أمامه على السلم هى الأخرى، تنظر إلى فريستها الواقفة بالأسفل.. سمعها تكمل: «.. إذن، فأنتما تريان تحويل ممرات المدرسة إلى مستنقع كبير، أمرًا مضحكًا.. أليس كذلك؟».

قال «فريد» وهو ينظر إليها وليس على وجهه أقل أمارات الخوف: «بلى.. أمر مضحك للغاية».

أخذ «فيلش» يقترب من «أمبريدچ» وهو يكاد يبكى من السعادة.

قال بصوت أجش ملوحًا برقعة الورق التى رآه «هارى» يأخذها منذ قليل من المكتب: «معى الورقة يا حضرة الناظرة.. معى الورقة وسوطى ينتظر.. دعينى أضربهما الآن من فضلك..».

قالت: «ممتاز يا أرجوس. أنتما...». أكملت كلامها وهى تنظر إلى «فريد» و«چورچ»: «.. سأعلمكما ماذا يجرى للمخالفين فى مدرستى»،

قال «فريد»: «أتعرفين؟ لا أعتقد أن هذا سيحدث».

التفت إلى أخيه التوأم، وقال: «چورچ، لقد كبرنا على موضوع التعليم هذا».

قال «چورچ» باستخفاف: «أجل، أنا أشعر بهذا الشعور».

سأله «فريد»: «هل حان وقت اختبار قدراتنا فى العالم الحقيقى؟».

قال «چورچ»: «بالتأكيد».

وقبل أن تنطق «أمبريدچ» بكلمة أخرى، رفعا عصويهما السحريتين وقالا معًا: «*أكيو بروم*»(١).

سمع «هارى» صوت تحطم زجاج على مسافة بعيدة. نظر إلى يسراه وانحنى فى الوقت المناسب. فقد كانت مقشتا «فريد» و«چورچ» اللتان كانتا مربوطتين إلى الحائط فى مكتب «أمبريدچ» تطيران بطول الممر تجاههما، ودارتا ـ المقشتان ـ إلى اليسار وهبطتا السلم لتتوقفا أمام التوأمين، والسلاسل التى كانت المقشتان مربوطتين بها تصدر صليلاً عاليًا على الأرض الحجرية.

قال «فريد» للأستاذة «أمبريدچ» وهو يرفع قدمه اليسرى؛ ليركب المقشة: «لن نراك بعد اليوم».

قال «چورچ» وهو يمتطى مقشته: «أجل.. فلا تزعجى نفسك وترسلى الرسائل».

نظر «فريد» إلى جمهور التلاميذ المتحلقين من حوله، الجمهور الصامت الذى أخذ يراقب ما يجرى.

---

(١) نعرف طبعًا تعويذة إحضار الأشياء، ومنطوقها: (Accio)، أما برومس فتعنى: مقشات (المترجم).

قال بصوت مرتفع: «إن أراد أحدكم شراء مستنقع متنقل ـ كما رأيتم بالطابق العلوى ـ فتعالوا إلى المتجر رقم ثلاثة وتسعين بزقاق دياجون.. محل آل ويسلى للمقالب السحرية.. محلنا الجديد».

أضاف «چورچ» مشيرًا إلى الأستاذة «أمبريدچ»: «سنقدم تخفيضًا خاصًا على منتجاتنا لتلاميذ هوجورتس الذين يقسمون على استعمال منتجاتنا للتخلص من هذه الوطواطة العجوز».

صرخت «أمبريدچ»: «**أوقفوهما**» لكن بعد فوات الأوان.. فمع اقتراب الفرقة التفتيشية منهما، ركل كل من «فريد» و«چورچ» الأرض وانطلقا على ارتفاع خمس عشرة قدمًا فى الهواء، والسلاسل المعدنية المربوطة بالمقشتين تتأرجح أسفلهما. نظر «فريد» إلى «بيفيس البولترجايشت» المتقافز أمامه فى الهواء فوق رءوس الجمهور وقال: «أوصيك بتعذيبها يا بيفيس».

فقام «بيفيس» الذى لم يره «هارى». من قبل قط، يقبل بأوامر أحد ـ بخلع قبعته وحيًا «فريد» و«چورچ» تحية عسكرية وهما يطيران خارجين من المكان تلاحقهما تهليلات وصيحات وهُتافات الطلبة المتجمعين، فى طريقهما إلى النهار المشمس مبهر الضياء.

٣٠ جـــراوب

أخذ التلاميذ يحكون قصة تحليق «فريد» و«چورچ» إلى الحرية على مدى الأيام القليلة التالية حتى إن «هارى» أيقن أنها ستتحول إلى أسطورة من أساطير «هوجورتس».. فخلال الأسبوع التالى، اقتنع جميع الطلبة - حتى من رأوا ما جرى بالتفصيل - بأن «فريد» و«چورچ» قد انهالا على «أمبريدچ» بالـ«دانجبومب» قبل أن يحلقا عبر الأبواب. بعد خروجهما مباشرة، عمّت موجة هائلة من الكلام عن تقليدهما. سمع «هارى» الكثير من الطلبة يقولون أشياء مثل: «بصراحة قد أقفز على مقشتى قريبًا وأغادر هذا المكان».. و«حصة أخرى مثل هذه وأفعل مثلما فعل التوأمان ويسلى».

ضمن «فريد» و«چورچ» ألا ينساهما أحد بسرعة؛ لسبب واحد: لم يتركا تعليمات لإزاحة المستنقع الذى ملأ ممر الطابق الخامس فى الجناح الشرقى منه. رأى التلاميذ كلاً من «أمبريدچ» و«فيلش» يجربان أكثر من طريقة؛ لإزالته لكن من دون جدوى. وهكذا، تم تطويق المنطقة المصابة بالحبال، وتولى «فيلش» مهمة نقل التلاميذ عبر المستنقع ذهابًا وإيابًا من وإلى فصولهم. كان «هارى» واثقًا من أن بإمكان معلمين مثل «مكجونجال» و«فليتويك» إزالة المستنقع فى لحظة.. لكن، وكما تمرد «فريد» و«چورچ»، ففد فضلا ألا يتدخلا ويشاهدا «أمبريدچ» وهى تعانى من عواقب ما جرى.

ثم كان هناك الثقبان الكبيران على شكل مقشتين فى باب مكتب «أمبريدچ»، اللذان مرت عبرهما مقشتا «فريد» و«چورچ» موديل الـ «كلين - سويب» لينضما لصاحبيهما. وضع «فيلش» بابًا جديدًا، وأنزل مقشة «هارى» موديل الـ «فايربولت» إلى تحت الأرض، حيث - وكما تناقلت الإشاعات الأمر - وضعت «أمبريدچ» حراسة مشددة عليها. لكن مشكلاتها كانت بعيدة عن موضوع مقشته هذه.

وقد ألهمهم ما فعله «فريد» و«چورچ»، فقد سعى الكثيرون من الطلبة؛ لشغل منصب زعماء إثارة الفوضى والشغب. وبالرغم من الباب الجديد، تمكن أحدهم من إدخال (العرسة المشعرة الأنف)، التى مزقت وقلبت الكثير من الأشياء؛ بحثًا

عن الأشياء اللامعة، وقفزت على «أمبريدچ» محاولة نزع خواتمها من أصابعها البدينة. أخذت «الدانجبومب» وكرات الشرار السحرى تنهال فى الممرات بكثرة حتى أنه أصبح من عادة التلاميذ حماية أنفسهم بتعويذة فقاعة هواء الرأس قبل مغادرة الفصول، وهو ما يضمن لهم هواء نقيًا، وإن كان مظهرهم غريبًا وهم يرتدون ما يشبه آنية الأسماك الزجاجية مقلوبة على رءوسهم.

أخذ «فيلش» يذرع الممرات بسوط فى يده؛ باحثًا عن المخالفين، لكن المشكلة كانت أنهم أصبحوا كُثْرًا، فشتته هذا ولم يعرف فى أى الاتجاهات يجرى ليطاردهم. حاولت الفرقة التفتيشية مساعدته، لكن أخذت أشياء غريبة تحدث لأعضائها. دخل «وارنجتون» اللاعب بفريق «سليذرين» لـ «الكويدتش» إلى جناح المستشفى بسبب طفح جلدى غريب جعله يبدو وكأنه مغطى بالـ«كورن فليكس»، و«بانسى باركنسون» - لسرور «هيرميون» الشديد، لم تحضر كل دروسها اليوم التالى بعدما نمت لها قرون.

وفى نفس الوقت، صار من الواضح أن (حلوى التزويغ) التى باعها «فريد» و«چورچ» قبل أن يغادرا «هوجورتس» كانت كثيرة. كانت «أمبريدچ» لا تكاد تدخل الفصل حتى يتجمع الطلبة أمامها، بعضهم فاقد الوعى، والبعض الآخر يتقيأ، والبعض الآخر مصاب بحمى شديدة أو يسيل دمه من أنفه. وهى تصرخ من الغيظ والغضب والحسرة، كانت تحاول البحث عن مصدر الأعراض الغريبة التى تظهر أمامها، لكن الطلبة داوموا على إخبارها بعناد أنهم يعانون من مرض باسم «حالة أمبريدچ». وبعد فرضها عقاب الاحتجاز على أربعة فصول وفشلها فى معرفة السر، أجبرت على الاستسلام والسماح للطلبة النازفين، والمترنحين، والمتقيئين، بمغادرة الفصل فى جماعات.

لكن حتى مستخدمى (حلوى التقيؤ) لم يكونوا أندادًا لسيد الفوضى «بيفيس»، الذى أخلص كل الإخلاص لوصية «فريد» الأخيرة. وهو يقهقه بجنون ويسرى بطول المدرسة وعرضها، كان يقلب الموائد، ويحطم التماثيل والزهريات، وحبس الآنسة «نوريس» مرتين داخل درع كبيرة أنقذها منها الفرّاش الغاضب. أخذ «بيفيس» يكسر المصابيح، والقناديل، ويطفئ الشموع، ويلقى بالمشاعل المحترقة على رءوس الطلبة، وبالأوراق فى المدافئ، أو خارج النوافذ.. وأغرق الطابق الثانى عندما خلع صنابير دورات المياه به، وأسقط عناكب كبيرة فى

وسط القاعة الكبرى وقت الإفطار، وكلما أراد الراحة قليلاً، كان يقضى بعض وقته يطارد «أمبريدچ» ويطلق أصوات اعتراض كلما تحدثت.

لم يحاول أحد بخلاف «فيلش»، من بين المعلمين، أن يساعدها. فبعد انقضاء أسبوع على رحيل «فريد» و«چورچ» شاهد «هارى» الأستاذة «مكجونجال» وهى تسير إلى جوار «بيفيس»، الذى كان يحاول خلع ثريا من الكريستال، وكاد يقسم أنه سمعها تقول للشبح «البولترجايشت» من طرف فمها: «لفها فى الاتجاه الآخر لتسقط».

ولتتطور الأمور، فلم يتعافَ «مونتاج» من سقوطه فى المرحاض، بل ظل مريضًا ومشتتًا وجاء أبواه لزيارته يوم الثلاثاء وعلى وجهيهما أشد علامات الغضب.

قالت «هيرميون» بصوت متوتر وهى تضغط وجنتها على نافذة فصل التعاويذ: حتى ترى السيد والسيدة «مونتاج» يدخلان وهما غاضبان إلى المدرسة: «أليس علينا قول شىء ما بصدد ما جرى له؟ فربما يساعد هذا مدام بومفرى فى علاجه». وقال «رون» بحياد: «بالطبع لا.. سيتعافَى وحده».

قال «هارى» بصوت راضٍ: «هذا يعنى المزيد من المشكلات لأمبريدچ.. أليس كذلك؟».

طرق هو و«رون» فنجانى الشاى المفترض تحويلهما بعصويهما السحريتين. نما لفنجان «هارى» أربع أقدام قصيرة للغاية لم تصل إلى سطح مائدته، وأخذت تتأرجح فى الهواء. أما فنجان «رون»، فقد نما له أربع أقدام رفيعة حملته فوق المائدة بصعوبة شديدة، وأخذ يرتجف بعد لحظات، ثم انهارت فتحطم الفنجان إلى شطرين.

قالت «هيرميون» بسرعة وهى تصلح فنجان «رون» بتلويحة من عصاها: «*ريبارو*».. ثم تضيف: «هذا صحيح.. لكن، ماذا لو أصبحت إصابة مونتاج عاهة مستديمة؟».

قال «رون» بامتعاض وفنجانه يقف مترنحًا ثانية كأنه مخمور، ثم يسقط على ركبتيه: «ومن يهتم؟ ما كان على مونتاج أن يحاول خصم نقاط من جريفندور.. أليس كذلك؟ إن كان يجب عليكِ القلق طوال الوقت يا هيرميون، فاقلقى بشأنى».

قالت وهى تمسك بفنجانها الذى أخذ يسير بسعادة فوق المائدة على أربع أقدام قوية: «من؟ ولماذا أقلق بشأنك؟!».

قال «رون» بمرار وهو يحمل فنجانه وأقدامه الضعيفة تحاول أن تستقيم؛ لتحمله: «عندما تصل رسالة أمى القادمة وتمر من تحت يد أمبريدچ ستعرفين. سأقع فى مشكلة كبيرة. لن يدهشنى لو أرسلت رسالة عاوية أخرى».

«لكن...».

قال «رون» بوجوم: «سترى أننى سبب المشكلة، السبب فى خروج فريد وچورچ. كان علىّ الإمساك بهما من أطراف مقشتيهما وإعادتهما.. أجل، هذا ما ستراه، إننى أنا المخطئ».

«إن قالت هذا، فهو ظلم بيّن منها، لم تكن لتقدر على عمل أى شىء. لكن أنا واثقة أنها لن تقول هذا.. أعنى إن كان لهما بالفعل متجرٌ فى زقاق دياجون، فلا بد من أنهما يخططان للموضوع منذ فترة».

قال «رون» وهو يضرب فنجانه بعصاه بقوة حتى أن أقدامه انهارت وأخذت ترتجف تحته: «أجل، لكن هذا موضوع آخر، كيف حصلا على المتجر؟ الموضوع مريب، أليس كذلك؟ إنهما بحاجة للكثير من النقود حتى يقدرا على إيجار مكان فى زقاق دياجون. ستسألنى كيف وصلا إلى هناك، وكيف وضعا أيديهما على الذهب اللازم لفتح المتجر».

قالت «هيرميون» سامحة لفنجانها بالسير فى دوائر حول فنجان «هارى» الذى ما زالت أقدامه القصيرة غير قادرة على الوصول إلى سطح المائدة: «فعلاً.. فكرت فى هذا أنا الأخرى.. وأنا قلقة؛ لأنه ربما يكون مندنجس قد أقنعهما ببيع البضائع المسروقة أو ما شابه».

قال «هارى» باقتضاب: «لا، لم يفعل».

قال «رون» و«هيرميون» معًا: «وكيف عرفت؟».

«لأن...». تردد «هارى»، لكن لحظة الاعتراف قد حانت - فلا فائدة من الصمت إن كانوا سيرتابون فى إجرام «فريد» و«چورچ» - فأضاف: «لأنهما قد أخذا الذهب منى. أعطيتهما جائزة السحر الثلاثية التى ربحتها فى شهر يونية الماضى».

حلَّ صمت مطبق، مشحون بإحساس بالصدمة، ثم انقلب فنجان «هيرميون» من فوق المائدة ليتحطم مع اصطدامه بالأرض.

قالت: «معقول يا هارى؟ أنت لم تفعل هذا».

قال «هارى» بنبرة تمرد: «بل فعلت.. ولست نادمًا أيضًا. لم أرغب فى الذهب، وأعتقد أنهما سيقدران على إدارة متجر المقالب».

قال «رون» وقد اهتز طربًا مما سمعه: «ممتاز.. إنها غلطتك إذن يا هارى.. لن تلومنى أمى. هل يمكننى إخبارها؟».

قال «هارى» ببلادة: «أجل.. هذا أفضل.. خاصة إن ظنت أنهما قد حصلا على النقود مقابل قدور مسروقة أو ما شابه».

لم تنطق «هيرميون» طوال باقى الحصة، لكن «هارى» ارتاب فى استمرار تحكمها فى نفسها طويلاً. وكان محقًا، فحالما خرجوا من القلعة فى فترة الراحة ووقفوا تحت أشعة شمس شهر مايو الواهنة، ركزت بعينين ضيقتين على «هارى» وفتحت فمها عازمة على الكلام.

قاطعها «هارى» قبل أن تنطق. وقال بحسم: «لا فائدة من مضايقتى. فريد وچورچ معهما الذهب بالفعل.. وقد أنفقا جزءًا كبيرًا منه، ومن الواضح أننى لن أقدر على استعادته منهما ولا أريد هذا. فوفرى على نفسك الكلام يا هيرميون».

قالت بصوت مجروح: «لم أَنْوِ الكلام عن فريد وچورچ».

احتج «رون» بصوت مسموع؛ كدليل على عدم تصديقه ما قالته، فرمقته «هيرميون» بنظرة غضب.

قالت بضيق: «فعلاً، لم أكن أنوى الكلام عنهما. كنت سأسأل هارى متى سيعود إلى سناب ويسأله الاستمرار فى دروس الأوكلومينسى».

انتاب «هارى» القلق.. الآن وبعد أن قتلوا موضوع «فريد» و«چورچ» كلامًا ومغادرتهما الدرامية الطابع ـ وهو ما استغرق الكثير من الوقت ـ فقد أراد كل من «رون» و«هيرميون» سماع أخبار «سيرياس». ومع عدم إدلاء «هارى» إليهما بسبب رغبته فى الكلام مع «سيرياس»، فمن الصعب أن يفكر فيما سيخبرهما به.. ثم انتهى به الأمر إلى أن قال ـ بصدق ـ: إن «سيرياس» أراد له أن يستكمل دروس «الأوكلومينسى». وإنه نادم على ما حدث من وقتها.. لم تترك «هيرميون» الموضوع وأخذت تعود إليه بين الحين والآخر حينما لا يتوقع «هارى» فتحها للموضوع ثانية.

قالت «هيرميون»: «لا يمكنك إقناعى بأنك لم تعد تحلم تلك الأحلام الغريبة؛ لأن رون أخبرنى بأنه سمعك تتكلم فى نومك بالأمس».

حدج «هارى» «رون» بنظرة غاضبة. فأنعم على «رون» أخيرًا بنعمة الإحساس بالخجل من تصرفاته.

غمغم الأخير معتذرًا: «كنت تهمهم فقط عن رغبتك فى بلوغ المزيد».

قال «هارى» كذبًا: «حلمت بلعب الكويدتش.. وكنت أحاول مد يدى للإمساك بكرة الكوافل».

احمرت أذنا «رون»، وشعر «هارى» بنوع من اللذة الانتقامية.. فهو بالطبع لم يحلم بأى مما ذكره.

ليلة أمس، قام برحلته المعهودة عبر ممر مصلحة الألغاز والغوامض. مرَّ عبر الحجرة الدائرية، ثم إلى الحجرة الممتلئة بالرفوف المتراقصة وأصوات الصليل والضجيج الآلى، حتى وجد نفسه فى الحجرة الواسعة الممتلئة بالرفوف المصطف عليها الكرات الزجاجية المغبرة.

هرول إلى الصف رقم سبعة وتسعين، وانحرف إلى اليسار وأخذ يجرى بطوله.. لا بد أن وقتها تكلم بصوت مسموع.. فقط مسافة قليلة للأمام.. شعر وقتها بعقله الواعى يجاهد للاستيقاظ.. لكن وقبل أن يصل إلى آخر الصف وجد نفسه راقدًا على سريره، وهو ينظر إلى مظلة الفراش ذات الأربعة قوائم.

قالت «هيرميون» وهى تنقل عينيها إلى «هارى»: «طبعًا تحاول أن تصد بعقلك محاولات الاختراق.. أليس كذلك؟ هل تستعين بما تعلمته من الأوكلومينسى؟».

قال «هارى» محاولاً أن يبدو وكأن السؤال قد أهانه: «بالطبع أفعل»، لكنه لم يبادلها النظر. الحقيقة أنه كان يشعر بفضول شديد لمعرفة ما المخبأ فى تلك الحجرة الممتلئة بالكرات المغبرة، حتى أنه أمسى حريصًا على استمرار أحلامه.

كانت المشكلة أنه مع بقاء شهر على الامتحانات، ومع تكريس كل الساعات الحرة للمراجعة، فإن عقله يصبح مشبعًا بالمعلومات عندما يحاول النوم، فيجد صعوبة فى النوم.. وعندما كان ينام، يواتيه عقله المتعب كل ليلة بأحلام سخيفة وحمقاء عن الامتحانات. كما ارتاب فى أن جزءًا من عقله ـ الجزء الذى يتحدث بصوت «هيرميون» ـ يشعر بالذنب للمرات القليلة التى يعود فيها إلى الممر المنتهى بالباب الأسود، فيفيق من نومه قبل أن يصل إلى نهاية الرحلة.

قال «رون» الذى لمعت أذناه باللون الأحمر: «أتعرف؟ إن لم يتعاف مونتاج قبل مباراة سليذرين مع هافلباف، فربما نفوز بالكأس».

قال «هارى» وقد أثلج صدره أن الموضوع قد تغير: «أجل، ربما».

«أعنى أننا فزنا بمباراة، وخسرنا مباراة؛ إن خسر سليذرين أمام هافلباف السبت القادم..»».

قال «هارى» وهو لا يعرف ما الذى يوافقه عليه: «أجل.. هذا صحيح». كانت «تشو تشانج» تعبر القاعة، وقد قررت ألا تنظر إليه.

***

تقرر للمباراة الأخيرة فى موسم «الكويدتش» لهذا العام ـ «جريفندور» مع «رافنكلو» ـ أن تعقد فى آخر إجازة أسبوعية من شهر مايو. بالرغم من أن «سليذرين» قد هُزم بصعوبة من «هافلباف» فى مباراتهما الأخيرة، فإن تلاميذ «جريفندور» لم تواتِهم الجرأة للأمل فى النصر؛ بسبب سجل «رون» الحافل فى حراسة المرمى، وإن لم يصارحه أحد بهذا. لكنه بدا وكأنه قد عثر على نبع جديد للتفاؤل.

قال لـ«هارى» و«هيرميون» بوجوم على الإفطار صباح يوم المباراة: «أقصد، لا يمكن أن يسوء مستواى فى اللعب أكثر من حاله، أليس كذلك؟ لا يوجد ما أخسره، صح؟».

قالت «هيرميون» وهى تسير مع «هارى» إلى الملعب بعد قليل وسط الجمهور المتحمس للمباراة: «أتعرف؟ أعتقد أن رون قد يلعب بصورة أفضل من دون فريد وچورج. فهما لم يعطياه قط أى قدر من الثقة».

أدهشتهما «لونا لوفجود» عندما اقتربت منهما مع ما يبدو كنسر حى جاثم على رأسها.

قالت «هيرميون» وهى تراقب النسر يخفق بجناحيه، و«لونا» تسير إلى جوار مجموعة من طلبة «سليذرين» الضاجين بالضحك: «ياه.. نسيت. ستلعب تشو ضدنا، أليس كذلك؟».

وافقها «هارى»، الذى لم ينس هذه الحقيقة، بإيماءة من رأسه.

وجدا مقاعد بالصف الأعلى من المنصة. كان يومًا صافيًا جميلاً.. ما كان «رون» ليجد يومًا أفضل للعب، ووجد «هارى» نفسه يتمنى ألا يعطى «رون» جمهور «سليذرين» الفرصة للصياح بأغنية «ويسلى يا ملك».

أخذ «لى چوردن»، الذى فقد حماسه منذ خرج «فريد» و«چورچ» من اللعب، يعلق كعادته. مع خروج الفريقين إلى الملعب، أعلن عن أسماء اللاعبين بحيوية أقل من حيويته المعهودة.

«.. برادلى.. دافيز.. تشانج»، أعلن اسمها؛ فشعر «هارى» بصدره يضطرم بالقلق و«تشو» تخرج إلى الملعب، وشعرها الأسود اللامع يتطاير فى النسيم الخفيف. لم يكن واثقًا مما يريد، إلا عدم رغبته فى الجلوس إلى مقاعد المشاهدين. حتى رؤيتها وهى تتحدث مع «روجر ديفين» وهما يستعدان لامتطاء المقشات جعلته يشعر ببعض الغيرة.

قال «لى»: «وها هم ينطلقون.. دافيز معه الكوافل، كابتن رافنكلو دافيز معه الكوافل، ويرقص چونسون، ويرقص بيل، ثم سبينيت.. ياه.. وصل إلى المرمى! دافيز سيصوب.. و... و...». أطلق وقتها «لى» سبة وقحة «.. ويسجل هدفًا».

تأوَّه «هارى» و«هيرميون» من الضيق مع جمهور «جريفندور». وكما توقع، وكما خشى، فقد بدأ جمهور «سليذرين» على الجانب الآخر فى الغناء:

ويسلى لا يعرف الصد
ولا يقدر أن يصد نملة تعض

وصل صوت أجش إلى أذن «هارى» يقول: «هارى.. هيرميون..».

أدار «هارى» رأسه، فرأى وجه «هاجريد» ذا اللحية الهائلة واضحًا من بين الصفوف. من الواضح أنه قد خاض فى المدرج حتى وصل إلى الصف الخلفى، وهو ما تراه من حالة أولاد الصفين الأول والثانى وكأن قطارًا قد مرَّ عليهم. لسبب ما، كان «هاجريد» جالسًا محنى الظهر وكأنه حريص على ألا يراه أحد، وإن كان بحاله هذا أطول من أى شخص طبيعى بأربع أقدام على الأقل.

همس: «(ازمعا).. هل يمكنكما القدوم معى؟ الآن؟ والجميع يشاهدون المباراة؟».

سأله «هارى»: «ألا تستطيع الانتظار يا هاجريد حتى تنتهى المباراة؟».

قال «هاجريد»: «لا، لا يا هارى. علينا الذهاب الآن.. والجميع ينظرون إلى مكان آخر.. من فضلك».

كان أنف «هاجريد» ينزف بعض الدماء، وعيناه سوداوين من الكدمات. لم يره «هارى» عن قرب هكذا منذ ليلة عودته إلى المدرسة.. وبدا له فى حال يُرثَى له.

قال «هارى» على الفور: «بالطبع.. حاضر.. سنأتى معك».

خاض هو و«هيرميون» وسط الصفوف، ليثيرا التذمر والضيق بين الطلاب الذين وقفوا ليمردوهما. أما من كانوا فى صف «هاجريد»، فلم يتذمروا، بل حاولوا الاختفاء من أمامه.

قال «هاجريد» وهم يصلون إلى سلم المدرج: «أقدر لكما هذا، حقًّا»، أخذ ينظر حوله بعصبية وهم يهبطون إلى الأرض العشبية قائلاً: «أتمنى ألا ترانا ونحن نبتعد».

قال «هارى»: «أتعنى أمبريدج؟ لن ترانا، فعندها فرقة تفتيشية كاملة تجلس معها، ألم تر بنفسك؟ لا بد أنها تتوقع حدوث المشكلات من المباراة وليس خارجها».

قال «هاجريد» وهو يتوقف؛ لينظر من خلف المدرجات إلى الأرض العشبية؛ ليتأكد من أن المسافة بين الملعب وكوخه خالية: «أجل، بعض المشكلات لن تضر أحدًا.. بل تعطينا المزيد من الوقت».

قالت «هيرميون» وهى تتطلع إليه باهتمام وهم يهرولون فوق العشب فى طريقهم إلى حافة الغابة: «ما الأمر يا هاجريد؟».

قال «هاجريد» وهو يطل من فوق كتفه وصوت تهليل مرتفع ينطلق من خلفه: «(زترون) بعد دقيقة» ثم وبعد أن سمع التهليل أضاف: «ما هذا.. هل (زجل) أحدهم هدفًا؟». فقال «هارى»: «لا بد أنهم رافنكلو».

قال «هاجريد» بذهن شارد: «رائع رائع.. هذا رائع..».

كان عليهما التواثب ليلاحقا خطاه الواسعة عبر الفناء، وهما ينظران خلفهما مع كل خطوة. عندما وصلا إلى كوخه، انحرفت «هيرميون» إلى اليسار نحو باب الكوخ. لكن «هاجريد» تقدم إلى الأمام، حيث التقط قوسه وسهامه ودخل إلى الأشجار الواقعة على طرف الغابة. وعندما أدرك أنهما لم يعودا إلى جانبه، دار على عقبيه.

قال وهو يدور برأسه الكبيرة إليهما: «هيًّا.. (زندخل)».

قالت «هيرميون» متعجبة: «إلى الغابة؟».

قال «هاجريد»: «أجل.. هيا بنا، (بزرعة)، قبل أن يرونا».

تبادل «هارى» و«هيرميون» النظرات الحيْرى، ثم ولجا إلى وسط الأشجار خلف «هاجريد»، الذى أخذ يبتعد عنهما وقد خاض فى قلب الغابة الأخضر، وقوسه على ذراعه. جرى «هارى» و«هيرميون» خلفه؛ ليلحقا به.

قال «هارى»: «هاجريد.. لماذا دخلت بسلاحك؟».

قال «هاجريد» وهو يهز منكبيه الهائلين: «على (زبيل) الحيطة».

قالت «هيرميون» بتردد: «لكنك لم تجلب معك القوس والسهام يوم دخلنا معك لنرى الثيسترال».

قال «هاجريد»: «لا، فنحن لم نكن ننوى الدخول إلى (مزافة) بعيدة. كما أن هذا كان قبل أن يترك فايرنز الغابة.. (أليز) كذلك؟».

سألته «هيرميون» بفضول: «ولماذا يشكل هجر فايرنز للغابة فارقًا؟».

قال «هاجريد» بهدوء وهو يجيل طرفه حوله: «لأن (القناطير) الآخرين كانوا يعاملوننى باحترام.. وإن لم (يظلوا) إلى درجة (الظداقة) معى.. لكن علاقتنا كانت جيدة. واهتموا بشئونهم (الخاظة)، وكانوا دائمًا ما يظهرون إن أردت الكلام معهم. لكن الأحوال تغيرت»، وتنهد تنهيدة عميقة.

قال «هارى» متعثرًا فى جذر شجرة كبير؛ لانشغاله بمراقبة «هاجريد»: «قال فايرنز إنهم غاضبون؛ لأنه ذهب ليعمل مع دمبلدور».

قال «هاجريد» بحسرة: «أجل.. لكن الغضب لا يكفى (لوظف) ما جرى. (يالتعازتى)، إن لم أتدخل ما كانوا ليحاولوا ركل فايرنز حتى الموت..».

قالت «هيرميون» مصدومة: «وهل هاجموه؟».

قال «هاجريد» وهو يشق طريقه بين أغصان وطيئة: «أجل.. هاجمه (نظف) القطيع».

قال «هارى» مندهشًا: «وهل تدخلت؟ هل تدخلت بنفسك؟».

قال «هاجريد»: «بالطبع فعلت، لم أقدر على الوقوف قليل الحيلة أراقبه وهم يقتلونه. من (حزن) الحظ أننى مررت عليهم وقتها.. أتمنى أن يتذكر فايرنز كيف أنقذته بدلاً من (إرزال) (رزائل) تحذير حمقاء».

نظر «هارى» و«هيرميون» إلى أحدهما الآخر فى دهشة شديدة، لكن «هاجريد» لم ينتبه لهما.

قال متنهدًا: «المهم.. منذ ذلك الحين و(القناطير) يعاملوننى بطريقة (زيئة)، والمشكلة أن لهم نفوذًا فى الغابة.. فهم أمهر الكائنات بها».

سألته «هيرميون»: «وهل هذا سبب وجودك هنا يا هاجريد؟ القناطير؟!».

قال «هاجريد» وهو يهزُّ رأسه نفيًا: «لا.. لا. (ليزوا) هم. بالطبع يمكنهم تعقيد المشكلة. أجل، لكن (زترون) ما جئنا من أجله، بعد لحظات».

مع قوله هذا، صمت وأخذ يتقدم، وكل خطوة منه تأخذ منهما ثلاث خطوات ليلاحقاه، فشعرا بالتعب الشديد من محاولة ملاحقته.

أصبح الممر الذى يسيرون فيه أكثف فى أشجاره، وتقاربت غصونها مع خوضهم أكثر وأكثر فى الغابة، وأصبح نور النهار أضعف كأنهم وقت الغسق. تركوا وراءهم المساحة الخالية من الغابة، التى أراهم «هاجريد» فيها «الثيسترال»، لكن «هارى» لم يجد مبررًا للقلق حتى خطا «هاجريد» بعيدًا عن درب الغابة وأخذ يمشى فى مسار متعرِّج بين الأشجار متجهًا إلى قلب الغابة المظلم.

قال «هارى» مجاهدًا لشق طريقه عبر الشجيرات الكثيفة، التى خطَا «هاجريد» فوقها بيُسر، فتذكر بوضوح ما كان يجرى له كلما حاد عن درب الغابة: «هاجريد، إلى أين نذهب؟».

قال «هاجريد» من فوق كتفه: «إلى الأمام قليلاً. هيا يا هارى، يجب أن نبقى معًا بعد أن (وظلنا) إلى هنا».

كان اللحاق بـ «هاجريد» صعبًا خاصة مع الأغصان والفروع الكثيفة التى يمر بها «هاجريد» بسهولة وكأنها أعشاش عنكبوت، بينما تضرب «هارى» و«هيرميون» وتخدش عباءتيهما، ومن حين لآخر يشتبكان بها حتى إنهما يتوقفان لدقائق؛ للتخلص منها. سرعان ما غُطيت ذراعا وساقا «هارى» بالخدوش والجروح الصغيرة. كانوا قد توغلوا فى الغابة حتى أن «هارى» أحيانًا لا يرى من «هاجريد» سوى هيكله الهائل أمامه فى الظلام. كان أى صوت يبدو له خطيرًا فى هذا الصمت الرهيب. انكسار غصن يدوى صوته عاليًا، وأية حركة قليلة - ولو كان سببها ببغاء صغيرًا - تجعل «هارى» يحدّق فى الظلام؛ بحثًا عن مصدر الشر المتوقع. بدا له أنه لم يتوغل قط فى الغابة هكذا من دون أن يقابل مخلوقًا ما، فأوجس خِيفة؛ لغياب الحيوانات.

قالت «هيرميون» بهدوء: «هاجريد.. هل يمكننا إضاءة الطريق بعصينا السحرية؟».

همس «هاجريد»: «أ... أجل.. فى الواقع..».

توقف فجأة ودار على عقبيه.. اصطدمت به «هيرميون» وسقطت، فأمسك بها «هارى» قبل أن تلامس أرض الغابة.

قال «هاجريد»: «ربما من الأفضل أن نتوقف هنا لدقيقة.. حتى... حتى أخبركما بما يجرى قبل أن (نظل)».

قالت «هيرميون» و«هارى» يعيدها إلى قدميها: «رائع» غمغما معًا «*لوموس*»، وأضاء طرفا عصويهما. انغمر وجه «هاجريد» فى ضوء الشعلتين الصغيرتين ورأى «هارى» ثانية كم هو متوتر وحزين.

قال «هاجريد»: «رائع.. المهم.. الموضوع أن....».

أخذ نفسًا عميقًا، ثم قال: «احتمال أن يتم طردى من (المدرزة) قريبًا».

تبادل «هارى» و«هيرميون» النظرات ثم عاودا التطلع إليه.

قالت «هيرميون» بحذر: «لكنك بقيت فى وظيفتك حتى الآن.. ما الذى يجعلك تظن أن....».

«أمبريدچ تظن أننى من وضعت بعض المخلوقات (الزحرية) المزعجة فى مكتبها».

«وهل فعلت؟».. بادره «هارى» بالسؤال قبل أن يتمكن من منع نفسه.

قال «هاجريد» باستنكار: «لا.. بالطبع لا.. لكنها تظن أن أى شىء (يحدز) له علاقة بالمخلوقات (الزحرية) يعود إلىّ. تعرفان كيف تحاول (البحز) عن حجة لطردى منذ عدت من رحلتى. لا أريد الرحيل طبعًا، لكن إن لم يكن هو من منعنى.. أعنى... الظروف (الخاطة) التى أشرحها لكم، كنت لأغادر (المدرزة)، قبل أن تجد الحجة لطردى، كما فعلت مع تريلاونى».

احتج كل من «هارى» و«هيرميون» على كلامه، لكنه تجاهلهما بتلويحة من إحدى يديه الهائلتين.

«إنها (ليزت) نهاية العالم، وقتها (زأقدر) على (مزاعدة) دمبلدور. يمكننى أن أقوم بأعمال مفيدة للجماعة. و(زتعلمكم) جروبلى ـ بلانك، و(زتنجحون) فى امتحاناتكم بتفوق..». ارتج عليه وارتعد صوته فسكت.

قال بسرعة و«هيرميون» تهم بربت ذراعه: «لا تقلقا بشأنى»، رفع مِنديله الهائل من جيب معطفه ومسح به عينيه، وأضاف: «انظرا، ما كنت لأحكى لكما كل هذا إن لم يتعين علىّ هذا. المهم.. إن ذهبت، ذهبت من دون أن أخبركما.. فأنا أر... أر... أريد عونكما. ورون كذلك، إن رغب فى هذا».

قال «هارى» على الفور: «بالطبع سنساعدك.. فيم تريد مساعدتنا؟».

تنهّد «هاجريد» وربت بقوة على كتف «هارى»، فسقط واصطدم بجذع شجرة.

قال «هاجريد» من خلف منديله: «كنت أعرف أنك (زتقول) هذا.. لكن.. لا يمكن.. لن (أنزى).. هيا.. كدنا (نظل).. انتبها..».

ساروا فى هدوء لمدة خمس عشرة دقيقة.. فتح «هارى» فمه؛ ليسأل إلى متى سيمشون، قبل أن يرفع «هاجريد» يده اليمنى؛ ليشير إليهما بالتوقف.

قال بخفوت: «بهدوء.. تقدموا بهدوء..».

تسللوا إلى الأمام، فرأى «هارى» أنهم فى مواجهة تبّة عالية من الأرض بطول «هاجريد»، حتى أنه حسب، للحظة، أنها عرين لحيوان هائل، وصاحبت الفكرة رجفة رعب. فحول التبة، كانت الأشجار منزوعة من جذورها، وجذوع الأشجار مصفوفة فى دائرة، مشكلةً ما يشبه السور الخشبى، الذى وقف «هارى» و«هيرميون» و«هاجريد» خلفه. همس «هاجريد»: «إنه نائم».

تصديقًا على كلامه، سمع «هارى» صوتًا بعيدًا، منتظمًا، لاهثًا، لما يبدو كرئتين هائلتين تتنفسان الهواء بانتظام. نظر إلى جانبه؛ إلى «هيرميون»، التى حدقت فى التبة وفمها مفتوح، وبدت خائفة بشدة.

قالت بهمسة لا تكاد تُسمع فوق صوت تنفس الكائن النائم: «هاجريد، من هذا؟».

وجد «هارى» السؤال غريبًا.. فقد كان سيسأل: «ما هذا؟».

قالت «هيرميون» وعصاها السحرية تهتز فى يدها: «هاجريد، لقد قلت لنا: ألا أحد منهم أراد المجىء معك».

نقل «هارى» بصره بينها وبين «هاجريد»، ثم داهمه الفهم، وعاود النظر إلى التبة بنظرة رعب بيّن.

كانت التبة الأرضية التى كان يمكنه ومعه «هاجريد» و«هيرميون» أن يقفوا عليها ـ تتحرك فى صعود وهبوط مع صوت التنفس. لم تكن تبة.. كانت منحنية بطريقة توضح أنها...

قال «هاجريد» بحسرة: «إنه لم يرغب فى المجىء.. لكننى أحضرته معى يا هيرميون، كان علىَّ هذا».

سألته «هيرميون» بنبرة من يريد البكاء: «لكن لماذا؟ لماذا... لماذا يا هاجريد!».

قال «هاجريد» وكأنه سيبكى هو الآخر: «(حزبت) أننى لو عدت به وعلمته الأدب، (زأقدر) على إخراجه وأن أوضح للجميع أنه (مزالم)».

قالت «هيرميون» بصوت حاد: «مسالم!»، فلوّح لها «هاجريد» بيديه؛ لتسكت قبل أن يصدر عن المخلوق النائم صوت غريب.. وأضافت: «إنه هو من يصيبك بالجروح طوال هذه المدة، أليس كذلك؟ بسببه أصبت بكل هذه الجروح».

قال «هاجريد» بصدق: «إنه لا يعرف كم هو قوى.. وحاله (يتحزن)، فهو لم يعد يتشاجر معى (كزيرًا) كما كان يفعل..».

قالت «هيرميون»: «إذن، فلهذا استغرقت شهرين للعودة من رحلتك. آه يا هاجريد، لماذا عدت به إن لم يرغب فى المجىء؟ ألم يكن ليحيا حياة سعيدة وسط قومه؟».

قال «هاجريد»: «جميعهم يضايقونه ويتحرشون به يا هيرميون؛ لأنه ضئيل».

قالت «هيرميون»: «ضئيل! ضئيل!».

قال «هاجريد» والدموع تنهمر على وجهه المجروح ولحيته الكبيرة: «هيرميون، لم أقدر على تركه. إنه... إنه أخى». حدقت فيه «هيرميون» وفمها مفتوح.

قال «هارى» ببطء: «هاجريد.. وأنت تقول أخى، هل تعنى...؟».

عدل «هاجريد» من قوله قائلاً: «أعنى أخى غير الشقيق.. فهو ابن أمى وأحد العمالقة، بعد أن مات أبى، وها هو جراوب..».

قال «هارى»: «جراوب؟».

قال «هاجريد» بقلق: «أجل، هكذا ينطق (ازمه).. فهو لا يتكلم الإنجليزية.. حاولت تعليمه.. المهم، يبدو أن أمى لم تحبه (مزلما) لم تحبنى. مع العمالقة لا يهم غير الأبناء العمالقة الهائلى الحجم، أما هو فيعتبر ضئيلاً وقليلَ الحجم بين العمالقة.. فطوله لا يتجاوز (الزت) عشرة قدمًا».

قالت «هيرميون» بسخرية هستيرية: «فعلاً.. صغير جدًا.. أنا لا أكاد أراه».

«أخذوا يضربونه ويضايقونه.. لم أقدر على تركه معهم..».

سألته «هيرميون»: «وهل أرادت مدام مكسيم الرجوع به مثلك؟».

قال «هاجريد»: «لم تر أهمية الأمر لى... لكـ.. لكننا افترقنا فى رحلة العودة.. ووعدتنى بألا تخبر أحدًا».

قال «هارى»: «وكيف بربك عدت به من دون أن يراه أحد؟».

قال «هاجريد»: «لهذا أخذت وقتًا طويلاً فى العودة. لم أتمكن من الارتحال إلا ليلاً (وزط) الأراضى الجبلية. بالطبع كان يتقدم (بزرعة) عندما يشاء، لكنه دومًا كان يريد العودة».

قالت «هيرميون» وهى تنهار جالسة على شجرة محطمة وتدفن وجهها فى يدها: «هاجريد.. لماذا لم تدعه يعود؟ ماذا عساك أن تفعل بعملاق عنيف لا يريد البقاء هنا؟».

قال «هاجريد»: «كلمة عنيف شديدة عليه قليلاً.. أعترف بأنه يضربنى قليلاً عندما يكون مزاجه (زيئا)، لكنه (يتحزن)، ويتقدم، وحاله (يزتقر) ويبتعد عن العنف».

سأله «هارى»: «ما هذه الحبال على أية حال؟».

لاحظ لتوه وجود حبال سميكة ممتدة حول جذوع أكبر الأشجار، وإلى حيث يرقد «جراوب» مكومًا على الأرض وظهره لهم.

قالت «هيرميون» بكلل: «هل عليك أن تبقيه مربوطًا؟».

قال «هاجريد» وهو ما زال متوترًا: «أجل.. فكما قلت، إنه لا يعرف مدى قوته».

فهم «هارى» لماذا غابت المخلوقات الأخرى عن هذا الجزء من الغابة.

تساءلت «هيرميون» بقلق: «إذن، ماذا تريد منى ومن هارى ورون أن نفعل؟».

قال «هاجريد» بصوت أجش: «ترعونه، إن رحلت أنا».

تبادل «هارى» و«هيرميون» نظرات تعسة، وأدرك «هارى» أنه قد وعد «هاجريد» بالقيام بما يطلبه.

سألت «هيرميون»: «ماذا... ماذا يعنى كلامك بالضبط؟».

قال «هاجريد» بلهفة: «لن تطعموه أو ما شابه.. يمكنه (الحظول) على طعامه من دون مشاكل. من طيور وغزلان وغيرها.. لا، ما يحتاجه هو (الظحبة) الآدمية. فقط (تجلزون) معه وتعلمونه».

لم ينطق «هارى»، بل التفت لينظر إلى الجسد الهائل الراقد على الأرض أمامهم. على النقيض من «هاجريد»، الذى بدا كآدمى هائل الحجم، بدا «جراوب» مشوهًا بشدة. ما حسبه «هارى» صخرة كبيرة تنمو عليها الطحالب إلى يسار التبة، تعرف فيه على رأس «جراوب». كان غير متناسب مع جسده بحجمه الكبير، ومغطَى بأكمله بشعر مجعد كثيف كنبات السرخس، ويظهر من خلاله طرف أذنه الكبيرة، ورأسه ـ مثل رأس الخال «فرنون» ـ مستقر فوق كتفيه مباشرة، من دون مساحة من الرقبة بينهما. أسفل ظهره بدا أشبه بجلود حيوانات بنية اللون يرتديها، بدا عريضًا للغاية. كانت أقدامه مكومة تحت جسده. رأى «هارى» كف قدمه هائلاً، قذرًا وحافيًا، مستقرًا على أرض الغابة الترابية.

قال «هارى» بصوت أجوف: «هل تريدنا أن نعلمه؟»، فهم الآن تحذير «فايرنز» ومعناه. محاولته لن تجدى. عليه أن يتخلى عنها. بالطبع، المخلوقات الأخرى التى تعيش بالغابة سمعت محاولات «هاجريد» غير المثمرة لتعليم «جراوب» الإنجليزية.

قال «هاجريد» بأمل: «أجل.. حتى إن تكلمتم معه قليلاً؛ لأننى أعتقد أنه لو كلمه (الناز)، (زيفهم) أنهم يحبونه ويريدونه أن يبقى معهم».

نظر «هارى» إلى «هيرميون» التى بادلته النظر من بين أصابعها المتشابكة فوق وجهها.

قال: «ما جرى يجعلك تتمنين لو عاد نوربرت التنين، أليس كذلك؟». فأطلقت ضحكة مرتجفة.

قال «هاجريد» الذى لم يلحظ ما قاله «هارى» منذ لحظة: «هل (زتزاعدوننى) إذن؟».

قال «هارى» وقد ارتبط بالفعل بكلمته ووعده: «سـ... سنحاول يا هاجريد».

قال «هاجريد» وهو يبتسم بوجهه المبلل وهو يدفنه فى منديله: «كنت أعرف أن بإمكانى الاعتماد عليكما، ولا أريد أن تفعلا (الكزير) لأجلى، أعرف أن الامتحانات تقترب.. إن قدرتم على المجىء ولو مرة كل (أزبوع) فى عباءة الإخفاء للكلام معه قليلاً.. (زأوقظه) الآن.. لأقدمكما له..».

قالت «هيرميون» وهى تهب واقفةً: «ماذا؟ لا.. هاجريد، لا، لا توقظه، أرجوك، لا نحتاج إلى...».

لكن «هاجريد» كان قد خطا بالفعل فوق جذع الشجرة الكبيرة المكومة أمامه وتقدم نحو «جراوب». عندما صار على مسافة عشر أقدام رفع غصنًا طويلاً مكسورًا من فوق الأرض، وابتسم مشجعًا «هارى» و«هيرميون»، ثم لكز «جراوب» فى وسطه بالغصن.

زأر العملاق بصوت جلجل فى الغابة الصامتة.. طارت الطيور الجاثمة على أغصان الأشجار القريبة، وحلقت مبتعدة. أمام «هارى» و«هيرميون»، نهض «جراوب» العملاق من فوق الأرض، فارتجت الأرض عندما وضع يدًا عملاقة عليها؛ ليرفع نفسه على ركبتيه؛ أدار رأسه ليرى من أزعجه.

قال «هاجريد» بصوت أراد له أن يكون مرحًا وهو يتراجع ومعه الغصن متأهبًا لوخزه ثانية: «هل أنت بخير يا جراوب؟ هل نمت جيداً؟».

تراجع «هارى» و«هيرميون» قدر استطاعتهما والعملاق ما زال أمامهما يريانه. مال «جراوب» بين شجرتين لم يخلعهما بعد. نظرا إلى وجهه الهائل الشبيه بقمر رمادى فى ضوء الغابة الخافت. كأن ملامح وجهه منحوتة فى

كرة من الصخر. الأنف خشن وبلا معالم محددة، والفم معوج ومليء بالأسنان الصفراء بحجم قوالب الطوب، والعينان صغيرتان بمقاييس العمالقة، بلون أخضر بنى ونصف مغلقة غائمة بالنعاس. رفع «جراوب» قبضتيه المتسختين بالطين، وكل منهما فى حجم كرة الكريكيت، إلى عينيه؛ ليدعكهما بحماس، ثم ومن دون تحذير، هب واقفًا بسرعة ورشاقة كبيرتين.

سمع «هارى» «هيرميون» تقول بصوت رفيع خائف إلى جواره: «يا ربى».

أخذت الأشجار التى رُبطت بها الحبال الممسكة به تصر وتئن. كان كما قال «هاجريد»، بطول ست عشرة قدمًا على الأقل. أخذ يحدق بعيون غائمة حوله، ومد يده الكبيرة بحجم شمسية الشاطئ؛ ليقبض على عش طيور من الفروع العليا لشجرة صنوبر طويلة ويقلبه ليجد أن ليس به طيور، بتأثر وضيق واضحين.. لكن البيض سقط على الأرض مثل القذائف، فرفع «هاجريد» يده فوق رأسه؛ ليحميه.

صاح «هاجريد»: «المهم يا جراوب» وهو ينظر فوقه بتوجس خوفًا من تساقط المزيد من البيض.. أضاف: «لقد أحضرت معى (ظديقين)؛ لتقابلهما. تذكر، قلت لك: إننى (زأحضرهما)، (أليز) كذلك؟ هل تذكر عندما قلت: إننى قد أخرج فى رحلة (قظيرة)؟ هل تذكر يا جراوب؟».

لكن «جراوب» لم يفعل أكثر من إطلاق زئير جديد، كان من الصعب معرفة إن كان ينصت لـ«هاجريد» وهل يعرف إن كانت الأصوات الخارجة عن الأخير نوعًا من الكلام أو اللغة؟ أمسك بقمة شجرة الصنوبر وجذبها نحوه، ومن الواضح أنه يعبث ويحاول معرفة ما سيحدث إن تركها ترتد.

صاح «هاجريد»: «يا جراوب، لا تفعل هذا.. هكذا انخلعت الأشجار الأخرى..».

وفعلاً، رأى «هارى» الأرض من حول جذور الشجرة تتخلخل.

صاح «هاجريد»: «معى (ظحبة)، (ظحبة). انظر! انظر للأسفل أيها العملاق، لقد أحضرت معى بعض (الأظدقاء)».

تأوهت «هيرميون» قائلة: «آه يا هاجريد»، لكن «هاجريد» كان قد رفع الغصن بالفعل وضرب ركبة «جراوب» ضربة حادة.

ترك العملاق الشجرة، التى ترنحت وأمطرت «هاجريد» بوابل من حبات الصنوبر، ثم نظر إلى أسفل.

قال «هاجريد» وهو يسارع إلى حيث يقف «هارى» و«هيرميون»: «هذا هو هارى يا جراوب! هارى بوتر! ربما يأتى لزيارتك إن رحلت أنا، هل تفهم؟».

وقتها فقط، أدرك العملاق وجود «هارى» و«هيرميون». راقباه بذعر شديد وهو يخفض رأسه العملاق؛ حتى ينظر إليهما عن قرب.

قال «هاجريد» مترددًا: «هذه.. هيرميون.. هل تراها؟»، ثم التفت إلى «هيرميون» وقال: «هل تمانعين إن أطلق عليك هيرمى يا هيرميون؟ فنطقه (لازمك) (ظعب)». فقالت «هيرميون»: «لا، لا أمانع بالمرة».

«هذه هيرمى يا جراوب.. و(زتأتى) لزيارتك كما قلت، (أليز) هذا رائعًا؟ (ظديقان) جديدان لك.. جراوب.. لا!».

ارتفعت يد «جراوب» فجأة ناحية «هيرميون»، فقبض عليها «هارى» وجذبها إلى خلف إحدى الأشجار، فاحتكت يد «جراوب» بجذع الشجرة وأمسك الهواء.

سمعا «هاجريد» يصيح: «أنت ولد (وحش) يا جراوب.. لا!»، و«هيرميون» ممسكة بـ«هارى» بقوة خلف الشجرة، وهى ترتجف وتنتفض.. «أنت ولد (وحش) جدًا جدًا يا جراب.. آييى».

أخرج «هارى» رأسه من خلف الجذع ورأى «هاجريد» راقدًا على ظهره، ويده فوق أنفه. كان «جراوب»، الذى فقد الاهتمام بهم على ما يبدو، قد استقام فى وقفته ثانية وأخذ يجذب شجرة الصنوبر قدر استطاعته.

قال «هاجريد» وهو ينهض ويده فوق أنفه النازف والأخرى قابضة على القوس: «ها قد رأيتماه.. قابلتماه، وتعرف عليكما، (زيعرفكما) إن عدتما.. أجل».

رفع بصره إلى «جراوب»، الذى أخذ يجذب الشجرة وعلى وجهه تعبير استمتاع غريب، أخذت الجذور تئن وهو ينزعها من الأرض.

قال «هاجريد»: «أعتقد أن هذا يكفى اليوم.. آ.. هلا عدنا؟».

أومأ له «هارى» و«هيرميون» موافقين. رفع «هاجريد» القوس إلى ظهره ثانية، وهو ما زال يمسح أنفه، قاد الطريق بين الأشجار.

لم يتكلم أحد لبرهة، ولا حتى سمعوا صوت التحطم البعيد الذى يعنى أن «جراوب» قد خلع شجرة الصنوبر أخيرًا. كان وجه «هيرميون» شاحبًا وحزينًا. لم يجد «هارى» شيئًا ليقوله. ماذا يحدث يا ترى لو اكتشف أحدهم ما يخبئه «هاجريد» فى الغابة المحرمة؟ وقد وعده أنه هو و«رون»

و«هيرميون» سيكملون محاولاته غير المجدية؛ لتعليم العملاق. كيف أمكن لـ«هاجريد» أن يخدع نفسه ويظن للحظة أنه من الممكن ترويض «جراوب» ليصبح مثل الآدميين؟ حتى مع حبه وولعه الشديدين بالمخلوقات المخيفة ذات الأنياب والمخالب.

قال «هاجريد» فجأة و«هارى» و«هيرميون» يجاهدان على طريق العودة من خلفه؛ ليشقا لهما طريقًا: «انتظرا»، رفع سهمًا من جعبة السهام ووضعه فى كبد القوس. رفع «هارى» و«هيرميون» عصويهما السحرية، بعد أن توقفا هما الآخران، وسمعا صوت حركة قريبة. قال «هاجريد» بهدوء: «اللعنة».

قال صوت رجولى عميق: «حسبتنى قلت لك يا هاجريد إنك غير مرحب بك هنا».

بدا وكأن جذع رجل عارى يسرى نحوهم من دون شىء تحته، مقتربًا من بين الأشجار، ثم رأوا خصره وباقى جسده على شكل حصان بنى اللون. كان لذلك القنطور وجه أرستقراطى جميل، وشعر أسود طويل. مثل «هاجريد»، كان مسلحًا بجعبة سهام، وقوس طويلة على كتفه.

قال «هاجريد» بحذر: «كيف حالك يا ماجوريان؟».

تحركت الأشجار من خلف القنطور، ثم خرج منها أربعة أو خمسة قناطير آخرون. تعرف فيهم «هارى» على «بان» ذى الجسد الأسود واللحية، الذى قابله منذ أربعة أعوام فى نفس ليلة مقابلته «فايرنز». لم يبد على «بان» أنه يعرف «هارى».

قال وقد تغير صوته تغيرًا مخيفًا قبل أن يلتفت إلى «ماجوريان»: «لقد اتفقنا على ما سنفعله إن ظهر هذا الآدمى فى الغابة ثانية.. أليس كذلك؟».

قال «هاجريد» بغضب: «تطلقون علىّ هذا الآدمى، فقط لأننى منعتكم من ارتكاب جريمة قتل؟».

قال «ماجوريان»: «ما كان لك التدخل يا هاجريد. عاداتنا ليست مثل عاداتك، ولا قوانيننا مثل قوانينك. فايرنز خان بنى جلدته، وغمس أنوفهم فى التراب».

قال «هاجريد» بصبر نافد: «لا أعرف كيف (تتظرفون).. إنه لم يفعل شيئًا غير (مزاعدة) دمبلدور..».

قال قنطور رمادى له وجه جاف: «لقد قام فايرنز بخدمة البشر».

قال «هاجريد» مستنكرًا: «خدمة؟ لقد (أزدى) دمبلدور معروفًا..».

قال «ماجوريان» بهدوء: «إنه يُفشى أسرارنا وعلومنا للبشر، لا يمكن العفو عن هذا الجرم».

قال «هاجريد» وهو يهز منكبيه: «هذا رأيك.. لكننى شخصيًا أراك ترتكب خطأ كبيرًا..».

قال «بان»: «أما أنت يا آدمى، فقد عدت إلى الغابة وقد منعناك...».

قال «هاجريد» بغضب: «(ازمعنى)، كفاك كلامًا عن الغابة كأنها غابتكم. (ليز) من حقكم تحديد من يدخلها ومن يخرج منها..».

قال «ماجوريان» بنعومة: «ولا من حقك يا هاجريد. سأتركك تمر هذه المرة؛ لأن معك رفقة من أصدقائك الصغـ...».

قاطعه «بان» بغضب: «إنهم ليسوا أصدقاءه.. بل تلاميذ يا ماجوريان، من المدرسة، وقد استفادوا من تعاليم الخائن فايرنز».

قال «ماجوريان» بهدوء: «لا فارق.. فإن قتل الصغار جرم كبير.. ولن نمس الأبرياء كذلك. اليوم يا هاجريد ستمر. ومن الآن ابتعد عن هذا المكان. لقد أخللت بصداقة القناطير بمساعدتك للخائن فايرنز فى الهرب منا».

قال «هاجريد» بصوت مرتفع: «لن أبقى خارج الغابة بأمر البغال (أمزالكم)».

قالت «هيرميون» بصوت مرتفع خائف: «هاجريد.. هيا نخرج من هنا، أرجوك هيا»، وكل من «بان» والقنطور الرمادى يضربان الأرض بحوافرهما.

تقدم «هاجريد» إلى الأمام، لكن قوسه كانت لاتزال مرفوعة، وعيناه مركزتان على «ماجوريان» بطريقة مخيفة.

قال «ماجوريان» وباقى القناطير تختفى خلف الأشجار: «نعرف ماذا تخبئ فى الغابة يا هاجريد. وصبرنا ينفد».

التفت «هاجريد» وعلى وجهه علامات الرغبة فى الكلام مع «ماجوريان».

صاح فيه: «(زتتحمله) طوال إقامته هنا، وهذه (ليزت) غابتك وحدك»، و«هارى» و«هيرميون» يدفعان «هاجريد» بكل قوة إلى الأمام؛ ليتحرك مبتعدًا. نظر إلى الأسفل وهو ما زال يصيح غاضبًا، وتعبير وجهه يتغير إلى الدهشة عندما رآهما يدفعانه، فمن الواضح أنه لم يشعر بضغطهما عليه.

قال وهو يدور على عقبيه ليسير وهما يلهثان من خلفه: «اهدآ.. يالهم من بغال وقحة.. (أليزوا) كذلك؟».

قالت «هيرميون» بأنفاس متقطعة: «هاجريد، إن كانت القناطير غير راغبة فى دخول البشر إلى الغابة، فهذا يعنى أننى لن أقدر وهارى على...».

قال «هاجريد» منهيًا الموضوع: «لقد (زمعتما) ما قالوه.. إنهم لا يؤذون (الظغار). المهم، لا يجب أن (نزمح) لهؤلاء الحمقى بالتلاعب بنا هكذا».

غمغم «هارى» مخاطبًا «هيرميون» التى بدت حزينة: «محاولة جيدة».

أخيرًا عادوا إلى درب الغابة، وبعد عشر دقائق أخرى صارت الأشجار أقل كثافة.. تمكنوا من رؤية أجزاء من السماء الزرقاء فوقهم ثانية، وسمعوا أصوات الهُتاف والتهليل على مسافة بعيدة.

تساءل «هاجريد» متوقفًا فى ظل الأشجار وقد ظهر استاد «الكويدتش» أمامهم: «هل هذا هدف آخر؟ أم أن المباراة قد انتهت؟».

قالت «هيرميون» بتعاسة: «لا أعرف»، رأى «هارى» أنها فى حالة يُرثَى لها؛ بشعرها الملىء بأغصان وأوراق الأشجار، وعباءتها الممزقة من عدة مواضع، والخدوش الكبيرة على وجهها ويديها. عرف أنه لا بد فى حالة أفضل منها.

قال «هاجريد» وهو ما زال ينظر إلى الإستاد: «يبدو أن المباراة قد انتهت. انظرا، ها هو الجمهور يغادر الملعب.. إن (أزرعتما) (زتتمكنان) من الاختلاط بالجموع، ولن يعرف أحد أين كنتما».

قال «هارى»: «فكرة جيدة.. حسنًا.. نراك لاحقًا يا هاجريد».

قالت «هيرميون» بصوت مضطرب مهتز لحظة ابتعد «هاجريد» عنهما ولم يعد قادرًا على سماعها: «لا أصدقه.. لا أصدقه.. بصراحة لا أصدقه».

قال «هارى»: «اهدئى».

قالت بصوت محموم: «اهدأ؟ عملاق! عملاق فى الغابة! وعلينا أن نعلمه الإنجليزية نفترض أن قطيع القناطير القتلة لن يهاجمنا.. لا أصدقه!».

حاول «هارى» أن يطمئنها بصوت هادئ: «لم نضطر لفعل أى شىء بعد».. وهما ينضمان لقطيع جمهور «هافلباف» المتذمر المتجه إلى القلعة، أضاف: «إنه لم يطلب منا شيئًا إلا فى حالة طرده من المدرسة، وهذا قد لا يحدث أبدًا».

قالت «هيرميون» بغضب وقد تجمدت فى مكانها فجأة فتفاداها مَن خلفها من الطلبة: «دعك من هذا الكلام يا هارى. بالطبع سيطردونه، وبصراحة بعد ما رأيته، فمن يستطيع لوم أمبريدچ؟!».

حل الصمت لبرهة وأخذ «هارى» يرمقها بعينيه، ثم بكت.

قال «هارى» بهدوء: «أنت لم تقصدى ما ذكرتِه».

قالت وهى تمسح دموعها بغضب: «لا، أعنى... لا، لم أقصد. لكن، لماذا يصعّب علينا حياتنا هكذا؟ لماذا؟».

«لا أعرف..».

ويسلى يا ملك يا أبو مقشة (زنبلك)
ويسلى يا ملك يا أبو مقشة (زنبلك)
ويسلى يا صاعد يا واعد
ويسلى يا ملك يا أبو مقشة (زنبلك)

قالت «هيرميون» بتعاسة: «أتمنى أن يكفُّوا عن غناء هذه الأغنية.. ألا يكفيهم ما فعلوه؟». تحرك تجمع كبير من الطلبة عبر الفناء إلى الملعب.

قالت «هيرميون»: «هيا ندخل إلى القلعة، قبل أن يأتى طلبة سليذرين».

ويسلى يا ملك يا أبو مقشة (زنبلك)
ويسلى لا يفلت منه الذباب
ولهذا نغنى ونقول بإعجاب:
ويسلى يا ملك يا أبو مقشة (زنبلك)

قال «هارى» ببطء: «هيرميون!».

أخذ الغناء يرتفع، لكنه لم يكن صادرًا من الجمهور ذى الزى الأخضر والفضى الخاص بـ «سليذرين»، لكن من كتلة الجماهير المرتدية الذهبى والأحمر فى طريقها ببطء إلى القلعة، وفوق المناكب والرءوس أحد اللاعبين.

ويسلى يا ملك يا أبو مقشة (زنبلك)
ويسلى يا ملك يا أبو مقشة (زنبلك)
ويسلى يا صاعد يا واعد
ويسلى يا ملك يا أبو مقشة (زنبلك)

قالت «هيرميون» هامسةً: «لا يمكن!».

قال «هارى» بصوت مرتفع: «أجل».

صاح «رون» ملوحًا بقبعة «الكويدتش» الفضية فى الهواء بسعادة خرافية: «هارى! هيرميون! لقد نجحنا! فزنا!».

ابتسموا إليه وهو يمر. كانت هناك دعامة خشبية وطيئة عند مدخل القلعة؛ فاصطدم بها رأس «رون»، لكنهم لم ينزلوه من فوق أكتافهم. أخذ الجمهور يغنى، ويحشر نفسه فى القاعة الأمامية وغابوا عن الأبصار. راقبهم «هارى» و«هيرميون» وهم يمضون، وهما يبتسمان حتى اختفى عن مسامعهما آخر صيحة: «ويسلى يا ملك». ثم التفتا إلى أحدهما الآخر، وتلاشت ابتسامتهما.

قال «هارى»: «سنخفى عنه ما عرفناه حتى الغد، ما رأيك؟».

قالت «هيرميون» بتعب: «أجل، حسنًا.. أنا لست متلهفة لإخباره».

صعدا السلم معًا. وعند الأبواب الأمامية، نظرا إلى الغابة المحرمة. لم يكن «هارى» واثقًا مما رآه، إن كان وهمًا أم حقيقة، لكنه رأى تجمعًا صغيرًا من الطيور يحلق فى الهواء فوق أطراف الأشجار العليا على مسافة بعيدة، حيث اقتلعت الأشجار المقامة عليها أعشاشها منذ لحظات.

٣١ (أوه. دبليـــو. إل)

من فرحة «رون» بمساعدته فريق «جريفندور» على الفوز بكأس «الكويدتش» لم يستقر على حال طوال اليوم التالى. كل ما أراده هو الكلام عن المباراة، حتى وجد «هارى» و«هيرميون» صعوبة شديدة فى ذكر «جراوب». وإن كانا لم يحاولا فتح الموضوع.. فلم يكن أى منهما حريصًا على إعادة «رون» إلى عالم الواقع بهذه الطريقة القاسية. كان يومًا دافئًا جميلاً عندما أقنعاه بالانضمام إليهما فى المذاكرة تحت شجرة الزان على شاطئ البحيرة، لأن فرصة أن يسمعهم أحد أقل منها فى حجرة الطلبة. لم يتحمس «رون» للفكرة فى البداية.. فقد كان مستمتعًا بربتات جميع من يمرون إلى جواره فى حجرة الطلبة، دعك من غناء «ويسلى يا ملك» بين الحين والآخر.. لكن وبعد برهة، وافق على الاستمتاع ببعض الهواء النقى.

فتحا كتبهما فى ظل شجرة الزان وجلسا، بينما «رون» يكلمهما عن أول كرة يصدها فى المباراة، للمرة (المليون):

«كنت قد تركت كرة دافيز تمر؛ لذا فلم أكن أشعر بالثقة، لكن لا أعرف.. فعندما اقترب منى برادلى، شعرت فجأة بأننى قادر على صد الكرة.. واستغرقت ثانية فى التفكير فى أى الاتجاهات أطير؛ لأنه بدا وكأنه سيصوب إلى المرمى اليمين.. إلى يمينى - ويساره كما هو واضح - لكن شعرت بأنه يخادعنى، وهكذا خاطرت وطرت إلى اليسار - إلى يمينه يعنى - و... ورأيتم ما جرى».. أنهى كلامه بتواضع وهو يعبث بشعره حتى يبدو وكأنه نزل من فوق المقشة منذ لحظة، ونظر حوله؛ ليرى إن كان أقرب الجلوس إليهم قد سمعوه، وهم جماعة من تلاميذ «هافلباف»، ثم قال: «ثم، عندما اقترب منى شامبرز بعد خمس دقائق.. ماذا؟». كف عن الكلام فجأة عندما رأى النظرة المرتسمة على وجه «هارى»، أضاف: «لماذا تبتسم؟».

قال «هارى» بسرعة وهو يعاود النظر إلى مذكرات مادة التحويل، محاولاً إخفاء الابتسامة: «أنا لا أبتسم»، الحقيقة أن «رون» قد ذكره بلاعب

«كويدتش» آخر جلس تحت الشجرة نفسها منذ زمان بعيد وأخذ يعبث بشعره هكذا، أضاف: «أنا فقط سعيد؛ لأننا كسبنا، هذا كل شيء».

قال «رون» ببطء مستمتعًا بالكلمات: «أجل.. فزنا، هل رأيت نظرة تشانج عندما أمسكت چينى بالسنيتش من تحت أنفها؟».

قال «هارى» بقسوة: «تراها بكت؟».

قطب «رون» جبينه قليلاً وقال: «آه.. أجل.. من الغضب أكثر من أى شيء آخر.. لكننى رأيتها تلقى بمقشتها على الأرض عندما نزلت، ألم ترها؟».

قال «هارى»: «آ...».

قالت «هيرميون» بتنهيدة ثقيلة وهى تضع كتابها جانبها وتنظر إليه نظرة اعتذار: «فى الواقع لا يا رون.. فى الحقيقة، الجزء الوحيد الذى شاهدته وهارى من المباراة هو هدف ديفيز الأول».

فجأة، بدا شعر «رون» المنفوش من عبثه به وكأنه قد ذبل من الحسرة، قال بضعف ناقلاً بصره بينهما: «ألم تشاهدا المباراة؟ ألم تشاهدا كل الحركات الماهرة التى قمت بها؟».

قالت «هيرميون» وهى تمد إليه يدًا مهدئة: «فى الواقع لا.. لكن يا رون، نحن لم نكن نريد أن نقوم.. كان علينا هذا».

قال «رون» ووجهه آخذ فى الاحمرار: «حقًا! وكيف هذا؟!».

قال «هارى»: «هاجريد هو السبب.. فقد قرر إخبارنا بسبب إصاباته الكثيرة التى يصاب بها منذ عودته من أرض العمالقة. أرادنا أن ندخل معه إلى الغابة، ولم يكن أمامنا خيار، فأنت تعرف كيف يكون عندما يصمم على شيء.. المهم...».

حكى له الحكاية فى خمس دقائق، وعندما انتهى.. حلت محل نظرة «رون» المستنكرة المتألمة نظرة ارتياب مطلق.

«عاد بواحد منهم إلى الغابة؟».

قال «هارى» بتجهم: «أجل».

قال «رون»: «لا، لا يمكن» وكأنه يقول: إنه قادر على جعل ما حدث غير حقيقى.

قالت «هيرميون» بحسم: «جراوب طوله ست عشرة قدمًا، ويستمتع بخلع أشجار الصنوبر بطول عشرين قدمًا، كما يعرفنى باسم هيرمى».

ضحك «رون» ضحكة متوترة.

«وهل يريدنا هاجريد أن...؟».

قال «هارى»: «نعلمه الإنجليزية.. أجل».

قالت «هيرميون» بامتعاض وهى تقلب صفحة كتاب (التحويل: المستوى المتوسط) وتنظر إلى مجموعة من الرسوم التى تظهر فيها بومة تتحول إلى نظارة؛ لمشاهدة الأوبرا: «أجل. بدأت أرى هذا، لكن للأسف جعلنى أنا وهارى نَعِدُه».

قال «رون» بلهجة قاطعة: «إذن، فكل ما عليكما هو ألا تفيا بالوعد، هذا كل شىء. أعنى... بربك! عندنا امتحانات، ونحن على قيد هذه المسافة ـ رفع يده وقتها وقرّب سبابته من إبهامه حتى كادا يتلامسان ـ من أن نُطرد من هنا.. هل تذكران نوربرت؟ وأراجوج؟ هل انتهى بنا الحال على خير من قبل عندما كنا نتدخل فى شئون أصدقاء هاجريد من الوحوش؟».

قالت «هيرميون» بصوت خفيض: «أعرف.. لكننا وعدناه».

عبث «رون» بشعره ثانية، وبدا عليه الانشغال.

تنهد أخيراً وقال: «حسنًا.. هاجريد لم يُطرد بعد.. أليس كذلك؟ لقد نجا حتى هذه اللحظة، ربما يقدر على البقاء حتى نهاية الفصل الدراسى، وربما لن نضطر للذهاب إلى جراوب».

***

كانت الأراضى المحيطة بالقلعة مغمورة فى أشعة الشمس، وكأنها لوحة مرسومة.. السماء الصافية تبتسم مختالة للبحيرة المتلألئة، والحدائق الخضراء يتمايل عشبها الحريرى الملمس مع النسيم. وصل شهر يونيه، لكن لطلبة الصف الخامس، فهذا يعنى شيئًا واحداً: لقد داهمتهم امتحانات الـ(أوه. دبليو. إل.) أخيراً.

لم يعد معلموهم يكلفونهم بالواجب.. كانت الحصص مكرسة بالكامل للمراجعة على الموضوعات التى يراها المعلمون أقرب للمجىء فى الامتحانات. تمكن الجو الجاف المحموم المتوتر من إبعاد أى شىء بخلاف الامتحانات عن ذهن «هارى»، وإن كان يتساءل أحيانًا أثناء حصص الوصفات السحرية إن كان «لوبين» قد أخبر «سناب» بأن عليه العودة لدروس «الأوكلومينسى» معه. إن كان قد فعل، فقد تجاهل «سناب» «لوبين» كما يتجاهله. شعر «هارى» بأن هذا يناسبه جداً، فهو مشغول ومتوتر بما يكفى

ولا تنقصه دروس إضافية مع «سناب»، ومما أراحه أيضًا أن «هيرميون» كانت مشغولة هى الأخرى، فلم تسأله كثيرًا عن «الأوكلومينسى»، وقضت وقتًا طويلاً تهمهم وتكلم نفسها أثناء المذاكرة، ولم تنتج أيًا من ملابس الأقزام المنزلية لمدة أيام.

لم تكن الوحيدة التى تتصرف بغرابة مع اقتراب الامتحانات.. «إرنى ماكميلان» مثلاً أصبح عنده عادة سيئة: كلما رأى أحدًا، يسأله عن: كيف يذاكر؟

قال لـ«هارى» و«رون» وهما واقفان أمام فصل علم الأعشاب، وعيناه تلمعان بجنون: «كم ساعة تقضيانها فى المذاكرة كل يوم؟».

قال «رون»: «لا أعرف.. قليلاً».

«أكثر أم أقل من ثمانى ساعات؟».

قال «رون» باديًا عليه الانزعاج: «أقل على ما أعتقد».

قال «إرنى» وهو «ينفش» صدره: «أنا أذاكر ثمانى ساعات. ثمانى أو تسع ساعات، فأنا أذاكر ساعة قبل الإفطار كل يوم، يمكننى المذاكرة لعشر ساعات فى الإجازة. وتسع ونصف الساعة يوم الإثنين. ولا أذاكر جيدًا يوم الثلاثاء.. فقط سبع ساعات وربع الساعة. ثم يوم الأربعاء...».

شعر «هارى» بعميق الامتنان للأستاذة «سبروت» عندما أشارت إليهم بالدخول إلى الصوبة الزجاجية رقم ثلاثة؛ لتجبر «إرنى» على الكف عن الكلام عن مذاكرته.

أما «دراكو مالفوى»، فقد كانت عنده طريقة أخرى يثير بها ذعر الطلبة بشأن الامتحانات.

سمعوه يقول لـ«كراب» و«جويل» بصوت مرتفع خارج فصل الوصفات السحرية قبل الامتحانات بأيام: «بالطبع المسألة ليست مسألة ماذا تعرف. بل من تعرف. الآن أبى صديق شخصى لرئيسة لجنة الامتحانات السحرية.. وهى جريسلدا مارشبانكس.. فهى تأتى لتناول العشاء عندنا».

همست «هيرميون» فجأة؛ لتفزع «هارى» و«رون» بصوتها: «هل تريان ما يقوله حقًا؟».

قال «رون» بوجوم: «ليس بيدنا ما نفعله؛ إن كان حقًا».

قال «نيفيل» بهدوء من خلفهم: «لا أعتقد أنه صادق؛ لأن جريسلدا مارشبانكس صديقة لجدتى، ولم تتكلم قط عن آل مالفوى أمامى».

سألته «هيرميون» على الفور: «كيف هى يا نيفيل؟ هل هى صارمة؟».

قال «نيفيل» بصوت لطيف: «الحقيقة أنها تشبه جدتى».

قال له «رون» مشجعًا: «ومعرفتك بها فى مصلحتك.. أليس كذلك؟».

قال «نيفيل» بتعاسة: «لا أعتقد أن هذا يشكل فارقًا. فجدتى تقول للأستاذة مارشبانكس دومًا إننى لست فى مهارة أبى.. رأيتم كيف هى فى سانت مونجو..».

نظر «نيفيل» بثبات إلى الأرض. تبادل «هارى» و«رون» و«هيرميون» النظرات، لكن لم يجدوا ما يقولونه. كانت المرة الأولى التى يعترف فيها «نيفيل» بأنه قابلهم فى مستشفى السحرة.

انتعشت السوق السوداء فى تجارة المواد المنشطة، والمعالجة للإرهاق الذهنى، والضعف بين طلبة الصفين الخامس والسابع. فرح «هارى» و«رون» كثيرًا بزجاجة من إكسير «بارافيو» للعقول، التى قدمها لهما طالب فى الصف السادس باسم «إيدى كارمايكل» وأقسم إنه حصل على درجة «امتياز» العام السابق بسببها، وإنه سيعطيهم الزجاجة كلها مقابل اثنى عشر «جاليونًا».

وعد «رون» «هارى» بأنه سيرد له نصيبه من ثمن الزجاجة، عندما يتخرج فى «هوجورتس» ويحصل على وظيفة.. لكن وقبل أن تتم الصفقة، صادرت «هيرميون» الزجاجة من «كارمايكل» وسكبت محتوياتها فى المرحاض.

صاح «رون»: «هيرميون.. كنا سنشترى الزجاجة».

قالت مزمجرة: «لا تكن غبيًا.. ولماذا لم تتعاطَ بودرة مخلب التنين التى يبيعها هارولد دينجل أيضًا؟».

قال «رون» بلهفة: «وهل مع هارولد بودرة مخلب التنين؟».

قالت «هيرميون»: «لا، لقد صادرتها منه. هذه الأشياء غير مفيدة بالمرة».

قال «رون»: «مخلب التنين مؤثر وفعال. فهو خارق فى قوته، ويعطى العقل قوة كبيرة، دعينى أحصل على بعضه.. فهو لا يؤذى!!».

قالت «هيرميون» بوجوم: «بل يؤذى. لقد فحصته، فوجدته فضلات (عو نطاط) مجففة».

أبعدت هذه المعلومة الرغبة فى الحصول على منشطات عن عقل «هارى» و«رون». أحاطوا علمًا بجدول الامتحانات، وتفاصيل إجراءات الامتحانات فى حصة التحويل.

قالت الأستاذة «مكجونجال» للفصل وهم ينقلون مواعيد وزمن الامتحانات

من السبورة: «كما ترون، فإن امتحانات شهادة الـ(أوه. دبليو. إل.) على أسبوعين متتاليين.. ستتلقون الامتحان النظرى للمادة صباحًا، والامتحان العملى مساءً. أما امتحان علم الفلك العملى فسيتم بالطبع وقت الليل.

«علىَّ أن أحذركم من أن أقوى التعاويذ المضادة للغش يتم تطبيقها فى لجنة الامتحانات. ريشات الكتابة التى تكتب وحدها محظورة، وكذلك المذكرات السحرية، والحبر المصحح نفسه بنفسه[1]. يؤسفنى أن كل عام نجد طالبًا واحدًا على الأقل يعتقد أنه يمكنه خداع قواعد لجنة الامتحانات السحرية العليا. أتمنى ألا يكون هذا الشخص من جريفندور هذا العام. ناظرتنا الجديدة..».

نطقت الأستاذة «مكجونجال» الكلمة وعلى وجهها نفس تعبير الخالة «بيتونيا» عندما تزيل بقعة عنيدة من الوسخ.. «طلبت من المسئولين عن الفرق المدرسية إخبار الطلبة بأن الغش سيُعاقب عليه من يرتكبه أقصى العقاب؛ لأن نتائج امتحاناتكم تعكس مدى نجاح النظام الجديد للناظرة فى المدرسة..».

تنهدت الأستاذة «مكجونجال»، ورأى «هارى» فتحتى أنفها الحاد تنتفشان.

«.. لكن هذا ليس سببًا يجعلكم لا تذاكرون جيدًا. فمستقبلكم هو ما يجب التفكير فيه».

قالت «هيرميون» ويدها مرفوعة فى الهواء: «من فضلك يا أستاذة.. متى ستظهر نتائج الامتحانات؟».

قالت الأستاذة «مكجونجال»: «سيتم إرسال بومة إليكم فى شهر يوليو».

قال «دين توماس» بهمسة مسموعة: «ممتاز.. حتى لا نقلق بشأن النتيجة طوال الإجازة».

تخيل «هارى» نفسه جالسًا على فراشه فى «بريفت درايف» بعد ستة أسابيع منتظرًا درجات الـ(أوه. دبليو. إل.)، فقال لنفسه إنه هكذا سيضمن وصول رسالة واحدة على الأقل إليه هذا الصيف.

كان امتحانهم الأول - نظرية التعاويذ - صباح يوم الإثنين. وافق «هارى» على اختبار «هيرميون» بعد الغداء يوم الأحد، لكنه ندم بعدها على الفور.. كانت متوترة وأخذت تنظر إليه من حين لآخر؛ لتتأكد من أنها أجابت الإجابات الصحيحة.. وأخيرًا، ضربته بقوة على أنفه بطرف كتاب (إنجازات فى عمل التعاويذ) الحاد.

---

(١) وكأن الأستاذة «مكجونجال» تقول: «ممنوع الآلات الحاسبة، و(الكوريكتور) والكتابة بالقلم الأزرق فقط، كما فى امتحانات الثانوية العامة (المترجم)

قال لها بصرامة مناولاً إياها الكتاب وعيناه تدمعان من الألم: «لماذا لا تختبرين نفسك؟».

بينما أخذ «رون» يقرأ مذكرات التعاويذ وأصابعه فى أذنيه، وشفتاه تتحركان من دون صوت، و«سيماس فينيجان»، راقد على ظهره على الأرض، يُسمّع تعريف تعويذة التضخيم ،و«دين» ممسك بكتاب «كتاب التعاويذ المدرسى، الصف الخامس» يختبره.. بينما «بارفاتى» و«لاڤندر» اللتان كانتا تتدربان على تعاويذ التحريك الأساسية، أخذتا تتسابقان بأقلامهما على طرف المائدة.

كان العشاء لطيفًا تلك الليلة. لم يتكلم «هارى» و«رون» كثيرًا، بل أكلا باستمتاع، بعد أن ذاكرا طوال اليوم. أما «هيرميون»، فقد داومت على خفض سكينها وشوكتها والنزول تحت المائدة إلى حقيبتها، فتقبض على أحد الكتب؛ لتتحقق من معلومة أو رقم ما. أمرها «رون» أن تأكل وجبة محترمة وإلا فلن تنام الليل، عندما انزلقت شوكتها من بين أصابعها واستقرت برنين مسموع على طبقها.

قالت بوهن محدقة فى القاعة الأمامية: «يا إلهى..! هل هم هؤلاء؟! هل هذه لجنة الممتحنين؟!».

التفت «هارى» و«رون» فى مقعديهما إلى حيث تنظر.. ومن خلف أبواب القاعة الكبرى، رأوا «أمبريدچ» واقفة مع جماعة صغيرة من الساحرات والسحرة المسنين. ورأى «هارى» - وهو ما سره - أن «أمبريدچ» متوترة.

قال «رون»: «هلا ذهبنا وألقينا نظرة عن قرب؟».

أومأ «هارى» و«هيرميون» موافقين، وهرعوا إلى الأبواب المُفضية للقاعة الأمامية، وأبطأ ثلاثتهم خطوهم وهم يعبرون الباب ويسيرون برصانة إلى جوار الممتحنين. قال «هارى» لنفسه: إنه لابد أن تكون الأستاذة «مارشبانكس» هى الساحرة الضئيلة المحنية الظهر ذات الوجه المجعد.. كانت «أمبريدچ» تتحدث إليها بحرص واهتمام. بدت الأستاذة «مارشبانكس» ضعيفة السمع؛ لأنها كانت تجيب عن أسئلة الأستاذة «أمبريدچ» بصوت عالٍ بالنسبة لمسافة القدم التى تفصلهما.

قالت بصبر نافد: «كانت رحلة موفقة.. فعلاً، لقد جئنا إلى هنا كثيرًا من قبل. والآن، لم أسمع أى أخبار عن دمبلدور منذ فترة» وهى تجيل طرفها فى

القاعة وكأنها تنتظر خروجه فجأة من خزانة المقشات.. أضافت: «لا تعرفين أين هو على ما أعتقد».

قالت الأستاذة «أمبريدچ» وهى تحدج «هارى» و«رون» و«هيرميون»، الذين أخذوا يتسكعون أمام السلم و«رون» يتظاهر بعقد رباط حذائه، بنظرة حقود: «لا أعرف بالمرة.. لكن أؤكد لك أن وزارة السحر ستتعقبه وتصل إليه قريبًا».

صاحت الأستاذة «مارشبانكس» الضئيلة: «لا أعتقد.. ليس إن قرر دمبلدور ألا يجده أحد. أعرف هذا. فقد اختبرته بنفسى فى مادتى التحويل والتعاويذ فى شهادة الـ(إن. إى. دبليو. تى.).. فعل بعصاه السحرية أشياء رهيبة لا قِبل لى بها».

قالت الأستاذة «أمبريدچ» مع جرجرة «هارى» و«رون» و«هيرميون» لأقدامهم على السلم الرخامى ببطء شديد: «أجل.. حسنًا.. دعونى أوصلكم إلى حجرة المعلمين. أكيد أنتم فى حاجة إلى كوب شاى بعد هذه الرحلة الشاقة».

كانت أمسية مشحونة بالتوتر. أخذ الجميع يراجعون، ولم يتقدم أحد منهم فى مراجعته كما يجب. صعد «هارى» مبكرًا إلى الفراش، لكنه رقد متيقظًا لوقت شعر أنه ساعات طوال. تذكر استشارته المهنية مع الأستاذة «مكجونجال» وإعلانها الغاضب أنها ستسانده؛ حتى يصبح مقاتلاً للسحر الأسود، وإن كان هذا آخر ما تفعله. تمنى لو كان قد ذكر لها مهنة معقولة يقدر عليها، بعد أن جاءت الامتحانات وأدرك صعوبة ما يبتغيه. كان يعرف أنه ليس الوحيد الراقد متيقظًا فى الحجرة، لكن لم يتكلم أى من الراقدين، وأخيرًا ـ واحدًا تلو الآخر ـ ناموا جميعًا.

وفى اليوم التالى، لم يتكلم أى من طلبة الصف الخامس كثيرًا أثناء الإفطار.. أخذت «بارفاتى» تتمرن على التعاويذ بصوت خفيض وعلبة الملح تتمايل أمامها وترتعش.. و«هيرميون» تعيد قراءة كتاب (إنجازات فى عمل التعاويذ) بسرعة رهيبة، وأخذ «نيفيل» يسقط سكينه وشوكته، كما سكب طبق المربى.

حالما انتهى الإفطار، تجمع طلبة الصفين الخامس والسابع فى القاعة الأمامية بينما ذهب التلاميذ الآخرون إلى فصولهم، ثم وفى تمام الساعة التاسعة وعشر دقائق، نادوا عليهم، فصلاً بعد الآخر، بالدخول إلى القاعة الكبرى، التى أعيد ترتيبها؛ حتى أصبحت بالطريقة التى رآها «هارى» عليها فى المفكرة السحرية عندما كان أبوه و«سيرياس» و«سناب» يؤدون امتحانات الـ(أوه. دبليو. إل.) فقد أزيلت موائد الفرق الأربعة وحلت محلها موائد كثيرة

تواجه كلها مائدة المعلمين عند طرف القاعة البعيد، حيث وقفت الأستاذة «مكجونجال» فى مواجهتهم. عندما جلسوا جميعًا واستقروا هادئين، قالت: «يمكنكم البدء»، وقلبت الساعة الرملية الكبيرة المستقرة فوق المائدة المجاورة لها، التى كان عليها أيضًا ريشات كتابة، وقنانى حبر، ورقع كبيرة من الورق.

قلب «هارى» ورقته، وأخذ قلبه يخفق بقوة.. على مسافة ثلاثة صفوف إلى يمناه، وأربعة مقاعد أمامه، وجد «هيرميون» قد بدأت فى الكتابة.. خفض بصره ناظرًا إلى السؤال الأول: أ) *اذكر تعويذة طيران المواد الصلبة*، ثم: ب) *صف حركة العصا السحرية المطلوبة للتعويذة السابق ذكرها*.

تذكر «هارى» هراوة تطير فى الهواء، وتضرب جمجمة «ترول» بصوت مسموع[1]. يبتسم ابتسامة خفيفة، وانحنى على ورقته، وبدأ فى الكتابة.

***

تساءلت «هيرميون» بقلق فى القاعة الأمامية بعد ساعتين، وهى ما زالت قابضة على ورقة الأسئلة: «لم يكن امتحانًا صعبًا.. أليس كذلك؟ لست واثقة من إجابتى عن سؤال التعاويذ المبهجة، فقد داهمنى الوقت. هل ذكرت تعويذة مقاومة الفواق؟ لم أكن واثقة من وجوب ذكرها فى الإجابة، لكن شعرت بهذا.. والسؤال الثالث والعشرون..».

قال «رون» بصرامة: «هيرميون.. لقد تكلمنا عن هذا منذ قليل.. عندنا امتحانات أخرى، ويكفينا حل الامتحان مرة واحدة».

أكل طلبة الصف الخامس طعام الغداء مع باقى تلاميذ المدرسة ـ بعد أن عاودت موائد الفرق الأربعة الظهور وقت الغداء ـ ثم ساروا إلى حجرة صغيرة إلى جانب القاعة الكبرى، حيث انتظروا حتى نودى عليهم لأداء الامتحان العملى. مع المناداة على مجموعة صغيرة من الطلبة؛ للتقدم لأداء الامتحان، كان الذين يبقون يتمرنون على التعاويذ وحركات العصى السحرية، ومن الحين للآخر يصيبون بعضهم فى الظهر أو العين عن طريق الخطأ.

نادوا على اسم «هيرميون». وهى ترتجف غادرت الحجرة مع «أنتونى جولدشتاين»، و«جريجورى جويل» و«دافنى جرينجراس». الطلبة الذين تم اختبارهم لا يعودون إلى من لم يختبروا، فلم يعرف «هارى» و«رون» كيف أدت «هيرميون» اختبارها العملى.

---

(١) حدث هذا عندما كان «هارى» فى الصف الأول بالمدرسة، وتسلل «ترول» إلى المدرسة، فتخلص منه هو و«رون» و«هرميون»، فى رواية: «هارى بوتر وحجر الفيلسوف» (المترجم).

قال «رون»: «ستنجح بتفوق، أتذكر كيف حصلت على مائة واثنين بالمائة فى واحد من امتحانات التعاويذ السابقة؟».

بعد عشر دقائق، نادى الأستاذ «فليتويك»: «باركنسون بانسى - باتيل بادما - باتيل بارفاتى - بوتر هارى».

قال «رون» بهدوء: «حظ سعيد» و«هارى» يدخل إلى القاعة الكبرى، ممسكًا بعصاه بقوة حتى أن يده أخذت ترتجف.

قال الأستاذ «فليتويك» بصوته الرفيع حالما خرج «هارى» عبر الباب: «الأستاذ توفتى غير مشغول يا بوتر» أشار لـ«هارى» نحو من بدا أكبر وأصلع الممتحنين، وكان جالسًا خلف مائدة صغيرة فى الركن البعيد، على مسافة قصيرة من الأستاذة «مارشبانكس»، التى كانت تمتحن «دراكو مالفوى» بنفسها.

قال الأستاذ «توفتى» متحققًا من قائمة الأسماء من خلف نظارته الصغيرة مع اقتراب «هارى»: «بوتر.. أليس كذلك؟ بوتر الشهير؟».

من طرف عينه رأى «هارى» «مالفوى» يحدجه بنظرة قاسية.. سقطت الكأس التى كان «مالفوى» يحاول رفعها وتحريكها بعصاه وتحطمت على الأرض. لم يقدر «هارى» على منع ابتسامة أفلتت منه، وابتسم الأستاذ «توفتى» هو الآخر مشجعًا.

قال بصوت عجوز مرتعش: «هكذا.. لا حاجة بنا للتوتر. والآن، إن طلبت منك رفع طبق البيض هذا وجعله يدور فى الهواء، فهل تقدر؟».

تقدم «هارى» فى الامتحان بسهولة. كانت تعويذة الرفع التى أداها أفضل بالطبع من تعويذة «مالفوى»، وإن تمنى لو لم يمزج تعويذة تغيير اللون بتعويذة النمو؛ فقد أصبح الجرذ المطلوب منه تغيير لونه إلى البرتقالى بحجم القندس قبل أن يصحح «هارى» خطأه. سرَّه أن «هيرميون» لم تكن بالقاعة وقتها وتجاهل ذكر خطئه هذا لها بعدما انتهى من الامتحان. كان بإمكانه إخبار «رون» بالطبع، بعد أن تسبب الأخير فى تحويل طبق كبير إلى نبات عش الغراب ولم يعرف كيف وقع هذا.

لم يجدوا وقتًا للراحة تلك الليلة، دخلوا إلى حجرة الطلبة بعد العشاء مباشرة وأخذوا يراجعون مادة التحويل لامتحان اليوم التالى، ومضى «هارى» إلى الفراش ورأسه ملىء بنماذج التعاويذ المعقدة، والرسوم التوضيحية والنظريات.

نسى تعريف تعويذة التغيير أثناء الامتحان فى الصباح التالى، لكن اختباره العملى كان أسوأ بكثير. على الأقل، تمكن من إخفاء الخنزير كله، بينما فقدت «هانا آبوت» أعصابها تمامًا على المائدة المجاورة إليه، وتمكنت من مضاعفة عدد حيوان «ابن عرس» الذى تختبر عليه وحولته إلى سرب من البجع؛ ليتوقف الامتحان لمدة عشر دقائق وهم يمسكون بالطيور ويحملونها إلى خارج القاعة.

امتحنوا فى مادة علم الأعشاب يوم الأربعاء. بخلاف عضة صغيرة من شجرة «جيرانيوم» بأنياب، فقد شعر «هارى» أن أداءه فى الامتحان كان جيدًا. ثم مادة الدفاع عن النفس ضد السحر الأسود يوم الخميس، وللمرة الأولى يثق «هارى» فى نجاحه. لم تواجهه مشكلات فى الامتحان النظرى، واستمتع كثيرًا بالامتحان العملى، عندما أدى تعاويذ دفاعية أمام «أمبريدج»، التى أخذت تراقبه ببرود من أمام الأبواب المُفضية إلى القاعة الأمامية.

صاح الأستاذ «توفتى» الذى كان يختبر «هارى» ثانية: «ياه.. برافو» عندما أدى «هارى» تعويذة طرد (عو) ممتازة.. أضاف: «رائع جدًا. يكفى هذا يا بوتر.. إلا إذا...».

مال قليلاً للأمام:

«سمعت من صديقتى العزيزة تايبرياس أوجدين أنك قادر على إطلاق باتروناس.. ما رأيك؟ سأمنحك نقاطًا إضافية عليها..».

رفع «هارى» عصاه السحرية، ونظر مباشرة إلى «أمبريدج» وتخيلها وهى تُطرد من المدرسة:

«*إكسبكتو باترونام*».

انبعث أيله الفضى من طرف عصاه السحرية وطاف بطول القاعة. التفت كل الممتحنين إليه ليراقبوه؛ حتى تحلل متحولاً إلى دخان فضى اللون، فصفق الأستاذ «توفتى» بيديه المعروقتين بحماس.

قال: «ممتاز! رائع يا بوتر، لقد أدهشتنى».

و«هارى» يمر إلى جوار «أمبريدج» فى طريقه للخروج، التقت عيونهما. وجد ابتسامة قذرة مرتسمة على طرف فمها الواسع المترهل، لكنه لم يبال. إن لم يكن مخطئًا - ولم يكن ينوى أن يخبر أى أحد - فقد حصل على درجة «امتياز» فى هذه المادة.

أخذ «هارى» و«رون» يوم الجمعة إجازة، فى حين دخلت «هيرميون»

امتحان مادة الأبجديات القديمة التى تأخذها، ولأنهما وجدا أمامهما أسبوعًا كاملاً للمراجعة فقد أخذا هذا اليوم راحة. تثاءبا وتمطآ إلى جوار النافذة المفتوحة، التى تسلل عبرها هواء صيفى دافئ إليهما وهما يلعبان «شطرنج» سحريًا. رأى «هارى» «هاجريد» على مسافة بعيدة وهو يدرس حصة لفصل ما عند طرف الغابة. أخذ يحاول تخمين الكائنات التى معه - لا بد أنها حِصان وحيد القرن؛ لأن الأولاد وقفوا إلى الخلف قليلاً - عندما انفتح باب حجرة الطلبة ودخلت «هيرميون»، باديًا عليها المزاج المعتل.

قال «رون» متثائبًا: «كيف كان الامتحان؟».

قالت «هيرميون» مقطبة الجبين: «أسأت ترجمة كلمة (إهواز)، فهى تعنى شراكة، وليس دفاعًا، وقد اختلط علىَّ الأمر بينها وبين كلمة (أهواز)».

قال «رون» بكسل: «هذا خطأ واحد، أليس كذلك؟ وما زال عندك...».

قالت «هيرميون» بغضب: «اصمت.. هذا الخطأ الواحد قد يشكل فارقًا بين النجاح والسقوط. والأسوأ أن هناك مَن سرَّب (عرسة مشعرة الأنف) إلى مكتب أمبريدچ. لا أعرف كيف مر عبر الباب الجديد، وأنا أمر أمام مكتبها رأيتها تصرخ.. ومن صوتها، واضح أن الحيوان قد التهم جزءًا من ساقها».

قال «هارى» و«رون» معًا: «رائع».

قالت «هيرميون» بحرارة: «بل ليس كذلك.. إنها تعتقد أن هاجريد هو من يفعل هذا. ولا نريد أن يُطرد هاجريد».

قال «هارى» مشيرًا إلى النافذة: «إنه فى حصة، لا يمكنها إلقاء اللوم عليه».

قالت «هيرميون» وقد بدت مصممة على البقاء فى حالتها المزاجية المعتلة هذه: «كم أنت ساذج يا هارى. هل تعتقد حقًا أن أمبريدچ تنتظر دليلاً؟»، ثم هرعت إلى جناح نوم البنات وأغلقت الباب خلفها.

قال «رون» بهدوء شديد وهو يرفع وزيره ليضعه فى خانة أخرى؛ ليضرب أحد حصانى «هارى»: «يا لها من بنت لطيفة هادئة مهذبة».

ظل مزاج «هيرميون» على حاله طوال عطلة نهاية الأسبوع، وإن وجد «هارى» و«رون» تجاهلها سهلاً، حيث قضيا معظم يومى السبت والأحد يراجعان مادة الوصفات السحرية؛ من أجل امتحان يوم الإثنين، وهو الامتحان الذى يتطلع «هارى» إليه والذى كان واثقًا من أنه سيكون السبب

فى انهيار طموحاته فى أن يكون مقاتلاً للسحر الأسود. ومن البديهى أنه وجد ورقة الأسئلة صعبة، وإن حسب أنه قد يحصل على الدرجات النهائية فى سؤال.. وصفة «البوليجوس»، فقد تمكن من وصف آثارها بدقة، وقد حضرها بنفسه فى الصف الثانى.

لم يكن الامتحان العملى بعد الظهر سيئًا، كما توقع له أن يكون. فى غياب «سناب» وجد أنه أكثر راحة واستمتاعًا بالوصفات السحرية. بدا «نيفيل» - الجالس بالقرب من «هارى» - أسعد عن حاله فى حصص الوصفات السحرية. عندما قالت الأستاذة «مارشبانكس»: «ابتعدوا عن قدوركم من فضلكم، الامتحان انتهى»، ملأ «هارى» دورقًا صغيرًا بعينة من وصفته، شاعرًا بأنه قد لا يحصل على درجة جيدة، لكنه أفلت من السقوط.

قالت «بارفاتى باتيل» بتعب وهم يتوجهون إلى برج «جريفندور»: «لم يبق سوى أربعة امتحانات».

قالت «هيرميون» بحدة: «فقط! عندى مادة الرياضيات السحرية وهى أصعب مادة».

لم يكن أحدهم غبيًا بما يكفى ليرد عليها بحدة كما تكلمت؛ لذا فلم تقدر على تنفيس غضبها فى أحد، ولم تفكر فى أكثر من تعنيف بعض طلبة الصف الأول على الضحك فى حجرة الطلبة.

عقد «هارى» العزم على أن يجيد فى امتحان رعاية الكائنات السحرية؛ حتى لا يخذل «هاجريد». أجرى الامتحان العملى بعد الظهر عند طرف الغابة المحرمة، حيث طلب من التلاميذ التعرف على «النارل» المختبئ بين بعض القنافذ - والفكرة فى السؤال أنه يمكن التعرف على «النارل» بتقديم لبن لكل الكائنات، فحيوان «النارل» يرتاب كثيرًا فى محاولة تسميمه، ويهتاج كلما ظن أن هناك من يقدم له السم فى اللبن.. ثم السؤال التالى، هو إظهار القدرة على التعامل بصورة ملائمة مع «البوتروكل»، وإطعام وتنظيف سرطان نارى من دون التعرض لحروق خطيرة، واختيار الطعام المناسب - من بين تشكيلة كبيرة من الأطعمة - لحصان وحيد القرن مريض.

رأى «هارى» «هاجريد» يراقبهم بتوتر من نافذة كوخه. عندما ابتسمت ممتحنة «هارى» - وهى ساحرة بدينة قصيرة هذه المرة - وقالت له: إن الامتحان قد انتهى، رفع إبهامه لـ«هاجريد» مشجعًا قبل أن يتوجه إلى القلعة.

جاءت ورقة أسئلة مادة علم الفلك سهلة صباح يوم الأربعاء. ارتاب «هارى» فى عدم ذكره الأسماء الصحيحة لأقمار كوكب المشترى، لكن على الأقل، كان واثقًا أنه لا قمر منهم تسكنه الفئران. كان عليهم الانتظار حتى المساء؛ لأخذ الامتحان العملى من مادة علم الفلك، بينما امتحنوا مادة التنجيم فى فترة بعد الظهر.

حتى بمستوى «هارى» المنخفض فى مادة التنجيم، فقد جاء الامتحان شديد السوء. كان من الأسهل عليه رؤية أشكال تتحرك على المائدة المستقرة عليها البللورة السحرية، على أن يرى فى البللورة نفسها أى شىء، واختلط الأمر عليه تمامًا فى قراءة الطالع فى ورقة الشاى، وقال للأستاذة «مارشبانكس» وهو يقرأ طالعها إنه يبدو أنها ستقابل غريبًا بدينًا، أسمر، كسولاً، واختلط عليه الأمر أكثر عندما خلط خطوط الحياة فى يدها وقال لها إنها ستموت الثلاثاء الماضى!

قال «رون» بوجوم وهما يصعدان السلم الرخامى: «لا يهمك، نحن نعرف منذ زمن أننا سنرسب فى هذه المادة». شعر «هارى» بالتحسن عندما أخبره بأنه قال للممتحن: إنه يرى فى البللورة السحرية رجلاً قبيحًا ببثرة قذرة فى أنفه، ليدرك بعدها أنه ينظر إلى انعكاس الممتحن فيها.

قال «هارى»: «ما كان علينا أن نأخذ هذه المادة السخيفة من البداية».

«على الأقل يمكننا تركها الآن».

قال «هارى»: «أجل، ولا مزيد من التظاهر بأننا نهتم بأن المشترى وأورانوس بينهما تآلف ومحبة».

«ولن أهتم إذا قرأت على ورق الشاى: مت يا رون. فسوف أرميها وسط القُمامة كما يليق بها».

ضحك «هارى» و«هيرميون» تهرول من خلفهما. كف عن الضحك على الفور؛ خوفًا من أن يضايقها ضحكه.

قالت: «أحسنت فى مادة الرياضيات السحرية»، فتنفس «هارى» و«رون» الصعداء وهى تقول لهما: «أمامكما القليل من الوقت لمراجعة خرائط النجوم قبل العشاء..».

عندما وصلا إلى برج علم الفلك الساعة الحادية عشرة، وجدا الليل متلألئًا

بالنجوم، والسماء خالية من السحب. كانت الأرض مغمورة بشعاع القمر الفضى، وثمة برودة خفيفة فى الهواء.. أحضر كل منهم تلسكوبه، ثم عندما أمرتهم الأستاذة «مارشبانكس» بدءوا فى رسم خرائط للنجوم.

سار كل من الأستاذة «مارشبانكس» والأستاذ «توفتى» بينهم، وهم يرسمون النجوم فى مواقعها الدقيقة كما يرونها فى السماء. كان الجو هادئًا، فيما عدا حركة الأوراق الخفيفة التى تحركها الرياح، وصرير تلسكوب من حين لآخر وصاحبه يعدل من وضعه على قائمه، وصرير ريشات الكتابة العديدة. مرت نصف ساعة، ثم ساعة.. أخذت مربعات الذهب الصغيرة فى التلاشى من تحتهم مع انطفاء أنوار حجرات القلعة البادية منها نوافذها، واحدة تلو الأخرى.

لكن مع انتهاء «هارى» من رسم مجموعة نجوم «أوريون» انفتحت الأبواب الأمامية للقلعة أسفلهم تمامًا وامتد ضوء القاعة الأمامية إلى الفناء الخارجى. نظر «هارى» إلى الأسفل وهو يعدل من وضع تلسكوبه؛ ليرى خمسة أو ستة ظلال تتحرك فوق العشب المضاء قبل أن توصد الأبواب من خلفهم ويسبح الفناء ثانية فى بحر الظلام.

أعاد «هارى» عينه إلى التلسكوب وغيَّر من مداه البؤرى، وأخذ يفحص كوكب الزهرة. نظر إلى خريطته؛ ليرسم الكوكب بها، لكن شتته شىء ما.. توقف عن الرسم وتجمدت الريشة فوق الورق، وركز بصره على الأرض المظلمة ليرى ستة أشخاص يمشون فوق العشب. إن لم يتحركوا، ما كان القمر ليلمع على قمة رءوسهم، وما كان ليراهم وسط الظلام. حتى على هذه المسافة، شعر «هارى» بأنه يعرف أكثرهم قصرًا وبدانةً، وهى قائدة المجموعة.

لم يقدر على الوصول لسبب يبرر خروج «أمبريدج» بعد منتصف الليل، ومعها خمسة آخرون. ثم سعل أحدهم من خلفه، وتذكر أنه وسط الامتحان. نسى تمامًا موقع كوكب الزهرة. ركز بصره فى التلسكوب ثانية، ووجد الكوكب، ثم همَّ برسمه على الخريطة، عندما شتته صوت غريب، فقد سمع على بعد صوت طرقات تدوى فى الأرض المحيطة بالقلعة، تلاها صوت نباح كلب.

رفع بصره وقلبه يختلج. رأى الأنوار فى نافذة «هاجريد»، الناس الذين شاهدهم يسيرون فى الفناء واقفين أمام كوخه يراهم على الضوء القليل المنبعث من النافذة. انفتح الباب ورأى الأشخاص الستة يدخلون.. أوصد الباب من خلفهم ثانية وعمَّ الصمت.

شعر بالقلق. نظر إلى جانبه؛ ليرى إن كان «رون» و«هيرميون» قد شاهدا ما شاهده، لكن الأستاذة «مارشبانكس» جاءت من خلفه فى تلك اللحظة، ولأنه لم يرغب فى أن تظنه يغش ممن إلى جواره؛ فقد سارع بالانحناء على خريطته وتظاهر بالرسم وهو ينظر إلى كوخ «هاجريد». رأى من بالداخل يتحركون أمام نوافذ الكوخ؛ ليحجبوا الضوء بين الحين والآخر.

شعر بعينى الأستاذة «مارشبانكس» على رقبته؛ فضغط عينه على التلسكوب، وحدّق فى القمر الذى علم موقعه منذ ساعة، لكن والأستاذة «مارشبانكس» تتحرك سمع صياحًا من الكوخ، يدوى فى الظلام ليصل إلى برج علم الفلك. رفع بعض من المحيطين بـ«هارى» رءوسهم من خلف التلسكوبات، ونظروا فى اتجاه كوخ «هاجريد».

سعل الأستاذ «توفتى» سعلة جافة.

قال بصوت هادئ: «حاولوا التركيز يا أولاد ويا بنات».

أعاد معظمهم رءوسهم إلى التلسكوبات. نظر «هارى» إلى يساره، فوجد «هيرميون» تحدق بثبات فى كوخ «هاجريد».

قال الأستاذ «توفتى»: «إحم.. باقٍ من الوقت عشرون دقيقة».

أجفلت «هيرميون» والتفتت إلى خريطة النجوم، ونظر «هارى» إلى خريطته ليلاحظ أنه قد كتب المريخ بدلاً من الزهرة؛ فانحنى على الخريطة؛ ليصححها.

سمع صوت فرقعة عالية من الأسفل. صاح العديدون: «آى»، عندما اصطدمت تلسكوبات بعضهم برءوس المتأوهين وهم يهرعون لرؤية ما يجرى بالأسفل.

انفتح باب «هاجريد» ومن الضوء المتسرب من الداخل رأوه واقفًا بجسده الهائل يزأر ويلوح بقبضتيه، وهو محاط بستة أشخاص، جميعهم يحاولون إخضاعه لأثر تعويذة التجميد، وهو ما اتضح من الشعاع الأحمر المنطلق من عصيهم السحرية.

صاحت «هيرميون»: «لا».

قال الأستاذ «توفتى» بصوت مستنكر: «عزيزتى، هذا امتحان».

لكن لم ينتبه أحد لخرائط النجوم. أخذت الأشعة الحمراء تتطاير حول كوخ «هاجريد»، لكن بطريقة ما كانت ترتد عنه، وهو قائم على قدميه.. وكما رأى «هارى»، فقد كان يقاوم. سمع صرخات وصيحات من الأسفل، وثمة رجل يقول: «تعقل يا هاجريد».

زأر «هاجريد» بأعلى صوته: «اللعنة على التعقل، لن أدعكم (تأزرونى) هكذا يا داوليش».

رأى «هارى» «فانج» يحاول الدفاع عن «هاجريد»، فقفز أكثر من مرة على السحرة من حوله حتى أصابته إحدى تعاويذ التجميد؛ فسقط على الأرض. عوى «هاجريد» عواءً غاضبًا، ورفع من أصابه من فوق الأرض ورماه، فطار الرجل مسافة عشر أقدام وبدا أنه لن ينهض ثانية بعد أن ارتطم بالأرض. شهقت «هيرميون»، ورفعت يديها إلى فمها.. نظر «هارى» إلى «رون» ورآه هو الآخر باديًا عليه الفزع. لم يروا «هاجريد» فى ثورة الغضب هذه من قبل.

قالت «بارفاتى»: «انظروا» بصوتها الرفيع وهى مائلة على حاجز البرج وكانت تشير إلى قاعدة القلعة حيث انفتحت الأبواب ثانية، وأطل منها الضوء وخرج ظل أسود وأخذ يهرول على العشب.

قال الأستاذ «توفتى» بتوتر: «من فضلكم، لم يبقَ سوى ست عشرة دقيقة». لكن لم يعره أحدهم انتباهًا، أخذوا يراقبون الشخص المتقدم من كوخ «هاجريد» وهو يجرى.

سمعوها بصوت أنثوى تصيح: «كيف تجرءون؟ كيف تجرءون؟». همست «هيرميون»: «إنها مكجونجال»

سمعوا صوت الأستاذة «مكجونجال» فى الظلام: «دعوه لشأنه. على أى أساس تهاجمونه؟ إنه لم يفعل شيئًا، ولا شىء يستدعى هذا الـ...».

صرخت «هيرميون» و«بارفاتى» و«لافندر». انطلق ما لا يقل عن أربعة أشعة من تعويذة التجميد لتصيب الأستاذة «مكجونجال» فى منتصف المسافة بين القلعة والكوخ.. وللحظة، بدا وكأنها تلمع بالنور الأحمر، ثم انخلعت من فوق الأرض، لتسقط فوق العشب، ولم تتحرك بعدها.

صاح الأستاذ «توفتى» الذى بدا كأنه نسى الامتحان هو الآخر: «بحق الجرجوانات الشمطاوات.. من دون أى تحذير! يا له من سلوك مشين!».

صاح «هاجريد» وصوته يصل بجلاء إلى البرج: «جبناء! جبناء! قذرين! خذوا.. خذوا»، فأخذت الأضواء تسطع من نوافذ القلعة العديدة.

شهقت «هيرميون»: «يا ربى!».

ضرب «هاجريد» اثنين من أقرب مهاجميه إليه، واتضح من سقوطهما السريع على الأرض أنهما قد فقدا الوعى. رأى «هارى» «هاجريد» يسقط، وظن أن إحدى التعاويذ قد تمكنت منه. لكن على النقيض؛ فى اللحظة التالية، وقف ثانية وعلى ظهره ما يشبه الجوال، ثم أدرك «هارى» أنه جسد «فانج» الفاقد الوعى.

صرخت «أمبريدچ»: «أمسكه.. أمسكه»، لكن من تبقى من مساعديها تردد كثيرًا فى الاقتراب من قبضتى «هاجريد».. أخذ يتراجع بسرعة حتى تعثر فى أحد فاقدى الوعى وسقط. دار «هاجريد» على عقبيه وبدأ يجرى و«فانج» معلق حول رقبته. صوبت «أمبريدچ» عليه آخر تعويذة تجميد، لكنها لم تصبه.. وجرى «هاجريد» بأقصى سرعته تجاه البوابات البعيدة؛ ليختفى تمامًا فى الظلام.

مرت دقيقة من الصمت المضطرب، والجميع يحدقون مفغورى الأفواه فى الأرض، ثم جاء صوت الأستاذ «توفتى» الواهن: «إحم.. باقٍ من الزمن خمس دقائق».

بالرغم من بقاء خمس دقائق فقط، تاق «هارى» لانتهاء الامتحان. عندما انتهى أخيرًا، أعاد هو و«رون» و«هيرميون» التلسكوبات إلى قوائمها وهرعوا إلى السلم الحلزونى. لم ينم أى من التلاميذ.. أخذوا يتكلمون بأصوات مرتفعة متحمسة عند نهاية السلم، بشأن ما شاهدوه لتوهم.

شهقت «هيرميون» قائلة: «تلك المرأة الشريرة.. كيف تحاول التسلل هكذا والقبض على هاجريد ليلاً». ومن الواضح أنها تواجه صعوبة فى الكلام بسبب غضبها المستطير.

قال «إرنى ماكميلان» بحكمة وهو يقترب؛ لينضم إليهم: «من الواضح أنها أرادت تفادى ما حدث عندما طردت تريلاونى».

قال «رون» الذى بدا منزعجًا أكثر منه متأثرًا: «أبلى هاجريد بلاء حسنًا.. أليس كذلك؟ كيف انعكست عنه كل التعاويذ هكذا؟».

قالت «هيرميون» مرتجفة: «لا بد أن السبب هو دم العمالقة الذى يسرى فى عروقه.. من الصعب تجميد عملاق، فهم مثل الترول، أقوياء جدًّا.. لكن الأستاذة مكجونجال المسكينة.. أربعة أشعة تجميد ضربتها فى صدرها وهى ليست شابة لتتحمل كل هذا، أليس كذلك؟».

قال «إرنى» وهو يهز رأسه برصانة: «أمر فظيع.. فظيع.. سأصعد؛ لأنام.. تصبحون على خير جميعًا».

أخذ الطلبة من حولهم يتناقصون، وهم ما زالوا يتحدثون عما شاهدوه.

قال «رون»: «على الأقل، لم يأخذوا هاجريد إلى أزكابان.. أعتقد أنه سينضم لدمبلدور، أليس كذلك؟».

قالت «هيرميون» بعيون دامعة: «أعتقد هذا.. ياه.. ياللبشاعة. حسبت دمبلدور سيعود بسرعة، لكن الآن خسرنا هاجريد أيضًا».

عادوا إلى حجرة طلبة «جريفندور» ليجدوها ممتلئة عن آخرها. أفاق الكثيرون من النوم بسبب الصياح والجلبة التى سمعوها بالخارج، وسارعوا بإيقاظ أصدقائهم. أخذ «سيماس» و«دين»، اللذان وصلا قبل «هارى» و«رون» و«هيرميون»، يخبران المتحلقين من حولهما بما شاهداه من فوق برج علم الفلك.

تساءلت «أنچيلينا چونسون» وهى تهز رأسها: «لكن، لماذا تريد طرد هاجريد الآن؟ إنه ليس تريلاونى، فهو يقوم بالتدريس بطريقة أفضل هذا العام».

قالت «هيرميون» بمرارة وهى تنهار على مقعد وثير: «أمبريدچ تكره أنصاف البشر، وهى مصممة على التخلص من هاجريد بغض النظر عن أى شىء آخر».

قالت «كاتى بيل»: «وظننت أن هاجريد هو من ألقى بالعرس المشعرة الأنف فى مكتبها».

قال «لى چوردن» وهو يغطى فمه بيده: «اللعنة.. إننى أنا من وضعت العرس المشعرة الأنف فى مكتبها. فريد وچورچ تركا لى اثنتين منها.. وألقيت بهما عبر نافذتها».

قال «دين»: «كانت ستطرده بحجة أخرى، فهو قريب جدًا من دمبلدور».

قال «هارى» وهو يجلس على المقعد المجاور لـ«هيرميون»: «هذا صحيح».

قالت «لاڤندر» بعيون مغرورقة بالدموع: «أتمنى فقط أن تكون الأستاذة مكجونجال بخير».

قال «كولين كريفى»: «لقد حملوها إلى القلعة، ورأيناها من نافذة جناح النوم.. لكنها لا تبدو بخير».

قالت «أليشيا سبينيت» بحزم: «سترعاها مدام بومفرى.. فهى لا تفشل أبدًا».

كانت الساعة الرابعة عندما خلت حجرة الطلبة. لم يشعر «هارى» بالرغبة فى النوم، وملأت صورة «هاجريد» وهو يجرى فى الظلام رأسه، كان غاضبًا من «أمبريدچ» حتى أنه لم يقدر على التفكير فى عقاب كافٍ لها، وإن كان اقتراح «رون» بوضعها فى صندوق من «السكرويت المتفجرة الطرف» الجائعة له رونقه. سقط نائمًا وهو يفكر فى انتقام هائل، ثم نهض من الفراش بعد ثلاث ساعات شاعرًا بالتعب.

قُرر لامتحانهم الأخير ـ تاريخ السحر ـ أن يُعقد فى فترة ما بعد الظهر. ودَّ «هارى» لو صعد إلى فراشه للنوم بعد الإفطار، لكن كان عليه المراجعة

صباحًا قبل الامتحان؛ لذا فبدلاً من ذلك، جلس ورأسه بين يديه إلى جوار نافذة حجرة الطلبة، محاولاً بصعوبة ألا يسقط نائمًا وهو يقرأ مذكرات «هيرميون» بطول ثلاث أقدام ونصف من الورق.

دخل طلبة الصف الخامس إلى القاعة الكبرى فى تمام الساعة الثانية ظهرًا واستقروا فى أماكنهم وأمامهم أوراق الأسئلة. شعر «هارى» بالإرهاق الشديد. أراد الانتهاء من الامتحان؛ حتى يعود إلى النوم.. ثم غدًا، يخرج هو و«رون» إلى ملعب «الكويدتش» ـ وسيطير هو على مقشة «رون» ـ ويستمتعان بالحرية بعد كل هذه المذاكرة.

قالت الأستاذة «مارشبانكس» من صدر القاعة وهى تقلب الساعة الرملية العملاقة: «اقلبوا الورقة.. وابدأوا».

حدق «هارى» بثبات فى السؤال الأول. بعد لحظات، أدرك أنه لم يفهم كلمة منه.. رأى زنبورًا يطن أمام النوافذ العالية للقاعة. ببطء، شرع أخيرًا فى كتابة إحدى الإجابات.

وجد من الصعب تذكر الأسماء وأخذ يخلط بين التواريخ. لم يُجب على السؤال الرابع (*فى رأيك، هل ساهم قانون العصى السحرية فى السيطرة على تمرد الجان فى القرن الثامن عشر أم تسبب فى تفاقم الأزمة؟*)، وقال لنفسه إنه سيعود له إن بقى عنده وقت، ثم تقدم إلى السؤال الخامس (*كيف تم انتهاك قانون السرية سنة ١٧٤٩، وما الإجراءات التى اتخذت لمنع تكراره؟*)، لكنه ارتاب فى أنه لم يذكر بعض التفاصيل الهامة، وراوده إحساس بأن لمصاصى الدماء علاقة بالموضوع لا يتذكرها.

تطلع إلى سؤال يمكنه إجابته عن يقين ووصلت عيناه إلى السؤال العاشر: (*صِف الظروف التى قادت إلى تكوين الاتحاد الكونفدرالى الدولى للسحرة، واشرح لماذا رفض سحرة لخشنشتاين الانضمام إليه؟*).

كان «هارى» يعرف الإجابة، وإن شعر بذهنه كليلاً مخدرًا. رأى بعين الخيال عنوان صفحة: *تشكيل الاتحاد الكونفدرالى الدولى للسحرة*.. فقد قرأ الموضوع فى المذكرات صباح اليوم.

بدأ فى الكتابة، رافعًا بصره بين الحين والآخر؛ لينظر إلى الساعة الرملية العملاقة المستقرة على المائدة المجاورة للأستاذة «مارشبانكس». كان جالسًا خلف «بارفاتى باتيل»، التى امتد شعرها الأسود الناعم على ظهر

مقعدها. مرة أو مرتين، وجد نفسه يحدّق فى الأضواء الذهبية التى تلمع وقد انعكست عليه، وهى تحرك رأسها قليلاً، فيهز رأسه هو الآخر ليصفيه.

.. وأول رئيس للاتحاد الكونفدرالى الدولى للسحرة كان بيير بوناكورد، لكن اعترض على تعيينه مجتمع سحرة لخشنشتاين بسبب...

أخذت ريشات الكتابة من حول «هارى» تصر على الأوراق مثل الفئران الراكضة. كانت الشمس قوية على ظهره. ماذا فعل «بوناكورد» ليتسبب فى مضايقة سحرة لخشنشتاين؟ شعر «هارى» بأن للأمر علاقة بالترول.. حدّق فى شعر «بارفاتى» ثانية. فقط إن قدر على أداء «الليجيليمينسى» وفتح نافذة فى عقلها ليرى ما فعله الترول؛ ليفسد العلاقة بين «بوناكورد» ولخشنشتاين.

أغمض «هارى» عينيه ودفن وجهه بين يديه، حتى أصبح اللون الأحمر المتوهج أمام عينيه المغمضتين أسودَ باردًا. أراد «بوناكورد» إيقاف صيد الترول، وإعطاء الترول حقوقها.. لكن لخشنشتاين كانت تعانى من قبيلة من ترول الجبال الغلاظ.. هذا هو السبب.

فتح عينيه.. شعر بالألم فيها عندما وقعتا على الورقة البيضاء الساطعة. أخذ يكتب ببطء سطرين عن الترول، ثم قرأهما؛ ليرى ما كتب. لم يجد بما كتب الكثير من المعلومات أو التفاصيل، لكنه كان واثقًا من أن مذكرات «هيرميون» عن الاتحاد الكونفدرالى كثيرة الصفحات.

أغمض عينيه ثانية؛ محاولاً رؤية الصفحات؛ محاولاً التذكر. اجتمع مجلس الاتحاد الكونفدرالى لأول مرة فى فرنسا، أجل.. كتب هذا بالفعل..

حاول الجان الحضور ولكن تم استبعادهم.. كتب هذا أيضًا..

لم يرغب أحد من لخشنشتاين فى المشاركة..

قال لنفسه: فكر. ووجهه بين يديه، والجميع من حوله تصر ريشاتهم وهى تخط الإجابات، والرمل يتسرب من الساعة أمام عينيه.

أخذ يسير فى الممر البارد المظلم لمصلحة الألغاز والغوامض ثانية، يسير بخطوات ثابتة واثقة، وبين الحين والآخر يجرى، عازمًا الوصول إلى هدفه أخيرًا.. الباب الأسود ينفتح له كالعادة، وها هو فى الحجرة الدائرية ذات الأبواب الكثيرة.

عبر الأرض الحجرية إلى الباب الثانى.. أضواء متراقصة على الجدران والأرض مع أصوات آلية، ولكن لا وقت للتفسير، عليه بالإسراع.

قفز الخطوات القليلة الباقية للباب الثالث، الذى انفتح مثل الأبواب الأخرى. مرة ثانية فى الحجرة الكنسية الحجم، والممتلئة بالكرات الزجاجية المصطفة على الرفوف.. أخذ قلبه يخفق بسرعة.. سيصل إلى هدفه هذه المرة.. عندما وصل إلى الرف رقم (٩٧) انحرف إلى اليسار وسار فى الممر الواقع بين الصفين.

لكن، كان هناك شىء ما على الأرض عند الطرف البعيد، شىء أسود، يتحرك على الأرض، وكأنه حيوان جريح.. شعر بالخوف الشديد، بالتوتر والإثارة.

خرج صوت من فمه، صوت بارد مرتفع خاوٍ من أى رحمة أو إنسانية.. «خذها من أجلى.. أنزلها الآن.. لا يمكننى لمسها.. لكن أنت تستطيع..».

تغيّر وضع الشكل القابع عند الطرف البعيد. رأى «هارى» يدًا بأصابع بيضاء طويلة تمسك بعصا سحرية من عند طرف ذراعه.. سمع الصوت العالى البارد يقول: «كروسيو».

أطلق الرجل الراقد على الأرض صرخة ألم، محاولاً الوقوف لكنه سقط ثانية يتقلب على الأرض. ضحك «هارى». رفع عصاه السحرية، فانتهت اللعنة وتأوه المصاب بها ورقد بلا حراك.

«اللورد ڤولدمورت ينتظر..».

ببطء شديد ويداه ترتجفان، رفع الرجل الراقد على الأرض منكبيه عدة بوصات من فوق الأرض ورفع رأسه. كان وجهه مغطى بالدم، والألم الشديد يحركه، لكن التحدى الذى يغمره يجعله جامدًا ثابتًا..

همس «سيرياس»: «عليك بقتلى أولاً».

قال الصوت البارد: «بالطبع سأفعل فى النهاية.. لكنك ستحضرها أولاً يا بلاك.. هل تعتقد أن ما شعرت به هذا ألم؟ فكر ثانية.. أمامنا ساعات، ولن يسمع أحد صراخك..».

لكن أحدهم صرخ، وأنزل «ڤولدمورت» عصاه ثانية.. صرخ أحدهم وسقط مترنحًا من فوق مكتب ساخن إلى الأرض الصخرية الباردة.. أفاق «هارى» من ثباته عندما اصطدم بالأرض، وهو ما زال يصرخ، وندبته كأنها تحترق.. والقاعة الكبرى تعاود الظهور من حوله.

٣٢ بين ألسنة اللهب

«لن أذهب.. لا أحتاج إلى المستشفى.. لا أريد..».

أخذ «هارى» يهذى وهو يحاول الإفلات من الأستاذ «توفتى» الذى أخذ ينظر إليه باهتمام بالغ بعدما ساعده فى الخروج إلى القاعة الأمامية والتلاميذ من حولهما ينظرون.

تمتم «هارى» وهو يمسح العرق من على جبينه: «أنـ... أنا بخير يا سيدى.. حقا.. كل ما حدث أننى نمت.. وحلمت بكابوس..».

قال الساحر العجوز بتعاطف وهو يربت على كتف «هارى» بيد مرتجفة: «ضغط الامتحانات.. يحدث أحيانًا أيها الشاب، وقد حدث معك. والآن اشرب بعض المياه الباردة وقد تقدر على العودة إلى القاعة الكبرى. أوشك الامتحان على الانتهاء، لكن قد تقدر على إجابة آخر سؤال.. أليس كذلك؟».

قال «هارى» بحرارة: «أجل.. أعنى لا.. لقد انتهيت.. أجبت ما قدرت عليه من أسئلة الامتحان..».

قال الساحر العجوز برفق: «رائع.. سأعود وآخذ ورقة إجابتك، وأقترح عليك الخروج والرقاد فى مكان هادئ».

قال «هارى» وهو يومئ برأسه بحماس: «فعلاً، سأفعل هذا.. شكرًا جزيلاً».

اختفت قدم العجوز وهو يدلف إلى القاعة الكبرى، وأخذ «هارى» يجرى صاعدًا درجات السلم الرخامى إلى الممرات، واللوحات التى يمر إلى جوارها تهمهم، ثم أعلى السلم، ليدخل كالإعصار إلى جناح المستشفى، فصرخت مدام «بومفرى» التى كانت تناول «مونتاج» ملعقة من الدواء الأزرق.

«بوتر، ماذا تفعل؟».

شهق «هارى» وأنفاسه تقطع كالسكاكين فى صدره: «أريد رؤية الأستاذة «مكجونجال» حالاً.. الأمر.. عاجل».

قالت مدام «بومفرى» بأسى: «إنها ليست هنا.. لقد نقلوها إلى مستشفى سان مونجو هذا الصباح. أربع تعاويذ تجميد فى صدرها وهى فى هذه السن؟ لا أعرف كيف لم تقتلها».

قال «هارى» مصدومًا: «هل.. رحلت؟».

رن الجرس بالخارج وسمع الحركة والجلبة المعتادة للطلبة المتدفقين إلى الممرات من فوقه وتحته. تجمد فى مكانه، ناظرًا إلى مدام «بومفرى»، والرعب يتصاعد داخله يتملكه.

لا يوجد من يخبره. رحل «دمبلدور»، ورحل «هاجريد»، لكنه كان يتوقع وجود الأستاذة «مكجونجال»، ربما هى سريعة الغضب وقاسية، لكن يُعتمد عليها، ووجودها مطمئن.

قالت مدام «بومفرى» كأنها تؤيد صدمته: «لا تدهشنى صدمتك يا بوتر.. وكأن واحدًا منهم كان يقدر على ضرب مينرفا مكجونجال بتعويذة تجميد لو كان قد واجهها وجهًا لوجه. ياللجبن.. جبناء.. جبناء.. «حِقار».. لو كنت غير قلقة على ما قد يعانيه الطلبة إن غبت عنهم، لقدمت استقالتى على الفور؛ احتجاجًا على ما جرى». قال «هارى» بذهن شارد: «أجل».

دار على عقبيه وهرع خارجًا من جناح المستشفى إلى الممر المزدحم، وأخذ يجاهد الجموع، والذعر يتملكه، وينتشر داخله كالغاز السام، حتى إنه شعر برأسه يدور، ولم يعرف كيف يتصرف.

«رون» و«هيرميون»، قالها صوت من داخل رأسه.

أخذ يجرى ثانية، وهو يدفع التلاميذ من طريقه، غير مكترث لاعتراضاتهم الغاضبة. جرى هابطًا طابقين، ووصل إلى طرف السلم الرخامى عندما رآهما يجريان نحوه.

قالت «هيرميون» على الفور، والخوف مرتسم على وجهها: «هارى.. ماذا جرى؟ هل أنت بخير؟ هل تشعر بالمرض؟». وقال «رون»: «أين كنت؟».

قال «هارى» بسرعة: «تعالا معى. تعالا، عندى ما أريد إخباركما به».

قاد الطريق بطول ممر الطابق الأول، ناظرًا إلى الأبواب، وأخيرًا وجد فصلاً خاليًا فدخلوا إليه، وأغلقوا الباب خلفهم لحظة دخولهم، ومال على الباب ليواجههما.

«ڤولدمورت وصل إلى سيرياس».

«ماذا؟».

«كيف عرف...؟».

«رأيتهما منذ قليل.. عندما سقطت نائمًا فى الامتحان».

قالت «هيرميون» وقد صار وجهها أبيضَ شاحبًا: «لكن... لكن أين؟ وكيف؟».

قال «هارى»: «لا أعرف كيف، لكن أعرف المكان بالضبط.. هناك حجرة فى مصلحة الألغاز والغوامض ممتلئة بالرفوف المرصوص عليها ما يبدو مثل كرات زجاجية صغيرة، وهما عند طرف الصف السابع والتسعين.. إنه يحاول الاستعانة بسيرياس فى الحصول على شىء يريده.. إنه يعذبه.. يقول إنه سيقتله فى النهاية».

وجد «هارى» صوته مهتزًا مرتجفًا، وكذا ركبتاه. تقدم إلى إحدى الموائد وجلس إليها؛ محاولاً التماسك. سألهما: «كيف سنصل إلى هناك؟».

مرت برهة من الصمت، ثم قال «رون»: «نـ... نذهب إلى أين؟».

قال «هارى» بصوت مرتفع: «نذهب إلى مصلحة الألغاز والغوامض؛ حتى ننقذ سيرياس». فقال «رون» بوهن: «لكن يا هارى...».

قال «هارى»: «ماذا؟ ماذا؟».

لم يفهم لماذا أخذا يحدقان فيه فاغرى الأفواه وكأنه يطلب منهما شيئًا غير منطقى.

قالت «هيرميون» بصوت خائف: «هارى.. آ.. كيف... كيف وصل ڤولدمورت إلى وزارة السحر من دون أن يدرك أحد وصوله؟».

قال «هارى» بصوت مدوٍّ: «وكيف أعرف؟ المفروض أن نهتم بكيف نصل إلى هناك».

قالت «هيرميون» وهى تأخذ خطوة نحوه: «لكن، هارى.. فكر فى الأمر.. إن الساعة الخامسة بعد الظهر.. الوزارة مليئة بالموظفين.. كيف يصل ڤولدمورت وسيرياس إلى هناك من دون أن يراهما أحد؟ هارى.. إنهما أكثر ساحرين مطلوبين للعدالة فى العالم.. هل تعتقد أنهما يمكنهما الدخول إلى مبنى مكتظ بمقاتلى السحر الأسود من دون أن يلاحظ وجودهما أحد؟».

صاح «هارى»: «لا أعرف.. ربما استعان ڤولدمورت بعباءة إخفاء أو ما شابه. المهم، مصلحة الألغاز والغوامض كانت خالية دائمًا، كلما رأيتها..».

قالت «هيرميون» بهدوء: «لكنك لم تذهبَ إلى هناك قط يا هارى.. كنت فقط تحلُم بها، هذا كل شىء».

صاح «هارى» فى وجهها واقفًا ومتخذًا خطوة أقرب إليها بدوره: «هذه ليست بالأحلام العادية»، أراد أن يهزها من كتفيها وهو يقول: «كيف تفسرين ما رأيته عن والد رون، ما رأيك فيه؟ كيف عرفت بما جرى له؟».

قال «رون» بهدوء ناظرًا إلى «هيرميون»: «عنده حق».

قالت «هيرميون» بيأس: «لكن هذا الموضوع.. مريب، وغير محتمل.. كيف بربك يصل ڤولدمورت إلى سيرياس، بينما هو فى جريمولد بليس طوال الوقت؟».

قال «رون» والقلق بادٍ عليه: «ربما شعر سيرياس بالضيق وخرج يتنسم الهواء النقى.. إنه يسعى للخروج من المنزل منذ فترة..».

أصرت «هيرميون» على كلامها: «لكن لماذا؟ لماذا يستعين ڤولدمورت بسيرياس؛ ليحصل على سلاح؟ أو أيًّا كان ما يسعى إليه؟!».

صاح «هارى» فيها: «لا أعرف، هناك الكثير من الاحتمالات.. ربما ڤولدمورت ليس مهتمًا بإيذاء سيرياس..».

قال «رون» بصوت خفيض: «أتعرف؟ فكرت فى شىء آخر.. سيرياس شقيق لأحد أكلة الموت، أليس كذلك؟ ربما أخبر سيرياس بكيفية الوصول إلى السلاح».

قال «هارى»: «أجل؛ ولهذا ظل حرص دمبلدور على إبقاء سيرياس محبوسًا طوال الوقت».

صاحت «هيرميون»: «انظر.. أنا آسفة.. لكن ما تقولانه غير منطقى، ولا يوجد دليل عليه، ولا يوجد دليل على وجود ڤولدمورت وسيرياس فى...».

قال «رون» ملتفتًا إليها: «هيرميون، هارى يرى الحقيقة فى أحلامه».

قالت خائفة مترددة: «حسنًا.. لكن علىّ أن أقول إن...».

«ماذا؟».

«أنت.. هارى، هذا ليس نقدًا. لكنك.. أعنى... ألا ترى أنك تسعى دائمًا لإنقاذ الناس؟».

نظر إليها شزرًا. وقال: «وماذا تعنين بسعيى لإنقاذ الناس؟».

بدت أكثر ترددًا وخوفًا مما سبق وهى تقول: «أعنى... أنت... أعنى... العام الماضى على سبيل المثال.. فى البحيرة.. أثناء المسابقة.. كان عليك، أقصد، لم تكن مضطرًا لإنقاذ ديلاكور.. وتحمست قليلاً و...».

اجتاحت موجة من الغضب الحار الشديد جسد «هارى»، كيف تذكره بما جرى وقتها الآن؟

قالت «هيرميون» بسرعة وقد أصابتها نظرة «هارى» إليها بالخوف الشديد: «أعنى، ما تفعله عظيم.. قال الجميع إن ما فعلته كان رائعًا..».

قال «هارى» من بين أسنانه: «هذا غريب؛ لأننى أذكر ما قاله «رون» عن أننى أضيع وقتى محاولاً أن أكون بطلاً.. هل هذا ما ترينه أنت الأخرى؟ أتحسبين أننى أتصرف كبطل ثانية؟».

قالت «هيرميون» مذعورة: «لا، لا، لا.. ليس هذا ما أعنيه».

صاح «هارى»: «إذن، اذكرى ما تعنينه؛ لأننا نضيع وقتنا هنا».

«أحاول أن أقول.. إن ڤولدمورت يعرفك يا هارى. أخذ چينى من قبل إلى حجرة الأسرار؛ ليجذبك إليه، إنه يفعل هذا الآن، ويعرف أنك ستهب لإنقاذ سيرياس. ماذا لو كان يحاول أن يدفعك لدخول مصلحة الألغاز والغوامض...؟».

«هيرميون، لا يهم إن كان قد فعل ما فعل ليجذبنى إليه.. لقد أخذوا مكجونجال إلى سانت مونجو، ولا يوجد بهوجورتس أى من أعضاء الجماعة لأخبره، وإن لم أذهب لإنقاذ سيرياس فسوف يموت».

«لكن يا هارى.. ماذا لو كان حلمك.. مجرد حلم؟».

صرخ «هارى» صرخة ضيق وإحباط شديدين. فتراجعت «هيرميون» عنه مبتعدة من الخوف.

صاح فيها قائلاً: «ألا تفهمين؟ أنا لا أحلم بالكوابيس، ولا أحلم بالمرة. لماذا تراهم أعطونى دروس أوكلومينسى إن لم يكن هذا هو السبب؟ لماذا تظنين سعى دمبلدور لحجب هذه الأحلام عنى؟ لأنها حقيقية يا هيرميون.. سرياس محاصر، وقد رأيته. ڤولدمورت قبض عليه، ولا يوجد أحد غيرى يعرف، وهذا يعنى أننا من نقدر على إنقاذه، وإن كنت لا تريدين المجىء فلا يهم، لكننى ذاهب.. أتفهمين؟ وإن كان ما أتذكره صحيحًا، فإنك لم تقلقى بشأن رغبتى فى إنقاذ الناس عندما أنقذتك من الديمنتورات.. أو...»، التفت إلى «رون» وأكمل: «.. عندما أنقذت أختك من الأفعى العملاقة..».

قال «رون» بحرارة: «أنا معك يا صاحبى».

قالت «هيرميون» بقوة: «لكن يا هارى.. دمبلدور أرادك أن تتعلم حجب هذه الأحلام عن عقلك، إن كنت قد تعلمت الأوكلومينسى كما يجب، ما كنت لترى ما...».

«إن كنت تحسبين أننى سأتصرف وكأننى لم أر أى شىء..».

«قال سيرياس لك إنه لا يوجد أهم من تعلمك تحصين عقلك»

«كان سيقول شيئًا مختلفًا لو كان يعرف بما رأيته من...».

انفتح باب الفصل، فالتفت «هارى» و«رون» و«هيرميون». دخلت «چينى» باديًا عليها الفضول، وخلفها «لونا» كعادتها وكأنها دخلت إلى المكان عن طريق الخطأ.

قالت «چينى» بتردد: «أهلاً.. عرفنا صوتك يا هارى، لماذا تصيح هكذا؟».

قال «هارى» بخشونة: «لا تشغلى بالك». فرفعت «چينى» حاجبيها.

قالت ببرود: «لست مضطرًا للكلام معى بهذه النغمة، كنت فقط أريد مساعدتك».

قال «هارى» باقتضاب: «لا تقدرين».

قالت «لونا» بصفاء وهدوء: «أنت غير مهذب معها».

لعنها «هارى» وأشاح بوجهه عنها. آخر ما يريده الآن هو محادثة مع «لونا لوفجود».

قالت «هيرميون» فجأة: «انتظر.. انتظر يا هارى، يمكنهما المساعدة».

نظر «هارى» و«رون» إليها.

قالت برجاء: «اسمع يا هارى.. نحن بحاجة إلى معرفة إذا كان سيرياس قد ترك البيت أم لا».

«قلت لك إننى رأيتـ...».

قالت «هيرميون» بأسى: «هارى.. أرجوك، من فضلك، من فضلك دعنا نتحقق من غياب سيرياس عن المنزل قبل أن نذهب إلى لندن. إن لم نجده هناك فأقسم على أننى لن أحاول منعك. سآتى معك.. وأفعل ما أقدر عليه فى سبيل إنقاذه».

صاح «هارى»: «سيرياس يتعرض للتعذيب الآن.. ليس لدينا وقت لنضيعه».

«لكن، ربما هذه خدعة من ڤولدمورت يا هارى، علينا التحقق».

سألها «هارى»: «كيف؟ كيف سنتحقق؟».

قالت «هيرميون»: «سنستعين بنيران مدفأة أمبريدچ، ونرى إن كان سيقدر على الكلام إلينا» والرعب مرتسم على وجهها من الفكرة.. أضافت: «سنجذب أمبريدچ بعيدًا عن المكتب ثانية، لكن سنحتاج لمن يحرس حجرتها، وسنستعين بچينى ولونا فى هذا».

قالت «چينى» على الفور، وإن أخذت تجاهد؛ لتخمين ما يجرى: «أجل، سنفعل هذا»، وقالت «لونا»: «عندما تقول سيرياس، فهل تعنى ستوبى بوردمان؟».

لم يجبها أحد.

قال «هاری» بعدوانية مخاطبًا «هيرميون»: «حسنًا. حسنًا، إن كنت تعرفين طريقة، تفعلين بها هذا بسرعة فأنا معك، وإلا فسأذهب إلى مصلحة الغوامض الآن».

قالت «لونا» مندهشة: «مصلحة الألغاز والغوامض؟! لكن كيف ستصل إليها؟».

مرة ثانية تجاهلها «هاری».

قالت «هيرميون» وهى تسارع بالسير بين الموائد: «أجل.. هيا.. سيذهب أحدنا أولاً ليجد أمبريدچ.. و... يبعدها عن طريقنا. يمكن أن يقول لها إن بيفيس سيقوم بشىء خطير مثلاً...».

قال «رون» على الفور: «سأذهب أنا.. سأخبرها أن بيفيس قد دمر فصل التحويل أو ما شابه، فهو بعيد للغاية عن مكتبها. بل ربما أقدر على إقناع بيفيس بفعل هذا إن قابلته فى طريقى».

كان الموضوع خطيرًا حتى إن «هيرميون» لم تعترض على تدمير فصل التحويل.

قالت مقطبة الجبين وهى مستمرة فى السير جيئة وذهابًا: «حسنًا.. والآن، نحن بحاجة لإبقاء الطلبة بعيدًا عن مكتبها ونحن ندخله، وإلا فقد يسارع أحد طلبة سليذرين بإخبارها».

قالت «چينى» على الفور: «سأقف أنا ولونا على جانبى الممر، ونحذر الطلبة من الدخول؛ بحجة أن أحدهم قد أطلق الغاز الخانق القاتل»، بدا على «هيرميون» الدهشة من قدرة «چينى» الوافرة على الكذب، هزت «چينى» منكبيها، وقالت: «فريد وچورچ كانا يخططان لهذا قبل أن يغادرا».

قالت «هيرميون»: «حسنًا.. هارى، سأدخل أنا وأنت تحت عباءة الإخفاء إلى المكتب وتتحدث إلى سيرياس..».

«إنه ليس بالبيت يا هيرميون».

«يمكنك التحقق من غياب سيرياس عن البيت وأحرسك أنا، لا أعتقد أنه من الحكمة البقاء كثيرًا فى المدفأة.. فقد أثبت لى چوردن بالفعل أن النوافذ ضعيفة، بعد أن أدخل منها تلك العرس».

حتى فى غضبه ونفاد صبره عرف «هارى» أن عرض «هيرميون» بمرافقته تحت عباءة الإخفاء دليل على ولائها وتضامنها معه.

غمغم: «آ... حسنًا، شكرًا لك».

قالت «هيرميون» وقد أراحها قبول «هارى» الخطة: «حسنًا.. المهم، حتى وإن فعلنا كل هذا، فلا أعتقد أننا سنقدر على الحصول على أكثر من خمس دقائق.. فوجود فيلش والفرقة التفتيشية التعيسة لا يوفر لنا الأمان».

قال «هارى»: «تكفينا خمس دقائق.. هيا، دعونا نذهب..».

قالت «هيرميون» باديًا عليها الصدمة: «الآن؟».

قال «هارى» بغضب: «بالطبع الآن.. ماذا تظنين؟ أن ننتظر حتى العشاء؟ هيرميون، سيرياس يتعرض للتعذيب فى هذه اللحظة».

قالت بيأس: «آ.. حسنًا.. اذهب أنت وأحضر عباءة الإخفاء، وسأقابلك عند طرف الممر المُفضى لمكتب أمبريدچ.. اتفقنا؟!».

لم يجبها «هارى»، بل هرع خارجًا من الحجرة وبدأ فى الجرى وسط الزحام. على مسافة طابقين قابل «سيماس» و«دين»، اللذين رحبا به بمرح وأخبراه بأنهما يخططان للاحتفال بنهاية الامتحانات، فى حفل من غروب الشمس إلى الفجر بحجرة الطلبة. لم يعرهما «هارى» انتباهًا وهرول داخلاً عبر اللوحة إلى حجرة الطلبة وهما يتناقشان فى كمية المشروبات التى سيهربانها إلى المدرسة، ثم خرج من برج «جريفندور» ومعه عباءة الإخفاء وسكين «سيرياس» فى حقيبته، قبل أن يلاحظا أنه قد ابتعد عنهما.

«هارى.. هل تريد المشاركة بجاليونين؟ سنشترى المشروبات الليلة».

لكن «هارى» كان قد ابتعد بالفعل راكضًا فى الممر.. وبعد دقيقتين، كان قد قفز آخر درجات السلم منضمًا إلى «رون» و«هيرميون» و«چينى» و«لونا»، الذين تجمعوا عند طرف ممر حجرة «أمبريدچ».

قال لاهثًا: «حصلت عليها.. جاهزون؟».

همست «هيرميون» وعصبة من طلبة الصف السادس يمرون إلى جوارهم صانعين جلبة شديدة: «حسنًا.. رون، ستذهب؛ لتبعد أمبريدچ عن مكتبها.. چينى، لونا، ستبدأان فى إبعاد الناس عن الممر.. هارى وأنا سنرتدى العباءة وننتظر أن يصبح الجو أمانًا..».

ابتعد «رون»، وشعره الأحمر البراق يلمع بطول الممر، بينما أخذ رأس «چينى»؛ الذى لا يقل بريقًا عن رأسه، يتقافز بين الطلبة فى الاتجاه المقابل، ومعها «لونا» بشعرها الأشقر.

غمغمت «هيرميون» وهى تمسك برسغ «هارى» وتجذبه إلى ركن خفى من

الأحجار الخشنة المظهر، حيث يقف تمثال لساحر من العصور الوسطى يغمغم وهو يتحدث إلى نفسه.. قالت: «هـ... هل أنت متأكد أنك بخير يا هارى؟ أنت شاحب جداً».

قال باقتضاب وهو يخرج عباءة الإخفاء من حقيبته: «أنا بخير». فى الواقع، أخذت ندبته تؤلمه، لكن ليس إلى درجة ألم «سيرياس» من تعذيب «ڤولدمورت» بالطبع.. وإن آلمته بدرجة أقوى من حالها، عندما عاقب «ڤولدمورت» «أفيرى».

قال وهو يلقى بعباءة الإخفاء فوقهما ويقفان؛ ليتسمعا بحرص وصوت الغمغمة باللاتينية للتمثال يعكر عليهما السمع.

قالت «چينى» للملتفين حولها: «لا يمكنكم المرور من هنا. لا آسفة.. عليكم المرور من السلم الآخر، فهناك من أطلق الغاز الخانق..».

سمعا الطلبة يتذمرون، وقال صوت من بينهم: «لكننى لا أرى أى غاز».

قالت «چينى» بطريقة مقنعة: «هذا، لأنه بلا لون.. لكن إن أردت المرور تفضل، وقتها سنجد جثتك دليلاً يثبت وجوده للأحمق التالى الذى لا يصدق».

ببطء أخذ التجمهر يقل. انتشرت أخبار الغاز الخانق بسرعة، ولم يعد الطلبة يأتون من هذا الطريق. عندما اختفى آخرهم، قالت «هيرميون» بهدوء: «أعتقد أن الوقت مناسب للمرور يا هارى.. هيا بنا»

تقدما، تحت غطاء العباءة. وقفت «لونا» وظهرها إليهما عند الطرف البعيد من الممر. وهما يمران بـ«چينى»، همست «هيرميون»: «أداؤكِ جيد.. لا تنسى الإشارة».

غمغم «هارى» وهما يقتربان من باب «أمبريدچ»: «أية إشارة؟».

ردت «هيرميون» قائلة: «غناء ويسلى يا ملك.. إن رأت إحداهما أمبريدچ تقترب». و«هارى» يدخل السكين فى شق الباب، انفتح الباب ودلفا إلى المكتب.

كانت القطيطات الصغيرة مستلقية فى أشعة شمس ما بعد الظهر التى أدفأت أطباقها.. لكن بخلاف هذا، كان المكتب خاليًا وغير مشغول مثل المرة الأخيرة. تنفست «هيرميون» الصعداء.

«ظننت أنها قد تضيف بعض الحراسة بعد حادث العرسة».

رفعا العباءة، هرولت «هيرميون» إلى النافذة ووقفت بعيدة عن نطاق البصر، وأخذت تنظر إلى الفناء وعصاها السحرية مشهرة. هرع «هارى» إلى المدفأة، وقبض على إناء بودرة الفلو، وألقى بملء قبضة يده منها فى

المدفأة؛ فاشتعل اللهب الياقوتى ودبَّت فيه الحياة. انحنى عليه، وألقى برأسه داخل اللهب المتراقص وصاح: «المنزل رقم (١٢)، جريمولد بليس».

بدأ رأسه يدور وكأنه فى الملاهى، وظلت ركبتاه كما هما على أرضية المكتب الباردة. أبقى عينيه مغمضتين؛ حتى لا يدخل فيهما الغبار، حتى انتهى الدوران، وفتحهما، ليجد نفسه قد وصل إلى مطبخ «جريمولد بليس» البارد الكبير.

لم يكن من أحد به. توقع هذا، لكنه لم يكن مستعداً لموجة الذعر والهلع التى اجتاحته عندما رأى الحجرة خالية. صاح: «سيرياس! سيرياس، هل أنت هنا؟».

دوى صوته فى الحجرة، لكن لم يتلق إجابة، فيما عدا صوتًا ضئيلاً إلى جوار المدفأة. نادى قائلاً: «من هناك؟». متسائلاً إن كان هذا فأرًا.

ظهر «كريتشر» القزم المنزلى. بدا مسرورًا لسبب ما، وإن كان على يديه جُرحان خطيران، وقد ضمدهما بضمادات كثيرة.

قال «كريتشر» للمطبخ الخالى ملقيًا بنظرات مختلسة غريبة ظافرة على «هارى»: «إنه رأس الولد بوتر فى المدفأة.. لماذا جاء يا ترى؟ إن كريتشر يتساءل».

سأله «هارى»: «أين سيرياس يا كريتشر؟».

ضحك القزم المنزلى ضحكة واهنة. وقال: «السيد خرج يا هارى بوتر».

«إلى أين ذهب؟ أين ذهب يا كريتشر؟». وضحك «كريتشر».

قال «هارى»: «أنا أحذرك» وهو على وعى تام بأن مسألة عقابه لـ«كريتشر» غير ممكنة، أضاف: «ماذا عن لوبين؟ ماد آى؟ أى منهم.. أيوجد منهم أحد هنا؟».

قال القزم جذلاً وهو يلتفت بعيدًا عن «هارى» ويبدأ فى السير ببطء إلى الباب الواقع عند طرف المطبخ البعيد: «لا أحد هنا غير كريتشر.. كريتشر يريد الكلام مع سيدته قليلاً، أجل، عنده فرصة للكلام معها، بعد أن أبقاه السيد بعيدًا عنها لزمن طويل..».

صاح «هارى» فى القزم: «أين ذهب سيرياس؟ كريتشر؟ هل ذهب إلى مصلحة الألغاز والغوامض؟».

تجمد «كريتشر» فى مكانه. رأى «هارى» رأسه الأصلع من بين غابة أرجل مقاعد المائدة أمامه.

قال القزم بهدوء: «السيد لا يخبر كريتشر المسكين بوجهته».

صاح «هارى»: «لكنك تعرف. أليس كذلك؟ تعرف أين هو».

مرت لحظة من الصمت، ثم أخرج القزم أعلى ضحكاته صوتًا.

قال بجذل: «السيد لن يعود من مصلحة الألغاز والغوامض.. كريتشر أصبح مع سيدته وحدهما أخيرًا». ثم سارع بالخروج واختفى من الباب المفتوح.

«أنت...».

وقبل أن ينطق بكلمة إهانة أو سبّة واحدة، شعر «هارى» بألم فى قمة رأسه، شهق فدخل رئتيه بعض الغبار، وسعل، ووجد نفسه ينسحب عبر اللهب، حتى وجد نفسه يحدّق فجأة فى وجه الأستاذة «أمبريدج» العريض الشاحب، التى سحبته من شعره إلى جانب المدفأة وأحنت عنقه إلى الخلف حتى كادت تقسمه إلى نصفين.

همست وهى تنحنى على عنق «هارى» وهى تحنيه لأعلى أكثر، حتى أصبح ينظر إلى السقف: «هل تظن أن بعد دخول (عرستين) كنت سأترك مخلوقًا قذرًا حقيرًا آخر يدخل إلى مكتبى من دون معرفتى؟ نصبت تعاويذ ضد التسلل حول مكتبى بعد ما جرى آخر مرة، أيها الولد الغبى: خذ عصاه» صاحت فى شخص لم يره، لكنه شعر بيد تدخل إلى جيب عباءته وتأخذ العصا.. «وعصاها هى الآخرى».

سمع «هارى» صوتًا إلى جانب الباب وعرف أنها «هيرميون» وقد أُخذت منها عصاها.

قالت «أمبريدج» وهى تهز قبضتها القابضة على شعره؛ ليترنح: «أريد أن أعرف لماذا دخلت مكتبى».

قال «هارى» بصوت أجش: «كنت أحاول استعادة الفايربولت».

هزت رأسه ثانية وقالت: «كاذب. الفايربولت تحت حراسة مشددة فى القبو، كما تعرف يا بوتر. لقد أدخلت رأسك فى المدفأة.. مع من كنت تتحدث؟».

قال «هارى» محاولاً أن يبتعد عنها: «لا أحد»، أحس ببعض الشعرات تُنتزع من فروة رأسه.

صاحت «أمبريدج»: «كاذب»، ألقت به بعيدًا عنها فاصطدم بالمكتب. رأى

«هيرميون» وقد أمسكت بها وحشرتها بينها وبين الحائط «ميليسنت بولسترود». رأى «مالفوى» مائلاً على النافذة، وهو يبتسم له بسخرية، وألقى بعصا «هارى» فى الهواء قبل أن يقبض عليها ثانية.

سمع جلبة بالخارج، ثم دخل بعض أولاد «سليذرين» قابضين على «رون» و«چينى» و«لونا».. ولدهشة «هارى»: «نيفيل»، الذى أخذ يصارع قبضة «كراب» القوية باديًا عليه أنه يعانى من الاختناق. كان أربعتهم مكممين.

قال «وارنجتون» وهو يلقى بـ«رون» بقوة إلى الحجرة: «أمسكناهم جميعًا»، ثم وهو يدفع بـ«نيفيل» قال: «حاول هذا منعى من الإمساك بها» مشيرًا إلى «چينى»، التى حاولت ركل ذقن فتاة ضخمة من «سليذرين» كانت ممسكة بها، أضاف: «لذا فقد أحضرته هو الآخر».

قالت «أمبريدچ» وهى تراقب صراع «چينى»: «جيد.. رائع.. إذن، يبدو أن هوجورتس ستتخلص قريبًا من آل ويسلى، أليس كذلك؟».

ضحك «مالفوى» بصوت مرتفع متملقًا إياها، وارتسمت على وجه «أمبريدچ» ابتسامتها العريضة السمجة وجلست فى مقعدها الوثير، وهى تنظر إلى أسراها مثل الضفدع المستقر فوق ورقة شجر خضراء عريضة.

قالت: «إذن يا بوتر، فقد وضعت حراسة حول مكتبى، وأرسلت لى هذا المهرج» وهى تشير برأسها إلى «رون»، فضحك «مالفوى» بصوت أعلى؛ «ليخبرنى بأن بيفيس البولترجايشت قد حطم فصل التحويل وأنا أعرف تمام المعرفة أنه مشغول بتلويث كل عدسات تلسكوبات المدرسة بالحبر.. فالسيد فليش قد أخطرنى بهذا منذ قليل.

«الواضح أنه كان ضروريًّا أن تكلم من كلمته. هل كان ألبوس دمبلدور؟ أم ذلك النصف آدمى هاجريد؟ لا أظن أنها كانت مينرفا مكجونجال، سمعت أنها ما زالت مصابة ولا تقدر على الكلام مع أحد».

ضحك «مالفوى» ومعه بعض أعضاء الفرقة التفتيشية، عندما قالت هذا. وجد «هارى» نفسه فى ثورة رهيبة من الغضب والكراهية حتى إنه أخذ ينتفض.

قال مزمجرًا: «هذا ليس من شأنك». تقلص وجه «أمبريدچ» المترهل.

قالت بصوت خطير بنبرتها العذبة: «حسنًا. رائع يا سيد بوتر.. قدمت لك

فرصة الاعتراف بإرادتك. وقد رفضت. ليس عندى من بديل سوى أن أجبرك.. مالفوى.. أحضر الأستاذ سناب».

أدخل «مالفوى» عصا «هارى» السحرية فى ثنيات عباءته وغادر الحجرة ضاحكًا باستهزاء، لكن «هارى» لم ينتبه، فقد لاحظ شيئًا لتوّه. لا يعرف كيف كان غبيًا هكذا لينسى. حسب أن كل أعضاء الجماعة - كل من يمكنهم إنقاذ «سيرياس» - قد رحلوا عن المدرسة، لكنه كان مخطئًا. فمازال هناك أحد أعضاء جماعة العنقاء فى «هوجورتس»: «سناب».

ساد المكتب الصمت، فيما عدا أصوات الشجار، والمقاومة الناتجة عن محاولات طلبة «سليذرين» الإبقاء على «رون» والباقين تحت السيطرة. نزفت شفة «رون» على بساط «أمبريدچ» وهو يقاوم «وارنجتون».. حاولت «چينى» الوقوف على قدم تلميذة الصف السادس الممسكة بها، التى رفعت ذراعيها خلفها مقيدة إياها.. أخذ وجه «نيفيل» يتحول إلى اللون البنفسجى وحالة اختناقه تسوء فى ذراع «كراب»، وحاولت «هيرميون» بلا جدوى أن تبعد «ميليسنت بولسترود» عنها. لكن «لونا» وقفت ساكنة إلى جانب الفتاة الممسكة بها، تحدق بنظرة حالمة خارج النافذة وكأنها تشعر بالملل مما يجرى.

نظر «هارى» إلى «أمبريدچ» التى وقفت تراقبه عن قرب. أبقى وجهه ساكنًا هادئًا وقد وصلهم وقْع أقدام بالخارج، مع عودة «دراكو مالفوى» إلى الحجرة، يتبعه «سناب».

قال «سناب» ناظرًا إلى الأزواج المتصارعين من حوله وعلى وجهه يرتسم البرود والحياد: «هل أردت رؤيتى يا حضرة الناظرة؟».

قالت «أمبريدچ» وابتسامتها تتسع وهى تقف ثانية: «آه.. أستاذ سناب.. أجل، أردت منك زجاجة فيريتاثيرام، بأسرع وقت ممكن من فضلك».

قال وهو يمسحها ببصره ببرود من بين خصلات شعره الأسود اللامع المتهدلة على عينيه: «لقد أخذت آخر زجاجة جاهزة منها.. بالطبع لم تستعمليها كلها.. أليس كذلك؟ قلت لك إن ثلاث نقاط كافية».

تورد وجه «أمبريدچ».

قالت وصوتها البناتى قد صار أكثر عذوبة ورقة، كحالها كلما غضبت: «يمكنك تحضير المزيد.. أليس كذلك؟».

قال «سناب» وهو يزم شفتيه: «قطعًا.. إنه يأخذ دورة قمرية واحدة فقط حتى ينضج، فلن تنتظرى أكثر من شهر».

صاحت «أمبريدچ»: «شهر؟! شهر؟! لكننى أحتاجه هذا المساء يا سناب. لقد وجدت بوتر منذ قليل يستخدم مدفأتى فى الاتصال بشخص أو أشخاص لا أعرفهم».

قال «سناب» وقد ظهر على وجهه أخيرًا أولى علامات الاهتمام وهو ينظر إلى «هارى»: «حقا، حسنًا، هذا لا يدهشنى.. بوتر لم يُظهر أبدًا التزامًا بقواعد المدرسة».

نظر بعينيه السوداوين الباردتين فى عين «هارى»، الذى بادله النظر دون أن يطرف، مركزًا بقوة على ما رآه فى حلمه، داعيًا «سناب» لقراءة أفكاره؛ حتى يفهم.

رددت «أمبريدچ» بغضب: «أريد استجوابه» وعاود «سناب» النظر إلى وجهها الغاضب وهى تقول: «أرجو أن تمدنى بوصفة سحرية تجبره على قول الحقيقة».

قال «سناب» بنعومة: «قلت لك بالفعل إنه لا يوجد عندى مخزون من الفيريتاثيرام؛ إلا إذا أردت تسميم بوتر.. وأضمن لك أننى سأتعاطف معك كثيرًا لو فعلت.. وبخلاف هذا لا أقدر على مساعدتك. المشكلة الوحيدة أن السموم تعمل بسرعة لا تعطى الضحية الوقت؛ لذكر الحقيقة».

عاود «سناب» النظر إلى «هارى»، الذى حدَّق فيه، متلهفًا إلى الكلام معه.

فكر بيأس: «*ڤولدمورت قبض على سيرياس فى مصلحة الألغاز والغوامض.. ڤولدمورت قبض على سيرياس..*».

صاحت الأستاذة «أمبريدچ»: «سأخضعك للعمل فى فترة اختبار»، فأعاد «سناب» بصره إليها ورفع حاجبيه قليلاً وهى تقول: «أنت لا تريد مساعدتى عن عمد. كنت أتوقع منك المزيد، لطالما مدحك لوكياس مالفوى. والآن اخرج من مكتبى».

انحنى لها «سناب» انحناءة ساخرة وغادر. عرف «هارى» أن فرصته الأخيرة لأن تعرف الجماعة تسير خارجة من الحجرة.

صاح: «معه بادفوت.. حاصر بادفوت فى المكان الذى يختبئ فيه الشىء».

توقف «سناب» ويده على مقبض باب «أمبريدچ».

صاحت الأستاذة «أمبريدچ» ونقلت بصرها بلهفة بين «هارى» و«سناب»: «بادفوت؟ ما هذا البادفوت؟ أين يختبئ؟ ماذا يعنى يا سناب؟».

التفت «سناب» إلى «هارى»، ووجهه لا يعكس ما بداخله. لم يعرف «هارى» إن كان قد فهم أم لا، لكنه لم يجرؤ على الكلام بوضوح أمام «أمبريدچ».

قال «سناب» ببرود: «لا أعرف. بوتر، عندما أريدك أن تُهذى أمامى سأعطيك

عقار الثرثرة. وكراب، أرخِ قبضتك قليلاً. إن اختنق لونجبوتم سيتسبب فى الكثير من الأعمال الكتابية والتقارير التى أخشى أننى سأذكرها فى تقييمى لك، عندما تتقدم لوظيفة».

أغلق الباب خلفه، فصدر عنه صوت حاد، تاركًا «هارى» فى حيرة من أمره.. كان «سناب» هو أمله الأخير. نظر إلى «أمبريدچ» التى كانت تشعر بنفس الإحساس، وصدرها يضطرم بالغضب والغيظ.

قالت وهى تشهر عصاها السحرية: «حسنًا.. حسنا.. لم تدع لى خيارًا.. هذه المسألة متعلقة بالانضباط فى المدرسة.. إنها مسألة خطيرة.. أمن الوزارة مرتبط بها.. أجل.. أجل..».

بدت كأنها تحاول إقناع نفسها بشىء ما. أخذت تتقافز على قدميها، ناقلة وزنها من قدم إلى قدم، محدقة فى «هارى» وهى تضرب بعصاها على راحتها الخالية وتتنفس بصوت مسموع. وهو يراقبها، شعر «هارى» بقلة الحيلة من دون عصاه السحرية.

قالت «أمبريدچ» وهى ما زالت تتحرك فى مكانها بقلق: «أنت تجبرنى على هذا يا بوتر.. لا أريد هذا، لكن... لكن، أحيانًا الغاية تبرر الوسيلة.. أنا واثقة من أن الوزارة ستتفهم أنه لم يعد أمامى خيار..». راقبها «مالفوى» بجشع.

قالت «أمبريدچ» بهدوء: «ستفك لعنة الكروتياس لسانك».

صرخت «هيرميون»: «لا.. يا أستاذة أمبريدچ. إنها غير قانونية».

لكن «أمبريدچ» لم تنتبه لها. كان على وجهها نظرة قذرة حقيرة متلهفة، لم يرها «هارى» من قبل.. رفعت عصاها.

صاحت «هيرميون»: «الوزارة لن توافقك على مخالفة القانون يا أستاذة أمبريدچ».

قالت «أمبريدچ» وهى تلهث مصوبة عصاها إلى مناطق مختلفة من جسد «هارى» على التوالى، ومن الواضح أنها تبحث عن المكان الذى تضربه فيه: «ما لن يعرفه كورنلياس لن يؤذيه.. لن يعرف أبدًا أننى أنا من أمرت الديمنتورات بملاحقة الولد بوتر الصيف الماضى، لكنه سُرَّ كثيرًا بفرصة فصله من المدرسة».

شهق «هارى» قائلاً: «أنت؟ هل أنت من أرسل الديمنتورات إلىَّ؟».

قالت «أمبريدچ» بصوت تنفسها الثقيل وعصاها تستقر على جبين «هارى»: «كان على أحدنا أن يتصرف.. كانوا يتكلمون عن رغبتهم فى أن تسكت.. فى أن ينزعوا ثقة الناس عنك.. لكن أنا من تصرفت وفعلت شيئًا..

لكنك نجوت.. أليس كذلك يا بوتر؟ لكنك لن تهرب اليوم، ليس الآن..». ثم وهى تأخذ نفسًا عميقًا صاحت: «كروســ....».

صرخت «هيرميون» بصوت حاد من خلف «ميليسنت بولسترود»: «لا.. لا.. هارى.. علينا إخبارها».

صاح «هارى» محدقًا فيما يراه من «هيرميون»: «لا.. مستحيل».

«نحن مضطرون يا هارى، وإلا ستعذبك وتعرف منك على أية حال.. فما الداعى إذن؟».

وبدأت «هيرميون» تبكى بوهن فى ظهر «ميليسنت بولسترود». كفت «ميليسنت» عن محاولتها سحقها فى الجدار وابتعدت عنها باشمئزاز.

قالت «أمبريدج» والظفر يملأ عينيها: «أجل، أجل، أجل.. الآنسة أسئلة ستعطينى أخيرًا بعض الإجابات. هلمى، انطقى يا فتاة».

صاح «رون» من خلف كمامته: «هــ إر.. مى.. ن.... لا».

حدقت «چينى» فى «هيرميون» وكأنها تراها لأول مرة. و«نيفيل» الذى أخذ يجاهد للتنفس نظر إليها هو الآخر. لكن «هارى» لاحظ شيئًا، بالرغم من بكاء «هيرميون» ووجهها بين يديها، فلم ير أثرًا للدموع.

قالت «هيرميون»: «آ.. آسفة.. لــ... لكن... لا أقدر..».

قالت «أمبريدج» وهى تقبض على «هيرميون» من منكبيها وتلقى بها بعنف على المقعد الوثير وتميل عليها: «هذا صحيح.. فعلاً يا فتاة.. والآن.. مع من كان بوتر يتحدث؟».

قالت «هيرميون»: «كان يحاول الكلام مع الأستاذ دمبلدور».

تجمد «رون» فى وقفته، واتسعت عيناه.. كفت «چينى» عن محاولة الوقوف على أصابع أقدام فتاة «سليذرين» القابضة عليها، وحتى «لونا» بدا على وجهها بعض الدهشة. ومن حسن الحظ، أن تركيز «أمبريدج» كان مُنصبًّا على «هيرميون»، حتى إنها لم تلحظ أى أمارات تثير الريبة عندها.

قالت بلهفة: «دمبلدور؟ أتعرفين أين دمبلدور إذن؟».

قالت «هيرميون»: «لا.. حاولنا رؤيته فى زقاق دياجون، وفى مقهى المقشات الثلاث، وفى رأس الخنزير..».

صاحت «أمبريدج»: «فتاة بلهاء.. دمبلدور لن يجلس على المقاهى والوزارة بأكملها مقلوبة تبحث عنه».

عوت «هيرميون» ويداها على وجهها: «لكنــ... لكننا أردنا الكلام معه فى موضوع مـهـم»؛ فـعـرف «هـارى» أنـهـا لا تشعر بـالضيق والألم، بـل تحـاول التغطية على غياب الدموع.

قـالت «أمبريدچ» وقد عـاد لـهـا حماسها فجأة: «حقًا؟ فيم كنتم تريدون الكلام معه؟».

قـالت «هيرميون»: «أردنـا... أردنا أن نخبره بـأنه جاهز».

سألتهـا «أمبريدچ» وقد قبضت على كتفيها ثانية وهزتـهـا: «ما هذا الجاهز؟ ما الجاهز يا فتـاة؟».

قـالت «هيرميون»: «الـ... السلاح».

قـالت «أمبريدچ» وعينـاهـا تكـادان تخرجان من محجريهما من الحمـاس: «السلاح؟ السلاح؟ هـل طورتم سلاحًـا للمقـاومـة؟ سلاحًـا تستخدمونه ضد الوزارة؟ بناء على أوامر الأستاذ دمبلدور؟».

شهقت «هيرميون» وقـالت: «أجـ... أجـ... أجل.. لكنه اضطر للرحيل قبل أن ننتهى منه، والآ... الآن انتهينا منه، ولا... ولا... ولا نجده؛ لنخبره».

قـالت «أمبريـدچ» بـقـسـوة ويـداهـا قصيرتـا الأصـابـع قـابـضـة على كتفى «هيرميون» بقوة: «أى سلاح هذا؟».

قـالت «هـيرميون» وهـى تنشج بصوت مرتفع: «لا.. لا نفهمه.. إنه.. إنه كما أمرنـا الأستـاذ دمبلدور أن نــ... نــ... نصنعه».

استقـامت «أمبريدچ» فى وقفتها وبدا عليهـا الابتـهـاج.

قـالت: «خذينى إلى السلاح».

قــالت «هيرمـيـون» بصـوت حـاد نـاظـرة إلى أولاد «سـلـيـذريـن» مـن بين أصـابعهـا المتشابكة: «لن أريهم السلاح..».

قـالت الأستـاذة «أمبريدچ» بقسوة: «ليس من حقك فرض الشروط».

قـالت «هيرميون» وهـى تبكى فى يديها ثـانية: «حسنًـا.. حسنًـا.. دعوهم يرونه، أتمنى أن يستعملوه ضدك. فى الواقع، أتمنى لو دعى الكثير من الطلبة لرؤيته.. كم... كم أتمنـى رؤيـتـهـم وهـم يضـربـونك بـه.. كل المدرسة ستـعرف أين هـو، وسوف... سوف يستعملونه ضدك. ولن يجد أحدهم صــ... صعوبة فى استخدامه».

كـان لـهذه الكلمات أبلغ الأثر على «أمبريدچ». نظرت بسرعة وريبة إلى

الفرقة التفتيشية، وعيناها الجاحظتان تستقران للحظة على «مالفوى»، الذى أبطأ فى إخفاء نظرة اللهفة والجشع التى ظهرت على وجهه.

رنت «أمبريدچ» إلى «هيرميون» لبرهة، ثم تكلمت بصوت أشبه بصوت الأم. «حسنًا يا عزيزتى.. خذينى إليه... وسآخذ بوتر معى، اتفقنا؟ هيا، انهضى».

قال «مالفوى» بلهفة: «أستاذة.. أستاذة أمبريدچ. أعتقد أن على بعض أعضاء الفرقة التفتيشية الذهاب معك؛ لحراستك..».

قالت «أمبريدچ» بحدة: «أنا موظفة مؤهلة من الوزارة يا مالفوى، ألا تعتقد أن بإمكانى التعامل مع ولد وبنت فى سن المراهقة من دون عصى سحرية؟ كما أن هذا السلاح لا يجب أن يراه أطفال المدارس. لتبقَ هنا حتى أعود، واضمن لى أن أيًّا من هؤلاء...». وهى تشير إلى «رون» و«چينى» و«نيفيل» و«لونا» أضافت: «.. سيهرب».

قال «مالفوى» وعلى وجهه أمارات الحسرة والإحباط: «حاضر».

قالت «أمبريدچ» مشيرة إلى «هارى» و«هيرميون» بعصاها: «أنتما.. هيا، تقدما أمامى وقودا الطريق.. اخرجا».

٣٣ اضــرب، واجــرِ

لم يكن «هارى» يعرف أى شىء عن خطة «هيرميون»، أو إن كانت لديها خطة أصلاً. سار على مسافة نصف خطوة خلفها وهما يتوجهان إلى الممر الواقع خارج مكتب «أمبريدچ»، وهو يعرف أنه سيبدو مثيرًا للريبة إن بدا عليه جهله بوجهتهم. لم يجرؤ على محاولة التحدث إليها.. كانت «أمبريدچ» تسير على قرب خلفهما حتى أنه سمع صوت نفَسِها الثقيل.

قادت «هيرميون» الطريق عبر السلم إلى القاعة الأمامية. دوت من حولهم أصوات الصخب والحركة، مع رنين الملاعق على الأطباق من خلف أبواب القاعة الكبرى المزدوجة.. لم يصدق «هارى» أن على مسافة عشرين قدمًا يجلس أشخاص يأكلون العشاء، ويحتفلون بانتهاء الامتحانات، ولا يشغلهم شاغل.

سارت «هيرميون» إلى الأبواب البلّوطية الأمامية وعبر درجات السلم الحجرية إلى النسيم المسائى العليل. اقتربت الشمس من قمم أشجار الغابة المحرمة.. ومع سير «هيرميون» بعزم على العشب، أخذت «أمبريدچ» تهرول من خلفها؛ لتلحق بها.. وظلالهم طويلة ممتدة على العشب وكأنها عباءات وهم يمشون.

قالت «أمبريدچ» بلهفة فى أذن «هارى»: «إنه مخبأ فى كوخ هاجريد. أليس كذلك؟».

قالت «هيرميون» بقسوة: «بالطبع لا؛ حتى لا يطلقه هاجريد عن طريق الخطأ».

قالت «أمبريدچ» التى أخذ حماسها يقترب من الذروة: «أجل.. أجل، كان ليفعل هذا بالطبع، ذلك النصف آدمى المشوه».

ضحكت.. شعر «هارى» برغبة عارمة فى الالتفات والقبض عليها من رقبتها، لكنه قاومها. أخذت ندبته تؤلمه وهواء المساء الناعم يداعبها، لكنها لم تصل إلى درجة الألم الحارق بعد، وكان يعرف أنها ستصل إلى هذا الحد، عندما يُقدِم «ڤولدمورت» على القتل.

تساءلت «أمبريدچ» وصوتها مشوب بالريبة: «إذن، أين هو؟». مع مضى «هيرميون» باتجاه الغابة.

قالت «هيرميون» مشيرة إلى الأشجار المظلمة: «هناك بالطبع. لا بد أن يكون فى مكان بعيد عن متناول يد الطلبة.. أليس كذلك؟».

قالت «أمبريدچ»: «بالطبع» وإن بدت قلقة، أضافت: «بالطبع.. حسنًا، إذن.. لتبقيا أمامى».

سألها «هارى»: «هلا أعطيتنا عصاك السحرية إذن؟ إن كنا سنسبقك؟».

قالت «أمبريدچ» بلطف وهى تلكزه بالعصا فى ظهره: «لا يا بوتر، فالوزارة تقدر حياتى كثيرًا على حياتكما».

عندما وصلوا إلى الظل البارد لأول الأشجار، حاول «هارى» أن يتبادل النظرات مع «هيرميون».. فالمضى داخل الغابة من دون عصى سحرية بدا له أحمق ما يفعلانه هذا المساء. لكنها لم تفعل أكثر من النظر لـ «أمبريدچ» شزرًا، ثم تمرق من بين الأشجار، متحركة بسرعة لم تقدر «أمبريدچ» معها، إلا بشق الأنفس، على اللحاق بها.

سألت «أمبريدچ» ـ عندما تمزقت عباءتها على أحد الأغصان ـ: «هل سنتوغل كثيرًا إلى الداخل؟».

قالت «هيرميون»: «أجل، إنه مخبأ جيدًا».

تزايد قلق «هارى»، فـ«هيرميون» لم تمشِ على الدرب الذى اتخذوه لزيارة «جراوب»، بل طريق آخر مشوا فيه منذ ثلاثة أعوام، ينتهى بعرين الوحش «أراجوج». لم تكن «هيرميون» معه فى تلك المرة، وشكٌّ فى أن عندها فكرة عن حجم الأخطار الواقعة فى نهاية الدرب.

سألها: «آ.. هل أنت واثقة من أننا نسير فى الاتجاه الصحيح؟».

قالت بصوت جامد وهى تحطم بيدها الأغصان الجافة أمامها: «أجل»، فأحس بأن الجلبة الصادرة عن تحطيم الأغصان غير ضرورية ومصطنعة. من خلفهما، تعثرت «أمبريدچ» فى شجيرة صغيرة. لم يتوقف أحدهما؛ ليساعدها على النهوض.. مضت «هيرميون» فى طريقها، ونادت بأعلى صوتها من فوق كتفها: «ما زال أمامنا القليل».

غمغم «هارى» وهو يسارع باللحاق بها: «هيرميون.. اخفضى صوتك.. فقد يسمعنا أى أحد هنا..».

أجابته بهدوء و«أمبريدچ» تتقدم صانعة جلبة شديدة بخطوها على الأغصان الجافة: «أريدهم أن يسمعونا.. سترى».

ساروا لمسافة طويلة، حتى أصبحوا وسط أدغال الغابة الكثيفة فانحجب عنهم الضوء. شعر «هارى» بالإحساس الذى راوده من قبل عندما دخل الغابة.. الإحساس بأن هناك من يراقبه.

سألت «أمبريدج» بغضب من خلفه: «كم بقى أمامنا؟».

صاحت «هيرميون» وقد وصلوا إلى مساحة خالية قليلة الضوء من الغابة: «لم يبق الكثير.. سنمشى قليلاً للأمام ثم...».

طار سهم فى الهواء ورشق بصوت حاد فى الشجرة فوق رأسها. امتلأ الهواء فجأة بأصوات الحوافر، وشعر «هارى» وكأن الغابة ترتجف.. صرخت «أمبريدج» صرخة واهنة ودفعته أمامها وكأنه درع.

حرر نفسه من يديها والتفت. وجد من حولهم خمسين «قنطورًا» متحلقين فى دائرة، وأقواسهم مرفوعة وسهامها مستعدة للانطلاق، مصوبة نحو «هارى» و«هيرميون» و«أمبريدج». تراجعوا ببطء إلى مركز الساحة العشبية الخالية، وغمغمت «أمبريدج» بأصوات غريبة تنمُّ عن رعبها. اختلس «هارى» نظرة إلى «هيرميون». كانت على وجهها ابتسامة ظافرة.

قال صوت: «من أنت؟».

نظر «هارى» إلى يساره. رأى القنطور ذا الشعر البنى المسمى «ماجوريان» يتقدم إليهم منفصلاً عن الدائرة، وقوسه ـ مثل أقواس الآخرين ـ مرفوع. إلى يمين «هارى»، لم تكف «أمبريدج» عن الغمغمة، وعصاها المصوبة نحو القنطور المتقدم منها ترتجف بقوة.

قال «ماجوريان» بخشونة: «سألتك من أنت أيتها الآدمية».

قالت «أمبريدج» بصوت مرتفع مذعور: «أنا دولوريس أمبريدج، وكيل أول وزارة السحر وناظرة مدرسة هوجورتس ومفتشتها العليا»

قال «ماجوريان» مع إحساسه بالضيق الذى انتقل إلى القناطير من حوله: «هل أنت من وزارة السحر؟».

قالت «أمبريدج» بصوت أعلى: «هذا صحيح؛ لذا فأنا أحذرك. فطبقًا لأحكام القوانين الخاصة بالمخلوقات السحرية، فإن أى هجوم من نصف الآدميين من أمثالك، على البشر، يعنى...».

صاح قنطور حاد النظرات مهتاجًا، عرف «هارى» فيه «بان»: «بم تصفيننا؟». سمع همهمة جماعية غاضبة وأصوات شد الأقواس من حولهم.

قالت «هيرميون» بغضب شديد: «لا تصفيهم بهذه الصفة»، لكن «أمبريدج» لم يبد كأنها سمعتها. وهى ما زالت مصوبة عصاها نحو «ماجوريان»، قالت: «القانون رقم (١٥)، فى الفقرة (ب) منه ذكر أن: أى هجوم من مخلوق سحرى يتمتع بذكاء شبه بشرى، يستتبعه وجوب العقاب على الـ...».

ردد «ماجوريان» كلامها: «ذكاء شبه بشرى؟». و«بان» والآخرون يضربون الأرض بحوافرهم فى ثورة من الغضب.. أضاف: «نحن نعتبر هذه إهانة عظيمة يا بشرية. ذكاؤنا يتجاوز ذكاءك بكثير».

صاح قنطور جامد الوجه رآه «هارى» و«هيرميون» فى رحلتهما الأخيرة إلى الغابة: «ماذا تفعلين فى غابتنا؟ ماذا تفعلين هنا؟».

قالت «أمبريدج»: «غابتكم؟». وصوتها الخائف يشوبه الاستنكار.. أضافت: «دعنى أذكرك بأنك تعيش هنا فقط؛ لأن وزارة السحر تسمح لكم بمناطق معينة من الأرض لتعيـ...».

مرق سهم بالقرب من رأسها، ومس شعرها قبل أن يعبر.. صرخت صرخة تصم الآذان وألقت بيديها فوق رأسها، بينما صدر عن القناطير كلمات الاستحسان والضحكات الخشنة. كان صوت ضحكهم الخشن وسط البرية، ووقْع حوافرهم على الأرض يسلب الشجاعة من أى شخص.

صاح «بان»: «غابة من هذه، يا بشرية؟».

صرخت ويداها فوق رأسها: «أنصاف البشر النجساء. البهائم. الحيوانات البرية».

صاحت «هيرميون»: «اصمتى» لكن سبق السيف العزل.. صوبت «أمبريدج» عصاها نحو «ماجوريان» وصرخت: *«إنكاركريوس»*.

انطلقت بعض الحبال مثل الثعابين فى الهواء وأحاطت بجذع القنطور وبذراعيه.. صرخ صرخة غضب وتقافز على قدميه الخلفيتين؛ محاولاً تحرير نفسه، بينما هاجمها القناطير الآخرون.

أمسك «هارى» بـ«هيرميون»، وجذبها إلى الأسفل.. ووجهه مستقر على أرض الغابة الطينية، أحس بلحظة من الرعب عندما سمع الحوافر تدوى من حوله راعدة، ومعها صرخات وهُتافات الغضب.

سمع «أمبريدج» تصرخ: «لااااااا.. لاااااااا.. أنا وكيل أول الوزارة.. لا يمكنكم أن.. اتركونى يا حيوانات.. لاااااااا».

رأى «هارى» شعاعًا أحمرَ وعرف أنها تحاول تجميد أحدهم.. ثم صرخت صرخة رهيبة. رفع رأسه بمقدار بعض البوصات عن الأرض فرأى «أمبريدج» وقد أمسكها «بان» من الخلف ورفعها فى الهواء، وهى تصيح وتصرخ من الرعب. سقطت عصاها السحرية على الأرض، واختلج قلب «هارى».. فقط إن أمكنه الوصول إليها.

لكن وهو يمد يده إليها سقط حافر قنطور منهم عليها فانشطرت إلى شطرين.

«والآن»، سمع «هارى» الصوت الزائر، ثم سقطت يد قوية مشعرة من الهواء عليه ورفعته. رأى «هيرميون» هى الآخرى وهناك من أجبرها على الوقوف. من بين غابة شعر وظهور وحوافر القناطير، رأى «هارى» «أمبريدچ» محمولة بين الأشجار على يد «بان». وهى تصرخ بلا توقف وصوتها يبتعد ويبتعد مع مضيها إلى قلب الغابة، حتى لم يسمع سوى أصوات الحوافر من حوله.

قال القنطور الجامد الوجه الممسك بـ«هيرميون»: «وهذان؟».

سمع «هارى» صوتًا بطيئًا هادئًا من خلفه يقول: «إنهما صغار.. نحن لا نهاجم الأطفال».

رد عليه القنطور الممسك بـ«هارى»: «إنهما من أحضرها إلى هنا. وهما ليسا صغيرين.. فهذا الولد قريب من سن الرجولة».

هز «هارى» من عباءته، من عند رقبته.

قالت «هيرميون» بأنفاس متقطعة: «أرجوكم. أرجوكم لا تهاجمونا، فنحن لا نفكر مثلما تفكر هى، ولسنا من موظفى وزارة السحر. لقد جئنا هنا فقط أملاً فى أن تبعدوها عنا».

عرف «هارى» على الفور من النظرة المرتسمة على وجه القنطور الرمادى الممسك بـ«هيرميون» أنها قد ارتكبت غلطة فظيعة بقولها هذا. أرجع القنطور رأسه للخلف، وأخذ يضرب بقدميه الخلفيتين فى الأرض بغضب، وصاح: «أرأيت يا رونان؟ لهما عجرفة جنسهما. إذن فقد أسدينا لهما خدمة قذرة، أليس كذلك أيتها الفتاة البشرية؟ لقد تصرفنا وكأننا خدم لك، وأبعدنا عنك عدوك مثل الكلاب المطيعة».

قالت «هيرميون» بصوت مذعور: «لا. من فضلك.. لم أقصد هذا. تمنيت فقط لو تقدرون على مساعدتنا..».

لكن بدا كأنها تنتقل معه من سيئ إلى أسوأ.

زمجر القنطور الذى يحمل «هارى» وقد شدد قبضته وتراجع قليلاً حتى فارقت قدما «هارى» الأرض للحظة: «نحن لا نساعد البشر.. نحن جنس مختلف ويفخر باختلافه. لن نسمح لكم بالدخول إلى هنا، والتفاخر بأننا فعلنا كما شئتم».

صاح «هارى»: «نحن لن نقول هذا أبدًا.. نحن نعرف أنكم لم تفعلوا ما فعلتم لأننا أردنا منكم أن تفعلوه..».

لكن بدا كأن لا أحد يسمعه.

صاح قنطور ملتحٍ يقف على مسافة بعيدة: «لقد دخلا إلى هنا غير مدعوين، ولا بد من أن يدفعا الثمن».

دوى زئير استحسان لكلماته وصاح قنطور أسود الجسد: «يمكن أن ينضما للمرأة».

صاحت «هيرميون» ودموع حقيقية تنهمر على وجهها: «قلتم إنكم لا تؤذون الأبرياء. نحن لم نفعل أى شىء بقصد إيذائكم، ولم نستعمل عصينا أو هددناكم بشىء، كل ما نريده هو العودة للمدرسة. من فضلكم دعونا نعود..».

صاح قنطور رمادى: «لسنا جميعًا مثل الخائن فايرنز»، فوافقته صيحات الاستحسان من خلفه.. أضاف: «ربما تحسبيننا جيادًا متكلمة جميلة المظهر؟ نحن جنس قديم عريق لا يحتمل غزوات السحرة وإهاناتهم. نحن لا نعترف بقوانينكم، ولا نعترف بسيادتكم علينا، نحن...».

لكنهما لم يسمعا المزيد؛ ففى تلك اللحظة صدر صوت مرتفع من طرف المساحة الخالية من الأشجار حتى أنهم التفتوا إلى مصدره جميعًا، «هارى» و«هيرميون» والخمسون قنطورًا. تخلى القنطور الممسك بـ«هارى» عنه؛ فسقط على الأرض والأول يمد يده إلى قوسه وسهامه. سقطت «هيرميون» هى الأخرى، وهرع «هارى» إليها بينما جذعا شجرتين يفترقان ويظهر «جراوب» بجسده العملاق فى الفتحة بينهما.

تراجع أقرب القناطير من العملاق إلى الخلف.. تأهبوا جميعًا؛ لإطلاق السهام، وجميعها مصوبة إلى الوجه الرمادى الهائل. انفتح فم «جراوب» بطريقة بلهاء، وأمكنهم رؤية أسنانه الصفراء التى بحجم الطوب تلمع فى الضوء الخافت، وعيناه تضيقان وهو يدقق النظر فى أقرب القناطير من قدميه. والحبال المقطوعة حول كاحليه يجرها من خلفه.

فتح فمه على اتساعه.

«هاجر».

لم يفهم «هارى» معنى كلمة «هاجر»، أو بأى لغة نطقها، ولم يبالِ.. أخذ يراقب قدمى «جراوب» اللتين كانتا بطول جسد الإنسان العادى. قبضت «هيرميون» على ذراعه بقوة، وصمت القناطير تمامًا، وأخذوا يحدقون فى العملاق، الذى تحرك رأسه من اتجاه إلى آخر وهو يفحصهم بعينيه وكأنه يبحث عن شىء سقط منه.

قال ثانية وبصوت فيه إصرار: «هاجر».

قال له «ماجوريان»: «ابتعد عن هنا يا عملاق. لا مكانَ لك بيننا».

لم يبد وأن الكلمات قد تركت أى انطباع عند «جراوب». مال لأسفل قليلاً، فتوترت أصابع القناطير على أقواسهم، ثم صاح: «**هاجر**».

ظهر القلق على بعض القناطير. لكن «هيرميون» شهقت.

همست: «هارى.. أعتقد أنه يريد قول: هاجريد».

فى تلك اللحظة، رآهما «جراوب»، وهما الآدميان الوحيدان بين القناطير. أحنى رأسه مسافة قدم أخرى، ورنا إليهما باهتمام. شعر «هارى» بـ«هيرميون» تنتفض و«جراوب» يفتح فمه على اتساعه ثانية، ويقول بصوت هادر: «هيرمى».

قالت «هيرميون» وهى تقبض على ذراع «هارى» بقوة آلمته معها وقد بدا عليها كأنها ستفقد الوعى: «يا ربى.. إنه يتذكرنى».

زأر «جراوب»: «**هيرمى.. أين هاجر؟**».

قالت «هيرميون» بصوت حاد مذعور: «لا أعرف. آسفة يا جراوب.. لا أعرف».

«**جراوب يريد هاجر**».

نزلت إحدى يدى العملاق مقتربة من الأرض. صرخت «هيرميون»، وتراجعت بعض الخطوات، ثم سقطت على الأرض. من دون عصا سحرية، استعد «هارى» للقتال بيده، أو بالركل، أو بالعض أو أيًّا كانت الطريقة الممكنة، ولكن عندما اقتربت اليد منه اصطدمت بقنطور أبيض وأسقطته على الأرض.

كان هذا ما ينتظره القناطير.. كانت أصابع «جراوب» على مسافة قدم من «هارى»، عندما طار خمسون سهمًا فى الهواء تجاه العملاق؛ لتصيبه فى وجهه، وتجعله يعوى من الألم والغضب وهو يستقيم فى وقفته، ويمسح وجهه بيديه العملاقتين، ويكسر السهام وإن انغرست رءوسها فى جسده.

صرخ وتعثر فتفرق القناطير مشتتين، انهمرت قطرات دمِ «جراوب» على «هارى» وهو يجذب «هيرميون» إلى قدميها وينطلقان؛ بحثًا عن مأوى بين الأشجار. حالما وصلا إليه عاودا النظر للخلف.. أخذ «جراوب» يضرب القناطير بعشوائية والدم ينزف من وجهه.. تراجعوا من غير نظام، ومنهم من تسلل من بين الأشجار. راقب «هارى» و«هيرميون» «جراوب» وهو يزأر ثانية من الغضب ويسعى إليهم، محطمًا فى طريقه المزيد من الأشجار.

قالت «هيرميون»: «لا.. ياللفظاعة. ربما يقتلهم جميعًا» وهى تنتفض بعنف حتى أنها خرَّت على قدميها.

قال «هارى» بمرارة: «هذا فى الحقيقة لا يؤلمنى».

أخذت أصوات حوافر القناطير والعملاق الذى يطاردهم تخفت. أنصت «هارى»، آلمته ندبته ثانية بقوة فاجتاحته موجة من الفزع.

ليس هناك وقت ليضيعوه.. لقد ابتعدوا عن إنقاذ «سيرياس» أكثر من حالهم عندما رآه فى الحلم. لم يفقد «هارى» عصاه فقط، بل أيضًا علق فى وسط الغابة المحرمة من دون أى طريقة للخروج منها.

قال لـ«هيرميون» بحدة وقد أحس بأن عليه التنفيس عن بعض غيظه: «يا لها من خطة ذكية.. خطة ذكية فعلاً.. إلى أين نذهب الآن؟».

قالت «هيرميون» بوهن: «نحتاج للعودة إلى القلعة».

قال «هارى» وهو يركل جذع شجرة قريبة من غيظه: «قبل أن نعود سيكون سيرياس قد مات بالفعل»، سمع صوت حيوان مرتفعًا فوقه؛ فنظر لأعلى ليجد «بوتروكل» غاضبًا ينظر إليه ممسكًا بأصابعه الغصينية الطويلة متألمًا.

قالت «هيرميون» وقد نفد منها الأمل وهى تنهض ثانية: «لا يمكننا فعل أى شىء من دون عصينا السحرية. المهم يا «هارى»، كيف تخطط للذهاب إلى لندن؟».

سمعا صوتًا مألوفًا من خلفهما يقول: «أجل، كنا نفكر فى هذا منذ لحظة».

التفت «هارى» و«هيرميون» معًا إلى مصدر الصوت.

خرج «رون» من بين الأشجار، ومن خلفه «چينى» و«نيفيل» و«لونا». جميعهم يبدون فى حالة يُرثَى لها.. كانت عليهم خدوش كثيرة من الجرى لمسافة طويلة، ووجنة «چينى» مجروحة، و«نيفيل» مصاب بكدمة زرقاء فوق عينه اليمنى، وشفة «رون» تنزف أكثر من إصاباتهم جميعًا.. لكنهم بدوا فخورين بأنفسهم.

قال «رون» وهو يزيح غصنًا واطئًا جانبًا، ويعطى «هارى» عصاه السحرية: «إذن، هل واتتكما أية أفكار؟».

سأله «هارى» بتعجب وهو يأخذ عصاه منه: «كيف هربتم؟».

قال «رون» بلا اكتراث وهو يناول «هيرميون» عصاها هى الأخرى: «بتعويذتى تجميد، وتعويذة نزع سلاح.. كما أدى نيفيل تعويذة إعاقة ماهرة.. لكن چينى كانت أفضلنا، فقد ضربت مالفوى بتعويذة الغول الخفاشى، وهى

رائعة، غطت التعويذة وجهه كله بقطع لحمية مشعرة. المهم، رأيناكم من النافذة تتوجهون إلى الغابة فتبعناكم. ماذا فعلتما بأمبريدج؟».

قال «هارى»: «أخذها منا قطيع من القناطير».

سألته «چينى» بدهشة بالغة: «وهل تركوكما؟».

قال «هارى»: «لا، لقد طاردهم جراوب».

سألت «لونا» باهتمام: «من جراوب؟».

قال «رون» على الفور: «شقيق هاجريد الصغير، هذا لا يعنينا الآن. هارى، ماذا رأيت فى المدفأة؟ هل وصل - الذى تعرفه - إلى سيرياس أم...؟».

قال «هارى» وندبته تؤلمه ثانية: «أجل.. وأنا واثق من أن سيرياس ما زال على قيد الحياة، لكن لا أعرف كيف سنصل إليه لنساعده».

صمتوا جميعًا، والخوف بادٍ عليهم.. بدت المشكلة التى تواجههم بلا حل ولا قِبَل لهم بها.

قالت «لونا» بنبرة من تقرر الحقائق: «سنذهب طائرين.. أليس كذلك؟».

قال «هارى» بامتعاض وهو يلتفت إليها: «حسنًا.. أول شىء هو أنك لن تأتى معنا، وثانيًا، رون هو الوحيد الذى عنده مقشة لا يحرسها الترول؛ لذا...».

قالت «چينى»: «أنا عندى مقشة».

قال «رون» بغضب: «أجل، لكنك لن تأتى».

قالت «چينى»: «عذرًا، لكننى أهتم بما قد يحدث لسيرياس قدر اهتمامك». فتبدَّى التشابه بينها وبين «فريد» و«چورچ» جليًا فى تلك اللحظة.

قال «هارى»: «أنت أيضًا..». لكن «چينى» قالت بشراسة: «أنا أكبر من حالك بثلاث سنوات عندما قاتلت - الذى تعرفه - على حجر الفيلسوف، وبسببى أنا ستجد مالفوى راقدًا فى مكتب أمبريدج والوطاويط تهاجمه..».

«أجل، لكن...».

قال «نيفيل» بهدوء: «جميعنا أعضاء فى جماعة الـ(دى. أيه.) وعلينا جميعًا أن نقاتل - الذى تعرفه - أليس كذلك؟ وهذه هى أول فرصة لنا للقيام بشىء حقيقى.. أم أن تدريبنا كان لعبًا؟».

قال «هارى» بصبر نافد: «لا.. بالطبع لم يكن كذلك..».

قال «نيفيل» ببساطة: «إذن، فعلينا أن نأتى نحن الآخرون.. نريد المساعدة».

قالت «لونا» وهى تبتسم بسعادة: «هذا صحيح».

قابلت عينا «هارى» عينى «رون». عرف أن «رون» يفكر فيما يفكر فيه بـالضبط: إن كـان أمـامـه الخيار لأخذ بعض أعضاء الـ(دى. أيه.) لينقذوا «سيـريـاس» مـعـه هـو و«رون» و«هيرميون»، فمـا كـان ليختار «چينى» أو «نيفيل» أو «لونا» أبدًا.

قال «هارى» بغيظ: «كل هذا لا يهم؛ لأننا لا نعرف كيف سنصل إلى هناك..».

قالت «لونا» غاضبة: «حسبتنا انتهينا من هذه المسألة.. قلنا إننا سنطير».

قال «رون» وهو غير قادر على احتواء غضبه: «انظرى.. قد تقدرين على الطيران من دون المقشة، لكنَّ الباقين لن تنمو لهم أجنحة و...».

قالت «لونا» بهدوء: «هناك وسائل أخرى للطيران غير المقشات».

سألها «رون»: «وهل ستطيرين على ظهر كاكى سنورجل أو ما شابه من كائناتك الغريبة؟».

قالت «لونا» مستنكرة: «السنوركاك ذو القرن لا يطير.. لكن هذه تطير، ويقول هـاجريد إنها مـاهرة فى العثور على الأمـاكن التى يسعى راكبوها للوصول إليها».

نظر «هارى» خلفه. وجدهما بين شجرتين وعيونهما البيضاء تلمع، كائنين من (الثيسترال)، يراقبان الحوار الجارى وكأنهما يفهمان كل كلمة منه.

همس مقتربًا منهما: «أجل!» رفعا رأسيهما، وهزا شعر رقبتيهما الكثيف، ومد «هارى» يده بلهفة وربت على رقبة الأقرب إليه منهما.. كيف كان يرى هذه الكائنات قبيحة؟

قـال «رون» بتردد محدقًا فى نـقـطة إلى يسـار «الثيسترال» الـذى يـربت «هارى» على عنقه: «هل هى تلك الجياد المجنونة؟ التى لا تراها إلا عندما ترى الموتى؟».

قال «هارى»: «أجل».

«كم عددها؟».

«اثنان فقط».

قالت «هيرميون»: «نحن بحاجة إلى ثلاثة منها».

قالت «چينى» بعبوس: «بل أربعة يا هيرميون».

قالت «لونا» بهدوء وهى تحصى عددهم: «أعتقد أننا ستة أفراد».

قال «هارى» بغضب: «لا تكونى غبية، لا يمكن أن نذهب جميعًا. انظروا أنتم الثلاثة..». مشيرا إلى «نيفيل» و«چينى» و«لونا».. «لا شأن لكم بهذا، أنتم لستم...».

صدر عنهم المزيد من الاحتجاج. آلمته ندبته ثانية، ألم أكبر هذه المرة؟ كل لحظة تأخير غالية جدًا، وليس عنده وقت للنقاش والجدال.

قال باقتضاب: «حسنًا، اختاروا ما شئتم.. لكن إن لم تجدوا المزيد من الثيسترالات، فلن تقدروا على...».

قالت «چينى» بثقة: «سيأتى المزيد منها»، وهى مثلها مثل «رون» تنظر فى الاتجاه الخاطئ، ومن الواضح اعتقادها أنها هكذا تنظر إليهما.

«ولماذا تعتقدين هذا؟».

قالت بهدوء: «لأن فى حالة ما لم تلاحظوا، فإنك أنت وهيرميون مغطيان بالدم، ونعرف أن هاجريد قد جذب الثيسترالات إلى حيث نقف باللحم النيئ. هذا يعنى أن الدم هو سبب ظهور هذين».

شعر «هارى» بحركة على عباءته، فنظر إلى مصدرها ليرى أقربهما إليه يلعق كمه، والذى كان مغمورًا بدم «جراوب».

قال وقد واتته فكرة جيدة: «حسنًا.. سأركب أنا ورون هذين ونسبقكم، وستبقى هيرميون مع ثلاثتكم؛ حتى تجذب المزيد من الثيسترالات..».

قالت «هيرميون» بغيظ: «لن أبقى هنا».

قالت «لونا» مبتسمة: «لا حاجة بك لهذا. انظرى، ها قد جاء المزيد.. لا بد أن رائحتكما قوية ونفاذة..».

التفت «هارى» إلى حيث تشير.. وجد ما لا يقل عن ستة أو سبعة «ثيسترالات» تقترب من بين الأشجار، وأجنحتها الجلدية الكبيرة مطبقة على أجسادها، وعيونها تلمع فى الظلام. لم يعد عنده عذرٌ.

قال بغضب: «حسنًا.. ليركب كل منكم واحدًا.. هيا».

٣٤ مصلحة الألغاز والغوامض

شبّك «هـارى» أصابعه فى عُرف أقرب «ثيسترال» إليه، وسند قدمه على أقرب جذع شجرة منه، وقفز إلى ظهر الحصان الحريرى الملمس. لم يعترض، بل أدار رأسه للخلف، وكشف عن أنيابه، وحاول لعق الدم من على عباءة «هـارى».

وجد أن بإمكانه ثنى ركبتيه خلف مفصلى الجناحين؛ حتى يؤمِّن نفسه فى ركوبه، ثم التفت إلى الآخرين. امتطى «نيفيل» ظهر «الثيسترال» المجاور له، وأخذ يحاول رفع قدمه القصيرة فوق ظهر الكائن. ركبت «لونا» وجلست بطريقة الركوب الجانبية، وقدماها إلى جانب واحد، ثم عدلت وضع عباءتها وكأنها تركبه كل يوم. لكن «رون» و«هيرميون» و«چينى» وقفوا مفغورى الأفواه يحدقون أمامهم ببلاهة. قال «هـارى»: «ما الأمر؟».

قال «رون» بوهن: «كيف سنركب ونحن لا نرى هذه الأشياء؟!».

قالت «لونا» وهى تنزل من على حصانها وتسير نحوه هو و«هيرميون» و«چينى»: «تعال هنا..».

أوقفتهم إلى جوار «الثيسترالات» الباقية، وتمكنت من مساعدتهم على الركوب واحدًا تلو الآخر.. بدوا متوترين بشدة وهى تلف أيديهم حول أعناق الجياد وتطالبهم بالإمساك جيدًا قبل أن تعود إلى جوادها.

غمغم «رون» محركًا يده الحرة فوق عنق الحصان: «هذا جنون.. جنون.. إن كنت لا أراه فـ...».

قال «هـارى» بوجوم: «لتتمنى أن يبقى خفيًا عليك. هل نحن مستعدون جميعًا؟».

أومأوا له جميعًا موافقين، واستعدوا للطيران.

«حسنًا..». نظر إلى رأس «الثيسترال» الأسود وازدرد لعابه.

قال بتردد: «وزارة السحر. مدخل الزوار، لندن.. آ.. إن كنت تعرف إلى أين ستذهب..».

للحظة، بدا وكأن «ثيسترال» «هـارى» لم يفهم شيئًا، ثم وبحركة كادت أن

تخلعه من مكانه خلعًا امتد الجناحان، وتأهب الجواد للطيران، ثم ارتفع بسرعة وبحدة حتى أن «هارى» قبض بيديه وساقيه بقوة على جسده؛ حتى لا يقع من فوق ظهره العَظْمِى النحيف. أغمض عينيه وضغط وجهه إلى عنق الجواد الحريرى، وهما يمرقان إلى جانب فروع وأوراق الأشجار وإلى الشمس الغاربة، الدموية الحمرة.

لم يحسب «هارى» أنه سيتحرك بهذه السرعة.. حلق «الثيسترال» فوق القلعة، وجناحاه العريضان يخفقان ويضربان الهواء، والنسيم البارد المنعش يضرب وجهه، وعيناه مغمضتان فى مواجهة الرياح الشديدة.. نظر حوله إلى رفاقه الخمسة المحلقين من خلفه، وكل منهم متمسك قدر استطاعته بعنق «ثيستراله»؛ خشية السقوط.

حلقوا فوق الأراضى المحيطة بقلعة «هوجورتس»، ومروا فوق «هوجزميد»، وتمكن «هارى» من رؤية الجبال والأخاديد بالأسفل، ومع انطفاء ضوء النهار، رأى تجمعات ضوئية وهم يمرون فوق بعض القرى، ثم فوق طريق سريع متعرِّج لا تسير عليه سوى سيارة واحدة تشق طريقها بصعوبة بين التلال.

سمع «هارى» «رون» يصيح من مكان ما خلفه: «هذا غريب» وتخيل كيف يشعر وهو يطير على هذا الارتفاع من دون أن يرى ما يطير فوقه.

حل الغروب واحمرت السماء.. وتحول نورها إلى لون بنفسجى قاتم ترصّعه النجوم، وسرعان ما أضاءت أنوار «العامة» من بيوتهم بالأسفل، وصارت هذه الأضواء هى ما يدلهم على سرعة ارتحالهم. التفّ ذراعا «هارى» حول عنق الجواد وهو يحثه على الطيران أسرع وأسرع. كم من الوقت مضى منذ رأى «سيرياس» راقدًا على أرضية مصلحة الألغاز والغوامض؟ كم تبقَّى من قدرة «سيرياس» على مقاومة «ڤولدمورت»؟ كل ما عرفه «هارى» هو أن أباه الروحى لم يفعل ما يريده «ڤولدمورت» منه، ولم يمت؛ لأنه كان مقتنعًا بأنه إن وقع أى من الأمرين؛ فسوف يشعر بإحساس «ڤولدمورت» بالفرحة أو الغضب فى جسده، وستحترق ندبته بالألم الممض كما حدث ليلة مهاجمة السيد «ويسلى».

مضوا محلقين فى الهواء والليل من حولهم يوغل، شعر «هارى» بوجهه يتجمد من البرد، وبساقيه مخدرتين من التمسك بجانبى «الثيسترال»، لكنه لم يجرؤ على تغيير جلسته؛ وإلا سقط.. أصيب بالصمم المؤقت من صوت الهواء

الهادر فى أذنيه، وصار فمه جافًا ومتجمدًا من الهواء الليلى البارد. فقد إحساسه بالمكان، وتركز كل عزمه على الحيوان الطائر من تحته، وهو ما زال يخفق بجناحيه سماوات الليل، متقدمًا للأمام بلا توقف.

إن وصلوا متأخرين..

إنه حى، ما زال حيًّا ويقاوم، أشعر به..

إن قرر «ڤولدمورت» أن «سيرياس» لن ينهار.

سأعرف وقتها..

اضطربت معدة «هارى» من التوتر.. وفجأة، اتجه رأس «الثيسترال» نحو الأرض فانزلق بضع بوصات بطول رقبته. كانوا فى طريقهم للهبوط أخيرًا.. سمع صرخة من خلفه فالتفت ولم ير أثرًا لشخص يسقط.. الواضح إذن، أنهم قد أحسوا بالصدمة عندما غيرت الحيوانات اتجاهها فجأة - كما حدث له.

أخذت أضواء برتقالية لامعة تتوهج وتقترب من كل الأجناب.. رأوا أسطح البنايات، وشلالات الضوء مثل عيون حشرات عملاقة، ومربعات من الضوء الأصفر الشاحب المطل من نوافذ الحجرات المضيئة. فجأة، بدا وكأنهم سيرتطمون بالرصيف. أمسك «هارى» برقبة «الثيسترال» بكل ما فيه من قوة واستعد للاصطدام، لكن الحصان لامس الأرض المظلمة بهدوء وخفة كأنه ظل، وانزلق «هارى» من فوق ظهره وأخذ ينظر حوله فى الشارع وبالقرب منه كابينة التليفون المدمرة.

حطّ «رون» قريبًا منه وسقط من فوق «الثيسترال» الذى يركبه على الرصيف.

قال وهو يجاهد للنهوض على قدميه: «لن أركبه ثانية» وكأنه يبعد عن «الثيسترال» مشيحًا بيده.. ولكن وهو غير قادر على رؤيته، فقد اصطدم بمؤخرته وكاد أن يقع ثانية.. أضاف: «أبدًا، أبدًا، إنها أسوأ مواصلة فى حياتى..».

لامست كل من «هيرميون» و«چينى» الأرض إلى جواره من الجانبين.. ونزلت كل منهما من فوق حِصانها بطريقة أكثر رشاقة بقليل من طريقة «رون»، وإن كان على وجهيهما نفس تعبير الراحة لعودتهما إلى الأرض الثابتة.. قفز «نيفيل» من فوق جواده، ووقف مرتجفًا، أما «لونا» فقد نزلت من فوقه بكل رشاقة ونعومة.

سألت «هاري» بصوت مهذب: «أين سنذهب الآن؟»، وكأنهم في رحلة ممتعة.

قال: «إلى هنا»، ربت على ظهر «الثيسترال» الذي كان يركبه ربتة امتنان خفيفة، سريعة، ثم قاد الطريق إلى كابينة التليفون المحطمة وفتح الباب وقال: «تعالوا»؛ مخاطبًا الآخرين الذين ترددوا.

تقدم «رون» و«چيني» في طاعة، أما «هيرميون» و«نيفيل» و«لونا» فقد دخلوا خلفهما بعد لحظة. ألقى «هاري» نظرة أخيرة على «الثيسترالات»، التي أخذت ترعى على بقايا الطعام المتعفن على الأرض، ثم حشر نفسه في الكابينة من خلف «لونا».

قال: «من الأقرب إلى السمَّاعة؟ اضرب رقم ستة، ثم اثنين، أربعة، أربعة، اثنين».

فعل «رون» كما قال، حنى ذراعه بطريقة غريبة ليصل إلى قرص الأرقام.. والقرص يعود إلى مكانه، سمعوا صوتًا أنثويًّا باردًا يملأ الكابينة:

«أهلا بك في وزارة السحر. من فضلك اذكر اسمك، وسبب زيارتك».

قال «هاري» بسرعة بالغة: «هاري بوتر، رون ويسلي، هيرميون جرانجر، چيني ويسلي، نيفيل لونجبوتم، لونا لوفجود.. نحن هنا؛ لإنقاذ شخص ما، إلا إن كانت الوزارة قد أنقذته بالفعل».

قال الصوت الأنثوي البارد: «شكرًا لك. السادة الزوار، من فضلكم أخذ الشارات وربطها بصدر عباءاتكم».

انزلقت ست شارات من المخرج المعدني الذي تنزل منه العملات الزائدة. أمسكت بها «هيرميون» وأعطتها إلى «هاري» في صمت، وهي تمد يدها من فوق رأس «چيني»، فنظر إلى أولها: «هاري بوتر، مهمة إنقاذ».

«السادة زوار الوزارة، عليكم الخضوع للتفتيش، وتقديم عصيكم السحرية لمكتب الأمن، وهو عند الطرف البعيد من قاعة الاستقبال».

قال «هاري» بصوت جهوري ورعشة ألم تداهم ندبته ثانية: «حسنًا.. والآن، هلا تحركنا؟».

ارتجفت أرضية كابينة التليفون، وارتفع الرصيف من حول جدرانها الزجاجية، وخرجت «الثيسترالات» عن نطاق البصر، وعمَّ السواد من حولهم ومن فوق رءوسهم مع جلبة أصوات معدنية وهم يهبطون إلى قلب وزارة السحر.

ضرب شعاع رفيع من النور الذهبي أقدامهم، واتسع ليغمر أجسادهم. ثني

«هـارى» ركبتيه ورفـع عصاه السحرية مستعداً متأهبًا وهو يحدّق من الزجاج؛ ليعرف إن كان هناك من ينتظرهم فى قاعة الاستقبال، لكن القاعة بدت خالية تمامًا، والضوء أخفت من حاله بالنهار.. لم تكن هناك نيران فى المدافئ التى تشغل الحوائط، لكن ومع استقرار المصعد بنعومة بالقاعة، رأى الرموز الذهبية مستمرة فى التثنّى والالتفاف على السقف الأزرق الداكن.

قال الصوت الأنثوى: «تتمنى لكم وزارة السحر أمسية سارة».

انفتح باب كابينة التليفون.. تعثر «هـارى» وهو يخرج عبره، ومن خلفه «نيفيل» و«لونا». الصوت الوحيد بالقاعة كان للمياه المتدفقة فى النافورة الذهبية، حيث الماء المتدفق من عصى الساحرة والساحر، ومن طرف قوس «القنطور»، ومن طرف قبعة الجنى، ومن أذنى القزم المنزلى، وكلها تتجمع فى البركة المائية الصغيرة الواقعة أمام التماثيل.

قال «هـارى» بهدوء وهم يهرولون بطول القاعة: «هيًّا». كان فى المقدمة، وعبر إلى جوار النافورة تجاه مكتب ساحر الأمن الذى وزن عصاه السحرية، وإن وجده الآن مهجورًا.

كان «هـارى» على يقين من ضرورة وجود حارس أمن بالمكتب، ومن أن غيابه لا يعنى خيرًا، وازداد إحساسه بصدق مخاوفه مع مرورهم إلى جوار البوابات الذهبية للمصاعد. ضغط على مِفتاح «أسفل»، الأقرب إليه، فانفتح المصعد بصوت صاخب، انفتحت البوابات الذهبية بصوت معدنى مدوٍّ. ضغط «هـارى» على مِفتاح الطابق التاسع، أغلق الباب الذهبى وبدأ المصعد فى الهبوط، بصوته المعدنى الرنان. لم يدرك «هـارى» كم صخب المصعد يوم جاء بالنهار مع السيد «ويسلى»، كان واثقًا من أن الصخب الذى يصدره المصعد كافٍ لإيقاظ أى من أفراد الأمن بالمبنى، لكن عندما توقف المصعد، جاء الصوت الأنثوى البارد: «مصلحة الألغاز والغوامض» وانفتح الباب. خطوا إلى الممر ولا شىء يتحرك غير نيران المشاعل القريبة التى تحركت مع الرياح الناتجة عن حركة المصعد.

التفت «هـارى» إلى الباب الأسود.. بعد شهور وشهور من حلمه به، وصل إليه أخيرًا.

همس قائلاً: «هيا بنا»، وقاد الطريق بطول الممر، و«لونا» إلى يمناه من الخلف تحدق حولها وفمها مفتوح فى دهشة خفيفة.

قال «هـارى» وهو يتوقف ثانية قبل الباب بست أقدام: «حسنًا.. اسمعوا. ربما... ربما على اثنين منا البقاء هنا للحراسة و...».

سألته «چينى» وحاجبها يرتفع: «وكيف سنعرف إن وقع مكروه لمن يدخلون؟ ربما تتوغلون مسافة أميال للداخل».

قال «نيفيل»: «سنأتى معك يا هارى». فقال «رون» بحزم: «هيا بنا إذن».

لم يكن «هارى» يريد أن يدخلوا جميعًا معه، لكن بدا أنه لا خيار أمامه. التفت ليواجه الباب وتقدم منه.. كما رآه فى حلمه تمامًا، انفتح وخطا فوق مدخل الباب، والباقون فى عقبيه.

وجدوا أنفسهم فى حجرة كبيرة دائرية. كل شىء بها أسود، حتى الأرضية والسقف.. وأبواب سوداء متماثلة بلا أية علامات أو مقابض، على مسافات متساوية، ومتفرقة على جدران الحجرة، بينها شموع زرقاء اللهب، وضوؤها البارد المتراقص ينعكس على الأرضية الرخامية اللامعة، مما جعلهم يشعرون بأن تحتهم مياه داكنة اللون. غمغم «هارى»: «ليغلق أحدكم الباب».

ندم على الأمر الذى أصدره لحظة أطاعه «نيفيل». بدون شعاع الضوء الطولى القادم من الممر، أصبح المكان مظلمًا.. وللحظة، لم ير سوى ألسنة اللهب الزرقاء الصغيرة على الجدران، وانعكاسها الشبحى الطابع على الأرض.

فى حلمه، كان «هارى» يسير دومًا بتصميم عبر الحجرة إلى الباب المواجه للمدخل تمامًا ويمر عبره. لكنه وجد حوله اثنى عشر بابًا. وهو يحدق أمامه فى الأبواب المقابلة له؛ محاولاً معرفة الصحيح منها، سمع صخبًا شديدًا وبدأت الشموع فى الحركة إلى الجانب.. الحجرة الدائرية تدور.

أمسكت «هيرميون» بذراع «هارى» وكأنها خائفة متوجسة من أن تتحرك الأرض هى الأخرى، لكنها لم تتحرك. بعد ثوان قليلة، أصبح ضوء الشموع من حولهم أشبه بالضوء (النيون) والجدار يدور ويدور بسرعة.. ثم فجأة ـ كما بدأ الأمر ـ كفت الحركة، وهدأ كل شىء ثانيةً.

رأى «هارى» خيوطًا ضوئية زرقاء تتراقص أمام عينيه، وكان هذا كل ما يقدر على رؤيته. همس «رون» بخوف: «ماذا جرى؟».

قالت «چينى» بصوت هامس: «أعتقد أن المقصود هو ألا نعرف أى الأبواب نختار».

أدرك «هارى» أنها محقَّة على الفور.. لم يتعرف على الباب الذى عبروا منه،

والباب الذى كان عليهم المرور عبره، وقد يكون أى من الأبواب الاثنى عشر من حولهم. قال «نيفيل» بضيق: «كيف سنعود إذن؟».

قال «هارى» بقوة: وعينه تطرف؛ محاولاً مسح الخطوط الزرقاء من أمام عينيه، ممسكًا بعصاه السحرية بقوة أكبر: «هذا لا يهم الآن.. لن نحتاج للخروج؛ حتى نعثر على سيرياس..».

قالت «هيرميون» بحرارة: «لكن لن نمشى ننادى عليه..». لم يكن «هارى» بحاجة لنصيحتها، فقد كان يعرف أن عليه الحفاظ على الهدوء قدر استطاعته.

تساءل «رون»: «أين سنذهب إذن يا هارى؟».

قال «هارى»: «لا أعر...». ثم صمت، وازدرد بصعوبة وأكمل: «فى أحلامى، كنت أمر عبر الباب المواجه للمصعد، الذى عبرنا منه.. ثم ألج عبر باب آخر فى الحجرة يُفضى إلى حجرة أخرى متلألئة نوعًا ما... علينا تجربة فتح بعض الأبواب إذن»، ثم قال بتردد: «سأعرف الباب الصحيح عندما أراه.. هيا».

سار إلى الباب المواجه له مباشرة، وتبعه الآخرون، وضع يده اليسرى على سطح الباب البارد اللامع، ورفع عصاه فى وضع الاستعداد، ليضرب بها لحظة أن ينفتح، ثم دفعه فانفتح الباب بسهولة.

بعد ظلام الحجرة الأولى، أعطته المصابيح، ذات السلاسل الذهبية المعلقة من السقف، الانطباع بأن هذه الحجرة المستطيلة أكبر بكثير، لكن لم ير «هارى» أضواء متراقصة متلألئة، كما رأى فى أحلامه. كان المكان خاليًا إلا من بعض الموائد القليلة، وفى منتصف الحجرة وعاء زجاجى كبير به سائل داكن الخضرة، وكبير بما يكفى ليسبحوا فيه جميعًا.. وعدد من الأشياء اللؤلؤية البياض الطافية والسابحة بكسل داخله.

همس «رون»: «ما هذه الأشياء؟». فقال «هارى»: «لا أعرف».

همست «چينى»: «هل هى أسماك؟».

قالت «لونا» بحماس: «إنها ديدان فيروسية بحرية.. قال أبى إن وزارة السحر تربيها بصفة غير قانونية..».

قالت «هيرميون»: «لا» وبدا صوتها غريبًا.. تحركت مقتربة من الوعاء ناظرة من جوانبه إلى ما بداخله، ثم أعلنت: «إنها مخاخ».

«مخاخ؟!».

«أجل.. ترى ماذا يفعلون بها؟».

انضم «هارى» إليها أمام الوعاء. بالطبع لا خطأ فى هويتها من هذه المسافة القريبة. أخذت تسبح بلونها اللامع، مقتربة منهم ومبتعدة عنهم فى السائل الأخضر، وقد بدت أشبه بنبات عبّاد شمس لزج الملمس.

قال «هارى»: «لنخرج من هنا.. هذه ليست الحجرة الصحيحة، سنجرب بابًا آخر».

قال «رون» مشيرًا إلى الجدران: «هناك أبواب أخرى هنا أيضًا». غاض قلب «هارى» فى صدره.. ما مساحة هذا المكان؟

قال: «فى أحلامى. كنت أمر بالحجرة المظلمة إلى حجرة ثانية.. أعتقد أن علينا الخروج من هنا وتجربة باب آخر».

وهكذا هرولوا خارجين من الحجرة إلى الحجرة الدائرية المظلمة.. أخذت أشكال المخاخ تسبح أمام عينى «هارى» بدلاً من اللهب الأزرق للشموع.

قالت «هيرميون» بحدة: «انتظرى» و«لونا» تهم بفتح الباب المجاور لحجرة المخاخ.. ثم قالت: «*فلاجرات*».

شهرت عصاها السحرية ورسمت بالتعويذة التى ذكرتها علامة (X) لامعة فى منتصف الباب. وما إن أغلق الباب من خلفهم، حتى أخذت الحجرة تدور ثانية وبسرعة كبيرة، لكنهم رأوا وسط الأضواء الزرقاء المتداخلة لمعانًا أحمرَ ذهبيًّا، ثم عندما استقرت الحجرة وجدوا علامة «هيرميون» مستقرة على الباب؛ لتكشف لهم عن الحجرة التى دخلوها.

قال «هارى»: «تفكير جيد.. حسنًا.. دعونا نجرب هذا الباب..».

مرة ثانية، اتجه مباشرة إلى الباب المواجه له وفتحه، وعصاه السحرية مشهرة، والباقون فى عقبيه.

كانت هذه الحجرة أكبر من سابقتها.. مضاءة إضاءة خافتة ومستطيلة الشكل، وفى مركزها حفرة حجرية كبيرة بعمق عشرين قدمًا. وقفوا على طرف الدرجة العليا من الحجرة، التى بدت أشبه بمدرجات مسرح قديم، أو أشبه بحجرة المحكمة التى حوكم فيها «هارى» على أيدى أعضاء الـ«ويزنجاموت». لكن بدلاً من المقعد ذى السلاسل، كان هناك منبر حجرى فى منتصف الحجرة، وعليه قوس حجرية قديمة وبالية الحال، حتى إن «هارى» اندهش

من أنه ما زال قائمًا لم ينهدم. كانت القوس الحجرية قائمة من غير عمد، ويغطيها ستار أسود، أخذ بالرغم من سكون الهواء بالحجرة فى الارتجاف وكأن هناك من يلامسه من الخلف.

قال «هارى» وهو يقفز درجة إلى الأسفل: «من هناك؟». لم يجبه مجيب، لكن الستار استمر فى الحركة والتأرجح. همست «هيرميون»: «احذر».

نزل «هارى» الدرجات واحدة تلو الأخرى حتى وصل إلى القاع الحجرى للحفرة الغائضة فى الأرض. دوى صوت خطوات قدميه مرتفعًا وهو يقترب ببطء من المنبر. بدت القوس الحجرية المدببة الطرف أطول مما سبق وهو واقف أمامه. أخذ الستار يتحرك ويتأرجح برفق، وكأن هناك من مر خلاله منذ قليل.

«سيرياس؟». تكلم «هارى» ثانية، لكن بصوت أخفت وقد اقترب.

أحسَّ إحساسًا قويًا بأن هناك من يقف خلف الستار مباشرة ويراقبه. أمسك بعصاه بقوة، ودار حول المنبر، لكنه لم يجد أحدًا خلفه.. كل ما رآه هو الجانب الآخر من الستار الأسود المهترئ.

نادته «هيرميون» من عند منتصف الدرجات: «هيا نذهب.. أرتاب فى الأمر يا هارى، هيا بنا».

بدت خائفة، أكثر خوفًا من حالها فى حجرة المخاخ العائمة، لكن «هارى» استشعر نوعًا من الجمال فى الستار، وإن كان قديمًا هكذا. أغراه الستار المتراقص برفق بالاقتراب، وأحسَّ برغبة عارمة فى صعود درجات المنبر والسير عبره.

قالت «هيرميون» بقوة أكبر: «هارى، هيا بنا.. هيا نعود».

قال: «حسنًا» لكنه لم يتحرك. سمع شيئًا. كان هناك همس خافت، غمغمة قادمة من الجانب الآخر للستار.

قال بصوت مرتفع: «ماذا تقولون؟». حتى أن كلماته أصدرت دويًا على الدرجات الصخرية.

قالت «هيرميون» وهى تقترب منه: «لم يتكلم أحد يا هارى».

قال مبتعدًا عنها مقطب الجبين فى مواجهة الستار: «هناك من يهمس.. هل هذا أنت يا رون؟».

قال «رون» وهو واقف على الجانب الآخر من القوس الحجرية: «أنا هنا يا صاحبى».

تساءل «هـارى»: «ألا يسمع أحدكم الأصوات؟».. لأن الأصوات والهمسات قد صارت أقوى، وإن كانت بلا معنى، لكنه وجد قدميه تتحركان على درجات المنبر.

همست «لونـا»: «أنـا أسمعها» وقد انضمت إليهم عند جانب القوس وحدقت فى الستار الخافق، وقالت: «هناك أشخاص بالداخل».

سألتها «هيرميون» وهى تقفز من فوق الدرجة الأخيرة وقد تملكها الغضب: «ماذا تعنين بقولك: بالداخل؟ لا يوجد (بالداخل)، إنها مجرد قوس، ولا مكان فيها لأحد. هارى، توقف، ابتعد..». أمسكت بذراعه وجذبته، لكنه قاومها.

قالت بصوت مرتفع متوتر: «هارى، نحن هنا للبحث عن سيرياس».

ردد «هـارى» كلامـهـا وهـو مـا زال محدِّقًـا بـثـبـات فـى الستـار الخافـق: «سيرياس. أجل..».

فجأة، عادت الأوضاع إلى حالها الصحيح فى عقله: سيرياس، قبض عليه وتعرض للتعذيب تحت الأسر، وهو ينظر إلى القوس..

أخذ عدة خطوات مبتعدًا عن الستار، ثم أشاح بوجهه عنه. قال: «هيًّا».

قالت «هيرميون»: «هذا ما أحاول أن... أعنى... هيا بنا إذن» وقادت الطريق. على الجانب الآخر من المنبر، أخذ «نيفيل» و«چينى» يحدقان فى الستار هما الآخران. وبدون كلام، أمسكت «هيرميون» بذراع «چينى»، وأمسك «رون» بذراع «نيفيل»، وأعادوهما إلى درجات المدرج وصعدوا إلى الباب.

سأل «هـارى» «هيرميون» وقد عادوا إلى الحجرة الدائرية المظلمة: «تُرَى، ما هذا الستار؟».

قالت بحزم وهى ترسم علامة سحرية على الباب الذى خرجوا منه: «لا أعرف.. لكن، أيًّا كان فهو خطير».

استقر حال الجدار بعد أن دار ثانية.. تقدم «هـارى» من أحد الأبواب ودفعه، لكنه لم يتحرك.

قال «رون» بحماس وهو ينضم إلى «هـارى» فى محاولة فتح الباب: «لا بد أن هذا هو الباب الذى نقصده، أكيد».

قالت «هيرميون» بحدة: «ابتعدا عنه»، وأشارت بعصاها السحرية إلى حيث يقع القفل فى الأبواب العادية وقالت: «*ألوهومورا*».

لم يحدث شىء.

قال «هـاري»: «سكين سيرياس» وهو يجذبها من ثنيات عباءته ويضعها في الشق الواقع بين الباب والجدار. راقبه الآخرون بلهفة وهو يجري السكين بطول الباب، ويسحبه، ثم يدفع الباب بكتفه. ظل مغلقًا كما هو. والأغرب أن «هاري» عندما نظر إلى سكينه وجد نصله قد ذاب.

قالت «هيرميون» بتصميم: «حسنًا، سنترك هذه الحجرة».

قال «رون» متطلعًا إلى الباب بمزيج من الرهبة والتوق: «لكن، ماذا إن كانت هي المقصودة؟».

قالت «هيرميون» وهي تعلّم الباب بعلامة سحرية أخرى، مع إعادة «هاري» لسكين «سيرياس» المذاب إلى جيبه: «لا يمكن.. كان هاري يمر عبر الباب بسلاسة في حلمه».

قالت «لونا» بلهفة وقد بدأ الجدار في الدوران ثانية: «أتعرفون ماذا قد يقع خلف هذا الباب؟».

قالت «هيرميون» بسخرية غاضبة: «شيء مخيف طبعًا»، فضحك «نيفيل» ضحكة متوترة قصيرة.

كف الجدار عن الدوران، ودفع «هاري» أقرب الأبواب إليه؛ لينفتح وقد بدأ اليأس يتسرب إلى قلبه. «إنه هو».

عرفه على الفور؛ من الأضواء الجميلة المتراقصة المتلألئة. مع تعوّد عينيه على الضوء البراق، رأى ساعات تلمع على كل الأسطح بالحجرة، كبيرة وصغيرة، قديمة وحديثة، معلقة في الفراغات بين خزانات الكتب، ومنتصبة على المكاتب المصطفّة بطول الحجرة، حتى امتلأت الحجرة بصوت آلاف عقارب الثواني المتقدمة مع تقدم الزمن. أما مصدر الضوء، فقد كان جَرَّة كريستالية جرسية الشكل وهائلة تتحرك متراقصة عند الطرف البعيد من الحجرة.

«من هنا».

أخذ قلب «هاري» يخفق بقوة بالغة وقد عرف أنه في طريقه الصحيح، قاد المجموعة بطول المساحة الخالية بين صفوف المكاتب، متجهًا ـ كما كان يفعل في حلمه ـ إلى مصدر الضوء، والجرة الكريستالية طويلة وكبيرة ومستقرة على مائدة، وقد بدت محفوفة برياح عاوية شديدة.

قالت «چينى» وهم يقتربون: «ياه.. انظروا»، مشيرة إلى قلب الجرة الكريستالية.

كانت هناك بيضة صغيرة لامعة وسط التيار المتدفق. وهى ترتفع داخل الجرة، انفتحت وخرج منها طائر طنَّان، وكان على طرف الجرة العلوى، لكن مع خروجه إلى السائل ابتل ريشه، ومع عودته إلى البيضة فى قاع الجرة عاد مرة أخرى إلى داخلها.

قال «هارى» بحدة: «تقدموا»؛ لأن «چينى» بدا عليها أنها تريد التوقف ومراقبة تقدم البيضة، دورة البيضة، وهى تتحول إلى طائر.

قالت بغضب: «لقد تلكأت أمام القوس الحجرية القديمة»، لكنها اتبعته من خلف الجرة وإلى الباب الوحيد من خلفها.

قال «هارى» ثانية وقلبه يخفق بقوة وسرعة شعر معهما بأن نبضات قلبه تتداخل مع كلماته: «هذا هو.. عبْره سأ...».

نظر حوله إليهم جميعًا.. كانت عصيهم مشهرة وقد بدت عليهم علامات الجدية والتوتر. عاود النظر للباب ودفعه؛ فانفتح.

دخلوا، وجدوا مرادهم.. حجرة مرتفعة السقف وكأنها كنيسة ومليئة بصفوف وصفوف من الرفوف التى تغطيها كرات زجاجية صغيرة مغبرة. كانت تلمع على الضوء القادم من الشموع المعلقة على مسافات متساوية بين الرفوف. مثلها، مثل الشموع المعلقة فى الحجرة الدائرية من خلفهم، كان لهبها أزرق، والحجرة شديدة البرودة.

تقدم «هارى» إلى الأمام، ونظر إلى الممرات المظلمة الواقعة بين صفين من الرفوف. لم يسمعْ أو يرَ ما يدل على أدنى حركة.

همست «هيرميون» قائلة: «قلت إنه الصف السابع والتسعون».

قال «هارى» وهو ينظر إلى طرف أقرب الرفوف: «أجل» تحت الشموع الزرقاء اللهب كان هناك رقم معلق وهو ثلاثة وخمسون.

همست «هيرميون» وهى تنظر عن قرب إلى الصف التالى: «سنمشى تجاه اليمين على ما أعتقد.. أجل.. هذا رقمه أربعة وخمسون..».

قال «هارى» برفق: «أبقوا على عصيكم فى وضع الاستعداد».

زحفوا إلى الأمام، ناظرين خلفهم وهم يتقدمون عبر صفوف الممرات والرفوف، التى كان طرفها البعيد غارقًا فى ظلام دامس. كانت هناك

لافتات صغيرة مصفرة تحت كل كرة زجاجية على الرفوف، بعضها يتألق بضوء سائل الطابع، غريب، وبعضها الآخر داكن ومظلم وكأن بداخله أضواء بنية.

تقدموا إلى الصف رقم أربعة وثمانين.. خمسة وثمانين.. أخذ «هارى» ينصت لأقل حركة، لكن ربما «سيرياس» مكمم الفم، أو لعله فاقد الوعى.. أو، وكما قال صوت بداخله: *لعله مات*.

قال لنفسه إنه كان ليشعر بهذا، لكن قلبه أخذ يخفق فى صدره وكأنه قد وصل إلى تفاحة آدم فى حلقه، كنت لأعرف.. كنت لأعرف..

همست «هيرميون»: «سبعة وتسعين».

وقفوا حول طرف الصف، محدقين فى الممر الواقع إلى جانبه، لم يكن هناك أحد.

قال «هارى» الذى أصبح فمه جافًا: «إنه عند الطرف البعيد.. لا يمكن أن نراه من هنا».

وقاد الطريق بين صفوف الكرات الزجاجية العالية، وبعضها يتألق بنور خافت وهم يمرون إلى جوارها.

همس «هارى» قائلاً: «يجب أن يكون هنا» مقتنعًا بأن كل خطوة يخطوها تقربه من جسد «سيرياس» الذى سيظهر عندما يقتربون بما يكفى.. أضاف: «فى مكان ما هنا.. قريبًا من هنا..».

قالت «هيرميون» بريبة: «هارى؟». لكنه لم يرغب فى الرد.. أصبح حلقه شديد الجفاف. قال: «هنا.. فى مكان ما هنا..».

وصلوا إلى طرف الممر البعيد ليجدوا أضواء الشموع ثانية. لم يكن هناك من أحد. كل ما حولهم سكون مدوٍّ مغبر.

همس «هارى» ناظرًا إلى الصف التالى: «ربما يكون... أو ربما...». هرول تجاه الصف الذى أشار إليه. قالت «هيرميون» ثانية: «هارى؟».

قال لها مزمجرًا: «ماذا؟».

«لـ... لـ... لا أعتقد أن سيرياس هنا».

لم يتكلم أحد. لم يرغب «هارى» فى النظر إلى أى منهم. شعر بالغثيان. لم يفهم لماذا لم يجد «سيرياس». كان يجب أن يكون هنا. فهنا رآه بنفسه.

جرى إلى طرف الصفوف محدقًا بطول الممرات الواقعة إلى جوارها، ممر بعد ممر، وكلها كانت خالية. جرى فى الاتجاه الآخر، وعاد إلى أصحابه الذين أخذوا يرنون إليه. لم يجد علامة على وجود «سيرياس» أو أية إشارة على وقوع شِجار أو مقاومة هنا.

ناداه «رون»: «هارى».

«ماذا؟».

لم يرغب فى سماع ما سيقوله «رون»، لم يرغب فى سماع تعليقه عن غبائه أو اقتراحه بالعودة إلى «هوجورتس»، وأخذت الحرارة تزيد فى وجهه وأحسَّ بالرغبة فى فحص المكان مليًّا قبل أن يعود إلى قاعة الاستقبال بالأعلى ويواجه نظرات الآخرين المعاتبة. قال «رون»: «هل رأيت هذا؟».

قال «هارى»: «ماذا؟». لكن بلهفة هذه المرة.. لا بد أن ما يشير إليه دليل على وجود «سيرياس» هنا، دليل ما. عاد إلى حيث يقفون جميعًا، قريبًا من الصف رقم سبعة وتسعين، لكنه لم يجد سوى «رون» وهو يحدق فى واحدة من الكرات الزجاجية على الرف. ردد «هارى»: «ماذا؟».

قال «رون»: «اسمك مكتوب عليها».

اقترب «هارى» أكثر. كان «رون» يشير إلى واحدة من الكرات الزجاجية الصغيرة التى تلمع بضوئها الداخلى، وإن كانت مغبرة وكأن أحدًا لم يمسسها منذ سنوات طوال. قال «هارى»: «اسمى أنا؟».

خطا للأمام. لم يكن بطول «رون»؛ لذا فقد اضطر لمد رقبته؛ لقراءة الورقة المصفرة المعلقة على الرف تحت الكرة الزجاجية المغبرة. كتابة عنكبوتية عليها تاريخ يعود إلى ستة عشر عامًا، وتحتها:

إس. بى. تى. إلى أيه. بى. دبليو. بى. دى.

سيد الظلام.

و (؟) هارى بوتر.

تطلع «هارى» إليها.

تساءل «رون» وصوته مضطرب: «ما هذا؟ ماذا يفعل اسمك هنا؟».

نظر إلى الأوراق المعلقة أسفل باقى الكرات بطول الرف.

أضاف باديًا عليه العجب: «أنا لست هنا.. ولا الباقون».

قالت «هيرميون» بحدة: «هارى.. لا أعتقد أن لمسها فكرة جيدة»، وهو يمد يده إلى الكرة. قال: «لم لا؟ إنها شيء له علاقة بى.. أليس كذلك؟».

قال «نيفيل» بغتةً: «لا تلمسها يا هارى». نظر «هارى» إليه. كان وجه «نيفيل» المستدير يلمع بالعرق. بدا كأنه لا يحتمل المزيد من الإثارة.

قال «هارى»: «إن اسمى عليها».

شاعرًا ببعض التهور، قبض بأصابعه على سطح الكرة المغبر. توقع الإحساس ببعض البرودة على أنامله، لكنه لم يجد ما توقع. على النقيض، شعر وكأن الكرة كانت فى الشمس لساعات، وكأن توهجها الداخلى نابع من دفئها. متوقعًا - بل وحتى آملاً - حدوث شىء ما، شىء مثير يجعل الرحلة الطويلة والخطرة ذات قيمة، رفع «هارى» الكرة الزجاجية من فوق رفها وحدّق فيها.

لم يحدث شىء. تحرك الآخرون متحلقين من حوله، ونظروا إلى الكرة وهو يزيح عنها الغبار. ثم، ومن خلفه مباشرة، جاءه صوت أجش يقول:

«رائع يا بوتر.. والآن التفت، ببطء وهدوء، وأعطنى هذه».

٣٥ خلف الستار

أخذت أشكال سوداء تتجسد من الهواء حولهم، لتعيق أمامهم الطريق، إلى اليمين وإلى اليسار.. عيونهم تلمع من خلف أقنعتهم، توقد اثنى عشر طرف عصا سحرية، صُوبت إلى قلوبهم مباشرة.. شهقت «چينى» من الرعب.

كرر «لوكياس مالفوى» بصوته الأجش: «تعال إلىّ يا بوتر». وهو شاهر عصاه السحرية.

اضطربت أمعاء «هارى» وشعر بالغثيان، لقد حوصروا، وعدد محاصريهم ضعف عددهم.

قال «مالفوى» ثانية: «تعال إلىّ».

قال «هارى»: «أين سيرياس؟».

ضحك بعض أكلة الموت.. انبعث صوت أنثوى من وسط الظلال إلى يسار «هارى» يقول بظفر: «سيد الظلام على حق دائمًا».

ردد «مالفوى» بخفوت: «دائمًا.. والآن أعطنى النبوءة يا بوتر».

«أريد أن أعرف مكان سيرياس».

قلدته السيدة الواقفة إلى يساره: «*أريد أن أعرف مكان سيرياس*».

تقدمت ومعها أكلة الموت منهم حتى صاروا على مسافة أقدام قليلة من «هارى» والآخرين، والضوء المنبعث من عصيهم السحرية ينعكس على عينى «هارى» ويبهرهما.

قال «هارى» متجاهلاً الذعر المتنامى فى صدره، الذى أخذ يجاهده منذ وصلوا إلى الصف رقم سبعة وتسعين: «لقد أسرتموه.. إنه هنا. أعرف أنه هنا».

قالت السيدة مقلدة إياه بصوت طفولى بشع: «*(الويد) (الصغيى) صحى من النوم خائفًا وحسب أن ما (حيم)* به حقيقة». شعر «هارى» بـ«رون» يتحرك إلى جواره.

غمغم «هارى»: «لا تفعل أى شىء.. ليس بعد..».

أطلقت السيدة التى قلدته صرخة مفزعة على سبيل الضحك.

«هل سمعتموه؟ هل سمعتموه؟ إنه يعطى تعليمات للأطفال الآخرين وكأنه يحسب أنه سيحاربنا».

قال «مالفوى» بنعومة: «آه.. أنت لا تعرفين بوتر كما أعرفه يا بيلاتريكس.. إنه ضعيف أمام مظاهر البطولة.. يفهم سيد الظلام هذه النقطة فيه. *والآن أعطنى النبوءة يا بوتر*».

قال «هارى» وإن كان الذعر قد جعل صدره ينقبض حتى أنه لم يقدر على التنفس: «أعرف أن سيرياس هنا.. أعرف أنكم قد نلتم منه».

ضحك كثيرٌ من أكلة الموت، وإن ضحكت المرأة بصوت أعلى منهم جميعًا.

قال «مالفوى»: «حان الوقت؛ لتعرف الفرق بين الحياة والأحلام يا بوتر.. والآن أعطنى النبوءة، وإلا سنبدأ فى استعمال عصينا السحرية».

قال «هارى» وهو يرفع عصاه إلى مستوى صدره: «هيا إذن». وهو يفعل هذا ارتفعت عصى «رون» و«هيرميون» و«نيفيل» و«چينى» و«لونا» إلى جانبيه. ازداد اضطراب صدر «هارى». إن لم يكن «سيرياس» هنا، فقد قاد أصدقاءه إلى حتفهم بلا سبب..

لكن أكلة الموت لم يضربوا.

قال «مالفوى» ببرود: «ناولنى النبوءة ولن يتأذَّى أحد».

حان الدور على «هارى» لكى يضحك.

قال: «أجل.. فعلاً.. أعطيك الـ... النبوءة.. أليس هذا اسمها؟ ثم تدعنا نعود إلى ديارنا، أليس كذلك؟».

ما كادت الكلمات تخرج من فمه حتى صرخت الساحرة آكلة الموت: «أكيو بروف...».

كان «هارى» متأهبًا لها، صاح: «بروتيجو» قبل أن تنتهى من تلاوة تعويذتها، وبالرغم من أن الكرة الزجاجية كادت تفلت من بين أصابعه فإنه تمكن من إمساكها قبل أن تقع.

قالت وعيناها المجنونتان تتطلع إليه من خلف قناعها: «آه، إنه قادر على اللعب، ذلك الولد الصغير الساذج بوتر.. جميل، رائع.. إذن..».

زأر «لوكياس مالفوى» فى وجه المرأة: «**قلت لك لا.. لو تحطمت فـ...**».

أخذ عقل «هارى» يدور بسرعة رهيبة. أكلة الموت يريدون الكرة الزجاجية المغبرة. الكرة لا تهمه فى شىء. كل ما يريده هو النجاة مع أصحابه، وأن يضمن ألا يدفع أى منهم الثمن الرهيب لغبائه..

خطت المرأة إلى الأمام، بعيدًا عن رفاقها، وخلعت قناعها. أصاب

«أزكابان» وجه «بيلاتريكس ليسترانج» بالنحول والشحوب، أصبح نحيلاً نحيلاً، وأشبه بالجمجمة، لكنه كان مفعمًا بالحياة وعلى محياها مظاهر الحمى، وهى تتوهج بجنون.

قالت وصدرها يخفق بشدة: «هل تحتاج للمزيد من الإقناع؟ حسنًا.. لِنَنَلْ من الصغيرة..»، ثم أمرت أكلة الموت من حولها: «دعوه يتفرج علينا ونحن نعذب الفتاة الصغيرة.. سأفعلها أنا».

شعر «هارى» بالآخرين يقتربون من «چينى».. خطا إلى الجانب حتى أصبح أمامها، والنبوءة مرفوعة إلى صدره.

قال مخاطبًا «بيلاتريكس»: «سيكون عليكِ تحطيم هذه أولاً، قبل أن تهاجمى أيًّا منا.. لا أعتقد أن رئيسك سيسره كثيرًا أن تعودى إليه من دونها، أليس كذلك؟».

لم تتحرك، أخذت تنظر إليه، وطرف لسانها يبلل شفتها الرفيعة.

قال «هارى»: «إذن، ما النبوءة التى تتكلمون عنها؟».

لم يقدر على التفكير فى شىء سوى الكلام. شعر بيد «نيفيل» تلامسه، وأحس به يرتجف، شعر بنفَس شخص آخر من رفاقه على شعره من الخلف. تمنى لو يفكرون جميعًا فى طرق للخروج من هذا الموقف على خير؛ لأن عقله تجمد وصار غير قادر على التفكير.

رددت «بيلاتريكس» والابتسامة تتلاشى من على وجهها: «ما النبوءة؟ يا لك من مهرج يا هارى بوتر».

قال «هارى» وعيناه تتنقلان بين أكلة الموت: «لا، أنا لا أهرج». بحثًا عن ثغرة ما، مساحة يمكنهم الهروب منها، أضاف: «لماذا يريدها ڤولدمورت؟».

هسَّ العديد من أكلة الموت فى غيظ شديد.

همست «بيلاتريكس»: «كيف تجرؤ على ذكر اسمه؟».

قال «هارى» محافظًا على إحكام قبضته على الكرة الزجاجية متوقعًا محاولة أخرى لأخذها منه: «أجل.. ليس عندى مشكلة فى قول كلمة ڤولـ...».

صرخت «بيلاتريكس»: «أغلق فمك.. كيف تجرؤ على ذكر اسمه بشفتيك الحقيرتين، كيف تجرؤ على تدنيس الاسم بلسانك أيها الساحر الهجين، كيف تجرؤ على...».

قال «هارى» بتهور: «هل تعرفين أنه ساحر هجين هو الآخر؟». فتأوهت

«هيرميون» فى رعب.. وأضاف: «ڤولدمورت.. أجل، أمه كانت ساحرة، لكنَّ أباه كان من العامة.. أم تراه أخبركم بأنه ساحر أصيل؟».

«**ستوبيفـ...**».

«**لا**».

انطلق شعاع أحمر من طرف عصا «بيلاتريكس ليسترانج»، لكن «مالفوى» شتته.. أصابت تعويذته تعويذتها وجعلتها تنحرف لتصيب رفًا على مسافة قدم من «هارى» فتحطمت العديد من الكرات.

انبعث شكلان بلون أبيض لؤلئى كالأشباح، وبملمس سائل دخانى الطابع من بين حطام الزجاج على الأرض، وبدأت كل منهما فى الكلام، وأصواتهما تتداخل، حتى إنهم لم يسمعوا سوى بعض الكلمات من بين صياح «مالفوى» و«بيلاتريكس».

قال الشكل المتجسد على هيئة رجل عجوز: «*عند الانقلاب سيظهر من جديد..*».

«**لا تهاجميه.. نحن بحاجة إلى النبوءة**».

صرخت «بيلاتريكس» بصوت غير متماسك: «لقد جرؤ، جرؤ.. ذلك الهجين النجس، الـ...».

صاح «مالفوى»: «**انتظرى حتى نحصل على النبوءة**».

قال شكل المرأة المتجسدة من الكرة الثانية: «*.. ولن يأتى بعده أحد..*».

ذاب الشكلان المتجسدان المنبعثان من الكرتين فى الهواء. لم يبق منهما سوى بقايا الزجاج على الأرض. لكنهما أعطيا «هارى» فكرة، المشكلة هى نقلها للآخرين.

قال سعيًا لكسب الوقت: «لم تخبرونى ما يهمكم فِى النبوءة التى تريدون منى أن أناولها لكم». حرك قدميه ببطء إلى الجانبين؛ بحثًا عن أقدام غيره من رفاقه.

قال «مالفوى»: «لا تلاعبنا يا بوتر».

قال «هارى» ونصف عقله فى الحوار والنصف الآخر على قدمه المتحركة: «أنا لا ألعب». ثم وجد أصابع أقدام أحدهم وضغط عليها. سمع شهقة من خلفه وتعرَّف فيها على «هيرميون».

همست: «ما الأمر؟».

قال «مالفوى»: «ألم يخبرك دمبلدور من قبل بأن سر ندبتك مخبأ فى أعماق مصلحة الألغاز والغوامض؟».

قال «هاري»: «آ.. ماذا؟». لحظتها نسى الخطة وقال: «ما علاقة ندبتى بالموضوع؟».

همست «هيرميون» برجاء من خلفه: «ما الأمر؟».

قال «مالفوى» بسرور وجذل كبيرين: «حقًا؟». ضحك بعض أكلة الموت ثانية.. ومن تحت غطاء صوت ضحكهم، همس «هاري» لـ«هيرميون» محركًا شفتيه بأقل قدر ممكن، قائلاً: «حطمى بعض الرفوف..».

ردد «مالفوى» قوله: «ألم يخبرك دمبلدور من قبل؟ هذا يفسر سبب تأخرك يا بوتر، تساءل سيد الظلام لماذا لم...».

«*عندما أقول لك الآن..*».

«.. تأت متلهفًا عندما أظهر لك المكان المخبأة به النبوءة فى أحلامك، حسب أن فضولك الطبيعى سيجعلك ترغب فى سماع منطوق النبوءة..».

قال «هاري»: «حقًا؟». من خلفه، سمع «هيرميون» تمرر رسالته للآخرين، فاسترسل فى الكلام؛ ليبعد أعين أكلة الموت عنها: «إذن، فقد أراد أن آتى وآخذها.. أليس كذلك؟ لماذا؟».

بدا «مالفوى» فى ذروة سروره وهو يقول: «لماذا؟ لأن الشخص الوحيد المسموح له باستعادة نبوءته من مصلحة الألغاز والغوامض يا بوتر، هو من تعنيه النبوءة، كما اكتشف سيد الظلام عندما أمر الآخرين بأن يأخذوها له».

«ولماذا يريد سرقة نبوءتى؟».

«نبوءتكما يا بوتر.. ألم تتساءل لماذا حاول سيد الظلام قتلك وأنت طفل؟».

حدق «هاري» فى فتحتى القناع التى تظهر من خلفهما عينا «مالفوى» الرماديتان. هل النبوءة هى سبب موت والدى «هاري»؟ السبب فى حمله لهذه الندبة على شكل لسان البرق؟ هل الإجابة لكل تساؤلاته بين يديه الآن؟

قال بهدوء محدقًا فى «لوكياس مالفوى» وأصابعه تتوتر من حول الكرة الزجاجية الدافئة فى يده: «هل تنبأ أحدهم بنبوءة عن ڤولدمورت وعنى؟». كانت الكرة أكبر من كرة «السنيتش» بقليل، وما زالت خشنة بسبب الغبار المتراكم فوقها.. أضاف: «وقد جعلنى آتى إلى هنا وأحضرها له؟ لماذا لم يأت بنفسه ليأخذها؟».

صرخت «بيلاتريكس» قائلة بصوت يعلو بالكاد فوق صوت ضحكاتها المجنونة: «يأتى بنفسه ليأخذها؟! يدخل سيد الظلام بنفسه إلى وزارة السحر بعد أن كذبوا عودته؟ سيد الظلام يكشف نفسه لمقاتلى السحر الأسود، بينما هم فى هذه اللحظة يضيعون وقتهم بحثًا عن ابن عمى العزيز؟».

قال «هارى»: «إذن، فهو يجعلكم تقومون بالجزء القذر من العمل لأجله، أليس كذلك؟ مثلما حاول جعل ستورجيس يسرقها.. وبود أيضًا؟».

قال «مالفوى» ببطء: «رائع يا بوتر، رائع.. لكن سيد الظلام يعرف أنك لست غب....».

صاح «هارى»: «**الآن**».

انبعثت خمس صيحات من خلفه فى نفَسٍ واحد قائلة: «***ريداكتو***». فانطلقت خمس تعاويذ من خمسة اتجاهات، وسقطت الرفوف من حولهم مع إصابتها جميعًا أهدافها.. تمايل صف الرفوف مع سقوط مائة كرة زجاجية وتحطمها على الأرض، انبعثت أشكال بيضاء لؤلئية فى الهواء وأخذت تتكلم، وأصواتها تدوى وتتداخل بين أصوات تحطم الزجاج والخشب الذى انهمر على الأرض.

صاح «هارى»: «**اجروا**». مع تمايل الرفوف بقوة وسقوط المزيد من الكرات، أمسك بعباءة «هيرميون» وسحبها معه إلى الأمام، رافعًا إحدى يديه فوق رأسه؛ ليحمى نفسه ويحميها من الزجاج المنهمر من الرفوف. تقدم أحد أكلة الموت إلى الأمام، فضربه «هارى» فى وجهه بمرفقه بقوة، أخذوا جميعًا يصيحون، وسمعوا بعض صرخات الألم، وتحطم الزجاج والرفوف بصوت كالرعد، والرفوف تترنح وتسقط مع أصوات النبوءات المتسربة من بين الجلبة الشديدة.

وجد «هارى» طريقًا مفتوحًا أمامه، ورأى «رون» و«چينى» و«لونا» يتقدمون أمامه، وأذرعهم فوق رءوسهم، ضربه شىء ثقيل على جانب وجهه، لكنه أحنى رأسه وانطلق يعدو إلى الأمام.. أمسكته يد من كتفه، وسمع «هيرميون» تصيح: «*ستوبيفاى*»، فتركته اليد على الفور.

وصلوا إلى نهاية الممر رقم سبعة وتسعين، التفت «هارى» إلى اليمين وبدأ فى الجرى بكل ما عنده من عزم، سمع وقْع أقدام من خلفه وصوت «هيرميون» وهى تحث «نيفيل» على المضى.. أمامه مباشرة كان الباب الذى عبروا منه إلى الداخل مفتوحًا على مصراعيه.. رأى «هارى» الأضواء المتراقصة المتلألئة والجرة الجرسية الشكل.. مر عبر الباب، والنبوءة ما زالت بين يديه فى أمان.. انتظر حتى مر الآخرون عبر الباب، قبل أن يغلقه من خلفهم.

شهقت «هيرميون» قائلة: «*كولوبورتوس*». فأغلق الباب نفسه بتعويذتها بصوت مرتفع غريب.

شهق «هارى» قائلاً: «أين... أين الآخرون؟».

ظن أن «رون» و«لونا» و«چينى» أمامهم، وأنهم بانتظاره فى هذه الحجرة، لكنه لم ير أحدًا.

همست «هيرميون» والرعب يملأ وجهها: «لا بد أنهم قد مضوا فى طريق خطأ».
همس «نيفيل»: «أنصتا».
سمعوا وقْع أقدام وصياحًا من خلف الباب الذى أغلقوه. وضع «هارى» أذنه على الباب؛ ليسمع صياح «لوكياس مالفوى»: «اتركوه.. اتركوه كما قلت.. جراحه لا شىء، مقارنة بما سيجرى له عندما يعرف سيد الظلام أننا فقدنا النبوءة. چاجسون، تعال هنا، نحتاج للنظام. سننقسم إلى أزواج ونبحث عنهم، ولا تنسوا، رفقًا ببوتر؛ حتى نحصل على النبوءة، يمكنكم قتل الآخرين إذا استدعت الحاجة.. بيلاتريكس، رودولفوس، اتجها إلى اليسار.. كراب، راباستان، إلى اليمين.. چاجسون، دولوهوف، إلى الباب المواجه لكما.. ماكنير، أفيرى، من هنا.. روكوود، من هنا.. مولكيبر، تعال معى».
سألت «هيرميون» «هارى» وهى تنتفض من قمة رأسها حتى أخمص قدميها: «ماذا نفعل الآن؟».
قال «هارى»: «ليس علينا الوقوف هنا وانتظار مجيئهم ليجدونا، هذا كبداية.. هيا نبتعد عن هذا الباب».
ركضوا بأسرع ما يقدرون، إلى جوار الجرة التى أخذ الطائر يخرج من بيضته، ثم يعود إليها فى دائرة لا تنتهى، وتوجهوا إلى مخرج الباب المفضى إلى الحجرة الدائرية عند الطرف البعيد من الحجرة. كادوا أن يصلوا عندما سمع «هارى» صوت ارتطام قويًا وثقيلاً عند الباب الذى سحرته «هيرميون».
قال صوت خشن: «ابتعدوا.. *ألوهومورا*».
مع انفتاح الباب، اختبأ «هارى» و«هيرميون» و«نيفيل» تحت الموائد. رأوا أطراف عباءات السحرة العلوية تقترب، وأقدامهم تتقدم بسرعة.
قال الصوت الخشن: «ربما دخلوا إلى القاعة مباشرة».
قال صوت آخر: «انظر تحت الموائد».
رأى «هارى» سيقان أكلة الموت تنحنى، وهو يخرج عصاه من تحت المائدة صاح: «**ستوبيفاى**».
انطلق شعاع أحمر وضرب أقرب أكلة الموت إليه، سقط على ظهره على ساعة كبيرة فأسقطها.. لكن رفيقه طار إلى الجانب؛ متفاديًا التعويذة وصوب عصاه نحو «هيرميون»، التى زحفت خارجة من تحت المائدة؛ لتصوِّب جيدًا.
«*أفادا..*».
طار «هارى» عبر الحجرة من تحت المائدة وأمسك بتالى التعويذة من حول

ركبتيه؛ ليسقط أرضًا وتتشتت تعويذته بعيدًا عن هدفها. قلب «نيفيل» إحدى الموائد فى خضم رغبته فى المساعدة، وصوب عصاه نحو الزوج المتصارع صائحًا:

«*إكسبيل آرموس*».

طارت كل من عصا «هارى» السحرية وعصا الساحر من بين أيديهما، واستقرتا عند مدخل قاعة النبوءة، وكل منهما قد هب واقفًا وانطلق يطارد عصاه.. كان آكل الموت فى الأمام و«هارى» فى عقبيه، و«نيفيل» فى الخلف وقد أفزعه ما فعله.

صاح «نيفيل» وقد صمم على تصحيح خطئه: «ابتعد عن طريقى يا هارى».

طار «هارى» إلى الجانب و«نيفيل» يصوب عصاه ثانية.

«*ستوبيفاى*».

انطلق الشعاع الأحمر ليصيب آكل الموت فى كتفه، فسقط على كابينة زجاجية الواجهة ممتلئة بالساعات، سقطت الكابينة على الأرض وانفتحت، وتحطم الزجاج متطايرة شظاياه فى كل الاتجاهات، ثم أصلح نفسه واستعاد هيئته بعد أن أعاد التجمع وحده فى شكل كابينة، ثم تحطم، ثم جمع شظاياه ثانية.. وهكذا.

قبض آكل الموت على عصاه السحرية التى استقرت على الأرض إلى جوار الجرة الجرسية الشكل. اختبأ «هارى» خلف مائدة أخرى والرجل يلتفت إليه، وقناعه قد تهدل على وجهه ولم يعد قادرًا على الرؤية. مزق القناع بيده الأخرى وصاح: «*ستوبيف*...».

صرخت «هيرميون»: «*ستوبيفاى*» والتى كانت تتابع ما يجرى. انطلق الشعاع الأحمر ليصيب الساحر فى صدره، تجمد، ورفع ذراعه، وسقطت عصاه على الأرض، وانهار على ظهره ناحية الجرة الجرسية الشكل. توقع «هارى» سماع الرنين عندما ضرب الرجل السطح الزجاجى وانزلق من على الجرة إلى الأرض، لكن بدلاً من هذا غاص رأسه فى سطح الجرة وكأنها ليست أكثر من فقاعة صابون، ثم سقط على ظهره على المائدة الحاملة للجرة، ورأسه داخل الجرة الممتلئة بالرياح المتلألئة اللون.

صاحت «هيرميون»: «*أكيو واند*»(١). طارت عصا «هارى» من الركن المظلم التى كانت فيه إلى يدها؛ فألقتها إليه.

قال: «شكرًا لك.. والآن، هيا نخرج من هنا قبـ...».

---

(١) أو wand بمعنى عصا. (المترجم).

قال «نيفيل» مرتاعًا: «احترس». وكان ينظر إلى رأس آكل الموت الذى دخل الجرة.

رفع ثلاثتهم عصيهم السحرية ثانية، لكن لم يطلق أى منهم تعاويذ.. أخذوا يتطلعون مفغورى الأفواه فى دهشة عارمة فيما يجرى لرأس الرجل أمامهم.

أخذ الرأس يتقلص بسرعة وينكمش، ويصلع أكثر وأكثر والشعر ينحسر عنه، والشعر الأسود يصبح أكثر نعومة، ووجنتاه ناعمتان، وجمجمته تصبح مستديرة وتغطى بزغب أشبه بزغب الخوخ.

رأوا رأس طفل رضيع مستقرًا فوق عنق الساحر القوى البالغ وهو يجاهد للنهوض ثانية.. لكن ومع مراقبتهم له بأفواه مفتوحة بدأ الرأس فى الانتفاخ ثانية إلى حجمه الطبيعى، وشعر أسود كثيف يغطيه.

قالت «هيرميون» بصوت مندهش: «إنه الزمن.. *الزمن!*».

هز آكل الموت رأسه القبيح ثانية؛ محاولاً تصفية ذهنه.. لكن وقبل أن يقدر على تمالك نفسه، بدأ فى التقلص ثانية إلى وضع الرضيع..

سمعوا صيحة من حجرة قريبة، ثم صوت تحطمٍ تلته صرخة.

صاح «هارى»: «**رون؟ چينى؟ لونا؟**». محوّلاً بصره بسرعة عن عملية التحول الرهيبة التى تجرى أمام عينيه.

صرخت «هيرميون»: «هارى».

أخرج آكل الموت رأسه من الجرة، بدا شكله شديد الغرابة برأس الطفل الصغير المستقر فوق كتفيه، وبذراعيه السميكتين اللتين تتأرجحان فى كل الاتجاهات، مقتربًا من «هارى» الذى تفاداه بالكاد، ثم رفع عصاه السحرية ولكن لدهشته، أمسكت «هيرميون» بذراعه.

«لا يمكنك إيذاء طفلٍ».

لم تكن هناك فائدة منَ الجدال.. سمع «هارى» المزيد من وقْع الأقدام يقترب من قاعة النبوءة وعرف ـ متأخرًا جدًا ـ أنه ما كان يجب أن يصيح ليعرفهم بموضعهم.

قال تاركًا آكل الموت ذا الوجه الطفولى يتمايل ويترنح من خلفِهم: «هيا». وهم يتوجهون إلى الباب المفتوح عند الطرف البعيد من الحجرة، والمُفضى إلى الردهة المظلمة.

جروا نصف المسافة إليه، عندما رأى «هارى» من خلف الباب المفتوح اثنين آخرين من أكلة الموت يعبران الحجرة المظلمة إليهم.. انحرف إلى اليسار، ودخل إلى مكتب صغير مظلم وأوصد الباب من خلفهم بعد أن تبعه «نيفيل» و«هيرميون».

حاولت «هيرميون» تلاوة تعويذة غلق الأبواب: «*كولو..*». لكن وقبل أن تنتهى منها، انفتح الباب ودخل عبره اثنان من أكلة الموت.

وبصرخة ظافرة، صاح كل منهما:

«***إمبيديمنتيا***».

سقط «هاري» و«هيرميون» و«نيفيل» على ظهورهم.. طار «نيفيل» فوق المكتب واختفى عن عيونهم.. سقطت «هيرميون» على خزانة كتب، فسقطت الكتب فوقها.. أما رأس «هاري»، فقد ضرب الحائط الحجرى من خلفه، فتراقصت أضواء دقيقة أمام عينيه.. وللحظة، شعر بالدوار والحيرة، فلم يعرف كيف يتصرف.

صاح صوت أقرب أكلة الموت فى أذن «هاري»: «**أمسكنا به.. فى المكتب الواقع عنـ...**».

صاحت «هيرميون»: «*سايلينسيو*». فاختفى صوت الرجل. استمر فى الكلام من خلف قناعه لكن لم ينبعث منه صوت. فنحاه رفيقه إلى الجانب.

صاح «هاري»: «*بيتريفيكوس توتالوس*». وآكل الموت الآخر يرفع عصاه السحرية. انضمت ذراعاه معًا وكذا ساقاه وسقط على وجهه، ليقع عند قدم «هاري» جامدًا كلوحٍ غير قادر على الحركة.

«أحسنت يا ها...».

لكن آكل الموت الذى ضربته «هيرميون» بتعويذتها منذ لحظات حرك عصاه السحرية فى الهواء، فانطلق منها ما بدا أشبه بلهب بنفسجي ضرب «هيرميون» فى صدرها. خرج منها آهة خافتة وكأنها مندهشة، وضربت الأرض، حيث رقدت بلا حراك.

«**هيرميون**».

خرَّ «هاري» على ركبتيه إلى جوارها، وزحف «نيفيل» بسرعة إليهما من تحت المكتب، وعصاه مشهرة أمامه. ركل آكل الموت رأس «نيفيل» بقوة وهو يخرج، كسرت قدمه عصا «نيفيل» السحرية إلى نصفين ووصلت إلى رأسه. عوى الأخير من الألم وتراجع ممسكًا بفمه وأنفه. دار «هاري» على عقبيه، ورفع عصاه عاليًا، ورأى آكل الموت يمزق قناعه ويشهر عصاه فى وجهه، فتعرف «هاري» فى الوجه النحيل الشاحب المضطرب على «أنطونين دولوهوف» الساحر الذى قتل آل «بريقيت» ـ كما أعلنت جريدة «الدايلى بروفيت».

ابتسم «دولوهوف»، وبيده الحرة أشار إلى النبوءة التى ما زال «هارى» ممسكًا بها، ثم نقلها إليه، ثم إلى «هيرميون» وإن لم يقدر على الكلام، فقد بدا ما يريد قوله واضحًا: أعطنى النبوءة، وإلا يجرى لك ما جرى لها..

قال «هارى»: «وكأنك لن تقتلنا إذا أخذتها منى».

منعته سحابة من الذعر داخل رأسه من التفكير بصورة سليمة. وضع إحدى يديه على كتف «هيرميون» التى رقدت دافئة بلا حراك، وإن لم يجرؤ على النظر إليها نظرة مدققة. *أرجو ألا تموت، أرجو ألا تموت.. الخطأ خطئى أنا؛ إن ماتت...*

قال «نيفيل» بحرارة من تحت المكتب وقد شوه أنفه المحطم كلامه: «أيًا كان ما (ستفعنه) يا (آرى) فلا تعطِه (الدبوءة)» والدم يتدفق من أنفه إلى فمه وذقنه.

ثم سمعوا صوت تحطم الزجاج خارج الباب، ونظر «دولوهوف» من فوق كتفه.. ظهر الساحر ذو الرأس الصغير عند مدخل الباب، ورأسه يترنح، وقبضتاه الهائلتان تتأرجحان فى كل الاتجاهات، فانتهز «هارى» الفرصة.

« ***بيتريفيكوس توتالوس*** ».

ضربت التعويذة «دولوهوف» قبل أن يقدر على عكسها عنه، فسقط إلى الأمام فوق رفيقه، وقد صار كل منهما جامدًا كاللوح، ولم يقدرا على السير مسافة خطوة واحدة.

قال «هارى» على الفور: «هيرميون.. انهضى يا هيرميون..». وهو يهزها والساحر ذو الرأس الصغير قد غاب عن بصره.

قال «نيفيل» وهو يزحف من تحت المكتب ويميل عليها والدم يتدفق من أنفه المتورّم بسرعة: «(مادا) (فعن) بها؟».

«لا أعرف».

أمسك «نيفيل» برسغ «هيرميون».

«(هدا) هو نبضها يا (آرى)، إنها حية».

تنفس «هارى» الصعداء، وللحظة شعر بالسرور.

«واثق أنها حية؟!».

«أجل.. (أعدقد) (هدا)».

مرت فترة من الصمت حاول فيها «هارى» سماع مزيد من وقْع الأقدام، لكن كل ما سمعه هو غمغمة وكلام آكل الموت ذى الرأس الصغير القادم من الحجرة المجاورة.

همس «هـارى»: «نيفيل.. نحن لسنا بعيدين عن المخرج.. إننا إلى يمين الحجرة الدائرية.. إن تمكنا من تمريرك معها والعثور على الباب المناسب قبل دخول أى من أكلة الموت، فأراهنك أنك ستقدر على العودة بهيرميون إلى الممر وإلى المصعد.. ثم أطلق إنذارًا..».

قال «نيفيل» وهو يمسح أنفه الدامى بكمِّه وجبينه مقطب فى مواجهة «هـارى»: «و(مادا) (ستفعن) وقتها؟».

قال «هـارى»: «علىّ العثور على الآخرين».

قال «نيفيل» بتصميم: «(إدن)، سأبقى معك، وأجدهم معك».

«لكن هيرميون...».

قال «نيفيل» بحزم: «(سنأخدها) معنا.. (سأحمنها) أنا.. وأنت (تقاتنهم) إن وجدنا أيًّا منهم..».

وقف وأمسك بذراع «هيرميون»، وحدّق فى «هارى» الذى تردد قبل أن يمسك بذراعها الآخر ويساعد على رفعها فوق كتفى «نيفيل».

قال «هارى» وهو يقبض على عصا «هيرميون» من على الأرض ويضعها فى يد «نيفيل»: «انتظر.. الأفضل أن تأخذ هذه».

ركل «نيفيل» بقايا عصاه المحطمة وهما يسيران ببطء تجاه الباب.

قال «نيفيل» والدم يتدفق من أنفه مع كلامه: «(ستقتننى) جدتى.. كانت هذه عصا أبى».

أطلّ «هارى» برأسه من الباب ونظر حوله بحذر. أخذ آكل الموت ذو الرأس الصغير يصرخ ويرتطم بالأشياء؛ لتسقط الساعات الكبيرة وتنقلب الموائد، بينما أخذت الكابينة الزجاجية (الواجهة) تتحطم ويعيد زجاجها تجميع نفسه فى دورة لا تنتهى.

همس: «لن يلاحظ وجودنا أبدًا.. هيا.. ابق خلفى..».

زحفا إلى خارج المكتب وعادا ناحية الباب إلى الردهة السوداء، التى صارت خالية تمامًا. سارا بضع خطوات إلى الأمام، وتأخر «نيفيل» قليلاً بسبب وزن «هيرميون» على ظهره.. أُغلق باب حجرة الزمن من خلفهم وبدأت الجدران فى الدوران ثانية. أصيب «هارى» بالدوار؛ نتيجة للضربة الأخيرة التى تلقاها على رأسه، وضيق ما بين عينيه، وهو يترنح قليلاً، حتى توقفت الجدران ثانية، ثم رأى أن علامات «هيرميون» السحرية على الأبواب قد اختفت فغاض قلبه فى صدره.

«إذن، فأى طريق تعتقد أن...؟».

لكن وقبل أن يأخذ قرارًا بأى طريق يتخذ، انفتح باب إلى يمينهم وخرج منه ثلاثة أشخاص.

قال «هارى» بصوت أجش: «رون، چينى.. هل جميعكم بخـ...؟»، وكان يقترب منهما.

قال «رون» وهو يضحك بوهن ويتقدم للأمام قابضًا على عباءة «هارى» ومحدقًا فى وجهه بعيون لا ترى: «هارى.. ها أنت ذا.. ها ها ها.. شكلك ظريف يا هارى..».

كان وجه «رون» شديد البياض، وثمة شىء داكن ينسال من ركن فمه. اللحظة التالية، انهارت ركبتاه وهو ما زال ممسكًا بعباءة «هارى»، فأمسك به الأخير.

قال «هارى» بخوف: «چينى، ماذا جرى؟».

لكن «چينى» هزت رأسها وانزلقت على الحائط؛ لتجلس على الأرض وهى تلهث وتمسك بكاحلها.

همست «لونا»: «أعتقد أن كاحلها مكسور، سمعته يطقطق». مالت عليها، وكانت هى الوحيدة التى لم تُجرحْ.. أضافت: «طاردنا أربعة منهم إلى حجرة مظلمة مليئة بالكواكب.. يا له من مكان غريب، أخذنا نسرى فى الهواء وسط الظلام ونحن بتلك الحجرة..».

قال «رون» وهو ما زال يضحك بوهن: «هارى، رأينا كوكب أورانوس عن قرب.. أتفهم يا هارى؟ لقد رأينا أورانوس.. ها ها ها..».

تجمعت فقاعة دم فى ركن فم «رون»، ثم انفجرت.

«.. المهم، أمسك أحدهم بقدم چينى، استعملت تعويذة التقليص عليه وفجرت كوكب بلوتو فى وجهه، لكن...».

أشارت «لونا» بيأس تجاه «چينى» التى كانت تتنفس بصعوبة، وعيناها مازالتا مغلقتين.

قال «هارى» بخوف و«رون» مستمر فى الضحك وما زال قابضًا على عباءته: «وماذا عن رون؟».

قالت «لونا» بحزن: «لا أعرف، لكنه أصبح كثير الضحك هكذا، وصلتُ به إلى هنا بصعوبة».

قال «رون» وهو يجذب أذن «هارى» إلى فمه ويضحك: «هارى.. أتعرف هذه الفتاة يا هارى؟ إنها إنها لونا.. لونا المجنونة.. ها ها ها..».

قال «هارى» بحزم: «علينا الخروج من هنا.. لونا، هلا ساعدتِ چينى؟».

قالت «لونا» وهى تضع عصاها السحرية خلف أذنها؛ لتحفظها: «أجل» ثم أحاطت خصر «چينى» بذراعها ورفعتها من على الأرض.

قالت «چينى» بصبر نافد: «إنه كاحلى، يمكننى القيام بنفسى».. لكن ما إن حاولت القيام حتى سقطت ثانية وأمسكت بـ«لونا». جذب «هارى» ذراع «رون» فوق كتفه كما فعل منذ شهور مضت مع «ددلى». نظر حوله.. كانت فرصتهم واحدًا إلى اثنى عشر، فى أن يجدوا المَخْرج الصحيح فى المحاولة الأولى.

سار بـ«رون» إلى أحد الأبواب.. كانوا على مسافة بضع أقدام منه عندما انفتح باب آخر ودخل ثلاثة من أكلة الموت تقودهم «بيلاتريكس ليسترانج».

صرخت: «*ها أنتم*».

انطلقت تعاويذ التجميد لتملأ الحجرة.. سارع «هارى» بالوصول إلى الباب المواجه له، وألقى بـ«رون» من فوق كتفه بلا اكتراث، ثم انحنى ليساعد «نيفيل» على حمل «هيرميون».. وصلوا إلى المدخل فى الوقت المناسب، وأغلقوا الباب فى وجه «بيلاتريكس».

صاح «هارى»: «*كولوبورتوس*»، وسمع ثلاثة أجساد ترتطم بالباب من الجانب الآخر.

قال أحد السحرة بالخارج: «**لا يهم.. توجد وسائل أخرى.. حاصرناهم، إنهم هنا**».

التفت «هارى» خلفه.. وصلوا إلى حجرة العقول ثانية، ووجدوا أبوابًا بطول جدران الحجرة. سمع وقْع خطوات أقدام فى القاعة من خلفه مع انضمام المزيد من أكلة الموت للثلاثة الذين وصلوا فى البداية.

«لونا.. نيفيل، ساعدانى».

مرَّ ثلاثتهم على جدران الحجرة بسرعة، وهم يغلقون الأبواب.. اصطدم «هارى» بمائدة وتعثّر بها وسط انشغاله بالوصول إلى الباب التالى.

«*كولوبورتوس*».

سمع وقْع أقدام تسير من خلف الأبواب، ومن حين لآخر، يرتطم جسد ثقيل بأحدها، فتصر وتئن تحت ثقله.. سحرت «لونا» و«نيفيل» الأبواب على الجدار المقابل.. ثم و«هارى» يصل إلى نهاية الحجرة، سمع لونا تصيح:

«*كولو.. آاااه*».

التفت فى الوقت المناسب ليراها تطير فى الهواء.. دخل خمسة من أكلة الموت إلى الحجرة من الباب الذى لم تتمكن من إغلاقه فى الوقت المناسب.. سقطت «لونا» على إحدى الموائد، ثم انزلقت على سطحها وإلى الأرض على الجانب الآخر، ورقدت بلا حراك، مثلها مثل «هيرميون».

صاحت «بيلاتريكس»: «أمسكوا ببوتر». وهى تجرى نحوه، تفاداها وجرى إلى الجانب الآخر من الحجرة.. إنه فى أمان مادامت النبوءة معه..

قال «رون» الذى نهض على قدميه وأخذ يترنح متجهًا إلى «هارى» وهو يضحك: «هارى، هذه أدمغة، ها ها ها، يا لغرابتها، هارى؟!».

«رون.. ابتعد عن الطريق، انحنِ..».

لكن «رون» صوب عصاه السحرية إلى الوعاء.

«بصراحة يا هارى، هل هذه أدمغة؟ *أكيو برين*»(١).

تجمد المشهد للحظة.. التفت كل من «هارى» و«چينى» و«نيفيل» وأكلة الموت بتعجب إلى قمة الوعاء والعقول تطير خارجة من السائل الأخضر كأسماك متقافزة.. وللحظة، تعلقت فى الهواء، ثم سرت ناحية «رون» بسرعة متزايدة، ومن خلفها شرائط رفيعة من الصور المتحركة.

قال «رون» وهو يراقبها تقترب منه: «ها ها ها.. انظر يا هارى.. هارى، تعال والمسها، إنها غريبة».

«رون، لا».

لم يعرف «هارى» ماذا سيجرى إن لمس «رون» أهداب الأفكار التى تطير من خلف العقول، لكنه كان واثقًا من أن ما سيجرى لن يكون خيرًا. تقدم للأمام، لكن «رون» أمسك بالمخ فى يده الممتدة.

لحظة لامست أصابعه الأهداب، بدأت فى لف نفسها حول ذراعه وكأنها حبال.

«هارى، انظر ماذا حدث.. لا.. لا.. لا أريدها.. لا.. أوقفها.. *أوقفها*..».

لكن الشرائط الرفيعة التفت حول صدر «رون».. أخذ يمزقها ويبعدها عنه والمخ ينقبض حوله وكأنه أخطبوط.

صاح «هارى» محاولاً إبعاد الأهداب عن «رون»: «ديفيندو». لكنها لم تبتعد. سقط «رون» وهو ما زال يحاول تمزيق قيوده.

---

(١) أو Brain بمعنى مخ أو دماغ. (المترجم).

صرخت «چينى» التى شلها كاحلها المكسور من على الأرض: «هارى، «ستخنقه»»، ثم انطلق شعاع أحمر من إحدى عصى أكلة الموت السحرية، وضربتها فى وجهها، فمالت إلى جانبها وسقطت فاقدة الوعى.

صاح «نيفيل» وهو يدور ويلوح بعصا «هيرميون» السحرية تجاه أكلة الموت: «***ستوبيفاى.. ستوبيفاى.. ستوبيفاى***».

لكن لم يحدث شىء.

أطلق أحد أكلة الموت تعويذة تجميد تجاه «نيفيل»، التى انحرفت عنه ببضع بوصات. أصبح «هارى» و«نيفيل» الوحيدين الباقيين؛ ليقاتلا خمسة من أكلة الموت، الذين أطلق اثنان منهما دفقة من الضوء الفضى مثل السهام، فضربت الجدار من خلفهما. جرى «هارى» محاولاً النجاة و«بيلاتريكس ليسترانج» تجرى خلفه.. أمسك بالنبوءة فوق رأسه، ثم عاد إلى الجانب الآخر من الحجرة وكل ما يقدر على التفكير فيه هو جذب أكلة الموت بعيدًا عن الآخرين.

بدا كأن خُدعته قد نجحت.. جروا خلفه، وهم يسقطون المقاعد والموائد، لكن لا يجرءون على ضربه بالسحر؛ خوفًا من إصابة النبوءة.. انطلق إلى الباب المفتوح الذى دخل منه أكلة الموت.. متمنيًا لو يبقى «نيفيل» مع «رون» ليجد طريقة لتحريره من التعويذة المصاب بها. جرى عدة أقدام إلى الحجرة الجديدة وشعر بالأرض تختفى من تحته..

سقط على درجات سلم واحدة تلو الأخرى، وهو يصطدم بكل درجة، حتى استقر أخيرًا على ظهره فى قاع الحفرة الحجرية، فرأى القوس الحجرية فوقه أعلى المنبر. دوت ضحكات أكلة الموت فى الحجرة.. نظر إلى أعلى ورأى الخمسة الذين اقتحموا حجرة العقول وهم يقتربون منه، بينما عدد مماثل منهم قد ظهر من الجانبِ الآخر للحجرة وأخذوا يتقافزون على الدرجات تجاهه. هبَّ «هارى» واقفًا وإن كانت ساقاه ترتجفان ولا تكادان تحملانه.. وفيما يشبه المعجزة لم تنكسر النبوءة التى استقرت فى يدِه اليسرى، بينما يمناه مشغولة بعصاه السحرية. ابتعد ناظرًا حوله؛ محاولاً رؤية جميع أكلة الموت فى نفس الوقت. ضرب بقدمه شيئًا صُلبًا.. وصل إلى المنبر، ومن فوقه القوس الحجرية.. تسلقه وظهره لدرجات السلم.

توقف كل أكلة الموت، وأخذوا ينظرون إليه، لاهثين بشدة مثله. كان أحدهم ينزف بغزارة.. «دولوهوف» الذى تحرر من التعويذة المقيدة للجسم أخذ ينظر إلى «هارى» شزرًا وعصاه مصوبة إلى وجهه مباشرة.

قال «لوكياس مالفوى» بصوت أجش: «بوتر، انتهى السباق، والآن ناولنى النبوءة وكن فتًى طيبًا».

قال «هارى» بيأس: «دع.. دع الآخرين يخرجون، وسأعطيك النبوءة».

ضحك بعض أكلة الموت.

قال «لوكياس مالفوى» ووجهه الشاحب متوهج من الجذل: «أنت لست فى موقف يسمح بالمساومة يا بوتر.. نحن عشرة وأنت وحدك.. ألم يعلمك دمبلدور العدد والحساب؟».

انبعث صوت من خلفه يقول: «إنه (نيس) وحده.. أنا معه».

انقبض صدر «هارى».. وجد «نيفيل» يهرول نازلاً السلم تجاههم، وعصا «هيرميون» مرفوعة فى يده المرتجفة.

«نيفيل.. لا.. عُد إلى رون..».

صاح «رون» ثانية، مشيرًا بعصاه إلى كلٍّ من أكلة الموت: «***ستوبيفاى ستوبيفاى ستوب***..».

أمسك أحد أكلة الموت ضخام الجثة بـ«نيفيل» من الخلف، وأحاط خصره بذراعيه. أخذ «نيفيل» يقاوم ويركل، وضحك بعضهم.

قال «لوكياس مالفوى» بسخرية: «إنه لونجبوتم.. أليس كذلك؟ لقد اعتادت جدتك على فقدان أفراد عائلتها من أجل قضيتنا.. لن يصدمها موتك كثيرًا».

رددت «بيلاتريكس» وابتسامة شريرة ترتسم على وجهها الهزيل: «لونجبوتم؟ لقد استمتعت بمقابلة والديك يا فتى».

قال «نيفيل» بصوت قوى: «أعرف أنك (فعنت)» وهو يصارع قبضة آسره بشدة، فصاح الأخير: «ليجمده أحدكم».

قالت «بيلاتريكس»: «لا، لا، لا» وبدت فى حالة غريبة، يملؤها حماس وإثارة غريبان وهى تنظر إلى «هارى» ثم إلى «نيفيل».. أضافت: «لا، دعونا نرى ما سيتحمله لونجبوتم الصغير قبل أن ينهار مثل والديه.. إلا إن كان بوتر يريد إعطاءنا النبوءة».

صاح «نيفيل» بأعلى صوته: «**لا تعطِها (نهم) يا (آرى)**» وقد أصبح فى حالة غضب شديد، مع اقتراب «بيلاتريكس» منه ومن آسره، رفعت عصاها وهو يقول: «**لا تعطِها (نهم) يا (آرى)**».

رفعت «بيلاتريكس» عصاها السحرية.. «كروسيو».

صرخ «نيفيل»، وارتفعت ساقاه إلى صدره حتى أن آكل الموت الممسك به ارتفع عن الأرض للحظة. أسقطه وسقط على الأرض، وهو يتلوَّى ويصرخ من الألم.

قالت «بيلاتريكس» وهى ترفع عصاها؛ حتى تتوقف صرخات «نيفيل» ويرقد باكيًا عند قدميها: «هذا مجرد فاتح شهية».. التفتت ونظرت إلى «هارى» قائلة: «والآن يا بوتر، إما تعطينا النبوءة، أو تراقب صديقك الصغير وهو يموت متأثرًا بالألم».

لم يكن «هارى» بحاجة إلى التفكير.. لم يعد أمامه خيار. كانت النبوءة ساخنة تتوهج بالحرارة وهو يمدها أمامه. قفز «مالفوى» إليه؛ ليمسك بها.

ثم ومن فوقهم انفتح بابان ودخل خمسة أشخاص إلى الحجرة: «سيرياس» و«لوبين» و«مودى» و«تونكس» و«كنجسلى».

التفت إليهم «مالفوى»، رافعًا عصاه السحرية، لكن «تونكس» كانت قد أطلقت بالفعل تعويذة تجميد تجاهه. لم ينتظر «هارى» ليراها وهى تصيبه، بل هبط من فوق المنبر مبتعدًا عن طريقها. تشتت أكلة الموت مع وصول أعضاء الجماعة الذين أخذوا يمطرونهم بالتعاويذ وهم يتقافزون على الدرجات إلى الأسفل. ومن بين الأجساد الكارة والفارة وأشعة التعاويذ، رأى «هارى» «نيفيل» وهو يزحف. تفادَى شعاعًا أحمر آخر، ثم ألقى بنفسه على الأرض؛ ليصل إلى صديقه.

صاح: «هل أنت بخير؟»، وتعويذة أخرى تمر فوق رأسيهما بعدة بوصات.

قال «نيفيل» وهو يحاول النهوض: «(أجن)».

«ورون؟».

«لا أظنه (بخين).. فهو (مازان) يقاوم (العقون) منذ تركناه..».

تفجرت الأرض بينهما وتطايرت منها الشظايا عندما أصابتها تعويذة، تاركة وراءها حفرة فى الأرض، حيث كانت يد «نيفيل» منذ لحظات.. هرول كلاهما مبتعدين، ثم جاءت يد وقبضت على عنق «هارى»؛ لترفعه، حتى فارقت أصابع قدميه الأرض.

قال الصوت الأجش فى أذنه: «هاتها.. أعطنى النبوءة..».

أخذ الرجل يضغط على حنجرة «هارى» حتى كاد أن ينخنق. ومن بين أعين مغرورقة بدموع الحاجة للهواء، رأى «سيرياس» يقاتل أحد أكلة الموت على مسافة عشر أقدام.. و«كنجسلى» يقاتل اثنين منهم.. و«تونكس» على مسافة درجتين منه،

تطلق تعاويذ تجاه «بيلاتريكس».. ولا أحد منهم يعرف أنه على وشك الموت. أدار عصاه السحرية للخلف ناحية جانب الرجل، لكن لم يجد الهواء اللازم؛ لنطق التعويذة، واقتربت يد الرجل الثانية من يد «هارى» الممسكة بالنبوءة..

« آاااه ».

اقترب «نيفيل» وهو غير قادر على نطق تعويذة، دب عصا «هيرميون» بقوة فى قناع الرجل مكان العين. ترك الساحر «هارى» على الفور وهو يعوى من الألم. دار «هارى» على عقبيه؛ ليواجهه، وشهق:

« ***ستوبيفاى*** ».

ترنح آكل الموت إلى الخلف وسقط قناعه عنه.. كان «ماكنير» الذى كان سيقتل «باكبيك»، وإحدى عينيه منتفخة محتقنة الدماء.

قال «هارى» لـ«نيفيل»: وهو يجذبه إلى الجانب مع اقتراب «سيرياس» ومن يقاتله من أكلة الموت منهما «أشكرك»، كانا يتقاتلان بعنف حتى إن طرفى عصويهما أخذا يطلقان أشعة التعاويذ بسرعة رهيبة، ثم ضربت قدم «هارى» شيئًا مستديرًا وجامدًا، وانزلق. للحظة، حسب أنه قد أسقط النبوءة، ثم رأى عين «مودى» السحرية تدور على الأرض.

كان مالكها راقدًا على جانبه، ينزف من رأسه ومهاجمه يقترب من «هارى» و«نيفيل».. «دولوهوف» بوجهه الشاحب المرتسم عليه الجذل.

صاح: «*تارانتاليجرا*» مصوبًا عصاه نحو «نيفيل» الذى أخذت قدماه ترقصان رقصة محمومة، وهو غير قادر على التحكم فيهما، فسقط على الأرض ثانية، وقال الرجل: «والآن يا بوتر...».

قام بنفس الحركة بعصاه السحرية التى سبق أن أصاب بها «هيرميون» مع صرخة «هارى»: «بروتيجو».

شعر «هارى» بشىء يضرب جانب وجهه مثل سكين غير حاد.. ألقته الضربة جانبًا، فسقط فوق قدمى «نيفيل» المتراقصتين، لكن تعويذة الصد التى أطلقها أبعدت عنه أسوأ ما فى التعويذة التى أصابته.

رفع «دولوهوف» عصاه ثانية وقال: «*أكيو بروف*...».

اقترب «سيرياس» منهم، وضرب «دولوهوف» بكتفه، فطار مبتعدًا عن الطريق. فقد «هارى» ثانية تحكمه فى النبوءة بعد أن وصلت إلى أطراف

أصابعه، لكنه استعاد السيطرة عليها. أخذ «سيرياس» و«دولوهوف» يتقاتلان، وعصواهما تلمعان كالسيوف، والشرر يتطاير من طرفيهما.

سحب «دولوهوف» عصاه ملوحًا بها إلى الخلف؛ ليؤدى بها نفس التعويذة التى استعملها على «هارى» و«هيرميون». وهو ينهض صاح «هارى»: «بيتريفيكوس *توتالوس*». مرة ثانية تضامّت ساقا وذراعا «دولوهوف»، وسقط إلى الخلف؛ ليحط على الأرض بصوت مرتفع.

صاح «سيرياس»: «تعويذة رائعة»، مع خفضه لرأس «هارى» وتعويذتى تجميد تطيران نحوهما.. أضاف: «والآن أريدك أن تخرج من...».

انحنيا ثانية.. مرَّ فوق «سيرياس» شعاع أخضر. رأى «هارى» «تونكس» تسقط من فوق الدرجات، وجسدها يسقط من فوق درجة إلى أخرى وقد فقدت الوعى، و«بيلاتريكس» تجرى ظافرة عائدة إلى القتال الدائر.

صاح «سيرياس» وهو يهب؛ لمقاتلة «بيلاتريكس»: «هارى، خذ النبوءة، وأمسك بنيفيل واجرِ».. لم ير «هارى» ما حدث بعدها.. رأى «كنجسلى» يترنح بطرف عينه، وهو يقاتل «روكوود» الذى سقط عنه قناعه.. طار شعاع أخضر آخر فوق رأس «هارى»؛ فألقى بنفسه على «نيفيل».

صاح فى أذن «نيفيل»: «هل تقدر على الوقوف؟».. ومع حركة ساقى «نيفيل» التى لا تهدأ، أضاف: «ضع ذراعك حول رقبتى..».

فعل «نيفيل» كما أمره.. ورفعه «هارى»، وساقاه تتراقصان فى كل الاتجاهات، من دون أن يحملاه.. ثم فجأة، هاجمهما أحد أكلة الموت.. سقطا أرضًا، وساقا «نيفيل» تتراقصان مثل خنفساء انقلبت على ظهرها.. أما «هارى»، فقد رفع يده اليسرى فى الهواء؛ محاولاً حماية الكرة الصغيرة من التحطم.

سمع صوت «لوكياس مالفوى» فى أذنيه: «النبوءة.. أعطنى النبوءة»، وشعر «هارى» بطرف عصاه يضغط جانبه بين ضلوعه.

«لا.. ابتعد.. عنى.. نيفيل.. أمسكها».

دحرج «هارى» الكرة على الأرض، دار «نيفيل» مرتكزًا على ظهره وأمسك بالكرة؛ ليضمها إلى صدره. صوب «مالفوى» عصاه ناحية «نيفيل»، لكن «هارى» رفع عصاه من فوق كتفه وصاح: «*إمبيديمنتا*».

سقط «مالفوى» على ظهره و«هارى» ينهض ثانية ويتلفت ليراه يرتطم بجانب المنبر الذى أخذ «سيرياس» و«بيلاتريكس» يتقاتلان على درجاته.

صوب «مالفوى» عصاه ناحية «هارى» و«نيفيل» ثانية، لكن وقبل أن يلتقط أنفاسه؛ ليضرب، قفز «لوبين» بينهم، قائلاً: «هارى، اجمع الآخرين واذهب».

أمسك «هارى» بعباءة «نيفيل» من عند كتفه ورفعه فوق الدرجة الحجرية الأولى.. أخذت ساقا «نيفيل» تتلويان وتتراقصان ولم يقدر على النهوض.. رفعه «هارى» ثانية بكل قوته؛ ليصعد به درجة أخرى.

ضربت تعويذة الحجر بين عقبى «هارى».. تشتت وسقط على الدرجة السفلى. انهار «نيفيل» على الأرض، وساقاه لم تكفا عن الرقص، ثم ألقى بالنبوءة فى جيبه.

قال «هارى» بيأس وهو يمسك بعباءة «نيفيل»: «هيا.. حاول دفع ساقيك..».

رفعه «هارى» رفعة قوية أخرى؛ فتمزقت عباءة «نيفيل» من عند طرفها الأيسر.. وسقطت الكرة الزجاجية الصغيرة من جيبه، وقبل أن يتمكن أحدهما من الإمساك بها ركلتها قدم «نيفيل» الراقصة.. طارت عشر أقدام إلى يمينهما وتحطمت على الدرجة الحجرية الواقعة تحتهما. مع تحديقهما فى موقع تحطمها، وقد روعهم ما جرى، ارتفع جسد أبيض لؤلئى بعيون متضخمة فى الهواء، دون أن يلاحظه أحد غيرهما. رأى «هارى» فمه يتحرك، لكن وسط كل الصرخات والصيحات وأصوات اصطدام التعاويذ بالحجر والأجساد لم يسمع كلمة واحدة من النبوءة. كف الظل عن الكلام وتلاشى.

صاح «نيفيل» ووجهه يتلوى مكروبًا وساقاه آخذتان فى الرقص: «(آرى) أنا آسف.. أنا آسف يا (آرى)، (نم) أقصد أن...».

صاح «هارى»: «لا يهم.. حاول فقط أن تقف، هيا نخرج من هنـ...».

قال «نيفيل» ووجهه المغمور بالعرق قد التفت فجأة؛ ليحدِّق فوق كتف «هارى»: «(دمبندون)».

«ماذا؟».

«(دمبندون)».

دار «هارى» على عقبيه؛ ليرى ما ينظر إليه «نيفيل». فوقهما مباشرة أمام مدخل الباب المُفضى إلى حجرة العقول، وقف «ألبوس دمبلدور»، وعصاه السحرية مرفوعة ووجهه أبيض وغاضب. شعر «هارى» بتيار كهربى يسرى فى كل ذرة من جسده.. *لقد نجونا*.

نزل «دمبلدور» درجات السلم إلى جوار «نيفيل» و«هارى»، اللذين تخليا عن فكرة الهروب. أدرك أقرب أكلة الموت إليه بوجوده، فصاح محذرًا الآخرين. حاول أحد أكلة الموت الهرب، فتسلق الدرجات الحجرية المقابلة كالقرود.

أعادته تعويذة «دمبلدور» إلى وضعه السابق بسهولة ويسر وكأنه قد شبكه بخطّاف خفى من ظهره.

لم يبق سوى شخصين يتقاتلان غير واعيين بظهور القادم الجديد. رأى «هارى» «سيرياس» يتفادى شعاع «بيلاتريكس» الأحمر.. وهو يضحك فى وجهها.

صاح وصوته يدوى فى أرجاء الحجرة الواسعة: «لا أصدق.. هل هذا أفضل ما عندك؟».

أصابته التعويذة الثانية فى صدره.

لم تتلاشَ الابتسامة تمامًا من على وجهه، ولكن اتسعت عيناه من الصدمة. تخلى «هارى» عن «نيفيل»، وإن لم يدرك هذا وهو يفعله.. وقفز إلى الأرض مشهرًا عصاه السحرية، و«دمبلدور» يلتفت ليواجه المنبر.

وكأن «سيرياس» قد استغرق دهورًا فى سقوطه.. انحنى جسده برشاقة وسقط إلى الخلف.. ثم اخترق الستار المعلق فوق القوس.

رأى «هارى» نظرة الخوف والدهشة المرتسمة على وجه أبيه الروحى الذى كان يومًا وسيمًا، وهو يسقط عبر القوس الحجرية القديمة ويختفى خلف الستار، الذى خفق للحظة وكأن رياحًا شديدة قد ضربته، ثم عاد إلى اهتزازه الهادئ المعتاد.

سمع «هارى» صرخة «بيلاتريكس ليسترانج» الظافرة، لكنه عرف أنها بلا معنى.. سقط «سيرياس» عبر القوس، وسوف يعاود الظهور على الجانب الآخر فى أى لحظة.

لكن «سيرياس» لم يَعُدْ.

صاح «هارى»: «سيرياس.. سيرياس».

وصل إلى الأرض، أخذ يتنفس فى شهقات كبيرة. لا بد أن «سيرياس» خلف الستار، وسوف يعيده من مكمنه..

لكن مع وصوله إلى الأرض وهرولته ناحية المنبر، أمسكه «لوبين» وقد لف ذراعه حول صدره؛ ليمنعه من التقدم.

«ليس بيدنا شىء يا هارى..».

«هاته.. أنقذه.. لقد سقط منذ لحظة».

«.. لا فائدة يا هارى».

حاول «هارى» الفكاك منه وهو يقول: «بل نقدر على الوصول إليه..»، لكن «لوبين» لم يتركه.

«لا فائدة يا هارى.. ليس بيدنا شىء.. لقد هلك».

٣٦ الوحيـد الذى يخشـاه

صاح «هارى»: «إنه لم يهلك».

لم يصدق.. لن يصدق.. أخذ يقاوم «لوبين» بكل ما فيه من قوة. «لوبين» لا يفهم.. الناس يختبئون خلف هذا الستار.. سمعهم يتهامسون عندما دخل الحجرة للمرة الأولى. «سيرياس» مختبئ، مختبئ بعيدًا عن الأنظار.

صاح: «سيرياس.. سيرياس».

قال «لوبين» بصوت متهدج محاولاً احتواء «هارى»: «لا يمكنه العودة يا هارى.. لا يمكنه العودة؛ لأنه ما..».

صرخ «هارى»: «إنه.. لم.. يمت... سيرياس».

استمرت الحركة من حولهما، من قتال لا رجاء منه، والمزيد من التعاويذ وأشعتها. بالنسبة لـ«هارى» لم تكن أكثر من بعض الجلبة، انعكاس التعاويذ وارتدادها وتطايرها من حولهما لا يعنيه لا شىء يهم، لا شىء يهم غير أن يكف «لوبين» عن التظاهر بأن «سيرياس» الذى كان يقف على مسافة بضع أقدام من الستار القديم، لن يعود فى أية لحظة، ويهز رأسه فيتطاير شعره الأسود الفاحم الناعم الطويل ويعاود دخول المعركة بلهفة.

جر «لوبين» «هارى» بعيدًا عن المنبر. كان «هارى» الذى أخذ يحدق فى القوس الحجرية غاضبًا من «سيرياس» الذى جعله ينتظر كثيرًا..

لكنّ جزءًا منه أدرك الحقيقة، حتى وهو يجاهد؛ ليتحرر من قبضة «لوبين» أدرك أن «سيرياس» لم يجعله ينتظره من قبل.. «سيرياس» يخاطر بكل شىء، دائمًا يخاطر بكل شىء؛ حتى يهب لرؤية «هارى» ومساعدته.. إن لم يعاود «سيرياس» الظهور من القوس الحجرية و«هارى» ينادى عليه وكأن حياته فى خطر؛ فالتفسير الوحيد المقبول هو أنه لن يعود أبدًا.. وأنه فعلاً قد....

جمع «دمبلدور» معظم من تبقى من أكلة الموت وسط الحجرة، وقد جلسوا وكأن حبالاً غير مرئية تقيدهـم. زحف «مـاد آى مـودى» إلى حيث ترقد «تونكس» وحاول أن يفيقها، ومن خلف المنبر كان هناك المزيد من أشعة

التعاويذ والصيحات والصرخات.. وقد تقدم «كنجسلى» من «بيلاتريكس»؛ ليكمل معركة «سيرياس».

«هارى؟».

انزلق «نيفيل» على الدرجات الحجرية إلى حيث يقف «هارى». كف الأخير عن مقاومة «لوبين» الذى حافظ على قوة قبضته عليه.

قال «نيفيل»: «(آرى).. أنا (فعنا) آسف.. (هن) (ذنك) (النجن).. سيرياس.. (هن) كان صديقك؟».

أومأ «هارى» برأسه موافقًا.

قال «لوبين» بهدوء مصوِّبًا عصاه نحو قدمى «نيفيل» المتراقصتين: «فينيتى» فانتهى أثر التعويذة.. استقرت قدما «نيفيل» على الأرض وثبتتا فى مكانهما. كان وجه «لوبين» شاحبًا وهو يقول: «هيا.. هيا لنجد الآخرين. أين هم يا نيفيل؟».

ابتعد «لوبين» عن القوس الحجرية وهو يتكلم. بدا كأن كل كلمة ينطقها تؤلمه.

قال: «إنهم فى (الخنف).. (تعنض) (نون) (نهجوم) مخ.. (نكنه) (بخين)، و(هنميون) فاقدة الوعى، (نكن) (بخين)..».

سمعوا صوت ارتطام مرتفعًا وصرخة من فوق المنبر. رأى «هارى» «كنجسلى» وهو يحط على الأرض متأوهًا من الألم.. دارت «بيلاتريكس ليسترانج» على عقبيها وجرت قبل أن يتحرك «دمبلدور» تجاهها. صوب ناحيتها تعويذة لكنها تفادتها.. ووصلت إلى منتصف الدرجات الحجرية فى طريقها إلى أعلى.

صاح «لوبين»: «هارى.. لا» لكن «هارى» تملص من قبضته القوية.

وصاح: «**لقد قتلت سيرياس.. لقد قتلته، سأقتلها**»،

وهرول ناحيتها فوق الدرجات الحجرية.. أخذوا ينادون عليه من خلفه لكنه لم يكترث. اختفى طرف عباءة «بيلاتريكس» خلف الباب المفتوح إلى حجرة الأدمغة السابحة.

صوبت نحوه تعويذة، من فوق كتفها. ارتفع الوعاء فى الهواء وسقط. وجد «هارى» نفسه مغمورًا بسائل كريه الرائحة.. انزلقت الأدمغة وأخذت تدور على أهدابها الكثيرة الألوان، لكنه صاح: «*وينجارديام ليفيوسا*»؛ فطارت مبتعدة عنه فى الهواء. أخذ يتعثر وينزلق وهو يجرى ناحية الباب، طار فوق «لونا» التى

رقدت تتأوه على الأرض، وإلى «چينى» التى قالت: «هارى.. ماذا..؟»، وإلى جوار «رون» الذى أخذ يضحك فى وهن، و«هيرميون» التى ما زالت فاقدة الوعى. فتح الباب المُفضى إلى الحجرة الدائرية، فوجد «بيلاتريكس» وهى تختفى عبر الباب الواقع على الجانب الآخر من الحجرة.. وأمامها الممر المُفضى إلى المصاعد.

انطلق يجرى، لكنها أغلقت الباب خلفها وأخذت الجدران تدور. مرة ثانية، وجد نفسه محاطًا بأشعة الضوء الأزرق من الشمعدانات الدائرة.

صاح بيأس والجدار يتوقف ثانية: «أين المَخْرَج؟ أين طريق الخروج؟».

بدا كأن الحجرة كانت تنتظر منه أن يسأل. انفتح الباب الواقع إلى يمناه وظهر الممر المُفضى إلى المصاعد من خلفه، فرآه تضيئه المشاعل. أخذ يجرى.

سمع باب المصعد يوصد أمامه، انطلق يعدو بأقصى سرعة فى الممر، ثم توقف أمام المصعد وضغط على المفتاح؛ ليستدعى مصعدًا آخر. أخذ يصلصل ويرن وهو يقترب ويقترب من أعلى، وانفتح بابه الذهبى، فدلف إليه «هارى» بسرعة، ثم ضرب المفتاح المكتوب عليه «قاعة الاستقبال». أغلقت الأبواب وأخذ المصعد يرتفع.

خرج من المصعد قبل أن تنفتح الأبواب بالكامل، ونظر حوله. كانت «بيلاتريكس» قد وصلت إلى مصعد التليفون عند الطرف البعيد من القاعة، لكنها نظرت إلى الخلف وهو يجرى نحوها وصوبت تعويذة أخرى تجاهه. تفاداها بعد أن رقد خلف النافورة.. مرت التعويذة إلى جواره وضربت البوابات الذهبية عند الطرف البعيد من القاعة، حيث رنت مثل الجرس. لم يسمع المزيد من وقْع الأقدام.. كفت عن الجرى.. جلس خلف تماثيل النافورة وأصاخ السمع.

نادته بصوت تقلد الصغار: «*اخرج.. اخرج يا هارى يا صغيرى*». فأخذ يدوى مرتدًا على الأرضية الخشبية المصقولة. «لماذا جئت خلفى إذن؟ حسبتك ستنتقم لابن عمى العزيز».

صاح «هارى»: «سأفعل» فأخذت كلمته تدوى فى أرجاء القاعة: «*سأفعل.. سأفعل.. سأفعل*».

«آاااه.. هل كنت تحبه يا بوتر يا حبيبى؟».

تملك الغيظُ «هارى» كما لم يتملكه من قبل.. ألقى بنفسه من خلف النافورة وصاح: «كروسيو».

صرخت «بيلاتريكس»؛ فقد طرحتها التعويذة أرضًا، لكنها لم تتلوَّ وتصرخ

مثل «نيفيل».. بل هبَّت واقفةً بسرعة وهى تلهث، وإن كفت عن الضحك. رجع «هارى» إلى خلف تماثيل النافورة ثانية. ضربت تعويذتها المضادة رأس تمثال الساحر الوسيم، الذى انفجر وحط على مسافة عشرين قدمًا؛ محدثًا خدوشًا طويلة على الأرض الخشبية.

صاحت: «لم تستعمل التعويذة غير المغفور لها من قبل يا فتى.. أليس كذلك؟»، تخلت عن صوتها الطفولى وهى تقول: «لتؤديها جيدًا، عليك أن تكون مصرًا عليها يا بوتر.. تحتاج للرغبة الشديدة فى إحداث الألم.. والتمتع به، الغضب الأعمى كدافع للتعويذة لا يؤذى كثيرًا.. سأريك كيف تؤديها، هلا بدأنا؟ سألقنك درسًا..».

دار «هارى» حول النافورة إلى الجانب الآخر وهى تصرخ: «كروسيو»، فأجبرته على أن ينحنى ثانية عندما انخلع ذراع «القنطور» الممسك بالقوس وطار ليسقط على الأرض على مسافة قصيرة من رأس الساحر الذهبى.

صاحت: «بوتر، لن تغلبنى أبدًا».

سمعها تتحرك إلى اليمين؛ محاولة الوصول إلى نقطة تصوب عليه منها جيدًا. انحنى خلف التمثال بعيدًا عنها، وجلس القرفصاء خلف ساقى «القنطور»، ورأسه على مستوى رأس القزم المنزلى.

«كنت وما زلت أكثر خدم سيد الظلام ولاءً وإخلاصًا. تعلمت فنون السحر الأسود منه، وعرفت تعاويذ بقوة، لا تحلم بمعرفتها أيها الولد الصغير البائس..».

صاح «هارى»: «*ستوبيفاى*»، خرج من الناحية اليمنى إلى حيث يقف الجنى مبتسمًا للساحر الذى طار رأسه وسدد نحوها تعويذته وهى تبحث عنه عند الجانب المقابل من النافورة. جاء رد فعلها سريعًا فانحنت لتتفادى تعويذته.

«بروتيجو».

ارتد شعاع التعويذة الأحمر - تعويذته - إليه. عاد إلى خلف النافورة ورأى إحدى أذنى الجنى تطير عبر الحجرة.

صاحت «بيلاتريكس»: «بوتر، سأعطيك فرصة أخيرة.. أعطنى النبوءة، دحرجها نحوى.. وسأتركك تعيش».

صاح «هارى»: «لتقتلينى إذن.. فقد تحطمت النبوءة»، وهو يصيح شعر بألم شديد يعتصر جبينه.. أحس بندبته ملتهبة ثانية.. وبغيظ شديد غير مرتبط بغضبه بالمرة، قال - وهو يعرف بضحكة مجنونة ليست أقل من جنون

ضحكات «بيلاتريكس»ـ: «صديقك القديم ڤولدمورت يعرف بتحطمها.. لن يسعده فشلك، أليس كذلك؟».

صاحت: «ماذا... ماذا تعنى؟»، وللمرة الأولى أحس بالخوف فى صوتها.

«تحطمت النبوءة وأنا أحاول رفع نيفيل على الدرجات. تُرَى ماذا سيقول ڤولدمورت عن هذا؟».

احترقت ندبته ثانية من الألم.. أحس بالألم يعمى عينيه.

صاحت: «**كاذب**»، لكنه أحس بالرعب مع الغضب فى صوتها.. «***إنها معك يا بوتر، وستناولها لى.. أكيو بروفيسى.. أكيو بروفيسى***».

ضحك «هارى» ثانية؛ لمعرفته أن ضحكه سيثير سخطها، والألم يتصاعد فى رأسه بشدة؛ فشعر بجمجمته تكاد تنفجر. لوح بيده الفارغة من خلف الجنى ذى الأذن الواحدة وسحبها بسرعة قبل أن ترمى هى بشعاع أخضر مرَّ فوقه.

صاح: «لا شىء معى.. لا شىء معى لتستدعيه.. لقد تحطمت ولن يسمع أحد أبدًا منطوقها، أخبرى رئيسكِ بهذا».

صرخت: «لا.. هذا ليس حقًا.. أنت تكذب.. **مولاى.. لقد حاولت، لقد حاولت.. لا تعاقبنى** أرجوك..».

صاح «هارى» وعيناه مغمضتان من الألم الرهيب الذى لم يصل لهذه الدرجة من قبل: «لا تتعبى نفسكِ.. إنه لا يسمعك من هنا».

قال صوت مرتفع بارد: «حقًا يا بوتر؟».

فتح «هارى» عينيه. فوجد شيئًا.. طويلاً، ونحيلاً، ومغطىٍ بقلنسوة سوداء.. ووجهه أبيض شاحب، وعيناه الحمراوان المشقوقتان طوليًا كعيون الثعابين تحدقان فيه.. ظهر لورد «ڤولدمورت» وسط القاعة مصوبًا عصاه السحرية ناحية «هارى» الذى وقف متجمدًا، غير قادر على الحركة.

قال «ڤولدمورت» بنعومة محدقًا فى «هارى» بعينيه الحمراوين الخاليتين من الرحمة: «إذن، فقد حطمت نبوءتى؟ لا يا بيلا، إنه لا يكذب.. أرى الحقيقة تطل علىّ من عقله عديم النفع.. شهور من التحضير، شهور من العمل.. ويترك أكلة الموت هارى بوتر يهرب منى ثانية..».

أخذت «بيلاتريكس» تبكى وقد ألقت بنفسها عند قدمى «ڤولدمورت» ـ الذى اقترب قليلاً ـ : «مولاى.. أنا آسفة، لم أكن أعرف. قاتلت بلاك. مولاى، لتعرف أن...».

قال «ڤولدمورت» بقسوة: «اصمتى يا بيلا.. سأتعامل معك بعد لحظة. هل تعتقدين أننى قد دخلت وزارة السحر؛ لأستمع لأعذارك الباكية؟».

«لكن يا مولاى.. إنه هنا.. إنه بالأسفل..».

لم يعِرْها «ڤولدمورت» اهتمامًا.

قال بهدوء: «ليس عندى المزيد لأقوله لك يا بوتر.. لقد أزعجتنى كثيرًا.. كثيرًا جدًّا.. *آفادا كيدافرا*».

لم يفتح «هارى» فمه حتى ليطلق تعويذة مضادة.. كان عقله قد شل عن التفكير، وعصاه مصوبة إلى الأرض.

لكن تمثال الساحر الذهبى المنزوع الرأس والمستقر فى النافورة دبّت فيه الحياة فجأة. قفز من مكانه؛ ليحط على الأرض بصوت رهيب بين «هارى» و«ڤولدمورت»، فانعكست التعويذة على صدره والتمثال يرفع ذراعيه؛ ليحمى «هارى».

صاح «ڤولدمورت» ناظرًا حوله: «ماذا..؟»، ثم قال بصوت هامس: «*دمبلدور!*».

نظر «هارى» خلفه، وقلبه يخفق بقوة. رأى «دمبلدور» واقفًا أمام البوابات الذهبية.

رفع «ڤولدمورت» عصاه السحرية؛ ليطلق شعاعًا أخضر آخر تجاه «دمبلدور» الذى دار على عقبيه بعد أن سحب عباءته؛ لتلتف حوله، ثم يختفى.. عاود الظهور بعد لحظة خلف «ڤولدمورت» وصوب عصاه تجاه النافورة.. دبت الحياة فى باقى التماثيل.. جرى تمثال الساحرة ناحية «بيلاتريكس» التى صرخت وأخذت ترمى بتعاويذ ارتدت على صدر التمثال، قبل أن ينقضَّ عليها ويثبتها فى الأرض. بينما انطلق كل من الجنِّى والقزم المنزلى تجاه المدفأة، وانقض «القنطور» ذو الذراع الواحدة على «ڤولدمورت»، فاختفى ليعاود الظهور إلى جوار البركة. ألقى التمثال منزوع الرأس بنفسه فوق «هارى» مبعدًا إياه عن القتال، مع تقدم «دمبلدور» من «ڤولدمورت» و«القنطور» الذهبى يركض حولهما.

قال «دمبلدور» بهدوء: «تصرُّف أحمق منك أن تأتى الليلة إلى هنا يا توم.. إن مقاتلى السحر الأسود فى طريقهم..».

قال «ڤولدمورت» بحدة: «وقتها سأكون قد غادرت، وتكون أنت قد مت»، ألقى بتعويذة قاتلة أخرى تجاه «دمبلدور» لكنها لم تصبه، بل ضربت مكتب حارس الأمن، الذى اشتعل فيه اللهب.

لوح «دمبلدور» بعصاه السحرية.. وكانت التعويذة التى انطلقت منها من القوة بحيث أحس «هارى»، الذى يحميه حارسه الذهبى، بشعر رأسه يقف وهى تمر فوقه.. وهذه المرة، أجبر «ڤولدمورت» على إطلاق تعويذة درع فضية ليشتتها.. لم تصب التعويذة ـ أيًا كانت طبيعتها ـ الدرع بأى دمار مادى، وإن صدر عن اصطدامها بالدرع صوت رنين بارد غريب عميق.

قال «ڤولدمورت» وعيناه الحمراوان تضيقان من فوق الدرع: «أنت لا تسعى لقتلى يا دمبلدور.. فأنت تسمو فوق هذه القسوة.. أليس كذلك؟».

قال «دمبلدور» بهدوء وهو مستمر فى التقدم من «ڤولدمورت» وكأنه لا يخاف من أى شىء فى العالم، وكأنه لا يوجد ما يستدعى أن يتوقف عن السير عبر القاعة: «كلانا يعرف أن هناك وسائل أخرى لتدمير الرجال غير القتل يا توم.. مجرد قتلى لك لن يرضينى، أعترف بهذا..».

قال «ڤولدمورت» مزمجرًا: «لا يوجد ما هو أسوأ من الموت يا دمبلدور».

قال «دمبلدور» وهو يقترب من «ڤولدمورت» وسط كلامه وكأنه يناقش معه موضوعًا خفيفًا أثناء تناول الشراب: «أنت مخطئ تمامًا». شعر «هارى» بالخوف وهو يراه يسير إلى جواره.. بلا حماية، وبلا دروع، أراد أن يصرخ فيه محذرًا، لكن حارسه منزوع الرأس أبقاه على الأرض، مانعًا أى محاولة للحركة تصدر عنه.. سمع «دمبلدور» يسترسل فى الكلام: «بالطبع، فشلك فى فهم أن هناك أشياء أسوأ من الموت هو نقطة ضعفك الكبرى..».

انطلق شعاع أخضر آخر من خلف الدرع الفضية. هذه المرة، تقدم «القنطور» ذو اليد الواحدة ووقف أمام «دمبلدور»؛ ليتلقى الضربة ويتفتت إلى مائة قطعة، لكن وقبل أن تستقر الشظايا على الأرض شهر «دمبلدور» عصاه ثانية ولوَّح بها وكأنها سوط. طار من طرفها خيط لهب رفيع، التف حول «ڤولدمورت» وحول الدرع. للحظة، بدا كأن «دمبلدور» قد انتصر، لكن حبل اللهب تحول إلى أفعى، فتخلت عن إمساكها بـ«ڤولدمورت» على الفور، والتفتت وهى تهس بغضب بالغ لمواجهة «دمبلدور».

اختفى «ڤولدمورت»، وارتقى الثعبان من فوق الأرض متأهبًا للانقضاض.

انبعث اللهب فى الهواء من فوق «دمبلدور» مع عودة «ڤولدمورت» للظهور، ووقوفه وسط البركة؛ حيث كانت التماثيل الخمسة مستقرة.

صاح «هاری»: «*احترس!*».

لكن حتى ومع صيحته انطلق شعاع أخضر من عصا «ڤولدمورت» ناحية «دمبلدور» وانقضَّ الثعبان.

حلَّق «فاوكس»؛ ليهبط أمام «دمبلدور» ويفتح منقاره ليلْتَهِم الشعاع الأخضر كله.. اشتعل فيه اللهب وسقط على الأرض بلا حراك. فى نفس اللحظة، أدار «دمبلدور» عصاه السحرية بحركة طويلة على طول ذراعه، فطار الثعبان الذى كان على وشك غرس أنيابه فى جسده فى الهواء واختفى وسط دخان أسود.. وارتفعت المياه من البركة وغطت «ڤولدمورت» مثل شرنقة من الزجاج السائل.

لثوانٍ قليلة، ظهر «ڤولدمورت» من وراء شرنقته، وجهه غير واضح المعالم وهو يقاوم؛ محاولاً التخلص من ثقل الماء.

ثم اختفى، وسقط الماء فى البركة ثانية، وانساب من على أطراف البركة؛ ليغرق الأرضية المصقولة.

صرخت «بيلاتريكس»: «**مولاى**».

انتهى الأمر.. قرر «ڤولدمورت» الهرب، وهمَّ «هارى» بالنهوض من خلف التمثال الحارس، لكن «دمبلدور» صاح فيه: «ابقَ مكانك يا هارى».

ولأول مرة، يبدو الخوف على «دمبلدور».. لم يعرف «هارى» السبب.. القاعة خالية تمامًا إلا منهم، و«بيلاتريكس» الباكية محبوسة تحت تمثال الساحرة، و«فاوكس» طائر العنقاء ينعب بوهن على الأرض..

ثم انفتحت ندبة «هارى» وعرف أنه سيموت.. كان الألم فوق التصور، يتجاوز حدود الآلام وحدود التحمُّل البشرية.

اختفى من القاعة، وجد نفسه محبوسًا وسط أذرع مخلوق بعيون حمراء، بقوة جعلته لا يعرف أين تنتهى حدود جسده ويبدأ جسد الكائن.. كانا ممتزجين معًا، يجمعهما الألم، ولا مفر ولا مهرب..

ثم تكلم المخلوق، استعمل فم «هارى» فى الكلام، وفى خضم ألمه شعر بفكِّه يتحرك..

«*اقتلنى الآن يا دمبلدور..*».

وهو أعمى ووسط احتضاره، شعر بكل ذرة فى جسده تصرخ طالبة التحرر، شعر «هارى» بالمخلوق يستخدمه ثانية فى الكلام..

«إن كان الموت لا شيء يا دمبلدور فاقتل الصبى..».

ليتوقف الألم.. اقتلنا معًا.. إنه الألم يا «دمبلدور».. الموت لا شىء مقارنة بهذا. وسأرى «سيرياس» ثانية..

ومع امتلاء قلب «هارى» بالمشاعر، انفكت قبضة الكائن عليه وتراجع الألم.. رقد ووجهه إلى الأرض، وعويناته قد اختفت، وهو يرتجف وكأنه راقد على الثلج، وليس على الخشب.

سمع أصواتًا تدوِّى فى القاعة، أصواتًا أكثر مما يجب.. فتح «هارى» عينيه، ورأى عويناته مستقرة عند قدمِ التمثال منزوع الرأس الذى كان يحرسه، لكنه رقد على ظهره، جامدًا ومتشققًا وبلا حراك. ارتدى عويناته ورفع رأسه قليلاً ليجد أنف «دمبلدور» العجوز على مسافة بوصات قليلة من أنفه.

«هل أنت بخير يا هارى؟».

قال «هارى» وهو ينتفض غير قادر على رفع رأسه كما يجب: «أجل.. أنا بخير.. أين ڤولدمورت؟ أين.. من كل هؤلاء؟ ما الذى...؟».

كانت قاعة الاستقبال ممتلئة بالناس.. والأرضية تعكس اللهب الأخضر الزمردى الذى اشتعل فى المدافئ بطول أحد الجدران.. وتدفق تيار من الساحرات والسحرة إلى القاعة منها. مع نهوض «دمبلدور» على قدميه رأى «هارى» التمثال الذهبى الصغير للقزم المنزلى، وتمثال الجنى يقودان «كورنلياس فادچ» المصدوم إلى الأمام.

صاح رجل بعباءة حمراء، شعره معقود على شكل ذيل حصان: «لقد كان هناك»، مشيرًا إلى كومة من الركام الذهبى على الجانب الآخر من القاعة؛ حيث كانت ترقد «بيلاتريكس» منذ لحظات بلا حراك.. أضاف: «رأيته يا سيد فادچ. أقسم أنه كان الذى ـ تعرفه، لقد أمسك بالمرأة واختفيا».

غمغم «فادچ» الذى كان يرتدى منامة تحت عباءته رسمية المظهر ويشهق وكأنه قد جرى مسافة أميال: «أعرف يا ويليامسون، أعرف، رأيته أنا الآخر.. بحق لحية مرلين.. هنا.. هنا.. فى وزارة السحر!.. يا ربى! هذا لا يمكن.. لا أصدق.. كيف حدث هذا؟».

قال «دمبلدور» وقد أرضاه أن «هارى» بخير: «إن نزلت إلى الأسفل، إلى مصلحة الألغاز والغوامض يا كورنلياس، فسوف تجد بعض أكلة الموت

الهاربين فى حجرة الموت، مقيدين بتعويذة مضادة للاختفاء السحرى، بانتظار قرارك الذى ستتخذه معهم»، تقدم «دمبلدور» إلى الأمام، فأدرك القادمون الجدد وجوده للمرة الأولى (ورفع بعضهم عصيهم السحرية وحدق فيه البعض الآخر بدهشة، بينما أخذ تمثالا القزم والجنى يهللان، وأخذ «فادچ» يتقافز متوترًا).

شهق «فادچ» قائلاً بدهشة بالغة: «دمبلدور.. أنت.. هنا.. أ.. أ.. أنا..».

نظر إلى مقاتلى السحر الأسود الذين جلبهم معه من حوله، وبدا واضحًا أنه يود لو يقول: «اقبضوا عليه».

قال «دمبلدور» بصوت راعد: «كورنلياس.. أنا مستعد لمقاتلة رجالك والتغلب عليهم ثانية.. لكن منذ دقائق، رأيت بنفسك الدليل، بعينيك، وعرفت أننى أقول لك الحقيقة منذ سنوات. لقد عاد لورد ڤولدمورت، وعرفت أنك تطارد الشخص الخطأ طوال اثنى عشر شهرًا، وحان الوقت للإنصات لصوت العقل».

قال «فادچ» متلعثمًا: «أنا لا.. أعنى.. المهم..». نظر حوله كأنه يلتمس العون من أحدهم. لكن لم ينطق أحد، فأكمل كلامه: «حسنًا.. داوليش.. ويليامسون، انزلا إلى مصلحة الألغاز والغوامض ولتريا ما هناك.. دمبلدور.. سوف... سوف تخبرنى بالضبط بما جرى.. وما جرى للنافورة» أضاف الكلمة الأخيرة بصوت خافت ناظرًا إلى الأرض؛ حيث بقايا تماثيل الساحرة، والساحر، و«القنطور».

قال «دمبلدور»: «سنناقش هذا عندما يعود هارى إلى هوجورتس».

«هارى... هارى بوتر؟!».

دار «فادچ» على عقبيه ونظر إلى «هارى» الذى وقف أمام الحائط إلى جوار التمثال المُنهار، الذى كان يحميه أثناء صراع «دمبلدور» و«ڤولدمورت».

قال محدقًا فى «هارى»: «هل هو.. هنا؟ لماذا؟ ما الموضوع؟».

ردد «دمبلدور»: «سأشرح لك كل شىء، عندما يعود هارى إلى المدرسة».

سار مبتعدًا عن البركة إلى المكان الذى يستقر عنده رأس تمثال الساحر على الأرض. صوب عصاه إليه وغمغم: «بورتوس». توهج الرأس بوهج أزرق، ثم أخذ يتدحرج بصوت مزعج على الأرض الخشبية لعدة ثوانٍ، قبل أن يهمد ثانية.

قال «فادچ»، و«دمبلدور» يلتقط الرأس ويسير به عائدًا إلى «هارى»: «دمبلدور.. ليس معك تصريح ببوابة الانتقال السحرية هذه. لا يمكنك فعل مثل هذه الأشياء أمام أعين وزير السحر.. أنت... أنت...».

خمد صوته و«دمبلدور» يفحصه بعينيه من فوق عويناته الهلالية الشكل.

قال «دمبلدور»: «ستعطى أمرًا بفصل دولوريس أمبريدج من هوجورتس.. وستأمر مقاتلى السحر الأسود بالكف عن مطاردة مدرس رعاية الكائنات السحرية؛ حتى يعود لعمله. وسأعطيك...». جذب «دمبلدور» ساعة بها اثنتا عشرة ذراعًا من جيبه ونظر إليها وأكمل: «.. نصف ساعة من وقتى الليلة، أغطى فيها النقاط الهامة لما جرى هنا، وبعدها سأعود إلى مدرستى، إن كنت بحاجة لمساعدتى، فمرحبًا بك وبإمكانك الاتصال بى فى هوجورتس.. والخطابات المرسلة على عنوان الناظر ستجد طريقها إلىّ».

حملق فيه «فادج» أكثر من أى وقت مضى، انفتح فمه على آخره وأصبح وجهه المستدير أكثر احمرارًا.

«أنا... أنت...».

أعطاه «دمبلدور» ظهره.

«أمسك بالبوابة يا هارى».

مد رأس التمثال الذهبية لـ«هارى» الذى وضع يده عليه، وهو لا يهتم بما يجرى بعدها أو أين يذهب.

قال «دمبلدور» بهدوء: «سأعود إليك بعد نصف ساعة.. واحد.. اثنان.. ثلاثة..».

شعر «هارى» بإحساس اعتاده، بأن خُطَّافًا قد أمسك به من مركز جسده. اختفت الأرضية الخشبية المصقولة من تحت قدميه.. اختفت قاعة الاستقبال، و«فادج» و«دمبلدور»، ووجد نفسه يطير فى دوامة من الألوان والأصوات.

٣٧ النبـوءة المفقـودة

لامس «هـارى» الأرض الصلبة.. ارتجت ركبتاه قليلاً وسقط رأس تمثال الساحر الذهبى على الأرض بصوت مسموع. نظر حوله ورأى أنه فى مكتب «دمبلدور».

أصلح كل شىء نفسه أثناء غياب الناظر. عادت الآلات الفضية المعقدة إلى وضعها السابق فوق الموائد الصغيرة، وأخذت تدور وتنفث البخار. أخذ السحرة والساحرات فى اللوحات المعلقة على الجدران يغطّون فى نومهم، ورءوسهم مائلة على المقاعد داخل اللوحات أو على أُطُرها. نظر «هـارى» عبر النافذة، كان هناك خط بارد من اللون الأخضر الشاحب بطول الأفق.. فالفجر يقترب.

لم يـحـتـمـل الصمت والـهدوء، الذى لا يكسره سوى أصوات الـنـائمين فى اللوحات، وإن كانت الموجودات من حوله لتعكس ما يعتمل بداخله، كانت اللـوحـات لتصرخ من الألم. سار فى المكتب الـهادئ الجميل، وهـو يـتـنفس بسرعة؛ محاولاً ألا يفكر. لكن عليه التفكير.. لا مهرب منه..

كان خطؤه أن مات «سيرياس». إن لم يكن غبيًا بما يكفى للسقوط فى فخ «ڤولدمورت»، وإن لم يقتنع بأن ما يراه فى أحلامه هو الحقيقة، وإن لم يفتح عقله؛ حتى ينفذ «ڤولدمورت» خطته ويجذب «هـارى» بالطريقة التى قالتها «هيرميون» عن حبه للعب دور البطل.

لم يتحمّل، ولا يريد التفكير فى الموضوع، ولا يقدر على التفكير.. ثمة فراغ هـائـل داخـلـه لا يـريـد أن يـلـمسـه أو يـفـحصـه، حـفـرة سوداء كـان يشغـلـهـا «سيرياس».. والآن وبعد أن اختفى «سيرياس»، لم يرغب فى أنْ يبقى وحيدًا مع هذا الفراغ الصامت الهائل، لا يقدر على تحمُّله.. سمع صوتًا مرتفعًا من شاغل اللوحة الواقعة خلفه، ثم قال صوت بارد: «آه.. هـارى بوتر..».

تثاءب «فينياس نيجيلوس» بقوة وتمطأ وهو ينظر إلى «هـارى» من طرف عينه الضيقة القاسية.

قال بعدهـا: «مـاذا يا تُرَى أتى بك إلى هنا فى هذه الساعة من الصباح؟ هذا المكتب لا يجب أن يشغله سوى الناظر. أم أن دمبلدور قد أرسلك إلى هنا؟

انتظر.. لا تخبرنى..». تثاءب ثانية، ثم أضاف: «هل هى رسالة مطلوب منى إبلاغها لحفيد حفيدى عديم النفع؟».

لم يتكلم «هارى». «فينياس نيجيلوس» لا يعرف أن «سيرياس» قد مات، لكن «هارى» لم يقدر على إخباره. فبعد أن يعلن هذا، سيصبح موته حقيقة مطلقة لا رجعة فيها.

أفاق بعض شاغلى اللوحات الآخرين من النوم. ومن خوفه من أن يستجوبوه عبر الحجرة إلى الباب أمسك بمقبضه.

لم يدر المقبض. وجد نفسه محبوسًا. قال الساحر البدين أحمر الأنف المعلقة لوحته على الجدار الواقع خلف مكتب الناظر: «أرجو أن يكون معنى هذا أن دمبلدور سيعود إلينا قريبًا».

التفت «هارى» إليه. أخذ الساحر يفحصه باهتمام كبير. أومأ «هارى» برأسه. حاول إدارة المقبض ثانية من خلف ظهره، لكنه ظل كما هو لا يتحرك.

قال الساحر: «عظيم.. فالحياة من دونه مملّة، مملّة جدًا».

استرخى على كرسى أشبه بكرسى العرش مرسوم من خلفه، وابتسم بعذوبة فى وجه «هارى».

قال بصوت هادئ: «دمبلدور يقدرك كثيرًا، وأنا واثق من معرفتك بهذا. أجل، إنه يقدرك كثيرًا».

امتلأ صدر «هارى» بالإحساس بالذنب، وكأنه وحش هائل جاثم على صدره. لم يتحمل، لم يعد قادرًا على تحمل نفسه.. لم يشعر بكونه محاصرًا داخل جسده ورأسه من قبل هكذا.. ولم يتمنَّ أبدًا أن يكون شخصًا آخر كما شعر وقتها.

اشتعل اللهب الأخضر الزمردى فى المدفأة، فقفز «هارى» بعيدًا عن الباب، وأخذ يحدّق فى الرجل الذى خرج من بين النيران. مع وقوف «دمبلدور» بكامل طوله خارج المدفأة، استيقظ كل السحرة والساحرات من اللوحات، وأخذوا يهللون ويرحبون به. قال «دمبلدور» بهدوء: «شكرًا لكم».

فى البداية، لم ينظر إلى «هارى»، لكنه سار تجاه مَجثَم الطائر بجوار الباب وأخرج من جيب عباءته «فاوكس» طائر العنقاء، وقد أصبح صغيرًا وقبيحًا وبلا ريش على جسده، فوضعه برفق على صينية التراب الناعم تحت القائم الذهبى الذى يقف عليه «فاوكس» فى العادة.

قال «دمبلدور» ـ أخيراً بعد أن التفت بعيداً عن الطائر الرضيع ـ: «هارى، سيسرُّك سماع أنه ما من أحد من رفاقك من الطلبة قد أصيب بضرر ناتج عن أحداث الليلة».

حاول «هارى» أن يقول: «جيد» لكن لم يخرج منه صوت. بدا له أن «دمبلدور» يذكره بالدمار الذى تسبب فيه، وبالرغم من أنه قد نظر إليه مباشرة، وبالرغم من تعبير وجهه الرفيق البعيد عن الاتهام، فلم يقدر «هارى» على مبادلته النظرات.

قال «دمبلدور»: «مدام بومفرى تعالج الجميع.. ربما تحتاج نيمفادورا تونكس إلى قضاء بعض الوقت فى سانت مونجو، لكنها ستتعافى وتصبح كما كانت».

شغل «هارى» نفسه بالإيماء وعيناه ناظرتان إلى البساط، الذى أخذ لونه فى الإشراق مع ظهور تباشير الفجر بالخارج. كان واثقاً من أن كل شاغلى اللوحات بالحجرة ينصتون إلى كل كلمة ينطقها «دمبلدور»، متسائلين أين كان «دمبلدور» و«هارى»، ولماذا وقعت إصابات؟!

قال «دمبلدور» بهدوء بالغ: «أعرف بما تشعر يا هارى».

قال «هارى» وقد أصبح صوته مرتفعاً وقوياً فجأة، والغضب الحار يحترق داخله: «لا، لا تعرف» وسط إحساسه بأن «دمبلدور» لا يعرف أى شىء عن شعوره.

قال «فينياس نيجيلوس» بمكر: «أرأيت يا دمبلدور؟ لا تحاول أبداً فهم الطلبة. إنهم يكرهون هذا. ويودون لو نفهمهم خطأ وينتحبون أسفاً على أنفسهم ويغرقون فى....».

قال «دمبلدور»: «هذا يكفى يا فينياس».

أعطى «هارى» ظهره لـ«دمبلدور» ونظر خارج النافذة. رأى استاد «الكويدتش» على بُعد. جاء «سيرياس» إلى هذا الملعب ذات مرة، متخفياً فى هيئة كلب أسود كبير؛ حتى يرى «هارى» وهو يلعب.. وعلى الأرجح، جاء ليرى إن كان «هارى» يلعب بنفس مهارة «چيمس».. فلم يسأله أبداً؛ ليعرف منه.

وصله صوت «دمبلدور» وهو يقول: «ليس عليك الإحساس بالخجل مما تشعر به يا هارى. على النقيض، حقيقة أنك تشعر بكل هذا الألم هى مصدر قوتك الأكبر».

شعر «هارى» بالغضب الأعمى يعتمل داخله، ويحترق وسط فراغه الأسود، ويملأه بالرغبة فى إيذاء «دمبلدور» على هدوئه وكلماته الخاوية.

قال «هارى» وصوته يرتجف وهو يحدق فى ملعب «الكويدتش» من دون أن يراه: «قوتى الأكبر؟ أنت لا تعرف شيئاً.. لا تعرف..».

سأله «دمبلدور» بهدوء: «ما الذى لا أعرفه؟».

كان هذا كثيرًا. دار «هارى» على عقبيه؛ ليواجهه، وهو ينتفض من الغضب.

«لا أريد الحديث عن إحساسى، مفهوم؟».

«هارى، المعاناة دليل على أنك إنسان حقيقى. هذا الألم جزء من إنسانيتنا..».

قال «هارى» بصوت كالرعد: «**إذن ـ لا ـ أريد ـ أن ـ أكون ـ إنسانًا**» وهو يقبض على إحدى الآلات الفضية المعقدة من فوق المائدة المستقرة إلى جواره ويرمى بها بطول الحجرة.. انكسرت إلى مائة قطعة صغيرة على الجدار. أطلق بعض شاغلى اللوحات صيحات الغضب والخوف، وقال «أرماندو ديبيت» من لوحته: «لا يمكن!».

صاح «هارى» فيهم ممسكًا بآلة أخرى ملقيًا بها فى المدفأة: «**أنا لا يهمنى.. لقد نلت كفايتى، رأيت ما يكفينى، أريد الخروج، أريد لكل هذه المعاناة أن تنتهى، لم أعد أهتم..**».

أمسك بالمائدة التى كان عليها الآلة الفضية وألقى بها هى الأخرى. تحطمت على الأرض وأخذت أرجلها تتدحرج فى كل الاتجاهات.

قال «دمبلدور»: «أنت تهتم» لم تطرف عيناه أو يتحرك أقل حركة محاولاً منع «هارى» من تدمير مكتبه. كان تعبير وجهه هادئًا، وكأنه لا يعنيه أيًّا مما يجرى. أضاف: «أنت تهتم كثيرًا، لدرجة أنك تكاد تنزف ألمًا حتى الموت من إحساسك بما يجرى».

صرخ «هارى» بصوت كادت حنجرته معه تتمزق: «**أنا لا أبالى**».. وللحظة، ود لو يجرى ناحية «دمبلدور» ويحطمه هو الآخر، يحطم هذا الوجه الهادئ العجوز، يهزه، يؤذيه، يجعله يشعر بجزء صغير من الرعب المعتمل داخله.

قال «دمبلدور» بهدوء أكثر: «بل تهتم.. لقد خسرت أمك، وأباك، وأقرب شخص إليك بعد والديك، بالطبع تهتم».

صرخ «هارى»: «**أنت لا تعرف ما أشعر به.. أنت... وأنت واقف هكذا.. أنت...**». لكن الكلمات لم تعد كافية، وتحطيم الأشياء لا يساعده.. أراد الجرى، أراد الجرى من دون أن ينظر خلفه أبدًا، أراد أن يبتعد عن هنا قدر الإمكان ولا يرى هذه العيون الزرقاء الصافية ترنو إليه، وهذا الوجه العجوز الهادئ الكريه. دار على عقبيه وجرى ناحية الباب، وأمسك بمقبضه ثانية وأداره.

لكن الباب لم ينفتح.

التفت «هارى» إلى «دمبلدور».

قال مرتجفًا من قمة رأسه حتى أخمص قدميه: «دعنى أخرج».

قال «دمبلدور» ببساطة: «لا». للحظات، تبادلا النظرات.

قال «هارى» ثانية: «دعنى أخرج».

قال «دمبلدور»: «لا».

«إن لم تخرجنى.. إن أبقيتنى هنا.. إن لم أخرج..».

قال «دمبلدور» بهدوء: «استمر فى تدمير حاجياتى.. فعندى الكثير منها».

دار حول المكتب وجلس خلفه، وأخذ يراقب «هارى».

قال «هارى» ثانية بصوت هادئ قريب من هدوء صوت «دمبلدور»: «دعنى أخرج».

قال «دمبلدور»: «ليس قبل أن أقول ما عندى».

صاح «هارى» ثانية: «حقًا؟ هل تعتقد أننى أريد السماع؟ هل تعتقد أن هذا يهمنى بالمرة؟ لا يهمنى ما تريد قوله.. لا أريد سماع أى شىء تريد قوله».

قال «دمبلدور» بثبات: «بل تفعل؛ لأنك لست غاضبًا منى، كما يجب أن تغضب. إن هاجمتنى - كما أعرف أنك كنت على وشك فعل هذا - فإننى سأستحق هذا بجدارة».

«عمَّ تتحدث؟».

قال «دمبلدور» بصفاء: «أنا سبب فى موت سيرياس.. أو دعنى أقول إننى السبب الأهم فى موته تقريبًا.. لن أقول بعجرفة إننى المسئول الوحيد. كان سيرياس شجاعًا، وماهرًا ونشيطًا، ومثل هؤلاء الرجال لا يرضيهم الجلوس بالبيت مختبئين، بينما يرون الآخرين فى خطر. وليس عليك أن تعتقد للحظة بأن ذهابك إلى مصلحة الألغاز والغوامض الليلة كان خطأك يا هارى. إن كنت صريحًا معك كما ينبغى، لعرفت منذ زمن طويل أن ڤولدمورت قد يحاول استدراجك إلى مصلحة الغوامض، ولعرفت أن حلمك الأخير كان فخًا قد نصبه. وما كان سيرياس ليسعى خلفك. اللوم علىّ وحدى، أنا السبب».

كان «هارى» ما زال واقفًا ممسكًا بمقبض الباب، لكنه غير واعٍ بما يفعله. أخذ يحدّق فى «دمبلدور»، وهو لا يكاد يتنفس، وينصت إلى كلامه وهو لا يكاد يفهم ما يسمعه.

قال «دمبلدور»: «اجلس من فضلك»، لم يكن هذا أمرًا.. بل طلب.

تردد «هارى» قليلاً، ثم سار ببطء عبر الحجرة التى أخذت شظايا الخشب والفضة تلمع فيها، وجلس فى مواجهة مكتب «دمبلدور».

قال «فينياس نيجيلوس» ببطء إلى يسار «هارى»: «هل أفهم من هذا أن حفيد حفيدى ـ آخر آل بلاك ـ قد مات؟».

قال «دمبلدور»: «أجل يا فينياس».

قال «فينياس» بفظاظة: «لا أصدق».

أدار «هارى» رأسه؛ ليرى «فينياس» يخرج من لوحته وعرف أنه ذهب؛ ليزور لوحته الأخرى فى «جريمولد بليس». لعله سيتنقل من لوحة إلى أخرى، مناديًا على «سيرياس» فى المنزل.

قال «دمبلدور»: «هارى.. أنا مدين لك بالتفسير.. تفسير لغلطة رجل عجوز؛ لأننى الآن أرى بوضوح ما فعلته، وما لم أفعله، فيما يتعلق بك، وكل ما جرى؛ لأننى بلغت من العمر أرذله. الشباب لا يعرفون كيف يفكر العجائز وبمَ يشعرون. لكنَّ الرجال المسنين يشعرون بالذنب إن نسوا كيف حال الشباب وكيف يفكرون.. ويبدو أننى قد نسيت..».

ارتفع قرص الشمس فى السماء، وظهر شريط برتقالى رفيع من فوق الجبال، والسماء من فوقه زرقاء وصافية. سقط الضوء على «دمبلدور»، وعلى حاجبيه ولحيته الفضية، وعلى الخطوط والتجاعيد العميقة فى وجهه.

قال «دمبلدور»: «أعتقد أنه منذ خمسة عشر عامًا، عندما رأيت الندبة على جبينك، أننى عرفت معناها. حسبت أنها علامة على علاقة بينك وبين ڤولدمورت».

قال «هارى» بفظاظة: «قلت لى هذا من قبل يا أستاذ» لم يكترث لوقاحته. لم يعد يبالى بأى شىء.

قال «دمبلدور» بلهجة المعتذر: «أجل.. أجل، لكن كما ترى.. من الضرورى أن أبدأ الكلام بندبتك؛ لأنه اتضح بعد انضمامك لعالم السحر بقليل أننى على حق، وأن ندبتك تحذرك عندما يقترب ڤولدمورت منك، أو عندما يشعر بمشاعر قوية».

قال «هارى» بتعب: «أعرف».

«وهذه القدرة.. قدرتك على المعرفة بوجود ڤولدمورت، حتى إن تنكر. وأن تعرف مشاعره.. أصبحت أقوى، عندما عاد ڤولدمورت إلى جسده، وعادت قوته بأكملها إليه».

لم يحاول «هارى» حتى الإيماء.. كان يعرف كل هذا بالفعل.

قال «دمبلدور»: «مؤخرًا، تركز اهتمامى على ما إذا كان ڤولدمورت يعرف بهذه الصلة أم لا. اقتربت أنت بعدها من عقله ومن أفكاره فأحس بوجودك داخله. أنا أتكلم بالطبع عن ليلة رؤيتك للهجوم الذى وقع على السيد ويسلى».

غمغم «هارى»: «أجل، أخبرنى سناب بهذا».

صححه «دمبلدور» بهدوء: «الأستاذ سناب يا هارى.. لكن، ألم تتساءل لماذا لم أشرح لك الأمر بنفسى؟ لماذا لم أعلمك بنفسى الأوكلومينسى؟ لماذا لم أنظر إليك طوال شهور عديدة؟».

رفع «هارى» بصره. أدرك أن «دمبلدور» حزين ومتعب.. غمغم قائلاً: «أجل.. تساءلت عن كل هذا».

استطرد «دمبلدور» قائلاً: «عرفت أنه لن يمر وقت طويل قبل أن يحاول ڤولدمورت اقتحام عقلك، واستغلالك وتوجيه أفكارك فى الاتجاه الخطأ، ولم أتلهف على إعطائه حافزًا أكبر على هذا. كنت واثقًا من أنه لو عرف بالعلاقة التى بيننا، وأنها أقرب من علاقة الناظر بالتلميذ، فإنه سيستغل الفرصة ويستعين بك فى التجسس علىَّ. خشيت من إمكان محاولته السيطرة عليك. هارى، أعتقد أننى كنت محقًا فى ظنِّى أن ڤولدمورت قد يستغلك بهذه الطريقة. وفى المرات القليلة التى اقتربنا فيها من بعضنا، أنا وأنت، رأيت ظله جاثمًا خلف عينيك..».

تذكر «هارى» كيف شعر بالثعبان يهب داخله ويستعد للدغ، فى اللحظات التى يبادل فيها «دمبلدور» النظرات.

«إن غاية ڤولدمورت من الاستحواذ عليك قد ظهرت الليلة، وهى ليست تدميرى. بل تدميرك أنت. لقد تمنَّى عندما استحوذ عليك منذ فترة وجيزة أن أضحى بك أملاً فى قتله. لذا فكما ترى، فقد حاولت إبعاد نفسى عنك؛ لحمايتك يا هارى. ويالها من غلطة رجل عجوز..».

تنهد بعمق. ترك «هارى» الكلمات تغمره. كان ليهتم كثيرًا بمعرفة كل هذا منذ شهور قليلة.. لكن الآن، فهى معلومات بلا قيمة مقابل الفجوة الهائلة التى بداخله، بعد أن خسر «سيرياس».. لا شىء منها يهمه..

«لقد قال لى سيرياس إنك شعرت بڤولدمورت داخلك ليلة حادث أرثر ويسلى. عرفت على الفور أن أسوأ مخاوفى حقيقة: أن ڤولدمورت قد أدرك قدرته على استغلالك. وفى محاولة لحمايتك من هجوم ڤولدمورت على عقلك، رتبت درسك للأوكلومينسى مع الأستاذ سناب».

سكت عن الكلام. راقب «هارى» نور الشمس، الذى تسلل بنعومة إلى سطح مكتب «دمبلدور» المصقول، ليضىء قنينة حبر فضية أنيقة وريشة كتابة حمراء. عرف أن كل اللوحات من حولهما قد أفاقت من نومها وأخذت تنصت باهتمام لتفسير «دمبلدور».. سمع حركة العباءات الخافتة، والسعال الواهن القادم منهم. لم يعد «فينياس نيجيلوس» بعد إلى لوحته.

أكمل «دمبلدور» كلامه قائلاً: «اكتشف الأستاذ سناب أنك تحلم بباب مصلحة الألغاز والغوامض لشهور. وكان ڤولدمورت تستحوذ عليه فكرة سماع النبوءة منذ استعاد جسده، وأخذ يدور حول الباب، كما فعلت أنت، وإن لم يتمكن من معرفة معناها.

ثم رأيت روكوود، الذى يعمل فى مصلحة الألغاز والغوامض، قبل اعتقاله، رأيته وهو يخبر ڤولدمورت بما نعرفه منذ زمان.. أن نبوءات وزارة السحر عليها حراسة مشددة، وأن من تتعلق به النبوءة هو فقط القادر على رفعها من فوق الرف من دون أن يمسه الجنون.. فى هذه الحالة، كان على ڤولدمورت نفسه أن يدخل إلى وزارة السحر، ويخاطر بكشف نفسه.. أو يجعلك تأخذها له، وأصبح وقتها إتقانك الأوكلومينسى شديد الأهمية».

غمغم «هارى»: «لكنى لم أتقنه»، قال كلمته بصوت مرتفع: محاولاً التخفيف عن إحساسه بالذنب.. فالاعتراف يخفف من الضغط الهائل الذى يعتصر قلبه.. أضاف: «لم أتمرن، لم أهتم بالتمرين، كان بإمكانى منع هذه الأحلام عنى، وداومت هيرميون على إخبارى بهذا، إن كنت فعلت، ما كان ليرينى أين أذهب.. وما كان سيرياس لـ... لـ...».

ظهر شىء جديد داخل رأس «هارى»: حاجته لتبرير ما جرى؛ للشرح..

«حاولت معرفة إن كان سيرياس قد خرج من البيت بالفعل، وذهبت إلى مكتب أمبريدچ، وتحدثت إلى كريتشر فى المدفأة وقال لى إن سيرياس ليس بالمنزل، وأنه خرج».

قال «دمبلدور» بهدوء: «كذب كريتشر. أنت لست سيده، ويمكنه الكذب عليك من دون الحاجة لعقاب نفسه. أراد كريتشر لك أن تذهب إلى وزارة السحر».

«هل... هل قصد هذا؟».

«أجل، فكريتشر ـ وكما خشيت ـ يخدم أكثر من سيد واحد منذ شهور».

قال «هارى»: «كيف؟ إنه لم يغادر جريمولد بليس منذ سنوات».

قال «دمبلدور»: «انتهز كريتشر الفرصة قبل أعياد الميلاد بقليل، عندما صاح فيه سيرياس: اخرج. أخذ كلمات سيرياس وفسرها عن عمد منه بأن عليه الخروج من المنزل. ذهب إلى عضو عائلة بلاك الوحيدة التى يحترمها.. ابنة عم سيرياس.. نارسيسا، وهى أخت بيلاتريكس وزوجة لوكياس مالفوى».

قال «هارى» وقلبه يخفق بسرعة شديدة: «كيف عرفت كل هذا؟». أحس بالغثيان، تذكر قلقه على غياب «كريتشر» وقت أعياد الميلاد، وتذكر ظهوره المفاجئ..

قال «دمبلدور»: «أخبرنى كريتشر بهذا ليلة أمس.. عندما حذرت أنت الأستاذ سناب، أدرك أنك قد حلمت بسيرياس محبوسًا فى مصلحة الألغاز والغوامض. وهو - مثله مثلك - حاول الاتصال بسيرياس على الفور. وعلىّ أن أقول لك إن عند أعضاء جماعة العنقاء وسائل اتصال أكثر أمنًا من مدفأة دولوريس أمبريدج. وجد سناب سيرياس حيًا وآمنًا فى جريمولد بليس.

لكن، عندما لم تعد من رحلتك داخل الغابة مع دولوريس أمبريدج، شعر الأستاذ سناب بالقلق من أنك ربما ما زلت تعتقد أن سناب أسير اللورد ڤولدمورت. وقام بتحذير بعض أعضاء الجماعة على الفور».

تنهد «دمبلدور» بعمق، ثم أكمل: «ألستور مودى، ونيمفادورا تونكس، وكنجسلى شاكلبولت، وريموس لوبين، كانوا فى مقر الجماعة عندما قام بالاتصال، هبوا جميعًا لمساعدتك على الفور. طلب الأستاذ سناب من سيرياس أن يبقى، فهو بحاجة إلى شخص بالمقر؛ ليخبرنى بما جرى؛ لأننى كنت سأصل إلى هناك فى أى لحظة. بينما قصد هو - الأستاذ سناب - البحث عنك فى الغابة.

«لكن سيرياس لم يرغب فى البقاء بينما الآخرون يهبون لمساعدتك. فوض لكريتشر مهمة إخبارى بما جرى. وهكذا عندما وصلت إلى جريمولد بليس بعد خروجهم للوزارة بقليل وجدت القزم الذى أخبرنى - وهو يضحك حتى كاد ينفجر من الضحك - أن سيرياس قد خرج».

قال «هارى» بصوت خاوٍ: «هل كان يضحك؟».

قال «دمبلدور»: «أجل.. كريتشر لا يقدر على خيانتنا كليةً. إنه ليس أمين سر الجماعة، ولم يتمكن من إعطاء مالفوى عنواننا، أو إخباره بأى من خطط الجماعة السرية التى منعناه من إفشائها. فهو مجبر على الطاعة كبنى

جلدته جميعًا، وهو ما يعنى أنه لا يقدر على مخالفة أمر من سيده بطريقة مباشرة. لكنه أعطى نارسيسا معلومات قيّمة جداً فى صالح ڤولدمورت، وإن كانت تبدو تافهة لسيرياس فلم يمنعه من إفشائها». قال «هارى»: «مثل ماذا؟».

قال «دمبلدور» بهدوء: «مثل حقيقة أن أكثر شخص يهتم به سيرياس فى العالم هو أنت.. وحقيقة أنك ترى سيرياس كمزيج من الأب والأخ. كان ڤولدمورت يعرف بالفعل أن سيرياس عضو فى الجماعة، وأنك تعرف بمكانه.. لكن معلومات كريتشر جعلته يدرك أن الشخص الوحيد الذى ستفعل أى شىء فى سبيل إنقاذه هو سيرياس بلاك».

شعر «هارى» بشفتيه باردتين ومخدرتين.

«وهكذا، عندما سألت كريتشر إن كان سيرياس موجودًا ليلة أمس..».

قاطعه «دمبلدور» قائلاً: «بالطبع أمر مالفوى كريتشر ـ بناء على تعليمات ڤولدمورت ـ بأن يجد طريقة؛ لإبقاء سيرياس بعيدًا عنك حالما ترى الحلم الذى يتعذب فيه. ثم وإن قررت التحقق من وجود سيرياس فى البيت يتظاهر كريتشر بأنه ليس موجودًا. قام كريتشر بجرح باكبيك بالأمس، ولحظة ظهورك فى المدفأة كان سيرياس بالأعلى يداويه».

شعر «هارى» بالهواء قليلاً فى رئتيه.. وأصبح تنفسه سريعًا.

قال بصوت أجش: «وأخبرك كريتشر بكل هذا.. ثم ضحك؟».

قال «دمبلدور»: «لم يرغب فى إخبارى. لكننى أجيد فن الليجيلمينسى وأعرف عندما يكذب من يكلمنى و... وأقنعته بإخبارى القصة كاملة، قبل أن أغادره متجهًا إلى مصلحة الغوامض».

همس «هارى» قائلاً: «وكانت هيرميون تقول إن علينا معاملته بلطف..». وقبضته مكومة وباردة على ركبته.

قال «دمبلدور»: «كانت محقة يا هارى.. لقد حذرت سيرياس عندما قررنا اتخاذ منزله مقرًا للجماعة من سوء معاملته لكريتشر، ومدى خطورة هذا علينا. لا أعتقد أنه قد أخذ كلامى على محمل الجد، أو لعله لم ير كريتشر ككائن شبيه بالبشر..».

«إياك.. إياك والكلام عن... عن... سيرياس بهذه الطريـ...». صار تنفس

«هارى» صعبًا، وأحس بكلماته تختنق وغضبه الذى تنحى عنه قليلاً عاود الاضطرام داخله.. لن يترك «دمبلدور» ينتقد «سيرياس».. «كريتشر يكذب.. غبى.. إنه يستحق الـ...».

قال «دمبلدور»: «كريتشر هو صنيعة السحرة. أجل، لا بد أن نعطف عليه. إن وجوده فى الحياة بائس مثل وجود صديقك دوبى. لقد أُجبر على خدمة سيرياس؛ لأن سيرياس كان آخر أعضاء العائلة التى أصبح عبدًا لها، لكنه لم يشعر بولاء حقيقى له. وأيًا كانت أخطاء كريتشر، فلا بد من الاعتراف بأن سيرياس لم يفعل شيئًا ليحسن من وضع كريتـ...».

صاح «هارى»: «**لا تتكلم عن سيرياس بهذه الطريقة**».

هب واقفًا ثانية، والغضب قد تملكه، مستعدًا للهجوم على «دمبلدور»، الذى بدا له أنه لا يفهم «سيرياس» بالمرة، وكيف كان شجاعًا، وكيف عانى.

قال «هارى»: «وماذا عن سناب؟ أنت لا تتحدث عنه، أليس كذلك؟ عندما قلت له إن ڤولدمورت قد وصل إلى سيرياس نظر إلىّ بسخريته المعتادة..».

قال «دمبلدور» بثبات: «هارى، أنت تعرف أن الأستاذ سناب لم يقدر سوى على التظاهر بأنه لا يأخذ كلامك على محمل الجد أمام دولوريس أمبريدچ.. لكن وكما شرحت لك، فقد أخبر الجماعة بسرعة بما قلته أنت. وكان هو من استنتج مكانك عندما لم تعد من الغابة، وكان هو أيضًا من أعطى الأستاذة أمبريدچ فيريتاثيرام مزيفًا، عندما حاولت إجبارك على إخبارها بمكان سيرياس».

تناسى «هارى» هذا.. شعر بمتعة جامحة فى لوم «سناب»، بدا له هذا أسهل من تحمل الذنب الرهيب، وأراد أن يسمع «دمبلدور» يوافقه على رأيه.

«لقد.. لقد سخر سناب من بقاء سيرياس بالمنزل.. وجعله يشعر بأنه جبان..».

قال «دمبلدور»: «كان سيرياس بالغًا وماهرًا بما يكفى، بدرجة لا تسمح لهذه المضايقات بإيلامه..».

قال «هارى»: «كف سناب عن إعطائى دروس الأوكلومينسى.. لقد طردنى من مكتبه».

قال «دمبلدور»: «أعرف هذا.. قلت لك بالفعل إن خطئى أننى لم أعلمك بنفسى، وإن كنت واثقًا وقتها أن لا شىء أكثر خطورة علينا من فتح عقلى أمامك، بينما ڤولدمورت يستشعر وجودى..».

«كان الأمر مع سناب أسوأ.. كانت ندبتى تؤلمنى كثيرًا بعد كل درس معه..»،. تذكر «هارى» أفكار «رون» حول الموضوع وأكمل: «.. كيف تعرف إن لم يكن يحاول تجهيزى وتسهيل اختراق ڤولدمورت لعقلى؟»،.

قال «دمبلدور» ببساطة: «أنا أثق فى سيفيراس سناب.. لكننى نسيت.. إنها غلطة رجل عجوز أخرى.. إن بعض الجراح أعمق من أن تلتئم. حسبت الأستاذ سناب قد تغلب على مشاعره ناحية أبيك، لكننى كنت مخطئًا».

صاح «هارى»: «لكن لا بأس بهذا.. أليس كذلك؟ لا بأس فى أن يكره سناب والدى، لكن ليس من حق سيرياس أن يكره كريتشر؟»، متجاهلاً الوجوه المندهشة المستنكرة التى تطل عليه من اللوحات بطول الجدران.

قال «دمبلدور»: «إن سيرياس لم يكره كريتشر.. بل رآه كخادم لا يستحق الاهتمام أو المراعاة. إن التجاهل يكون فى العادة أخطر من الكراهية الصريحة.. النافورة التى حطمناها الليلة ليست أكثر من كذبة. نحن السحرة نسىء معاملة رفاقنا وأصدقائنا منذ زمن بعيد، والآن نحصد ما زرعنا».

صاح «هارى»: «إذن، فسيرياس يستحق ما جرى له.. أليس كذلك؟».

رد «دمبلدور» بهدوء قائلاً: «لم أقل هذا، ولن تسمعنى أقول هذا أبدًا.. لم يكن سيرياس بالرجل القاسى، وهو ودود مع الأقزام بصفة عامة. لكنه لم يحب كريتشر؛ لأن كريتشر يذكره ببيت آل بلاك الذى يكرهه».

قال «هارى» مديرًا ظهره لـ«دمبلدور» وهو يسير مبتعدًا عنه: «أجل، كان يكرهه».. سطعت الشمس داخل الحجرة وتابعته عيون شاغلى اللوحات، وإن لم يدرك ما يفعله، ولا رأى المكتب من حوله وهو يقول: «لقد جعلته يبقى بالمنزل محبوسًا به وهو يكرهه، ولهذا أراد الخروج ليلة أمس..».

قال «دمبلدور» بهدوء: «كنت أحاول الإبقاء على حياة سيرياس».

قال «هارى» بغيظ شديد ملتفتًا إليه: «الناس لا يحبون البقاء مقيدين.. لقد فعلت هذا بى الصيف الماضى..».

أغمض «دمبلدور» عينيه ودفن وجهه بين أصابعه الطويلة. راقبه «هارى»، لكن علامة التعب، أو الحزن، أو أيًا كانت، التى بدرت من «دمبلدور» لم تخفف من غضبه. على النقيض، شعر بغضب أقوى من إظهار «دمبلدور» لعلامات الضعف. لا يجب أن يشعر بالضعف عندما يغضب «هارى» ويهاجمه هكذا.

أنزل «دمبلدور» يديه ونظر إلى «هارى» من فوق نظارته.

قال أخيرًا: «حان الوقت لقول ما كان يجب أن أخبرك به منذ خمسة أعوام يا هارى. اجلس من فضلك. سأخبرك بكل شىء. وأطالبك ببعض الصبر. ستحصل على فرصة الغضب منى، وفعل ما تشاؤه، عندما أنتهى من حكايتى، لن أمنعك من شىء».

حدجه «هارى» بنظره للحظة، ثم استلقى على المقعد المواجه لـ«دمبلدور» وانتظر.

نظر «دمبلدور» للحظة إلى الأرض المغمورة بالشمس خارج النافذة، ثم عاود النظر إلى «هارى» قائلاً: «منذ خمس سنوات وصلت أنت إلى هوجورتس يا هارى، وصلت آمنًا وسليمًا، كما خططت وقصدت أنا. لم تكن سليمًا جدًا. فقد عانيت. عرفت أنك ستعانى عندما تركتك أمام باب خالتك وزوجها. عرفت أننى مُدان بمسئوليتى عن قضائك عشر سنوات سوداء وصعبة».

سكت عن الكلام، لم ينطق «هارى».

«ربما تسأل - ولك كل الحق فى السؤال - لماذا سارت الأمور هكذا؟ لماذا لم تتبناك عائلة من عائلات السحرة؟ كان الكثيرون ليفعلوا هذا بكل سرور، وكانوا ليشرفوا ويسعدوا بأن تكون ابنهم.

«إجابتى هى أن الأولوية عندى كانت إبقاءك على قيد الحياة. كنت فى خطر لم يدركه أحد سواى. كان ڤولدمورت قد انهزم منذ ساعات، لكنَّ مسانديه - والكثيرون منهم شرهم يقارب شره - كانوا أحرارًا، وغاضبين، ويملؤهم اليأس والعنف. وكان علىّ اتخاذ قرار فيما يتعلق بالسنوات التالية. هل كنت أعتقد أن ڤولدمورت قد هلك إلى الأبد؟ لا. عرفت أن عشرًا أو اثنتى عشرة أو حتى خمس عشرة سنة قد تمر قبل أن يعود، لكننى كنت واثقًا من عودته، وكنت واثقًا أيضًا - لمعرفتى له عن قرب - أنه لن يرتاح حتى يقتلك.

«كنت أدرك أن معرفة ڤولدمورت بفنون السحر أوسع من معرفة أى ساحر فى العالم. وحتى أشد تعاويذى الحامية الدفاعية تعقيدًا وقوة لن تقاومه إن عاد إلى كامل قوته.

«لكننى كنت أعرف أيضًا نقطة ضعف ڤولدمورت، وهكذا اتخذت قرارى؛ قرارًا بحمايتك بنوع قديم غابر من السحر يعرفه هو، ويحتقره، ولطالما قلل من شأنه، فدفع الثمن. أنا أتحدث بالطبع عن حقيقة أن أمك قد ماتت وهى تحاول حمايتك، ولقد منحتك حماية استمرت معك قائمة ولم يتوقعها هو،

حماية تتدفق فى شرايينك حتى اليوم؛ لذا فقد وثقت فى دماء أمك. وأعطيتك لأختها، قريبتها الوحيدة الباقية على قيد الحياة».

قال «هارى» على الفور: «إنها لا تحبنى.. ولا تهتم بـ....».

قاطعه «دمبلدور» قائلاً: «لكنها أخذتك.. ربما أخذتك كارهة وغاضبة وغير راغبة، لكنها أخذتك.. وبفعلتها هذه، فقد ختمت على التعويذة التى وضعتها أنا عليك. لقد جعلت تضحية أمك رابطة الدم أقوى درع يمكننى منحه لك».

«ما زلت لا ....».

«مادمتَ أنت فى المكان الذى يسرى فيَه دم أمك، فلا يمكن لڤولدمورت أن يمسَّك أو يضرك. لقد أهدر دمها، لكنه عاش فى جسد أختها. صار دمها ملجأك. أنت بحاجة للعودة إلى هناك مرة فى السنة، وطوال إقامتك هناك لا يمكنه إيذاؤك. تعرف خالتك هذا. شرحت لها ما فعلته فى الرسالة التى تركتها معك على باب بيتها. تعرف أنها بسماحها لك بالإقامة فى بيتها قد أبقت على حياتك مدة خمسة عشر عامًا».

قال «هارى»: «انتظر.. انتظر لحظة..». استقام أكثر فى جلسته ونظر إلى «دمبلدور».

«أنت من أرسل الرسالة العاوية. قلت لها أن تتذكر.. كان هذا صوتك..».

قال «دمبلدور» وهو يميل برأسه قليلاً: «قلت لنفسى إنها ربما تحتاج إلى من يذكرها بالتعويذة التى ختمت عليها بأخذها لك. حسبت أن هجوم الديمنتورات قد يفزعها ويذكرها بمخاطر وجودك بمنزلها كابنها بالتبنِّى».

قال «هارى» بهدوء: «هذا ما حدث.. فى الواقع شعر زوجها بالفزع أكثر منها. أراد طردى.. لكن بعد مجىء الرسالة العاوية، قالت إنه يجب أن أبقى».

نظر إلى الأرض لحظة، ثم قال: «لكن ما علاقة هذا بـ....».

لم يقدر على نطق اسم «سيرياس».

أكمل «دمبلدور» كلامه وكأن «هارى» لم يقاطعه: «منذ خمسة أعوام وصلت إلى هوجورتس، لم تكن سعيداً، ولم تبد عليك مظاهر النعمة، لكنك كنت على قيد الحياة، وبصحة جيدة. لم تكن أميرًا ينتظره العرش، بل ولدًا طبيعيًا كما تمنيت وكما سمحت الظروف، وهكذا نجحت خطتى».

«ثم، تتذكر أحداث عامك الأول فى هوجورتس مثلما أتذكرها. تصديت

بطريقة رائعة للتحدى الذى واجهك وبأسرع بكثير مما توقعت أنا، وجدت نفسك وجهًا لوجه مع ڤولدمورت، ونجوت منه. بل وفعلت ما هو أكثر من هذا.. فلقد أخرت عودته إلى كامل قوته. قاتلت قتال الرجال، كنتُ فخورًا بك إلى درجة لا أقدر على التعبير عنها.

«لكن كان هناك عيب فى تلك الخطة الرائعة التى وضعتُها.. عيب عرفت ـ حتى وقتها ـ أنه قد يفسد كل شىء. لكن؛ لمعرفتى بأهمية نجاح خطتى، قلت لنفسى: إننى لن أسمح لهذا العيب بتدمير كل شىء. أنا فقط من كان بإمكانه التصدى لهذا العيب، لذا فأنا وحدى من كان عليه التمتع بالقوة الكافية لمواجهته. وكان اختبارى الأول وأنت راقد فى جناح المستشفى ضعيفًا بعد مواجهتك وصراعك مع ڤولدمورت».

قال «هارى»: «لا أفهم ما تقوله».

«ألا تذكر عندما سألتنى وأنت راقد فى المستشفى: لماذا حاول ڤولدمورت قتلك وأنت طفل رضيع؟». أومأ «هارى» برأسه موافقًا.

«ألم يكن علىّ إخبارك بالسبب وقتها؟».

نظر «هارى» إلى العينين الزرقاوين ولم ينطق، لكن قلبه أخذ يخفق بسرعة ثانية.

«أنت لم تر عيب خطتى بعد؟ لا.. ربما لا.. المهم، كما تعرف قررت ألا أجيبك. قلت لنفسى إن سنك وقتها ـ أحد عشر عامًا ـ أصغر من أن تفهم فيه الوضع. لم أكن أنوى أبدًا إخبارك وأنت فى سن الحادية عشرة. كانت هذه المعرفة ثقيلة وكبيرة على سنك وقتها.

«كان علىّ التعرف على علامات الخطر وقتها. كان علىّ سؤال نفسى لماذا لا أشعر بالانزعاج من أنك سألتنى السؤال الذى عرفت أنك ستسأله يومًا وسيتعين علىّ ساعتها إخبارك بالإجابة الرهيبة. كان علىّ معرفة أن سعادتى يومها منعتنى من إخبارك، وحسبت أنك صغير، صغير جدًا».

«وهكذا دخلت عامك الثانى فى هوجورتس. وللمرة الثانية، تقابل التحديات التى لا يقدر السحرة البالغون على مواجهتها.. وللمرة الثانية، تتصرف بصورة تتجاوز أشد أحلامى تحليقًا فى الخيال، لكننى لم أجب عن سؤالك.. لماذا ترك ڤولدمورت تلك العلامة على جبينك؟! ناقشنا مسألة الندبة وقتها.. أجل.. اقتربنا جدًا جدًا من الموضوع. لماذا لم أخبرك حينها بكل شىء؟

«كنت فى الثانية عشرة من عمرك وقتها، وهى سن لا تتحمل معها هذه المعلومات. سمحت لنفسى بتركك تغادر مكتبى ملطخًا بالدماء ومتعبًا، لكن إن كنت شعرت وقتها بالقلق كما يجب، فربما كنت لأخبرك، لكن قلقى تراجع واختفى بسرعة حينها. كنت صغيرًا، ولم أرغب فى إفساد إحساسك بالفرحة من نصرك ليلتها.

«أترى يا هارى؟ هل ترى عيب خطتى العبقرية الآن؟ لقد وقعت فى فخ لم أره، وأخذت أقول لنفسى إن علىّ تجنبه، علىَّ تفاديه».

«لا أعرف..».

قال «دمبلدور» ببساطة: «كنت أهتم بشأنك إلى درجة مبالغ فيها.. اهتممت بسعادتك أكثر من اهتمامى بإخبارك بالحقيقة؛ لأريح عقلك أكثر من إتمامى لخطتى كما يجب، أكثر من اهتمامى بحياتك وحياة الآخرين التى يمكن أن نخسرها لو فشلت الخطة. بمعنى آخر، تصرفت كما توقع منى ڤولدمورت أن أتصرف.

«هل أقدر على الدفاع عن نفسى؟ أنا أكثر من راقبك وراعاك، ولقد راقبتك عن قرب أكثر مما كنت أتخيل.. وأردت منع الألم عنك، منع الألم وأنت تعانى بالفعل مما يكفيك منه. لماذا أهتم بمقتل أشخاص ومخلوقات بلا أسماء ولا أعداد معروفة فى المستقبل؟ إن كنت فى الحاضر حيًّا ترزق وبحال جيدة، بل وسعيدًا.. لم أرغب أبدًا فى إيلامك.

«وهكذا دخلنا إلى العام الثالث، وراقبتك من بعيد وأنت تقاتل؛ لمنع الديمنتورات عنك، وأنت تعثر على سيرياس، وتعرف من هو وتنقذه. هل كان علىّ وقتها وأنت تنقذ أباك الروحى من بين أنياب الوزارة أن أخبرك؟ لكن وبعد أن وصلت لسن الثالثة عشرة نفدت منى الأعذار. كنت صغيرًا، لكنك أثبتَّ جدارتك وخصوصيتك. لم يرتح ضميرى يا هارى. عرفت أن الوقت سيحين قريبًا.

«لكنك خرجت من المتاهة العام الماضى بعد أن شاهدت سيدريك ديجورى وهو يموت، ونجوت من الموت بصعوبة.. ولم أرغب فى إخبارك، وإن كنت أعرف أن ڤولدمورت قد عاد، وأن علىّ فعل هذا بسرعة. والآن، الليلة، عرفت أنك كنت مستعدًّا؛ لمعرفة الحقيقة التى أبقيتها مخفية عنك منذ فترة طويلة؛ لأنك أثبَتَّ أنه كان علىّ إلقاء العبء عليك قبل الآن. دفاعى الوحيد عن نفسى هو أننى راقبتك وأنت تقاتل وتحارب أهوالاً لم يقابلها أى من التلاميذ الذين تعلموا بهذه المدرسة، ولم أقدر على تحميلك بعبء آخر.. أقصد أثقل عبء».

انتظر «هارى»، لكن «دمبلدور» لم يتكلم.

«ما زلت لا أفهم».

«حاول ڤولدمورت قتلك عندما كنت طفلاً؛ بسبب نبوءة ظهرت قبل مولدك بقليل. كان يعرف النبوءة، وإن لم يعرف فحواها. خرج؛ ليقتلك وأنت طفل رضيع، مؤمنًا بأنه يفعل ما تقوله النبوءة. لكنه كان مخطئًا وتحمل ثمن الخطأ، عندما أطلق لعنة قصد قتلك بها، فارتدت عليه. وهكذا، ومنذ عودته إلى جسده، وبصفة خاصة منذ هروبك الصعب العام الماضى، وهو مصمم على سماع النبوءة بأكملها. وهذا هو السلاح الذى يسعى إليه باجتهاد منذ عودته: معرفة كيف يدمرك».

أشرقت الشمس.. غمرت أشعتها مكتب «دمبلدور». أخذت الحاوية الزجاجية المستقر داخلها سيف «جودريك جريفندور» تلمع، وبقايا الآلات التى حطمها «هارى» على الأرض تلمع وكأنها قطرات المطر، ومن خلفه، أخذ «فاوكس» الصغير ينعب بأصوات حادة فى عُشِّه الترابى.

قال «هارى» بذهن شارد: «لقد تحطمت النبوءة.. كنت أجذب نيفيل على الدرجات فى حجرة... حجرة القوس الحجرية، ومزقت عباءته فسقطت منه..».

«ما حطمته لم يكن أكثر من سجل بالنبوءة محفوظ فى مصلحة الألغاز والغوامض، لكن النبوءة نفسها سمعها شخص ما، وهو قادر على تذكر كل حرف منها».

سأله «هارى» وهو يعرف الإجابة بالفعل: «ومن سمعها؟».

قال «دمبلدور»: «أنا.. ذات ليلة باردة ممطرة منذ ستة عشر عامًا، فى حجرة فوق مقهى رأس الخنزير ذهبت إلى هناك؛ بحثًا عمن يشغل وظيفة مدرس التنجيم، ولم أكن راغبًا حتى فى استمرار تدريس هذه المادة. لكن المتقدمة للوظيفة كانت حفيدة حفيدة عرافة شهيرة، وقلت لنفسى إنه من التهذيب أن أذهب؛ لمقابلتها. أصبت بالحسرة. لم أر فيها أدنى أثر لموهبة جدتها الكبرى. قلت لها بتهذيب شديد إننى لا أراها مناسبة للوظيفة. وأدرت ظهرى لها؛ لأغادر».

نهض «دمبلدور» وسار إلى جوار «هارى» إلى الخزانة السوداء بجوار «فاوكس». مال لأسفل وفتح القفل وأخرج من داخلها حوضًا حجريًا ضحلاً، منحوتًا عليه نقوش قديمة على الحواف، وهو الحوض الذى رأى فيه «هارى» أباه وهو يعذب «سناب». عاد «دمبلدور» إلى المكتب، ووضع المفكرة السحرية عليه، ورفع عصاه السحرية إلى صدغه. ومنه سحب خيوطًا فضية ناعمة التصقت بالعصا، فوضعها فى الحوض. جلس على كرسيه خلف المكتب

وراقبها وهى تدور وتسبح فى المفكرة للحظة. ثم وهو يتنهد رفع عصاه السحرية والمادة الفضية على طرفها.

خرج منها ظل أنثوى، وعيناها تبدوان هائلتين من خلف عدسات عويناتها، وأخذت تدور ببطء، وقدماها على الحوض. لكن عندما تكلمت «سيبيل تريلاونى» لم تتكلم بصوتها الدرامى الغامض، لكن بصوت أجش لم يسمعه «هارى» منها من قبل:

«*صاحب القوة الكافية لهزيمة سيد الظلام يقترب.. سينجبه من تحدياه ثلاث مرات، ويولد مع موت الشهر السابع.. وسوف يراه سيد الظلام ندًا له، لكنه سيحوز على قوى لا يعرفها سيد الظلام.. وسيموت أحدهما على يد الآخر؛ حيث لا يمكن لأحدهما أن يحيا والآخر حى.. صاحب القوة الكافية لهزيمة سيد الظلام سيولد مع موت الشهر السابع..*».

عادت الأستاذة «تريلاونى» وهى تدور إلى الحوض الفضى واختفت داخله.

أصبح الصمت داخل المكتب مُطبقًا. لم ينِدّ عن «هارى» أو «دمبلدور» أو أى من اللوحات أى صوت. حتى «فاوكس» صمت.

قال «هارى» بهدوء بالغ: «أستاذ دمبلدور؟ ما... ما... ماذا تعنى؟»، حيث أخذ «دمبلدور» يحدق فى المفكرة السحرية وقد بدا غارقًا فى أفكاره.

قال «دمبلدور»: «تعنى أن الشخص الوحيد القادر على هزيمة لورد ڤولدمورت سيولد مع نهاية شهر يوليو، منذ ستة عشر عامًا تقريبًا. هذا الولد سيولد لأبوين تحديَا ڤولدمورت ثلاث مرات».

شعر «هارى» بأن هناك ما يحاصره. وشعر بأنفاسه تخرج منه بصعوبة.

«هل هذا الكلام يشير إلىّ.. أنا؟».

فحصه «دمبلدور» ببصره للحظة من خلف عويناته.

قال برفق: «الغريب يا هارى أن النبوءة كان من الممكن ألا تعنيك بالمرة. نبوءة سيبيل كانت تنطبق على ولدين، وُلد كلاهما آخر شهر يوليو من ذلك العام، وكل منهما له أبوان فى جماعة العنقاء، وكلاهما له أبوان تحديا ڤولدمورت ونجيا منه ثلاث مرات، بالطبع أولهما هو أنت، والثانى، نيفيل لونجبوتم».

«لكن... لكن، لماذا اسمى على النبوءة وليس اسم نيفيل؟».

قال «دمبلدور»: «لقد تغير السجل الرسمى بعد هجوم ڤولدمورت عليك وأنت صغير.. فقد اتضح وقتها لحافظ سجلات قاعة النبوءات أن ڤولدمورت حاول قتلك؛ لأنه يعرف أنك أنت من تقصده نبوءة سيبيل».

قال «هاري»: «إذن، فربما لا تقصدني النبوءة».

قال «دمبلدور» ببطء وكأن كل كلمة ينطق بها تكلفه الكثير من الجهد: «لا شك في أنك أنت من تقصده النبوءة».

«لكنك قلت إن... نيفيل قد ولد في آخر شهر يوليو.. وإن أمه وأباه...».

«لقد نسيت الجزء التالي من النبوءة، الجزء الخاص بالولد الذي سيهزم ڤولدمورت.. لقد عرف فيك ڤولدمورت ندًا له. وهذا ما حدث يا هاري. لقد اختارك ولم يختر نيفيل. فمنحك الندبة التي ثبت أنها نعمة ونقمة في نفس الوقت».

قال «هاري»: «لكن، ربما اختار الشخص الخطأ..».

قال «دمبلدور»: «لقد اختار من يراه خطرًا عليه.. ولاحظ يا هاري أنه لم يختر الولد ذا الدم السحري النقي - وطبقًا لأنصاره، فإن هذا هو النوع الوحيد من السحرة المستحق للاحترام أو الاعتراف به كساحر - بل اختار الهجين، مثله. رأى فيك نفسه قبل حتى أن يراك، وعلمك بندبته، ولم يقتلك كما أراد، لكن أعطاك قوى رهيبة ومستقبلاً استطعت فيه أن تهرب منه ليس مرة واحدة، بل أربع مرات حتى الآن.. وهو الشيء الذي لم ينجح فيه أبواك أو والدا نيفيل».

قال «هاري» وقد شعر بالخدر والبرد: «لماذا فعل هذا إذن؟ لماذا حاول قتلي وأنا طفل؟ كان عليه الانتظار؛ لمعرفة إن كنت أنا أم نيفيل الأخطر عليه عندما نكبر، ووقتها يقتل منا من يراه..».

قال «دمبلدور»: «هذا بالطبع هو المسار العملي الذي كان عليه اتخاذه.. لكن معلومات ڤولدمورت عن النبوءة لم تكن كاملة.. فمقهى رأس الخنزير الذي اختارته سيبيل للمقابلة؛ لأنه رخيص، يجذب منذ فترة طويلة زبائن أكثر إثارة للاهتمام من زبائن المقشات الثلاث. وكما عرفت أنت وأصدقاؤك، وكما عرفت أنا ليلتها، أنه ليس بالمكان الذي يمكن فيه الكلام من دون أن يتنصت عليك أحد. بالطبع لم أكن أعرف عندما خرجت لمقابلة سيبيل تريلاوني أنني سأسمع ما يستحق ألا يتنصت عليه أحد. ومن حسن حظنا، أن من تنصت علينا قد تم التعرف عليه قبل أن تكتمل تلاوة النبوءة وألقي بالخارج».

«إذن، فقد سمع فقط الـ...».

«سمع البداية، عن ولد يولد في آخر شهر يوليو لأبوين تحديا ڤولدمورت ثلاث مرات. بالتالي فلم يحذر سيده من أن الهجوم قد تنتقل معه قواه إليك،

بعد أن يراك ندًا له، وهكذا فلم يعرف ڤولدمورت قطُّ أنه قد يتعرض للخطر إن هاجمك، وأن من الحكمة الانتظار، ومعرفة المزيد. لم يكن يعرف أنك تتمتع بقوى لا يعرفها سيد الظلام..».

قال «هارى» بصوت مختنق: «لكن هذا غير صحيح.. فأنا ليس عندى أية قوة لا يتمتع بها، ولا يمكننى قتاله كما قاتلته أنت الليلة، ولا أقدر على استحواذ الناس أو قتلهم..».

قاطعه «دمبلدور» قائلاً: «هناك حجرة فى مصلحة الألغاز والغوامض مغلقة طوال الوقت. وتحتوى على قوة أقوى وأكثر فظاعة من الموت، وأكثر من الذكاء البشرى، ومن أية قوة طبيعية أخرى. إنها أيضًا أكثر الأشياء غموضًا من بين الأشياء الغامضة الموجودة بالمصلحة. تلك القوة الراقدة داخل الحجرة تملكها أنت بكميات كبيرة ولا يتمتع بها ڤولدمورت بالمرة. القوة التى جعلتك تنقذ سيرياس الليلة. القوة التى أنقذتك من استحواذ ڤولدمورت عليك؛ لأنه غير قادر على البقاء داخل جسد تملأه قوة يمقتها. فى النهاية، لا يهم إن تمكنت من إغلاق عقلك أم لا، إن قلبك هو الذى أنقذك».

أغمض «هارى» عينيه. لو لم يكن قد ذهب لإنقاذ «سيرياس»، فما كان ليموت.. وليبعد لحظة تفكيره فيما جرى لـ«سيرياس»، فقد سأل ثانية من دون الاهتمام بمعرفة الإجابة: «ونهاية النبوءة.. كانت شيئًا من قبيل: لا يمكن لأحدهما أن يحيا..».

قال «دمبلدور»: «.. والآخر حى».

قال «هارى» جالبًا الكلمات مما بدا له كبئر يأس عميقة بداخله: «إذن، فهذا يعنى أن أحدهما سيقتل الآخر.. فى النهاية؟!».

قال «دمبلدور»: «أجل».

لم يتكلما لفترة طويلة. من خلفهما وعند جدار المكتب، سمع «هارى» الأصوات.. التلاميذ يتوجهون إلى القاعة الكبرى؛ لتناول الإفطار. بدا من المستحيل أن هناك أشخاصًا فى العالم يرغبون فى تناول الطعام، ويضحكون، ولا يهتمون بمقتل «سيرياس بلاك». «سيرياس» الذى صار على مسافة ملايين الأميال، حتى وقتها كان هناك جزء من «هارى» يؤمن بأنه إن جذب الستار، فسوف يجد «سيرياس» يطل عليه من خلفه، ويحييه، وربما يضحك ضحكته القصيرة.

قال «دمبلدور» بتردد: «أنا مدين لك باعتراف آخر يا هاري.. ربما تتساءل لماذا لم أخترك رائدًا للفصل؟ لأعترف بأنني قلت لنفسى: إن عليك ما يكفيك من مسئوليات، ولست بقادر على تحمل المزيد».

تطلع «هاري» إلى «دمبلدور»، فرأى دمعة تنحدر على وجهه، وإلى لحيته الفضية الطويلة.

٣٨ .. وتبدأ الحرب الثانية

الذى ـ لا ـ يجب ـ ذكر ـ اسمه يعود

فى تصريح خاص ليلة الجمعة، أكد السيد وزير السحر كورنلياس فادچ أن الذى لا يجب ذكر اسمه قد عاد إلى البلاد وعاود نشاطه القديم.

وقد صرح فادچ مخاطبًا مراسلى الأخبار والصحفيين: «إننى وبكل أسف أؤكد أن الساحر الذى يسمى نفسه لورد.. تعرفون من أعنى.. ما زال حيًّا ويسعى بيننا. وبنفس الأسف، أعلن عن تمرد ديمنتورات أزكابان، الذين أظهروا نفورهم من خدمة الوزارة. وقد بلغتنا معلومات أن الديمنتورات تأخذ تعليماتها حاليًا من لورد... ذلك الشىء.

«كما نوصى مجتمع السحرة بالحذر واليقظة. حاليًا تقوم الوزارة بطباعة كتيبات عن مبادئ الدفاع عن النفس والبيت، وسوف نسلمها إلى كل بيوت السحرة خلال الشهر القادم».

لاقى تصريح السيد الوزير الخوف والرعب من عامَّة مجتمع السحرة، الذين ـ وحتى الأربعاء الماضى ـ كانوا يتلقون تأكيدات الوزارة على أنه لا يوجد أية حقيقة فى الإشاعات القائلة بعودة الذى ـ تعرفونه.

ما زالت تفاصيل ما جرى لكى تغير الوزارة موقفها غامضة، وإن كان قد قيل: إن الذى لا يجب ذكر اسمه قد اقتحم وزارة السحر بنفسه ليلة الخميس ومعه جماعة من أتباعه (المعروفين باسم أكلة الموت).

ومن جهة أخرى، فإن ألبوس دمبلدور، الناظر المعاد حديثًا إلى مدرسة هوجورتس لتعليم الساحرات والسحرة، والعضو المعاد تعيينه فى الاتحاد الكونفدرالى الدولى للسحرة، والمعاد إلى منصبه كرئيس للويزنجاموت، لم نجده حتى الآن؛ لنحصل منه على تعليق. وكان قد أصرَّ ـ على مدى العام الماضى ـ أن الذى ـ تعرفونه لم يمت، كما آمنا وتمنينا جميعًا، لكنه يجمع الأتباع فى محاولة جديدة للوصول إلى السلطة.. ومن جانب آخر، فإن «الولد الذى عاش...».

«هـا أنت ذا يـا هـارى، كنت أعرف أنـهـم سيـحشرونك فى الموضوع بطريقـة أو بـأخرى» كانت هذه «هيرميون»، التى خاطبته وهى تنظر إليه من فوق طرف الجريدة.

كانوا فى جناح المستشفى. «هـارى» جالس عند طرف فراش «رون» وكل منهما ينصت إلى «هيرميون» وهى تقرأ الصفحة الأولى من عدد يوم الأحد من «الدايلى بروفيت». كانت «چينى»، التى انكسر كاحلها وأصلحته مدام «بومفرى» فى ثانية واحدة، جالسة عند طرف فراش «هيرميون».. و«نيفيل» الذى عاد أنفه إلى حجمه وشكله الطبيعيين كان جالسًا فى مقعد بين الفِراشين، و«لونا» التى جاءت للزيارة كانت قابضة على العدد الأخير من مجلة «كويبلر» وتقرأ فيه مقلوبًا، ومن الواضح أنها لا تسمع كلمة مما تقوله «هيرميون».

قال «رون» بغموض: «أصبح هـارى (الولد الذى عاش) ثـانية، أليس كذلك؟ وليس مجرد ولد مغرور نصاب، صح؟».

الـتـهم بعض قطع شيكولاتـة «فروج» من كومـة موضوعـة على المائدة المجاورة للفراش، وألقى ببعضها إلى «هـارى» و«چينى» و«نيفيل»، ثم مزَّق غلافَ القطعة التى تبقت معه بأسنانه. ما زالت هنـاك سحجات على جبينه من أهداب الأدمغة التى التفت حوله. وكما قالت مدام «بومفرى»، فإن الأفكار تترك جروحًا أعمق من أى جروح، وإن كان هنـاك بعض التحسن فى حالة إصاباته منذ أعطته زيت (دكتور أوبلى المغفل).

قالت «هيرميون» وهى تمسح الموضوع الصحفى بعينيها: «أجل، إنهم يمدحونك كثيرًا يا هـارى.. صوت الحقيقة الوحيد، الذى رأوه غير متزن، لكنه لم يهتز ولم ينكر قصته قط.. والذى تحمل ألم السخرية وتشويه سمعته.. هممم.. ألاحظ أنهم لم يذكروا أنهم هم من سخروا وقللوا من شأنك..».

أجفلت ووضعت يدها على ضلوعها. تسببت لعنة «دولوهوف»، التى كانت أخف من حالها لو كان قد نطقها بصوته الطبيعى، فى ضرر كبير ـ كما قالت مدام «بومفرى». اضطرت «هيرميون» لتناول عشر وصفات سحرية كل يوم، وأخذت تتحسن بسرعة، وإن كانت تشعر بالملل من المستشفى.

قالت ثانيةً وهى تكمل قراءة الجريدة: «*محاولة الذى تعرفونه للسيطرة على الوزارة، الصفحات من الثانية للرابعة، ما قالته لنا الوزارة، الصفحة الخامسة، لماذا لم ينصت أحد لألبوس دمبلدور، الصفحات من السادسة للثامنة،* حوار مع *هارى بوتر، الصفحة التاسعة..*». لملمت الجريدة وألقت بها جانبًا وهى تضيف:

«واضح أن ما حدث، أعطاهم الكثير ليكتبوا عنه، وذلك الحوار الخاص مع هارى ليس خاصًا، إنه الذى نشرته مجلة الكويبلر منذ شهور..».

قالت «لونا» بغموضها المعتاد وهى تقلب صفحات «الكويبلر»: «لقد باعه أبى لهم، وحصل على سعر مناسب جدًا له، سوف نذهب فى حملة إلى السويد هذا الصيف؛ لمطاردة السنوركاك مجعد القرن».

بدا كأن «هيرميون» تجاهد نفسها للحظة، ثم قالت: «هذا جميل».

بادلت «چينى» «هارى» النظرات، ثم أشاحت بوجهها بسرعة وهى تبتسم.

قالت «هيرميون» وهى تستقيم فى جلستها قليلاً وتجفل ثانية من الألم: «إذن، المهم.. ماذا يحدث فى المدرسة؟».

قالت «چينى»: «تخلص فليتويك من مستنقع فريد وچورچ.. تخلص منه فى ثلاث ثوانٍ، لكنه ترك بركة صغيرة منه تحت النافذة، ثم أحاطها بالحبال..».

قالت «هيرميون» فى دهشة: «لماذا؟».

قالت «چينى» وهى تهز كتفيها: «يقول إنها خدعة سحرية جيدة».

قال «رون» وفمه ملىء بالشيكولاتة: «أعتقد أنه تركها كذكرى لفريد وچورچ.. لقد أرسلوا لى كل هذا كما تعرفون» أشار إلى كومة شيكولاتة «فروج» إلى جواره وأكمل: «لا بد أن العمل فى متجر المقالب يسير بأحسن حال، صح؟».

بدا الامتعاض على وجه «هيرميون» وتساءلت: «إذن، فهل انتهت كل المشكلات مع عودة دمبلدور؟».

قال «نيفيل»: «أجل، عاد كل شىء إلى وضعه الطبيعى».

سأل «رون» وهو ينظر إلى كارت من كروت شيكولاتة «فروج» عليه «دمبلدور» ومعه إبريق ماء: «أعتقد أن فيلش سعيد، أليس كذلك؟».

قالت «چينى»: «بل إنه يشعر بتعاسة بالغة»، خفضت صوتها حتى صار هامسًا وهى تقول: «إنه يقول إن أمبريدچ هى أفضل شخص دخل هوجورتس..».

أداروا رءوسهم جميعًا فى اتجاه واحد. كانت الأستاذة «أمبريدچ» راقدة فى فراش مقابل لهم وهى تحدق فى السقف. دخل «دمبلدور» وحده إلى الغابة؛ لإنقاذها من «القناطير».. كيف أنقذها؟ وكيف خرج من بين الأشجار و«أمبريدچ» معه من دون خدش واحد على وجهه؟ لا أحد يعرف، ولن تقول «أمبريدچ» أبدًا. ومنذ عادت إلى القلعة - وعلى حد علم الجميع - لم تنطق بكلمة واحدة. لم يعرف أحد قطُّ ماهية إصابتها. كان شعرها المصفف الأنيق الأشبه

بفراء الفئران أشعث وغير مصفف وفيه قطع من الأغصان وأوراق الأشجار، لكن بخلاف هذا كانت سالمة.

همست «هيرميون» قائلة: «تقول مدام بومفرى إنها فى حالة صدمة».

قالت «چينى»: «بل هى عابسة حزينة».

قال «رون»: «أجل، فعلامات الحياة تبدو عليها إن فعلت هذا»، ثم أصدر أصوات ضربات أرجل الخيل على الأرض، فهبت «أمبريدچ» جالسة فى الفراش ونظرت حولها بخوف.

قالت مدام «بومفرى»: «هل هناك ما يسوء يا أستاذة؟». وقد أطلت برأسها من باب مكتبها.

قالت «أمبريدچ» وهى تعاود الرقاد على وسادتها: «لا.. لا.. لا بد أننى كنت أحلم..».

كتمت «هيرميون» و«چينى» ضحكاتهما فى مفرش السرير.

قالت «هيرميون» وقد تراجعت ضحكاتها قليلا: «بمناسبة القناطير.. من معلم التنجيم الآن؟ هل سيبقى فايرنز؟».

قال «هارى»: «عليه هذا.. فباقى القناطير لن يقبلوا بعودته.. أليس كذلك؟».

قالت «چينى»: «يبدو أنه سيقوم بالتدريس مع تريلاونى».

قال «رون» وهو يأكل رابع قطعة شيكولاتة: «أراهن أن دمبلدور يتمنى التخلص من تريلاونى للأبد.. والمشكلة أن فايرنز ليس أفضل منها بكثير..».

قالت «هيرميون»: «كيف تقول هذا؟ بعد أن عرفنا بأن نبوءاتها حقيقية؟».

أخذ قلب «هارى» يخفق بسرعة. لم يخبر «رون» أو «هيرميون» أو أيًا من الآخرين بفحوى النبوءة. أخبرهم «نيفيل» بأنها قد تحطمت، ولم يصحح «هارى» هذا الانطباع بعد. لم يكن مستعداً لتعبيرات وجوههم عندما يخبرهم بأنه سيكون قاتلاً أو ضحية، وأنه لا مهرب من هذا المصير..

قالت «هيرميون» بهدوء وهى تهز رأسها: «يحزننى تحطمها».

قال «رون»: «أجل، لكن على الأقل لم يعرف الذى ـ تعرفونه، علام تحتوى.. أين ستذهب؟». أضاف السؤال الأخير بدهشة وحسرة ناظرًا إلى «هارى» وهو يقف.

قال «هارى»: «آ.. إلى كوخ هاجريد.. لقد عاد لتوه وكنت قد وعدته بالجلوس معه قليلاً وإخباره بحالكما».

قال «رون» بعبوس ناظرًا من نافذة الحجرة إلى بقعة من السماء الزرقاء الصافية وراءها: «حسنًا.. تمنيت لو جئنا معك».

قالت «هيرميون» و«هارى» يخرج من جناح المستشفى: «أبلغه سلامنا.. وسله ماذا جرى لـ... لصديقه الصغير».

لوَّح لها «هارى» بيده؛ ليعلمها بأنه قد سمع وفهم ما قالته، ثم غادر المكان.

بدت القلعة بالغة الهدوء يوم الأحد. خرج الجميع للشمس الساطعة، مستمتعين بنهاية الامتحانات وفكرة أن آخر أيام لهم فى الفصل الدراسى غير مشغولة بعمل الواجب. سار «هارى» ببطء عبر الممر الخالى، وهو ينظر من النوافذ أثناء سيره.. رأى بعض التلاميذ على المقشات فوق ملعب «الكويدتش» واثنان منهم يسبحان فى البحيرة، ومعهما الحبار العملاق.

وجد من الصعوبة تقرير إن كان يريد البقاء مع الناس أم البقاء وحده.. كلما جلس مع صحبة ودَّ الابتعاد عنهم، وكلما جلس وحده ودَّ لو يجلس مع الناس. عقد العزم على زيارة «هاجريد»، فهو لم يتحدث إليه منذ عاد.

كان قد نزل آخر درجات السلم الرخامية إلى القاعة الأمامية عندما رأى «مالفوى» و«كراب» و«جويل» يخرجون من باب إلى اليمين، كان «هارى» يعرف أنه يُفضى إلى حجرة طلبة «سليذرين». تجمَّد «هارى» فى مكانه، وكذا فعل «مالفوى» والآخران. الأصوات الوحيدة المسموعة كانت صيحات وضحكات تسرى إلى القاعة من الخارج عبر الأبواب المفتوحة.

نظر «مالفوى» حوله.. عرف «هارى» أنه يتحقق من عدم وجود مدرسين.. ثم عاود النظر إليه وقال بصوت خفيض: «أنت ميت يا بوتر».

رفع «هارى» حاجبيه. وقال: «غريبة.. لكننى ما زلت أسير على قدمى..».

بدا «مالفوى» غاضبًا أكثر من أى وقت رآه فيه «هارى» غاضبًا.. وشعر بنوع من الرضاء من رؤيته لوجهه الشاحب الحاد القسمات وقد شوهه الغضب. قال «مالفوى» بصوت أعلى بقليل من الهمس: «ستدفع الثمن.. سأجعلك تدفع ثمن ما فعلته بأبى..».

قال «هارى» بسخرية: «ياه.. لقد أخفتنى فعلاً.. يبدو أن لورد ڤولدمورت ليس أكثر من فاتح شهية بالنسبة إلى ثلاثتكم.. ما المشكلة؟». أضاف السؤال الأخير عندما رأى نظرة الهلع على وجه «مالفوى» و«كراب» و«جويل» عند ذكر الاسم.. ثم أكمل: «إنه صديق أبيك.. أليس كذلك؟ وأنت غير خائف منه طبعًا.. أم أنك خائف؟».

قال «مالفوى» وهو يتقدم من «هارى» ومن خلفه «كراب» و«جويل»: «أتعتقد أنك قوى يا بوتر؟ انتظر. سأنال منك. لا يمكنك وضع أبى فى السجن..».

قال «هارى»: «لكننى وضعته فعلاً فى السجن».

قال «مالفوى» بهدوء: «لقد غادر الديمنتورات أزكابان.. سيخرج أبى والآخرون فى طرفة عين..».

قال «هارى»: «أجل، أتوقع هذا.. لكن على الأقل يعرف الجميع الآن أنكم حثالة..».

طارت يد «مالفوى» إلى عصاه السحرية، لكن «هارى» كان أسرع منه، شهر عصاه قبل أن تصل أصابع «مالفوى» إلى جيب عباءته.

«بوتر!».

رن الصوت فى القاعة الأمامية. خرج «سناب» من عند درجات السلم المفضية إلى مكتبه وعندما رآه «هارى» شعر بكمٍّ هائل من الكراهية يفوق أى شىء يشعر به تجاه «مالفوى».. مهما قال «دمبلدور»، فهو لن يغفر لـ«سناب» أبدًا.. أبدًا.

قال «سناب» بصوته البارد المعهود وهو يهرول مقتربًا من الأربعة: «ماذا تفعل يا بوتر؟».

قال «هارى» بغيظ شديد: «أحاول تقرير نوع اللعنة التى سأصيب بها مالفوى يا سيدى». حدق فيه «سناب».

قال بسرعة: «أبعد هذه العصا على الفور.. مخصوم عشر نقاط من جريفـ...».

نظر «سناب» إلى الساعات الرملية العملاقة المعلقة على الجدران وابتسم ابتسامة ساخرة.

«آه.. أرى أنه لم تعد هناك نقاط باقية فى ساعة جريفندور. فى هذه الحالة يا بوتر سأضطر إلى...».

«إضافة بعض النقاط!».

كانت هذه هى الأستاذة «مكجونجال» التى أخذت تعرج صاعدة درجات السلم الحجرية الخارجية للقلعة.. كانت تحمل حقيبتها فى يد، وتتكئ على عصا فى يدها الأخرى، لكن بخلاف هذا بدت بصحة جيدة.

قال «سناب» وهو يقترب منها: «أستاذة مكجونجال.. خرجت من سانت مونجو أخيرًا».

قالت الأستاذة «مكجونجال» وهى تخلع معطفها عنها: «أجل يا أستاذ سناب.. أنا فى أفضل حال. أنتما.. كراب.. جويل..».

لوحت لهما؛ ليسرعا بالسير وهما يقتربان منها باديًا عليهما الارتباك.

قالت الأستاذة «مكجونجال» ملقية بحقيبتها فى صدر «كراب» وبمعطفها إلى «جويل»: «خذا.. اصعدا بهما إلى مكتبى». التفتا وسارا تجاه السلم الرخامى.

قالت الأستاذة «مكجونجال» ناظرة إلى الساعة الرملية على الحائط: «رائع.. والآن، أعتقد أن بوتر وأصدقاءه يستحقون خمسين نقطة، لكل منهم، على تحذير العالم من عودة الذى ـ تعرفه. ما رأيك يا أستاذ سناب؟».

قال «سناب»: «ماذا؟». وإن كان «هارى» يعرف تمام المعرفة أنه سمع جيدًا. أضاف: «آه.. طيب.. أعتقد....».

قالت الأستاذة «مكجونجال»: «وهكذا نعطى خمسين نقطة لبوتر، وخمسين لكل من الأخوين ويسلى، وخمسين للآنسة جرانجر»، فتدفق شلال من حبات الياقوت لتملأ قاع الساعة وهى تتكلم، أضافت: «آه.. وخمسين نقطة للآنسة لوفجود»، فزاد ارتفاع الياقوت الأزرق فى ساعة «رافنكلو».. أكملت: «والآن، أردت أنت خصم عشر نقاط من السيد بوتر، أليس كذلك يا أستاذ سناب؟ ها هم..».

نقصت ياقوتات «جريفندور» قليلاً، تاركة كمًّا لا يُستهان به.

أكملت الأستاذة «مكجونجال» كلامها برشاقة: «بوتر، مالفوى، أعتقد أن عليكما الخروج فى يوم رائع كهذا».

لم يحتج «هارى» لسماع قولها مرتين.. أعاد عصاه إلى عباءته وتوجه مباشرة إلى الأبواب الأمامية من دون نظرة ثانية إلى «سناب»، أو «مالفوى».

غمرته الشمس الساطعة وهو يسير عبر الممـاشى العشبية تجاه كوخ «هـاجريد». رأى التلاميذ راقدين على العشب يتحدثون، ويقرأون جريدة «الدايلى بروفيت» ويأكلون الحلوى، وينظرون إليه وهو يمر إلى جوارهم.. نادى بعضهم عليه، ولوح له البعض الآخر، متلهفين على إظهار أنهم مثلهم مثل الجريدة قد قرروا أنه بطل. لم يقل «هارى» أى شىء لأى منهم. لم يكن يعرف كم يعرفون عما جرى طوال الأيام الثلاثة الماضية، لكنه قرر تفادى استجوابهم له، وفضّل أن يبقى الوضع هكذا.

ظن عندما طرق باب كوخ «هاجريد» أنه بالخارج، لكن «فانج» خرج إليه من خلف الكوخ وكاد يطرحه أرضًا وسط حماسه وترحيبه به. اتضح أن «هاجريد» كان يلتقط بعض النباتات من خلف كوخه.

قال مبتسمًا و«هاري» يقترب من السور: «هل أنت بخير يا هاري؟ تعال، تعال... تعال نشرب كوبًا من (عظير) الهندباء..».

سأله «هاجريد» وهما يجلسان إلى مائدة خشبية وبينهما كوبان من العصير المثلج: «كيف الأحوال؟ أجل.. آ.. هل أنت بخير؟».

عرف «هاري» من نظرة الاهتمام المرتسمة على وجه «هاجريد» أنه لا يشير إلى حالته الصحية بالمرة. قال بهدوء: «أنا بخير.. لكن أين كنت؟»؛ لأنه لا يحتمل نقاش الموضوع الذي يعرف أن «هاجريد» يفكر فيه.

قال «هاجريد»: «كنت مختبئًا في الجبال.. في كهف، (مزل) (زيرياز) عندما...».

سكت «هاجريد» عن الكلام، وسعل، ثم نظر إلى «هاري» وأخذ رشفة كبيرة من عصيره. قال بوهن: «المهم أنني قد عُدت».

قال «هاري» وقد قرر إبقاء الحوار بعيدًا عن «سيرياس»: «تبدو... تبدو في حال أفضل». قال «هاجريد» وهو يرفع يده الهائلة ويجس بها وجهه: «ماذا؟ آه.. أجل.. جراوب أفضل (بكزير) الآن، (أظبح) يفرح برؤيتي بعد أن عُدت. في الحقيقة هو ولد طيب، فعلاً.. أفكر في أن أجلب له (ظديقة) من (الجنز) الناعم..».

كان «هاري» في العادة ليحاول إقناع «هاجريد» بالعدول عن الفكرة على الفور.. فكرة وجود عملاق ثانٍ في الغابة، وعلى الأغلب أكثر قسوة ويأسًا من «جراوب» كانت مزعجة، لكنه لم يجد العزم الكافي لجداله. بدأ يتمنى لو صار وحده ثانية.. وعندما واتته الفكرة، أخذ يرشف رشفات كبيرة من عصير الهندباء، فأفرغ نصف كوبه.

قال «هاجريد» برفق: «(أظبح) الجميع يعرفون أنك تقول الحقيقة يا هاري.. (زتتحزن) الأمور هكذا.. (أليز) كذلك؟»، كان يرنو إلى «هاري» عن قرب.

هز «هاري» منكبيه.

مال «هاجريد» للأمام عبر المائدة وقال: «انظر.. أعرف (زيرياز) من قبل أن تعرفه أنت (بكزير).. لقد مات في المعركة، وهذه هي الطريقة التي أراد أن يموت بها دائمًا..».

قال «هاري» بغضب: «لم يرغب في الذهاب إلى هناك بالمرة».

أحنى «هاجريد» رأسه الهائل غزير الشعر.

قال بهدوء: «لا، لا أعتقد أنه أراد هذا.. لكن يا هارى، لم يكن (ليجلز) فى البيت ويدع الآخرين يحاربون ويقاتلون. ما كان ليحتمل العار إن لم يهب (لمزاعدتك)..».

هبَّ «هارى» واقفًا.

قال بصورة آلية: «علىّ الذهاب لزيارة رون وهيرميون فى جناح المستشفى».

بدا الضيق على «هاجريد» وهو يقول: «آه.. طيب.. اعتنى (بنفزك) يا هارى، وتعال لزيارتى كلما واتتك (الفرظة)..». فقال: «أجل.. سأفعل».

عبر «هارى» المسافة الفاصلة إلى الباب بسرعة وفتحه.. غمرته أشعة الشمس ثانية قبل أن ينتهى «هاجريد» من قول: «وداعًا»، وسار عبر الممشى. مرة ثانية أخذ التلاميذ ينادونه وهو يمر. أغمض عينيه للحظات، متمنيًا لو يختفون جميعًا، ويفتح عينيه ليجد المكان خاليًا..

منذ أيام قليلة مضت، قبل نهاية الامتحانات وحلمه بـ«ڤولدمورت»، تمنى لو يدفع أى ثمن؛ ليعرف عالم السحرة أنه لا يكذب، وأن يصدقوا أن «ڤولدمورت» قد عاد، وأن يعرفوا أنه ليس بمجنون. لكن الآن...

سار مسافة قصيرة حول البحيرة، وجلس على شاطئها، وقد حمى نفسه من نظرات المارَّة ببعض الشجيرات وأخذ يحدق فى المياه اللامعة، وهو يفكر.

لعل سبب رغبته فى البقاء وحيدًا أنه يشعر بالعزلة منذ كلامه مع «دمبلدور». ثمة حاجز خفى يفصله عن باقى العالم. إنه - وكان هكذا دائمًا - عليه علامة. لكنه لم يفهم معنى العلامة.

لكن وهو جالس هكذا أمام البحيرة، جاثم على صدره ثقل من الحزن والأسى، مع فقدان «سيرياس» وحزنه عليه داخله، لم يقدر على الإحساس بالخوف. كان الجو مشمسًا، والأرض من حوله مليئة بالضاحكين، فشعر بمسافة تفصله عنهم وكأنه لا ينتمى إلى جنسهم، ووجد من الصعب تصديق أنه جالس هنا وهو يعرف أن حياته ستتضمن - أو تنتهى بـ - حادث قتل.

جلس لفترة طويلة، وهو ينظر إلى المياه؛ محاولاً التفكير فى أبيه الروحى وتذكر أن على الضفة الأخرى سقط «سيرياس» ذات مرة محاولاً صد مائة «ديمنتور» عنه.

غربت الشمس قبل أن يدرك أنه يشعر بالبرد، فنهض وعاد إلى القلعة، ومسح وجهه في كم عباءته وهو يسير.

***

غادر «رون» و«هيرميون» جناح المستشفى وقد تعافيا تمامًا قبل ثلاثة أيام من نهاية الفصل الدراسى. ظهر على «هيرميون» رغبتها فى الكلام عن «سيرياس»، لكن «رون» كان يسكتها كل مرة تذكر فيها اسمه. لم يكن «هارى» واثقًا بعد من رغبته فى الكلام عن أبيه الروحى.. فرغباته تتباين مع حالته المزاجية. كان يعرف شيئًا واحدًا، بالرغم من إحساسه بالحزن، فسوف يفتقد «هوجورتس» بعد أيام قليلة عندما يعود إلى المنزل رقم (٤) بشارع «بريفت درايف». وبالرغم من فهمه لسبب وجوب عودته كل صيف إلى هناك، لم يتحسن إحساسه بالعودة.. وبالطبع كان يخاف من عودته إلى المدرسة بعد الإجازة.

غادرت الأستاذة «أمبريدج» «هوجورتس» قبل يوم من انتهاء الفصل الدراسى. زحفت خارجة من جناح المستشفى وقت العشاء، متمنية ألا يراها أحد.. لكن للأسف، قابلت «بيفيس» فى الطريق، الذى انتهز آخر فرصة له لفعل ما أوصاه به «فريد»، وطاردها بجذل وهى تسير خارجة من المدرسة وهو يضربها بعصا وكيس طباشير ممتلئ. جرى التلاميذ إلى القاعة الأمامية؛ ليراقبوها وهى تجرى مبتعدة، والأساتذة قادة الفرق المدرسية يحاولون إثناءها عن المغادرة بلا حماس. جلست الأستاذة «مكجونجال» فى مقعدها على مائدة المعلمين بعد كلمات احتجاج قليلة زائفة، وسمعوها تتحسر على أنها لم تخرج لتهلل خلف «أمبريدج»؛ لأن «بيفيس» استعار عصاها التى تسير بها.

جاءت آخر أمسياتهم فى المدرسة.. انتهى معظم التلاميذ من حزم الحقائب وتوجهوا إلى القاعة الكبرى لتناول مأدبة نهاية الفصل الدراسى، لكن «هارى» لم يكن قد بدأ فى حزم الحقائب.

قال «رون» الذى وقف منتظرًا إلى جوار باب جناح الأولاد: «احزمها غدًا.. تعال، أنا أتضوَّر جوعًا». فقال: «لن أغيب طويلاً.. اذهب أنت..».

لكن عندما أوصد باب الحجرة من خلف «رون» لم يحاول «هارى» الإسراع بحزم حقيبته. آخر شىء يريده هو حضور مأدبة الوداع. أقلقه ما قد يشير إليه

«دمبلدور» أثناء خطبته. كان واثقًا من أنه سيذكر عودة «ڤولدمورت»، فقد تحدث إليهم فى هذا الموضوع فى مأدبة العام الماضى.

أخرج «هارى» بعض العباءات المتسخة من قاع حقيبته مفسحًا المجال للعباءات النظيفة.. وهو يفعل هذا، لاحظ وجود لفة فى ركن الحقيبة. لم يعرف ما هى. مال عليها وأخرجها من تحت ملابسه وفحصها ببصره.

أدرك خلال ثوان قليلة ما هى. أعطاها «سيرياس» له وهو واقف على باب المنزل رقم (١٢) بـ«جريمولد بليس». وقال له: «استعملها عندما تحتاج إلىّ، مفهوم؟».

جلس «هارى» ثانية على فراشه وفض اللفافة. سقطت منها مرآة صغيرة مربعة. بدت له قديمة، وكانت متسخة. رفعها إلى وجهه ورأى انعكاس وجهه فيها يطل عليه. أدار المرآة، وكان على ظهرها عبارة كتبها «سيرياس».

هذه مرآة ثنائية، ومعى الفردة الأخرى منها. إن احتجت للكلام معى فانطق اسمى.. سأظهر لك فى مرآتى وسنقدر على الحديث. اعتدت أنا وچيمس استعمالها عندما كنا نتعرض للاحتجاز فى مكانين مختلفين.

بدأ قلب «هارى» فى الخفقان بسرعة. تذكر رؤية أبويه فى مرآة منذ أربع سنوات. سيقدر على الكلام مع «سيرياس» ثانية، الآن، يعرف هذا..

نظر حوله؛ ليضمن عدم وجود أحد.. كانت الحجرة خالية تمامًا. عاود النظر إلى المرآة، ورفعها أمام وجهه بيد مرتجفة وقال بصوت مرتفع واضح: «سيرياس».

تعكر صفو المرآة بالبخار المنبعث من فمه. رفعها وقربها منه أكثر، والإحساس بالإثارة يتدفق داخله، لكن العينين اللتين تطرفان على سطح المرآة كانتا عينيه.

مسح المرآة وقال ثانية بصوت رن فى الحجرة: «سيرياس بلاك».

لم يحدث شىء. كان الوجه الغاضب المغتاظ الذى يطل عليه منها هو وجهه.

لم يكن مع «سيرياس» مرآته وهو يدخل عبر القوس الحجرية، وقال صوت خفيض داخل رأس «هارى»: لهذا لا تعمل المرآة.

ظل «هارى» صامتًا للحظة، ثم ألقى بالمرآة فى الحقيبة حيث تحطمت. اقتنع لدقيقة جميلة أنه سيرى «سيرياس»، ويتكلم معه ثانية.

أخذت الحسرة تحرق حلقه، نهض وبدأ فى إلقاء حاجياته بلا ترتيب داخل الحقيبة؛ ليغطى المرآة المكسورة.

ثم واتته فكرة.. فكرة أفضل من المرآة.. فكرة أهم وأكبر وأخطر.. كيف لم يفكر فيها من قبل؟ ولماذا لم يسأل من قبل؟

هرع إلى باب الحجرة وعبر السلم الحلزونى وهو يضرب الجدران مع هبوطه، دون أن يلاحظ هذا حتى.. هرول عبر حجرة الطلبة الخالية، وعبر الباب وإلى الممر، متجاهلاً السيدة البدينة التى نادت عليه قائلة: «ستبدأ المأدبة بعد قليل كما تعرف، يبدو أنك لن تصل فى الميعاد».

لكن «هارى» لم يقصد الذهاب إلى المأدبة.

لماذا يمتلأ المكان بالأشباح عندما لا تحتاجها، لكن عندما تبحث عن أحدهم...

جرى نازلاً السلم وعبر الممرات، فلم يقابل أحدًا حيًا أو ميتًا. كانوا جميعًا - على ما يبدو - فى القاعة الكبرى. خارج فصل التعاويذ، توقف وهو يلهث مفكرًا بحزن فى أنه سيضطر للانتظار حتى نهاية المأدبة.

لكن، عندما فقد الأمل، رأى جسدًا شبه شفاف يسرى عند طرف الممر البعيد.

«أنت هناك.. نيك.. نيك».

أدار الشبح رأسه بعد أن كان قد اخترق الحائط.

قال وهو يسحب باقى جسده من خلف الحائط ويبتسم فى وجه «هارى»: «مساء الخير.. أنا لست الوحيد الذى تأخر إذن» وتنهد وهو يقول: «لكن طبعًا إحساسى بالمأدبة مختلف..».

«نيك.. أيمكننى أن أسألك سؤالاً؟».

ارتسم على وجه «نيك مقصوف الرقبة تقريبًا» تعبير غريب وعدل من وضع

ياقته، ومن الواضح أنه يفكر قليلاً. وكف عن مداعبة ياقته، عندما بدا أن رقبته شبه المقطوعة ستسقط.

قال «نيك» بارتباك: «آ.. الآن يا هارى؟ ألا تستطيع الانتظار حتى نهاية المأدبة؟».

قال «هارى»: «لا.. نيك.. أرجوك.. أنا بحاجة إلى الكلام معك. هلا دخلنا هنا؟».

فتح «هارى» باب أقرب الفصول، فتنهد «نيك مقصوف الرقبة تقريبًا».

قال باستسلام: «حسنًا.. لا يمكننى التظاهر بأننى لم أتوقع طلبك هذا».

أمسك «هارى» الباب؛ ليدخل «نيك»، لكنه دخل مخترقًا الحائط.

سأله «هارى» وهو يغلق الباب من خلفه: «تتوقع ماذا؟».

قال «نيك» وهو يسرى فوق النافذة ويطل الظلام على الأرض بالخارج: «أتوقع قدومك إلىَّ بحثًا عنى.. هذا يحدث أحيانًا.. عندما يعانى أحدهم من.. فقدان عزيز لديه».

قال «هارى» رافضًا الهزيمة: «حسنًا.. أنت محق، لقد خرجت؛ بحثًا عنك».

لم ينطق «نيك».

قال «هارى» مرتبكًا أكثر مما توقع: «المسألة أنك... أنك ميت. لكنك ما زلت موجودًا، أليس كذلك؟». تنهد «نيك» ثانية واستمر فى النظر عبر النافذة.

قال «هارى»: «أليس كذلك؟ لقد توفيت، لكنك تتكلم معى.. ويمكنك السير فى هوجورتس والحياة بها، أليس كذلك؟».

قال «نيك مقصوف الرقبة تقريبًا»: «بلى.. يمكننى السير والكلام».

قال «هارى» بلهفة: «إذن، فأنت قد عدت، أليس كذلك؟ يمكن للناس العودة من الموت، أليس كذلك؟ كأشباح.. فليس عليهم الاختفاء كلية.. صحيح؟». كان يتكلم بنفاد صبر و«نيك» ما زال صامتًا.

تردد «نيك مقصوف الرقبة تقريبًا» ثم قال: «لا يقدر الجميع على أن يعودوا كأشباح». فقال «هارى» بسرعة: «ماذا تقصد؟».

«فقط... الـ... السحرة».

قـال «هـارى» وهـو يكـاد يضحك من إحسـاسـه بـالـنجـاة: «جمـيـل.. رائـع.. الشخص الذى أتكلم عنه ساحر. إذن، فيمكنه العودة.. أليس كذلك؟».

ابتعد «نيك» عن النافذة ونظر بحزن ناحية «هارى».

«لن يعود».

«من؟».

«سيرياس بلاك».

قال «هارى» بغضب: «لكنك عدت.. لقد عدت، وأنت ميت، ولم تختفِ..».

قال «نيك» بتعاسة: «يمكن للسحرة ترك ظلال شاحبة من أنفسهم؛ لتسير على وجه الأرض حيث ساروا وهم أحياء.. لكنَّ القليلين من السحرة هم من يختارون هذا الطريق».

قال «هارى»: «لماذا؟ لكن هذا لا يهم.. سيرياس لن يبالى إن كان هذا الطريق غير معتاد.. سيعود.. أعرف هذا».

كان إيمانه قويًا بهذا حتى إنه أدار عينيه إلى الباب وكأنه يتوقع رؤية «سيرياس» بعد جزء من الثانية، بلون أبيض شاحب ونصف شفاف لكنه يبتسم، وهو يسير مقتربًا منه.

قال «نيك»: «لن يعود... سـ... سيمضى فى طريقه».

قال «هارى» بسرعة: «ماذا تعنى بأنه سيمضى فى طريقه؟ سيذهب إلى أين؟ اسمع.. ماذا يحدث عندما يموت الإنسان؟ أين يذهب؟ لماذا لا يعود الجميع؟ لماذا المدرسة ليست ممتلئة بالأشباح؟ لماذا...؟».

قال «نيك»: «لا أقدر على الإجابة».

قال «هارى» بسخط: «أنت ميت، صح؟ من يقدر على إجابة تساؤلاتى غيرك؟».

قال «نيك» بخفوت: «كنت خائفًا من الموت.. اخترت التخلف ولم أمضِ فى طريقى. أحيانًا أتساءل إن كان علىّ المضى.. فأنا وقفت وسط الطريق.. فى الواقع، أنا لست هنا، ولست هناك..»، ضحك ضحكة قصيرة ثم قال: «لا أعرف شيئًا عن أسرار الموت يا هارى؛ لأننى اخترت هذا التقليد الباهت

للـحـيـاة. أعتقد أن السـحـرة يدرسـون هذا الموضـوع فى مصلـحـة الألغـاز والغـوامض..».

قال «هارى» بغيظ شديد: «لا تكلمنى عن هذا المكان».

قال «نيك» برفق: «آسف؛ لأننى غير قادر على مسـاعدتك.. المهم.. اعذرنى.. بعد إذنك.. المأدبة كما تعرف..».

وغادر الحجرة، تاركًا «هارى» وحده، ناظرًا بذهن غائب إلى الحائط الذى اختفى منه «نيك».

شعر «هارى» وكأنه قد فقد أباه الروحى للمرة الثانية، بعد أن فقد الأمل فى الكلام معه أو رؤيته ثانية. سار ببطء وتعاسة صاعدًا السلم، متسائلاً إن كان سيشعر بالفرحة ثانية.

انحرف مع انحناءة الممر ناحية ممر السيدة البدينة ورأى شخصًا يلصق ورقة على لوحة الإعلانات على الحائط. بنظرة ثانية، عرف أنها «لونا». لم يجد أماكن يختفى فيها منها بالقرب، وستسمع وقْع أقدامه.. وعلى أية حال، فهو غير قادر على التحكم فى غضبه بما يكفى لتفادى مقابلة أى أحد.

قالت «لونا» بغموض وهى تنظر إليه: «أهلاً». سألها: «لماذا لست فى المأدبة؟».

قالت «لونا» بهدوء بالغ: «لقد فقدت حاجياتى.. يأخذها التلاميذ ويخبئونها. لكن هذه الليلة الأخيرة، وأنا أحتاجها؛ لذا فأنا أعلق اللافتات».

أشارت ناحية لوحة الإعلانات التى علقت عليها قائمة بما فقدته من كتب وملابس، مع رجاء خاص بإعادتها.

أحس «هارى» بإحساس غريب، عاطفة مختلفة عن الغضب والحزن الذى يملأه منذ مات «سيرياس». مرت لحظات قبل أن يدرك أنه يشعر بالأسف على «لونا».

سألها مقطب الجبين: «لماذا يخبئ الناس أشياءكِ؟».

هزت رأسها وقالت: «أعتقد أنهم يروننى غريبة الأطوار. وبعض الناس يطلقون علىّ لونا المجنونة». نظر «هارى» إليها والإحساس الجديد يؤلمه.

قال: «هذا ليس سببًا لأخذ حاجياتك.. هل تحتاجين لمساعدتى فى العثور عليها؟».

قالت مبتسمة: «لا.. ستعود، إنها دائمًا ما تعود فى النهاية. المسألة أننى أريدها الليلة. المهم.. لماذا لم تذهب إلى المأدبة؟».

هزَّ «هارى» كتفيه وقال: «لم أرغب فى الذهاب».

قالت «لونا» وهى تراقبه بنظراتها الغامضة الغائمة: «لا، لا أعتقد أنك ترغب فى هذا. ذلك الرجل الذى قتله أكلة الموت هو أبوك الروحى، أليس كذلك؟ چينى أخبرتنى بهذا».

أومأ «هارى» برأسه بسرعة، لكنه وجد ـ لسبب ما ـ أنه لا يمانع فى كلام «لونا» عن «سيرياس». تذكر أيضًا أنها تقدر على رؤية حيوان «الثيسترال».

قال: «هل.. أعنى.. من الذى.. هل مات شخص تعرفينه؟».

قالت «لونا» ببساطة: «أجل.. أمى، كانت ساحرة رائعة، لكنها كانت تحب تجربة الأشياء الجديدة، وذات مرة ضربتها تعويذة أطلقتها وماتت. وكنت فى التاسعة من عمرى وقتها». غمغم «هارى»: «أنا آسف».

قالت «لونا» بطريقة من تود النقاش: «أجل، موتها أمر محزن وبشع. كلما تذكرتها شعرت بالحزن لكن عندى أبى. كما أننى سأقدر على رؤية أمى.. أليس كذلك؟».

قال «هارى» بتردد: «آ.. هل ستقابلينها ثانية؟».

«لقد سمعتهم.. سمعتهم يتحدثون من خلف الستار، أليس كذلك؟».

«هل تعنين...».

«فى حجرة القوس الحجرية تلك. إنهم خلف الستار، لقد سمعتهم».

تبادلا النظرات. ابتسمت «لونا» ابتسامة خفيفة. لم يعرف «هارى» ماذا يقول، أو فيم يفكر.. «لونا» تؤمن بأشياء غريبة كثيرة.. لكنه كان واثقًا من سماع الأصوات خلف الستار هو الآخر.

قال: «هل أنت واثقة من أنك لا تريدين مساعدتى فى العثور على حاجياتك؟».

قالت «لونا»: «لا.. الأفضل أن أنزل وآكل بعض الطعام، ثم أنتظر ظهورها.. فهى دائمًا ما تظهر فى النهاية.. أتمنى لك إجازة سعيدة يا هارى».

«أشكرك، وأنت أيضًا».

سارت مبتعدة، راقبها شاعرًا بالثقل الهائل الجاثم على صدره وقد خفَّ قليلاً.

***

كانت رحلة العودة فى قطار «هوجورتس» مختلفة من عدة نواحٍ. أولاً، حاول «مالفوى» و«كراب» و«جويل» - الذين انتظروا طوال الأسبوع سعيًا لفرصة يضربون فيها «هارى» من دون أن يراهم المدرسون - نصب فخ لـ«هارى» عند وسط القطار وهو عائد من دورة المياه. كانت الضربة لتنجح؛ لولا أنهم اختاروا نصب الفخ خارج مقصورة ممتلئة بأعضاء الـ(دى. أيه.) الذين رأوهم من خلف الزجاج وهبوا لمساعدة «هارى». مع انتهاء «إرنى ماكميلان» و«هانا آبوت» و«سوزان بونز» و«جوستين فينش - فلتشلى» و«أنتونى جولدشتاين» و«تيرى بوت» من استعمال عصيهم السحرية وبعد أن أطلقوا تشكيلة رائعة من اللعنات والتعاويذ التى لقنها لهم «هارى» كان «مالفوى» و«كراب» و«جويل» أشبه بثلاث يرقات كبيرات ترتدى زى «هوجورتس» المدرسى، ثم حملهم «هارى» و«إرنى» و«جوستين» إلى عربة الحقائب وتركوهم بها والسوائل تسيل منهم.

قال «إرنى» شاعرًا بالرضاء وهو يراقب «مالفوى»: «لا بد أن أقول: إننى أتوق لرؤية نظرة أم مالفوى عندما تراه بعد نزوله من القطار»، لم ينسَ «إرنى» قط لـ«مالفوى» خصمه المتكرر للنقاط من «هافلباف» أثناء الفترة القصيرة التى قضاها عضوًا فى الفرقة التفتيشية.

قال «رون» الذى جاء يدفعه الفضول؛ لمعرفة مصدر الجلبة: «أم جويل ستفرح كثيرًا.. فهو أفضل بكثير هكذا.. المهم يا هارى، عربة الطعام أمام مقصورتنا، إن كنت تريد شراء شىء منها..».

شكر «هارى» الآخرين ورافق «رون» إلى مقصورتهم، حيث اشترى كومة هائلة من الكعك وعصير القرع. كانت «هيرميون» تقرأ جريدة «الدايلى بروفيت»، و«چينى» تحل لعبة فى «الكويبلر»، و«نيفيل» يداعب الـ«ميمبولوس

ميمبليتونيا» التى كبرت كثيرًا على مدى العام وأصبحت تصدر أصواتًا مزعجة خافتة عندما يلمسها أحد.

قتل «هارى» و«رون» الوقت بلعب الشطرنج السحرى، بينما أخذت «هيرميون» تقرأ فقرات من الجريدة. كانت مليئة بأخبار عن تمرد «الديمنتورات»، ومحاولات الوزارة تعقب أكلة الموت، ورسائل هستيرية يدعى مرسلوها أنهم قد رأوا لورد «ڤولدمورت» يسير إلى جوار بيوتهم صباحًا.

تنهدت «هيرميون» بعبوس وهى تطبق الجريدة وتقول: «لم نبدأ بعد.. لكن لن يمر وقت طويل قبل أن نبدأ..».

قال «رون» برفق وهو يومئ ناحية النافذة الزجاجية المطلة على الممر: «هارى».

التفت «هارى». كانت «تشو» تمر تصحبها «مارييتا إيدجكومب» المرتدية وشاحًا طويلاً يغطى وجهها. تبادل و«تشو» النظرات للحظة. احمر وجه «تشو» ومضت فى طريقها. عاود «هارى» النظر إلى لوحة الشطرنج؛ ليرى حصان «رون» يجرى وراء بيدقه؛ لينزل من فوق اللوحة.

سأله «رون» بهدوء: «ما.. آ.. كيف حالك معها؟».

قال «هارى» بصدق: «لا شىء».

قالت «هيرميون» بحذر: «آ.. سمعت أنها تقابل شخصًا آخر الآن».

اندهش «هارى»؛ لأن كلامها لم يجرحه. فرغبته فى إثارة إعجاب «تشو» أبعد ما تكون عن ذهنه.. فالكثير مما رغب فيه قبل موت «سيرياس» تخلى عنه هذه الأيام.. الأسبوع الذى انقضى منذ رأى «سيرياس» لآخر مرة بدا أنه استغرقه دهورًا، حتى وكأنه امتد على مدى حياتين: حياة بـ«سيرياس» وحياة دونه.

قال «رون» بقوة: «لقد فهمناها جيدًا يا صاحبى.. أعرف أنها جميلة، لكن عليك البحث عن فتاة مرحة أكثر منها».

قال «هارى» وهو يهز كتفيه: «هى على الأرجح مرحة مع شخص آخر غيرى».

سأل «رون» «هيرميون»: «بالمناسبة.. مع من تخرج؟». لكن «چينى» هى من أجابته.

قالت: «مايكل كورنر».

قال «رون» وهو يدير عنقه؛ لينظر إليها: «مايكل.. لكن... لكنه كان يواعدك».

قالت «چيني» بعزم: «ليس بعد اليوم.. لم يسره هزيمة جريفندور لرافنكلو فى الكويدتش، وغضب كثيرًا؛ لذا فقد تخليت عنه، وتوجه هو لتشو؛ ليخفف عنها ألم الهزيمة»، حكت أنفها من دون وعى منها بطرف ريشتها وهى ممسكة بـ«الكويبلر» مقلوبة وعادت إلى حل المسابقات. نظر إليها «رون» بسرور.

قال وهو يدفع وزيره أمام بيدق «هارى» الآخر المرتجف: «لطالما رأيته أحمق، ذلك الولد.. هذا أفضل. اختارى شخصًا أفضل منه المرة القادمة».

وألقى على «هارى» نظرة ماكرة غريبة وهو يتكلم.

سألته «چيني» بغموض: «لقد اخترت دين توماس، أليس أفضل؟».

صاح «رون» وهو يقلب لوحة الشطرنج: «ماذا؟». طارد «كروكشانكس» قطع الشطرنج التى سقطت، ورفرفت «هدويج» و«بيجودجيون» بغضب.

مع تباطؤ حركة القطار مع اقترابه من «كينجس كروس» أحس «هارى» بأنه لم يرغب فى البقاء بالقطار هكذا من قبل. تساءل عما سيجرى إن رفض القيام، وهل سيأخذه القطار إلى «هوجورتس». لكن عندما توقف تمامًا، رفع قفص «هدويج» وتأهب لجر حقيبته؛ لينزلها من القطار كالعادة.

عندما قال المحصل لـ«هارى» و«رون» و«هيرميون» أن بإمكانهم السير عبر الحاجز السحرى بين الرصيف رقم تسعة ورقم عشرة وجد مفاجأة تنتظره على الجانب الآخر: مجموعة لم يتوقعها من الناس، ينتظرونه؛ ليرحبوا به.

رأى «ماد آى مودى» كئيبًا كعادته وقبعته تغطى عينه السحرية، ويداه العجوزان تمسكان بعصا طويلة، ووجد جسده ملفوفًا بمعطف ثقيل. كانت «تونكس» واقفة خلفه تمامًا، وشعرها الوردى يلمع فى الشمس التى تسربت أشعتها من نوافذ المحطة العالية فى السقف، مرتدية بنطلون «جينز» مرقعًا و«تى ـ شيرت» بنفسجيًا. إلى جوار «تونكس» وقف «لوبين»، بوجهه الشاحب وشعره الرمادى، مرتديًا معطفًا يغطى بنطلونه وقميصه المهترئين. وأمام الواقفين كان هناك السيد والسيدة «ويسلى»، فى أفضل زى «عامة» لديهما، و«فريد» و«چورچ» اللذان كانا يرتديان سترتين جديدتين عليهما مادة خضراء لزجة.

قالت السيدة «ويسلى» وهى تجرى للأمام وتعانق أطفالها بلهفة: «رون، چينى.. آه.. هارى العزيز.. كيف حالك؟».

كذب عليها «هارى» قائلاً: «بخير» وهى تجذبه إليها؛ لتعانقه. ومن فوق كتفيها رأى «رون» يحدق فى ملابس التوأمين الجديدة.

سألهما مشيرًا إلى السترات: «ما هذا؟».

قال «فريد» وهو يداعب سترته بيده: «من أفضل جلود التنين يا أخى الصغير.. عملنا مزدهر، ففضلنا تدليل أنفسنا قليلاً».

قال «لوبين» والسيدة «ويسلى» تتخلى عن «هارى» وتلتفت إلى «هيرميون»؛ لترحب بها: «أهلاً يا هارى».

قال «هارى»: «أهلاً.. لم أتوقع الـ... ماذا تفعلون جميعًا هنا؟».

قال «لوبين» وابتسامة صغيرة مرتسمة على وجهه: «قلنا لأنفسنا: لمَ لا نتكلم قليلاً مع خالتك وزوجها قبل أن يأخذاك إلى المنزل؟».

قال «هارى» على الفور: «لا أعرف إن كانت هذه فكرة جيدة أم لا».

قال «مودى» بصوته الأجش وهو يقترب منهما: «أراها فكرة جيدة.. إنهم هؤلاء، أليس كذلك يا بوتر؟».

أشار بأصبعه من فوق كتفه، وعينه السحرية قد رأتهم. مال «هارى» قليلاً إلى اليسار؛ ليرى إلى أين يشير «ماد آى» ورآهم.. آل «دورسلى».. ثلاثتهم، وقد أزعجهم رؤية لجنة استقبال «هارى».

قال السيد «ويسلى»: «آه.. هارى.. هلا فعلنا ما قصدناه إذن؟»، التفت مبتعدًا عن أبوى «هيرميون» بعد أن رحب بهما بحماس، واللذين عانقا ابنتهما بعدها. قال «مودى»: «أجل.. حان الوقت يا أرثر».

قاد هو والسيد «ويسلى» الجميع بعد أن سارا بطول المحطة تجاه آل «دورسلى»، الذين بدوا كأنهم قد انزرعوا فى الأرض. تحررت «هيرميون» برفق من والدتها وانضمت للجماعة.

قال السيد «ويسلى» بتهذيب للخال «فرنون» الذى توقف أمامه مباشرة: «مساء الخير.. ربما تذكرنى.. أنا اسمى أرثر ويسلى».

مع تدمير السيد «ويسلى» وحده معظم حجرة معيشة آل «دورسلى» منذ سنتين، فقد استبعد «هارى» نسيان الخال «فرنون» له. بالطبع تحول وجه

الخال «فرنون» إلى لون أحمر داكن، وحدق فى السيد «ويسلى»، لكنه اختار ألا يتكلم، لعل السبب هو أن آل «دورسلى» كانوا أقل من المحيطين بهم بنسبة تفوق اثنين إلى واحد. بدت الخالة «بيتونيا» خائفة ومحرجة، وأخذت تنظر حولها وكأنها خائفة من أن يراها شخص تعرفه وهى مع هذه الصحبة الغريبة. بينما بدا كأن «ددلى» يحاول إخفاء نفسه، وكأنه يسعى؛ لأن يبدو صغيرًا وبلا أهمية، وهو الشىء الذى فشل فيه فشلاً ذريعًا.

قال السيد «ويسلى» دون أن تفارقه الابتسامة: «قلنا لأنفسنا لم لا نتكلم معكم قليلاً عن هارى؟».

قال «مودى» بصوت أجش: «أجل. عن معاملتكم له وهو فى بيتكم»

أخذ شارب الخال «فرنون» يرتجف من الغضب. على الأرجح؛ لأن قبعة «مودى» أعطته الانطباع الخاطئ أن مرتديها قريب منه بشكل أو بآخر، فقد وجه كلامه إلى «مودى».

«أنا لم يتنامَ إلى علمى أن من شأنك أى مما يجرى فى بيتى...».

قال «مودى» بصوت هادر: «أرى أن ما لم يتنامَ إلى علمك قد يملأ كتبًا كثيرة يا دورسلى».

تدخلت «تونكس»، التى أزعج شعرها الوردى الخالة «بيتونيا» أكثر من انزعاجها من جميع الباقين وهى تغمض عينيها بلا أية رغبة فى النظر إليها، وقالت: «المهم، هذا ليس ما نريد الكلام عنه.. الموضوع أننا لو اكتشفنا أنكم تعاملون هارى معاملة سيئة...».

أضاف «لوبين» بلطف: «... ولا تخطئوا سماع ما نقول.. فنحن سنعرف إن عاملتموه بطريقة لا تسر».

قال السيد «ويسلى»: «أجل. حتى إن لم تدعوا هارى يستعمل (الفليفون)..».

همست «هيرميون»: «تليفون».

قال «مودى»: «.. أجل، إن عرفنا أن بوتر قد تعرض لأى معاملة سيئة فستجدوننا أمامكم لنتكلم عما فعلتموه».

انتفخ الخال «فرنون» بصورة خطيرة. كان إحساسه بالغيظ يغطى على أى إحساس بالخوف من هؤلاء المهرجين.

قال بصوت مرتفع حتى إن المارة التفتوا ليراقبوه: «هل تهددنى يا سيدى؟».

قال «ماد آى» الذى سره اكتشاف الخال «فرنون» لهذه الحقيقة بهذه السرعة: «أجل، أهددك». صاح الخال «فرنون»: «وهل أبدو كرجل جبان؟».

قال «مودى» وهو يرجع قبعته للوراء؛ ليكشف عن عينه السحرية المخيفة: «ما رأيك..». قفز الخال «فرنون» إلى الوراء فى رعب واصطدم بعربة نقل الحقائب. فأكمل «مودى»: «أجل، أرى أنك تخاف يا دورسلى».

أشاح بوجهه عن الخال «فرنون» ناظرًا إلى «هارى».

«المهم يا بوتر.. إذا احتجتنا نادِ علينا. إن لم نسمع أى أخبار منك لمدة ثلاثة أيام متتالية، فسوف نرسل من يطمئن عليك..».

أخذت الخالة «بيتونيا» تهمهم بطريقة يُرثَى لها. كان من الواضح أنها تفكر فيما سيقوله الجيران عنها عندما يرون أشخاصًا مثل هؤلاء يسيرون عبر حديقتها متجهين إلى باب بيتها.

قال «مودى» ممسكًا بكتف «هارى» للحظة: «إلى اللقاء يا بوتر».

قال «لوبين» بهدوء: «خذ بالك من نفسك.. وداوم على الاتصال».

همست السيدة «ويسلى»: «هارى، سنأخذك؛ لتقيم معنا فى أسرع فرصة ممكنة» وهى تعانقه ثانية.

قال «رون» بتوتر وهو يشد على يد «هارى»: «سنراك قريبًا يا صاحبى».

قالت «هيرميون» بصدق: «قريبًا جدًّا.. نعدك بهذا».

أومأ «هارى» برأسه. لم يجد الكلمات المناسبة للتعبير عن مدى حبه لهم وهم واقفون جميعًا هكذا إلى جواره يشدون من أزره. لكنه ابتسم، ورفع يده مودعًا، ثم دار على عقبيه وقاد الطريق إلى خارج المحطة، وإلى الشارع المشمس، مع الخال «فرنون» والخالة «بيتونيا» و«ددلى» الذى أخذ يتعثر فى مشيته من خلفهم.

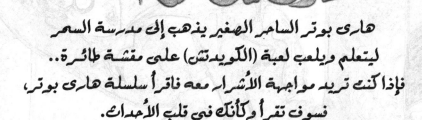

هاري بوتر الساحر الصغير يذهب إلى مدرسة السحر
ليتعلم ويلعب لعبة (الكويدتش) على مقشة طائرة..
فإذا كنت تريد مواجهة الأشرار معه فاقرأ سلسلة هاري بوتر،
فسوف تقرأ وكأنك في قلب الأحداث.

للطلب والاستفسار اتصل على
16766
www.nahdetmisr.com
our page/nahdet misr group
دار نهضة مصر للنشر
YouTube